« BEST-SELLERS »

Collection dirigée par Henriette Joël et Isabelle Laffont

SALLY BEAUMAN

DESTINÉE

roman

traduit de l'américain par Nicole Bensoussan

ÉDITIONS ROBERT LAFFONT
PARIS

Titre original : DESTINY

ISBN 2-221-05016-9
(édition originale :
ISBN 0-553-05183-0 Bantam Books, Inc., New York)

À James,
le plus agréable des philosophes militaires,
et à Alan,
avec toute mon affection.

« Que notre chute soit provoquée par l'ambition, le sang ou la luxure, tels des diamants, nous sommes taillés dans notre propre poussière... »

WEBSTER, *La duchesse de Malfi.*

LIVRE PREMIER

PROLOGUE

Paris, 1959

Deux millions de dollars. Il n'irait pas plus loin. C'était sa dernière lettre de la journée.

Il relut avec attention chaque paragraphe, ligne par ligne, prenant tout son temps. Assise en face de lui, sa secrétaire attendait patiemment. Nul n'aurait pu deviner, à l'observer, qu'on venait de l'engager, qu'elle était amoureuse et qu'elle avait hâte de rentrer chez elle. Il leva les yeux vers elle et lui sourit. Par les baies vitrées, on percevait encore quelques rayons de soleil et le bourdonnement de la circulation parisienne atténué par un double vitrage. 6 heures.

Paris en été. La Seine par une chaude fin d'après-midi. Il se rappelait avec nostalgie sa fébrilité d'antan à l'idée de soirées prometteuses. Qu'il était loin, ce temps-là. Il se pencha une fois de plus sur les papiers, saisit son stylo en platine et apposa sa signature. *Édouard de Chavigny.*

— Vous pouvez disposer, lui dit-il, compréhensif.

Surprise, elle leva les yeux. Ses joues s'empourprèrent, son visage s'illumina.

— Il n'est que 6 heures.

— Je sais. Vous devriez partir tout de suite avant que le téléphone ne sonne. Ou avant que je ne change d'avis.

Elle ne se le fit pas dire deux fois et rangea aussitôt les papiers. Édouard se leva et alla jeter un coup d'oeil par la fenêtre. Le bureau était situé en plein Paris, au coeur du quartier des affaires. La circulation était dense. Les voitures défilaient, s'arrêtaient, puis repartaient. Il appuya un instant la tête contre la vitre. De l'autre côté de la rue, en contrebas, le vent balayait les feuilles d'un platane. En ce milieu d'été, elles arboraient une teinte vert sombre. L'espace d'une seconde, elles voltigèrent dans la lumière.

— De toute façon, je ne vais pas tarder à partir, lui dit-il.

Elle marqua un temps d'arrêt avant de sortir : il quittait rarement la société de Chavigny avant 8 heures.

— Vraiment, monsieur le Baron ?

Elle ne put masquer sa surprise. Édouard esquissa un sourire.

— Pourquoi pas ? lui dit-il, c'est une belle soirée.

Il parlait et souriait, pourtant il sentait cette force renaître en lui, plus forte, plus pressante, après ces trois semaines de solitude.

La porte se referma. En proie au désespoir, il retourna vers la fenêtre et, le front contre le carreau, sentit le désir s'infiltrer sournoisement en lui, voilant toute vision, étouffant de ses ailes sombres toute pensée logique. Désir et désespoir allaient toujours de pair. Édouard détourna le regard.

Seule une femme pouvait l'aider à oublier.

Il y avait d'autres palliatifs. La musique, la vitesse qui était une passion, l'alcool, ou bien le travail la plupart du temps. Mais rien n'exerçait de pouvoir aussi rapide et aussi libérateur que le plaisir sexuel, même si cela était éphémère.

Tout cela lui inspirait le plus profond mépris, aussi, comme à son habitude, essaya-t-il de résister. Il quitta son bureau, renvoya son chauffeur et prit l'Aston-Martin noire que Grégoire avait tant aimée. C'était une voiture puissante. Il se fraya un chemin à travers les rues bondées, retenant le moteur, puis s'élança à vive allure sur le boulevard extérieur. Il mit la radio à plein volume. La musique et la vitesse. La combinaison se révélait souvent efficace.

Il avait l'impression de voguer sur le son, comme si la musique de Beethoven alimentait la voiture. Rasséréné, il se laissa aller à ses souvenirs, impossibles à effacer malgré ses efforts pour chasser sa nostalgie. Souvenirs qui l'assaillaient au moment où il s'y attendait le moins, par un paisible après-midi d'été, dans le regard quémandeur d'une femme : images du passé, souvenirs d'un bonheur qu'il ne retrouverait plus. Une épouse, un enfant, tout un univers à jamais perdu.

La musique entama un crescendo vif avant de retomber. Résigné, il se dit : « Très bien, trouvons une femme. » Au croisement suivant, il coupa le son.

Rive droite. Vieilles demeures cossues et magasins de luxe. Il passa devant les célèbres vitrines de Chavigny, jetant un coup d'oeil aux diamants dont l'éclat ressortait sur le velours noir. Lui, si connu pour les somptueux cadeaux qu'il faisait aux femmes, n'avait jamais offert de diamants. Des saphirs, des rubis, des émeraudes, oui, mais jamais de diamants. Il n'en avait même pas éprouvé la tentation. Quelque chose en lui le retenait.

« Cette pierre représente la perfection, Édouard, lui disait son père. Vois cette pureté à la lumière. Pas le moindre défaut. »

Il prit la direction du Pont-Neuf. Ce n'était pas la perfection qu'il recherchait maintenant. Ni l'absolu. La vie n'offrait ni absolu ni certitude. Sauf la mort, bien entendu. Il jeta un coup d'oeil à la Seine étincelante.

Rive gauche. Il emprunta le quai des Augustins, puis s'engagea directement sur le boulevard Saint-Michel. Là, il ralentit et se mit sérieusement en quête d'une femme.

Les rues étaient très animées. L'air paisible du soir embaumait. Des cafés lui parvenaient des bribes de chansons d'amour qu'il avait entendu jouer ailleurs, tout l'été.

Une force montait en lui, mêlée au plus sombre désespoir. Il ralentit devant les terrasses des cafés. Le quartier regorgeait de touristes et d'étudiants. Il percevait le son de leurs voix dans la chaleur pesante de l'été : des Anglais, des Américains, des Italiens, des Suédois. On se retournait sur son passage, surtout les femmes. Elles remarquaient d'abord la puissante voiture décapotable, puis le conducteur, puis se penchaient à nouveau sur leur petite tasse de café, cherchaient dans leur sac une Gauloise, et lui lançaient un regard rieur, cette fois plus prolongé.

« Personne que je connaisse ni aie envie de connaître », se dit-il. Une inconnue, une étrangère, une femme à Paris aujourd'hui, ailleurs demain.

À un croisement, deux jeunes filles retinrent son attention. Attablées à la terrasse, elles ne perdaient rien du spectacle de la rue. L'une d'elles était rousse. Elle éclata de rire en renversant la tête en arrière. Un long cou charmant, une belle poitrine, une peau laiteuse de rousse. Son amie devait être française : un style à la Juliette Gréco, toute vêtue de noir, avec ses longs cheveux bruns qui lui donnaient un air mélancolique, son visage blême, ses yeux soulignés d'un trait épais de mascara. Elle semblait agitée, pas très à son aise dans cette tenue d'existentialiste attardée. Elle remuait fébrilement sa cuillère.

Il hésita un instant et appuya sur l'accélérateur. Il évitait toujours les rousses, car elles lui rappelaient une partie de son passé qu'il préférait oublier, et la hardiesse de la jeune fille lui inspirait de la répugnance. Celle qui l'accompagnait semblait vouée par le destin à une vie de souffrance, et il ne tenait pas à y contribuer.

Il s'engagea dans une étroite rue latérale et longea les murs sombres et les gargouilles de l'église Saint-Séverin, passa devant un restaurant marocain d'où montaient des effluves de cumin et de viande grillée. Les murs étaient barbouillés d'énormes graffiti : « Algérie française ». Il détourna le regard et obliqua aussitôt.

Encore deux rues étroites, tortueuses. Un clochard, allongé sur une bouche de métro. Deux amoureux, bras dessus, bras dessous, sortant du cinéma en riant. Un virage serré, à droite, puis la rue Saint-Julien-le-Pauvre.

Devant, à gauche, se trouvait un petit parc. Au bout, on apercevait la minuscule église Saint-Julien, l'une des plus anciennes de Paris. Des enfants jouaient dans le parc. Leurs voix couvraient les bruits de la circulation du quai. Ils étaient vêtus de couleurs vives : bleu marine, blanc, rouge. Des couleurs gaies, typiquement françaises. Soudain, il aperçut la jeune femme.

Cet instant devait rester gravé dans sa mémoire. Huit, dix, douze ans plus tard, il se le rappela avec une infinie précision. Les cris des enfants, leurs pas précipités sur le gravier, le bruit des voitures, le détail des couleurs et le sentiment exacerbé de désespoir dont il était la proie. Et puis cette femme.

Soudain, il n'y eut plus qu'elle au monde. Un silence absolu régna. L'univers entier se résuma à elle. Il ne vit plus que son aura éclatante.

Elle se tenait devant l'église, qu'elle contemplait, le dos tourné. Les traits de son visage se découpaient dans la lumière. Sa chevelure blonde comme les blés lui frôlait les épaules. On aurait dit qu'elle se les était coupés elle-même. Édouard avait le regard fixé sur elle. La brise souleva ses cheveux, créant un halo de lumière autour de son profil.

Elle se retourna, l'air inquiet, comme si elle avait senti un regard peser sur elle ou perçu l'écho d'une voix. Il n'avait rien dit, n'avait pas bougé. Elle regarda en direction du quai. Elle était si près qu'il discerna ses sourcils bruns et ses grands yeux bleus d'une beauté exceptionnelle.

Apparemment, elle ne l'avait pas remarqué. Elle se retourna pour examiner l'église. Édouard ne pouvait détacher son regard. Son pouls s'était ralenti. Il ne percevait plus le battement de son coeur. Il avait vaguement conscience de vivre dans un rêve d'une clarté hallucinatoire, où tout était possible. C'était un peu comme si une partie de lui avançait vers elle tandis que l'autre restait immobile.

Elle devait avoir dix-neuf ans. Grande, mince, elle portait la tenue internationale des jeunes : un jean, un tee-shirt blanc moulé sur la poitrine, des espadrilles. Elles étaient des milliers à Saint-Germain à porter des vêtements similaires. Il en avait vu des dizaines aux terrasses des cafés devant lesquelles il venait de passer. Mais celle-ci ne ressemblait à aucune autre. C'était la perfection même, aussi criante que la pureté d'un diamant. Il ne fut pas long à garer sa voiture le long du trottoir.

Il avait l'intention d'aller à sa rencontre, mais elle le devança. Il n'avait pas eu le temps d'ouvrir sa portière que déjà elle s'était tournée vers lui en le jaugeant sans la moindre minauderie, sans la moindre timidité. Elle le dévisagea, comme si elle voulait mémoriser ses traits. Leurs regards se croisèrent et, avant même qu'il ait fait un geste, elle s'approcha de la voiture.

Immobile devant le capot noir, elle l'observa d'un air grave, comme si elle le reconnaissait vaguement et se demandait où elle avait bien pu le rencontrer. Son allure calme et gracieuse, l'intelligence de son regard, le dessin ferme de ses lèvres, rien n'échappa à Édouard qui ne savait plus que dire mais se sentait merveilleusement calme, comme s'il avait toujours connu cette femme qu'il découvrait pour la première fois. Elle le regarda droit dans les yeux, puis lui sourit. À son sourire moqueur et taquin, il se rendit compte qu'elle voulait lui faciliter la tâche.

— Je suis désolée. J'avais cru reconnaître un ami.

Elle s'exprimait dans un français correct mais pas parfait. « Anglaise, sans doute, se dit-il, ou peut-être américaine. »

— J'ai eu la même impression.

— Alors, nous nous sommes trompés tous les deux.

— Peut-être n'était-ce pas une erreur ?

Il lui sourit, mais son sourire se figea aussitôt. Il fallait agir vite, dire quelque chose, mais quoi ? Son esprit était trop confus pour trouver les mots exacts. Il craignait de prononcer des paroles qu'elle pourrait mal interpréter.

Pour se donner le temps de réfléchir, il ouvrit la portière, sortit de la voiture et en fit le tour. Il songea avec amusement à sa réputation. Un être froid et insensible, disait-on de lui, au charme ravageur, d'une sûreté de soi inébranlable. Qui l'aurait reconnu aujourd'hui ?

Elle était grande pour une femme, mais il était encore plus grand. Elle leva les yeux vers lui. Suivit un long silence qui lui sembla durer des heures, venir de très loin. Il lui parla. Il fallait bien dire quelque chose.

— Je crois que vous devriez venir dîner avec moi.

Il essaya d'user de son charme, mais ses paroles lui semblèrent si insipides qu'il regretta aussitôt de les avoir prononcées. Il eut soudain la sensation étrange d'assister à la scène en témoin passif, non en acteur, comme si elle se déroulait sous ses yeux sans qu'il y participât. Il voyait un homme de trente-quatre ans, brun, grand, vêtu d'un costume noir très austère comme tous ceux qu'il portait, et, à ses côtés, une jeune femme blonde élancée. De toute évidence, elle allait refuser, indignée.

— Oh, vraiment ? dit-elle en fronçant légèrement les sourcils. (Puis son visage s'éclaira aussitôt.) C'est une bonne idée.

Et sans attendre qu'il lui ouvrît la portière, elle monta dans la voiture.

Édouard reprit sa place au volant. Il mit le moteur en marche, desserra le frein et embraya. Il était dans un état second. La voiture démarra. Devant Saint-Julien, elle se tourna vers lui.

— C'est une belle église, mais elle est fermée. Peut-on parfois y entrer ?

Elle lui parlait comme si elle l'avait toujours connu. Ce qui transporta Édouard de joie.

— Bien sûr, je vous y emmènerai, répondit-il en accélérant.

C'est à ce moment précis, comprit-il plus tard, que naquit sa folle obsession.

Cela faisait des années qu'elle grandissait en lui, bien avant de faire sa connaissance. Un grand laps de temps s'était écoulé, puis les événements s'étaient précipités pour se focaliser sur cette rue, cette église, cette femme et cet après-midi paisible d'été.

Le hasard. Quand il y pensait, il trouvait cela tantôt rassurant, tantôt effrayant.

ÉDOUARD

Londres, 1940

La maison d'Eaton Square était située au centre du célèbre ensemble architectural de Thomas Cubitt. Elle était plus raffinée que les demeures voisines. De hauts pilastres de style corinthien soutenaient les fenêtres du salon du premier étage qui donnaient sur un élégant balcon.

Édouard aimait ce balcon. C'était le lieu idéal pour tirer sur les nazis qui occupaient les abris des chefs d'îlot dans les jardins. Cependant, le balcon était condamné pour avoir, au dire de sa mère, été endommagé durant le précédent raid. Il n'avait pourtant pas l'air si abîmé.

Eaton Square était le joyau du duc de Westminster, et Hugh Westminster était un vieil ami de sa mère. Dès l'instant où il avait appris qu'elle quittait Paris, il avait mis cette maison à sa disposition. Édouard lui en était reconnaissant.

Il aurait naturellement préféré rester en France avec son père à Saint-Cloud, dans un de leurs châteaux de la Loire ou dans leur résidence d'été à Deauville. Mais, devant cette impossibilité et l'obligation, pour lui, de résider en Angleterre, autant que ce soit au cœur de Londres.

De là, il se trouvait aux premières loges pour contempler la guerre. En cette fin d'été, aux attaques de jour des chasseurs avaient succédé des raids de nuit. Au mois d'août, de son balcon, il avait assisté à un combat aérien spectaculaire entre un Spitfire et un Messerschmitt ME 110.

Lorsque son père avait annoncé leur départ, il avait craint que sa mère ne veuille les faire vivre, par mesure de sécurité, dans un coin de campagne reculé. Mais, fort heureusement, cette éventualité ne lui vint pas à l'esprit. Occupant un poste important, son frère, Jean-Paul, était contraint de rester à Londres. C'était un proche collaborateur du général de Gaulle. Il organisait les activités des Forces françaises libres qui devaient libérer la France avec l'aide des Alliés. Sa mère adorait Londres et, de plus, s'était toujours pliée aux désirs, sinon aux exigences, de son fils aîné. Édouard aurait souhaité qu'il en fût de même pour lui. Quand il la voyait apparaître, couverte de fourrures et de bijoux, il se disait qu'elle prenait autant plaisir que lui à cette vie en temps de guerre.

Il se pencha contre la haute baie vitrée et laissa une traînée de buée sur la vitre. Les carreaux étaient renforcés de papiers collants entrecroisés pour éviter la déflagration. Il écrivit son nom sur la vitre. Édouard Alexandre Julien de Chavigny. Vu la longueur, il lui fallut deux triangles pour l'écrire entièrement. Il s'arrêta un instant et ajouta : Âge, quatorze ans.

L'air soucieux, il promena son regard sur la place en contrebas. Tout au bout, il apercevait une maison, bombardée quelques jours auparavant. Les murs latéraux s'étaient effondrés, il ne restait plus qu'un amas de planches calcinées dans les décombres. Son valet lui avait dit qu'il n'y avait eu aucune victime, la maison étant vide au moment du bombardement, mais Édouard le soupçonnait d'avoir reçu des instructions pour n'affoler personne. Lui-même avait quelques doutes. Il regrettait de n'avoir que quatorze ans. Si seulement il en avait dix de plus comme Jean-Paul. Il pourrait alors s'engager, se rendre utile, combattre les Boches, au lieu de rester là comme une fille à apprendre docilement ses leçons.

L'un des chefs d'îlot apparut dans son champ de vision. Édouard se mit en position de tir et visa son casque. Touché ! Du premier coup !

Il éprouva un instant de satisfaction, mais aussitôt son front se rembrunit. Il se détourna de la fenêtre. Il était trop vieux pour jouer à ce jeu. Il allait avoir quinze ans. Sa voix commençait à muer. Un fin duvet poussait sur ses joues. Il lui faudrait bientôt se raser. Il avait décelé d'autres signes tout à fait symptomatiques : son corps vibrait et se raidissait quand il posait son regard sur une domestique. La nuit, il faisait des rêves insensés et, au petit matin, trouvait ses draps mouillés. Le valet, et non les caméristes, les changeait avec un sourire entendu. Oh oui ! son corps changeait. Ce n'était plus un enfant. C'était un homme... ou presque.

Édouard de Chavigny avait vu le jour en 1925. Sa mère avait trente ans. Entre la naissance de son frère Jean-Paul et la sienne, lui le second et dernier fils, elle avait fait de nombreuses fausses couches. Louise avait eu une grossesse très difficile et avait failli perdre le bébé à maintes reprises. Après la naissance, elle dut subir une hystérectomie et partit ensuite en convalescence au château de Chavigny dans la Loire, puis chez ses parents à Newport. Ceux qui la connaissaient peu ou ne la rencontraient qu'aux bals et aux réceptions ne percevaient aucun changement. Elle restait cette femme d'une beauté exceptionnelle, connue pour son élégance et son goût exquis, fille unique du baron de l'acier, l'un des plus riches industriels d'Amérique, élevée comme une princesse, adulée par un père qui cédait au moindre de ses caprices. Louise était, et avait toujours été, d'ailleurs, à la fois belle, exigeante et irrésistible. Même aux yeux de Xavier, baron de Chavigny, qui, depuis longtemps, était considéré comme l'un des meilleurs partis d'Europe.

Lorsqu'en 1912 il vint pour la première fois en Amérique ouvrir une succursale sur la Cinquième Avenue, Xavier devint la coqueluche de la côte est. Les douairières de la haute société rivalisaient d'ingéniosité pour être son hôte. Elles faisaient défiler leurs filles sans vergogne ni retenue devant le beau jeune homme et Xavier de Chavigny se montrait toujours charmant et attentif, mais ne s'engageait jamais.

Pour les mères de la côte est, il représentait les avantages de l'Europe : il était d'une beauté époustouflante, d'une vive intelligence et, en plus de ses bonnes manières, il possédait fortune et titre.

Quant aux pères de la côte est, il avait, à leurs yeux, l'avantage d'être un remarquable homme d'affaires. Ce n'était pas l'un de ces aristocrates français oisifs se contentant de laisser leur fortune s'amenuiser tout en prenant du bon temps. Comme la plupart des Français de sa condition, il comprenait l'importance de la terre et essayait d'agrandir ses propriétés, déjà fort étendues. Contrairement à la plupart des jeunes aristocrates, il avait un goût très prononcé pour le commerce, qualité réservée aux Américains. Il étendit l'empire de la joaillerie de Chavigny, fondée par son grand-père au XIXe siècle, et en fit le plus grand et le plus renommé du monde, concurrencé seulement par Cartier. Il développa ses vignobles dans la Loire, investit en Bourse, se lança dans la production d'acier et les mines de diamants d'Afrique du Sud qui fournissaient la matière brute pour les bijoux de Chavigny que portaient toutes les têtes couronnées d'Europe et les riches Américaines.

Dans les clubs, les pères américains faisaient toutes sortes de remarques. Oh oui ! Chavigny possédait à la fois les vertus américaines et anglaises. Il était d'une élégance rare. Certes, il téléphonait à son entraîneur de chevaux chaque matin, mais seulement après avoir appelé ses agents de change.

Xavier fit la connaissance de Louise à Londres. Elle avait dix-neuf ans, lui vingt-neuf. Elle faisait son entrée dans la société anglaise. L'année 1914 touchait à sa fin. Blessé au tout début de la guerre, il avait été réformé contre son gré. Ils se rencontrèrent lors des derniers grands bals des années de guerre. Elle portait une robe en soie rose, lui l'uniforme d'officier français. Sa blessure à la jambe était suffisamment guérie pour lui permettre de danser trois fois avec elle. Il l'invita encore. Le lendemain matin, il se rendit au Claridge où ils occupaient une suite et demanda à son père la main de sa fille. Selon les règles de la bienséance, elle fut acceptée trois semaines plus tard.

Ils se marièrent à Londres, passèrent leur lune de miel dans leurs terres du Sutherland, en Écosse, et revinrent à Paris à la fin de la guerre avec Jean-Paul, leur petit garçon de deux ans. Louise fut très vite célèbre en Europe, tout comme elle l'avait été en Amérique, pour son charme, son goût et sa beauté. Leur sens de l'hospitalité, leur générosité et leur manière d'être devinrent légendaires sur les deux continents. De surcroît, le baron de Chavigny possédait une qualité tout à fait inattendue chez un Français : c'était un époux dévoué et fidèle.

Ainsi, sept ans plus tard, lorsque Louise de Chavigny, après s'être remise de la naissance difficile de son second enfant, refit son entrée dans la société avec le même charme et la même élégance qu'auparavant, ceux qui ne la connaissaient que superficiellement crurent que la belle vie continuait. Elle avait su traverser une dure épreuve, mais maintenant tout était oublié. Quand, en 1927, la baronne de Chavigny célébra son retour à Paris, après un long séjour à Newport, en achetant toute la collection de printemps de Coco Chanel, ses amies sourirent en pensant qu'elle n'avait pas changé.

En revanche, ceux qui la connaissaient mieux, ses parents âgés, son mari, Jean-Paul et le petit garçon qu'elle n'allaita jamais et dont elle s'occupait rarement, la trouvaient différente. Ses caprices devenaient de plus en plus fréquents. Elle avait des sautes d'humeur imprévisibles, des instants d'exaltation soudaine suivis de moments de dépression tout aussi brusques. Nul n'abordait ce sujet. Une kyrielle de médecins furent consultés en vain. Le baron de Chavigny était aux petits soins. Il lui offrit de nouveaux bijoux, une paire de saphirs parfaitement assortis, un magnifique collier de rubis fait par les ateliers de Chavigny à l'intention de la dernière tzarine et que le baron avait récupéré à la fin de la révolution. Louise prétendit que les rubis lui faisaient penser au sang, à une cave d' Iekaterinbourg. Elle refusa catégoriquement de les porter. Le baron lui offrit alors des fourrures, des chevaux de course, un superbe setter irlandais, car elle aimait la chasse à courre. Il lui acheta des voitures, un cabriolet Mercedes, une Rolls-Royce Phantom, une voiture de sport faite sur commande à l'usine Bugatti. Lorsque ces bagatelles cessèrent de lui plaire, il l'emmena en Angleterre, puis sur la côte ouest américaine où ils séjournèrent au Pickfair. Sa bonne humeur revint, mais ce fut éphémère. Ils partirent pour l'Inde, où ils descendirent au palais du vice-roi, et allèrent chasser le tigre en compagnie du maharadjah de Jaipur. Après un détour par l'Italie, où ils eurent une audience avec le pape, ils revinrent en France via l'Angleterre.

Chaque soir, il l'accompagnait jusqu'à la porte de sa chambre.

— Vous sentez-vous mieux, ma chérie ?

— Pas mal, mais je m'ennuie, Xavi, je m'ennuie...

Puis elle se dérobait à son baiser et fermait sa porte. En 1930, quand sa femme eut trente-quatre ans et le baron quarante-deux, il se décida à suivre les conseils que ses amis lui prodiguaient depuis des années et prit une maîtresse. Il s'assura que Louise fût au courant et, à sa grande joie, elle éprouva un regain d'intérêt pour leur vie conjugale. Loin de se montrer jalouse, elle lui posa mille questions brûlantes et obsédantes sur sa liaison, exigeant des détails, même lorsqu'ils faisaient l'amour.

Elle s'allongea sur les oreillers de dentelle, sa chevelure noire encadrant son visage aux traits parfaits, ses yeux sombres étincelant, ses lèvres charnues colorées. Dans son impatience, le baron lui avait déchiré son négligé en dentelle, ce qui l'avait ravie. Son corps élancé, ses seins menus et ronds l'avaient toujours excité. Elle les offrit à sa bouche gourmande.

— Calme-toi, reste tranquille, je t'aime, tu sais, je t'adore.

Il prit ses petits tétons pointus entre ses lèvres et les couvrit de doux baisers. Cette fois, il n'agirait pas avec précipitation, il s'en faisait la promesse. Il saurait se retenir et la ferait jouir une, deux, trois fois peut-être, avant de prendre son plaisir. Il la sentirait vibrer, s'accrocher à lui comme autrefois. Sa verge se raidit à cette simple évocation. Sentant son corps réagir, elle le repoussa brusquement en lui soulevant la tête.

— Non, pas comme ça. Je t'en prie.

Elle s'exprimait en anglais maintenant lorsqu'ils faisaient l'amour ; auparavant, c'était en français.

— Dans ma bouche, Xavi. Je sais que tu aimes. Là, laisse-moi te sucer...

Elle l'attira sur le lit, guida son sexe tendu vers ses lèvres, l'effleura de sa langue une fois, deux fois, puis avec rapacité lui donna quelques coups plus vigoureux.

— Ta queue a pris mon odeur, elle a un goût salé, j'aime...

Le regard brillant de désir, elle entrouvrit ses lèvres charnues. La douceur de sa bouche le fit frémir de plaisir. Elle le suça lentement, longuement. Il ferma les yeux. Elle s'était toujours montrée experte dans ce domaine. Elle savait le caresser, passer sa langue autour de son gland, attiser son ardeur, le mouiller de plaisir, imprimer à son corps un mouvement rythmé. Elle glissa lentement ses mains le long de ses fesses, puis entre ses cuisses sur sa toison encore humide de plaisir. Elle prit ses testicules avec délicatesse dans le creux de ses mains et renversa la tête en arrière. Il eut l'impression d'atteindre le fond de sa gorge. Il sentit de nouveau le désir l'envahir. Soudain, elle mit un terme à ses caresses, laissa échapper de ses lèvres sa verge tendue et leva les yeux vers lui.

— Te faisait-elle la même chose, Xavi ? Dis-le-moi doucement à l'oreille, sans t'arrêter. Je veux savoir. Que faisais-tu de plus avec elle, Xavi ? Lui faisais-tu seulement l'amour ? Par-devant ou par-derrière ? Que préférait-elle, Xavi ? Dis-moi, je t'en prie, dis-moi.

Il éprouvait à la fois de la répulsion et de l'excitation devant ses manières brutales, sa bouche rapace et son regard voluptueux. Sentant son désir diminuer, il ferma les yeux et la repoussa sur l'oreiller. Puis il changea de position, lui écarta les cuisses et la pénétra avec fougue. Elle se cambra et se mit à crier. Le sexe de nouveau raidi, il la posséda sans ménagement, lui soulevant les reins, retombant, s'enfonçant en elle avec rudesse. À sa grande surprise, l'image de sa maîtresse lui traversa l'esprit : son corps dodu et consentant, ses bouts de sein incarnats, sa respiration oppressée. Grondant de plaisir, il déversa sa semence dans le corps immobile de sa femme, éprouvant une haine soudaine envers elle mais aussi envers lui-même.

Quand il se retira, elle lui enfonça les ongles dans le dos et le lacéra.

— Scélérat ! C'est à elle que tu pensais en me faisant l'amour, non ?

— Il me semble que c'est ce que tu désirais, lui répondit-il froidement.

Il se leva et retourna dans sa chambre.

Les années qui suivirent, il fit l'amour à sa femme de temps à autre, mais eut de nombreuses maîtresses. Il n'en fut point satisfait. Il se rendait compte avec désespoir qu'il était attiré par des femmes de plus en plus jeunes qui ressemblaient à sa femme à l'époque où il était tombé amoureux d'elle. Quand la ressemblance n'était pas assez frappante, il avait du mal à jouir. Il repensait alors à sa femme quand elle était jeune, à son parfum de rose, à sa timidité mêlée de passion, à l'amour effréné qu'elle lui portait. Il lui fallait ce souvenir pour atteindre à l'orgasme, même dans les bras d'une prostituée des Halles.

Dans la vie courante, il était renfermé et se coupait délibérément de ses anciens amis. Quand ses aventures ne lui procuraient pas le plaisir souhaité, il se plongeait dans ses affaires. Mais les apparences étaient toujours sauvegardées : il formait avec son épouse un couple idéal, envié et admiré de tous.

Les langues se déliaient parfois. Mais un couple, aussi parfait soit-il, a besoin de quelques divertissements, et le baron, tout comme la baronne, agissait avec la plus grande discrétion. Quand le cas se présentait, il n'y prêtait pas la moindre attention. Son épouse lui avait au moins enseigné une chose : la vraie signification de l'ennui, de la grisaille quotidienne. C'était l'un des aspects de la vie qu'il aurait préféré ne pas connaître.

Il pressentit la guerre bien avant ses amis. En 1933, quand Adolf Hitler devint chancelier du Reich, il prévint ses amis de l'imminence de la guerre. Tous se moquèrent de lui. En 1936, il vendit avec un bénéfice substantiel toutes ses actions des aciéries allemandes et investit dans l'industrie anglaise et américaine. Après l'occupation de la Rhénanie, la même année, il transféra tous ses holdings et la presque totalité de son capital de France en Suisse et à New York. Il transforma la société de Chavigny en un trust financier dont le siège fut installé à Lucerne et dont il conserva quatre-vingt-dix pour cent des actions. Il mit les dix pour cent restants au nom de son fils Jean-Paul. Sa collection privée de bijoux, ses tableaux, son argenterie, ses biens les plus précieux ainsi que tous les meubles de valeur des trois maisons qu'il possédait en France furent également expédiés en Suisse. En 1937, il organisa le départ de France de sa famille, au cas où l'invasion qu'il craignait aurait lieu. En 1938, lors de l'annexion de la Tchécoslovaquie et de l'Autriche, tous les détails avaient été réglés. Ces mesures se révélèrent efficaces dix-huit mois plus tard. Louise et ses deux fils quittèrent la France en mai 1940, peu après l'évacuation des troupes britanniques de Dunkerque. Le 14 juin de la même année, quand les Allemands entrèrent dans Paris, les boutiques de Chavigny étaient encore ouvertes, mais Xavier de Chavigny s'était apparemment dépouillé de tous ses biens.

Quand les officiers du haut commandement allemand réquisitionnèrent ses ateliers, il se plia à leurs ordres avec complaisance et put fournir maintes informations à un groupe de résistants de ses amis, le Sixième Cadre. Il ne s'adonna plus à ses plaisirs éphémères et tenta de ne plus songer à sa femme.

À sa grande surprise, il s'aperçut que ni Louise ni ses maîtresses ne lui manquaient et qu'il n'était plus en proie à cet ennui qui le tourmentait depuis des années. Il avait retrouvé une raison de vivre d'autant plus intense que s'y mêlait le danger.

Il n'avait pas tant peur pour lui que pour Louise et les enfants. Il se serait senti nettement soulagé si elle avait accepté de partir pour l'Amérique comme il l'avait souhaité. Vu la tournure que prenait la guerre, l'Angleterre n'était pas assez éloignée.

Louise, en effet, était à moitié juive. Leurs enfants avaient donc du sang juif dans les veines. Avec un ennemi qui s'apprêtait à chercher l'hérédité sémite à huit ou neuf générations, le fait d'avoir une mère et une grand-mère juives constituait une terrible menace. Ses plans ne comportaient nulle faille, et le baron était certain de leur utilité. Pourtant, il s'inquiétait : n'y avait-il vraiment aucune faille ?

Édouard s'étendit près de la cheminée sur le divan de velours soyeux, cala un coussin sous ses pieds, ouvrit un livre. Il se sentait bien, légèrement somnolent, comme toujours après le thé.

C'était, à ses yeux, l'un des deux repas où les Anglais se distinguaient. L'autre était le petit déjeuner. Il n'aimait certes pas le porridge qu'il trouvait tout à fait repoussant, mais les œufs au bacon, les rognons à la diable ou le *kedgeree* étaient des mets délicieux, bien supérieurs au simple café au lait accompagné d'un croissant. Édouard ressemblait à son père avec ses cheveux noirs comme du jais, ses yeux d'un bleu profond, sa carrure d'athlète, sa haute taille et ses hanches minces. Il grandissait à vue d'oeil et mesurait déjà près d'un mètre quatre-vingts. Il était toujours affamé.

Il venait de prendre un thé excellent, solennellement servi devant la cheminée par le maître d'hôtel, Parsons, et par la caméariste qui avaient disposé sur des plateaux d'argent des crêpes au miel, de minuscules sandwichs aux concombres, trois sortes de gâteaux, son thé préféré, le Lapsang Souchong, au goût légèrement fumé.

Édouard lisait le *Times* chaque matin. Quand il allait se promener en ville, il remarquait les longues queues devant les magasins d'alimentation malgré les stocks limités. Le contraste avec les repas habituellement servis chez sa mère lui donnait mauvaise conscience. Il avait l'impression de manquer de civisme, mais se consolait en songeant que la maison avait été approvisionnée avant la guerre. De surcroît, il avait toujours faim. Se montrerait-il vraiment plus coopérant en refusant un filet de bœuf en croûte ou une deuxième cuillerée de caviar Sevruga ? Certainement pas. Il offenserait la cuisinière, un point c'est tout.

Il jeta un regard coupable à son livre. Virgile. Il était censé traduire au moins cinq pages pour le lendemain et n'en avait fait que deux. En France, un vieux jésuite lui avait enseigné le latin. La plupart du temps, il somnolait tandis qu'Édouard peinait sur l'*Énéide*. Ce n'était pas du tout la même chose avec son précepteur anglais.

Hugo Glendinning avait été engagé par la mère d'Édouard, sur les recommandations d'une amie. Il aurait certainement profondément déplu à son père. On ne lui donnait pas d'âge. Peut-être la quarantaine. De toute façon, trop vieux pour être incorporé. Grand, mince, élégant, il avait un air bravache. Il se passait souvent la main dans ses cheveux grisonnants un peu trop longs selon Édouard, avant de pousser un gémissement mélodramatique devant les terribles solécismes qu'Édouard commettait. Ancien élève d'Eton, il avait fait des études classiques à Oxford. Il avait l'œil vague mais l'esprit affûté comme une lame de rasoir. Le jour de son arrivée, il avait stupéfié Édouard en fumant des cigarettes russes pendant tout le cours. En revanche, son père aurait approuvé son milieu familial, ses qualifications universitaires. Quant à ses opinions politiques, Édouard avait quelques réticences. Hugo Glendinning avait combattu dans la guerre civile espagnole. Édouard se rendit très vite compte que c'était un radical, et même un socialiste, ce qui était tout nouveau pour lui.

Ses leçons étaient peu conventionnelles. Le premier jour, il avait jeté sur le bureau deux livres redoutables, l'*Iliade* et l'*Énéide*, avant de mettre les pieds sur la table en s'étirant.

— Très bien. Lisez la première page de chaque ouvrage et traduisez.

Édouard se battit avec son texte tandis que Hugo Glendinning, la tête en arrière, les yeux clos, prenait l'air affligé. Quand Édouard trébucha sur un mot, Hugo se redressa aussitôt.

— Bon, vous n'êtes pas totalement nul, ce qui est déjà un acquis. Il y a même des lueurs d'intelligence. Cachées certes, mais latentes. À neuf ans, j'en savais beaucoup plus que vous. Je me demande si vous n'êtes pas très paresseux.

Édouard envisagea pour la première fois cette éventualité.

Hugo éteignit sa cigarette et en alluma une autre.

— Je souhaite que ce ne soit pas le cas. La paresse est un défaut que j'exècre. Maintenant, dites-moi, fit-il en se penchant soudain vers Édouard, quel est le sujet de l'*Iliade* ?

Édouard hésita.

— Eh bien... je crois que c'est l'histoire des Grecs et des Troyens...

— Et puis ?

— De la guerre de Troie.

— Justement, dit Hugo en souriant. La guerre. Vous vous êtes sans doute aperçu qu'en ce moment nous subissons une guerre ?

— Une guerre d'un type totalement différent, répondit Édouard ragaillardi.

— Ah oui ? Littéralement, vous avez raison. Homère ne mentionne ni tanks ni avions. Cependant, la guerre c'est la guerre. Tuer, c'est tuer. L'*Iliade* n'est peut-être pas un document aussi désuet que vous semblez le croire. Comparons le livre XVI, la mort de Patrocle, avec l'article du *Times* de ce matin sur les combats aériens d'hier, au-dessus de la côte sud. L'un est une propagande belliqueuse totalement dépourvue d'imagination et l'autre... l'autre, c'est de l'art. Il vous faut l'entendre avec une prononciation correcte et un respect de la structure rythmée de la versification d'Homère. Essayons.

Il se renversa de nouveau sur son fauteuil et ferma les yeux. Sans jeter le moindre coup d'oeil au livre, il déclama en grec. Édouard l'écouta en silence.

Au début il fit un effort. Hugo Glendinning lui semblait d'une arrogance et d'une grossièreté sans limites. Aucun de ses précepteurs français n'aurait osé lui parler sur ce ton. Il n'avait nullement l'intention de se montrer impressionné ni même intéressé. Puis, malgré lui, il tendit l'oreille. C'était une langue chaleureuse, extraordinairement fluide, si différente de la façon sèche, saccadée avec laquelle son jésuite ânonnait, faisant une pause tous les deux vers pour les analyser.

Il y prêta une attention plus soutenue, se pencha sur son livre, et les mots, déjà familiers, s'animèrent : il voyait le champ de bataille, l'éclat des armes, percevait le gémissement des moribonds. Dès cet instant, comme Hugo Glendinning l'avait sans doute espéré, Édouard fut captivé. Pour la première fois de sa vie, il travailla avec acharnement. Un jour, oui, un jour, il parviendrait à arracher à Hugo Glendinning un compliment. Il l'y forcerait, dût-il en mourir.

Quand ils abordèrent le cours de latin, Hugo rejeta d'emblée *La Guerre des Gaules* de César.

— Un peu prosaïque, tout cela, dit-il avec dédain. Des fossés, des remparts. En ce qui concerne la guerre, nous nous en tiendrons à Homère. Bon... Si l'on parlait d'amour, d'attrait physique, de passion ? Je suppose que ce sont là des sujets qui vous captivent. À votre âge, j'y portais un vif intérêt.

— Et maintenant ? demanda malicieusement Édouard.

Hugo esquissa un sourire.

— Certainement, mais cela n'a rien à voir avec notre sujet. Nous allons naturellement lire l'*Énéide*, mais aussi Catulle. Avez-vous parcouru Catulle ?

— Non, dit Édouard, le coeur battant.

Selon son professeur jésuite, Catulle était un auteur à bannir du programme d'un enfant de quatorze ans.

— Eh bien, commençons. Catulle est un bel esprit, un cynique. Il tourne en dérision ses propres passions tout en reconnaissant y être asservi. Il serait intéressant de procéder à une comparaison avec les sonnets de Shakespeare. Dans les deux cas, la description des sentiments peut paraître ardue à un jeune garçon. Pouvez-vous imaginer ce que ressent un homme lorsqu'il est obsédé physiquement et mentalement par une femme ? Pis, une femme dont il méprise le caractère et la moralité ?

Édouard hésita. Il songea à sa mère et à son père, à certaines scènes, certaines conversations qu'il avait surprises.

— Peut-être, répondit-il avec prudence.

Hugo se tourna d'un air rêveur vers la fenêtre.

— L'attrait physique, voilà le cœur du problème. C'est un sujet plus digne d'intérêt que l'amour romantique avec lequel on le confond souvent. L'effet en est puissant, souvent fatal, mais hélas ! courant. De nos jours comme à Rome en l'an 60 avant Jésus-Christ, ou dans l'Angleterre élisabéthaine. Un jour, vous en connaîtrez les affres. Vous aurez alors l'impression de vivre une expérience unique. Ce qui est évidemment erroné. Commençons. Au fait, savez-vous que Catulle est mort à trente ans ?

Ainsi se poursuivaient les leçons. Malgré tous ses efforts, Édouard ne savait jamais ce qui l'attendait le lendemain. Tantôt, ils sillonnaient l'histoire. Pas de façon orthodoxe comme il l'avait toujours fait, en respectant scrupuleusement les dates et la chronologie des rois de France, mais en survolant les continents et les siècles. Les révolutions française, russe, la guerre de Sécession. Parfois, Hugo s'interrompait brusquement.

— Quelles sont, à votre avis, les causes de cette guerre, Édouard ?

— La libération des esclaves dans le Sud, je crois.

— Sottise ! Ce n'est là que de la propagande yankee. En réalité, ils se sont battus pour des raisons économiques, parce que le Nord convoitait les richesses du Sud. Cette guerre n'a amélioré le sort des Noirs que dans de faibles proportions. Vous savez sans doute qu'actuellement un Noir n'a toujours pas le droit de vote dans les États du Sud ? Dans ce domaine, d'ailleurs, les Anglais n'ont pas à être vraiment fiers. La semaine prochaine, nous aborderons le problème de l'extension du droit de vote dans ce pays, qui est d'une lenteur déplorable, la modification des conditions d'accession à la propriété qui auparavant favorisaient les classes dirigeantes, et enfin l'extension du droit de vote aux femmes. (Il s'interrompit un instant.) Est-ce un sujet digne d'intérêt à vos yeux ?

Édouard haussa les épaules.

— J'ai lu bon nombre d'articles sur les suffragettes. Je ne vois pas pourquoi l'on veut accorder le droit de vote aux femmes. Papa dit qu'il n'en a jamais connu qui s'intéressent de près ou de loin à la politique. Maman ne s'est jamais posé ce problème.

— Les femmes ont-elles l'esprit critique, à votre avis ? lui demanda Hugo d'un air de défi.

— Bien entendu.

— Alors, ne pensez-vous pas qu'elles devraient l'exercer ? Comme vous, d'ailleurs. Seuls les fainéants, Édouard, s'appuient sur les idées reçues. Une remise en question permanente est nécessaire, sans oublier la réflexion...

Édouard percevait la logique des arguments de Hugo, mais il lui était souvent difficile de les mettre en pratique. Parler des suffragettes ou disserter sur l'esprit des femmes était une chose, mais comment concevoir qu'elles aient la moindre lueur d'intelligence ? Son regard n'était attiré que par la finesse de leurs chevilles, le froufrou de leurs jupons, la douce courbure de leurs seins.

Il ferma son Virgile au milieu du discours passionné de Didon à Énée. Impossible de se concentrer. Il sentait son corps vibrer. Dans sa tête se bousculaient mille images voluptueuses : des seins, des cuisses, des oreillers, des chevelures ondoyantes. Soudain moite, il sentit le désir monter en lui. Il aurait voulu aller s'enfermer dans sa chambre, repousser toutes ces images qui l'assaillaient, se caresser lentement au point d'amener son corps au plaisir coupable de la jouissance. Coupable, parce que, dès l'âge de huit ou neuf ans, il avait entendu le prêtre bannir l'onanisme et préconiser la lutte contre le diable fait chair. Jean-Paul disait que c'étaient des sornettes, que tous les garçons se masturbaient. Une fois que l'on commençait à avoir des rapports avec une femme, on en avait de moins en moins besoin. Édouard était sûr qu'il avait raison, ou du moins l'espérait-il. Hugo l'approuverait sans doute s'il lui posait la question. Mais il lui était tout de même difficile de se départir totalement des avertissements du prêtre.

Le père Clément disait que des poils poussaient dans la main si l'on s'y adonnait, ne serait-ce qu'une fois.

— N'oublie pas, mon enfant, que tout le monde s'en rendra compte. C'est comme la marque de Caïn.

Édouard lança un regard furtif sur ses mains. Nul poil encore. Si le père Clément avait raison, il devrait y en avoir. C'étaient sans doute des balivernes. Mais il disait aussi que c'était un péché que l'on devait confesser. Édouard, embarrassé, l'avoua donc au confessionnal.

— Étiez-vous seul quand vous vous êtes livré à ce jeu-là, mon fils ?

— Oui, mon père.

— En êtes-vous sûr, mon fils ?

— Oui, mon père.

Édouard ne comprenait pas. Avec qui donc aurait-il pu se trouver ? Il brûlait d'envie de lui poser la question, mais n'osait pas. Chaque fois cela se traduisait par vingt *Je vous salue Marie* et l'injonction de ne plus commettre ce péché. Cependant, à peine sorti du confessionnal, il ressentit un besoin encore plus ardent. Il soupira. En fait il aurait voulu demander au prêtre pourquoi cette interdiction ne l'en excitait que davantage, mais il ne se sentait pas non plus le courage d'aborder le problème.

Il se leva et regarda l'heure. Puis il ouvrit de nouveau l'*Énéide*. N'était-ce pas le meilleur remède ? Au bout de quinze vers de traduction, son érection enfin apaisée, il ressentit une joie profonde devant le triomphe de la vertu. Il lança un autre coup d'oeil à la pendule. Presque 6 heures. Jean-Paul allait bientôt rentrer et, avec un peu de chance, il lui annoncerait la grande nouvelle. Si Édouard s'était trouvé à Paris, son père s'en serait occupé comme il l'avait fait pour Jean-Paul. Mais, étant donné que ce n'était pas le cas, Jean-Paul avait promis, juré même, qu'il s'en chargerait. Il devait, le jour même, lui organiser son premier rendez-vous galant.

Depuis sa plus tendre enfance, Jean-Paul avait été le personnage essentiel de sa vie. Édouard aimait son père, lui vouait une profonde admiration, mais tout en étant toujours d'une amabilité extrême, il était très distant. Quand il était petit, Édouard ne voyait ses parents qu'à heures fixes. À Saint-Cloud, une gouvernante anglaise, d'un certain âge, l'accompagnait voir ses parents à 4 heures très précises. Il s'asseyait alors dans un coin, sans bouger, tandis que ses parents lui posaient quelques questions polies sur ses activités de la journée ou parfois s'enquéraient de ses progrès scolaires. Il leur arrivait d'oublier totalement sa présence et de continuer leur conversation sans se soucier de lui.

À 4 heures et demie, on le ramenait dans sa chambre où il devait prendre un horrible repas anglais. Dès son arrivée, sa gouvernante avait annoncé qu'elle l'élèverait à l'anglaise. Il lui fallait donc se plier à ses exigences et avaler d'horribles oeufs mollets et, pis, du pain trempé dans du lait. Et pendant tout ce temps, de divins effluves montaient des cuisines : des perdrix rôties en automne, du saumon grillé en été. Oh, les délices de cette cuisine ! Les énormes bols de crème, les montagnes de fraises et de framboises du jardin. Les petites crevettes, les langoustes qui prenaient une teinte rose en cuisant. Le pain frais, les mottes de beurre, les divers fromages posés sur des claies d'osier dans le garde-manger. Quand la gouvernante avait son après-midi de congé, il se faufilait dans la cuisine où Francine, la cuisinière, le faisait asseoir à la longue table et lui faisait gentiment goûter des friandises réservées au baron et dont elle gardait jalousement le secret.

Mais rares étaient ces jours de fête. Généralement, sa gouvernante lui servait le dîner dans sa chambre, sans l'ombre d'un sourire, puis le baignait et le mettait au lit. Une ou deux fois par semaine, son père ou sa mère s'aventurait dans sa chambre pour lui souhaiter bonne nuit. Sa mère arrivait, dans un froufrou de robe de soie, parée de bijoux étincelants et parfumée à la rose. Édouard entendait son rire quand elle montait l'escalier qui menait à sa chambre. C'était un être fragile qui ne venait que lorsqu'elle était heureuse, aussi avait-il l'impression qu'elle riait toujours.

Son père sentait toujours l'eau de Cologne et parfois le cigare. Ses visites étaient plus attrayantes, car il restait plus longtemps, s'intéressait à ses activités et se laissait souvent aller à quelques imitations. Édouard aimait converser avec lui. Il lui parlait des vignobles, du raisin, des vendanges mais aussi des diamants et des secrets de leur taille. Parfois, à 4 heures lorsque sa mère s'absentait, il renvoyait la gouvernante et emmenait Édouard dans son bureau. Lorsqu'il était de bonne humeur, il ouvrait son coffre-fort et lui montrait des bijoux, essayant de lui inculquer les premiers rudiments sur l'art de les sertir, de choisir une forme adaptée, d'en évaluer la qualité. À l'âge de sept ans, Édouard était capable de déceler le moindre défaut d'un diamant, simplement en le regardant à la lumière, sans loupe. Mais ces jours-là étaient rares. Les règles de la bienséance rendaient la quotidienneté étouffante. Heureusement, il y avait Jean-Paul à qui il pouvait se confier.

L'un des premiers souvenirs marquants de son frère fut son retour glorieux de l'École militaire. Édouard devait avoir quatre ou cinq ans et son frère quatorze. Il portait l'uniforme strict de son école mais, à ses yeux, c'était une tenue somptueuse. Édouard s'était précipité dans les bras de son frère, qui l'avait fait tourbillonner et grimper sur ses épaules. À cette époque et tout au long des années qui suivirent, son frère fut pour lui le modèle du parfait homme du monde et du parfait soldat.

Il était bien bâti, tout comme Édouard, quoique plus petit et plus trapu. Avec son teint clair, ses cheveux roux bouclés et ses yeux d'un bleu plus pâle, il ressemblait à son grand-père américain qui avait des ascendants irlandais. Il avait une barbe rousse, ou du moins l'aurait eue s'il ne l'avait pas rasée deux fois par jour, ce qui était pour Édouard le comble de la virilité.

La gaieté ne lui faisait jamais défaut. Édouard ne craignait donc pas, comme avec sa mère, ses sautes d'humeur. Jean-Paul ne s'emportait jamais. Édouard l'avait rarement vu en colère, sauf quand son cheval se mettait à boiter au milieu d'une chasse et qu'il ne ramenait pas de gibier. Mais sa colère n'était que passagère et vite oubliée. Il était d'un caractère facile frisant l'indolence. C'était là son grand charme aux yeux des femmes, comme à ceux des hommes.

Tout ce qui l'ennuyait, il le repoussait. Enfant, il détestait les cours, n'ouvrait pratiquement jamais un livre, n'assistait à aucune pièce de théâtre, bien qu'il y fût attiré par les jeunes filles qui formaient le chœur. Seule la musique populaire, qu'il retenait facilement, l'intéressait. En matière de peinture, les toiles de Toulouse-Lautrec que possédait son père avaient un certain attrait à ses yeux, sans doute à cause du sujet traité. Il préférait le champagne ou la bière au vin dont les qualités subtiles lui échappaient, les chevaux à l'art, les certitudes aux états d'âme. L'empire de la joaillerie des Chavigny, dont il hériterait un jour, ne l'intéressait nullement. Il avait recours aux conseils d'un expert de la famille simplement lorsqu'il désirait offrir une bagatelle à l'une de ses conquêtes. En dehors de la différence de prix, Jean-Paul ne faisait aucune distinction entre un grenat et un rubis, et ne souhaitait absolument pas en savoir davantage.

Jamais le moindre doute ne l'effleurait, qualité que son frère Édouard trouvait inestimable. C'était probablement dû au fait qu'il était l'aîné et donc l'héritier. Jean-Paul avait vécu dans la certitude que, sans lever le petit doigt et sans faire l'effort d'exercer son esprit, il serait un jour l'un des hommes les plus riches d'Europe et aurait le titre de baron. Le destin lui avait attribué un rôle, une place dans la société ; c'était pour lui un dû qu'il ne remettait jamais en question.

Édouard hériterait d'une fortune lui aussi, mais pas du titre. S'il ne voulait pas mener une vie oisive, il lui faudrait trouver un but. Mais lequel ? Contrairement à son frère et à son assurance dans des domaines aussi variés que la politique ou le sport en chambre, Édouard n'était sûr de rien et était en proie à un doute permanent. Il se savait plus intelligent que Jean-Paul, percevant des subtilités que son frère survolait, mais toutes ces qualités ne lui servaient à rien. Jean-Paul se moquait de tout et il vivait heureux. C'était là un autre aspect de son charme, sa capacité de vivre pleinement, d'apprécier chaque instant sans jamais se préoccuper du passé ou de l'avenir.

Jean-Paul n'était pas stupide pour autant. Il brillait dans les domaines qui l'intéressaient. Il avait toujours souhaité entrer dans l'armée. Il y fit des prouesses, ignorant la peur, que ce fût à cheval ou sur un champ de bataille. C'était l'un des meilleurs tireurs de France, ce qui ne l'empêchait pas d'évoluer avec une grâce inattendue sur une piste de danse. Dans les soirées, tous ses compagnons d'armes roulaient sous la table, ivres morts, mais jamais on ne le surprit avec la gueule de bois.

Jean-Paul lui avait raconté qu'il avait eu sa première conquête féminine à l'âge de treize ans. C'était une de leurs servantes du château de la Loire. Quand il eut quinze ans, son père, selon la coutume qui sied aux gens de sa condition, lui organisa un rendez-vous galant avec une Française réputée pour ses talents dans ce domaine, afin de l'initier aux plaisirs de la chair.

Jean-Paul n'avait pas mentionné son expérience antérieure, et la dame en question, d'après lui, avait été agréablement surprise. Il ne fut que trop heureux de donner à son jeune frère tous les détails requis, dans un langage de caserne mais avec une exactitude parfaite.

— Un coup par jour, dit-il négligemment, parfois plus.

Édouard écarquilla les yeux.

— Peu m'importait l'heure. Toutefois, je préférais l'après-midi, ainsi pouvait-on, le soir, s'adonner à l'alcool qui nuit aux performances masculines. Toutes les femmes sont bonnes à baiser : celles qui ont de l'expérience comme celles qui n'en ont pas, les jeunes, les vieilles, les belles, les laides, les maigres, les grosses.

— Les laides ? lui demanda Édouard, inquiet, car les femmes qui lui apparaissaient dans ses rêves étaient toutes d'une beauté éclatante.

Jean-Paul lui fit un clin d'œil.

— C'est agréable d'embrasser un joli minois, je l'avoue, mais, pour un bon coup, peu importe le visage. Tu ne les regardes pas pendant que tu baises, petit frère.

Un bon coup, c'était quoi ? Édouard aurait aimé lui poser la question. Y en avait-il donc de mauvais ? Là Jean-Paul se montra plus flou. La question l'intrigua.

— Il vaut mieux, par exemple, éviter les vierges, sauf lorsque tu décideras de te marier, lui dit-il. Avec elles, c'est souvent déplaisant, sale, elles sont nerveuses, ne savent pas ce qu'il faut faire et, de plus, elles craignent d'être enceintes. C'est une responsabilité dont il ne faut pas se charger.

« Les femmes mariées, ça c'est différent. La moitié d'entre elles, surtout en Angleterre où les maris ne sont pas toujours à la hauteur, ne cherchent que ça. Elles, elles ont de l'expérience et, bien guidées, font preuve d'une grande imagination et d'une technique confirmée. On peut même prendre autant de plaisir en les embrassant qu'en les baisant, car il arrive que certaines femmes, au moment crucial, ne jouissent pas, Dieu sait pourquoi. Mais, franchement, ce n'est pas vraiment un problème. Si elles jouissent, tant mieux pour elles. C'est une sensation merveilleuse. Te rappelles-tu le temps où nous regardions traire les vaches dans la Loire quand nous étions enfants ? C'est exactement pareil. Les muscles se contractent à l'intérieur, vois-tu. Si ce n'est pas le cas, tu insistes. Voilà le secret, petit frère. Si le cœur t'en dit, tu essaies avec la bouche. Au début, elles se disent toutes choquées, prétendent que c'est impossible, détournent le regard. Ne les écoute pas. En réalité, elles adorent.

— Mais... si... enfin, quand ça sort... est-ce qu'elles le recrachent ?

Jean-Paul éclata de rire.

— Quelquefois. Les plus collet monté. Les expérimentées avalent.

— Avalent ? Elles aiment le goût ?

— Dieu seul sait, répondit Édouard en haussant les épaules. D'ailleurs, je m'en moque.

Et la conversation se poursuivit. Telle position était préférable à telle autre. Les avantages de baiser doucement, parfois plus vite, debout, assis, habillé, nu, devant, ça, c'était pour les bonnes œuvres d'après Jean-Paul, ou derrière, courbé comme les animaux. La contraception, les inconvénients du condom, de la capote anglaise. Savoir se retirer à temps pour prolonger le plaisir. Baiser une femme quand elle a ses règles sans craindre qu'elle tombe enceinte.

Édouard en avait le vertige.

— Ne t'inquiète pas, tout cela n'est pas bien compliqué. Le moment venu, tu sauras ce qu'il faut faire.

Édouard n'en était pas si sûr. Quelque chose l'intriguait tout de même. Prenant son courage à deux mains, il souleva le problème.

— Et l'amour dans tout cela ? Est-ce que tu les aimes quand tu leur fais l'amour ? Il me semble que c'est difficile de les aimer toutes ?

Jean-Paul s'esclaffa.

— L'amour n'a rien à voir. J'aurais dû commencer par là. C'est la leçon numéro un, le point essentiel.

Il passa son bras autour du cou d'Édouard, l'air soudain grave.

— Nous parlons de plaisir, de sexe, pas d'amour, petit frère. Enlève-toi cela de l'esprit. Tu prends ton plaisir ; avec un peu de chance, tu leur en donnes, un point c'est tout. Il faut que ce soit parfaitement clair. Il peut arriver que l'on ressente une certaine sympathie pour l'une d'entre elles. Elles peuvent être charmantes, voire intelligentes. Mais l'amour ne doit jamais entrer en ligne de compte. Suis mon conseil. Si tu éprouves le moindre sentiment, passe aussitôt à la suivante. Un clou chasse l'autre.

— Mais il me semble qu'on doit prendre plus de plaisir avec une femme que l'on aime ?

— Je ne sais pas, je n'ai jamais été amoureux de ma vie.

— Jamais ? Mais cela arrive à tout le monde. Dans les livres, dans les poèmes. Papa a eu le coup de foudre pour maman. C'est lui qui me l'a dit.

— Ah bon ? Oui, bien sûr, ça peut arriver. Mais je m'en méfie, c'est une illusion, un piège. Les femmes en parlent beaucoup, bien plus que les hommes. Pourquoi ? Tout simplement parce qu'elles recherchent le mariage. Cela fait partie du jeu. Crois-moi, Édouard, en supposant que tu tombes amoureux, ne l'avoue jamais sinon elle s'attendra à ce que tu l'épouses. N'importe quel homme te le dira... Papa t'a-t-il vraiment dit cela à propos de maman ? Tu n'inventes rien ?

— Non.

Jean-Paul parut sceptique, chose rare chez lui. Pour la première fois, Édouard ne tenait pas à suivre les conseils de son frère. Celui-ci avait certes plus d'expérience que lui, mais, sans le lui avouer, il préférait croire en l'amour romantique, innocent. Pour lui, faire l'amour à une femme que l'on aime devait être l'une des expériences les plus merveilleuses qui soient données à l'homme et qui doivent changer sa vie. Il avait hâte d'avoir une expérience sexuelle, mais aussi d'aimer.

Cette conversation sur la différence entre l'amour et le sexe avait eu lieu en France, trois ans auparavant. Jamais plus ils n'avaient abordé le sujet ensemble. Édouard entendit des pas. Le pasteur alla ouvrir la porte. Il perçut la voix grave de Jean-Paul et celle d'une femme. Édouard sourit.

Que de changements en trois ans. Jean-Paul allait bientôt se marier.

Sa jeune fiancée était une Anglaise d'une grande beauté. « Jean-Paul a dû reconnaître ses erreurs », se disait Édouard avec une pointe de mépris. Il s'était finalement laissé prendre au piège en se fiançant, et avait sans doute succombé à l'amour.

À dix-huit ans, lady Isobel Herbert, fille aînée du comte de Conway, était d'une beauté éclatante. Elle pénétra dans le salon, comme toujours, avec grâce et vivacité, jeta négligemment sa cape de renard argenté sur un fauteuil avant même que Jean-Paul ait eu le temps de l'aider. Elle prit son porte-cigarettes et se tourna vers Jean-Paul avec un geste d'impatience.

— Chéri, veux-tu m'allumer cette cigarette et me préparer un de ces cocktails grisants. Je suis exténuée et j'ai une soif ! Au diable les décisions ! J'ai horreur d'en prendre.

Elle s'effondra sur le divan et s'étira langoureusement.

— Édouard, mon chéri, comment allez-vous ?

Édouard la salua poliment et alla s'asseoir près de la fenêtre d'où il pouvait l'observer à son insu.

Il avait toujours été entouré de jolies femmes. Sa mère était réputée pour sa beauté, et bon nombre de ses amies l'égalaient dans ce domaine. Mais Isobel Herbert était différente. Elle venait de faire son entrée dans la haute société et, selon la rumeur, avait refusé les avances d'un prince, d'un duc, de deux fils de pairs et d'un comte italien fort ennuyeux avant d'accepter d'épouser l'héritier du baron de Chavigny. Édouard savait qu'elle avait la réputation d'être ce que les Anglais appelaient une femme facile et il ne l'en admirait que plus. Elle était totalement différente des filles réservées des aristocrates français catholiques dont Jean-Paul avait été, à contrecœur, le cavalier. Ses cheveux, d'un roux éclatant, prenaient une teinte auburn à l'ombre. Ils étaient coupés à la garçonne sur la nuque et retombaient devant sur son beau visage capricieux. Elle se maquillait toujours de façon outrancière. Ce soir-là, son rouge à lèvres était écarlate. Elle avait les ongles peints, ce que la mère d'Édouard n'aurait jamais toléré. Grande, mince, elle portait un fourreau de soie noir qui s'arrêtait aux genoux, insolemment révélateur. Édouard, qui s'intéressait à la mode, reconnut un modèle de Dior. Ses bras nus étaient parés de lourds bracelets d'ivoire du poignet au coude. Les célèbres perles de Conway ornaient son cou. Elle les tripotait négligemment comme s'il s'agissait d'un collier de pacotille. Son air exotique d'oiseau des îles ou de délicat papillon en perpétuel mouvement fascinait Édouard.

Elle virevoltait autour de lui, le bras tendu pour qu'il admire ses bijoux.

— Je les ai choisis cet après-midi. Grand Dieu, que le choix était difficile ! J'en avais mal au crâne. Ils sont beaux, n'est-ce pas ? Dites-moi, Édouard, vous qui êtes expert, approuvez-vous mon choix ?

Édouard se leva sans rien dire, s'avança vers elle et prit la main qu'elle lui tendait. La bague était très simple. Une émeraude vert sombre, carrée, de plus de deux centimètres, avec une monture en or de vingt-quatre carats. La reconnaissant au premier coup d'oeil, Édouard savait que c'était une pièce unique et sans le moindre défaut. Trouvée dans une mine d'Amérique du Sud, elle avait été taillée par le meilleur lapidaire des ateliers Chavigny. L'objet avait appartenu à l'empereur Guillaume. Sa famille l'avait revendu au père d'Édouard entre les deux guerres. C'était une pierre ravissante qui, disait-on, portait malheur. Édouard la contempla un instant puis relâcha la main d'Isobel.

— Oui, j'approuve votre choix. Elle est très belle et assortie à vos yeux.

Isobel parut enchantée.

— Que vous êtes charmant, Édouard ! Jean, tu entends ? Édouard est vraiment adorable et si différent de toi. Pour un si jeune homme, il est très malin. Il ne dit à une femme que ce qu'elle aime entendre. Ce n'est pas comme toi, Jean.

— Mais, moi, je sais préparer d'excellents cocktails, lui, non. Du moins pas encore, répliqua Jean en souriant.

Il lui tendit un verre.

— Des cocktails ! Des cocktails ! Il n'y a pas de quoi être fier ! Le barman du Quatre Cents lui aussi en fait d'excellents, et je n'ai nullement l'intention de l'épouser.

— J'ai d'autres talents, ma chérie, dit Jean en effleurant ses doigts des lèvres.

— Ah bon ? Il faudra me faire la liste pour que je les apprenne par cœur. Édouard, du papier et un crayon, vite.

Elle se leva. Édouard alla lui chercher un stylo et un bloc de papier. Isobel se rassit et plissa le front comme pour se concentrer.

— Je suis très sérieuse. Ce n'est pas une plaisanterie. Il me faut savoir. En fait, je me rends compte que j'aurais dû m'en préoccuper plus tôt. Si la liste est trop courte, je t'avertis, Jean-Paul, je romps aussitôt nos fiançailles.

Elle fit claquer ses doigts sous les yeux de Jean-Paul, toujours de bonne humeur. Il se renversa sur son fauteuil et fit mine de se concentrer.

— Je suis très riche, commença-t-il.

— Riche ? Riche ? C'est un bien mauvais début, dit Isobel. Tu me prends pour une femme intéressée, c'est tout à fait insultant. De surcroît, des riches, il y en a beaucoup. Essaie autre chose.

— Je deviendrai le baron de Chavigny.

— Encore pire. Papa dit que les titres en France sont pour le moins suspects sinon absurdes. Après ?

— J'offrirai à ma femme tout ce que son cœur désire, dit Jean-Paul en souriant.

— J'ai déjà tout.

Jean fronça les sourcils.

— Il est toujours de bonne composition, ne put s'empêcher de dire Édouard. Jamais il ne se fâche ni ne boude.

— Ah, ça c'est une qualité ! Je le note. Toutefois j'émets des réserves sur le caractère. C'est peut-être monotone à la longue. Je préfère les hommes en colère. Ensuite ?

— Il est beau, poursuivit Édouard. Lui ne peut pas le dire, moi, si.

— Très bien. J'inscris donc qu'il est beau, dit-elle en levant ses yeux émeraude vers Édouard. Vous non plus, vous ne manquerez pas de charme un jour, mais ce n'est pas notre sujet. Bien, pour nous résumer, Jean, tu as, à ton actif, ta beauté et ta bonne humeur. C'est peu.

Jean-Paul s'étira, les mains derrière la tête. Il semblait agacé, ce qui surprit Édouard.

— Je suis un amant jaloux et exigeant, ou du moins est-ce ce que l'on prétend, dit-il d'un ton ferme.

Isobel fit mine de n'avoir pas perçu sa pointe d'agressivité et gribouilla quelques notes.

— Jaloux. Exigeant. Ce n'est pas si mal. T'arrive-t-il d'être romantique ?

Elle inscrivit le mot puis le barra.

— Non, certainement pas, dit-elle en levant soudain les yeux vers la pendule. Nous sommes fiancés depuis trois jours, et il y a au moins une heure que tu ne m'as pas embrassée. Je ne crois décidément pas que tu sois romantique.

— C'est à moi de te prouver le contraire.

Jean-Paul se leva et alla l'embrasser. Édouard, gêné, les regarda un instant et se tourna vers la fenêtre. Il avait l'impression étrange que c'était à lui, non à son frère, que ce baiser était en fait adressé. Il se retourna au moment où Jean-Paul relâchait son étreinte. Isobel lui lança un regard furtif et amusé comme si elle partageait avec lui un secret d'où son frère était exclu. Horrifié, il sentit son corps peu à peu répondre à cet appel. Ne sachant que faire, il détourna la tête.

— J'ai un devoir de latin à terminer, je ferais mieux de partir.

Il se dirigea vers la porte, mais Isobel le rattrapa aussitôt.

— Non. Nous allons mettre un terme à ce jeu idiot. C'est fastidieux. Si nous continuons, j'aurai quoi ? Cinq mots sur un bout de papier, et il me faudra rendre à Jean-Paul son émeraude. Or je n'en ai aucune envie. J'y tiens. À toi aussi, mon chéri. Tu sais que j'adore te taquiner. Je vais monter voir ta mère. Elle n'y prendra pas ombrage, n'est-ce pas, Jean ? Je veux lui montrer ce bijou. Ensuite, nous songerons à la liste de mariage. C'est un instant délicieux pour une femme. Il me faudra d'ailleurs en faire plusieurs. Le paradis ! Bon, maintenant je vais vous laisser. Vous avez sans doute bien des choses à vous dire.

La porte se referma. Il régna un court silence dans la pièce. Édouard, rougissant, lança vers son frère un regard accusateur.

— Mon Dieu ! Elle sait. Isobel sait. Tu ne lui as tout de même pas dit ?

— Et alors ? Où est le mal ? Elle a trouvé que c'était une bonne idée, que c'était très gentil même.

Édouard regarda son frère d'un air sceptique. Il avait prononçé le mot « gentil » avec une pointe de sarcasme.

— Ça me gêne un peu, j'aurais préféré qu'elle ne fût pas au courant. Je pensais que c'était une affaire privée. Un secret que nous étions, toi et moi, les seuls à partager.

— Bien sûr, bien sûr. Allons, souris. J'ai de bonnes nouvelles. Le rendez-vous est fixé.

— Quoi ?

Jean sortit de la poche de son uniforme une petite carte et la lui glissa dans la main.

— Demain après-midi à 3 heures. Maman n'est pas là de la journée, et, le samedi, tu n'as cours avec Glendinning que le matin, j'ai vérifié. Tu as donc tout ton temps. L'adresse est inscrite sur la carte... Elle est parfaite, Édouard, dans tous les domaines. Ni trop jeune ni trop vieille. Beaucoup d'expérience. C'est une femme charmante. Française. J'ai pensé que ce serait plus facile. Ce n'est pas du tout une prostituée. Elle se fait entretenir par un homme très bien, plus âgé qu'elle, mais qui est souvent en voyage, et elle préfère les jeunes. Au lit, c'est une affaire, ça, je peux te l'assurer.

— Ah bon ?

— Évidemment, tu ne crois tout de même pas que je vais confier mon petit frère à n'importe qui, dit-il en souriant. Je l'ai essayée l'autre jour.

— L'autre jour ? Mais Jean, tu es fiancé maintenant.

Jean-Paul lui lança un regard moqueur. Il jeta un coup d'œil vers la porte puis se retourna vers Édouard.

— Petit frère, ça ne change pas grand-chose.

Célestine Blanchon était venue en Angleterre pour la première fois en 1910, à l'âge de seize ans. Elle chantait et dansait aux Folies de l'Alhambra, dans le spectacle d'Henri Pélissier. D'une beauté remarquable malgré quelques rondeurs néanmoins agréables au regard, elle évoluait avec grâce et naturel. Elle eut très vite toute une cour de prétendants qui la couvraient de fleurs et se disputaient le privilège de dîner avec elle au café de l'Europe, à Leicester Square, après la représentation. Ils buvaient du champagne jusqu'à 3 heures du matin, au milieu d'écrivains, d'acteurs, de jeunes gens de bonne famille qui formaient ce demi-monde. Célestine retournait ensuite dans la banlieue moins prestigieuse de Finsbury Park en fiacre, parfois seule, la plupart du temps accompagnée. Elle songeait souvent à cette époque marquante de sa vie qui dura ainsi jusqu'au début de la Grande Guerre.

Mais Célestine, avec le bon sens des paysans français, était réaliste. Contrairement à ses compagnes de l'Alhambra, elle acceptait bouquets et cadeaux, mais ne s'attendait pas à des propositions de mariage. Cela arriva, bien sûr, mais c'était l'exception. Elle menait une vie agréable, entourée de plusieurs protecteurs, et n'avait nulle envie de retourner en France. Les années passèrent, sa beauté se fana, ses protecteurs furent moins jeunes, moins distingués, mais Célestine s'en accommodait. N'était-ce pas naturel, inévitable ? Rien n'affectait sa bonne humeur. Elle avait compté des pairs du Royaume-Uni parmi ses admirateurs. Là, en 1940, elle avait quarante-six ans. Son protecteur était un ancien homme d'affaires, vivant à Hove, qui avait investi son maigre capital dans l'immobilier à Londres et dans divers comtés, ce qui convenait à Célestine, car ainsi il ne lui rendait visite qu'une à deux fois par semaine. De plus, il ne lui demandait aucun compte sur sa vie en son absence. Il avait soixante-quatre ans, et Célestine éprouvait une certaine affection à son égard. Il était moins viril mais tellement plus aimable que ses autres amants. Il lui payait le loyer de son appartement à Maida Vale, lui versait une pension sur laquelle elle prélevait une petite somme qu'elle économisait pour sa retraite. Il se donnait même la peine de converser avec elle, qualité qu'elle appréciait chez lui.

Jamais Célestine n'avait eu l'impression de le tromper. Les après-midi passés avec d'autres hommes n'entraient pas en ligne de compte et ne pouvaient le blesser puisqu'il n'en savait jamais rien. Elle s'était rendu compte très tôt que moins un homme en apprenait, mieux c'était. Leurs visites n'avaient qu'un but, et elle remplissait sa tâche le mieux possible. La guerre fut une chance, car bon nombre de Français affluèrent à Londres. Un officier français satisfait de ses services lui avait envoyé ses amis militaires.

Tous les membres du cabinet de De Gaulle avaient sa petite carte de visite dans le portefeuille, ce qui, à ses yeux, était une source de fierté. En plus de l'argent que cela lui rapportait, elle éprouvait un sentiment de patriotisme et prenait plaisir à parler français dans son boudoir après tant d'années. Lorsqu'elle passait devant le quartier général des Forces françaises libres, Célestine ne manquait jamais d'envoyer à tous ces jeunes soldats des baisers du bout des doigts et de leur souhaiter en silence bonne chance.

Elle avait eu l'honneur de rendre service à l'impétueux héritier du baron de Chavigny et s'était sentie particulièrement flattée lorsque, après lui avoir fait l'amour avec fougue, il lui avait expliqué, comme seul un Français peut le faire, le problème de son jeune frère. Ce n'était certes pas la première fois qu'elle jouait ce rôle, aussi accepta-t-elle d'emblée. Elle était curieuse de connaître ce jeune Édouard et se demandait en souriant si, en l'aidant un peu, il ne deviendrait pas un bien meilleur amant que son frère, vigoureux mais pas très fin.

Elle soigna sa mise, sachant par expérience que les corsets ajustés de dentelle noire qui lui relevaient les seins sans les cacher, les porte-jarretelles, les bas fins, les négligés transparents qui excitaient les clients d'un certain âge pouvaient effrayer un jeune garçon. Une fois prête, elle fut satisfaite du résultat : une tenue érotique sans être criarde, blanche plutôt que noire, ornée de jolis rubans de dentelle, le tout discrètement caché sous une liseuse de crêpe de Chine bleu pâle. Elle se coiffa avec soin et se chaussa de pantoufles en plumes de marabout à hauts talons. La bouteille de champagne que Jean-Paul lui avait offerte était au frais. Par précaution, elle avait chauffé la bouilloire. La première fois, les jeunes préféraient souvent une tasse de thé. Elle s'assit et attendit sa venue.

Édouard avait pris un taxi pour se rendre au quartier si peu familier de Maida Vale. Il y arriva à 2 heures et quart et arpenta le trottoir pendant quarante-cinq minutes dans un état de nervosité et d'indécision extrême. Il faillit même héler un taxi et faire demi-tour, mais l'idée de passer pour un lâche aux yeux de Jean-Paul lui était intolérable. À 3 heures très précises, il sonna.

Jean-Paul avait dit cinq livres. Cela lui semblait mesquin et inélégant. Aussi avait-il pris dans un magasin d'Eaton Square une grande boîte de chocolats français, introuvables à Londres, et y avait-il glissé un billet de dix livres en prenant soin de refaire l'emballage. Il avait également acheté un bouquet de fleurs. Il effleurait nerveusement roses et chocolats durant cette attente prolongée.

Jamais de sa vie, il ne s'était senti aussi hésitant, jamais il n'avait eu aussi peu envie de contempler une femme. Ce sentiment disparut à la seconde où Célestine ouvrit la porte, le devança dans les escaliers avec ses pantoufles en plumes de marabout avant de le faire entrer dans son salon. Elle le mit aussitôt à l'aise, conversant gaiement en français. Elle lui versa une coupe de champagne qu'il avala d'un trait, puis, au grand soulagement d'Édouard, s'assit et se mit à parler comme s'ils étaient de vieux amis.

En l'observant, Édouard se dit qu'elle n'était plus toute jeune, mais il émanait d'elle une telle bonté, un tel charme... Elle lui rappelait les tableaux de Renoir de la collection de son père, avec ses cheveux roux remontés, ses minuscules boucles et sa tendre poitrine. De fines rides autour de ses yeux bleus accentuaient son sourire bienveillant. Elle ne portait presque pas de maquillage, car elle avait le teint clair et frais d'une jeune femme.

Il avait les yeux rivés sur elle tandis qu'elle balançait délicatement la jambe en remuant le pied comme pour admirer ses pantoufles bleues. Elle lui tendit une seconde coupe de champagne, qu'il refusa. En se penchant, sa liseuse s'entrouvrit, laissant apparaître la fine courbe de ses seins. À sa grande surprise, il sentit son corps commencer à vibrer. Célestine dut s'en rendre compte, car elle se leva, le conduisit doucement vers sa chambre où, à son grand soulagement, elle le déshabilla, puis l'incita à lui ôter sa liseuse. Soudain confiant et avide de plaisir, il la fit basculer sur les draps blancs et l'embrassa avec fougue. Moins de cinq minutes plus tard, honteux et confus, il éclata en sanglots.

Célestine s'appuya sur l'oreiller et prit le jeune homme dans ses bras. Il versa des larmes amères, blotti contre sa poitrine, tandis que Célestine le caressait maternellement. Au bout de quelques instants, sa colère et son chagrin s'apaisèrent. Elle contempla sa tête brune courbée et ressentit une profonde compassion. Si seulement ce jeune homme savait que c'était presque toujours ainsi la première fois, qu'il n'était ni le premier ni le dernier à pleurer, tel un enfant en colère, croyant être le seul à subir cet échec. Avec une infinie douceur, elle lui caressa les cheveux un long moment, et ses paroles finirent par l'apaiser.

— Allons, il ne faut pas pleurer. C'est toujours comme ça la première fois. Vous êtes énervé, impatient, tout cela est bien naturel, croyez-moi. Ne vous inquiétez pas. Vous jouissez vite, trop vite à votre gré, et vous pensez que je vais m'en offenser ? Je vous assure que ce n'est pas le cas. À mes yeux, c'est un compliment, vous m'entendez ? C'est agréable à mon âge de penser qu'on peut encore donner du plaisir à un jeune homme. Et puis nous ne sommes pas pressés. Vous vous rendrez compte, chéri, qu'à votre âge ce n'est qu'un incident sans importance que vous oublierez très vite. Ce sera mieux la prochaine fois, de mieux en mieux d'ailleurs, jusqu'au moment où ce sera à votre tour de m'apprendre.

Elle continuait à le caresser en souriant.

— Croyez-vous, chéri, que l'art de l'amour nous est donné à la naissance ? Que nous savons d'emblée ce qu'il faut faire pour se donner du plaisir ? Je puis vous certifier que ce n'est pas le cas. Il faut apprendre, chéri. Petit à petit. C'est un peu comme à l'école. Mais là, tout le monde sans exception y prend plaisir.

Elle sourit en le sentant se détendre. Il allait très vite être submergé de désir et lui faire l'amour une deuxième fois. Il ne fallait pas le brusquer pour ne pas l'effrayer. Il se comportait comme un jeune animal un peu timoré. Elle devait faire preuve de beaucoup de gentillesse et le laisser venir à elle lentement, très lentement. Il était si beau. Elle avait presque oublié la beauté d'un corps de jeune homme, la douceur juvénile de la peau, la tension des muscles, la fermeté des fesses, le ventre plat, la puissance des cuisses. Elle ressentit du désir. Et ces yeux d'un bleu extraordinairement profond, ces cheveux noirs comme jais... Elle effleura ses larges épaules. Il s'était détendu.

Avec précaution, elle l'aida à se relever et s'assit auprès de lui. « Ayons l'esprit pratique », pensa-t-elle.

— Chéri, dit-elle d'un ton naturel. C'est injuste, vous êtes à votre aise, et moi je me sens engoncée. De plus... c'est un peu humide. Voudriez-vous m'aider à défaire ce corset ? Là, derrière, oui, tous ces crochets sont difficiles à attraper. Et mes bas ! Vraiment, je crois que je n'en ai pas besoin.

Il fit d'abord glisser les bas, puis, de ses doigts hésitants, défit le corset en dentelle. Célestine, souriante, se retrouva nue sous le regard captivé d'Édouard. Il avait contemplé des femmes nues au cinéma ; Jean-Paul lui avait parlé de ses aventures, mais c'était la première fois que lui en voyait une. Jamais il n'aurait imaginé qu'un corps féminin pût être si beau, si sensuel. Célestine avait des seins lourds aux bouts incarnats, une taille fine accentuant la courbe de ses hanches. Entre ses cuisses, elle avait une toison rousse, bouclée, vibrant au moindre toucher. Sans même réfléchir, il l'effleura et, à sa grande surprise, entendit Célestine gémir doucement de plaisir.

Ébahi, il leva les yeux vers elle et remarqua la courbure de ses lèvres, le bleu vif de son regard.

— Ne soyez pas surpris. Continuez, c'est bon. Ce serait peut-être encore meilleur si vous m'embrassiez. Juste un petit baiser, chéri.

Édouard passa maladroitement un bras autour de son cou et se pencha vers elle. Il lui donna un baiser chaste sur les lèvres. Célestine poussa un long soupir.

— C'est si bon. J'aime vos baisers. Encore, je vous en prie.

Cette fois, tandis qu'il effleurait ses lèvres, elle les entrouvrit. Édouard y passa doucement la langue. Elle soupira de nouveau et l'attira vers elle.

— Comme ça, chéri, oh oui ! comme ça.

Elle pressa sa langue contre la sienne en le maintenant ni trop près ni trop loin de façon que seules leurs lèvres soient jointes. Édouard sentit le désir l'envahir. Elle lui caressa le cou, les épaules. Son pénis, doublant de taille, s'embrasa. Il sentit un air de triomphe se dessiner sur le visage de Célestine. Elle l'écarta légèrement, et son regard descendit le long de son corps.

— Oh ! Si vite ! Quel homme, chéri. Il est devenu si gros, si dur, si puissant ! Vous devez donner à une femme un plaisir intense.

Elle prit soin de ne pas le toucher et, quand il essaya de la renverser sur l'oreiller, elle l'arrêta. Elle secoua la tête d'un air réprobateur et vit avec joie une lueur de raillerie dans son regard. Il semblait prendre confiance.

— Attendre ? dit-il en souriant. Pas trop vite ?

Célestine lui prit la main.

— Vous savez que pour une femme l'amour est une chose merveilleuse. On aime faire durer le plaisir. Le désir est plus lent à venir, et un homme doit l'aider.

Elle guida sa main vers ses seins.

— Caressez-moi là, chéri. Comme ça, oui, comme ça...

Édouard glissa les deux mains le long de sa poitrine et sentit la fermeté de ses seins. Soudain, sous la pulsion d'un irrésistible désir, il se jeta à corps perdu sur elle, s'adonnant au plaisir depuis longtemps refoulé. Il effleura son corps de ses lèvres, enfouit la tête entre ses seins, les souleva et suça leurs bouts incarnats. Il les sentit durcir et fut parcouru d'un frisson.

— Doucement, doucement, mon chéri, murmura Célestine. Pas trop vite... doucement.

Il s'apaisa, fit une pause, sentit son désir diminuer et leva les yeux vers elle.

— Comme ça ? Vous aimez, comme ça ?

Il lui mordilla le bout des seins, la faisant vibrer sous ses caresses.

— Oui, comme ça, Édouard, comme ça.

Célestine, troublée, sentait son cœur battre à tout rompre. Elle avait envie d'écarter les jambes, de se faire caresser. Il apprenait vite, très vite.

— Vous êtes belle ! lui dit-il, le souffle haletant.

Célestine luttait contre son propre désir. Elle lui donnait de doux baisers pas trop longs, pas trop fougueux. Il fallait faire durer le plaisir. Elle sentait la fermeté de son sexe contre son ventre et remuait à peine de peur de le faire jouir trop tôt.

— Doucement, Édouard, doucement.

Elle passa la main dans le sillon de ses fesses, les caressa lentement. Quand elle le sentit un peu plus calme, elle lui prit la main et la porta à ses lèvres.

— Vous êtes très doué. Vos caresses sont si agréables. Vous vous rendez bien compte du plaisir que vous me donnez, non ? Mes seins se durcissent dès que vous approchez la main, dès que vous m'embrassez. C'est le premier signe, Édouard, mais il y en a bien d'autres.

Elle guida doucement sa main le long de son ventre jusqu'à sa toison dorée puis écarta légèrement les jambes.

— Voyez-vous, c'est l'antre secret d'une femme, connu seulement de son amant. Regardez, chéri, c'est doux et humide parce que vous éveillez en moi un intense désir et que j'ai envie de vous.

Édouard la laissa guider sa main. Il lui écarta les cuisses, trouva la cachette mystérieuse avec ses plis et ses cavités, et, soudain, sous ses doigts se dressa un petit promontoire qu'il frôla délicatement. À sa grande surprise, Célestine réagit aussitôt en poussant un gémissement. Il se pencha vers elle et l'embrassa tout en continuant à explorer son corps. Il la sentait vibrer sous lui. Elle écarta les cuisses. Édouard prenait goût à sa sollicitude, sa complaisance, sa douceur. Il retira la main que Célestine aussitôt porta à ses lèvres. Pour la première fois de sa vie, Édouard sentit l'odeur de musc, un peu salée, d'une femme sur le point de faire l'amour.

Il glissa de nouveau la main. Célestine réagit légèrement, puis il enfonça un doigt doucement dans son vagin. Tout en gémissant, Célestine se dit qu'il fallait maintenant agir vite.

Avec l'habileté de l'expérience, elle écarta les cuisses, lui ôta la main avec douceur et guida son pénis. Elle souleva légèrement les hanches pour l'amener en elle, puis attendit. Elle savait qu'elle devait le laisser agir tout seul. Pourtant, le désir montait en elle devant sa beauté, sa délicatesse. Elle avait envie de l'attirer au plus profond d'elle-même. Mais elle ne fit pas le moindre geste. Il la pénétra et imprima à son corps une cadence de plus en plus rapide. Le merveilleux enfant gémissait de plaisir. Le fouet du sperme porta au paroxysme cette jouissance si nouvelle pour lui. Il se déversa en elle. Célestine passa tendrement ses bras autour de lui d'un air protecteur.

Moins d'une heure plus tard, il sentit son membre se raidir de nouveau. Il en éprouva de la fierté et même une certaine confiance en lui. Pour

Célestine également, c'était un objet de satisfaction. Elle le regardait avec tendresse sucer avidement ses seins. L'absence de bravade, la délicatesse de ses caresses lui étaient infiniment agréables. Ce serait un merveilleux amant, si différent de ces malotrus qui faisaient l'amour comme des goujats et se sauvaient ensuite furtivement. Lui prendrait du plaisir, mais en donnerait tout autant.

— Vous serez un amant exceptionnel, murmura-t-elle.

L'adolescent leva la tête. Ce compliment lui plut tout en l'amusant. Elle appréciait la vivacité de son intelligence, sa façon de rire d'un rien. Après tout, il fallait un peu de fantaisie en amour. Les femmes recherchaient la passion sans repousser le badinage.

— Apprenez-moi... montrez-moi..., dit-il d'un ton hésitant. Je veux vous donner du plaisir à vous aussi.

Célestine lui caressa les cheveux en soupirant. Comme bien des femmes exerçant le même métier, elle avait du mal à atteindre l'orgasme avec un homme. Elle s'était fait depuis longtemps à cette idée : faire l'amour lui était agréable même si elle ne jouissait pas. Les caresses et les baisers lui suffisaient. Donner du plaisir la ravissait. Il était loin le temps de ses premiers amants où elle se laissait alors facilement emporter dans la tourmente de la volupté. C'était devenu plus difficile. Son esprit était réticent à l'idée de se donner à des inconnus.

Pourtant, la requête de cet adolescent l'avait émue.

— Regardez, lui dit-elle en souriant. Laissez-moi vous montrer.

Elle glissa doucement sa main entre ses cuisses et passa un doigt entre ses lèvres. Puis elle s'agita.

— Voyez-vous, chéri, là où vous m'avez caressée tout à l'heure, il faut appuyer tout doucement, pas fort, pas vite non plus.

Elle retira ses doigts luisants. Édouard l'imita. Il sentit son clitoris durcir sous la pression de sa main et soudain, fou de désir, pencha la tête et l'embrassa. L'odeur salée et humide l'enivra. Il glissa la langue sur le sillon docile aussi loin qu'il le put, léchant au passage le petit bourgeon gonflé. L'effet fut instantané. Elle se cambra en gémissant tandis qu'il la suçait tout en pressant la pulpe de ses seins.

— Comme ça ? lui demanda-t-il en marquant une pause.

— Oh oui ! comme ça, Édouard, ne vous arrêtez pas.

Célestine tremblait. Il manquait d'expérience, certes, mais il y avait quelque chose de magique en lui qui l'attirait, la poussait au délire. Il voulait lui donner du plaisir, contemplait sa nudité d'un air voluptueux, bien sûr, mais aussi avec tendresse et timidité. Cela lui rappelait le passé. Elle sentait l'excitation renaître. C'était si bon... Au bord de l'orgasme, le corps soudain tendu et immobile, le coeur palpitant, elle ferma les yeux.

Sentant chez elle cette brusque tension, il ralentit le rythme des mouvements de sa langue, relâcha la pression de ses lèvres, la laissant dans l'attente, ouverte, dépendante, quémandeuse et hurlant de désir. Puis il la caressa de nouveau, la bouche humide, lui souleva les hanches pour mieux la posséder au moment même où, défaillant de plaisir, elle laissa échapper une longue plainte. Édouard sentit son clitoris dressé palpiter de désir entre ses lèvres. Il se redressa et la pénétra soudain, fier de la voir soumise, rendue, livrée.

Cette fois, il découvrit les subtilités de l'amour. Il ne jouit pas aussitôt. Sa verge s'enfonça en elle inexorablement, recommença en accélérant sa course, jouant de son corps au rythme qui lui plaisait. Ce fut une sensation nouvelle de sentir Célestine vibrer doucement, puis avec plus d'insistance, frissonnant de volupté sous le va-et-vient incessant de ses saccades. Il se déversa en elle et sombra dans l'abîme du plaisir avec une infinie douceur. Blottis l'un contre l'autre, enlacés, ils s'assoupirent.

Lorsqu'il ouvrit les yeux, Célestine, une expression de tendresse au bord des yeux, lui souleva le menton de sa main.

— Vous comprenez vite, tellement vite. Bientôt, je n'aurai plus rien à vous apprendre.

Édouard, les membres lourds, encore en proie à une exquise langueur, éclata de rire et la prit dans ses bras.

— J'aimerais vous revoir, Célestine, une fois, deux fois, encore et encore.

— Moi aussi, répondit-elle simplement.

Ce soir-là, Édouard dîna en compagnie de sa mère et de Jean-Paul, qui avait invité Isobel. Les soirées en famille étaient particulièrement ennuyeuses. Jean-Paul passait son temps à maugréer, attendant fébrilement la fin du dîner pour aller retrouver des amis dans un night-club. Louise, se rendant compte de leur état d'esprit ou, tout simplement, regrettant de ne pas se trouver en meilleure compagnie, se montrait souvent irritable. Habituellement, Édouard faisait des efforts, essayant de recréer la gaieté d'antan que son père savait si bien entretenir.

Mais, ce soir-là, assis à cette longue table, en tenue de soirée, il avait l'air absent et rêveur. Malgré ses efforts, il ne parvenait pas à se concentrer. Son esprit était ailleurs, loin de la vie trépidante de Londres, dans une petite chambre de Maida Vale.

Ces dîners n'étaient pas une mince affaire, car Louise était très attachée aux règles de la bienséance. Le maître d'hôtel, Parsons, aidé de deux valets, ne servit pas moins de six plats accompagnés d'un excellent vin. La soirée semblait interminable. Édouard ne trouva aucun goût au foie gras ni à la sole trop cuite. Il toucha à peine au faisan.

Ce manque d'appétit inhabituel ne passa pas inaperçu. À une ou deux reprises, Édouard surprit le regard malicieux et souriant d'Isobel assise en face de lui. Elle ne fut pas très loquace, elle non plus. La conversation traînait en longueur. Louise, agacée, se plaignit de tout. Rien ne lui convenait. Elle confia à Isobel qu'elle trouvait la vie londonienne d'une monotonie insupportable et que, l'euphorie du début passée, elle regrettait amèrement Paris. Toujours les mêmes visages ! Si les Anglais savaient parfois se montrer charmants, en revanche les Anglaises étaient bizarres. Quel manque d'élégance ! Elle jeta un coup d'oeil critique sur la tenue d'Isobel. Que dire de leur passion pour les animaux, de leur obsession des chiens ! Passer un week-end à la campagne n'était pas désagréable, mais ces labradors qui viennent vous sauter dessus, ces longues promenades dans la nature même quand il pleut... Les Anglais étaient décidément une curieuse race, si différente des Français ou des Américains. Et Xavi lui manquait tant. Elle était toujours en proie à une terrible inquiétude, car les nouvelles parvenaient au compte-gouttes.

— Il aurait dû se douter de mon inquiétude. Nous laisser ainsi livrés à nous-mêmes... Je sais que ton avis diverge du mien, Jean-Paul, mais c'est tout de même un peu égoïste de sa part. Ce cher Xavi peut parfois faire preuve d'une telle obstination. Je suis certaine qu'il aurait pu nous accompagner s'il l'avait souhaité. Il n'a aucune idée des difficultés auxquelles nous sommes confrontés. L'essence est rare, ce qui me semble parfaitement absurde. Comment diable s'évader de Londres ? Je vis dans la perpétuelle crainte de voir l'un de mes serviteurs me donner son congé, car vous savez bien, Isobel, qu'il est pratiquement impossible de les remplacer. Tous les hommes sont engagés dans l'armée et les femmes fabriquent des roulements à billes dans les usines. Dans quel but ? On se le demande. Et ces maudites sirènes. Elles retentissent toujours au moment où l'on s'apprête à sortir. Aussitôt, c'est le couvre-feu. Xavi ne se rend vraiment pas compte de tous ces problèmes. C'est tout à fait lassant.

— La guerre fait rage, maman, lui dit Jean-Paul, faisant un clin d'œil à Isobel.

Louise, surprenant ce regard, rougit.

— Jean-Paul, je t'en prie, inutile de prendre cette attitude. Ni toi ni Édouard ne m'aidez. Vous ne me facilitez pas l'existence. Jamais vous ne vous penchez sur mes états d'âme, jamais vous ne vous demandez ce que je ressens. Vous avez chacun vos problèmes.

Elle s'interrompit en entendant Jean-Paul ricaner. Le visage crispé, elle le foudroya du regard.

— Ai-je dit quelque chose de risible, Jean-Paul ? Explique-moi, nous aimerions tous partager ton hilarité.

— Pardonnez-moi, maman, dit Jean-Paul en arborant son plus beau sourire.

Édouard se demandait comment il allait s'en sortir cette fois. La colère de Louise à son égard ne durait jamais et il avait même l'impression que Jean-Paul la méprisait pour cette faiblesse et la facilité avec laquelle elle succombait à son charme.

— C'est parce que vous savez que vous êtes dans l'erreur. Édouard et moi, nous vous sommes très dévoués.

— Il faudrait parfois m'en donner quelques preuves, lui dit-elle sur un ton de reproche, mais déjà sa colère s'atténuait.

Jean-Paul se leva et lança un coup d'oeil discret à sa montre.

— Chère maman, dit-il d'un air protecteur en lui prenant la main, vous êtes fatiguée, vous devriez vous reposer. Venez, laissez-moi vous accompagner jusqu'à votre chambre. Je vais vous faire monter votre café et vous envoyer votre camériste. Pas de discussion. J'ai promis à papa de veiller sur vous. Il vous faut une bonne nuit de sommeil.

Comme par un coup de baguette magique, Louise obéit. Elle se laissa guider sans la moindre protestation, appuyée au bras de Jean-Paul. Sur le seuil de la porte, il se retourna et leur fit un autre clin d'œil.

Isobel se leva dès que la porte fut refermée. Elle jeta nerveusement sa serviette sur la table. Édouard, s'arrachant avec difficulté au souvenir de son après-midi à Maida Vale, prêta une vague attention à ses paroles.

— Traite-t-il toujours votre mère ainsi ? lui demanda-t-elle.

L'espace d'une seconde, leurs regards se croisèrent. Édouard se leva.

— Oui, dit-il en haussant les épaules. Elle a toujours eu une adoration pour Jean-Paul. Il obtient d'elle ce qu'il veut. Ne faites pas trop attention à ce qu'elle dit, ajouta-t-il sur la défensive car sa mère lui faisait souvent honte. C'est sa manière de parler, elle s'énerve facilement.

— Cela n'a en fait aucune importance, dit Isobel avec un geste d'impatience. Si nous mettions un disque. J'ai envie de danser.

Elle lui prit la main et l'emmena dans une petite pièce attenante où la famille se réunissait le soir. Parfois Édouard mettait des disques tandis que Jean-Paul et Isobel dansaient amoureusement. Il n'avait jamais dansé avec Isobel. Elle alluma le tourne-disque et enleva le tapis.

— Venez, lui dit-elle, la main tendue vers lui, une lueur de défi dans son regard émeraude. Je suppose que vous savez danser ? Autrement, je vais vous apprendre.

— Inutile, je sais.

Édouard s'avança vers elle et la prit dans ses bras. En fait, c'était un excellent danseur. Il eut envie aussitôt de lui dévoiler ses talents mais, dès le début de la valse, Isobel le serra contre elle.

— Non, pas comme ça. Des petits pas, c'est beaucoup plus reposant.

Au son d'une musique douce, diffusée par un disque parfois rayé sans être désagréable, ils évoluèrent sur la piste improvisée. Isobel se sentait légère dans ses bras. Au bout d'un instant, Édouard se détendit, tout en pensant à Célestine. Soudain, un bonheur extrême l'envahit.

Isobel leva une ou deux fois les yeux vers lui. Elle alla changer le disque, puis revint se blottir dans ses bras, un petit sourire aux lèvres.

— Vous vous moquez de moi.

— Oh non ! lui dit-elle, c'est de moi que je ris. Il y a longtemps que je n'étais pas passée aussi inaperçue. C'est une bonne leçon.

— Inaperçue ? Vous ?

— Oh, Édouard ! C'est aimable de votre part, mais il est inutile de jouer la comédie. Vous êtes à mille lieues d'ici. Je ne m'en offusque point, rassurez-vous. J'apprécie même, c'est reposant, dit-elle en soupirant.

Ils continuèrent à valser. Elle posa doucement la tête sur son épaule, ce qui surprit Édouard, mais il ne dit rien. Ils dansaient encore quand Jean-Paul revint. Il les observa un moment, appuyé contre une chaise, une cigarette aux lèvres. Isobel ne prêta pas la moindre attention à lui. À la fin du disque, Jean-Paul alla en mettre un autre, puis les sépara.

— À mon tour. C'est ma fiancée.

Il dansa avec elle toute la soirée. Après le départ d'Isobel, ils restèrent seuls. Édouard se rendit compte alors que Jean-Paul était de fort méchante humeur. Il arrêta le disque en le faisant grincer au passage, puis arpenta la pièce nerveusement.

— Aucun problème avec maman ? demanda Édouard.

— Comment ? Oh non ! Tout va bien. Elle avait simplement besoin qu'on s'occupe d'elle. Comme toutes les femmes.

Jean-Paul s'affala dans un fauteuil.

— Je suppose que papa lui manque, lui dit Édouard d'un ton hésitant. Ça ne doit pas être très facile pour elle.

— Ah bon ? répondit Jean-Paul en éclatant de rire. Tu as peut-être raison, mais j'en doute. C'est beaucoup plus simple. Elle aime avoir une petite cour qui soit toujours à sa disposition. Isobel est du même acabit. Vois-tu, petit frère, parfois j'en ai vraiment assez.

Son visage se rembrunit. Édouard était intrigué par son attitude bizarre. Les propos de Jean-Paul lui semblaient déloyaux et le mettaient mal à l'aise. Percevant les sentiments ambigus de son frère, Jean-Paul, levant les yeux vers lui, s'étira en grimaçant.

— Elles présentent tout de même certains avantages. Sans elles, nous ne serions pas là. Mais, je t'en prie, parlons de choses plus importantes. Comment s'est passé cet après-midi ? C'était une affaire, non ?

Édouard se sentit rougir. Il baissa les yeux. Jean-Paul lui parlait d'homme à homme, ce qui habituellement le flattait. Mais, là, il éprouvait une certaine réticence.

— C'était très agréable. Merci pour tout, Jean-Paul.

Jean-Paul éclata de rire.

— Mon petit frère est gêné. Agréable, c'est tout ? Tu vas tout de même me donner quelques détails. Je me suis donné bien du mal pour t'organiser ce rendez-vous.

Édouard se leva. Il jeta un regard vers son frère et songea à Célestine. Pour la première fois de sa vie, il était partagé entre deux êtres. Impossible de tout raconter à Jean-Paul, ni à personne d'ailleurs. C'était un secret qui n'appartenait qu'à lui et à Célestine.

— Oh, vois-tu, je n'ai pas vraiment envie d'en parler, dit-il en haussant les épaules.

— Je comprends. Ça n'a pas été un succès. Bon, très bien.

Jean-Paul s'étira de nouveau en bâillant. Cette pensée semblait le réjouir. Édouard ressentit une certaine confusion. Pourquoi donc aurait-ce été un échec ?

Quelle qu'en fût la raison, la bonne humeur de Jean-Paul revint. Il se leva et prit Édouard par les épaules.

— Ne t'inquiète pas, cela arrive à tout le monde. Tu auras plus de chance la prochaine fois, lui dit-il en riant sous cape. Tu ne comptes donc plus la revoir ? Oh ! tu en trouveras d'autres. Demande-moi des adresses dès que tu le souhaiteras. Peut-être ne te convenait-elle pas ? Ce n'est vraiment pas grave. Pas encore tout au moins, petit frère.

Il alla se coucher en fredonnant un air de danse, visiblement d'excellente humeur. Édouard le regarda partir avec étonnement. Par-delà sa bonhomie, il percevait une lueur de ressentiment, de rivalité même. Chez tout autre que Jean-Paul, il aurait cru à la jalousie. Il en fut troublé, mais chassa cette idée de son esprit. C'était parfaitement ridicule et même déloyal : Jean-Paul était son frère et, de surcroît, sa générosité était notoire.

Pourtant, il éprouvait une certaine réticence, voire de la défiance. Le lendemain après-midi, il retourna chez Célestine et passa deux heures exquises en sa compagnie.

À son retour à Eaton Square, Jean-Paul, intrigué par son absence, l'attendait fébrilement.

— Je suis allé me promener dans le parc, lui dit Édouard spontanément.

Après tout, c'était vrai, il avait traversé le parc en se rendant chez Célestine.

Édouard éprouva un sentiment de culpabilité mêlé de honte. Il venait de mentir à son frère pour la première fois de sa vie.

HÉLÈNE

Orangeburg, Alabama, 1950

Derrière la roulotte, il y avait un arbre. Elle n'en connaissait pas le nom, sa mère non plus. Mais elle disait que c'était un arbre américain et qu'elle n'en avait jamais vu de semblable en Angleterre. Un arbre dont les branches basses rasaient le sol. Il était couvert d'une étrange substance, une sorte de mousse espagnole qui revêtait une teinte spectrale à la tombée du jour. En cet après-midi étouffant du mois d'août, elle s'était amusée à en faire un tas dans la saleté qui jonchait le sol devant la roulotte. Avec cette mousse grise agréable au toucher et de petits cailloux, ou plutôt des galets, et quelques marguerites, elle voulait façonner un jardin, un petit jardin anglais, pour faire une surprise à sa mère.

Par la fenêtre ouverte, on apercevait dans la roulotte le réveil sur la glacière et les traits rouges que sa mère avait marqués sur le cadran sous le 4 et le 12. Elle ne savait pas encore lire l'heure, mais elle savait que sa mère serait de retour quand les aiguilles arriveraient sur les traits. Et c'était pour bientôt. Son jardin était terminé maintenant. Il lui restait trois crackers.

Elle en coupa un petit morceau qu'elle tendit poliment à sa poupée comme sa mère le lui avait montré. Mais la poupée aux yeux peints ne bougea pas, et Hélène croqua les biscuits à sa place. Elle chassa les miettes et jeta un regard inquiet à sa jupe. La poussière rouge avait laissé des marques partout. Or sa mère lui avait dit de rester tranquille, de ne parler à personne, de ne pas quitter la roulotte et surtout de ne pas se salir.

On ne se salissait pas dans un jardin anglais. L'herbe y poussait comme il fallait ; les jardiniers arrosaient les fleurs, l'été ; les dames, assises dans des fauteuils d'osier, se faisaient servir des citronnades glacées dans de grands verres préalablement rafraîchis. Ce n'étaient pas ces horribles citronnades en bouteille, mais de délicieuses boissons préparées avec de vrais fruits, de l'eau et du sucre et servies avec une longue cuillère.

Elle éprouva un sentiment de culpabilité en rêvant de cette citronnade. Faire le jardin lui avait donné soif. Elle se contenterait d'un Coca-Cola ou de ce thé vert bizarre de Mississippi Mary qui avait un goût de dentifrice à la menthe. Mais il lui était défendu de parler à Mary ou aux enfants Tanner, d'ailleurs. Elle devait seulement attendre le retour de sa mère dans la roulotte.

Elle repoussa en arrière une longue mèche blonde collée sur son front. De toute façon, les enfants Tanner ne viendraient pas se promener dans le coin. Elle percevait leurs cris au loin, près de la rivière où ils s'en donnaient à cœur joie. Elle ne s'était jamais baignée, bien sûr, mais les avait observés de loin. Ils avaient l'air de s'amuser. Garçons et filles, complètement nus, s'éclaboussaient en riant. Quel délice ce devait être de plonger dans cette eau fraîche ! De plus, quelque chose la troublait. Toutes les petites filles Tanner lui ressemblaient, mais les garçons étaient différents. Ils avaient un drôle de truc entre les jambes. Elle se pencha pour mieux voir et, au même moment, l'un des fils Tanner écarta les jambes, prit son truc dans la main, et un grand jet d'eau jaillit, retombant dans la rivière sous les rires des autres enfants.

Elle raconta l'anecdote à sa mère qui se mit en colère, prétendant que les Tanner étaient des gens vulgaires, et lui donna une tape si forte sur le bras qu'elle eut une grosse marque rouge.

— Garde tes distances vis-à-vis des pauvres Blancs comme des pauvres Noirs, lui dit-elle.

— Mais pourquoi ont-ils ce truc, maman ? lui demanda-t-elle après avoir séché ses larmes.

— Parce que les garçons sont différents des filles.

— Tous les garçons ont ça ? Papa aussi l'avait ?

— Oui, dit sa mère, perdant patience.

— À quoi ça sert ? Je n'en ai pas, moi, pourquoi ?

— Parce que les filles n'en ont pas besoin. C'est sale. Bon, maintenant, viens prendre le thé.

Hélène se leva. Elle se sentait coupable car, malgré l'interdiction de sa mère, elle ne cessait d'y penser. Cette conversation resta longtemps gravée dans sa mémoire. Elle y pensait surtout le soir dans son lit quand il faisait si chaud qu'elle ne parvenait pas à s'endormir et que sa mère cousait à côté d'elle. Cette pensée éveillait en elle des sensations étranges. Elle ressentait une chaleur curieuse entre les cuisses. Parfois elle y glissait la main. C'était bon. Elle s'endormait aussitôt.

Il valait mieux ne pas y songer maintenant. Les aiguilles du réveil arrivaient presque sur les traits. Elle ramassa sa poupée, secoua sa jupe et s'assit sur une marche brûlante de la roulotte d'où elle pouvait voir sa mère arriver de loin.

Elle aimait cet endroit. De là, elle découvrait tout le terrain vague où étaient disséminées quelques roulottes. Derrière s'étendait la crique où se baignaient les Tanner, qui rejoignait un peu plus loin l'Alabama, fleuve important mais dont la beauté n'égalait pas celle des fleuves d'Angleterre.

Là-bas, il y avait la Tamise qui traversait Londres, où le roi et la reine habitaient un palais, et où sa mère avait vécu. Il y avait aussi l'Avon qui traversait un village où avait vécu Shakespeare mais dont elle avait oublié le nom. Shakespeare était anglais. Sa mère disait que c'était le plus grand écrivain du monde. Elle avait joué autrefois dans l'une de ses pièces, vêtue d'une robe somptueuse. Plus tard, quand elle serait grande, sa mère lui apprendrait quelques-uns de ses poèmes. Voilà pourquoi il lui fallait faire des efforts de langage, dès maintenant, et ne pas s'exprimer dans le jargon des Tanner. Ainsi, quand elle déclamerait des poèmes, ce serait avec la diction anglaise. A E I O U. Elle aurait dû s'exercer à prononcer les voyelles. Elle l'avait promis à sa mère, mais avait oublié.

Le regard perdu dans le vide tout en balançant les jambes, elle s'efforçait de prononcer correctement ses voyelles. Leur roulotte vert foncé commençait à rouiller. C'était l'une des plus vieilles. Elle comprenait deux pièces, une chambre à deux lits étroits pour elle et sa mère, et une pièce où elles mangeaient, travaillaient et écoutaient la radio le soir. Il y avait aussi les marches où elle s'asseyait souvent et la petite cour où elle avait fait son jardin. Derrière l'arbre se trouvait une pompe et ce que sa mère appelait les lieux d'aisances qui sentaient mauvais et regorgeaient de mouches l'été. Une palissade blanche entourait le terrain auquel on accédait par une petite grille. Au bout du chemin, de nombreux arbres les mettaient à l'abri des regards, ce qui réjouissait sa mère. Il y avait huit autres roulottes. Deux d'entre elles étaient occupées par les Tanner qui avaient sept enfants et en attendaient un autre. M. Tanner buvait et battait sa femme dont on percevait souvent les cris. Sa mère lui disait de ne pas y prêter attention, car, de toute façon, elles ne pouvaient rien faire. Les hommes étaient tous pareils, et M. Tanner était un imbécile.

— Papa t'a-t-il battue, maman ?

— Une seule fois.

Devant son regard triste et crispé, Hélène ne posa plus de questions. Elle se disait que son père avait dû être cruel. Mais qu'importe, puisqu'elle n'en avait pas souvenance. Il vivait en Louisiane. C'est là qu'avec sa mère elle avait vécu avant de venir ici, mais elle n'en gardait aucun souvenir. Son père était soldat. Il avait fait la connaissance de sa mère pendant la guerre. Maintenant, il se trouvait très loin, plus loin encore que la Louisiane, en Corée.

— C'est parfait ainsi, disait sa mère qui n'espérait plus son retour.

Il ne savait pas où elles habitaient. Même s'il souhaitait les revoir, ce serait impossible. Après tout, ce n'était pas si mal, car elles étaient heureuses toutes les deux. Très prochainement, elles retourneraient en Angleterre, pays de leurs racines.

Au-delà du terrain vague s'étendait un champ. Autrefois, on y cultivait le coton. Il appartenait aux Calvert mais, depuis la guerre où le commandant Calvert était parti combattre les Allemands, il était en friche. Seuls quelques Noirs y vivaient dans des masures. Il lui était interdit de s'y rendre, même pour aller dire bonjour à Mississippi Mary.

Une grande route menait à Orangeburg. Là, on trouvait une station-service, un marché, un hôtel, le salon de coiffure de Cassie Wyatt où sa mère travaillait trois matinées par semaine. De l'autre côté d'Orangeburg, il y avait Selma, Montgomery, la capitale de l'État, et Birmingham. Mais Hélène ne s'y était jamais rendue.

Sa mère lui disait que cela n'avait vraiment aucune importance. Plus tard, elles iraient à New York dans la Cinquième Avenue faire le tour des belles boutiques, puis à Londres, Paris, Rome, par bateau ou même par avion. Bien que Londres eût été bombardée par les Allemands, sa mère, qui n'y était pas retournée depuis cinq ans, prétendait que la ville avait gardé toute sa beauté. Il y avait de grands parcs, totalement différents de ceux qu'elle connaissait, avec de magnifiques pelouses, des arbres et des fleurs. On y trouvait aussi des kiosques à musique où les soldats jouaient des marches et des valses.

Dès qu'elles auraient de l'argent, sa mère lui avait promis qu'elles iraient vivre là-bas sans même s'arrêter à Birmingham dans l'État d'Alabama qui ne présentait vraiment aucun intérêt.

Elle regarda l'heure. Sa mère n'allait pas tarder à arriver. Elle n'était jamais en retard.

« La ponctualité est la politesse des rois », ne cessait-elle de lui répéter.

Elle arriverait par la route de la plantation. Le samedi, elle allait coiffer Mme Calvert chez elle et non au salon de coiffure. Jamais une femme comme elle ne se mêlerait aux clients.

Hélène y avait accompagné sa mère une fois pour lui passer les épingles. C'était du moins le prétexte qu'elle avait invoqué. En réalité, elle voulait montrer à sa fille une belle maison aux murs blancs, avec des colonnes et une véranda. Mme Calvert avait un maître d'hôtel noir et des serviteurs comme il sied à une grande dame. Elle s'agitait en permanence et disait que le soleil lui donnait mal à la tête, aussi les stores étaient-ils toujours baissés. C'était une pièce fraîche et obscure où, au parfum des fleurs, se mêlaient l'odeur du linge propre et celle des fers à friser.

Hélène était ébahie devant tous ces flacons de cristal et ces grandes brosses d'argent posés sur la coiffeuse. Seule Mme Calvert déparait dans un tel décor. Maigre et sèche, mal fardée, le teint terne, elle avait, au premier abord, déplu à Hélène qui, en s'approchant, avait remarqué des plaques de poudre sur ses joues et des rides aux commissures de ses lèvres. C'était une Yankee, lui avait dit sa mère, ce qui signifiait qu'elle était nordiste et venait de New York, peut-être de Boston. Elle était à peine plus âgée que son mari, avait ajouté sa mère avec un sourire malicieux. Il fallait verser sur ses cheveux gris un liquide qui sentait horriblement fort.

— Ce ne sont pas quelques gouttes de teinture qu'il lui faut, c'est le flacon entier ! s'exclama sa mère dès qu'elles se retrouvèrent seules.

À peine sorties, elles rencontrèrent le commandant Calvert sur la véranda. Il portait un costume blanc. Jamais Hélène n'avait vu d'homme vêtu de blanc. Grand, bronzé, très beau, il l'impressionna d'emblée. Dès qu'il l'aperçut, il s'avança vers elle et attendit que sa mère fasse les présentations. Hélène, à qui sa mère avait enseigné les bonnes manières, se comporta comme elle le devait. Elle lui tendit la main, le regardant droit dans les yeux.

— Bonjour, monsieur.

La surprise passée, il éclata de rire avant de lui tendre à son tour une main solennelle en murmurant à sa mère quelques paroles qu'Hélène ne comprit pas.

— Qu'a-t-il murmuré, maman, lui demanda-t-elle dès qu'elles furent seules.

— Il voulait savoir ton âge, répondit-elle en souriant. J'ai dit que tu avais cinq ans. Il pense que tu seras une beauté.

Hélène s'arrêta net.

— Une beauté ? Tu veux dire que je serai belle ? Comme une vraie dame ?

— Bien sûr, fit-elle, en lui posant une main affectueuse sur l'épaule. Ne te l'ai-je pas souvent répété ?

C'était vrai. La perspective était agréable. En levant les yeux, elle aperçut la silhouette de sa mère derrière les arbres.

Oui, c'était plaisant, mais pas autant que d'entendre ces paroles prononcées par le commandant Calvert. N'était-il pas un homme du monde ? Il sentait l'eau de Cologne, et ses mains étaient d'une douceur incomparable. Quand il lui avait serré la main, il avait eu un geste inattendu. Le doigt recroquevillé, il avait d'abord pressé légèrement la paume de sa main puis l'avait furtivement chatouillée de son ongle parfaitement soigné.

Elle n'avait rien dit à sa mère qui se serait fâchée et ne l'aurait plus autorisée à l'accompagner dans la grande maison. Et elle avait une telle envie de revenir pour contempler les brosses en argent, sentir l'odeur du linge propre et revoir le commandant Calvert. C'était agréable lorsqu'il lui caressait ainsi la paume de la main. Elle éprouvait une étrange sensation de bien-être, de chaleur. Tout comme lorsqu'elle avait observé les petits Tanner près de la rivière.

Une chose l'étonnait. Le commandant Calvert était un homme, et pourtant il était beau et propre. Comment se faisait-il donc qu'elle éprouvât les mêmes sensations qu'avec les petits galopins qu'il lui était interdit de fréquenter ?

Elle se leva, chassant cette mauvaise pensée de son esprit. Sa mère pourrait avoir des soupçons. Elle lui fit signe de la main, ravie d'avoir un secret, heureuse aussi de retrouver sa mère.

— Regarde, maman. Je t'ai fait un jardin anglais.

Hélène aimait ces fins de soirée, après le dîner, où la lumière était indécise, l'air plus frais. Les petits rideaux de coton claquaient sous la brise qui pénétrait dans la roulotte par la fenêtre ouverte. Dehors, on percevait la stridulation des sauterelles. Elle avait alors sa mère pour elle seule. C'était l'heure de la leçon. Peu orthodoxe, elle ressemblait à un jeu dans lequel Hélène excellait. Ce soir, pourtant, un événement particulier s'était produit. Sa mère était revenue avec un paquet enveloppé dans du papier marron qu'elle s'était empressée d'aller cacher dans sa chambre. Mais Hélène avait décelé une lueur de joie intense dans son regard. Si elle apprenait bien sa leçon, Hélène aurait droit à la surprise.

Elles firent donc ce que sa mère appelait une « dînette », et Dieu sait si elle était pointilleuse sur ce sujet. Le déjeuner était appelé collation, jamais repas. Ce terme était bon pour les Tanner parce qu'ils n'en connaissaient pas d'autres. Le thé se prenait dans le salon. Comme elles n'en avaient pas, elles faisaient preuve d'imagination. Quant au dîner, lorsqu'elle serait grande, il serait toujours servi à 8 heures.

Elles dînèrent d'oeufs à la coque accompagnés de fines tranches de pain beurré auquel sa mère avait enlevé la croûte. Elles ne mangeaient jamais rien de frit. C'était commun et donnait mauvaise mine. Elles terminèrent par le fromage et les fruits. Mais là, les choses se compliquèrent, car il fallait se servir d'un couteau et d'une fourchette, peler l'orange d'une façon, la pomme d'une autre, et Hélène se trompait souvent, ce qui contrariait sa mère.

Elles écoutèrent ensuite les informations. Hélène s'ennuyait en entendant parler de guerre dans des pays qu'elle ne connaissait pas. La table débarrassée et la vaisselle terminée, venait enfin le moment attendu : la leçon.

Ce soir, elle allait apprendre à dresser une table. Après avoir disposé les couverts, Hélène grimpa sur un tabouret et attendit. Le dos droit, les coudes collés au corps selon les règles de la bienséance.

— Très bien, dit sa mère en souriant. Ce soir, nous allons prendre une soupe légère, un consommé. Puis du poisson, une sole ou peut-être un turbot poché. Ensuite viendra le plat principal, du poulet, de la viande ou du gibier accompagné de légumes. De quel côté doit servir le maître d'hôtel ?

— À gauche, maman.

— Très bien. Dans quel ordre utilises-tu les couteaux et les fourchettes ?

— Je commence par ceux qui sont à l'extérieur, maman.

— Bien. Que fais-tu s'il y a des petits pains ?

— Je les romps, morceau par morceau, maman, avec les doigts. Il ne faut pas couper le pain avec un couteau. Ça, c'est pour le beurre.

— Excellent. Et les verres à vin ?

Le regard d'Hélène se posa sur trois gobelets en verre épais.

— Comme les couteaux et les fourchettes. En commençant par ceux qui sont à l'extérieur. Même si on nous sert de nouveau, il faut déguster longtemps et ne jamais dépasser trois verres.

— Bon, dit sa mère en soupirant. On n'en met pas toujours trois, tu comprends, mais c'est prudent. Maintenant... après le plat principal, que sert-on ?

— Du pudding, maman.

— Exactement. Il ne faut pas dire dessert. C'est le terme que l'on emploie pour les fruits et les noix présentés à la fin du repas. Et certainement pas douceurs... Dis-moi, comment appelles-tu cela, fit-elle en désignant le sel et le poivre ?

— La salière et le poivrier, maman. Quelquefois, on peut mettre de la moutarde, dit-elle fièrement. Il ne faut pas parler de pot. Si, par hasard, quelqu'un prononce ce mot, on doit tout de même lui passer, mais sans sourire.

— Excellent. Et cela ? lui demanda-t-elle en désignant une serviette en papier posée près de l'assiette.

— C'est une serviette.

— Mais, dis-moi, où devraient se trouver tes mains depuis un moment ?

— Oh ! s'écria Hélène en portant la main à sa bouche. Sur mes genoux, maman.

Le reproche n'était pas bien méchant. Hélène s'empressa de les placer sous la table.

— Très bien. Une dernière chose. Tu as mangé ton orange d'une façon tout à fait correcte, sans laisser tomber la moindre peau sous la table. Que dois-tu faire ensuite ?

— Eh bien, nous allons bavarder un instant. Je dois veiller à entretenir la conversation avec mon voisin de droite et celui de gauche, et surtout ne pas me laisser...

— Monopoliser. Très bien. Continue.

— J'attends le signal de la maîtresse de maison. Quand elle se lève, les dames se lèvent à leur tour et la suivent dans la pièce d'à côté, tandis que les hommes restent à table devant un verre de porto et racontent des histoires drôles.

— Oui, oui, lui dit sa mère en se levant. Tu ne dois pas t'intéresser à ce qu'ils racontent. Mais il est possible que ces manières soient un peu désuètes. Depuis la guerre, tu comprends, tout a changé. On est moins à cheval sur les règles et... il y a si longtemps que je suis partie. Malgré tout, mieux vaut ne pas être pris au dépourvu.

— Oui, maman, dit-elle d'une voix hésitante, avant d'ajouter : Est-ce que c'était bien ?

— Très bien, ma chérie. Maintenant, tu peux descendre.

Hélène sauta de son tabouret et se précipita vers sa mère.

Elle était installée dans le seul fauteuil confortable qu'elle possédât. Il était horrible avec ses pieds en bois jaune et sa housse rouge sale. Mais sa mère l'avait recouvert d'un magnifique châle en cachemire rapporté d'Angleterre. Hélène se blottit dans ses bras, la tête sur son épaule, tandis que sa mère, les yeux clos, rêvait. Hélène l'observa.

Elle était belle, très mince car elle ne mangeait pas toujours à sa faim, surtout lorsque Cassie Wyatt tardait à lui verser son salaire. Elle se maquillait toujours et se faisait chaque soir une mise en plis. Personne ne lui ressemblait. Elle avait de beaux cheveux bruns bouclés qu'elle se coupait elle-même, le teint pâle car elle ne se mettait jamais au soleil de peur d'avoir la peau brûlée, les sourcils arqués qui faisaient ressortir ses grands yeux violets comme ceux d'Hélène. C'est à cause de la couleur de ses yeux qu'on l'avait prénommée Violette. Violette Jennifer Fortescue, tel était son nom de scène lorsqu'elle était actrice en Angleterre. Maintenant, elle s'appelait Mme Craig et Hélène, Hélène Craig. C'était le nom de son papa. Elle aurait préféré s'appeler Hélène Fortescue. Plus tard, elle reprendrait ce nom et serait actrice comme sa mère. Elle préférait le cinéma au théâtre. Sa mère l'emmenait quelquefois à Selma voir un film. C'était fête, ce jour-là. Hélène adorait le cinéma. Sa mère ne ressemblait-elle pas à Carole Lombard, en mieux, parce que l'actrice avait les cheveux blond cendré, mais ils étaient teints alors que ceux de sa mère étaient naturels ?

Sa mère avait une soeur, Élisabeth, à qui elle envoyait régulièrement une carte à Noël, mais qui ne lui répondait que rarement. Ses parents étant morts, elle n'avait plus de raison de retourner en Angleterre. Où vivrait-elle ?

— Pourquoi n'irions-nous pas habiter chez Élisabeth dans un premier temps ? lui demanda Hélène.

— Je ne m'entends pas très bien avec elle, lui répondit sa mère en hochant la tête. Elle est plus âgée que moi et m'en a toujours voulu d'être la préférée de notre père. Une fois, il m'a emmenée à Paris. Nous étions seulement tous les deux. C'était merveilleux. Paris est la plus belle ville du monde, encore plus extraordinaire que Londres. À notre retour Élisabeth a boudé et a été odieuse envers moi. Maintenant, elle vit seule dans la maison du Devon où nous avons grandi, mais il est hors de question d'aller vivre ensemble. D'abord, elle ne voudrait pas de nous, et puis les souvenirs me rendraient trop triste. Élisabeth me jalouse. Je me suis mariée alors qu'elle est restée vieille fille.

Hélène soupira. C'était ce qui pouvait arriver de pire à une femme. Cela signifiait que les hommes la rejetaient, qu'elle allait passer le restant de sa vie seule et délaissée. Cette pensée la faisait frémir. Et si, plus tard, c'était son cas ?

Le mariage ne semblait pourtant pas la panacée. Mme Calvert était mariée et avait l'air triste et amère. Tout comme Mme Tanner dont le mari buvait et devenait violent. Sa mère aussi s'était mariée et, lorsqu'elle évoquait ce temps-là, elle se mettait à pleurer.

Hélène aurait aimé savoir si sa mère avait aimé son père parce que c'était dans l'ordre des choses. D'abord, on tombe amoureux, ensuite l'homme demande à la femme de l'épouser parce qu'il l'aime, et puis il veille sur elle toute sa vie. Seulement, ce n'était pas toujours comme ça, et elle désirait savoir pourquoi. Sa mère ne voulait pas lui expliquer. Elle disait simplement qu'elle avait épousé un G.I. pendant la guerre. Erreur de jeunesse. Puis elle changeait de sujet. Elle n'avait pas porté de robe blanche ni de voile, toujours en raison de la guerre. C'est tout ce qu'Hélène savait. Voilà sans doute pourquoi tout était allé de travers. Sa mère n'avait pas suivi la voie traditionnelle, elle ne s'était pas mariée à l'église mais dans un vague bureau. Quand elle se marierait, Hélène ne commettrait pas cette erreur.

Elle aurait souhaité en savoir davantage sur le mariage en général, sur son père qu'elle aurait aimé connaître, mais elle sentait que cela contrariait sa mère qui, ce soir, avait l'air épuisée, énervée même comme si quelque chose la tracassait. Hélène se blottit contre elle et lui posa des questions sur son enfance, la maison où elle avait vécu, ses robes, les réceptions auxquelles elle était conviée et lui demanda pourquoi, à l'âge de dix-neuf ans, elle s'était enfuie de chez elle pour devenir actrice. Hélène connaissait les réponses pour les avoir entendues des centaines de fois, mais elle prenait plaisir à les écouter de nouveau. D'abord, sa mère se faisait prier, mais le charme d'Hélène opérait. Peu à peu ses yeux mauves s'éclairaient, deux petites taches rouges naissaient sur ses joues, et c'était alors un flot de paroles ininterrompu.

Du satin blanc, des manteaux de renard, du champagne au petit déjeuner, le Café Royal qui avait failli être bombardé un soir où sa mère y était venue danser. Des soirées qui commençaient dans les loges d'artiste et se poursuivaient toute la nuit. Des hommes en smoking, parfois en queue-de-pie. Des chansonniers qui chantaient des chansons humoristiques tout en s'accompagnant au piano. Des produits de maquillage Leichner et Max Factor dont elle avait conservé quelques échantillons. Des fleurs. Sa mère portait toujours une rose à la boutonnière de sa robe lorsqu'elle était invitée à une soirée.

Elle avait beaucoup d'admirateurs, et sa robe préférée de soie mauve faisait ressortir la couleur de ses yeux. Des voitures, des Daimler aux sièges de cuir. Des chansons, des tas de chansons. Sa mère lui fredonnait quelques airs de temps à autre, debout au milieu de la pièce, le regard radieux, les joues pourpres, la chevelure étincelante sous le reflet de la lumière. Sa chanson favorite parlait de lilas.

Elle avait une voix claire très agréable. Quand elle eut terminé, Hélène applaudit, et sa mère salua en riant.

— Ça ressemble à quoi les lilas, maman ?

— Ce sont des fleurs blanches ou mauves qui sentent le printemps et rappellent l'Angleterre. Le jardinier du commandant Calvert en a planté dans le parc.

Soudain, elle éclata en sanglots.

— La vie d'artiste est parfois si dure. Les gens ne vous prennent pas au sérieux.

Ce soir-là, sa mère ne voulut pas chanter. Elle répondit aux questions d'Hélène avec trop de précipitation, comme si quelque chose la préoccupait. L'argent, probablement. Au bout d'un moment, Hélène lui rappela la surprise qu'elle lui avait réservée.

— Ah oui ! La surprise...

Sa mère se leva lentement, prit Hélène par la main et la conduisit dans la chambre. Au milieu du lit était posée une boîte en carton.

Elle s'agenouilla doucement et défit le paquet. Hélène la regardait fébrilement, les mains croisées.

Avec mille précautions, lissant le tissu pour faire disparaître les faux plis, sa mère, radieuse, sortit une robe qu'elle serra contre elle en soupirant avant de la poser délicatement sur le lit. Hélène n'osait rien dire.

Elle n'aimait pas cette robe en soie aux motifs gris et blancs, au col trop large, avec des épaulettes et une fine ceinture assortie. Sur le bord du col, elle remarqua une petite tache noire.

Toutes deux contemplèrent silencieusement la robe, puis soudain sa mère se pencha et palpa le tissu. Elle aplatit le col avec la paume de sa main.

— Regarde Hélène. Bergdorf Goodman ! C'est une boutique de la Cinquième Avenue. Ils n'ont que des modèles exclusifs et chers. C'est de la pure soie. Touche. N'est-ce pas merveilleux ?

Elle se pencha et enfouit son visage dans les plis de la jupe.

— De la pure soie. Je n'ai pas touché... ni porté de robe en soie depuis des années, dit-elle avec un rire nerveux.

Hélène avait les yeux fixés sur la robe.

— Regarde, maman, elle a une tache sur le col. Elle n'est pas neuve.

Sa mère, le regard brillant de colère, se retourna aussitôt.

— Évidemment, elle n'est pas neuve. Crois-tu que j'ai les moyens de m'offrir une telle robe ? Même avec le salaire d'un an que je perçois chez Cassie Wyatt.

Elle avait haussé le ton. Soudain, leurs regards se croisèrent. Elle baissa les yeux puis les leva de nouveau vers sa fille d'un air suppliant.

— Elle est splendide, Hélène. Tu ne te rends pas compte ! C'est une robe simple, mais sache que toutes les belles choses le sont. Oui, elle a été portée. Il y a une tache, mais ce n'est rien. Je peux la faire partir. Elle a une taille de trop. Mme Calvert est plus grande que moi, mais je vais la reprendre aux hanches. Je vais couper. Avec le tissu restant, nous ferons une robe pour ta poupée. Tu vois, c'est une vraie tenue de soirée et...

— C'est à Mme Calvert ? lui demanda Hélène, stupéfaite.

Les joues pâles de sa mère s'empourprèrent.

— Elle te l'a donnée ? Tu veux dire que c'est un de ces vêtements usés qu'on donne aux pauvres comme les Tanner ?

— Cela n'a rien à voir, répondit-elle en se levant, le visage crispé, les mains tremblantes. C'est une robe, un point c'est tout. Une très belle robe qui a été à peine portée. Mme Calvert allait la jeter et...

— C'est Mme Calvert qui te l'a offerte ?

Un je-ne-sais-quoi l'incita à poser de nouveau la question. Détournant le regard, sa mère baissa les yeux. Hélène sentit une profonde meurtrissure au fond de son coeur.

— Non, dit-elle en repliant la robe. En réalité, c'est le commandant Calvert. Sa femme allait donner des affaires. Il a vu cette robe et l'a mise de côté pour moi. Il a pensé qu'elle m'irait et qu'elle me plairait. Il a eu raison. Tu ne peux pas comprendre. Tu n'as jamais vu de belles robes. Attends d'en porter, tu changeras d'avis.

Hélène se rendit compte que sa mère, malgré sa colère, était bouleversée. Elle avait l'impression d'être emportée dans un brusque ouragan qui balayait la pièce, arrachant tout sur son passage. Elle percevait à peine sa voix qui la pressait de faire sa toilette et d'aller au lit car il se faisait tard.

Hélène se lava sans dire un mot puis grimpa dans son petit lit étroit. Sa mère vint s'asseoir auprès d'elle et lui prit la main. Hélène la sentait malheureuse. Elles restèrent un moment silencieuses.

Puis elle se leva mais, arrivée près de la porte, se ravisa.

— Hélène... Tu ne dors pas ? Demain, c'est dimanche, tu le sais.

En bâillant, Hélène s'enfonça dans ses draps rugueux. Comment l'oublier ? C'était le jour de la lessive mais aussi celui où elles allaient toutes deux se promener jusqu'à la crique.

— Je... je dois sortir, Hélène. Pas longtemps. Je m'absenterai l'après-midi.

Hélène se redressa.

— Mais on va se promener d'habitude !

— Je sais, ma chérie, lui répondit-elle en soupirant. Mais pas demain. Maman doit sortir. Elle doit voir un ami.

Hélène écarquilla les yeux.

— Un ami ? Je ne peux pas venir ? Quel ami ? Je le connais ?

— Non, non. Demain, tu ne peux pas m'accompagner. Un autre jour peut-être, si tu es sage. Nous irons nous promener dès que maman rentrera, d'accord ?

Hélène se mit à pleurer sans aucune raison. Impossible de s'arrêter. Quelque chose allait mal, mais quoi ? Un flot de larmes se déversa le long de ses joues, tombant sur les draps.

— Oh, Hélène !

Sa mère se précipita vers elle et la serra contre elle. Le visage blotti contre ses épaules frêles, Hélène se rendait compte que sa mère était tendue, nerveuse, comme si elle aussi avait envie de pleurer.

— Ma chérie, ne pleure pas. Ne sois pas bête, tu es fatiguée, c'est tout. Tu n'es qu'une enfant et...

Elle s'interrompit, puis s'écarta brusquement, la voix soudain bizarre, dénuée de sa douceur et de son calme habituels.

— J'ai trente et un ans, Hélène. Je suis encore jeune. Et... maman a besoin d'amis, ma chérie. Comme tout le monde. Tu ne voudrais pas que maman reste seule sans amis, n'est-ce pas, ma chérie ?

Hélène l'observa attentivement. Ses larmes avaient cessé aussi brusquement qu'elles avaient pris naissance. Mais sa mère n'avait rien remarqué.

— Non, lui répondit-elle enfin.

En soupirant, sa mère se pencha vers elle, l'embrassa sur le front et la borda. Puis elle éteignit la lumière. Au moment où elle allait sortir de la chambre, Hélène l'appela.

— Maman ?

— Oui, chérie ?

— Vas-tu mettre ta nouvelle robe pour sortir avec ton ami ?

Il y eut un bref silence, rompu par le rire amusé de sa mère.

— Probablement.

Il y avait une note de gaieté dans sa voix. Elle referma la porte.

Elle mit en effet sa nouvelle robe. Sans doute avait-elle passé la nuit à la rétrécir, la nettoyer et la repasser, car, lorsqu'elle l'essaya, la robe était impeccable et lui allait parfaitement. Elle se regarda dans le miroir brisé de la chambre. Ravie, elle virevolta en frappant dans ses mains.

— Regarde, ma chérie, elle est belle, non ?

Hélène, ébahie, avait les yeux fixés sur elle. Sa mère s'était lavé les cheveux qui étincelaient au soleil, puis maquillée avec soin. Ses sourcils étaient plus soulignés que d'habitude, et un rouge écarlate accentuait la courbure de ses lèvres. Cessant de tournoyer, sa mère s'approcha d'elle et l'étreignit.

— Ne boude pas, ma chérie. Cela t'enlaidit. Et si tu mettais, toi aussi, ta belle robe ? Laisse-moi te coiffer. Nous aurons ainsi, toutes les deux, l'air de grandes dames et, dès mon retour, nous irons nous promener. Tu veux bien ? Nous descendrons jusqu'à la crique bien vêtues, la main dans la main, en chantant. Nous imaginerons que nous sommes à Londres dans Regent's Park et que nous allons écouter un orchestre. Ça te ferait plaisir ?

Hélène ne répondit pas, mais sa mère, totalement grisée, n'y prêta pas attention. Elle aida Hélène à enfiler sa jolie robe à smocks ornée d'un petit col de dentelle découpée dans un vieux jupon qu'elle portait lorsqu'elle allait au cinéma à Selma. Mais, aujourd'hui, elle n'en avait pas envie. Trop petite, trop chaude, la robe lui serrait sous les bras. Hélène était en sueur. La chaleur à l'intérieur de la roulotte était étouffante. Une chaleur d'orage. Elle remarqua des perles de sueur qui, telles des larmes, sillonnaient le front et la lèvre supérieure de sa mère.

Elle brossa longuement les cheveux blonds d'Hélène pour leur donner de l'éclat, puis sortit les fers à friser, les chauffa et lui fit une mise en plis. Plus sa mère essayait de l'amadouer, plus Hélène se rebiffait.

Au bout d'un moment, sa mère regarda sa montre.

— Ah, maintenant je vais te faire une autre surprise.

Elle ouvrit le petit tiroir de la commode jaune qui se trouvait près de son lit, fouilla tout au fond et sortit une boîte. La boîte.

Blanche, une inscription en lettres dorées. À l'intérieur, lové dans une petite cavité bordée de satin blanc jaunissant, se trouvait un minuscule flacon muni d'un bouchon de verre. Tout au fond, on percevait un liquide huileux orange foncé. Avec d'infinies précautions, sa mère souleva le flacon, le remua légèrement pour que le bouchon s'en imprègne, puis l'ouvrit. Elle frotta le bouchon derrière son oreille, sur ses frêles poignets qui laissaient apparaître le bleu diaphane de ses veines, puis elle en fit de même pour Hélène.

Hélène plissa le nez.

— Ça sent drôle.

— C'est le parfum le plus cher du monde. Je t'en ai parlé, tu ne souviens pas ? Il s'appelle *Joie* et de lui émanent toutes les senteurs du printemps.

Son visage s'assombrit brusquement.

— Il y a sept ans, on m'a offert le même, mais il n'en reste plus.

Hélène eut envie de jeter le flacon mais elle n'en fit rien. Elle replaça le bouchon, remit le flacon dans sa boîte qu'elle reposa au fond du tiroir en soupirant.

— Il ne faut jamais laisser un flacon à la lumière, Hélène, il s'évapore. Oh, dit-elle en jetant un coup d'oeil à sa montre, je dois partir. Je suis en retard. Tu vas être sage. Ne t'éloigne pas de la roulotte. Tu sais que, lorsque les aiguilles du réveil arrivent aux gros traits, maman sera de retour.

Elle serra Hélène très fort dans ses bras, puis s'en alla. Hélène la regarda partir. Après avoir passé la grille, sa mère se mit à courir.

Hélène repartit à la cuisine. Le réveil était toujours juché sur la glacière, mais les traits n'étaient plus au même endroit. L'un était sur le 12, comme d'habitude. L'autre sur le 6.

Elle savait lire les chiffres mais pas l'heure. Cela signifiait-il que sa mère allait rentrer plus tôt que d'habitude ? Elle était intriguée, mais il faisait une chaleur si étouffante dans la roulotte qu'elle cessa d'y penser et sortit. Le jardin était dépourvu de beauté. Le sol était jonché de pierres et les fleurs étaient brûlées par le soleil. Peut-être qu'en les arrosant avec l'eau de la pompe elles repousseraient. Elle alla remplir une bouteille sans trop y croire. Peu à peu, cependant, son intérêt grandit. Elle s'agenouilla et versa de l'eau. Ce n'était pas une tâche facile, car l'eau formait des rigoles dans la poussière et n'imprégnait pas la terre. Les pissenlits ratatinés s'affaissèrent.

— Pourquoi tu fais ça ? Ils sont morts.

Hélène leva lentement la tête mais, avec le soleil en face, elle ne distinguait rien. Ce devait être l'un des petits Tanner, Billy sans doute. Oui, c'était bien lui. Il l'observait, appuyé sur la palissade. Elle le regarda sans rien dire. Il était très bronzé et avait cette affreuse coiffure en brosse de tous les fils Tanner. Les cheveux étaient si courts que le crâne luisait au soleil à travers les épis presque argentés. Dieu qu'il était laid ! Pas de chemise, pas de chaussures. En fait, les Tanner n'en portaient que lorsqu'ils allaient à l'école. Son jean, taillé aux genoux, était si vieux qu'il n'avait plus de couleur. Elle le regarda sans répondre. Si elle ne disait rien, peut-être s'en irait-il. Elle continua à verser de l'eau sur le sol pierreux. Billy Tanner jeta un regard furtif sur la roulotte, puis ouvrit la grille et s'avança vers elle. Il avait les pieds dégoûtants et les chevilles couvertes de terre rouge.

— Tu vois pas qu'ils sont morts. Pas la peine de les arroser. Ça sert à rien. Tu veux que je t'en apporte de beaux ? Je sais où y en a plein. Et des beaux. Près de la crique.

Hélène s'assit de nouveau sur ses talons et le regarda avec méfiance. Il avait un air détaché, mais son offre était tout de même très aimable. Tous les autres Tanner se seraient moqués d'elle et auraient fait valser les cailloux d'un coup de pied. Mais Billy était plus gentil. Ce n'était pas la première fois qu'elle le remarquait. Autrefois, lorsque Mississippi Mary s'occupait d'elle, Hélène était tombée dans la roulotte. Billy était venu la relever et l'avait portée jusqu'à la pompe où il lui avait passé de l'eau sur sa blessure.

— C'est un jardin anglais. Hier, il était beau.

Billy s'accroupit à côté d'elle dans la poussière.

— Un jardin anglais ? Tu en as déjà vu ?

— Moi, non, mais ma mère, oui. Elle m'en a beaucoup parlé. Ils sont verts et ont des fleurs partout. Comme celui des Calvert mais en mieux.

— Ah !...

Il se pencha et disposa agréablement les cailloux.

— Tu veux le faire comme ça ? Regarde, si on fait un barrage, l'eau ne partira plus. Tu veux essayer ?

Hélène versa l'eau avec précaution. Une petite flaque se forma devant les cailloux exactement comme elle le souhaitait, puis s'écoula peu à peu.

— Merci, lui dit-elle en lui adressant un sourire.

— Ça va, ça va, répondit-il en haussant les épaules.

Elle était consciente de son étonnement devant sa belle coiffure, sa jolie robe, ses pieds nus chaussés de sandales. Son regard la gêna au début mais, comme il ne fit pas le moindre geste, n'essaya pas de la toucher, elle y prit peu à peu un certain plaisir.

— Tu es très, très bien coiffée, tu sais.

Stupéfaite, Hélène le vit rougir. Son sourire avait disparu.

— J'ai vu une fois une fille qui te ressemblait. Dans un magazine à l'école.

Était-ce un compliment ? Sans attendre de réponse, Billy huma l'air en éclatant de rire.

— Qu'est-ce que tu sens ? Ça cocote !

— Tu n'y connais rien. C'est un parfum français de ma mère. Le plus cher du monde, Billy Tanner !

— Ah bon ?

— Oui. *Joie.* C'est son nom. Ça sent très bon. Tiens, lui dit-elle en lui tendant avec mépris son poignet.

Billy hésita avant de se pencher pour sentir son poignet.

— Tu veux dire que c'est un parfum ? Ça sent le pipi de chat.

— Oh non ! s'écria-t-elle, furieuse, en retirant son bras.

— Comme tu voudras.

Il se leva en haussant les épaules. Il fit quelques pas, promena son regard alentour puis se tourna de nouveau vers elle.

— Ta maman n'est pas là ? Tu veux venir te baigner ? Je connais un bon endroit. Derrière l'ancienne plantation de coton. Y a personne, ni enfants ni nègres. C'est magnifique. J'ai jamais emmené personne là-bas, ni mes frères ni mes soeurs.

— Je n'en ai pas la permission. Il faut que je reste ici jusqu'au retour de ma mère. Quand les aiguilles du réveil arriveront là, tu vois, sur les gros traits rouges, elle sera là. Elle est allée voir un ami.

Billy s'approcha de la roulotte et jeta un coup d'œil à l'intérieur par la fenêtre ouverte. Puis il éclata de rire.

— 6 heures ! Elle ne va pas revenir avant 6 heures ! C'est dans plus de trois heures ! Qu'est-ce que tu vas faire pendant ce temps ? Rester assise comme ça dans la poussière ? Mais tu es folle. Viens nager. Ta mère le saura même pas.

Hélène avait les yeux fixés sur lui. Elle avait terriblement envie d'y aller. Soudain, sa décision fut prise. Il avait raison. Pourquoi attendre ici seule avec cette chaleur ? C'était affreux. Elle se mordit les lèvres.

— Je... je ne sais pas nager.

— Ça ne fait rien, je vais t'apprendre. Il se mit à siffloter. Au fait, quel âge as-tu ?

— Sept ans. Enfin... presque.

Il parut surpris.

— Je pensais que tu avais plus. T'es qu'une enfant.

— Non. Je sais lire et écrire, dit-elle d'un ton indigné.

— Les lettres ? Tu veux dire que tu sais lire les lettres ? Depuis quand ?

— Depuis l'âge de cinq ans. C'est ma mère qui m'a appris. À l'automne, j'irai à l'école. Et toi, tu sais lire ? lui demanda-t-elle en le toisant du regard.

— Oui, oui, bien sûr. J'ai lu un livre. Deux même. Avec des images, tu sais, comme je t'ai dit. Ma mère était drôlement fière quand elle m'a entendu épeler les lettres. J'en sais plus que mon père, et c'est un adulte.

Hélène était étonnée. Son père ne savait pas lire, et Billy ne semblait pas en éprouver la moindre honte.

— Quel âge as-tu ?

— Onze ans. J'aurai douze ans à *Thanksgiving*. Bon, tu viens, oui ou non ?

— D'accord, répondit-elle en lançant un coup d'oeil inquiet à l'heure. Mais pas longtemps.

— Très bien. Allez, viens. Tu parles curieusement. On t'l'a déjà dit ?

L'air ravi, il franchit la grille.

La crique était une petite anfractuosité dans les rochers, entourée de peupliers. Pour y accéder, ils durent emprunter le chemin qui menait à la plantation des Calvert, puis longer un sentier qui traversait les champs. Tout au fond, à gauche, Hélène distinguait le toit d'une masure où habitait Mississippi Mary. Des volutes de fumée s'échappaient de la cheminée pour aller se perdre dans le bleu du ciel. À droite s'étendaient les champs de coton que le commandant Calvert cultivait encore, puis, au-delà, on apercevait une longue rangée de cyprès qui séparait la maison et les jardins des champs.

Elle suivit Billy non sans difficulté, trébuchant dans les ornières boueuses, l'herbe tranchante et les ronces qui s'accrochaient à sa robe. À bout de souffle, les mains moites, elle éprouvait un sentiment de joie mêlée d'inquiétude. Sa belle robe lui collait à la peau et la démangeait sous les bras. Billy fit une pause au bout d'un moment, roula un peu de salive dans sa bouche et cracha. Il lui sourit en grimaçant. Sa peau bronzée faisait ressortir le bleu de ses yeux. Il tendit la main et fit un geste de la tête.

— Regarde. C'est par là. Tu vois ?

Hélène écarquilla les yeux. Il indiquait les peupliers dressés sur les flancs d'une ravine, juste derrière les cyprès.

— Là-bas ? Mais c'est à côté de la grande maison, près des jardins ?

— Oui, fit Billy en clignant de l'œil, mais personne ne nous verra.

Il la fit passer devant pour l'aider à franchir un fossé et lui faire traverser un champ où l'herbe poussait dru. Devant eux se trouvait une palissade en fils de fer barbelés.

Billy lui fit signe de se taire.

— Je vais lever les fils et tu vas passer dessous. Y a une sorte de p'tit fossé. Bon, avance, qu'est-ce que t'attends ? Et parle pas fort, d'accord ? Il faut traverser une partie du jardin là-bas au bout, après on arrive à la crique. On s'ra bien, tu verras. Et puis y a personne.

Hélène, hésitante, tenait les plis de sa robe pour éviter de l'accrocher aux barbelés. Billy la suivait. Elle se sentait heureuse. Ils se trouvaient en plein champ, main dans la main. Il faisait sombre, et les feuilles au passage la chatouillaient. Parfois, elle distinguait entre les branches une minuscule ouverture à travers laquelle elle apercevait de l'herbe verdoyante et l'extrémité de hautes colonnes blanches. Le coeur battant, elle avait l'impression de faire un bruit d'enfer alors que Billy se déplaçait silencieusement. À une ou deux reprises, il s'arrêta net, se tapit au sol, l'oreille tendue. Le coeur d'Hélène battit encore plus fort. Et si on les entendait ? Si l'un des jardiniers ou même le commandant Calvert les découvrait ? S'il apparaissait à travers les bosquets dans son costume blanc et... Elle serra désespérément la main de Billy, qui se retourna.

Hélène en rougit de confusion.

— Billy, Billy, je veux... je dois...

— T'inquiète pas, lui dit-il avec un large sourire, j'ai r'senti la même chose la première fois qu'j'suis v'nu. C'est le silence qui fait ça. Pisse derrière le buisson. J'regarderai pas, c'est promis.

Hélène le regarda ahurie. Il ne semblait pas du tout embarrassé et, de plus, elle venait d'apprendre un nouveau mot que sa mère n'apprécierait certainement pas.

Hélène s'esclaffa devant Billy, qui leva les yeux au ciel.

— Dépêche-toi.

Hélène alla se soulager derrière un buisson. Elle reprit la main de Billy, et ils poursuivirent leur route. Ravie, elle s'aperçut qu'elle ne faisait pratiquement aucun bruit.

— Pisser, murmura-t-elle. C'est un mot curieux, mais il me plaît.

À la limite des peupliers, on distinguait une clairière. La grande maison était masquée par les buissons. Un champ abandonné où l'herbe folle était aussi desséchée et jaunie que sur le terrain vague, quelques bosquets dissimulaient une curieuse petite cabane en bois. Billy s'arrêta. Il jeta un coup d'œil autour de lui. Hélène lui tenait toujours la main.

— Billy, Billy, c'est quoi, cette cabane ?

Billy esquissa un sourire et s'essuya la bouche de la main.

— Ça ? C'est une sorte de pavillon. Pas mal et à l'abri des regards.

— À l'abri des regards ? lui dit Hélène, étonnée.

Quelque chose le faisait sourire, mais quoi ? Elle avait entendu parler de pavillons qui agrémentaient les jardins anglais.

— Oui, répondit Billy d'une voix hésitante. Maman m'a dit que le vieux Calvert l'a fait construire pour ses petits rendez-vous avec des négresses. Mais je crois pas toutes ces histoires.

Hélène écarquilla les yeux.

— Le vieux Calvert ? Tu veux dire le commandant Calvert ?

Billy éclata de rire.

— Non, pas lui. Son père. Il est mort y a longtemps. C'était un vrai salaud, enfin c'est c'que dit ma mère. Bon, viens, c'est par là.

Sans lui lâcher la main, il l'aida à traverser le champ, à franchir le ravin avant d'arriver enfin à la crique.

Là, ils s'arrêtèrent, silencieux. Il faisait bon sous les arbres, l'eau avait une couleur marron. Deux libellules aux ailes irisées filèrent comme des flèches.

— Des négresses ? Je ne comprends pas, lui dit-elle, le front plissé. Pourquoi un Blanc emmènerait-il une négresse dans ce pavillon ?

— C'est un mystère..., dit-il d'une voix traînante.

Hélène eut un instant de mauvaise humeur, car elle sentait bien qu'il lui cachait la vérité, mais ce fut passager. Billy lui lâcha la main et plongea tout habillé.

Il refit surface dans un bouillonnement d'écume, le visage ruisselant de gouttes d'eau perlées.

— Tu viens ?

Hélène hésita. Quelle conduite adopter en pareil cas ? À vrai dire, c'était le cadet de ses soucis. Il faisait chaud et elle n'avait qu'une envie : se baigner.

— Je vais enlever ma robe, et me baigner en culotte, dit-elle au bout d'un moment.

— D'accord. Comme tu voudras, répliqua Billy en replongeant.

Hélène se déshabilla lentement. Elle ôta d'abord ses sandales et replia sa robe avec soin. Puis elle s'approcha du bord de l'eau sur la pointe des pieds. Billy nagea jusqu'à elle et lui tendit la main.

— Viens.

Une étrange lueur brillait dans son regard, soudain sérieux. On avait l'impression qu'il était sous le charme d'une vision ensorcelante.

— Viens, dit-il avec une infinie douceur.

Il lui prit gentiment la main.

Hélène eut presque le souffle coupé au contact de l'eau d'une fraîcheur délicieuse. Elle avança d'un pas. Soudain, le sable glissa sous ses pieds, et elle s'enfonça jusqu'au menton, puis perdit pied. Elle se débattit en criant.

Billy la saisit dans ses bras. Sans savoir comment, elle se retrouva à la surface de l'eau.

— C'est pas formidable ? lui dit-il en souriant.

— Oh oui, Billy, oh oui !

Ils allèrent s'asseoir au soleil sur la rive boueuse pour se sécher. Billy s'amusait à faire ricocher des galets en silence.

— Je ne suis pas très douée, lui dit-elle d'une petite voix. C'est plus dur que ça paraît.

— Tu t'es bien débrouillée, répondit Billy d'une voix ferme. Tu as fait trois ou quatre brasses.

Billy lança un autre galet.

— Tu as envie de revenir ici ? lui demanda-t-il d'un air faussement naturel. Si tu veux, je t'y amènerai le matin. Ta mère travaille souvent chez Cassie Wyatt, je crois ? Je viendrai te chercher à ce moment-là.

— Vraiment ?

Hélène tourna vers lui un regard plein d'espoir.

— Cela me ferait tellement plaisir. Mais maman va être fâchée si elle l'apprend.

— T'as pas besoin de lui dire. Mon père a toujours prétendu qu'il fallait avoir un secret. Pour moi, c'est ce bel endroit paisible. Je viens souvent ici, même l'hiver. Simplement pour être seul, quand j'en ai assez des autres gosses, tu comprends. Si tu veux, ce sera notre secret à tous les deux.

Il lui saisit la main, puis la relâcha aussitôt.

— Toi aussi, tu es belle, tu es en harmonie avec ce cadre. Tu sais, les autres copains ne veulent pas s'amuser avec toi. Ils racontent que t'es prétentieuse, mais c'est pas vrai. Tu parles curieusement, ça c'est vrai, mais c'est pas ta faute. Ils disent que ta mère est bizarre et qu'elle t'a donné un prénom marrant. Mais moi, je l'aime et pourtant je n'l'ai jamais prononcé.

— C'est un prénom français, fit-elle d'une voix timide, se demandant s'il n'allait pas éclater de rire comme l'avaient fait les autres Tanner quand ils l'avaient appris.

— Ma mère dit que, prononcé à la française, ce prénom est doux comme un soupir.

— À moi, il me plaît. Tu as un drôle d'accent anglais et un drôle de prénom français, mais ça te va. Et tes cheveux. Sais-tu qu'au soleil ils ont l'éclat du blé mûr ? J'en ai vu un jour plein les champs dans l'Iowa, chez mon oncle. Ils avaient cette teinte d'or.

Il se leva et fit ricocher un dernier galet à la surface de l'eau.

— Alors tu veux revenir ici avec moi ? Je vais t'apprendre à nager. Ce sera notre secret.

Hélène se leva, mit lentement ses sandales et enfila sa robe. Elle éprouvait une curieuse sensation. Tout au fond d'elle-même, elle souhaitait revenir en sachant que ce n'était pas bien. Mais elle était si heureuse qu'elle avait presque envie de danser.

— D'accord, Billy, dit-elle en levant les yeux vers lui.

Il se pencha sur elle et l'embrassa furtivement sur la joue.

— Ça aussi, ce sera notre secret. Ne le dis à personne, s'exclama-t-il en rougissant.

— Non, Billy.

— J'ai aucune envie qu'on raconte des bêtises sur toi et moi. Nous sommes amis, d'accord ? Bon, maintenant il faut rentrer.

Il la guida sur le chemin du retour à travers la profonde ravine qui sillonnait la plantation avant de déboucher sur la clairière. Brusquement, il s'arrêta, l'oreille tendue comme un animal. Elle ne perçut rien ; à peine entendit-elle la voix étouffée d'un homme et les rires d'une femme. Puis un bruit étrange, une sorte de soupir, un peu comme un gémissement. Les voix venaient du pavillon. Billy lui saisit la main et lui fit signe de courir. Ils ne s'arrêtèrent pas avant d'être arrivés dans le champ. Ils étaient à bout de souffle.

— Qu'est-ce qu'on entendait dans le pavillon, Billy ?

— C'est rien. Des gens.

— Tu les as vus ? Moi, non. Que faisaient-ils ?

— J'les ai à peine aperçus. Ils faisaient l'amour, quoi.

— Je ne...

Il avait repris son allure rapide, et elle dut courir pour le rattraper.

— Qui était-ce ? Tu les as vus ? C'était une négresse ?

— Non, une Blanche. Mais... t'occupe pas de tout ça, ce sont pas tes affaires. Viens, il faut rentrer maintenant. Oh, il va bientôt pleuvoir, dit-il en montrant le ciel. Dépêche-toi.

Mais l'orage n'éclata pas. Billy la ramena chez elle. Elle s'assit au soleil pour se sécher les cheveux. Sa mère ne lui poserait ainsi aucune question. Si, par hasard, elle le faisait, Hélène lui répondrait qu'elle s'était mouillée en allant chercher de l'eau à la pompe.

Quelques gouttes se mirent à tomber au moment où sa mère arrivait. Elle leva les yeux vers le ciel et, pour épargner sa nouvelle robe, se mit à courir. Ses hauts talons la gênaient dans sa course, sa chevelure flottait au vent. Elle passa la grille en courant, fit signe à Hélène de se lever, et ensemble elles se précipitèrent en riant dans la roulotte.

— J'arrive à temps. Il va tomber une de ces averses ! Je suis en retard, dit-elle en regardant l'heure. Mais je me suis tellement bien amusée et... Tu as bien fait attention à toi, ma chérie ? Tu m'as manqué, tu sais. Maintenant, on ne peut plus sortir avec cette pluie battante.

Elle hésita un instant et se tourna vers Hélène, qui fut étonnée de l'éclat de son regard, contrastant étrangement avec la pâleur de son visage.

Hélène s'assit sur une chaise, le dos bien droit.

— Tant pis pour la promenade. Tu vas revoir cet ami ?

Sa mère lissait les plis de sa robe de soie, la tête penchée. Elle leva brusquement les yeux vers sa fille.

— C'est possible. De temps à autre, peut-être. Pas souvent.

— Je pourrai t'accompagner ?

— Non, ma chérie. Pas pour le moment, dit-elle en détournant le regard. C'est un ami de maman, tu comprends. Un jour... on réfléchira. C'est un ami un peu particulier, vois-tu. Une sorte d'ami secret, tu comprends ? Tu sais combien maman déteste les cancans. Il faut se méfier des Tanner et de Cassie Wyatt. Parler, parler, parler, c'est tout ce qu'ils savent faire. Et je ne veux pas qu'ils racontent n'importe quoi à mon sujet, aussi...

Elle s'interrompit et s'accroupit près de sa fille en lui passant affectueusement le bras autour du cou.

— Tu n'en parleras à personne, d'accord, chérie ? Surtout quand tu viendras chez Cassie Wyatt comme tu le fais parfois, ou même si quelqu'un vient ici en mon absence. Ne dis à personne que maman a un ami. Je peux compter sur toi, Hélène ? Ce sera plus amusant. Ainsi nous partagerons un secret.

Malgré son visage souriant, sa mère ne parvenait pas à dissimuler son anxiété. Hélène savait que sa mère, comme Billy, lui cachait quelque chose. De nouveau, elle ressentit un pincement de cœur. Quand sa mère vint l'embrasser, elle détourna la tête, et le baiser effleura ses cheveux.

— Très bien. J'ai faim, j'aimerais bien un biscuit.

Sa mère bondit aussitôt. Un peu trop vite. Elle avait une attitude bizarre.

Elle ouvrit le buffet de cuisine. Hélène l'observait avec un certain détachement, heureuse de ne pas lui avoir avoué qu'elle était allée se baigner en compagnie de Billy Tanner. « Qu'elle garde ses secrets après tout », songea-t-elle en haussant les épaules.

Elle avait deux secrets maintenant. La baignade avec Billy et la façon dont le commandant Calvert lui avait serré la main. C'était un début.

Cette perspective la séduisait.

ÉDOUARD

Londres-Paris, 1941-1944

— Édouard, Édouard, j'ai l'impression, sans doute trompeuse, que vous ne vous concentrez pas, que vous êtes perdu dans un univers secret auquel, malheureusement, je n'ai pas accès, fit Hugo Glendinning, levant les yeux du livre qu'il lisait à haute voix.

Édouard sursauta.

— Édouard, s'exclama Hugo en soupirant, avez-vous écouté un mot, un seul, de ce que je viens de dire ?

Il repoussa le livre avec un geste d'impatience et alluma une autre cigarette. Édouard se plongea dans le récit des campagnes napoléoniennes et tenta vainement de retrouver le passage cité. Il ne devait pas être bien loin, mais où ? Il n'en avait aucune idée.

— Édouard, fit Hugo, essayant de se montrer patient. Il y a deux mois exactement, le 22 juin pour être précis, les armées du Reich ont attaqué la Russie. Il est possible que ce soit le tournant de cette guerre interminable. Le moment semble donc particulièrement bien choisi pour se pencher sur le sort de Napoléon Bonaparte et de ses armées lorsqu'il entreprit pareille aventure. Nous allons étudier, ou plutôt nous sommes en train d'étudier, le récit de cette campagne historique. Nous pouvons faire une comparaison avec *Guerre et Paix* de Tolstoï. Cet exemple est opportun, à mon avis, car certains de vos ancêtres ont participé à ces campagnes. Sans commettre d'erreur, je crois que le huitième baron de Chavigny, qui s'était insinué dans les bonnes grâces de cet arriviste de Corse, a été tué à la bataille de Borodino. Vous avez donc une raison personnelle de trouver ce sujet à la fois intéressant et instructif. Vous allez bientôt fêter vos seize ans. C'est un sujet tout indiqué pour un jeune homme de votre âge et de vos capacités. Pourtant, je sens que vous n'y portez pas le moindre intérêt. Pourriez-vous m'en donner la raison ?

Édouard gardait les yeux baissés. Au diable Napoléon ou la Russie, ou même les Allemands. Tolstoï peut aller se faire pendre avec son interminable roman, avait-il envie de hurler. Je ne souhaite qu'une chose : qu'on me laisse tranquille pour que je puisse penser à Célestine, Célestine, la femme la plus belle, la plus adorable, la plus divine qui soit.

Impossible de révéler la vérité bien que, à voir l'expression de Hugo, il dût avoir quelques soupçons. Il lui avait parlé d'une voix sarcastique, non dépourvue toutefois d'une certaine tolérance.

— Je ne sais pas, dit-il en refermant bruyamment son livre. Je n'arrive pas à me concentrer, Hugo. Ne pourrions-nous pas changer de sujet ?

— Pourquoi pas ? répondit l'imprévisible Hugo, prenant Édouard au dépourvu. Que proposez-vous ? De la géographie ? Des mathématiques ?

— Grand Dieu, non !

— Vous êtes très bon en mathématiques. Meilleur que moi. Il m'est parfois difficile de suivre votre raisonnement. Je dois dire que cela n'a jamais été ma matière favorite. Que choisir alors ? Y a-t-il un sujet susceptible de capter votre attention ce matin ?

— La poésie peut-être, dit Édouard en haussant les épaules. J'aimerais bien lire quelques poèmes.

— Très bien.

Avec une apparente bonne humeur, Hugo fouilla dans les étagères de la bibliothèque. Il reposa les campagnes napoléoniennes et retira un mince volume.

— Nous allons parler des poèmes métaphysiques de John Donne, dit-il en jetant l'ouvrage sur le bureau d'Édouard. Je vais vous les lire, vous allez m'écouter, ensuite nous les commenterons ensemble. Page 16. *L'anniversaire.*

Édouard ouvrit docilement le recueil. Les mots dansaient devant ses yeux. Hugo se mit à déclamer, de mémoire, comme toujours.

Les rois et tous leurs favoris,
Toute la gloire des honneurs, les belles, les beaux esprits,
Le soleil lui-même qui fait les divisions du temps pendant qu'il s'écoule,
Sont plus vieux d'un an, maintenant, qu'ils ne l'étaient
quand toi et moi nous vîmes pour la première fois ;
Toute chose court à sa destruction,
Seul notre amour ne connaît pas de déclin,
Il ne connaît ni hier ni demain...

Édouard ferma les yeux. Une idée traversa brusquement son esprit. « Mon Dieu, il sait quelque chose. » Il s'était écoulé près d'un an depuis son premier rendez-vous chez Célestine. Ses soupçons s'envolèrent. Quelle importance, après tout, si Hugo ou toute autre personne était au courant ? Il laissa les mots imprégner son esprit. « Donne a raison, se dit-il. Il exprime les sentiments que j'éprouve beaucoup mieux que je ne pourrais le faire. J'aime Célestine. Je l'ai aimée dès la première minute de notre rencontre et je l'aimerai toujours. »

Il se pencha sur le recueil. *Seul notre amour ne connaît pas de déclin...*

N'était-ce pas ce qu'il avait essayé de dire à Célestine la veille, blotti dans ses bras ? Il n'avait sans doute pas réussi à exprimer ses sentiments. Pourtant, depuis longtemps, il souhaitait lui confier l'amour qu'il éprouvait et éprouverait toujours à son égard. Elle obnubilait ses pensées, ne lui laissant pas une seconde de répit. Durant les leçons, tout comme la nuit lorsqu'il était seul dans sa chambre, son image le tourmentait. Ses lèvres, la douceur de ses cuisses, de ses seins, de ses baisers..., tout son corps l'ensorcelait. Il était fou de désir. Ses murmures, ses caresses, l'odeur de sa peau, le contact de ses cheveux, les regards échangés, la volupté de leurs corps enlacés... Oh, Célestine ! Que ressentait-elle ? Partageait-elle les mêmes affres, le même amour ? Cette incertitude le rongeait de désespoir.

— *Célestine, Célestine, dis-moi que tu m'aimes.*

— *Ne t'inquiète pas, rassure-toi, bien sûr je t'aime, mon petit.*

Elle avait détourné la tête en prononçant ces paroles. Quelle tristesse émanait d'elle. Elle lui avait pris le visage entre ses mains et avait plongé son regard dans le sien.

— Édouard, écoute-moi. Il ne faut pas que tu dises cela ni même que tu le penses. Je sais que tu es sincère, mais réfléchis. Je ne suis plus toute jeune et toi, tu es en pleine jeunesse. Tu as toute la vie devant toi et tu rencontreras beaucoup de femmes. Oh, tu ne me crois pas maintenant mais, plus tard, tu te rendras compte que j'avais raison. Tu auras de multiples liaisons et, un jour, tu rencontreras celle avec laquelle tu désireras avoir des enfants. Tu la reconnaîtras entre toutes. À elle seulement, tu diras ces paroles merveilleuses. Jusque-là, ne dis rien. Garde-les pour celle que tu choisiras d'épouser.

Édouard avait failli pleurer de colère et de frustration. Il aurait voulu lui crier que celle dont il rêvait de faire sa femme, c'était elle, Célestine, sa déesse, son unique amour, et personne d'autre. Au diable ce que les autres pensaient !

Mais Célestine l'avait arrêté d'un geste.

— Non, lui avait-elle dit, je ne te laisserai pas prononcer ces paroles. Notre aventure est simple, agréable. Il ne faut pas chercher autre chose. Ne dis rien, sinon je me fâcherai.

Édouard, au désespoir, serra les poings. Non, il ne se tairait point. La prochaine fois qu'il la verrait, au risque de la contrarier, il était résolu à lui déclarer son amour.

Hugo s'arrêta. Il régna un court silence. La porte se referma doucement. Hugo et Édouard levèrent les yeux en même temps. Sa mère se tenait, souriante, sur le pas de la porte.

— Quel magnifique poème, monsieur Glendinning. C'est la première fois que je l'entends. Pardonnez-moi, je ne pouvais vous interrompre, c'était si beau.

Édouard se leva, suivi de Hugo qui avait les yeux fixés sur Louise.

Elle était très belle dans sa robe de mousseline rose et sa veste ample qui flottait au moindre de ses mouvements. Un collier de perles ornait son cou, et ses joues étaient teintées de rose. Édouard était ébahi. Jamais elle n'était venue interrompre ses leçons. Hugo, pour une fois, semblait, lui aussi, confondu. Il restait figé derrière son bureau.

Louise, le regard malicieux, renifla légèrement.

— Monsieur Glendinning, j'ai l'impression que vous avez fumé. Cela vous arrive-t-il souvent pendant le cours ?

— Oui, parfois, répondit Hugo, rougissant en apercevant le cendrier plein à ras bord.

— Oh, je suis sûre qu'Édouard n'en est pas incommodé, dit Louise sans même regarder son fils. Pensez-vous que cela vous aide à vous concentrer ?

— Oui, certainement, répliqua Hugo avec plus de fermeté.

— Je me demande si... enfin verriez-vous un inconvénient, monsieur Glendinning, à interrompre votre leçon d'aujourd'hui, dit-elle en jetant un coup d'œil à sa montre fixée avec un ruban de velours, selon une mode qu'elle avait lancée. J'aimerais avoir un entretien avec vous, notamment sur les progrès d'Édouard. J'essaie de faire des projets pour son avenir, mais, avec cette guerre, tout est si incertain. Je vous serais très reconnaissante de me donner votre avis.

— Avec plaisir, madame, fit Hugo avec un semblant de révérence parfaitement ridicule. Nous avions presque terminé.

— Très bien, dit-elle, enchantée.

— Édouard, tu es libre. Je suis sûre que tu as de quoi t'occuper.

— Sans aucun doute, répliqua Hugo un peu sèchement.

Édouard allait partir quand leurs regards se croisèrent. Il y avait une moquerie bienveillante dans l'expression de Hugo. Mais ce fut éphémère. Il reprit son air pédant, totalement piégé.

Depuis sa plus tendre enfance, Édouard avait constaté l'effet dévastateur que sa mère exerçait sur les hommes. Hugo ne faisait pas exception, ce qui l'amusait tout en l'agaçant. L'arrivée impromptue de sa mère en plein cours n'était due qu'à un de ses caprices. Jamais auparavant elle n'avait porté le moindre intérêt à ses progrès scolaires. Jamais elle ne lui avait posé de questions sur Hugo, dont elle avait probablement oublié l'existence.

Quarante minutes plus tard, il découvrit son erreur. Il retourna à la bibliothèque chercher un exemplaire des poèmes de Donne pour copier celui que Hugo avait lu et le porter à Célestine. La pièce était plongée dans le silence. Il ouvrit doucement la porte.

Hugo et sa mère étaient dans les bras l'un de l'autre. Elle avait ôté sa veste et il avait la tête blottie contre sa poitrine. Elle tournait le dos à la porte. Ni l'un ni l'autre ne s'aperçut de sa présence.

Édouard referma la porte aussi doucement qu'il l'avait ouverte et repartit dans sa chambre. Il s'était douté que ses parents ne se vouaient aucune fidélité. Il avait toujours repoussé de son esprit l'idée que sa mère eût des amants.

Mais là ? Depuis combien de temps cela durait-il ?

Sur sa table de nuit, il y avait une bouteille d'eau minérale et un verre. Il saisit le verre et le lança violemment contre le miroir.

Le lendemain matin, il attendit la pause habituelle au milieu de la leçon.

Balançant son crayon entre les doigts, il leva les yeux vers Hugo.

— Dites-moi, êtes-vous l'amant de ma mère ?

Il y eut un court silence. Hugo ne manifesta pas la moindre émotion. Il ouvrit le livre qui se trouvait devant lui.

— Oui, oui.

— Depuis longtemps ?

— À peu près depuis mon arrivée, dit-il en se passant la main dans les cheveux. Ça change quelque chose ?

— Je me posais simplement la question, demanda Édouard avec un calme étonnant. Vous l'aimez ?

— Non... enfin, pas dans le sens où vous l'entendez.

— Vous ne pouvez pas y mettre un terme ?

— Non, dit Hugo en détournant la tête, ce serait très difficile.

— Éprouvez-vous de la culpabilité à la pensée que mon père risque sa vie à tout moment en France ?

Il régna un long silence cette fois. Hugo referma le livre.

— Je n'en éprouve que plus de haine envers moi-même. Cela vous console-t-il ?

— Mais vous continuez ?

— Oui.

— Je vois.

Le crayon se brisa dans les doigts d'Édouard qui posa côte à côte les deux bouts sur le bureau.

— Je vous remercie de votre franchise. Un jour, vous m'avez dit qu'il ne fallait jamais s'esquiver mais toujours répondre directement.

— Je vous ai dit cela, moi ? dit-il en esquissant un sourire. Je suis sûr maintenant que je n'avais pas tort. Voulez-vous poursuivre le cours ou préférez-vous que je m'en aille ?

— J'aimerais continuer.

— Des poèmes ?

— Pourquoi pas ?

— Très bien.

Il jeta un coup d'oeil par la fenêtre, de l'autre côté de la place. Il y avait deux trous béants calcinés sur la face nord.

— Si nous parlions de *Guerre et Paix* ?

— Je préférerais des mathématiques.

— Comme vous voudrez. Vous avez raison. Une telle précision est plutôt rassurante lorsqu'on n'a pas de dons particuliers pour une matière. Nul paradoxe. Nul état d'âme. Cela n'a rien à voir avec la littérature.

— Ou la vie, répondit Édouard.

Ils échangèrent un sourire.

Dans le petit bureau attenant à sa chambre, Édouard, dès son arrivée à Londres, avait épinglé aux murs des cartes, des tableaux, des calendriers pour suivre l'évolution de la guerre. Au début, il avait noté avec soin les avances et les retraits, les raids et les batailles importantes. Après sa rencontre avec Célestine, il y porta moins d'intérêt. Il inscrivit sur le même calendrier, mais avec un code qu'il était le seul à connaître, les progrès de sa liaison. Les références à Célestine, toujours en rouge, se trouvaient donc aux côtés de celles de la guerre qui, elles, étaient en bleu. Avec un plaisir croissant, il se mit à associer le destin de Célestine à celui de son pays.

L'idée de savoir que le drapeau allemand flottait dans certaines régions de France le faisait frémir de colère, tout comme il ne supportait plus celle de savoir Célestine confinée dans ce petit appartement de Maida Vale, totalement dépendante du bon vouloir d'un vieux monsieur anglais. Il rêvait de voir un jour Célestine délivrée de cette tyrannie, tout comme son pays. Les armées de la France libre viendraient libérer la France. Et lui

Célestine. Une fois la guerre terminée, il l'emmènerait en France et il veillerait sur elle. Un jour, il l'épouserait. La perspective d'affronter son père le glaça d'horreur, aussi chassa-t-il cette pensée. Il avait largement le temps d'y penser. Il imaginait l'appartement donnant sur le Luxembourg qu'il lui offrirait, les longs après-midi qu'ils passeraient ensemble et les merveilleux présents dont il la comblerait. Pour l'instant, ce projet était secret. Il n'avait pas osé en parler à Célestine de peur de la contrarier ou de l'attrister. Il ne pouvait certes pas aborder ce problème avec Jean-Paul qui était le seul auquel il aurait pu se confier.

Il n'y avait plus dans leurs rapports la joyeuse franchise qui lui avait paru si naturelle. Depuis un an, il régnait entre eux un certain malaise à cause de Célestine. Sans doute parce que Jean-Paul était surmené. Il passait de longues heures au quartier général des Forces françaises libres. Quand il se libérait, c'était pour aller festoyer avec l'énergie du désespoir. Les bombardements de nuit, le manque de sommeil, l'appréhension quotidienne de la mort affectaient tout le monde, y compris Édouard. Il vivait dans la crainte permanente qu'une bombe ne tombe sur le petit appartement de Maida Vale. C'était sans doute la raison de la distance qui s'était instaurée entre eux. Mais, au fond de lui, Édouard savait très bien que la véritable raison résidait ailleurs.

La vérité, c'était que Jean-Paul en voulait à son frère parce qu'il continuait à voir Célestine. Il ne perdait jamais l'occasion de lui lancer une plaisanterie à ce sujet. Au début, ce n'étaient que des questions brutales sur les progrès d'Édouard. Puis il l'avait incité à avoir d'autres aventures, lui donnant bon nombre d'adresses et de numéros de téléphone. Quand il découvrit qu'Édouard n'en avait utilisé aucun, il en fut passablement irrité.

— Tu ne continues tout de même pas à la voir ? lui avait-il demandé deux mois après son premier rendez-vous. Petit frère, je commence à croire que tu n'as pas vraiment suivi mes conseils.

Par discrétion, Édouard avait recours au mensonge. Sans nier qu'il se rendait toujours chez Célestine, il esquivait les questions délicates ou simplement changeait de sujet. Mais Jean-Paul n'était pas dupe. Sa dernière tactique était de faire publiquement allusion à sa liaison en n'importe quelle circonstance.

— Mon petit frère est amoureux, avait-il clamé, la veille, quand ils s'étaient retrouvés seuls tous les trois avec Isobel. Amoureux fou, à en perdre la raison. Qu'en penses-tu, Isobel ? C'est beau, non ?

Elle adressa à Édouard un petit sourire complice.

— C'est charmant. Édouard a une bien-aimée.

— Oui, une prostituée. Une vraie avec un cœur d'or. Quarante-six ou quarante-sept ans. Beaucoup d'expérience, paraît-il.

Édouard serra les poings. Il éprouvait une envie irrésistible de se jeter sur son frère. Il se dirigea vers la porte, conscient, malgré sa colère, d'être manipulé. Jean-Paul voulait le blesser mais, à travers ses sarcasmes, c'est Isobel qu'il semblait vouloir atteindre. Il régnait un climat de tension hostile.

Isobel se leva.

— Comment peux-tu affirmer qu'elle a de l'expérience ? dit-elle sèchement.

— Il n'est pas difficile d'être meilleur juge que toi, répondit-il en haussant les épaules.

— En racolant dans les taxis, sans doute. Chéri, quelquefois tu as vraiment l'air d'un paysan. Je crois que je vais rentrer chez moi.

Elle prit son manteau de fourrure. Jean-Paul s'affala sciemment dans un fauteuil de façon tout à fait grossière.

— Comme tu voudras. Cet après-midi, j'ai des projets qui ne te concernent pas.

Isobel sortit d'un air dédaigneux. Arrivée dans les escaliers, elle saisit le bras d'Édouard.

— Mon cher Édouard, ma voiture est là et je ne souhaite pas conduire. Soyez un ange, raccompagnez-moi, voulez-vous ?

C'était un coupé Bentley. Dans le silence des rues obscures, ils passèrent devant des abris, longèrent le parc avant d'arriver à l'imposante demeure de Conway, à Park Lane. Isobel alluma une cigarette et ne dit pas un mot jusqu'à ce qu'Édouard la déposât devant chez elle. Elle jeta alors négligemment sa cigarette par la fenêtre.

— À la fin de la guerre, si toutefois elle se termine un jour, ce que nous espérons tous... À la fin de la guerre, nous nous marierons, dit-elle, triturant sa bague d'émeraude.

Elle leva les yeux vers Édouard en souriant.

— Je ne veux pas me donner à lui, voilà le problème. Son orgueil est blessé et il raconte que je suis frigide, sans cœur. Mais voyez-vous, Édouard, je n'en suis pas si sûre. Qu'en pensez-vous ?

Édouard n'eut pas le temps de répondre. Elle se pencha sur lui et l'embrassa longuement sur les lèvres. Il sentit son parfum capiteux. Ses fourrures lui caressèrent la joue.

— Mon cher Édouard, je suis ravie que vous soyez amoureux. J'espère que vous êtes parfaitement heureux.

Édouard rentra chez lui à pied. Il longea le parc, fermé à cette heure avancée, et prit la direction de Maida Vale. Il resta un long moment devant la fenêtre de la chambre de Célestine. C'était le jour de visite du vieux monsieur de Hove. D'après Célestine, il ne pouvait plus faire l'amour. Il venait pour converser et il lui arrivait parfois de l'embrasser. Rien d'autre.

Édouard, le regard fixé sur la fenêtre de la pièce plongée dans l'obscurité, était à l'agonie. Au bout d'un moment, il retourna à Eaton Square.

Cet incident s'était produit plusieurs semaines auparavant et, depuis, Édouard avait évité son frère. Il ne lui avait donc parlé ni de Célestine, ni de ses fiançailles avec Isobel, ni des infidélités de sa mère.

Autrefois, il se serait empressé de tout lui raconter. Plus maintenant.

Le dimanche 7 décembre 1941, la guerre prit un tournant décisif. C'était la veille de l'anniversaire d'Édouard, qui fêtait ses seize ans. Il savait que, ce jour-là, il ne pouvait échapper à la corvée du repas familial à Eaton Square. Le soir, Jean-Paul et ses copains l'avaient invité à l'accompagner, avec mille clins d'œil complices. Son frère avait minutieusement organisé cette soirée depuis des mois. Édouard ne pouvait refuser.

Il décida donc de fêter son anniversaire la veille, en compagnie de Célestine, la seule personne à Londres qui eût de l'importance à ses yeux.

Il souhaitait l'inviter à dîner mais elle refusa catégoriquement, alléguant la prudence. C'était hors de question car on pourrait les voir. Ils décidèrent de passer l'après-midi ensemble à Hampstead Heath plutôt que chez Célestine. Pour Édouard qui rêvait de se promener au bras de Célestine dans un parc de Paris ou, mieux encore, dans les châtaigneraies et les prés des propriétés de son père dans la Loire, cette expédition, prévue de longue date, revêtait un aspect idyllique. Il ne fut pas surpris de voir le soleil briller ce jour-là au réveil. N'était-ce pas normal en de telles circonstances ?

Il alla chercher Célestine chez elle. Elle virevolta devant lui.

— Tu aimes mon nouvel ensemble ? Il m'a fallu plusieurs tickets. Dis-moi qu'il te plaît, Édouard, je l'ai choisi pour toi.

Le regard d'Édouard se posa sur elle. C'était l'une des rares occasions qui lui étaient données de voir Célestine habillée. À sa culpabilité s'ajoutait un sentiment de trahison. Il était conscient de sa déception. Le corps de Célestine était fait pour la nudité. Elle exerçait un charme ensorcelant quand ses sous-vêtements provocants laissaient deviner ses formes à travers un voile soyeux de dentelles et de rubans. Lorsqu'elle était habillée, les mystères perdaient de leur attrait.

Son nouvel ensemble était d'un bleu trop vif, fait dans un tissu bon marché. Il lui serrait trop la poitrine et les hanches. La couture de ses bas, achetés au marché noir, n'était pas droite. Son chemisier mal coupé manquait de simplicité et son chapeau, juché négligemment sur ses boucles rousses, faisait trop moderne. Sa déception engendra un sentiment de haine envers lui-même. Il se trouvait déloyal. Il l'embrassa aussitôt et, dès qu'il effleura ses lèvres, il se sentit rassuré.

— Chère Célestine, il est magnifique, vraiment magnifique.

Les yeux clos, il enfouit son visage dans son cou. Quand il l'emmènerait à Paris, ce serait différent. Maintenant, elle était pauvre et ne pouvait s'offrir autre chose. Cette pensée ne fit qu'accroître sa culpabilité. En France, il l'habillerait comme une reine. Ils assisteraient à la présentation des collections, il la guiderait et elle apprendrait vite.

À Hampstead Heath, le vent soufflait. Édouard retrouva son entrain. Il avait l'impression d'être à la campagne. Une légère brume couvrait l'horizon, masquant le paysage désertique. Ils gravirent la colline derrière les lacs et, de là, contemplèrent la ville. Ils apercevaient le dôme de la cathédrale Saint Paul. Édouard avait envie de courir, de sauter en criant sa joie, d'effrayer les corbeaux sur les branches dénudées, mais Célestine avait des talons hauts qui s'enfonçaient dans le sol boueux. Ils ne purent donc pas dévier du chemin tracé. Elle arriva au sommet de la colline tout essoufflée.

— Mon Dieu, fit-elle en posant sa petite main sur son cœur, marches-tu toujours aussi vite, Édouard ?

— Jamais. Aujourd'hui seulement, parce que je suis heureux.

Il lui passa un bras autour du cou et l'embrassa. Célestine lui sourit.

— À l'avenir, je ne t'accompagnerai que lorsque tu seras triste... Édouard, non... On pourrait nous voir.

— Peu m'importe. Je veux que le monde entier nous voie, lui dit-il en l'embrassant encore.

— Calme-toi, je t'en prie.

Elle lui sourit affectueusement. Édouard ôta son manteau de cachemire et la fit asseoir près de lui sur l'herbe. Ils restèrent côte à côte, sans dire un mot. Devant eux s'étendait Londres. Célestine ouvrit son sac et en sortit un petit paquet noué d'un ruban rose.

— C'est pour toi, dit-elle en rougissant. Pour ton anniversaire. J'espère qu'elle te plaira. Le choix n'a pas été facile. C'est presque la couleur de tes yeux.

Édouard défit le paquet. Il y avait une cravate d'un bleu très vif en imitation soie. Il prit Célestine dans ses bras et l'étreignit.

— Célestine, ma chérie, elle est splendide. Tu n'aurais pas dû... Je vais la mettre immédiatement.

Il enleva rapidement l'un des foulards de soie cousus main qu'il achetait par douzaines à Jermyn Street et le mit au fond de sa poche. Célestine lui fit son noeud de cravate. Elle eut un regard sceptique. Sur son costume prince-de-galles, le bleu de la cravate ressortait beaucoup plus.

— Oh ! Édouard, j'ai un doute. Dans le magasin, la couleur me semblait ravissante, mais là...

— Elle convient parfaitement. Chaque fois que je la porterai, je penserai à toi. Merci, Célestine.

Rassurée, elle posa la tête sur son épaule.

— C'est agréable ici, surtout quand on est parvenu au sommet et qu'on a retrouvé son souffle. Je suis heureuse que tu sois venu, Édouard.

— Nous reviendrons souvent, lui dit-il en lui pressant la main. Nous irons ailleurs aussi, Célestine, dès la fin de la guerre. Réfléchis aux endroits que tu aimerais visiter.

Était-ce le moment opportun pour lui parler de Paris, du petit appartement, du mobilier qu'il comptait acheter ?

Célestine se redressa.

— Non, Édouard, je t'en prie. Ne parle pas de l'avenir, pas maintenant. Je ne veux pas y penser. La seule chose qui m'importe est d'être là, auprès de toi.

— Mais pourquoi ? Pourquoi, Célestine ? Ne vois-tu pas que je brûle du désir d'envisager l'avenir avec toi ? Tu m'arrêtes toujours. Je suis heureux à l'idée de faire des projets...

— De rêver.

Elle se tourna lentement vers lui. À sa grande surprise, il remarqua que sa joie s'était estompée. Des larmes perlaient au bord de ses yeux.

— Célestine, non, je t'en prie, ma chérie, je ne peux supporter de te voir pleurer.

Il effleura ses lèvres, l'embrassa sur sa joue ruisselante de larmes, mais Célestine le repoussa gentiment.

— Cher Édouard, dit-elle avec une infinie douceur, tu sais très bien qu'on ne peut pas continuer ainsi. Tu sais que j'ai raison.

Édouard était pétrifié. Il se pencha et se blottit entre ses bras.

— Ne dis pas cela, je t'aime. Tu connais mes sentiments envers toi. Si tu me quittais, si notre liaison se terminait, je crois que je me tuerais.

Sa voix, déchirée par la passion, ébranla Célestine. Elle l'étreignit avec amour. Elle, une femme d'expérience, à quarante-sept ans, était, depuis des mois, amoureuse d'un adolescent de seize ans. Le premier et le dernier amour font tous deux souffrir. Elle sécha ses yeux. Édouard ne devait pas s'en douter.

— Personne ne meurt d'amour, lui dit-elle en souriant. On meurt de vieillesse, de maladie, d'une balle de fusil, mais pas d'un cœur brisé. Tu t'en rendras compte un jour. Tiens, je te parie que, dans quelques années, tu auras du mal à te rappeler mon nom. Tu te diras : « Célestine, oh oui . Célestine, je me rappelle très bien. Je me demande ce qu'elle est devenue. J'étais très amoureux d'elle dans le temps. »

Elle eut alors une expression de tristesse.

— Je serai une vieille dame aux cheveux gris, extrêmement respectable, de mauvaise humeur parfois, surtout le matin. J'évoquerai des souvenirs que je ne partagerai avec personne, bien sûr.

Elle se leva, lui prit la main et l'attira vers elle. Devant l'expression boudeuse d'Édouard, Célestine éclata de rire.

— Ne sois plus triste. Ma gaieté est revenue. C'est un jour qui nous est cher, et tu es fâché contre moi. Allons, Édouard, j'en ai assez du grand air, ramène-moi.

Édouard lui fit l'amour avec frénésie, comme pour chasser ses paroles de sa mémoire. Une fois repu, épuisé, il plongea son regard dans le sien, le visage empourpré, la passion à fleur de peau. L'image de sa mère dans les bras de Hugo Glendinning traversa son esprit. Il saisit Célestine par les épaules.

— Dis-moi qu'il n'y a personne d'autre dans ta vie, Célestine, s'exclama-t-il, le visage embrasé de colère.

Elle ne recevait plus de visite depuis des mois en dehors de son protecteur, qui ne comptait pas. Elle savait au fond de son cœur qu'elle ne pouvait plus continuer ainsi. Elle pressa doucement ses lèvres contre sa poitrine.

— Il n'y a personne d'autre.

— Depuis quand, Célestine ? Depuis quand ?

— Je ne sais pas, chéri, je ne sais plus.

Il s'écarta, furieux. Elle le saisit par le poignet.

— Édouard, je t'en prie, ne sois pas fâché. Ne comprends-tu pas que je ne veux pas te mentir ?

Il bondit du lit et resta les yeux fixés sur elle, avec une expression de colère.

— Parfois, je préférerais. Ce serait peut-être plus facile.

Il enfila son pantalon et partit en claquant la porte. En un an, c'était leur première vraie querelle.

Édouard héla un taxi, rentra chez lui dans une colère noire et, sous le regard étonné de Parsons, gravit quatre à quatre l'escalier qui montait à sa chambre. Il referma violemment la porte devant une assemblée ahurie. Il y avait là sa mère, lady Isobel, Hugo, l'ambassadeur de France et son épouse, un groupe d'officiers français, et Jean-Paul qui s'avança vers lui, le visage rouge de confusion, une bouteille de champagne à la main.

— Il arrive à temps. Petit frère, viens te joindre à nous. Aujourd'hui, c'est la fête. As-tu entendu la nouvelle ? Les Japonais ont attaqué la flotte américaine à Pearl Harbor ce matin.

Édouard avait l'air embarrassé. Jean-Paul passa un bras autour de ses épaules et s'esclaffa.

— Dis-moi, petit frère, est-ce que tu comprends ce que cela signifie ? C'est une affreuse nouvelle, bien sûr, mais les Américains vont devoir se lancer dans la guerre. Ils vont arriver, c'est une question de temps. Nous allons enfin gagner la guerre.

De l'autre côté de la pièce, l'ambassadeur de France, en smoking et cravate blanche, se leva avec panache.

— Madame la Baronne, avec votre permission, je proposerai un toast.

Il leva son verre, aussitôt suivi de tous.

— Aux Américains ! À nos alliés !

— Aux Américains !

— Aux Yankees ! Que Dieu les bénisse ! fit Isobel en buvant d'un trait.

— Quel soulagement, après toutes ces vicissitudes ! J'éprouve une certaine fierté, dit Louise, souriant au banquier anglais qui se trouvait à ses côtés.

Elle posa négligemment une main sur son bras. Hugo Glendinning, qui l'observait, regarda par la fenêtre.

Jean-Paul ébouriffa les cheveux d'Édouard affectueusement.

— Petit frère, où diable as-tu trouvé une cravate aussi horrible ?

Le lendemain soir, Jean-Paul décida de fêter l'anniversaire d'Édouard à sa manière. Il organisa une réception avec des officiers français et britanniques et demanda à Isobel d'inviter quelques-unes de ses plus jolies amies qui faisaient leur entrée dans la haute société. Il réserva des places au théâtre de Sa Majesté où l'on jouait *Lady Behave*, la dernière pièce en vogue qui n'exigeait aucun effort intellectuel.

— Si par hasard il y a un raid, eh bien, tant pis, dit-il à Édouard avant de partir. Nous irons dîner ensuite au Café Royal avant de nous rendre sans ces demoiselles, bien entendu, dans des endroits que je connais.

Il lui montra un groupe d'officiers qui buvaient du whisky à une rapidité étonnante dans le salon d'Eaton Square.

— Il faut que certains d'entre nous entrent avant l'arrivée de ces dames. Tu connais tout le monde ? Pierre, François, Binky, Bandy, Chog.

Édouard se rendit compte qu'il était le seul en tenue de soirée, le seul à ne pas être en uniforme. Jean-Paul rejoignit Parsons, qui servait les boissons. Il le trouvait très lent. Celui qu'on lui avait présenté sous le nom de Chog s'avança vers Édouard d'un air décidé et leva son verre.

— Fantastique ! À la vôtre. Jean a dit que c'était votre anniversaire. Bravo ! Quelle soirée !

Il but son whisky d'un trait, le visage soudain empourpré, et se dirigea vers Parsons. À cet instant, les jeunes femmes firent leur apparition. Le cœur serré, Édouard les observa avant de tourner son regard vers les amis de Jean-Paul. Sans doute pour contrarier Jean-Paul, Isobel, qui en comptait de très belles parmi ses amies, avait choisi les plus quelconques. Cinq jeunes filles dodues, vêtues de robes qui ne les mettaient pas en valeur, donnant raison à Louise qui prétendait que les Londoniennes manquaient d'élégance, restaient figées devant la porte. L'une d'elles, grande et mince, aux traits anguleux mais au petit minois intelligent, portait un horrible brocart. Isobel, radieuse et insoumise, les avait intentionnellement choisies. Les jeunes femmes étaient aussi étonnées de l'allure des officiers qu'ils l'étaient eux-mêmes. Les deux groupes se lancèrent des regards hostiles. Jean-Paul rougit de colère.

— Chéri, je vais faire les présentations, dit Isobel, un sourire étincelant aux lèvres. Harriet, je te présente Binky. Binky, voici Anne, Charlotte, Élisabeth. Mon Dieu, que tout cela est compliqué ! Je suis sûre que vous avez déjà fait connaissance. Chog, quel plaisir de vous revoir ! Il y a si longtemps que...

Elle lui tendit la main. Lord Vvyan Knollys était surnommé Chog par ses amis depuis l'école préparatoire. Édouard refoula sa surprise. Isobel détestait Chog et passait des heures à le critiquer.

À l'autre extrémité de la pièce, le visage figé, Jean-Paul baisait la main de la jeune femme grande et mince, lady Anne Kneale. Édouard la connaissait, car c'était une vieille amie d'Isobel. Jean-Paul éprouvait à son égard un mépris comparable à celui que ressentait Isobel pour Chog. Il faisait un effort louable pour ne pas dévoiler ses sentiments. Édouard, détournant le regard, refréna un sourire. La soirée ne s'annonçait pas bien.

Quand ils arrivèrent au théâtre dans une suite de voitures et de taxis, Isobel arbora un sourire figé qui n'augurait rien de bon. Jean-Paul se montra plus cassant que d'habitude, ce qui n'était pas non plus de bon augure. Ils arrivèrent en retard. La pièce avait commencé. Jean-Paul l'interpréta comme une marque de grossièreté de la part de la direction.

— J'ai vu cette pièce quatre fois, clama-t-il quand ils se retrouvèrent dans le hall. On me connaît dans les coulisses et ils n'ont pas eu la courtoisie de patienter cinq minutes.

— Vingt minutes, chéri, fit Isobel en prenant Édouard par le bras.

— Je ne vois pas en quoi c'est important. C'est la pièce la plus stupide de Londres, n'est-ce pas, Anne ?

— Elle a quelques rivales dans ce domaine, mais il se peut que vous ayez raison, dit Anne Kneale d'une voix traînante qui se voulait provocatrice.

Son regard croisa celui d'Isobel. Jean-Paul rougit.

— Eh bien, moi, je l'aime. Je suis sûre qu'Édouard sera de mon avis. Bon, si on entrait ?

— Je me demande pourquoi Jean l'apprécie tant, dit Isobel d'un ton moqueur, en effleurant l'épaule d'Édouard. Je ne comprends vraiment pas, vous oui, Anne ? Et vous, petit frère ?

Pendant la première partie de la pièce, les hommes furent bon public. Leurs éclats de rire contrastaient avec le silence obstiné de leurs compagnes. Isobel ne prêta que peu d'attention à la pièce. Elle s'assit à côté d'Édouard et feuilleta le programme, puis promena son regard dans la salle mais, tout ce temps, elle resta contre lui. À un moment donné, la salle fut parcourue de murmures. Les hommes se poussèrent du coude quand une jeune actrice entra en scène. Jean-Paul leva ostensiblement ses jumelles tandis qu'Isobel posait la main ornée de sa bague d'émeraude sur la cuisse d'Édouard.

— Voyez-vous, Édouard, tout cela m'est insupportable, dit-elle d'une voix basse mais tout à fait distincte.

Étonné de ses propres réactions, Édouard lui prit la main et la serra. Il la garda jusqu'à l'entracte où ils allèrent boire une coupe de champagne.

— Pas mal, pas mal, qu'en dites-vous ? dit Chog en s'appuyant au bar. Ce n'est pas très fatigant pour l'esprit. Cela me convient parfaitement. J'ai horreur des pièces sérieuses.

François et Pierre se lancèrent en français dans une discussion sur l'opportunité de passer une telle pièce à Paris. C'était du théâtre de boulevard. Isobel reposa sa coupe de champagne sans même y avoir goûté et disparut aux toilettes. Après un instant d'hésitation, ses amies la suivirent.

À la seconde où elles furent parties, les hommes se détendirent.

— As-tu remarqué la petite dans la dernière scène, celle qui a des yeux magnifiques ? dit Jean-Paul à celui qui s'appelait Sandy, en uniforme d'officier de la Garde. C'est une nouvelle. Elle n'était pas là la dernière fois que je suis venu.

— Je t'ai déjà dit que je la connaissais, dit Sandy en soupirant. Elle ne vaut vraiment pas la peine.

— Comment le sais-tu ?

— J'ai essayé. Rien à faire. Plutôt bégueule, la chochotte. Elle monte illico sur ses grands chevaux. C'est horriblement ennuyeux.

— Tu veux faire le pari ?

Jean-Paul avait son air têtu. Sandy haussa les épaules.

— Mon cher, essaie toujours. Peut-être ton charme gaulois fera-t-il des miracles.

— Elle est horriblement maigre. Moi, je laisserais tomber, dit Chog.

— J'aime ses yeux. Ils sont violets, dit Jean-Paul qui ne tenait pas à rester à l'écart.

— Elle s'appelle Violette, dit Sandy en bâillant. On ne peut pas dire que ce soit original.

— Ces yeux violets me font bander ! s'exclama Chog.

— Fais passer ta carte, répliqua Binky.

— Tu ne connais pas ta chance.

— Mon ami, dit Jean-Paul en le prenant par le bras, c'est exactement mon intention.

Il sortit sa carte de la poche de son uniforme et se mit à écrire un petit mot, lorsque François toussota et que Pierre le poussa du coude. Isobel était de retour.

Elle les observa un instant, ses amies un peu en retrait derrière elle. Puis elle leur adressa son plus beau sourire.

— Il vient de se produire un événement des plus extraordinaires, dit-elle gaiement. J'ai une allergie soudaine à cette pièce et ne me sens absolument pas capable d'assister à la seconde partie. Par une coïncidence étonnante, nous sommes toutes du même avis, ajouta-t-elle en se tournant vers le groupe de jeunes femmes.

Anne Kneale s'esclaffa sous le regard réprobateur d'Isobel.

— Nous avons décidé de vous laisser et de rentrer chez nous. Non ! Pas un mot. C'est l'anniversaire d'Édouard, et je ne voudrais pour rien au monde gâcher votre plaisir. Retournez dans la salle et ne pensez plus à nous. Cher Édouard, bon anniversaire. J'espère que vous passerez une excellente soirée, dit-elle en se hissant sur la pointe des pieds pour l'embrasser.

Elle tourna les talons et disparut dans la foule. Il y eut un instant de silence. Les hommes se regardèrent. Édouard baissa les yeux.

— Tant pis, répliqua Jean-Paul, finissant imperturbablement d'écrire sa carte.

Il fit signe au barman. La carte, accompagnée d'un billet de cinq livres, changea de main. Jean-Paul se retourna en souriant.

— Et maintenant, mes amis, nous allons nous amuser.

Jean-Paul était un habitué des nombreux restaurants et night-clubs à la mode du West End. Avec sa réputation de dépenser sans compter et de laisser de gros pourboires, il recevait partout un accueil chaleureux malgré son habitude de faire dégénérer les soirées. Il ne fréquentait que des endroits chics, onéreux, mais dont la clientèle était parfois un peu louche. C'était un mélange d'officiers, de gens de la haute société londonienne, des commerçants qui s'adonnaient au marché noir, des actrices et des danseuses de music-hall qui étaient la compagnie préférée de Jean-Paul. Il hantait des lieux comme Le Caprice, Le Lierre, le Café Royal, et, si la soirée se poursuivait tard dans la nuit, le fameux Quatre Cents. Ce n'était pas un client difficile : une bonne table, un service diligent, des boissons à discrétion, de jolies femmes en vue, un pianiste et, si possible, une piste de danse. Cela lui suffisait pour être heureux. Il aimait le Café Royal, parce que, disait-il, il ne s'y ennuyait jamais. Avec ses nombreux miroirs et ses garçons zélés, il lui rappelait Le Dôme ou La Coupole, bref, Paris.

Ce soir-là, il était de bonne humeur. Tous furent obséquieusement conduits à leur table. Son pari était à moitié gagné. Il était accompagné de cinq de ses amis officiers, d'Édouard et de deux femmes. Violette, la plus jolie, devait être celle qui donnait trois répliques dans la pièce *Lady Behave*, car elle avait les yeux violets. L'autre, moins séduisante, semblait avoir pour unique fonction de soutenir moralement Violette. Elle confia à Édouard qu'elle faisait ses débuts au théâtre. Elle avait été figurante dans *Fun and Games* avant de l'être dans *Lady Behave*. Auparavant, elle faisait partie de la troupe de Berwick-on-Tweed, où elle jouait chaque semaine. La guerre avait fait des ravages dans la profession. Maintenant, on pouvait espérer au mieux une place dans une tournée de l'ENSA.

Jean-Paul avait fermement décidé de faire passer à Édouard une excellente soirée. Il insista pour qu'il soit assis entre les deux jeunes femmes, Violette à sa gauche et Irène, prénom qu'il prononçait à la française par courtoisie, à sa droite. Il se mit en face d'eux, et les autres s'assirent selon leur goût.

Irène s'esclaffa.

— Vi, ne trouves-tu pas qu'il prononce mon prénom d'une façon très romantique ? Il est pour toi, ce Français.

— Comment le prononcez-vous ? demanda Édouard poliment, sa bonne humeur s'estompant.

— I-rè-ne. C'est affreux, n'est-ce pas ? Je n'ai jamais aimé mon prénom, mais il faut s'y faire. On est obligé de supporter toute sa vie le prénom que Dieu vous a donné. Certains ont de la chance, d'autre pas. Prenez Violette, par exemple. C'est joli, surtout avec les yeux qu'elle a. J'ai dit aux autres de ne pas utiliser le diminutif Vi. C'est vraiment dommage. Mais que faire ? Vi elle est, Vi elle restera.

Édouard, intrigué, se tourna vers Violette. Elle n'avait encore rien dit depuis son arrivée. Elle tenait la coupe de champagne d'une main et de l'autre émiettait un petit pain. Elle était très belle mais différente des conquêtes habituelles de Jean-Paul. Son corps frêle et ses poignets menus étaient d'une minceur étonnante. De beaux cheveux bruns ondulés encadraient son minuscule visage en forme de coeur. Elle n'était pas d'une beauté resplendissante mais son regard, qui avait attiré l'attention de Jean-Paul, avait un charme irrésistible. De grands yeux mauves aux longs cils noirs qui lui donnaient un air rêveur, presque apeuré. Édouard posa son regard sur elle. Il remarqua la gracilité de ses poignets, sa robe miteuse de soie mauve, la rose flétrie accrochée à son décolleté et en éprouva une certaine pitié. Elle faisait partie de la race des victimes. Il souhaitait désespérément que Jean-Paul la laissât tranquille.

— Miss Fortescue. Violette, je crois. Me permettez-vous de vous appeler par votre prénom ?

Chog, assis à côté d'elle, se pencha.

— Excellente pièce, n'est-ce pas ? C'est notre avis à tous. Excellente.

— Vraiment ? dit Violette d'une voix douce, polie, bien élevée, totalement différente des intonations rauques d'Irène.

— Oh oui ! Vous avez très bien joué.

À cours d'inspiration, Chog changea de sujet.

— Le métier d'acteur doit être passionnant tout en étant très dur. Je n'ai jamais compris comment vous parveniez à retenir tous ces textes par cœur.

— Trois répliques, ce n'est pas particulièrement éprouvant.

— Quoi ? Oh oui ! N'y en avait-il vraiment que trois ? J'ai eu l'impression qu'elles étaient plus nombreuses.

— C'est très gentil de votre part. J'ai dû les dire d'une façon exceptionnelle.

Édouard l'observa avec un intérêt accru. Elle avait l'air parfaitement sérieuse. Pas le moindre sourire aux lèvres. Chog, ne sachant si c'était une plaisanterie, hésita avant d'éclater de rire. On servit le champagne, et Irène accapara Édouard.

François, Pierre et Jean-Paul se lancèrent dans une conversation sur l'évolution de la guerre, l'arrivée des Américains, la prise éventuelle de Moscou par les Boches, celle de Tobrouk par Rommel. Ils se demandaient si tous reverraient la France. Édouard se joignit brièvement à leur conversation quand Irène alla danser avec Binky, mais personne ne l'écouta. Au bout d'un moment, il capitula, s'enfonça dans son fauteuil, une coupe de champagne à la main. Il se rendait compte qu'il avait trop bu. Si seulement il avait quelques années de plus, il pourrait se rendre utile. Il avait hâte que la soirée se termine et regrettait de s'être querellé avec Célestine. Il en avait été malheureux toute la journée. Dans le brouhaha de la salle enfumée couvert par la musique du pianiste, le champagne et la vue de tous ces visages pourpres aidant, il éprouva une envie folle de retourner vers elle, de se blottir dans ses bras, d'être enfin en paix dans le silence de son appartement.

— Est-ce vraiment le baron de Chavigny ? dit la jeune femme du nom de Violette, désignant Jean-Paul en face d'elle, qui prédisait que les Boches seraient chassés de France à la fin de l'année 1942.

Sa question le surprit.

— C'est un de vos amis ?

— C'est mon frère. Il n'est pas baron, du moins pas encore. Il le sera un jour. Notre père vit encore, dit-il en bafouillant légèrement.

— Oh, je vois, dit Violette, intriguée. Je me posais simplement la question. Il l'a écrit sur la carte, vous comprenez. Celle qu'il a fait circuler. Je me demandais si c'était une plaisanterie. Souvent, les hommes s'amusent à ce petit jeu.

— Ah bon ?

— Oh oui ! Quand ils veulent vous persuader de sortir avec eux, par exemple. Généralement je refuse mais, ce soir, je me sentais un peu déprimée. J'étais lasse et à vrai dire intriguée. Aussi ai-je accepté.

— Mon frère intrigue toujours les femmes.

Il était parfaitement conscient de prononcer des paroles fort peu courtoises à l'égard d'une femme. Elle rougit légèrement, mais ne sembla pas se formaliser outre mesure.

— Essayez-vous de me mettre en garde ?

Elle jouait plutôt maladroitement les coquettes. Édouard eut un geste d'impatience. Il s'était trompé. Elle était bien semblable à toutes les femmes que Jean-Paul courtisait.

— Qui sait ? dit-il en haussant les épaules. En avez-vous besoin ?

— Je ne sais pas. J'habite Londres depuis peu. J'ai passé mon enfance dans le Devon.

Édouard aurait dû lui poser des questions sur cette région. Visiblement, c'est ce qu'elle attendait. Mais il ne connaissait pas le Devon et, à vrai dire, cela ne l'intéressait pas du tout. Il régna un silence gênant.

Violette, nerveuse, leva sa coupe de champagne.

— C'est votre anniversaire, n'est-ce pas ? Alors, bon anniversaire.

Ce furent les dernières paroles qu'elle lui adressa.

Peu après, Jean-Paul montra des signes d'impatience, ne cessant de regarder sa montre. Pierre avait la larme à l'oeil. Les lourdes épreuves de la belle France lui étaient insupportables. Jean-Paul les invita à sortir. Une fois plongés dans Piccadilly complètement obscur, Jean-Paul leur annonça que la soirée ne faisait que commencer.

Tous ne furent pas du même avis. Pierre et François décidèrent de rentrer. Un compagnon d'armes leur avait offert une bouteille de marc, et ils avaient l'intention d'aller la déguster chez eux où ils pourraient continuer leur discussion. Binky, qui, le lendemain matin, devait recevoir les dernières instructions avant de partir en mission, préférait mettre un terme à cette soirée. Édouard souhaitait rentrer le plus vite possible, mais, lisant la déception dans le regard de Jean-Paul, il ne dit rien. Sandy annonça qu'il était résolu à continuer la fête. Jean-Paul retrouva aussitôt sa bonne humeur.

Trois hommes, un adolescent et deux femmes s'entassèrent dans la Daimler de Chog pour aller raccompagner ces dames. Ce fut plus long que prévu, parce qu'elles habitaient le quartier d'Islington dont Chog n'avait jamais entendu parler.

Malgré le black-out, ils traversèrent la ville. Le trajet sembla interminable à Édouard. Parfois, Chog prétendait qu'ils étaient presque arrivés et que, si la police militaire les surprenait, elle leur règlerait leur compte. Sandy avait apporté une bouteille de cognac. Les femmes étaient assises sur les genoux des hommes. Tous chantaient gaiement, sauf Violette et Édouard.

— Vous êtes complètement fous ! s'écria avec vigueur Irène. Nous y sommes. Je vous l'avais dit. Regardez, voilà l'Ange. Tournez deux fois à droite... voilà ! Venez, on va boire un dernier verre.

— Irène, il se fait tard. Je crois que nous devrions rentrer.

Violette était descendue la première de la voiture. Irène la suivit au milieu des rires et des cris.

— Quelqu'un m'a pincé les fesses. Je l'ai senti. Vi, je t'assure. Que des fripons, ces Français ! Il ne faut jamais leur faire confiance.

— Mesdames, dit Jean-Paul en s'extirpant lui aussi de la voiture pour leur faire le baisemain.

Édouard savait que c'était chez Jean-Paul une manière de se débarrasser d'elles le plus vite possible. Il garda la main de Violette dans la sienne plus longtemps que celle d'Irène.

— J'ai été très honoré de votre présence. Au revoir.

Il les raccompagna jusqu'à la porte d'entrée, puis remonta dans la voiture.

— Grand Dieu, Jean, tu en fais trop. Je t'ai dit qu'elle était guindée. Pourquoi tout ça ? s'exclama Sandy en bâillant, tandis que Chog démarrait en trombe.

La voiture fit une embardée et rata de peu un réverbère.

— Et pourquoi pas ? fit Jean-Paul en haussant les épaules et en faisant un clin d'œil à Édouard. Elle a de beaux yeux. Bon, de toute façon, on s'en moque. Allons au Quatre Cents.

Ils s'y rendirent, mais Jean-Paul trouva l'ambiance morne. Ils allèrent ensuite au Vic's où un travesti chantait en s'accompagnant au piano. Après avoir bu du cognac, Sandy décréta qu'il ne pouvait supporter de rester plus longtemps en compagnie de ces femmelettes.

Quand il se retrouva dans la rue, Édouard eut la sensation étrange de tanguer. Il suggéra de rentrer.

— Rentrer ? hurla Chog qui titubait en donnant des coups de poing dans le vide. Nous sommes au cœur de Londres. En pleine guerre. Qui a osé suggérer de rentrer ? Qui ? Répétez-le !

— Personne, personne, dit Sandy, voulant calmer les esprits. Mais le problème est de savoir où aller. Ce qu'on veut, c'est s'amuser. On le mérite, non ? Il faut trouver un passe-temps bien anglais.

Chog leva les yeux au ciel, cherchant l'inspiration. Il brandissait le bras et le faisait tournoyer en l'air comme un moulin à vent.

— Je sais ! Comment n'y ai-je pas pensé plus tôt ? Nous allons nous rendre chez Pauline. C'est exactement ce qu'il nous faut.

Les regards de Jean-Paul et de Sandy se croisèrent.

— Chez Pauline ? Tu crois qu'on nous laissera entrer, Chog ?

— Évidemment, répondit-il en se dirigeant vers la voiture. Tu es avec moi. Je connais tout le monde à Londres. Personne ne me refuse une entrée, ni à mes amis, d'ailleurs.

— Crois-tu vraiment que ce soit l'endroit idéal pour Édouard ? dit Sandy en le poussant du coude.

— Pourquoi pas ? Édouard est mon ami, dit Chog en posant un bras sur son épaule. C'est son anniversaire, non ? Tu es un homme, n'est-ce pas, Édouard ? Tu as envie de venir chez Pauline ?

— Bien sûr, répondit Jean-Paul à la place de son frère.

Il ouvrit la portière et fit entrer Édouard dans la voiture. Il s'affala sur le siège en cuir et Jean-Paul grimpa à côté de lui.

— Pas un mot à maman, tu entends ? Elle penserait que tu es un peu jeune. Les femmes ne comprennent pas très bien.

— Les femmes ? Qui parle de femmes ? dit Chog, assis devant et cherchant le volant. Je vais vous chanter une chanson sur les femmes.

Tel un oiseau flairant la charogne, Pauline Simonescu était arrivée à Londres en 1939 au début de la guerre. Nul ne savait exactement d'où elle venait, et les rumeurs allaient bon train. Elle était roumaine, mais avait été élevée à Paris. On disait même qu'elle avait été la maîtresse du roi Carol, qu'elle avait du sang bohémien, juif et arabe. Elle dirigeait auparavant la maison close la plus luxueuse de Paris, mais, prévoyant, comme le baron de Chavigny, l'arrivée des Allemands, elle avait quitté le pays juste à temps. Bien que l'argent ne lui fît pas défaut, son établissement de Mayfair était financé par un homme d'affaires célèbre de la Cité, par l'épouse d'un pair du Royaume-Uni avec laquelle elle avait une relation homosexuelle et par un baron de l'acier allemand qui tentait de briser le moral des Alliés. C'était une femme discrète qui se droguait, mais ne touchait pas à l'alcool. On la soupçonnait d'espionnage. Elle vivait dans cet univers crépusculaire où les plaisirs que l'argent et les relations achetaient se transformaient en vices. Nul ne l'aimait, mais on la trouvait utile. Pour Chog, c'était une grande dame. Son établissement était situé derrière Berkeley Square.

Mais où exactement ? Ils firent trois fois le tour de la rue, cherchant désespérément ce lieu de réjouissance dans les petites rues latérales. La Daimler tomba en panne d'essence.

— Peu importe, s'écria Chog joyeusement à la cantonade. C'est plus facile à pied. Mon flair me guidera.

Ils s'étaient tous rassemblés sur le trottoir.

Il s'engagea à droite dans une rue sombre bordée de demeures luxueuses, palpa les restes des grilles du XVIIIe siècle que l'on avait fondues pour servir de coffrage de bombes et se mit à compter. Trois maisons plus loin, il s'arrêta, au moment même où la sirène aérienne retentissait. Des projecteurs sillonnèrent le ciel.

— Merde.

— Tout va bien, pour l'amour de Dieu. On est arrivés. Je vous disais bien que mon flair ne me tromperait pas.

Il leva le nez en l'air, renifla bruyamment et se mit à hurler comme un chien. Sandy et Jean-Paul se tordaient de rire.

— Je le sens, je le sens... Ah, bonsoir.

Un Noir imposant, vêtu d'un costume blanc et portant un bracelet en or, leur ouvrit la porte qui laissait entrevoir une entrée cossue éclairée d'une lumière tamisée.

Chog s'avança vers lui. Il resta immobile.

— Lord Vvyan Knollys. Et voici le comte de Newhaven, dit-il en désignant Sandy. Deux vieux amis français.

Le Noir ne broncha pas.

— Pour l'amour de Dieu, je suis venu mardi dernier, dit-il en fouillant dans son portefeuille.

Jean-Paul se présenta avec assurance.

— Le baron de Chavigny présente ses compliments à Mme Simonescu.

Un billet de vingt livres changea de main subrepticement. Le Noir s'écarta et les laissa entrer tous les quatre.

— Jean-Paul...

— Édouard, tais-toi.

Après avoir traversé un couloir étroit, ils furent conduits dans un hall superbe au sol de marbre, éclairé par un magnifique lustre de cristal qui mettait en valeur deux splendides tableaux de Fragonard et du Titien. Au pied d'un vaste escalier, une petite femme tendit la main avec un air de grande duchesse.

Pauline Simonescu ne devait pas mesurer plus d'un mètre cinquante. Ses cheveux noirs, tirés en arrière, faisaient ressortir son grand nez et ses yeux sombres perçants sur son visage de fouine. Elle portait une robe longue, rouge vif, avec un décolleté qui ne cherchait pas à cacher ses épaules masculines. Ses boucles d'oreilles en rubis étaient assorties à une bague qui ornait la main tendue. En lui faisant le baisemain, Édouard reconnut l'empreinte Chavigny.

Elle leur souhaita la bienvenue à tous et plus particulièrement à Jean-Paul.

— Monsieur le Baron. Je connais bien votre père. Il va bien, j'espère ?

Elle s'exprimait d'une voix saccadée. Jean-Paul parut pour une fois décontenancé. Il bredouilla une vague réponse à laquelle elle ne prêta nulle attention. Soudain, on entendit une explosion dans le lointain.

— Encore ces bombes, dit-elle en haussant les épaules. Les camions ne vont pas tarder à arriver. Ils me font penser aux charrettes des condamnés, mais, bien sûr, ce n'est là que le fruit de mon imagination. Suivez-moi. Que prendrez-vous ? Nous avons un excellent cognac. Il reste une caisse de Krug 37. Mais peut-être préféreriez-vous un whisky ?

Elle les guida vers un somptueux salon. À travers les portes entrouvertes, Édouard percevait des bribes de conversation, des éclats de rire au milieu de froufrous et de tintements de verres. Il aperçut des hommes en uniforme, des messieurs plus âgés en tenue de soirée, de très jolies femmes, toutes très jeunes, qui jouaient à la roulette. Une tapisserie d'Aubusson frémit, les grandes portes d'acajou sculptées pivotèrent sur leurs gonds. Il s'appuya au mur. Sandy et Chog parlaient à voix basse.

Pauline Simonescu se tourna vers eux.

— Il va de soi que vous devez vous montrer corrects. Ce soir, vous avez de la chance. Carlotta est là. De même que Sylvie. Lord Vvyan, vous devez vous rappeler Leila, notre petite Égyptienne, et Mary, qui nous vient d'Irlande. Regardez sa belle chevelure rousse. C'est une vraie Celte. Voici Christine, Pamela, Patricia, Joanne. Vous aimez les Américaines ? J'ai hâte, voyez-vous, que ces courageux Américains s'engagent aux côtés de nos alliés. Juliet, Adeline, Béatrice. Mais, je crois que, ce soir, vous souhaitez rencontrer Carlotta. Vous avez du goût. Carlotta est réservée pour les soirées spéciales. La guerre met les nerfs à rude épreuve. Heureusement, Carlotta est là pour vous apaiser.

Elle s'écarta pour les laisser passer.

— C'est en bas. Pascal va vous montrer le chemin. Je vous fais servir du Krug, n'est-ce pas ? Et peut-être du café pour notre jeune ami ? Il a l'air un peu fatigué. Ce serait vraiment dommage de ne pas...

— Le faire participer ? l'interrompit Sandy en éclatant de rire.

— Exactement, dit Mme Simonescu, le regard brillant. Pascal.

Elle fit un geste au Noir qui accourut et s'inclina.

— Suivez-moi.

Autrefois ce devait être la cave, se dit Édouard, ou l'office. La pièce était seulement éclairée par des chandelles. Pas de fenêtre. D'épais tapis couvraient le sol. Murs et plafond étaient tendus de velours rouge et ornés de tableaux encadrés de noir. Trois divans, également recouverts de velours rouge, étaient disposés en U avec, de chaque côté, une petite table basse. Sur l'une d'elles, il y avait deux seaux à glace en argent contenant les bouteilles de Krug, et, sur l'autre, un plateau d'argent avec une tasse à café. Ils s'assirent tous les quatre. Pascal ouvrit la bouteille, servit le champagne puis le café et les laissa. La porte se referma lentement derrière lui. Une musique douce les berçait. Édouard percevait le bruit lointain des bombes qui explosaient.

Il but son café.

— Nous avons de la chance d'être seuls.

— On doit être dans les petits papiers de cette vieille putain, Dieu sait pour quelle raison. Peut-être qu'elle a jeté son dévolu sur toi, Jean-Paul, ou bien sur Édouard.

— Tu l'as déjà vue, cette Carlotta ?

— Non, mais j'en ai entendu parler.

— Est-il vrai qu'elle... ?

— Plus encore, d'après ce qu'on m'a dit.

— L'un après l'autre ?

— C'est comme ça qu'elle aime.

— Et les autres regardent pendant qu'elle...

— Évidemment.

— Doux Jésus. Qui commence ?

— Vous y allez fort, les gars ! Qui vous a amenés ici ? J'aimerais bien le savoir.

— Allons-y tous ensemble.

— Ah non ! Moi d'abord. Ensuite Jean et puis toi.

— Et Édouard ?

— Après Jean.
— Allez vous faire foutre. Pourquoi je vais attendre ?
— Tu ne banderas que mieux.
— Tu crois ça ? Ma queue ressemble déjà à la colonne de Nelson.
— Masturbe-toi et ferme-la.
— Quoi ? Gâcher tout ça ? Certainement pas !
— Patience, mes amis. Nous devons nous conduire comme des hommes du monde.
— Mon cul.
— Chacun son tour. Ensuite...
— Chacun s'exécute.
— Roulés dans le foin...
— Avec le soleil pour témoin...
Ils se mirent à chanter tous en chœur avant de s'esclaffer. Un brusque silence régna.
— Grand Dieu, cet endroit me donne la chair de poule. Vous n'êtes pas de mon avis ? Cela me rappelle la chapelle de l'école.
— La Sainte Chapelle.
— Si on ouvrait l'autre bouteille de champagne, Jean-Paul ?
Ils firent sauter le bouchon.
— À la vôtre !
— Puisons notre courage dans la bouteille.
Édouard s'était assoupi. Quand il ouvrit les yeux, il se sentit l'esprit plus clair. L'espace d'un instant, il se demanda où il était. Son regard se posa sur les chandeliers, le velours rouge et les photos. Les photos ! Il n'en croyait pas ses yeux. Des mains, des entrejambes, des seins lourds, des cuisses, des lèvres ouvertes, des fesses écartées, des femmes offertes, un clitoris rose comme un fruit mûr, des hommes fiers de leur phallus démesurément tendu. Il eut l'impression de se trouver en enfer. À la lumière des bougies, des ombres se profilaient sur les murs rouges. Il avait l'esprit embrouillé d'images, de paroles. Le confessionnal, le père Clément, sa merveilleuse Célestine.
Célestine. Il se leva.
— Jean-Paul, je veux partir.
L'un d'eux le poussa, et il retomba sur le divan. Le bras de Jean-Paul se resserra sur lui comme un étau.
— Non, pas maintenant. Regarde.
Carlotta, accompagnée de deux femmes, l'une noire l'autre blanche, venait d'entrer.

Elle resta devant la porte. Les autres s'avancèrent vers les tables de bois qui séparaient les divans. La jeune femme blanche portait un coussin de soie qu'elle posa sur le sol, puis se baissa avec grâce et s'y appuya. La jeune femme noire s'agenouilla près d'elle. Toutes deux étaient vêtues d'une robe ample en voile transparent. Elles se regardèrent. Carlotta se tourna vers les quatre hommes.

Grande, elle était d'une beauté exceptionnelle. Ses cheveux bruns tombaient sur ses épaules recouvertes d'un châle de soie. Un port de tête élégant, des yeux sombres arrogants, des lèvres carminées, charnues et sensuelles. Elle portait une robe longue de soie noire, serrée à la taille. On aurait dit une danseuse de flamenco, immobile, bien droite, prête à évoluer sur la piste.

Jean-Paul poussa un long soupir. Elle se mit à chanter. Les deux filles, allongées par terre, levèrent les bras, s'enlacèrent et se couvrirent de baisers. Elle avait une voix de contralto gutturale, dénuée de douceur et empreinte d'un ton gouailleur. Elle chanta d'abord une chanson langoureuse en espagnol à laquelle Édouard ne comprit pas un mot. Puis elle entonna une ballade berlinoise plutôt scabreuse. Cette musique de cabaret minable hypnotisait Édouard.

Devant eux, les deux filles s'étaient déshabillées. Elles s'étaient oint le corps et rasé le pubis, ce qui déplut à Édouard qui trouva cela horrible. Leur pantomime, qui n'était pas dépourvue de grâce, ne l'excitait pas. La Blanche s'allongea sur le dos, et la Noire lui prit tour à tour ses tétons dressés dans ses lèvres charnues. En rythme, elles changèrent de position. La Noire s'allongea, la Blanche avança ses seins lourds vers la bouche de l'autre qui les prit et, tel un chaton, se mit à lécher la peau foncée de sa poitrine, puis son nombril et ses cuisses ouvertes comme une invite. Édouard, levant les yeux, croisa le regard de Carlotta. Il sentait le désir monter en lui et son pénis se durcir. Carlotta enleva lentement son châle.

Elle était nue et ressemblait à une prêtresse crétoise avec ses bouts de sein incarnats sous la soie noire. Tout en chantant, elle se caressa l'aréole. Édouard remarqua que ses mamelons se contractaient. Jean-Paul, assis à côté de lui, commençait à gémir de plaisir.

Elle cessa de chanter, mais la musique poursuivit son rythme ensorcelant.

Carlotta, pieds nus, s'approcha des quatre hommes. Sa robe de soie effleura Édouard. Elle les fixa un à un. Tous étaient silencieux, le regard tendu vers elle. Chog fit une tentative. Il se pencha et saisit sa robe de soie noire.

— Moi d'abord, dit-il d'une voix étouffée.

Carlotta s'esquiva, le regard méprisant, puis, comme si elle allait faire la révérence, s'agenouilla en écartant les cuisses. Sa robe noire s'entrouvrit. Derrière elle, les deux filles enlacées se contorsionnaient, mais nul ne les regardait. Carlotta se pencha, effleurant de ses seins nus le genou de

Chog qui, la bouche ouverte, en sueur, le souffle haletant, risqua une caresse sur cette poitrine voluptueuse. Carlotta aussitôt le repoussa. Il se renversa sur sa chaise en soupirant tandis que Carlotta, de ses doigts experts, glissait la main le long de ses cuisses, remontant vers son sexe dressé sous son uniforme en le caressant légèrement. Un à un, elle lui dégrafa les boutons de sa braguette, laissant apparaître le gland enflammé. Elle prit son pénis dans ses mains, se pencha, le caressant de ses seins. Chog fut parcouru de frissons. Elle lui écarta davantage les cuisses et creusa ses mains en coquillage autour de son sexe.

Édouard, la verge chaude et gorgée, prête à se déverser, tenta de s'arracher à ce spectacle. Impossible. Sur le divan, à côté de lui, Jean-Paul, étouffant une plainte, céda à l'orgasme.

Carlotta avait baissé le pantalon de Chog. Il était allongé, jambes écartées, le phallus embrasé, dressé entre les seins lourds de Carlotta. Lentement, ses doigts couverts de bijoux le caressèrent ; elle approcha ses lèvres du gland et le suça voluptueusement.

Ses prouesses étaient légendaires. De toute évidence, elle était fière de son habileté. Tantôt ses mains tantôt ses lèvres effleuraient par glissements et touches rapides, sans lui laisser un instant de répit, le pénis qui tressaillait sous ses caresses. Avec une expression de profond mépris, elle se pencha tout en retenant ses cheveux pour que les autres ne perdent rien du spectacle et prit sa verge embrasée dans sa bouche. Chog se contorsionnait et s'agrippait aux coussins du divan rouge où il était affalé. Il souleva le buste pour voir en même temps ce qu'elle lui faisait. Jean-Paul et Sandy se masturbaient lentement, épouvantés à l'idée de décharger trop vite.

Chog gémissait de plaisir. D'un coup de reins, il lui enfonça sa verge jusqu'au tréfonds de sa gorge, criant, râlant d'extase.

— Oui, putain, vas-y, sale putain. Encore, oui, encore.

Il en avait la voix rauque, les mains moites.

— Putain de salope. Baise.

Un spasme secoua son corps. Carlotta se retira aussitôt, les lèvres entrouvertes. Les autres virent les premiers jets blancs de semence lui asperger la bouche. Ils avaient payé pour voir ça. Puis sa bouche happa de nouveau son sexe jusqu'à ce que la source fût tarie, buvant son sperme avec délectation.

Jean-Paul défaisait déjà les boutons de sa braguette. Carlotta se tourna vers lui, la bouche encore pleine de sperme. Lui souriant pour la première fois, elle le dégrafa d'une main experte. Édouard ne put s'empêcher de regarder. Le sexe de son frère était encore plus impressionnant que celui de Chog. Il était pourpre, prêt à éclater. Carlotta, de sa langue, lui caressa le gland. Jean-Paul frissonna. Il tenta avec frénésie de prendre ses seins dans ses mains.

— Vite, chérie, vite...

Édouard détourna le regard. Il avait ressenti une exaltation étrange jusqu'au moment où Chog s'était mis à proférer des injures. Puis il était soudain sorti de sa griserie. Tout désir s'était évanoui. La bouche quémandeuse de Carlotta, le corps affalé de Chog pas encore rhabillé, les contorsions des filles par terre, les halètements de son frère, son regard embué, tout lui parut soudain obscène, insupportable. Il ne pouvait pas rester une seconde de plus dans cette pièce.

Il se leva au moment où Carlotta prenait dans sa bouche la verge de Jean-Paul. Il passa devant elle sans que nul n'essayât de l'arrêter. Ils étaient bien trop absorbés par le spectacle. Il poussa la porte et entendit, cette fois plus proche, une autre explosion. Songeant à Célestine, il se précipita dans le hall de marbre.

Les portes du salon s'étaient refermées. Seule Pauline Simonescu se tenait dans le hall. Devant la porte d'entrée, elle avait l'oreille tendue. Elle ne manifesta aucune surprise en voyant Édouard faire irruption.

Elle l'arrêta d'un geste.

— Le signal de fin d'alerte n'a pas été donné. Ce ne sera pas long.

Édouard la repoussa puis marqua un temps d'arrêt. Elle dégageait un puissant magnétisme. Il leva les yeux vers elle. Au même moment, la sirène retentit.

— Voilà, c'est fini.

Elle entrouvrit la porte pour lui permettre de sortir.

— Au revoir, monsieur le Baron, dit-elle d'un ton légèrement moqueur.

Confus, Édouard dévala les escaliers et s'enfonça dans l'obscurité.

Dans la nuit du 5 décembre, Xavier de Chavigny se trouvait au sous-sol d'un petit café du quartier ouvrier de La Villette, en compagnie de cinq hommes et femmes. Au centre de la pièce, il y avait une petite table de billard, bien qu'aucun d'eux n'y jouât. En cas de nécessité, ils pouvaient feindre une partie acharnée.

Le café s'appelait L'Unique, ce qui amusait le baron car il n'avait vraiment rien de spécial et ne se distinguait pas des autres restaurants du coin qui s'étaient arrangés pour rester ouverts durant l'Occupation. On y servait des repas bon marché aux ouvriers français qui travaillaient pour les Allemands sur les voies de chemin de fer à proximité. Il y avait toujours une odeur de chou cuit.

Le baron, comme ceux qui étaient assis avec lui dans cette pièce, portait un bleu de travail, des bottes et un béret d'ouvrier. Il fumait comme eux des cigarettes roulées à la main, les faisant durer le plus longtemps possible. Comme toujours, il était venu à bicyclette ce soir-là et il repartirait par le même moyen de locomotion, changeant de vêtement là où il laissait son vélo, dans un petit hangar caché au milieu d'un dédale de ruelles du quartier des Halles. Ce n'était pas peine perdue. Personne ne l'avait suivi.

Pourtant quelque chose n'allait pas.

Il dévisagea tous ceux qui se trouvaient dans la pièce. Il y en avait trois de son âge et deux plus jeunes. Tous étaient des ouvriers d'origine paysanne, aux traits grossiers, à l'accent fortement marqué et au langage de charretier. Le baron les considérait comme des frères, leur étant reconnaissant de l'accepter au sein du groupe. Il éprouvait une certaine admiration pour cette méfiance naturelle. N'avaient-ils pas, au début, refusé de lui confier des tâches importantes ? Il lui avait fallu gagner leur amitié et il y attachait maintenant une importance primordiale. Tous ces hommes et la seule femme du groupe risquaient la mort. Chacun avait la vie des autres entre ses mains. Si l'un d'eux trahissait, c'était la mort pour tous. Ils étaient liés non par la crainte, mais par la confiance.

Depuis plus de deux ans et demi qu'il travaillait avec eux, le baron était conscient du changement qui s'était opéré en lui. Il était plus dur, plus impitoyable. On lui avait appris à tuer. Il éprouvait également du ressentiment à l'égard de lui-même.

Quand il songeait à la vie de luxe et d'aisance qu'il avait menée jusqu'à présent sans s'être posé la moindre question, il avait l'impression qu'il s'agissait d'un étranger. Comment avait-il pu être aussi aveugle ? Dire que ses seuls soucis étaient alors de satisfaire aux caprices névrotiques de sa femme en la comblant de cadeaux, dont chacun valait plus que ce que ces hommes gagnaient en une vie de labeur, et de se préoccuper de la taille des pierres, des arcanes boursiers, des courses de chevaux... S'il survivait à la guerre, il savait qu'il mènerait une vie différente.

Tout en gardant apparemment le même style de vie à Saint-Cloud au milieu de ses serviteurs, en continuant à fréquenter ses ateliers et ses boutiques du faubourg Saint-Honoré, en privé, il menait une vie totalement différente. Il n'achetait plus de marchandises au marché noir. Finis les festins, la famille devait partager le sort des Parisiens en se nourrissant frugalement. Ses compagnons n'étaient pas conscients de ces changements, mais le baron y attachait de la valeur. C'était, à ses yeux, un geste de fraternité.

La réunion s'était déroulée dans la joie, avec un optimisme plus marqué que d'habitude. Les rumeurs allaient bon train dans Paris. On disait que les Boches essuyaient un revers sur le front de l'Est d'où ils étaient repoussés et qu'il semblait presque certain que le IIIe Reich ne prendrait pas Moscou. Dans son groupe de résistants, ils étaient tous communistes. Et pourtant ils se réjouirent de la nouvelle tout comme de la perspective de l'entrée en guerre prochaine de l'Amérique.

Pendant ce temps se déroulait le travail de fourmi des résistants qui, sans avoir de conséquences majeures sur les forces de l'occupant, revêtait une importance capitale pour eux : le plastiquage d'une voie ferrée, d'une petite centrale électrique, la transmission de renseignements à travers la France et même de l'autre côté de la Manche.

Dans le meilleur des cas, ils arrivaient à arrêter la circulation ferroviaire pendant quelques jours, à interrompre les communications allemandes quelques heures dans une région sans importance, parfois à tuer des hommes. C'était mieux que rien, mais cela ne les satisfaisait pas. Tous ceux qui se trouvaient dans la pièce, le baron inclus, espéraient une action d'éclat qui briserait la machine de guerre implacable des Allemands. Quelques mois auparavant, grâce à la jeune maîtresse de Jacques, ils avaient découvert une faille dans leur système.

L'excès d'efficacité pouvait être une faiblesse aussi bien qu'une force. La discipline, la routine, la ponctualité, les plans préparés avec minutie, soutenus par une bureaucratie impitoyable et suivis à la lettre, étaient les points forts du haut commandement allemand. Cette efficacité, selon le baron, faisait peut-être la grande force du haut commandement, mais c'était aussi son talon d'Achille.

Tous les deuxièmes jeudis du mois, à 11 heures très précises, le commandant en chef des forces allemandes en France, accompagné de ses aides de camp, de ses officiers supérieurs, des responsables auprès du feld-maréchal Walther von Brauchitsch, commandant de l'armée de terre, et ceux qui faisaient partie de l'état-major pour la France du général Alfred Jodl, chef de l'OKW et commandant suprême de toutes les forces armées du IIIe Reich, se réunissaient rue des Saussais, leur quartier général parisien.

Les officiers supérieurs intéressés étaient conduits à vive allure, sous bonne escorte, dans trois Mercedes. On venait les chercher dans leurs sections respectives entre 10 h 15 et 10 h 45 du matin, et les chauffeurs empruntaient des routes chaque fois différentes. Le baron sourit. En réalité, il n'y en avait que six. Là résidait la faille. À cela s'ajoutait le fait que l'un des chauffeurs avait un faible pour Bernadette, la maîtresse de Jacques, qui était très belle.

Les six itinéraires étaient pris à tour de rôle. Ce jeudi-là, à moins d'un imprévu auquel le groupe était prêt à parer aussitôt, ils devaient emprunter la même route que six mois auparavant. La route C qui descendait le boulevard Haussmann, tournait à gauche dans le boulevard Malesherbes, puis à gauche encore dans la petite rue de Surène.

— C'est là que nous les attendrons ! s'était écrié Jacques en pointant son doigt jaune de nicotine sur la carte.

Ils prendraient alors la très étroite rue d'Aguesseau où le convoi était obligé de ralentir. C'est là que devait exploser la bombe.

À l'angle de la rue, il y avait une petite épicerie. Ces six derniers mois, la camionnette faisait ses livraisons hebdomadaires le jeudi. Après avoir déchargé ses marchandises, le chauffeur prenait un café dans l'arrière-boutique, avec le propriétaire, M. Planchon. La camionnette stationnait pendant quarante-cinq minutes minimum. Si la bombe explosait au bon moment, elle toucherait la première Mercedes et ses occupants. Les officiers les plus importants voyageaient toujours dans cette première voiture.

Planchon subirait, sans aucun doute, un interrogatoire. Il y était préparé et ne savait rien. Il dirait donc la vérité : que le chauffeur n'était pas le même que d'habitude, qu'il ne l'avait jamais vu et qu'il avait disparu dans la confusion générale qui avait suivi l'explosion. Il serait impossible de le retrouver. C'était du moins le secret espoir du baron, qui ne se faisait pas d'illusions. Le chauffeur était assis en face de lui et s'il était pris, il parlerait tôt ou tard, ce qui signifiait la mort pour tous.

Le baron regarda tous ces visages penchés sur la carte. Il éprouvait une immense lassitude. Depuis six mois, ils faisaient et refaisaient leurs plans. Chacun, dans la pièce, les connaissait par cœur, dans les moindres détails, mais, ce soir, l'atmosphère était différente. Dans la pièce enfumée, il régnait une certaine tension. Jacques, au physique de boxeur avec son nez écrasé, retraçait l'itinéraire sur la carte pour la centième fois ; Pierre allumait une nouvelle cigarette tandis que Jean, Didier, le jeune Gérard, le cousin de Jacques qui n'avait que dix-neuf ans, et Jeannette restaient silencieux.

Le baron l'observa plus longuement que les autres. À vingt-neuf ans, petite et brune, elle avait un visage anguleux et crispé qui s'éclairait lorsqu'elle souriait, mais cela lui arrivait rarement. C'était, en fait, une femme courageuse, aux nerfs d'acier, habitée par la haine. Sa sœur cadette avait été violée par des soldats allemands ivres, la semaine où Paris tomba. Elle éprouvait depuis une aversion intense à l'égard des forces d'occupation. Trop intense, d'ailleurs, selon le baron. Il valait mieux être dépourvu de tout sentiment dans ces cas-là, mais elle semblait capable de réprimer sa haine si cela s'avérait nécessaire. Elle faisait partie de leur groupe depuis plus de deux ans. On avait mis du temps avant de lui confier des tâches de responsabilité. En d'autres circonstances, elle aurait exercé une attirance certaine sur le baron. Là, il l'acceptait au même titre que les autres, comme membre de l'équipe.

Il ne voulait pas qu'elle meure. Ni elle ni personne, d'ailleurs. Ces plans, passés en revue des centaines de fois, semblaient tout à fait au point. Il n'arrivait pas à les prendre en défaut.

Pourtant, instinctivement, il sentait que quelque chose n'allait pas.

Était-ce l'excès de perfection ?

Il ferma les yeux, en proie à une grande lassitude. Tous étaient surmenés. Il était lui-même épuisé. Pourquoi aller chercher plus loin la raison de ce malaise ? S'il avait trouvé le moindre indice qui puisse justifier son appréhension, il aurait annulé immédiatement l'opération. Mais il n'en avait aucun.

Il se renversa sur sa chaise, ne laissant rien paraître de ses sentiments. Le lendemain à 11 heures, ils seraient fixés.

Quand il arriva chez lui, à Saint-Cloud, ce soir-là, il resta un long moment à réfléchir, assis dans son fauteuil, fumant cigarette sur cigarette. Il savait qu'il ne parviendrait pas à dormir. En fait, il repensait à l'incident qui avait éveillé chez lui ce sentiment d'inquiétude.

Deux jours auparavant. Les yeux clos, il fuma une cigarette roulée à la main qu'il éteignit en l'écrasant sur un cendrier en baccarat.

Dans l'après-midi, le général Ludwig von Beck était venu dans sa boutique du faubourg Saint-Honoré.

À trente-cinq ans, le général, avec sa haute stature, ses cheveux blonds et ses yeux bleus, avait tout du parfait Aryen. Il était issu d'une vieille famille militaire allemande et, comme son père et son grand-père, avait gravi rapidement les échelons. Il avait fait ses études à l'université de Heidelberg. C'était un homme intelligent, instruit et cultivé, promu officier supérieur avant la montée au pouvoir de Hitler. Il ne s'était engagé au parti nazi que très tard. Dans d'autres circonstances, se disait le baron, il se serait lié d'amitié avec lui. Pour être franc, il appréciait cet homme.

Le général s'intéressait à la joaillerie. Il avait un goût prononcé pour la musique, la peinture. Il venait parfois s'entretenir avec le baron. Au début, ils conversaient dans la boutique. Mais, un jour, le baron l'invita dans le somptueux appartement qu'il occupait au-dessus. Il le faisait souvent avec les officiers allemands de haut rang, car les informations obtenues, aussi minimes fussent-elles, s'étaient avérées utiles pour le groupe dans le passé.

Il n'obtint aucun renseignement du général von Beck. D'ailleurs, avec lui, ce n'était pas son but. Ensemble, ils parlaient de Matisse, de Mozart, des œuvres de Flaubert, des créations de Fabergé.

Le baron sentait chez le général une aversion profonde pour les nazis. Bien qu'il n'y fît jamais allusion, il ne cherchait pas à masquer sa réprobation pour leurs agissements insensés et son dégoût de leur politique antisémite qui sévissait en France depuis 1941. Le baron ressentait une certaine compassion pour cet homme fier. Qu'aurait-il fait, à sa place, s'il avait été soldat de métier dans l'armée allemande en 1939 ? N'aurait-il pas agi comme le général von Beck, serviteur réticent mais efficace d'un régime dont il n'avait perçu que trop tard les effets néfastes ?

Deux jours plus tôt, dans cet élégant salon, le baron avait trouvé le général dans un état de tension et d'agitation inhabituel. Après avoir reposé son verre de cognac, il s'était levé et s'était dirigé vers la fenêtre.

— Votre famille doit vous manquer, lui avait-il dit. Surtout votre femme et vos fils.

— Naturellement.

— Ils ont quitté Paris au bon moment.

Le général lui tournait toujours le dos.

— Ne vous est-il jamais arrivé de souhaiter les rejoindre ?

Le baron se raidit.

— Non, avait-il répondu avec prudence. Non, c'eût été impossible. J'ai trop de responsabilités ici.

— Oui, bien sûr, je comprends parfaitement.

Soudain, il se retourna et fixa le baron.

— Y avez-vous songé récemment ?

Le baron s'était demandé s'il ne s'agissait pas là d'un avertissement. Il s'était levé en souriant.

— Ce serait difficile maintenant, vous ne croyez pas ? Il y a la Manche et je n'ai jamais été bon nageur.

Le général von Beck sourit poliment devant cette petite plaisanterie.

— Je vois. C'était une simple question.

— Un autre cognac ?

— Non, merci. Il est toujours aussi excellent, mais je dois partir.

À la porte, ils se serrèrent la main. Ce geste était tout à fait inhabituel.

— Monsieur le Baron.

Il fit claquer les talons avec une rigueur militaire, tout en inclinant la tête.

— Je suis heureux de vous avoir connu.

— Moi aussi, général... Vous quittez Paris ?

— Il se peut que mon régiment soit envoyé en détachement ailleurs.

— Ah oui !

Le baron songea au front de l'Est. Après un temps d'arrêt, il lui avait dit :

— Au revoir, mon ami.

Jamais il n'aurait pensé dire cela à un Allemand.

Le général von Beck n'avait pas souri.

— Au revoir, mon ami, lui avait-il répondu en quittant aussitôt la pièce.

Cet incident s'était produit deux jours plus tôt. Peut-être était-il insignifiant ? Mais peut-être aussi ne l'était-il pas.

Le baron alluma une autre cigarette. Parfois, il était si fatigué qu'il n'attachait plus d'importance à sa vie. Seule celle des autres lui importait.

Il se leva, mit un disque. *La flûte enchantée*

Comme il ne parvenait pas à dormir, il ressassait les plans tout en écoutant Mozart qui lui redonnait le goût de vivre.

Le 6 décembre au matin, le convoi qui transportait les officiers supérieurs du haut commandement allemand emprunta le boulevard Haussmann à 10 h 50. Ils prirent à gauche le boulevard Malesherbes à 10 h 56 du matin, puis encore à gauche la rue de Surène à 10 h 58. Exactement comme prévu. Le baron et Jacques étaient collés à la fenêtre du petit atelier.

Jacques se pencha.

— Allez, mes salauds, approchez, approchez...

À 10 h 59, le convoi s'arrêta à cent cinquante mètres de l'angle de la rue d'Aguesseau. Un silence profond régna. Puis la bombe explosa, juste devant l'épicerie. Elle pulvérisa la camionnette, mais la Mercedes ne subit pas le moindre dommage.

Aussitôt, on entendit des pas précipités, des hurlements d'officiers allemands. Le baron et Jacques s'étaient déjà sauvés par les escaliers. Ils s'étaient séparés sans un mot. Dix minutes plus tard, Jacques fut pris par une patrouille allemande au moment où il s'enfuyait dans une rue latérale. Il mourut sous le feu nourri des mitraillettes Schemeisser.

Le baron fut arrêté à Saint-Cloud une heure plus tard. Il fut interrogé puis torturé par la Gestapo plus longtemps que les autres. Il n'en comprenait pas la raison puisqu'ils étaient déjà au courant de tout. Jeannette mourut pendant l'interrogatoire. Les Allemands avaient des techniques particulièrement au point pour les femmes. Pierre se trancha la gorge dans sa cellule, et l'officier chargé de sa sécurité fut démis de ses fonctions. Jean,

Didier et Gérard furent pendus. Bernadette, la maîtresse de Jacques, qui les avait trahis, fut torturée par la Résistance et mourut quelques mois plus tard. Le baron, comme il convenait à son rang, passa devant le peloton d'exécution le soir de l'anniversaire de son fils cadet.

Édouard apprit la mort de son père, à l'aube, alors qu'il revenait à pied de chez Mme Simonescu. Ce fut Hugo Glendinning qui l'informa. La nouvelle était parvenue par radio au service d'information des Forces françaises libres pendant la nuit. L'aide de camp du général de Gaulle avait tenu à annoncer la nouvelle personnellement à Louise. Il était arrivé à 11 heures du soir, au moment où elle rentrait d'une réception chez un banquier anglais. Le Général lui adressait ses sincères condoléances pour la perte d'un ami et d'un Français courageux. Le message se terminait par une phrase laconique : *La lutte continue.*

Jean-Paul apprit la mort de son père alors que, la veille, il avait prétendu, à deux reprises, être le baron de Chavigny. À quelques heures près, il avait dit la vérité. Édouard et Hugo avaient passé la nuit à le chercher dans Londres.

Il n'était pas chez Mme Simonescu. Il ne se trouvait dans aucun des clubs et des tripots auxquels ils se rendirent. Il n'était ni à Conway House, où Isobel confirma qu'elle ne l'avait pas vu, ni à son quartier général. En fait, il dormait dans le petit salon de Célestine Blanchon, à Maida Vale.

Célestine regarda les deux frères sans rien dire. L'un était livide, l'autre rouge de colère. Elle savait que c'était la fin, que son bel Édouard ne reviendrait plus. Il était là, devant elle, droit, fier. Pas une seule fois il ne lui adressa un regard. Dans ses yeux, elle lisait la colère mais aussi une profonde meurtrissure qui la bouleversa.

Elle aurait aimé lui expliquer, pas maintenant, bien sûr, mais plus tard. Elle aurait tant souhaité lui dire qu'elle l'aimait. N'était-ce pas précisément pour cette raison qu'elle préférait une rupture brusque ? Jean-Paul était arrivé chez elle complètement ivre à 3 heures du matin.

Il la détestait pour l'emprise qu'elle avait sur son frère. Elle l'avait bien senti dans sa façon brutale de lui faire l'amour, mais n'avait rien fait pour l'arrêter ni pour lui donner du plaisir. Il la posséda sans ménagement, se retirant et s'enfonçant sauvagement six ou sept fois avant d'éjaculer en jurant, mettant ainsi fin à la dernière histoire d'amour de Célestine. « Quel goujat ! », se dit-elle, tandis que Jean-Paul roulait sur le côté en grognant. Au moment où elle se levait du lit, on avait sonné à la porte.

En observant Édouard, elle songeait que c'était un bien pour lui. Même le chagrin était préférable à une séparation inévitable qui aurait traîné en longueur. Elle aurait vu peu à peu Édouard se lasser de cette liaison, masquer ses sentiments avec difficulté. Non, ce n'était pas là ce qu'elle souhaitait.

En le regardant, elle eut un dernier espoir, une dernière tentation. Celle de tout lui dire, de lui expliquer. Mais non... elle y résista car, de toute façon, ce serait vain. Elle avait fait partie de sa jeunesse, de cette merveilleuse charnière entre l'adolescence et l'âge adulte. Maintenant, c'était bien terminé. Quand Jean-Paul quitta la pièce, ce fut un homme, plus un enfant, qui se tourna vers elle, le visage crispé, refoulant son émotion.

— Excusez-moi de vous poser cette question. Mon frère vous doit-il quelque chose ?

— Non, répondit-elle doucement.

— Moi, je vous dois beaucoup, dit-il, perdant presque le contrôle de lui-même.

— Non, rien, Édouard.

Il lui lança un dernier regard avant de partir.

Un mois plus tard, Célestine reçut une petite carte tout à fait formelle, lui demandant de faire appel à lui si un jour elle en avait besoin. Elle garda la missive mais ne répondit pas.

Un mois après, son vieux protecteur anglais eut une attaque d'apoplexie et mourut. Quelques semaines plus tard, alors que Célestine s'attendait à recevoir d'un jour à l'autre l'ordre de quitter son appartement, elle reçut un dossier d'un cabinet d'avocats agissant pour le compte d'Édouard de Chavigny. À l'intérieur se trouvaient les titres de propriété de la maison de Maida Vale à son nom, et le décompte d'une rente qu'elle percevrait chaque mois pour le restant de sa vie. Sur le moment, elle songea à tout renvoyer à Édouard et à lui répondre. Mais elle savait que ce n'était pas fait dans de mauvaises intentions et, de surcroît, à quarante-huit ans, elle avait le sens des réalités.

Elle remit une lettre de remerciement très formelle aux avocats qui la transmirent à Édouard. Célestine n'entendit jamais plus parler de lui.

Quelques mois plus tard, elle prit un nouvel amant et décida de recevoir les courageux petits Français des Forces françaises libres.

Il leur arrivait parfois d'évoquer le nom des Chavigny.

Elle apprit ainsi que la baronne de Chavigny s'était vite consolée de la mort de son mari en prenant comme amant un banquier anglais ; qu'Isobel Herbert avait rompu ses fiançailles avec Jean-Paul deux mois après la mort de son père. Personne n'en fut surpris. On lui dit également que le plus jeune frère, Édouard, était un brandon de discorde qui faisait un malheur parmi les dames de la haute societé londonienne. Les deux frères s'entendaient très bien, lui avait-on dit avec des sous-entendus. Ils étaient connus pour mener ensemble une vie dissolue.

Célestine en fut surprise. Elle éprouvait une certaine fierté de savoir que ses leçons étaient si bien mises en pratique, mais la complicité des deux frères la troublait. Elle savait l'admiration qu'Édouard portait à Jean-Paul, ce qui lui faisait de la peine. C'était une loyauté inconditionnelle, et sa déception n'en serait que plus grande.

Ce que Célestine ignorait, c'était que le chagrin éprouvé par les deux frères lors de la mort de leur père les avait rapprochés. Toute leur vie, ils lui avaient voué une admiration sans bornes et une affection profonde. Il leur semblait indestructible. Dans les jours qui suivirent sa mort, Louise s'alita et refusa toute visite. Devant l'horreur de la réalité et la confusion, tous leurs différends s'estompèrent.

Jean-Paul ne pouvait contenir sa douleur. Il pleurait à chaudes larmes. Tel un enfant bouleversé, il se tourna vers Édouard qui, lui, maîtrisait sa peine et ne pleurait pas.

Ils veillaient chaque soir, évoquant le passé jusqu'à une heure avancée de la nuit. Jean-Paul buvait beaucoup, prétendant que cela l'aidait à surmonter son chagrin.

— J'éprouve un tel sentiment de culpabilité, confia-t-il un soir à Édouard. Le soir même de sa mort, je m'étais fait passer pour le baron de Chavigny, usurpant son titre. Comment ai-je pu agir ainsi ? Dieu que je me hais, Édouard !

— Cela ne portait pas à conséquence. Et de plus, tu en avais le droit.

— Je sais, je sais, mais cela ne me console pas. Quand je pense que le soir de sa mort, on se trouvait chez cette putain de Simonescu ! L'idée m'est insupportable, dit-il, le visage noyé de larmes. Je me hais, Édouard. C'est vrai, j'ai honte de ma conduite. La boisson, les femmes. C'est fini. Je vais changer. Pour papa. Je le lui dois bien. Je ne sais même pas ce qui me pousse à agir ainsi. Les femmes n'ont aucune importance à mes yeux. Avec elles, on ne peut ni avoir une conversation ni leur faire confiance. Regarde Célestine. Je ne me sens pas très fier, mais peut-être était-ce bénéfique pour toi. Je pense que cela t'a, au moins, ouvert les yeux. Elle n'a pas hésité à coucher avec moi. Elles sont toutes pareilles, des putains, des menteuses. Toutes, sans exception.

— Jean-Paul...

— Dis-moi que cela ne se reproduira plus, Édouard, dis-le-moi. Ne laisse jamais une femme nous séparer, dit-il en levant un visage mouillé de larmes vers Édouard. C'est insupportable. J'ai besoin de toi, petit frère, maintenant plus que jamais. Cette douleur immense, cette peine, toutes ces responsabilités que m'a laissées papa... J'ai peur, Édouard. Je ne peux les affronter sans toi.

Il se mit à sangloter devant Édouard qui en fut ému, tout en étant conscient de l'effet de l'alcool dans ce débordement de chagrin. Il éprouvait une colère froide envers Célestine. Elle l'avait trahi et peut-être lui avait-elle menti depuis le début. Comment comparer l'amour qu'il lui avait porté à celui qu'il ressentait pour son frère ?

— Jean-Paul, lui dit-il en posant un bras affectueux sur son épaule pour l'apaiser, ne dis pas cela, je suis ton frère. Maintenant, il nous faut songer à l'avenir. Prenons exemple sur papa et poursuivons la tâche qu'il a entreprise. À la fin de la guerre, nous retournerons en France. Papa a posé les jalons. À nous de poursuivre son œuvre. Nous prendrons un nouveau départ. C'est ce qu'il aurait souhaité.

— Sans doute, répondit Jean-Paul en essuyant ses larmes du revers de la main.

Il se redressa et se moucha.

— Penses-y, Jean-Paul. Toutes ces sociétés, c'est à nous de les faire prospérer. Ce sera notre façon d'honorer la mémoire de notre père.

— Oui, oui, répliqua Jean-Paul, un peu agacé. Ce n'est pas le moment d'aborder ces problèmes. Je suis soldat, j'ai d'autres responsabilités. Il y a la guerre. Édouard, sois réaliste.

Édouard soupira. Chaque fois qu'ils entamaient cette conversation, Jean-Paul réagissait ainsi. Quant à Louise, elle ne s'en préoccupait pas davantage. Un après-midi, pensant que cela lui ferait plaisir de parler de Xavier et de ce qu'il avait accompli, Édouard lui demanda comment son père aurait envisagé l'avenir. Louise se montra aussitôt très irritée.

— Tu veux parler de ses sociétés ? Édouard, comment le saurais-je ? Quelle question extraordinaire !

— Je pensais simplement...

— Tu n'as rien à penser. Ne te mêle pas de ces affaires. C'est Jean-Paul le baron, pas toi. À la fin de la guerre, il prendra la direction des sociétés. Je trouve ta question particulièrement inconvenante et te prie de ne pas t'immiscer dans ces affaires. Vraiment, quel manque de tact ! Oser aborder ces problèmes en ce moment.

— Il s'agit du travail de papa, dit Édouard avec obstination. Tout cela a de l'importance à mes yeux. Je veux m'assurer que nous allons poursuivre ce qu'il a commencé et dans l'optique qu'il aurait souhaitée.

— En quoi cela te concerne-t-il ? Tu n'as pas le droit de m'importuner avec les affaires de ton père auxquelles je ne me suis jamais intéressée. En fait, j'ai toujours pensé qu'il y consacrait trop de temps. C'était une bizarrerie de comportement, tous ses amis te le diront. Il aurait pu s'occuper de ses propriétés comme les autres. Mais non, la finance, le commerce devenaient une obsession chez lui, je n'ai jamais compris pourquoi, dit-elle avec mépris.

Édouard, contrarié, se leva.

— Vraiment, maman ? lui dit-il d'un ton glacial. Vous me surprenez. Vous avez été élevée dans ce milieu, me semble-t-il. L'acier, je crois, a fait la fortune de votre père.

Le visage de Louise s'empourpra. Elle avait depuis longtemps effacé de son esprit toute référence à la façon dont sa famille s'était enrichie.

— Laisse-moi maintenant, lui dit-elle, et demande à Jean-Paul de monter.

Dès lors, l'attitude d'Édouard à l'égard de sa mère changea. Auparavant, tout en étant intrigué, il était ébloui par elle. Sa froideur, qu'il n'avait jamais comprise, ne faisait qu'accroître son désir de gagner son affection. Mais là, pour la première fois, il portait sur elle un regard nouveau. Le chagrin de la perte de son père aiguisait sa vision. Il jugeait sa mère avec une froide lucidité, ne lui trouvant plus aucune excuse. Quand, quelques mois après la mort de son père, il découvrit qu'elle avait une autre liaison, quelque chose se brisa en lui pour toujours.

Il savait que jamais il ne lui pardonnerait.

Avec la mort de Xavier, toutes les certitudes sur lesquelles était fondé son univers s'étaient écroulées. Il vivait dans un monde de mouvance perpétuelle. N'avait-il pas été trahi par sa mère et sa maîtresse ? Il ne lui restait rien.

— Cela arrive, lui dit gentiment Hugo, lorsqu'un jour Édouard essaya de lui expliquer ses sentiments. Ne vous inquiétez pas, ce n'est que passager. Ne soyez pas victime de vos croyances, laissez-les s'imposer d'elles-mêmes. Patientez.

— Patienter ? Pour quelle raison ? En quoi croyez-vous, Hugo ?

— Moi ? Eh bien, dans le bon vin et les bonnes cigarettes russes...

— Ne plaisantez pas. Les Anglais ne savent pas être sérieux.

— Très bien, dit Hugo, touché par sa sincérité. Je crois en des valeurs que nous avons abordées ensemble, à l'effort, par exemple. En certaines personnes, également.

— Pas en Dieu ?

— Je crains que non.

— Croyez-vous en la politique ?

— Ah, la politique ! À vrai dire, je respecte les convictions profondes, mais je ne crois pas qu'elles puissent changer le monde. Autrefois, je le croyais, plus maintenant.

— Et l'amour ?

Devant le regard insistant d'Édouard, Hugo baissa les yeux.

— Édouard, nous aurions dû lire moins de poèmes.

— Mais vous m'avez dit que vous aviez foi en certaines valeurs. Comment pouvez-vous attacher de l'importance aux mots si vous ne croyez pas à ce qu'ils représentent ?

— Sur le moment j'y attache de la valeur.

— Et après ?

— Je doute.

Édouard repoussa ses livres.

— Ce n'est pas vraiment important, finit-il par dire tristement.

— Non, c'est vrai.

— Mais enfin, cela ne vous fait rien, Hugo ? fit-il en s'emportant. Vous n'avez donc pas besoin de croire en quelque chose, d'avoir un but ?

— Certainement pas. C'est une hérésie, une illusion, un piège. Il vaut mieux voir le monde tel qu'il est. Rien n'est durable. Le hasard règne en maître. Nous nous inventons un idéal et des croyances pour donner forme à l'informel. L'amour. L'honneur. La foi. La vérité. Des mots, Édouard.

— Vous ne pensez pas ce que vous dites.

Édouard avait une expression obstinée. Hugo se retourna vers lui et haussa les épaules.

— Vous avez peut-être raison. Si je vous parais amer et cynique, il y a des raisons précises.

— Ma mère ?

— En partie. Je vous ai dit qu'il m'était difficile de m'arrêter, une fois lancé. Cependant, c'est un sujet que nous ne devrions pas aborder. Si nous reparlions de Virgile ? Il vous reste pas mal de travail si vous tenez à passer l'examen d'entrée à Oxford.

— Hugo.

— Oui ?

— Je vous aime bien.

— Parfait. C'est rassurant. Prenez page 14.

Édouard se pencha sur son ouvrage. Les mots semblèrent l'apaiser.

Il fut reconnaissant à Hugo par la suite. L'esprit caustique et l'ironie étaient des armes précieuses. Il considéra la vie sous un autre angle, avec un certain détachement. Avec le temps, il s'aperçut qu'il était capable de compartimenter ses sentiments et ses pensées.

Il eut moins de mal à contenir sa douleur. La mort de son père n'affecta plus le moindre de ses actes. Il pouvait à la fois ressentir une peine intense et noyer son chagrin dans l'alcool en compagnie de Jean-Paul ou travailler avec Hugo.

Un soir, après des mois d'abstinence, Jean-Paul lui dit :

— Allons, petit frère, il nous faut une femme.

Édouard découvrit alors qu'il pouvait prendre plaisir à faire l'amour sans éprouver le moindre sentiment, le moindre désir de revoir sa compagne d'un jour. Jean-Paul se réjouit quand il l'apprit.

— Enfin tu deviens un homme, fit-il comme s'il l'acceptait au sein d'un club.

Sur le moment, sa remarque plut à Édouard. Il était alors totalement sous la coupe de Jean-Paul. Il focalisait sur lui tout l'amour autrefois éprouvé pour son père, sa mère et Célestine. La dévotion que lui porta Édouard fut inconditionnelle. Parfois, tout de même, le doute l'effleurait. Jean-Paul n'avait pas changé, malgré ses promesses. Il se montrait grossier, souvent cruel. Mais la loyauté d'Édouard était telle qu'elle finissait par triompher de ces critiques. L'approbation de Jean-Paul lui alla droit au cœur.

Quand il découvrit les ennuis financiers de Célestine, il alla directement consulter son frère et lui expliqua que, malgré les événements passés, il tenait à aider Célestine.

Jean-Paul trouva l'idée hautement saugrenue. Combien coûterait la maison ? Six cents livres ? Et en plus, il fallait lui verser une rente ? Oh, la somme était minime, et si Édouard voulait se montrer généreux, pourquoi pas ?

— Un cadeau ? fit-il d'un air étonné en avalant une autre gorgée de cognac. Sur tes propres fonds ?

— Je lui suis redevable, Jean-Paul.

— Très bien. Va voir Smith-Kemp, notre homme d'affaires. Il s'occupera de tout. Il est d'une discrétion parfaite.

Il s'interrompit, l'air sceptique. Puis, avec un haussement d'épaules, termina son verre de cognac.

— Pourquoi pas, après tout ? fit-il en se levant. Débarrasse-toi d'elle avec un peu d'argent. C'est une bonne politique avec les femmes, n'est-ce pas, petit frère ?

Édouard se sentit de nouveau submergé de doute et de dégoût. Était-ce vraiment là le sens de son geste ? Se débarrasser de Célestine en lui donnant un peu d'argent ? Ce n'était pas du tout son intention et l'interprétation de Jean-Paul lui paraissait ignoble.

Mais ce sentiment s'estompa et ils n'abordèrent plus jamais ce sujet ensemble. Jean-Paul sembla même l'avoir oublié. Édouard consulta leur homme d'affaires, les modalités furent conclues et, la gêne passée, Édouard eut l'impression d'avoir subi le baptême du feu. Il était certain d'avoir agi en homme du monde. Il était fier de sa nouvelle identité.

— Vous avez changé, Édouard, lui dit Isobel le lendemain de la rupture de ses fiançailles, quand Édouard alla lui faire ses adieux.

Elle l'avait regardé longuement avant de lui faire cette réflexion.

— C'est vrai. Vous êtes devenu plus dur. Je vous préférais avant. Oh, Édouard, pourquoi les gens changent-ils ?

Sa franchise le toucha. Sa foi en la nouvelle personnalité froide et cynique qu'il s'était forgée vacilla. Un instant auparavant, il l'avait affichée avec une certaine fierté.

— Non, je n'ai pas changé, lui dit-il en se levant. Pas comme vous l'entendez. Je...

Il s'interrompit, ne sachant trop que dire. Isobel, le regard toujours fixé sur lui, esquissa un sourire.

— Peut-être avez-vous raison. Tout espoir n'est pas perdu. D'ailleurs, je discerne dans vos yeux l'ombre d'une âme. Cher Édouard, j'irai à sa recherche à notre prochaine rencontre. Dites à Jean qu'il a une mauvaise influence sur vous, voulez-vous ? Dites-le lui dès ce soir. Dites-le lui de ma part.

Édouard fit la commission, pensant que Jean-Paul en rirait. Sa réponse fut brutale.

— C'est typiquement féminin. Elle ne peut supporter de nous voir aussi liés. Une mauvaise influence ? Qu'entend-elle par là ? Tu es mon frère. Je t'ouvre mon cœur, Édouard. Je n'ai aucun secret pour toi, dit-il en soupirant.

Jean-Paul était sincère mais sa conception de la vérité était plutôt élastique. Il sériait ses confidences.

Il avait omis, par exemple, de lui parler de la petite actrice, Violette Fortescue. Immédiatement après la mort de son père, Jean-Paul, comme il en avait fait la promesse, essaya de changer. Il évita les femmes sophistiquées et faciles qu'il avait fréquentées jusqu'alors. Il renoua avec Violette sur un coup de tête et, à sa grande surprise, trouva sa compagnie fort apaisante. Timide, sensible et apparemment peu exigeante, elle fut touchée par le récit de la mort de son père et en même temps flattée de l'intérêt que lui portait le baron. Elle aimait l'entendre parler. Jean-Paul appréciait son calme, ses silences et son air compatissant.

Elle tomba très vite amoureuse de lui. Quand il s'en aperçut, il lui fit tout naturellement l'amour. Cette idée ne lui était pas venue à l'esprit auparavant, car, malgré ses beaux yeux, il ne la trouvait pas attirante. Elle était vierge et se montra trop timide, trop passive. Il ne prenait pas grand plaisir avec elle, aussi se contenta-t-il, le plus souvent, de converser, le regard plongé dans ses yeux mauves.

Il entra dans une colère noire quand il apprit qu'elle était enceinte. Il avait l'impression d'avoir été dupé, piégé. Faire l'amour quatre ou cinq fois, dans des conditions même pas agréables, et se retrouver dans cette situation ! L'attrait de ses beaux yeux s'évanouit aussitôt. Son amour inconditionnel et la confiance qu'elle avait en lui l'irritèrent. Elle lui sembla soudain trop affectueuse et vulnérable, ce qu'il détestait chez une femme. Ne pouvant cacher son exaspération, il vit son visage prendre une expression craintive de chien battu et n'en fut que plus irrité. Elle était faite pour qu'on l'abandonne. Plus il se montrait brutal et franc, plus elle pleurait et s'accrochait à lui. Il exécrait un tel masochisme.

Elle refusa toute perspective d'avortement. Le baron fut très clair : le mariage était hors de question. À cause de la guerre, il pensait retourner en France dans peu de temps. C'était tout à fait regrettable, mais, dans sa situation, un mariage ne pouvait pas être pris à la légère. Son épouse deviendrait la baronne de Chavigny, et il serait difficile à une femme qui n'aurait pas été élevée dans ce milieu de se lancer dans une telle aventure.

Là, il bredouilla.

Violette serra les poings d'une manière qu'il haïssait.

— Vous pensez que je ne serai pas à la hauteur.

— Je vous en prie, ma chère, ce n'est pas la question.

— Mon père était issu d'une vieille famille du Devon, dit-elle d'une voix tremblante. J'ai reçu une excellente éducation.

Le baron opta pour le mensonge. Il lui dit qu'il s'en était rendu compte depuis leur première rencontre, mais que, malheureusement, sa famille avait connu diverses fortunes à cause de la guerre et que, pour sauver les sociétés, les propriétés, il lui fallait épouser une riche héritière.

Elle l'écouta avec résignation. Le baron ne sut jamais si elle le crut ou pas. Elle capitula sans même combattre. Elle n'avait pas une constitution robuste et sa grossesse l'affaiblit. Les deux premiers mois, elle vomissait tout ce qu'elle avalait et était souvent malade. Le baron espérait qu'elle ferait une fausse couche. Bien sûr, il n'était pas très fier de ses pensées, mais c'était la meilleure solution pour tout le monde.

À la fin de l'année 1942, voyant que, après quatre mois de grossesse, elle n'avait toujours pas fait de fausse couche, le baron prit une décision. Il pouvait envisager de lui verser une pension pour elle et l'enfant, mais il craignait d'éternelles suppliques. De plus, elle semblait redouter par-dessus tout la perspective d'élever un enfant illégitime. Il décida donc de lui chercher un mari.

Il trouva le parfait candidat en la personne d'un G.I., le caporal Gary

Craig, de Baton Rouge en Louisiane, qui faisait partie de la 4e division d'infanterie de l'armée américaine et qui lui fut présenté par un de ses amis, officier et compagnon de débauche à Londres.

Craig était un véritable géant, buveur, pas très intelligent, mais suffisamment tout de même pour ne pas laisser passer l'occasion de gagner quelques dollars. Le baron devait le rencontrer une seule fois pour échanger l'argent. L'ami du baron proposa gentiment son aide pour s'occuper de toute la paperasse administrative, car il n'était pas si facile pour un G.I. d'épouser une Britannique. Le baron dut payer cinq mille dollars. Gary Craig, qui n'avait jamais vu autant d'argent, pensa que c'était la chance de sa vie.

— On m'a dit qu'elle était vraiment jolie. Je ne fais pas une si mauvaise affaire, messieurs.

Violette accepta le marché sans sourciller, fixant sur le baron un regard d'automate. Elle ne proféra aucune insulte, aucun remerciement, mais dit simplement « oui ».

Au grand soulagement du baron, Gary Craig évita de se faire tuer l'année suivante, lors du débarquement. Les deux hommes, l'un avec la 4e division d'infanterie, l'autre en tant qu'officier français de la 2e division blindée du général Leclerc, firent partie des troupes victorieuses qui libérèrent Paris le 25 août 1944. Pendant ce temps, la petite fille, que ni l'un ni l'autre ne connaissait, était née dans une clinique de Londres. Les frais furent réglés par le baron, comme prévu. La mère et l'enfant, qui avait déjà deux mois, se portaient bien.

Le sergent Gary Craig fut démobilisé à la fin de 1944 et revint à la petite ferme de ses parents en Louisiane pour attendre l'arrivée de sa femme et de l'enfant.

Violette et la petite fille le rejoignirent en 1945. Elles embarquèrent à Southampton sur l'*Argentina* avec d'autres épouses de G.I. Le baron, qui n'était pas totalement dépourvu de sentiments, avait commandé un magnifique bouquet de roses et de violettes qu'il fit livrer sur le bateau. Ensuite, il demanda à ses avocats de Londres et de Paris de fermer le dossier de Mme Craig, ex-Fortescue. Jean-Paul poussa enfin un soupir de soulagement. C'était un épisode peu glorieux, et il l'avait échappé belle. Il était ravi qu'Édouard n'en sache rien, car il n'aurait pas approuvé sa conduite.

Jean-Paul respirait. La Louisiane était vraiment très loin.

Pendant ce temps, Édouard, ignorant tout de l'affaire, se trouvait à Londres et n'entendit qu'indirectement parler de la libération de Paris par les lettres de son frère. Il revint en France avec sa mère peu après, juste à temps pour voir le général de Gaulle descendre les Champs-Élysées avec ses troupes victorieuses.

Il vit avec fierté Jean-Paul défiler non loin du Général et versa des larmes de joie au milieu de la liesse populaire.

Il avait dix-huit ans. La France était libérée, et son frère, le baron de Chavigny, était l'image même du héros.

HÉLÈNE

Orangeburg, Alabama, 1955-1958

— T'as déjà fait ça avec un garçon ?

Priscilla-Anne avait noué un ruban rose autour de sa queue-de-cheval. Hélène la regardait avec envie. Elle aurait aimé avoir la même coiffure et aussi la même jupe avec des jupons à froufrous. Priscilla, allongée dans l'herbe sèche, les mains sous la nuque, mâchait du chewing-gum en soupirant. Son nouveau soutien-gorge faisait ressortir sa poitrine naissante de façon provocante. Hélène détourna le regard tristement. Elle aurait voulu un soutien-gorge, elle aussi. Mais sa mère refusait de lui en acheter un. Priscilla-Anne affirmait que c'était du 85.

— T'es d'venue sourde ou quoi ? dit Priscilla en lui donnant un coup de pied. Je t'ai demandé si t'avais déjà fait ça avec un garçon.

Elle s'était redressée et ne quittait pas Hélène du regard.

Elles attendaient le bus de l'école qui devait les ramener à Orangeburg, sur la rive, derrière le terrain de sport. En contrebas, les grands de l'école de Selma s'entraînaient. Hélène reconnut Billy Tanner. Il était plus grand et plus blond que les autres. Elle coupa un brin d'herbe et le mit à sa bouche, sans perdre de vue le terrain de sport mais en évitant d'éveiller la curiosité de Priscilla. Elle brûlait du désir de lui poser une question, mais hésitait.

Tout en refusant d'avouer la vérité, même à Priscilla-Anne qui était sa meilleure amie, elle rechignait à lui mentir. Presque toutes les filles mentaient ou exagéraient. C'était du moins ce qu'elle croyait, sans vraiment en être certaine. Et si tout ce qu'elles se racontaient au vestiaire n'était pas simplement de la vantardise ? Quelle importance, après tout, se disait Hélène en soupirant. Elle se demandait si elle était vraiment normale. De toute évidence, elle devait être la seule de l'école à ne jamais avoir été embrassée. Elle se tourna vers Priscilla à contrecœur. Peut-être posait-elle cette question en l'air ? Ces derniers mois, Priscilla était souvent rêveuse.

Hélène s'éclaircit la gorge.

— Pas exactement, dit-elle d'une voix hésitante. Et toi ?

— Eh bien...

Le regard malicieux, elle lui fit un large sourire complice qui accentuait ses lèvres peintes. Hélène se détendit. Priscilla-Anne avait seulement envie de parler d'elle.

Elle resta un instant silencieuse, les yeux fixés vers le ciel. Soudain, le sourire figé, elle se redressa. Hélène, envieuse, détourna le regard.

— J'suis pas allée jusqu'au bout, tu comprends ?

— Bien sûr, bien sûr.

— J'veux dire, y a caresses et caresses. Tu piges ?

— Bien sûr.

— Mais... Tu te rappelles Eddie Haines, celui qui habite sur la route de Maybury ? Son père tient la grande station-service sur l'autoroute. Tu vois, la très grande.

Elle s'esclaffa.

— Quel type ! Tu te rappelles à l'automne dernier le match de Maybury ?

— Tu sais très bien que je n'ai pas oublié, dit Hélène en souriant. Je me rappelle aussi ta tête quand il t'a demandé de sortir avec lui. Tu avais les genoux tremblants, le regard ému.

Priscilla la poussa du coude.

— Tais-toi. C'est sérieux, Hélène, dit-elle en soupirant. Je l'aime.

Hélène écarquilla les yeux, éprouvant un respect soudain pour elle.

— Vraiment ? Tu en es certaine ? Oh, Priscilla. Dis-moi, c'est bon ? Enfin... je veux dire, c'est bien ?

— Bien ? s'exclama Priscilla en éclatant de rire. Tu veux dire que c'est merveilleux.

— Et lui, t'aime-t-il ?

Hélène s'approcha d'elle et lui prit instinctivement la main. Priscilla baissa les yeux.

— Je suppose. En fait, il l'a pas encore dit... On s'est vus que quatre fois. Quel est le garçon qui va te dire ça si tôt ? Mais... quand il me regarde...

Elle s'interrompit et pressa la main d'Hélène.

— Si je te dis la vérité, Hélène, tu me jures que tu le diras à personne ?

— Oui, je te le jure, Priscilla.

— C'est sûr ? dit-elle d'un ton sceptique. Bon, il vaudrait mieux que je garde le secret pour moi toute seule, mais je suis si ennuyée. Enfin, pas vraiment ennuyée... J'ai beau tourner ça dans ma tête, j'arrive pas à savoir ce qu'il faut faire. J'ai l'impression de devenir folle. Et puis, veux-tu que je te dise ? Je crois que les parents mentent, qu'ils disent pas la vérité.

— La vérité ? Quelle vérité ?

— Eh bien... ils ne te préviennent pas... enfin pas comme ils le devraient. Ils disent tous qu'il faut pas faire ci, qu'il faut pas faire ça, mais jamais ils disent l'essentiel... que c'est bon. J'ai pas l'impression que tout soit clair. Quand tu sens qu'il faudrait faire marche arrière, c'est trop tard. Avant même que tu t'en rendes compte, tu lui as donné le feu vert.

Hélène l'écoutait avec respect. Elle savait qu'un jour, très proche peut-être, toutes ces informations lui seraient utiles. Pour l'instant, elle ne voulait pas interrompre ce flot de paroles. Priscilla avait presque un an de plus qu'elle ; le mois suivant, elle allait avoir quatorze ans. Priscilla avait de la poitrine. Hélène se disait que bientôt elle serait confrontée au même problème. Quelle serait alors sa réaction ?

— Tu veux que je te dise ce qu'il a fait ? Avec une démonstration à l'appui ?

Hélène acquiesça énergiquement et Priscilla s'approcha d'elle.

— Premier rendez-vous. Il m'embrasse. Et juste au moment où je commence à y prendre plaisir, tu sais ce qu'il fait ? Il enfonce sa langue dans ma bouche ! Tout au fond. Exactement comme Susie nous l'avait dit l'autre jour, tu te souviens ? Elle appelle ça le baiser français. Quand elle nous en a parlé, j'ai pensé que c'était vraiment dégoûtant. Tout le monde sait que c'est une coureuse... Eh bien, tu te rends compte, c'est ce qu'il a fait, et je te jure, Hélène, j'ai aimé. C'était fantastique.

— Oh, Priscilla, répliqua Hélène, ébahie. Au premier rendez-vous ? Tu es sûre ?

— C'est pas fini. La deuxième fois, il a mis sa main ici.

Elle montra ses bouts de seins.

— Là ?

— Oui, là. Je lui ai enlevé la main, il a attendu un moment et il a recommencé. C'était drôle, tu sais. Il a ri, et moi aussi. Après... il a passé son doigt là où un bébé tète. Il a caressé doucement.

Priscilla se mit à rougir.

— Oh, Hélène, c'était si bon que j'ai failli perdre la tête. Je sais que j'aurais dû l'arrêter, mais il allait de plus en plus vite. J'étais au supplice. Et puis, je ne sais pas comment, il a mis sa main dessous.

— Dessous ? Tu veux dire sous ton pull ?

— Il a commencé par là, dit Priscilla-Anne en jetant un coup d'oeil par-dessus son épaule et en baissant la voix. Ensuite, sous mon soutien-gorge. J'ai été vraiment surprise. Je ne sais pas comment il a fait. Mon soutien-gorge était bien accroché. Il faut dire que j'avais si chaud, j'étais tellement excitée que j'ai cru que tout allait éclater. Et puis, tout d'un coup, mon soutien-gorge a sauté et il a mis la main.

Les deux petites filles se regardèrent en silence. Hélène avait l'esprit en ébullition, essayant de se rappeler ce que ses autres amies lui avaient dit. Tout cela était si compliqué. Au-dessus de la poitrine, encore ça allait, mais pas si vite, pas dès le deuxième rendez-vous. Le cinquième, le sixième, peut-être.

Priscilla attendait sa réaction avec impatience. Elle se pencha vers elle.

— Tu penses que c'est mal, la deuxième fois ? Il va penser que je suis une fille facile. Tu crois qu'il va le dire aux autres garçons ?

— Non, non, bien sûr que non, répondit Hélène, essayant de masquer son doute. Mais si tu l'aimes et s'il t'aime...

— Je ne sais pas vraiment, dit Priscilla en hochant la tête. Ce n'est pas facile. Vois-tu, on ne s'est vus que quatre fois. Ce soir, ce sera la cinquième. Il emprunte la voiture de son père pour m'emmener au cinéma en plein air. Je sais qu'il va vouloir s'asseoir derrière et...

Elle s'interrompit pour jeter un coup d'oeil sur la route, de l'autre côté du terrain de sport. On distinguait au loin l'autobus orange qui approchait lentement dans un nuage de poussière. Priscilla se leva. Elle secoua sa jupe et ramassa ses livres. Elle se tourna vers Hélène qui se levait elle aussi.

— Tu veux t'arrêter chez moi en rentrant ? Viens au magasin. Le nouveau distributeur de boissons est arrivé, on va dire à papa de nous servir une limonade si tu veux.

Hélène hésita.

Soudain Priscilla éclata de rire et la prit par le bras.

— Allez, pourquoi pas ? Tu ne veux jamais. C'est ta mère qui t'inquiète ? Elle peut attendre, non ?

Hélène ne savait que faire. Elle aperçut Billy Tanner en contrebas. Il leva les yeux et leur fit un petit signe de la main.

— D'accord. Après tout, pourquoi pas ? dit Hélène en haussant les épaules.

— Je te dirai ce qui s'est passé la deuxième et la troisième fois, dit-elle en remarquant le chemisier d'Hélène d'une blancheur impeccable. J'irai même plus loin. Tu m'as bien dit que ta mère ne voulait pas t'acheter de soutien-gorge ? Eh bien, accompagne-moi et je te donnerai celui que je ne mets plus. Je l'ai à peine porté. Il est presque neuf, mais j'ai grandi tellement vite.

Hélène s'arrêta net, les joues empourprées.

— Priscilla ! Vraiment, tu penses que c'est nécessaire ?

— Bien sûr. Allez, viens. Cet imbécile de nègre qui conduit le bus est un nouveau. Il se fait tard et j'ai la gorge sèche.

Après avoir dévalé la colline et longé le terrain de sport, elles arrivèrent à l'arrêt d'autobus. Bon nombre d'enfants se bousculaient de peur de ne pas avoir de place. Priscilla et Hélène durent faire la queue et, une fois montées, elles s'aperçurent qu'il n'y avait plus qu'une place assise. Priscilla grommela tout en faisant claquer son chewing-gum.

— Vas-y, dit-elle en forçant Hélène à s'asseoir. Je préfère rester debout.

Le bus démarra, puis ralentit aussitôt. Le chauffeur jeta un coup d'oeil par-dessus son épaule et appuya sur le frein. Effectivement, c'était un nouveau. Il devait avoir une cinquantaine d'années. Il portait un costume gris, brillant, effiloché aux poignets, et une chemise en nylon. Il était si maigre que ses os ressortaient. Il se retourna d'un air hésitant. Priscilla lui lança un regard glacial, puis tourna la tête avant d'entonner un air.

— Hé, mam'selle, faut s'asseoir, fit-il d'un ton qui se voulait jovial.

Le silence se fit brusquement dans l'autobus. Priscilla n'y prêta aucune attention.

— Mam'selle, mam'selle, faut s'asseoir. C'est défendu d'rester debout.

Priscilla tourna lentement la tête vers lui, ravie d'être le point de mire. Elle fit semblant d'épousseter son bras et, d'un air indifférent, s'adressa à lui.

— C'est à moi que tu parles, petit ?

Il faisait une chaleur intense dans le bus. À l'arrière, des rumeurs commençaient à naître. Un voyageur éclata de rire. Le chauffeur leva les yeux vers Priscilla sans rien dire, puis lentement se retourna et desserra le frein. Le bus repartit. Les conversations reprirent. Priscilla se remit à fredonner sa chanson en balançant ses hanches au même rythme. Hélène en avait la nausée.

— Pourquoi as-tu agi ainsi ? lui demanda-t-elle quand elles descendirent de l'autobus à Orangeburg. Priscilla, pourquoi l'as-tu appelé « petit » ? Il ne te voulait rien de mal. Il faisait son travail, un point c'est tout.

— Et alors ? Ce n'est qu'un sale négro qui a la chance d'être chauffeur d'autobus. Il serait en train de cueillir du coton si les machines ne faisaient pas mieux le travail que lui. Je ne laisserai aucun Noir me parler ainsi. Mais, pour l'amour de Dieu, ne dis rien à mon père, il serait furieux. Depuis des mois, avec la décision récente de la Cour suprême, tout le monde n'a que ce mot à la bouche : « Les nègres, les nègres, les nègres ».

Hélène poussa un long soupir. Elle lisait les journaux comme tout le monde. *L'affaire de l'État du Kansas contre Brown*, où la Cour suprême avait déclaré que la ségrégation dans les écoles était inconstitutionnelle, faisait grand bruit. Oh oui ! elle était au courant. Le père de Priscilla n'était pas le seul à ne parler que de cela ces derniers temps.

— Mon père dit que ce serait une bonne chose, mais il prétend que c'est impossible. Dans le Sud, personne ne l'acceptera. J'aurai terminé mes études avant qu'on ne les intègre. Tu imagines, Hélène ? Nous, assises à côté d'eux en classe ? fit Priscilla en éclatant de rire. Ils sentent mauvais. Oui, ils ont vraiment une drôle d'odeur. Mon père dit que ce type... Comment s'appelle-t-il déjà ? Ah oui ! Earl Warren... Il dit qu'il vaut mieux pour lui qu'il ne mette pas les pieds en Alabama, sinon il risque de se faire lyncher.

— Mississippi Mary n'avait aucune odeur, dit Hélène, sceptique. Et si c'était le cas, elle sentait bon. Tu te rappelles ? Je t'ai parlé de Mississippi Mary ? Je n'ai jamais su pourquoi on l'avait surnommée ainsi. Elle s'est occupée de moi quand j'étais petite.

— Quoi ? La grosse bonne femme qui vivait près des plantations de coton ? Oh ! je me rappelle très bien. Elle est morte la semaine dernière, n'est-ce pas ?

— Oui, c'est ça.

— Et tous les Noirs se sont enivrés le jour de l'enterrement. Grand Dieu ! On s'en moque. Bon, tu viens boire cette limonade ?

— D'accord.

Elles traversèrent la rue, passèrent devant le salon de coiffure de Cassie Wyatt, puis devant le vieil hôtel qui avait fermé depuis longtemps. À la place, on construisait un motel avec des petits chalets à l'extérieur de la ville. Les gens prétendaient que c'était le père de Priscilla-Anne qui en était l'acquéreur. Il voulait tout démolir pour agrandir son bar.

Ces dernières années, il avait déjà apporté des modifications. Merv Peters avait installé de nouveaux étalages, plusieurs réfrigérateurs. C'était devenu un self-service. On payait à la sortie. Il y avait aussi le bar avec un long comptoir blanc, de hauts tabourets, des rangées de bouteilles de sirop et une radio branchée sur une station locale qui ne diffusait que du folklore. Priscilla trouvait cela vieux jeu.

Hélène serra timidement la main du père de Priscilla et se jucha sur un tabouret. Elle songeait à Mississippi Mary. Bien sûr qu'elle ne sentait pas mauvais. Elle la prenait souvent dans ses bras, la serrant contre sa poitrine volumineuse, et l'endormait en lui chantant de merveilleuses berceuses. Dès qu'Hélène fut en âge de rester seule, Mississippi Mary était repartie. Hélène ne l'avait plus revue jusqu'au jour où elle s'était rendue dans cette masure où Mississipi Mary lui avait offert ce merveilleux thé vert si frais. Quand sa mère l'avait appris, elle était entrée dans une colère noire.

Hélène n'avait pas versé de larmes, mais la mort de Mississippi Mary l'avait profondément affectée. Elle était également désolée de l'attitude de Priscilla envers le chauffeur d'autobus et regrettait que Priscilla lui eût parlé ainsi.

Quand elles eurent fini leur limonade, Merv leur demanda d'aller jouer ailleurs, et elles montèrent dans la chambre de Priscilla-Anne. Jamais Hélène n'avait vu semblable merveille. Une chambre rose, avec un couvre-lit à volants rose bonbon et des rideaux assortis et même du papier peint avec de fines roses. Sur une étagère étaient disposées plusieurs poupées, vêtues de robes roses, qui pouvaient marcher et parler.

— C'est mignon, hein ? lui dit Priscilla d'un air détaché. C'est papa qui a tout choisi. Il ferait n'importe quoi pour moi depuis que maman est partie. Il se sent seul, je suppose. Maintenant ses affaires marchent bien, surtout avec le nouveau distributeur. Il veut réussir, tu comprends. Il dit qu'y a pas de raison qu'Orangeburg reste un trou. (Priscilla soupira.) Parfois j'me dis qu'ça serait bon de partir, d'aller dans une belle ville. Montgomery peut-être. C'est fantastique. As-tu déjà songé à partir ?

— Oui, quelquefois.

— Tu n'en parles plus comme avant. Tu te rappelles, à l'école primaire, tu nous disais que tu allais repartir avec ta mère à Londres. (Elle haussa les épaules.) Je ne t'aimais pas beaucoup à cette époque. Tu parlais d'une drôle de façon. Un peu collet monté. Tout le monde disait que tu étais bizarre, sauf Billy Tanner, bien sûr.

Hélène rougit. Elle fit semblant de s'intéresser aux poupées.

— Nous faisons des économies. Mais le voyage coûte cher, tu sais. C'est loin, l'Angleterre, fit-elle en se retournant vers Priscilla. Maman a une vieille boîte de conserve dans laquelle nous mettons de l'argent. Quand il y en aura assez, j'espère que nous partirons.

— Une boîte ? Ta mère garde l'argent dans une boîte ? dit Priscilla en s'esclaffant. Oh, après tout, pourquoi pas ? Une banque... Une boîte... Mais... ça va prendre du temps ? C'est pas en travaillant chez Cassie Wyatt que ta mère va pouvoir faire des économies.

— Elle gagne plus. Maintenant que je vais à l'école, elle fait des heures supplémentaires. Cinq après-midi par semaine et...

— Elle travaille l'après-midi ? lui demanda Priscilla, l'air sceptique. Tiens, c'est curieux.

— Pourquoi ?

— Je suis allée au salon la semaine dernière, dit Priscilla en se regardant dans la glace tout en tripotant sa queue-de-cheval. Juste après l'école. Mon père m'avait permis d'y aller. J'avais envie d'être coiffée comme

Susie, tu sais, avec des boucles sur le front. Je voulais que ce soit ta mère qui s'occupe de moi, parce que tout le monde dit qu'elle coiffe bien. C'est elle qui te coupe les cheveux, non ? Et tu es toujours très bien.

— Et alors ?

— Elle n'était pas là. Cassie Wyatt m'a dit qu'il fallait que je vienne le matin parce que ta mère ne travaillait jamais l'après-midi.

— Ce n'est pas possible. Elle a dû faire erreur.

Le silence régna quelques instants. Hélène surprit dans le regard de son amie une lueur étrange qu'elle ne comprit pas. Elle avait l'impression que Priscilla se moquait d'elle, tout en éprouvant de la pitié.

— Bon, dit-elle en haussant les épaules. J'ai dû me tromper. Tu veux essayer le soutien-gorge ?

Hélène ôta son chemisier, les mains tremblantes. Priscilla l'aida à l'agrafer, puis recula pour mieux juger.

— Tu vois, j'avais raison. Il te va parfaitement.

Elle roula les yeux dans tous les sens d'un air comique, ce qui les fit rire toutes les deux.

— Hélène Craig, tu as tout d'une vraie femme.

— Oh non ! regarde, dit-elle en tirant le soutien-gorge devant. Là, c'est un peu vide.

— Tant que personne ne le remarque ! dit Priscilla d'un ton guttural.

Elles s'esclaffèrent de nouveau. Puis Priscilla saisit un Kleenex et combla le vide.

— Voilà, c'est beaucoup mieux. Tu fais ça pendant quelques semaines, le temps que ta poitrine le remplisse. Ne t'inquiète pas, ce ne sera pas long. Billy Tanner va devenir fou.

— Tais-toi, dit Hélène en lui donnant une petite tape affectueuse.

— D'accord, je ne ferai pas la moindre remarque sur Billy Tanner. De toute façon, qui ça intéresse ? Il est si bête. Quand il lit, il met encore le doigt, comme un enfant, et bredouille vaguement...

— Ce n'est pas vrai.

— Mais oui. Le bureau d'entraide sociale verse à son père, comme à tous les nègres, d'ailleurs, une maigre pension. C'est Cassie Wyatt qui me l'a dit. Il boit tellement qu'il n'a pas pu trouver de travail depuis dix ans.

— Tais-toi, Priscilla. Ce n'est pas la faute de Billy. Il se donne du mal. Il travaille tous les soirs au petit restaurant de Maybury.

— Tu y es déjà allée ? On y sert des hamburgers tout huileux avec des cornichons infects. Berk !

— Et, le week-end, il travaille dans un garage. Il m'a dit qu'il voulait devenir mécanicien. Il s'y connaît en voitures, en moteurs et dans toutes ces choses-là.

— Mais lui n'en possède pas et n'en possédera jamais. Billy Tanner n'a pas d'avenir. Tu es complètement folle de sortir avec un garçon comme lui.

— Je ne sors pas avec lui, dit Hélène d'une voix hésitante. Je le vois de temps en temps, c'est tout. Derrière le terrain vague. Je l'aime bien, tu sais. Il n'est peut-être pas très intelligent, mais il est gentil.

— Écoute, lui dit Priscilla, légèrement irritée, on n'est pas venues pour parler de Billy Tanner mais d'Eddie, d'accord ? Bon, tu veux savoir ce qui s'est passé, oui ou non ?

Hélène ne répondit pas tout de suite. Les paroles de Priscilla l'avaient vexée. Elle avait envie de partir, mais Priscilla s'était, malgré tout, montrée gentille avec elle en lui offrant un soutien-gorge. De plus, même si elle ne voulait pas se l'avouer, elle avait hâte d'entendre la suite.

— Très bien, dit-elle en soupirant. Et après ?

Elle s'assit sur le rebord du lit où Priscilla vint la rejoindre.

— Tu me jures que tu ne diras rien ? Tu promets ? Je ne sais pas si tu vas me croire. Moi-même, parfois je doute. Le troisième rendez-vous s'est à peu près passé comme le deuxième, enfin plus ou moins, tu me comprends. La quatrième fois, il a défait son pantalon.

— Quoi ? Comme ça ? demanda Hélène, stupéfaite.

— Ne sois pas stupide, répliqua Priscilla d'un ton méprisant. Ça ne s'est pas passé en une minute. Je crois qu'il a perdu le contrôle de lui-même, parce qu'en temps normal il me respecte. Enfin... c'est ce qu'il me dit. Mais il m'embrassait partout et ses mains étaient là, tu sais ? où elles étaient avant. Et on devenait de plus en plus fous tous les deux... Et puis il m'a guidé la main dans son pantalon. Je te jure qu'en voyant cette chose si grosse, si dure, j'ai eu peur. Je n'en croyais pas mes yeux. Tu te rappelles ces croquis qu'on avait faits en biologie ? Là, c'était tout petit ! Mais c'était plus le cas, je le sentais bien. Ensuite, tu sais ce qui est arrivé ?

— Il a sorti son truc ?

— Oui.

— Oh ! dit Hélène en frissonnant.

— Et tu sais où on était ? lui dit Priscilla en riant. Dans l'antre de mon père.

— Quoi ? Tu plaisantes ?

— Non, c'est vrai. Sur son divan en similicuir, celui dont il est si fier. Tout à coup, une idée m'a traversé l'esprit. Et s'il rentrait ? Et puis je me suis dit que c'était qu'une imitation de cuir et qu'avec une éponge on pouvait tout faire disparaître pour que papa ne se doute de rien. Alors, j'ai éclaté de rire.

— Tu as éclaté de rire ? Quand il avait son truc dehors ? Qu'est-ce qu'il a dit ?

— Il était fou de rage. Il a remis son pantalon, a remonté la fermeture Éclair, et il m'a fait une de ces scènes ! Tu sais, Hélène, j'ai pleuré, car je croyais qu'il allait partir et que je ne le reverrais plus jamais. Mais je crois qu'Eddie a eu pitié de moi. Quand il m'a vue en larmes, il m'a prise dans ses bras et m'a embrassée et puis, un peu plus tard, il a ressorti son truc.

— Priscilla-Anne Peters, tu es une menteuse. C'est impossible.

— Et pourtant, c'est vrai.

Une petite fossette apparut sur la joue de Priscilla.

— Je lui ai dit que je voulais regarder encore.

— Tu n'as pas osé !

— Bien sûr que si, dit Priscilla en s'étirant. J'ai vu les garçons au gymnase. Qui ne les a pas vus ? Je sais ce que c'est que d'avoir une boule dure sous un short. J'ai déjà remarqué, comme tout le monde. Mais un gros plan, c'est différent. J'ai eu un spectacle en technicolor et en vrai.

Il y eut un long silence. Hélène était en pleine confusion. Des images imprécises se bousculaient dans son esprit.

— Mais... est-ce que... enfin... c'est beau ?

Priscilla prit un air songeur.

— Plutôt curieux. C'est très gros, comme je t'l'ai dit, et puis ça bouge comme une baguette magique. Ça monte et ça descend, et puis ça a une drôle de couleur. Un rouge pourpre. Tu crois que c'est pareil chez tous les garçons ?

— Je ne sais pas. Est-ce que..., dit Hélène qui avait envie de pouffer de rire, est-ce que tu as touché ?

— Bien sûr que non. Tu me prends pour qui ? Lui voulait, moi non. Mais je me suis demandé comment une chose si grosse pouvait rentrer là, tu me comprends.

— Mon Dieu ! s'exclama Hélène en portant la main à sa bouche.

Elles en rirent aux larmes.

— Arrête, lui dit Priscilla, c'est sérieux. Il me faut prendre une décision, et je veux que tu m'aides. Que dois-je faire, ce soir, au cinéma ?

— Tu veux dire qu'il va essayer de...

— Bien entendu, ils sont tous pareils. Ils en veulent un peu plus chaque fois.

— Je ne vois pas ce qu'il pourrait faire de plus.

— Tu te trompes. Moi, je pense à trois choses en particulier. Susie

Marshall m'en a parlé. Elle m'a dit qu'elle, elle ne voulait pas le faire, mais je ne l'ai pas crue. Écoute.

Elle jeta un regard vers la porte avant de lui confier son secret à l'oreille. Hélène écarquilla les yeux.

— Dans un mouchoir ! C'est impossible !

— Je te dis que oui.

Priscilla lui murmura encore quelques paroles discrètement.

— C'est vrai. Moi-même, je n'arrivais pas à y croire. Dis-moi, c'est pas dégoûtant ?

— Et ils aiment ça ?

Priscilla acquiesça d'un air entendu.

— Oui, plus qu'en faisant l'amour normalement. Mais enfin, ils ne sont pas tous comme ça. C'est Susie Marshall qui me l'a dit.

— Mais ce n'est pas possible que les filles aiment ! Ça doit avoir un goût horrible.

— Susie Marshall m'a dit que non. Et comme ça, au moins, on ne tombe pas enceinte. Alors, dit-elle en soupirant, que dois-je faire ?

Hélène secoua la tête d'un air embarrassé.

— Je ne sais pas. Dis-lui simplement que tu ne veux pas. Si tu te montres ferme...

— Ce n'est pas si facile, dit Priscilla en faisant la moue. Je ne sais pas trop comment m'y prendre, si tu vois ce que je veux dire. Ça va pour toi. Tu es plus jeune que moi, mais tu peux être dure parfois, tu le sais bien. Surtout quand tu es en colère. Tu as un regard d'acier et une voix glaciale avec des intonations anglaises. Il y a beaucoup de garçons qui ont peur de toi. Moi non, parce que je suis ta meilleure amie. Je suis différente aussi. Quand je dis « non », on a l'impression que c'est le contraire.

Hélène se leva, le front plissé, essayant de chercher une solution.

— Ça y est, je sais. Tu pourrais, par exemple, lui dire qu'il ne te demanderait pas une chose pareille s'il te respectait.

— Voilà, bravo ! s'exclama Priscilla, le regard radieux.

— Ma mère me dit toujours cela, dit Hélène en haussant les épaules. Je ne sais pas, ça peut marcher.

— Je vais essayer. C'est le succès assuré, j'en suis certaine.

Elle arpenta la pièce, puis s'arrêta devant le miroir en prenant une attitude théâtrale. « Si tu me respectais, Eddie, tu n'agirais pas ainsi envers moi. » Elle pivota et se tourna vers Hélène.

— Ça te paraît bien ?

— Pas mal, mais tu n'as pas l'air très sincère. Sois un peu plus cassante, comme si tu étais profondément blessée et... comment dit-on ?... comme si tu avais subi un affront. Essaie encore.

Priscilla s'exécuta, cette fois la gorge nouée.

Hélène lui mima la scène. Priscilla soupira.

— Je ne peux vraiment pas faire mieux. Je n'arrive pas à faire aussi bien que toi.

Elle s'interrompit et observa Hélène un instant dans la glace.

— Tu pourrais être actrice. Avant, c'est ce que tu voulais être. Tu as un tel talent ! Tu peux faire n'importe quoi de ta voix ou de ton visage. Pour être sincère, je ne sais jamais ce que tu penses. Quelquefois, tu es secrète, tu ne dis rien et puis, tout à coup, tu dis une petite phrase sans importance et je te crois. Si seulement je pouvais t'imiter. Je suis sûre qu'Eddie me croirait.

Hélène éclata de rire.

— Pourquoi est-ce si important à tes yeux ?

— Je ne sais pas, dit-elle en haussant les épaules. Ça me donnerait plus de poids. Tu m'effraies parfois. Ça t'est égal, mais je suis sûre que, si tu voulais, tu ferais faire n'importe quoi à un garçon. Tu vas leur faire perdre la tête.

— Tu crois ?

— Oui, répondit Priscilla d'une voix hésitante. Et pas seulement aux garçons, aux hommes aussi.

Hélène rentra doucement chez elle. Orangeburg n'était qu'à un kilomètre et demi du terrain vague. Il fallait descendre la rue principale, longer l'autoroute, traverser les champs de coton des Calvert et emprunter ensuite un chemin poussiéreux. Il faisait une chaleur suffocante. Dans quelques semaines, ce serait humide et insoutenable, les vêtements colleraient à la peau et les nuits dans la roulotte seraient étouffantes. Son nouveau soutien-gorge la gênait. Les bretelles étaient trop serrées et les crochets lui rentraient dans la peau. Son cartable lui semblait de plus en plus lourd. En passant, elle se regarda dans la glace d'une vitrine. Il lui fallait inventer une excuse pour son retard. Sa mère ne voulait pas qu'elle s'arrête en route chez des amies, et encore moins chez Priscilla-Anne Peters. À la façon qu'avait sa mère de pincer les lèvres chaque fois que le nom de Priscilla était prononcé, Hélène s'était rendu compte qu'elle ne l'aimait pas, mais ne lui en avait jamais fait la remarque.

— Ce n'est pas poli d'accepter des invitations qu'on ne peut pas rendre, Hélène, lui avait-elle simplement dit.

— Pourquoi ne pourrais-je pas la rendre, maman ? Priscilla pourrait venir de temps en temps à la maison, non ?

— Ici ?

Ses joues s'empourprèrent.

— Tu veux que ton amie sache où nous sommes contraintes de vivre et aille le raconter à tout Orangeburg ?

— Elle sait bien qu'on vit dans une roulotte.

— Voir et savoir sont deux choses différentes. Bon, changeons de sujet, je n'ai aucune envie de discuter. Quand je dis non, c'est non.

Cette discussion avait eu lieu quelques mois auparavant, lorsque Hélène était en dernière année d'école primaire. Hélène, trouvant sa mère stupide, avait longuement boudé. Avec le recul, elle se demandait si, au fond, elle n'avait pas raison.

Deux des vieilles roulottes avoisinantes étaient vides depuis des années. Personne n'était venu s'y installer, et elles commençaient à rouiller. L'une d'elles avait un trou béant dans le toit. Les petits Tanner avaient brisé les vitres à coups de pierres. La vieille May habitait un peu plus loin. On disait qu'elle avait perdu la raison depuis la mort de son mari. Grosse, sale, elle ne sortait jamais de sa roulotte, ou du moins Hélène ne l'avait-elle jamais vue.

Un jeune couple s'était installé dans une autre roulotte. Au début, ils avaient fait un effort en plaçant des pots de fleurs artificielles aux fenêtres et en peignant la roulotte en jaune vif. Ils avaient deux enfants, un troisième en route, et la couleur jaune s'était fanée, tout comme celle des fleurs. La mère, assise comme toujours sur les marches, des rouleaux dans les cheveux, était entourée de ses enfants à moitié nus qui jouaient dans la poussière avec les petits Tanner.

Elle leva vaguement la tête en voyant Hélène passer.

— Salut, Hélène. Fait chaud, hein ?

— Oui, très chaud, répondit Hélène en souriant poliment.

La femme tira une dernière bouffée de cigarette avant de lancer le mégot dans un pot de fleurs. Hélène eut soudain envie de lui crier de ne pas faire cela. C'était affreusement sale.

Sa mère n'était toujours pas rentrée, mais cela lui arrivait souvent ces derniers temps. Elle revenait avec des paquets sous le bras, aux alentours de 6 heures du soir, et disait toujours qu'au dernier moment elle s'était aperçue qu'il manquait du pain, du sucre ou du thé. Au début, Hélène était contrariée, plus maintenant. Elle n'avait plus besoin de chercher des excuses. Quel soulagement !

La roulotte était un véritable four. Elle ouvrit la porte et les fenêtres, ce qui ne changea rien. Pas le moindre souffle de vent. Des mouches entrèrent. Elle jeta ses livres sur la table et se versa un grand verre de lait froid. Quelle chaleur ! Elle était moite. Comme elle aurait aimé prendre une douche, une vraie douche ! Laisser l'eau couler le long de son corps. Ou peut-être aller se baigner avec Billy. Mais cela ne se reproduisait presque plus. Billy passait son temps à travailler et semblait même l'éviter.

Hélène ne comprenait pas pourquoi. Elle pensait qu'il avait de l'affection pour elle, mais, chaque fois qu'elle lui demandait de l'accompagner jusqu'à la crique, il détournait le regard et trouvait une excuse. Elle aurait pu y aller seule, mais elle avait peur. Il régnait un silence impressionnant là-bas. Elle s'y était rendue une fois, mais n'y avait pris aucun plaisir. Elle avait eu l'impression désagréable que quelqu'un, caché derrière les arbres, l'observait. Elle était sortie de l'eau à la hâte et était rentrée chez elle en courant.

Elle enleva ses chaussures et alla s'affaler sur son lit. Celui de sa mère n'était pas fait. Il y avait une odeur âcre de linge sale. Hélène, les paupières closes, se rendait compte d'un léger laisser-aller chez sa mère.

Elle songea à la chambre rose de Priscilla, à la salle de bains que Merv Peters venait de faire installer et que Priscilla lui avait montrée : toute carrelée de rose, pas de blanc. Elle n'en avait jamais vu de cette couleur auparavant et ne savait même pas que cela existait.

« Tu n'aimes pas le rose ? lui avait demandé Priscilla. Moi, c'est ma couleur préférée. »

Hélène ouvrit les yeux. Une grosse mouche bleue bourdonnait. Les murs étaient couverts de rouille qui perçait la peinture. Les rideaux en lambeaux n'avaient presque plus de couleur. Le lit était de guingois malgré la vis que sa mère avait placée pour que le pied cassé tienne. La commode jaune devenait de plus en plus laide.

Hélène n'allait pas à l'église, bien que sa mère écrivît de sa belle écriture « épiscopalienne » sur les formulaires d'inscription pour l'école : nationalité, anglaise : âge, douze ans ; religion, épiscopalienne. Hélène, les paupières closes, se demandait ce que cela voulait dire. Il lui arrivait de prier comme aujourd'hui. « Dieu, Jésus, cher bon Dieu, doux Jésus, sortez-moi de là », suppliait-t-elle.

Au bout d'un moment, se sentant mieux, elle ajouta : « Et maman aussi. » Puis elle se leva, alla fouiller sous le lit de sa mère qui gardait un fatras de choses inutiles. Elle en sortit quelques affaires et prit un air dégoûté. Pourquoi donc conservait-elle toutes ces vieilleries ?

Des morceaux de dentelle arrachés à des jupons usés depuis longtemps. Une boîte de vieux boutons et de perles en verre. Des gants blancs troués, d'une saleté repoussante, qu'elle n'avait pas portés depuis une éternité. *Une dame porte toujours des gants en cuir, pas en tissu.* Tiens, ceux-ci étaient pourtant en tissu et ils étaient horribles. Hélène les tourna dans tous les sens.

Il y avait également une pile de vieux magazines que sa mère prenait chez Cassie Wyatt. Ils étaient tachés et sentaient la laque. En les feuilletant, Hélène découvrit des femmes élégantes, les lèvres peintes, les cheveux frisés, portant des chaussures à hauts talons et vêtues de tailleur, qui souriaient allégrement. Ces femmes-là n'habitaient pas dans une roulotte sur un terrain vague, mais dans d'élégantes demeures où le dîner les attendait chaque soir et où une voiture était toujours à leur disposition dans l'allée. Leur mari, toujours en costume, rentrait invariablement à 18 heures. Au fond du jardin était dressé un barbecue, et tous allaient en vacances au bord de la mer. Leur maison était équipée d'un four électrique, d'une télévision et de bacs à glace dans le réfrigérateur. Ils avaient une douche dans la salle de bains, comme chez Priscilla-Anne, et ils pouvaient se laver quand ils le souhaitaient.

Parfois, certaines femmes très actives utilisaient des Tampax. On en soulignait l'utilité sur la plage, à cheval. Hélène savait ce qu'était un Tampax, mais Susie Marshall lui avait dit qu'une petite fille ne pouvait en utiliser. L'usage lui en avait paru dangereux. Et s'il restait accroché ? Cela devait tout de même être plus pratique que les serviettes qu'elle utilisait. Si une fille était assez stupide pour porter un pantalon ces jours-là, les garçons le remarquaient et se moquaient d'elle. Elle avait alors la sensation d'être souillée et en éprouvait un sentiment de honte. Un jour, cela lui arriverait, à elle aussi, mais elle redoutait cet instant. Ses camarades de classe lui avaient dit que c'était horriblement douloureux. Leurs mères écrivaient des mots d'excuses pour qu'elles soient dispensées de gymnastique ou de natation. Hélène avait envie d'être comme les autres. Quand elle eut ses règles, sa mère lui défendit d'en parler et alla acheter des serviettes hygiéniques qu'elle cacha au fond d'un tiroir.

— Elles sont là, lui avait-elle dit avec dégoût. Prends-en quand tu en as besoin.

Hélène se confia donc à Priscilla-Anne puisque sa mère refusait toute discussion. Elle avait changé et donnait l'impression de mal accepter la métamorphose de sa fille. N'avait-elle pas fait toute une histoire pour un soutien-gorge ? Était-ce de la lassitude ou de la colère ? Elle rentrait souvent fatiguée de son travail. Le matin, elle avait des cernes sous les yeux et quelques rides commençaient à poindre aux commissures des lèvres. Le soir, elle était si éreintée qu'elle s'endormait sur sa chaise. Une lueur d'inquiétude se dessinait souvent sur son visage.

Hélène trouvait que sa beauté commençait à se faner. Elle éprouvait un certain embarras quand elle rencontrait sa mère en ville. Elle était si vieux jeu avec sa coiffure démodée, sa raie sur le côté et ses cheveux ondulés. Pas de coupe à la chien ou de permanente comme les autres mamans. Au soleil, son maquillage était bizarre. Personne ne mettait de poudre aussi pâle et de rouge à lèvres aussi vif. Elle s'exprimait aussi curieusement, utilisant une quinzaine de mots pour exprimer ce qu'elle aurait pu résumer en trois mots. Alors que tout le monde disait : « Salut », elle s'exclamait : « Comment allez-vous ?... Serait-il possible... » Les gens écarquillaient les yeux d'un air moqueur. Hélène l'avait remarqué partout, au marché comme chez Cassie Wyatt.

Sa mère n'avait aucune racine. Hélène éprouvait ce même sentiment de n'être de nulle part. Elle n'était ni anglaise, comme elle l'aurait souhaité, ni américaine. Elle avait de l'oreille, car elle pouvait imiter n'importe qui, ce qui lui arrivait seulement lorsqu'elle était seule. Elle n'était pas comme les autres. Mais souhaitait-elle seulement leur ressembler ? Tout le monde s'était moqué d'elle la première fois qu'elle était allée à l'école. Le soir, elle en avait pleuré et ne leur avait jamais pardonné.

— Ne fais pas attention, lui avait dit sa mère. Elles sont grossières et ignorantes. Elles ne savent rien faire de mieux.

Elle avait cru sa mère, à l'époque, persuadée qu'elle en savait plus que les autres, puisqu'en Angleterre elle avait vu de belles maisons, de belles pelouses, de belles dames portant des gants à des réceptions et qui ne coupaient pas le pain avec un couteau.

Pourtant Hélène avait souvent des doutes. L'univers évoqué par sa mère, d'ailleurs de plus en plus rarement, lui paraissait irréel. Il devait exister, mais pas exactement comme sa mère le décrivait. Et puis même, quelle importance ! Si Dieu n'intervenait pas, elle passerait sa vie ainsi.

« Hélène Craig, murmura-t-elle. Hélène Fortescue. » Elle ne voyait plus aucune différence. Les noms lui semblaient creux, vides. Elle avait parfois l'impression de ne pas exister, de n'être personne.

Elle se demandait si les Noirs éprouvaient le même sentiment d'être tout et rien à la fois. Elle repoussa la pile de magazines d'un geste de colère. C'était stupide de sa part. Il valait mieux n'en parler à personne.

La boîte de conserve se trouvait derrière le lit, toute couverte de poussière. Depuis combien de temps était-elle là ? Hélène l'ouvrit. Il y avait deux passeports anglais, celui de sa mère et le sien, car elle était née en Angleterre. Elle découvrit également plusieurs dollars en billets de cinq et beaucoup de pièces. Autrefois, sa mère les comptait régulièrement avec elle. Si elles économisaient chaque semaine, ne serait-ce que le prix d'un paquet de lessive ou de flocons d'avoine, sans jamais toucher à cet argent, dans bien des semaines, bien des années... Hélène soupira. Combien leur faudrait-il pour payer deux billets pour l'Angleterre ?

« Cinq cents dollars », lui avait dit sa mère en riant, quelques années auparavant. Maintenant, il faudrait certainement plus.

Hélène était sceptique. Elles étaient loin des cinq cents dollars. Elles avaient compté les billets ensemble pour la dernière fois quand Hélène avait fêté ses onze ans. L'anniversaire avait bien commencé mais s'était mal terminé. Sans aucune raison, sa mère s'était mise à pleurer. Dans la boîte, elles avaient compté deux cent trente dollars, Hélène en était certaine.

Elle prit la boîte et recompta les billets. Elle en fit des piles de cinq et de un dollar. Au bout d'un moment, elle s'assit sur les talons et refit ses comptes.

Il restait à peine cent cinquante dollars.

Jamais elles ne pourraient partir en Angleterre avec une telle somme.

L'esprit en ébullition, au bord des larmes, elle décida de se ressaisir. Elle remit tout en place et rangea la boîte sous le lit. Où donc l'argent était-il passé ? En livres de classe ? En vêtements ? Peut-être, car sa mère avait souvent de nouvelles robes et refusait d'en dire la provenance. Elle disait simplement qu'elle les avait eues en solde, à bon prix. Hélène grandissait vite. Sa mère achetait du tissu et lui confectionnait des vêtements. Sans doute était-ce là la raison.

Hélène se leva et s'approcha de la fenêtre. « Mon Dieu, je vous en supplie, dit-elle, si je continue à grandir ainsi, nous ne retournerons jamais en Angleterre. »

Sa mère rentra vers 18 heures. Elle portait une robe rose qu'Hélène ne lui connaissait pas et qui lui allait à merveille. Elle était d'excellente humeur. Elle prépara le dîner en chantant et posa mille questions à Hélène sur l'école, sur ses cours, tout comme elle le faisait les soirs où elle n'était pas fatiguée. Hélène se rendait bien compte qu'elle n'écoutait pas vraiment ses réponses. Elle était comme perdue dans un rêve. Mais Hélène n'y prêta pas grande importance. Elle se sentait coupable d'avoir eu de mauvaises pensées à l'égard de sa mère. Ce n'était pas de sa faute si elle s'exprimait ainsi. Ce soir, elle avait le regard brillant et avait recouvré son éclat d'antan.

Hélène se demandait si elle devait interroger sa mère sur son emploi du temps chez Cassie Wyatt, mais, malgré sa gaieté, elle n'osa pas. Sa mère n'aimait pas qu'on lui pose des questions sur ses activités, elle appelait cela de l'espionnage. Elle préféra lui avouer qu'elle s'était arrêtée chez Priscilla, ce qui ne déclencha aucun commentaire.

Encouragée par son silence, Hélène lui parla du nouveau distributeur, des poupées qui marchaient et parlaient et de la jolie chambre rose. Un vague sourire effleura les lèvres de sa mère.

— C'était si beau, maman, si beau. Ils ont une nouvelle salle de bains, rose également, avec une douche et une porte en verre, avec des carrelages roses. Le lavabo est, lui aussi, de couleur rose, tu te rends compte, maman ? Même le...

— Rose ? l'interrompit sa mère d'un air hautain, ma chérie, c'est plutôt vulgaire.

Hélène baissa les yeux.

— C'était beau pourtant, murmura-t-elle.

De nouveau, le doute s'empara d'elle. Elle aimait ce que sa mère critiquait. Après tout, comment pouvait-elle avoir une telle certitude ?

Il y eut un court instant de silence. Sa mère se renversa sur sa chaise.

— Et ensuite qu'as-tu fait ? Tu ne m'as pas longtemps attendue, aujourd'hui je n'ai pas eu beaucoup de retard, n'est-ce pas ?

C'était une question inhabituelle. Il est vrai qu'avant Hélène s'inquiétait de ces retards, mais, là, elle n'y prêtait plus grande attention. Tout en traçant des petits dessins sur la toile cirée, elle réfléchissait. Soudain, elle s'enhardit.

— En me baladant, j'ai songé...

Elle ne savait pas comment s'y prendre. Sa mère serait furieuse d'apprendre qu'elle avait compté les billets et ses colères effrayaient toujours Hélène. Son visage s'empourprait, ses veines se gonflaient, ses yeux mauves lançaient des éclairs ou se remplissaient de larmes, sa voix devenait gutturale et elle se mettait à trembler.

— Je me demandais si tu faisais toujours des économies pour notre voyage en Angleterre.

Sa mère se redressa, soudain attentive. Elle allait dire quelque chose mais se retint. Après s'être crispé, son visage reprit sa douceur habituelle. Elle lui adressa un sourire complice.

— Bien sûr, ma chérie. Je n'oublie pas, rassure-toi.

Hélène ne la quittait pas des yeux.

— Seulement... maintenant que tu vas à l'école, je me demande s'il ne vaudrait pas mieux attendre un peu.

— Attendre ? s'écria Hélène, rouge de colère. Ici ? Dans cette roulotte ?

Sa mère éclata de rire.

— Non, ma chérie, bien sûr que non. Il s'agit simplement de rester ici un peu plus longtemps que prévu. Mais... si notre situation changeait... changeait totalement, alors pourquoi ne pas rester en Amérique, même en Alabama ?

— Si notre situation changeait ? Changeait comment ? s'exclama-t-elle.

Elle avait haussé le ton malgré elle, mais sa mère lui répondit par un sourire.

— Si elle s'améliorait, ma chérie. Si, par exemple, nous avions beaucoup plus d'argent et une belle maison, une voiture, de belles robes ; si nous pouvions acheter tout ce qui nous ferait plaisir sans nous préoccuper de notre budget. Dans ce cas, il est évident que cela me serait égal de rester.

Hélène paraissait sceptique.

— Ma chérie, ne sois pas si entêtée. Il y a des endroits très beaux en Alabama, avec des maisons magnifiques et des jardins comme en Angleterre. Des pelouses, des fleurs, des camélias qui poussent au printemps. Des jardiniers les entretiennent, et il paraît même que certaines personnes ont des serviteurs. Vois-tu, en Alabama, certains ont plus de moyens qu'en Angleterre et...

Hélène se leva. Elle ne supportait plus d'entendre ces balivernes. Sa mère devait perdre la raison. Tout cela n'était qu'un rêve, une chimère, comme l'Angleterre.

— Où vois-tu les jardins, les serviteurs, les camélias ? Montre-les-moi dehors, sur le terrain vague, fit-elle en colère.

— Pas ici, bien sûr, lui répondit sa mère en haussant le ton. Tu sais très bien que je ne parlais pas de tout cela.

— Alors de quoi ?

— Il y en a beaucoup. Tu en connais, d'ailleurs. La maison des Calvert, par exemple. Il pousse des camélias dans leur jardin.

— Ah bon ? Ah bon ?

Hélène était furieuse. Repoussant la table, elle courut vers la porte. Il lui fallait sortir, ne plus rester dans cette roulotte étouffante. Comment supporter davantage cette expression à la fois pleine d'espoir et de crainte dans le regard soudain apeuré de sa mère ? Arrivée sur le seuil, elle se retourna, la gorge serrée.

— Qui s'intéresse aux Calvert ? Qui ? Qu'envisages-tu, maman ? D'acheter la maison des Calvert avec cent cinquante dollars ?

Elle se mit à courir sans but, simplement parce qu'elle avait besoin d'être seule. De chaudes larmes coulaient le long de ses joues. Elle s'arrêta à l'extrémité des vieux champs de coton. C'est à la crique qu'elle avait envie d'aller pour se plonger dans l'eau fraîche. Elle franchit le fossé, se faufila sous la barrière et traversa en courant la plantation. Elle ne prit pas le temps de contempler la maison, les pelouses ni le pavillon. Elle se moquait pas mal qu'on la surprenne. En un instant, elle se retrouva à l'ombre des peupliers, dévalant les flancs de la colline qui débouchait sur la crique.

Des larmes plein les yeux, elle ressentit la soudaine fraîcheur de l'air. Elle ôta ses vêtements et les jeta négligemment par terre. Le soleil, qui filtrait à travers les arbres, dessinait des arabesques sur son corps nu. Elle plongea et nagea comme Billy lui avait appris. La crique n'était pas aussi grande qu'elle l'avait cru quand elle était enfant. Elle fit rapidement plusieurs aller et retour jusqu'à ce qu'elle fût à bout de souffle. Toute honte, toute confusion, toute colère s'évanouit.

Elle se redressa alors et rejeta ses longs cheveux blonds ébouriffés en arrière. Elle contempla son corps élancé. Elle était la plus grande de la classe. Sa peau, diaphane à l'ombre, devenait dorée au soleil. Un petit triangle de poils se formait entre ses cuisses. Une petite poitrine commençait à poindre. Ses bouts de sein étaient raidis par le froid et l'aréole, plus foncée, semblait s'être élargie. Priscilla lui avait dit que cela se produisait quand un garçon vous caressait la poitrine. Ils aiment les effleurer et même les embrasser ou les sucer. Priscilla-Anne lui avait dit aussi que c'était une impression merveilleuse, fantastique, presque magique, et qu'on n'avait pas envie que cela s'arrête.

Elle leva lentement ses mains humides et les fit glisser le long de son corps, sur ses hanches, sa taille, en remontant jusqu'aux seins. Elle les prit au creux de ses mains. Sa douce caresse provoqua un frisson de plaisir.

Elle ôta ses mains, éprouvant soudain un sentiment de culpabilité, et regarda autour d'elle si personne ne l'observait. Mais qui donc pouvait se trouver là à pareille heure ? Billy travaillait au café, et personne ne venait jamais là.

La colère passée, elle eut peur, comme la fois précédente. Elle avait l'impression qu'on l'observait. Quelqu'un avait-il été témoin de ce qu'elle venait de faire ? Elle scruta les alentours. Des ombres se profilaient au milieu des peupliers grisâtres. Personne.

Pourtant son désir de quitter ces lieux sur-le-champ, de rentrer immédiatement avant la tombée de la nuit était si intense qu'elle sortit précipitamment de l'eau et, frissonnante, se rhabilla sans même s'essuyer. Elle ne prit pas la peine de remettre le soutien-gorge qui était trop dur à fixer. Simplement son chemisier blanc qui collait à sa peau humide, sa culotte de coton et la jupe déjà trop petite. Elle se coiffa comme elle put, mais ses cheveux lui retombaient sur le visage et les épaules. Les joues en feu, nerveuse, elle fourra le soutien-gorge dans sa poche, enfila ses chaussures et escalada rapidement la berge. Elle se faufila sous les branches et déboucha sur une clairière broussailleuse baignée de soleil.

Au milieu du champ, près du pavillon, un homme vêtu d'un costume blanc l'observait. L'espace d'un instant, elle eut l'impression qu'il savait d'où elle venait et qu'il l'attendait. Elle s'arrêta net.

Les mains dans les poches, il paraissait très grand, bronzé, distant et élégant. Exactement comme il lui était apparu des années auparavant.

Il engagea la conversation le premier.

— Eh bien, eh bien..., dit-il, un sourire aux lèvres, avec un accent légèrement chantant.

Il s'avança vers elle et lui tendit la main.

— Dites-vous toujours : « Comment allez-vous, monsieur ? » en serrant la main ?

Hélène se mordit les lèvres. Elle leva les yeux vers lui, un peu décontenancée.

— Cela m'arrive.

Elle lui prit la main et il la pressa solennellement. Elle s'attendait à ce qu'il lui chatouille la paume en la pressant, comme il l'avait fait des années auparavant, mais rien ne se produisit. Il lui serra simplement la main.

Il resta un moment interminable à la dévisager, passant en revue ses longs cheveux mouillés, son visage empourpré, son chemisier humide qui lui collait à la poitrine, sa jupe courte d'écolière et ses longues jambes nues et bronzées. Il avait le même regard que Billy Tanner, comme s'il n'en croyait pas ses yeux. Hélène se détendit brusquement.

Rien à craindre, se dit-elle. Il n'était pas fâché et, même s'il l'était, elle se sentait bizarrement capable d'apaiser sa colère.

— Tu as drôlement grandi, lui dit-il d'une voix parfaitement naturelle. Tu te souviens de moi, Hélène ? Eh bien, puisque tu te trouves sur mes terres, Hélène Craig, accepterais-tu de venir boire quelque chose chez moi ?

— Je... non, merci. Il faut que je rentre et...

— Mais non, ne crains rien, lui dit-il en la prenant par le bras, comme une dame.

Ils se dirigèrent ensemble vers la maison.

— Que veux-tu ? Une crème de menthe ? Un whisky sec ? Un Coca ? Un bourbon *on the rocks ?*

Hélène s'esclaffa.

— Je ne bois jamais d'alcool. J'ai douze ans, et maman dit que je suis trop jeune.

— Douze ans ? Tu m'étonnes. Tu as déjà tout d'une femme.

Hélène rougit de plaisir.

— Je prendrais bien une crème de menthe.

— Très bien.

Ils traversèrent le champ, passèrent devant le pavillon et arrivèrent devant les hautes baies vitrées de la vaste demeure. Ils longèrent le grand portique blanc, le magnolia qui atteignait presque le toit. Bras dessus, bras dessous, ils gravirent les marches de la véranda qui conduisaient directement dans une immense entrée au sol en pierre et pénétrèrent dans la pièce la plus belle qu'elle eût jamais vue.

Elle devait avoir plus de douze mètres de long, peut-être même treize. Le plafond était très haut et il y avait quatre grandes fenêtres. Les stores étaient baissés pour se protéger du soleil de cette fin d'après-midi.

Il lui indiqua un fauteuil où Hélène alla s'asseoir. Quel sentiment de bien-être et de confort merveilleux ! De la soie effleurant ses jambes nues, des coussins en duvet. Éberluée, le cœur battant, elle se renversa dans son fauteuil. Le commandant Calvert traversa la pièce. Hélène crut qu'il allait appeler un maître d'hôtel, mais il prépara lui-même les cocktails qu'il posa sur un plateau d'argent, du whisky avec des glaçons qu'il saisit à l'aide d'une pince dans un seau à glace en argent et une crème de menthe pour elle dans un grand verre. Il se retourna vers elle, les verres à la main. Après avoir refermé les grandes portes d'acajou, il lui tendit son verre et s'assit en face d'elle.

Hélène serrait le verre dans sa main. Devant elle se trouvait une petite table en bois verni avec un vase au milieu et un plateau d'argent. Elle promena son regard dans la pièce. Tout semblait briller, les tables, les cendriers d'argent et les porte-photos, le piano à queue, les cadres dorés des tableaux accrochés aux murs. Il y avait des fleurs partout, et le parfum qui en émanait dans la fraîcheur de la pièce la plongeait dans l'extase. Elle se tourna vers le commandant Calvert.

Assis, apparemment détendu, les jambes croisées, il tapait légèrement du pied sur le tapis.

Il avait la peau brune, une moustache et des cheveux noirs. Il sortit de sa poche un étui à cigarettes en or et un briquet.

— Je suppose que tu ne fumes pas ? La fumée ne te dérange pas ?

— Oh non ! bien sûr.

Il alluma sa cigarette sans rien dire. Le silence impressionnait Hélène.

— Je n'aurais pas dû aller là-bas, dit-elle brusquement. Je veux dire... à la crique. Je suis désolée.

— Je t'en prie, il fait si chaud. Si cela te fait plaisir, vas-y quand tu veux. C'est un lieu de baignade très agréable. T'y rends-tu souvent ?

Hélène le regarda d'un air sceptique car la question était posée drôlement. Elle secoua la tête.

— Non, plus maintenant.

— Avant, tu y allais plus souvent ?

— Oui, mais il y a déjà quelques années.

Il soupira. La réponse lui convenait.

— Pour être sincère, je dois vous dire que j'ai un peu peur. Avec tout ce feuillage, on a l'impression d'être observé.

Il ne répondit rien et continua à fumer. Ce fut de nouveau le silence. Le carillon sonna.

— Il fait vraiment chaud, dit Hélène, l'esprit en ébullition. Mme Calvert est-elle là ?

« Quelle question idiote », se dit-elle, mais le commandant Calvert n'y prêta pas attention. Il semblait penser à autre chose.

— Comment ? Oh non, elle est dans sa famille à Boston.

Le commandant Calvert, le regard fixé sur elle, ne s'appesantit pas sur le sujet. Il éteignit sa cigarette et mit les mains dans ses poches. Une sensation étrange envahissait Hélène, sans doute était-ce à cause de la pesanteur de son regard. Fébrile, troublée, elle se sentit rougir. Elle finit rapidement son verre.

— Un autre ?

— Non, merci, fit-elle en triturant sa jupe nerveusement.

— Tu as encore des intonations anglaises, c'est extraordinaire, lui dit-il.

— Ah bon ? Je peux prendre l'accent américain quand je veux, lui répondit-elle en souriant.

— Tu peux essayer là, tout de suite ? Dis-moi n'importe quoi en américain.

Hélène respira longuement, ferma les yeux, puis les rouvrit.

— Je suis désolée d'être entrée sur vos terres sans votre permission, commandant Calvert, dit-elle avec l' accent chantant du Sud, légèrement provocateur.

Le commandant Calvert la regarda avec étonnement quelques secondes, puis, renversant la tête en arrière, éclata de rire.

— Qui l'eût cru ? Tu as vraiment des talents cachés et tu es aussi très belle.

Il se pencha soudain vers elle et croisa son regard.

— Les garçons avec lesquels tu sors t'ont-ils déjà dit que tu étais très belle ?

Hélène avait le cœur qui battait à tout rompre. Un frisson de joie la parcourut. Le regard baissé, elle se leva.

— Il faut que je parte. Merci, commandant Calvert.

— J'ai été très heureux de te revoir.

Il se leva en même temps qu'elle. Elle avait cru déceler un ton moqueur dans ses paroles sous son visage impassible.

Il s'approcha si près qu'elle sentit sa respiration plus rapide.

— Tu as les cheveux encore mouillés, Hélène Craig, dit-il d'une voix bizarre.

Puis il tendit la main et souleva une mèche lentement. Hélène ne fit pas un geste.

— Regarde ton chemisier, il est trempé, fit-il en se passant la langue sur les lèvres.

Elle percevait les battements de son cœur sous son élégant veston blanc. Il posa sa main sur elle, lui effleurant d'abord le bras, puis la poitrine, tout en la fixant droit dans les yeux. Hélène était stupéfaite. Elle savait qu'il devait sentir le frémissement de ses seins sous son chemisier humide.

Il fallait agir, mais comment ? Lui dire d'arrêter, lui ôter la main, s'enfuir ? Sans raison aucune, elle resta figée, incapable de faire le moindre mouvement. Elle leva les yeux vers lui.

— Tu es trempée jusqu'aux os, murmura-t-il d'une voix étrange.

Soudain, il lui pressa les seins sans la quitter des yeux.

Hélène était en pleine confusion. Il glissa doucement les doigts sous son chemisier et prit ses seins nus au creux de sa main. Il était toujours immobile. Puis il effleura le bout de ses seins avec une douceur qui lui parut soudain exquise.

Il ôta sa main, et ce fut comme si rien ne s'était passé. Il la prit par le bras et la raccompagna courtoisement vers la porte.

Dans l'entrée, leurs regards se croisèrent. Il semblait parfaitement détendu et avait retrouvé son calme.

— Souhaiterais-tu revenir ici, Hélène Craig ? lui demanda-t-il. Nous pourrions faire le tour de la plantation.

— Je ne sais pas, peut-être.

Sa réponse sembla lui plaire. Un sourire se dessina sur ses lèvres.

— Très bien. Quand tu en auras envie, fais-moi signe. J'ai le temps.

— Ah bon ?

Hélène leva un regard sceptique vers lui.

— Oui, je peux attendre, lui dit-il en posant la main sur son bras.

C'était son anniversaire : quinze ans. Billy Tanner lui avait dit qu'il fallait le fêter. Il avait quitté l'école et travaillait à plein temps dans un garage sur la route de Maybury. Il prétendait bien gagner sa vie.

— Si nous allions au restaurant ? lui dit-il. Il faut marquer l'événement.

Hélène était surprise. Elle avait eu l'impression qu'il l'évitait ces derniers temps alors qu'il lui avait promis de l'amener encore à la crique. Mais il ne l'avait jamais invitée.

— Toi et moi seulement, Billy ?

Il devint écarlate.

— Tu préfères qu'on sorte à quatre ?

Hélène ne répondit pas. Elle aurait souhaité sortir seule avec lui, mais n'osait le lui dire.

— Je pourrais demander à Priscilla-Anne de nous accompagner, murmura-t-elle.

— D'accord, pourquoi pas ?

Elle avait donc proposé à son amie de sortir, mais Priscilla-Anne avait écarquillé les yeux.

— Billy Tanner ? Billy Tanner ? Tu plaisantes ? Au restaurant ? Et c'est lui qui va payer ?

— Oui, je suppose.

— D'accord, fit-elle en soupirant. Quelle fête ! Je vais demander à Dale. On pourra prendre sa voiture. Je ne tiens pas du tout à y aller en bus.

Ils s'entassèrent donc dans la Buick de Dale Garrett, Billy et Hélène derrière, Priscilla et Dale devant. Dale conduisait d'une main tandis que Priscilla ouvrait un carton de six canettes. Elle en passa deux à l'arrière et en ouvrit une pour elle. La bière déborda et se répandit sur le tableau de bord. La main posée sur la cuisse de Dale, elle lui en tendit une. Il lui murmura à l'oreille quelque chose qu'Hélène ne saisit pas, mais qui déclencha l'hilarité de Priscilla. Dale était son dernier petit ami. Elle en avait eu tant depuis Eddie Haines qu'Hélène n'arrivait plus à les compter. Six, sept, peut-être. « J'ai quinze ans et deux jours. Quand la vie va-t-elle commencer pour moi ? » se demandait Hélène.

Billy ouvrit une canette avec précaution et la lui tendit. Il ne buvait pas, sans doute à cause de son père.

Elle lui lança un regard furtif et en eut le cœur serré. Que d'efforts il faisait ! Il n'avait plus les cheveux en brosse, mais coiffés en arrière et gominés. Il portait le beau costume qu'il mettait seulement pour les mariages et les enterrements. Il ne lui allait pas très bien et les coudes étaient élimés. Il avait mis également une chemise et une cravate qui visiblement le gênait, car il passait souvent un doigt dans le cou comme s'il étouffait. En se rasant, il s'était fait une entaille au niveau des favoris. Une forte odeur de lotion après-rasage émanait de lui. Il était installé au fond de la voiture, raide, les mains sur les genoux. Il n'avait pas encore dit un mot.

Hélène se sentait gênée et en éprouvait un sentiment de culpabilité. Elle évitait le regard de Dale Garrett. Priscilla-Anne prétendait qu'il était riche. Son père possédait une usine d'engrais sur la route de Montgomery. Il avait un diplôme universitaire, une Buick et une réputation longue comme le bras. Priscilla-Anne était amoureuse de lui. « C'est l'homme de ma vie, Hélène. Cette fois, j'en suis sûre, » lui avait-elle confié. Dale Garrett portait une veste de sport et une chemise boutonnée jusqu'en bas. Pas de brillantine. Ses cheveux lui retombaient sur le front lorsqu'il riait. Une bague rouge et or de son école brillait à son doigt. Hélène détourna le regard. Elle n'aimait pas Dale. C'était un snob et un vantard. Il était beau, mais pas autant que Billy avec ses yeux d'un bleu de martin-pêcheur. Pas aussi gentil non plus. Pourtant, lorsqu'elle les comparait, elle ressentait une sorte de pitié et même de honte à l'égard de Billy.

— Tu as réservé, Tanner ? demanda Dale en se retournant.

Il jeta la canette de bière par la fenêtre.

— Non, répondit Billy très calmement. C'est inutile. Il n'y aura pas grand monde.

— Souhaitons que tu aies raison, Tanner.

Hélène surprit un clin d'oeil lancé à Priscilla.

— Quelquefois, ce n'est pas si facile d'entrer sans avoir réservé.

— Ce n'est pas un problème.

— Espérons, car j'ai une faim de loup. J'ai envie d'un bon steak avec plein de frites et de la salade. Peut-être un peu de vin. Dis-moi, Tanner, ils ont du vin français là-bas ?

— Bien sûr, ils ont du vin, répondit Billy, le visage blême.

— J'ai bien dit du vin français, s'esclaffa Dale. C'est un grand jour, non ?

Il lança un coup d'oeil à Hélène dans le rétroviseur.

— Prénom français, vin français. C'est logique, n'est-ce pas ?

Hélène ne répondit pas, mais leurs regards se croisèrent furtivement. « Il essaie de nous pousser à bout, Billy et moi », se dit-elle. Avec son drôle de nom et son drôle d'accent, elle l'intriguait. Dale aimait placer les gens dans des catégories. Or là, il avait quelques difficultés, ce qui le rendait nerveux et, par voie de conséquence, grossier. Hélène prit la main de Billy et la serra.

Le restaurant se trouvait dans la banlieue de Montgomery.

— On ne va pas en ville ? demanda Dale.

Billy se pencha et lui indiqua le chemin.

— Non, pas en ville, tourne à gauche.

Après avoir emprunté la route qui menait à l'aéroport, ils passèrent sous un pont puis s'engagèrent sur l'autoroute. Ils longèrent un garage et deux stations-service avant d'arriver à un croisement. Billy éprouvait une certaine fierté.

— C'est là. Tourne à droite.

Dale braqua aussitôt et s'arrêta. Il régna un court silence, rompu par les rires étouffés de Priscilla.

— C'est ici ? s'exclama Dale, n'en croyant pas ses yeux. Chez Howard Johnson ?

— Oui, dit Billy en sortant de la voiture.

Il fit le tour, alla ouvrir la portière à Hélène.

— C'est un restaurant, lui dit-il doucement, mais elle le sentait nerveux. Il croyait peut-être que j'allais l'amener dans un café.

— C'est très agréable, Billy, s'empressa de dire Hélène. Je te remercie.

Priscilla-Anne et Dale se bécotaient. Hélène et Billy ne les attendirent pas et entrèrent dans le restaurant. La salle était vaste et à moitié remplie. Des hommes d'affaires blancs étaient assis au bar sur des tabourets. Il y avait de longues banquettes d'un rouge vif. Le patron s'approcha d'eux et toisa Billy d'un air narquois. Il devait avoir son âge et avait le visage couvert de taches de rousseur. Puis son regard se posa sur Hélène et il ouvrit de grands yeux.

— Nous aimerions une table près de la fenêtre, lui dit Billy avec assurance.

Le patron faillit faire demi-tour en haussant les épaules mais, après avoir fixé longuement Hélène, se ravisa.

— Bien, par là, madame.

Hélène se sentit rougir. Elle le suivit jusqu'à la table et s'assit. La lumière se reflétait sur les verres.

On leur jeta deux menus sur la table.

— Veuillez nous en apporter deux autres, dit Billy. Nous sommes quatre.

Mais le patron avait déjà tourné les talons.

Billy avait les yeux rivés sur Hélène. Elle se demandait s'il avait remarqué la grossièreté du patron. Une telle douceur, une telle gentillesse et en même temps une telle ardeur émanaient de lui. Son regard d'azur avait l'éclat d'une journée d'été.

— Tu es belle, lui dit simplement Billy. Je crois même que tu es l'être le plus merveilleux que j'ai vu de ma vie.

— Billy.

— Peu m'importe Dale Garrett ou ce type, dit-il en esquissant un sourire, tant que j'aurai le bonheur de te contempler. C'est tout ce que je demande.

— Billy, je...

Elle ne savait pas trop ce qu'elle voulait lui dire. Ses paroles l'avaient agréablement surprise, mais l'effrayaient un peu. Un je-ne-sais-quoi la retenait. Elle ne voulait surtout pas offenser Billy.

— Je... tu aimes ma robe ?

C'était une robe blanche en coton qui faisait ressortir son bronzage. Quand sa mère la lui avait montrée, elle avait dansé de joie. C'était la plus belle robe qu'elle ait jamais eue.

— J'aime ta robe.

— C'est ma mère qui me l'a faite. Pour mon anniversaire. Elle a trouvé un tissu pas cher et...

— Sait-elle où tu es ce soir ? Lui as-tu dit que tu sortais avec moi ? lui demanda-t-il, le visage légèrement assombri.

— Non, Billy.

— Elle pense que je ne suis pas assez bien pour toi ?

— Mais non, Billy. Elle ne veut pas que j'aie de petit ami, c'est tout. Elle dit que je suis trop jeune, alors je lui ai dit que j'allais chez Priscilla-Anne.

— Trop jeune ? Tu es presque une femme. Enfin, à mes yeux.

Ils se turent un court instant. Elle le vit lever les yeux. À l'autre bout de la salle de restaurant, Priscilla-Anne et Dale venaient d'entrer.

— Mon père s'est marié à dix-huit ans, fit Billy en jouant avec son couteau. Ma mère devait avoir seize ou dix-sept ans quand je suis né. Mais..., fit-il en soupirant, peut-être que la tienne n'a pas le même point de vue. Elle est anglaise. Tu veux regarder le menu ?

Hélène prit la carte. Les prix dansaient devant ses yeux, elle en avait le vertige. Tout semblait si cher. Billy ne gagnait pas des mille et des cents et il remettait à sa mère la moitié de sa paie. « Si je lui disais que je n'ai pas très faim, je ne commanderais qu'une salade », se dit-elle, mais Billy risquerait d'être déçu. Il préparait cette soirée depuis des semaines, des mois même.

Que dirait sa mère si elle savait ? À vrai dire, elle n'était plus sûre de rien. Elle avait menti pour ne pas avoir d'histoire. Si elle lui avait dit la vérité, sa mère aurait été furieuse et lui aurait interdit de sortir. D'un autre côté, elle aurait peut-être accepté sans faire de commentaire.

Hélène ne comprenait pas très bien l'attitude de sa mère, ces derniers temps. Elle se montrait bizarre, imprévisible. Parfois, elle avait des débordements de joie qu'Hélène redoutait car ils ne duraient pas longtemps et, le lendemain, elle était totalement abattue. Elle se traînait dans la maison, au bord de l'épuisement. Elle écoutait Hélène d'un regard vide, perdue dans son univers. Elle négligeait de plus en plus sa tenue, sa coiffure. Elle avait même des mèches grisonnantes, et sa maigreur faisait peine à voir.

Parfois Hélène avait l'impression qu'elle buvait. Elle avait trouvé dans la poubelle une bouteille de vodka vide, enveloppée dans du papier. Après cet incident, elle avait surveillé sa mère, mais ne l'avait jamais surprise en train de boire et n'avait jamais plus découvert de bouteille. Ces dernières semaines, elle dormait énormément. Quand Hélène rentrait de l'école, elle la trouvait souvent allongée. Sa mère prétextait des maux de tête et disait que sa présence chez Cassie Wyatt n'était pas indispensable, car elle avait trouvé une nouvelle employée.

Les prix dansaient devant ses yeux. Comment ne pas penser à la petite boîte en fer qui renfermait leurs économies ? La dernière fois qu'elle avait vérifié la somme, il manquait quarante-trois dollars.

Elle aurait souhaité pouvoir en parler, mais sa loyauté envers sa mère la retenait. Elle avait pourtant essayé de s'épancher auprès de Priscilla-Anne.

— Quelquefois je me dis que je ne retournerai jamais en Angleterre, lui avait-elle confié.

Priscilla-Anne avait éclaté de rire.

— Ma chérie, tu l'as vraiment cru ? Cesse de rêver. Orangeburg n'est pas si mal. Reste, tu pourras toujours épouser Billy Tanner.

Hélène ferma les yeux. Non, il lui fallait chasser toutes ces idées. C'était son anniversaire et il fallait le fêter dans la joie. Quand ces pensées l'assaillaient, elle avait l'impression d'être un animal en cage.

Billy lisait le menu en murmurant chaque syllabe et en suivant avec son doigt. Priscilla-Anne poussa Dale du coude. Hélène avait envie de crier : « Arrête, Billy. Tu vaux cent fois mieux qu'eux, mais tu ne vois pas qu'ils se moquent de toi. Oh, Billy. Le garçon s'approcha de leur table et Billy voulut passer la commande. Mais il s'embrouilla et rougit de confusion.

— Je vais prendre un steak frites.

— Comment aimeriez-vous votre steak, monsieur ? demanda le garçon d'un ton moqueur.

— Eh bien, comme vous le faites d'habitude, répondit Billy, pris au dépourvu.

— Il te demande si tu le veux saignant, à point ou bien cuit, intervint Priscilla-Anne, prenant pitié de lui.

— Oh, bien cuit.

— Moi aussi, s'empressa d'ajouter Hélène.

Après avoir pris la commande de Priscilla, le garçon se tourna vers Dale. Là, le sourire narquois disparut.

— Et pour vous, monsieur ?

Dale, assis à côté d'Hélène, passa négligemment un bras autour de ses épaules et s'appuya contre la banquette.

— Moi, je prendrai un filet saignant avec des frites, des oignons et une grande salade avec une sauce au roquefort. Je suppose que vous avez une carte des vins dans cet établissement ?

— Non, monsieur.

— Bon, je vais prendre un bourbon *on the rocks* et une bière. Et toi, Tanner, que veux-tu ?

— Rien.

— Eh bien, voilà, ce sera tout, fit Dale avec un sourire ironique. Ces jolies demoiselles sont mineures.

Quand le garçon lui apporta son bourbon avec un glaçon, Dale leva son verre.

— À Hélène, dit-il en se tournant vers elle, les yeux brillants, les lèvres humides. Je n'arrive pas à croire que tu n'as que quinze ans. Tu fais tellement femme.

Son regard se posa sur ses seins.

— Priscilla chérie, pourquoi ne m'as-tu jamais dit que tu avais une amie aussi ravissante ?

Il continua son petit jeu toute la soirée, ne perdant jamais l'occasion de rabaisser Billy ou de courtiser Hélène. Billy ne dit pratiquement rien. Quand elle comprit ce qui se passait, Priscilla-Anne fit la tête, évitant systématiquement le regard d'Hélène, ébahie devant l'ampleur du désastre. Seul Dale semblait y prendre plaisir. Il savoura son plat et vida verre après verre. Plus il buvait, plus ses joues s'empourpraient et plus il devenait agressif.

Il s'esclaffa quand Hélène, dégoûtée par son attitude, repoussa son assiette, laissant la moitié du steak et des frites. Il la prit par les épaules et lui caressa le bras.

— Voilà pourquoi tu gardes la ligne, lui dit-il. Tu es si mince que je parie qu'avec mes deux mains je peux faire le tour de ta taille. Qu'en penses-tu, Priscilla-Anne ?

Priscilla-Anne, rouge d'indignation, but d'un trait son verre de vin. Elle portait une veste en angora rose, très serrée.

— Et si tu essayais sur moi ? C'est bien ce que tu disais, n'est-ce pas, Dale ?

Dale éclata de rire.

— Bien sûr que non, chérie. Quand je suis avec toi, c'est ailleurs que je les mets, tu le sais.

Priscilla-Anne, rassurée, ricana devant sa plaisanterie.

Hélène aussitôt se dégagea de l'emprise de Dale. Billy, qui s'était arrêté de manger, reprit son couteau et sa fourchette et se mit patiemment à couper sa viande. Le garçon vint débarrasser et leur demanda s'ils désiraient autre chose. Tous refusèrent, sauf Dale qui choisit une tarte au fromage, un autre cocktail et un café.

Quand on lui servit le café, il versa lentement de la crème sur le dos de la cuillère et la fit glisser à la surface avant de le savourer lentement. Il se tourna ensuite vers Hélène, la lèvre supérieure couverte d'un mince filet de crème.

— C'est comme ça que j'aime. Onctueux dessus, brûlant dessous, dit-il en lui adressant un sourire cajoleur et en s'étirant de tout son long.

— C'était très bon, Tanner. Merci. Excellent repas. Où travailles-tu, au fait ? Il me semble que tu n'en...

— Sur la route de Maybury, au garage Haines.

— Ne me dis pas que tu connais Eddie Haines ? Il était avec moi à l'école de Selma. C'est un des vieux prétendants de Priscilla. Tu le connais ?

— Je l'ai rencontré plusieurs fois, dit Billy en regardant Priscilla. Il est marié maintenant.

— Comme si je ne le savais pas, répondit Priscilla en hochant la tête. Il a épousé Susie Marshall qui était une classe au-dessus. Il l'a épousée juste à temps, d'après ce que j'ai entendu dire.

Dale n'écoutait pas.

— C'est curieux. Je ne savais pas que Haines engageait des Blancs. Je croyais qu'avec les salaires qu'il donne il ne trouvait que des nègres.

— Il faut croire que tu te trompais, répliqua Billy en reposant sa tasse dans la soucoupe.

— Dale entre à la faculté de droit à l'automne, s'empressa d'intervenir Priscilla pour rompre le silence qui avait suivi.

Hélène surprit le regard énervé qu'elle lança à Dale.

— Il compte ouvrir son propre cabinet ici, à Montgomery, n'est-ce pas, Dale ? Son père a largement contribué financièrement à la campagne électorale du gouverneur Wallace. Dale y a également participé. Il l'a aidé à rédiger ses discours et à faire des recherches.

— Ah vraiment ? lui demanda Billy.

Dale haussa les épaules en adressant un sourire à Priscilla.

— Eh bien, oui. Je n'ai pas véritablement écrit les discours, tu comprends. En fait, c'est moi qui leur préparais le café. Mais c'était un privilège, un honneur même. C'est un type bien, ce Wallace. Intelligent. Il sait qu'il va falloir tous les meilleurs avocats de l'État. Avec ce qui se passe en ce moment à Washington, il vaut mieux prévoir. Le gouvernement fédéral met son nez partout. Ces putains de Yankees essaient de nous dicter notre conduite. Ça me fait bouillir. Et ce Lyndon Johnson qui nous a vendus en faisant voter par le Sénat la loi sur les droits du citoyen. Il vendrait sa vieille grand-mère pour un seau de merde et il ose se dire sudiste... (Il esquissa un sourire.) Excusez-moi, mesdemoiselles, je me laisse emporter, mais mon père dit que, chaque fois qu'il entend parler des droits du citoyen, il a envie de prendre un fusil. Je réagis comme lui. Donner le droit de vote aux nègres ? Qu'ils s'asseyent à l'école sur les mêmes bancs que les Blancs ? Ça, c'est le discours des communistes et des juifs. Mais je vais vous dire une chose : jamais ça n'arrivera. Encore moins ici, en Alabama.

Il s'interrompit et jeta un coup d'œil vers Billy.

— Il ne faut pas parler de politique, Tanner, on n'a aucune envie d'ennuyer ces jeunes filles, n'est-ce pas ? Elles lèvent toutes les yeux au ciel et se mettent à bâiller dès qu'on aborde le problème.

— Veuillez m'excuser, dit Hélène en se levant rapidement.

Le visage de Billy s'était crispé. Il fixait Dale de l'autre côté de la table, mais Dale ne semblait pas le remarquer. Il fit des simagrées pour laisser passer Hélène. Priscilla se leva également, et Dale éclata de rire.

— Ne nous faites pas attendre trop longtemps.

À la seconde où la porte des toilettes fut refermée, Priscilla se précipita sur elle.

— Hélène Craig, hypocrite, tu te dis mon amie ?

Les joues empourprées, elle était au bord des larmes.

— Qu'est-ce que je t'ai fait ? C'est Dale qui me provoque. Je ne l'encourage pas.

— Ah non ? Eh bien, ce n'est pas mon avis. Certes, tu ne dis pas grand-chose et tu te tiens tranquille dans ton coin. Mais tu n'as guère besoin de faire quoi que ce soit. Tu l'aguiches simplement en le regardant. Avec les yeux que tu as, ce n'est pas étonnant. Veux-tu que je te dise ? Susie Marshall, c'est rien à côté de toi.

— Ce n'est pas vrai, s'écria Hélène en lui saisissant le bras.

Priscilla-Anne la repoussa dans un geste de colère.

— Je ne te ferai jamais ça, tu le sais très bien. Tu es mon amie.

— Je l'étais, dit-elle en hochant la tête. J'étais aveugle. Dire que je t'écoutais. J'aurais dû m'en douter. Tous les autres m'avaient prévenue. « Éloigne-toi d'Hélène Craig, me disaient-ils. Comment peux-tu être amie avec une fille pareille ? » Mais j'avais de l'affection pour toi, j'avais confiance en toi. J'avais surtout perdu la raison.

— Priscilla-Anne...

— J'ai rompu avec Eddie Haines à cause de toi, dit-elle en gémissant. Tout ça parce que j'ai suivi tes conseils stupides. « Si tu me respectais, Eddie, tu n'agirais pas ainsi. » Tu te rappelles, je suppose. On avait répété la scène dans ma chambre. Je lui ai dit, et tu sais ce qui est arrivé ? Ce fut mon dernier rendez-vous avec Eddie. Il est sorti avec Susie Marshall.

— Tu ne peux tout de même pas m'en rendre responsable ? s'exclama Hélène, incrédule devant Priscilla-Anne qui pleurait à chaudes larmes. Je ne pouvais pas deviner ce qui allait se passer. J'essayais simplement de t'aider.

— Tu crois ça ? fit-elle en se retournant vers le miroir et en fouillant dans son sac. C'est ce que je pensais, moi aussi. Mais maintenant j'ai compris. Tu as agi ainsi parce que tu voulais me voir rompre avec Eddie. Tu étais jalouse, voilà la vérité, Hélène Craig. Tu es une minable et une jalouse...

— Jalouse ? Moi ? D'Eddie Haines ? Tu plaisantes.

— Tu crois ça ?

Leurs regards se croisèrent.

— Et je suppose que tu vas me dire que tu n'es pas jalouse de Dale non plus ? Que tu préfères que ton Billy Tanner te raccompagne plutôt que lui.

Elle s'essuya les yeux avec un Kleenex et se remit du mascara. Hélène l'observait.

— C'est exact. Je ne suis jalouse ni de toi ni de Dale, Priscilla. J'aimerais t'en persuader, dit-elle en haussant les épaules. Si tu veux savoir la vérité, je ne l'aime pas beaucoup. Il est grossier, il boit et n'a vraiment rien d'attirant.

Ce n'était pas ce qu'il fallait dire. Le visage de Priscilla se durcit. Elle se tourna lentement vers Hélène.

— Ah c'est ce que tu penses ? Tu dois t'y connaître évidemment. On t'apprend de drôles de manières sur ce terrain vague, dans cette poubelle où tu vis et dont tu as tellement honte que tu ne m'as jamais invitée. Ma pauvre fille, un type comme Dale s'intéresse à toi parce que tu es mon amie. Il ne te regarderait même pas autrement. Les pauvres Blancs, il les sent à distance, comme moi d'ailleurs.

Priscilla tremblait de rage. Elle remit son bâton de mascara dans son sac, remonta la fermeture Éclair et se regarda dans la glace. Hélène, figée, avait la tête qui tournait. Priscilla, toujours tournée vers le miroir, regardait ses boucles blondes.

— Combien de fois t'a-t-il fallu le faire avec Billy Tanner pour t'offrir un endroit pareil ? dit-elle d'une voix délibérément méchante. Cinq, six, dix fois ? Tu travailles pour lui, Hélène, comme Susie Marshall nous l'a raconté l'autre jour ? C'est ça ? Combien se fait Billy ? Quarante dollars par semaine ? Quarante-cinq ? Une soirée comme celle-ci lui coûte une fortune. Tu as dû faire quelque chose de spécial. Est-ce que je me trompe ? Peut-être que tu es une femme facile, comme ta mère. Tous les hommes d'Orangeburg le savent. Ta mère n'hésite pas à onduler de la croupe pour une nouvelle robe ou pour une bouteille d'alcool. Il paraît que, lorsqu'elle boit, elle devient très drôle. J'ai toujours pensé qu'il y avait quelque chose de louche pour que tu portes une robe comme ça, dit-elle en effleurant la robe blanche d'Hélène. On doit compter sur les doigts combien d'hommes ta mère a dû s'envoyer pour te la payer.

— Ferme ta sale gueule de menteuse ! hurla Hélène en bondissant sur elle.

Mais Priscilla fut plus rapide. Elle s'enferma dans les toilettes, riant nerveusement.

— Allons, Hélène, ne sois pas furieuse. Ne me fais pas croire que tu n'étais pas au courant. Tu ne t'es jamais demandé pourquoi aucun garçon ne t'invitait en dehors de Billy Tanner, bien sûr. Qui voudrait sortir avec la fille d'une prostituée ?

Priscilla se tut. Hélène avait les yeux braqués sur la porte fermée à clé. Il fallait qu'elle sorte très vite sinon elle savait qu'elle allait éclater en sanglots ou vomir. Elle retourna à la table, comme dans un brouillard.

Dale, les joues en feu, avait commandé une autre bière.

— Allons, Tanner, tu peux bien me le dire. On le sait tous, quand un homme veut se payer du bon temps, y a rien de mieux qu'une Noire.

— Billy, emmène-moi loin d'ici.

Elle parlait d'une voix calme, mais Billy, qui avait remarqué sa mine décomposée, s'était déjà levé. La note était posée sur une petite soucoupe en plastique. Billy sortit tous ses billets et les compta un à un. Après avoir réglé, il ne lui en restait pas un seul.

Dale leur adressa un large sourire.

— Oh, vous nous laissez déjà ? Quel dommage !

Billy se pencha vers lui. Il était plus grand et plus fort que lui. Le sourire de Dale se figea.

— Un mot de plus et je te fais avaler ton dentier, t'as compris ?

Puis il prit Hélène par le bras et sortit.

Ils firent de l'auto-stop jusqu'à Orangeburg et continuèrent à pied. Juste avant d'arriver au terrain vague, Billy s'arrêta. La pleine lune éclairait le chemin bordé d'arbres et donnait un reflet particulier à son visage livide. Ses yeux bleus lançaient des éclairs, comme s'il était en colère.

Il avait le regard dans le vide et ne regardait pas Hélène.

— Tout ça va changer, fit-il brusquement. Oh oui ! ça va changer. Personne ne s'en rend compte, mais c'est en route. Il est allé à l'université. Il lit plus de livres en une semaine que moi en un an et il ne remarque rien. Comme mon père et tous les types qui vivent ici. Mais ça va changer. Tout ceci est injuste. Si je disais à mon père le fond de ma pensée, il me donnerait une gifle. Mais ça ne m'empêche pas de penser que j'ai raison. Autour de moi, je ne vois que la haine. La haine et la peur. Tout le monde se démène pour survivre et ne pas tomber plus bas. Moi, je suis tout au fond, alors je sais ce qu'on ressent. Mon père ne travaille pas depuis treize ans et il ne fait que boire. Pourtant il dit que c'est très bien comme ça. Parce qu'il sait que, quoi qu'il arrive, il ne peut tomber plus bas. Ça, c'est pour les nègres. Mon père est persuadé qu'il les déteste, mais c'est faux. Il a besoin d'eux, tu comprends, parce qu'ils sont les seuls qui soient plus pauvres que lui.

Sa voix s'apaisa. Il se tourna vers elle.

— Je voulais tellement... Je voulais tellement que tu passes une bonne soirée. Je le souhaitais de tout mon coeur, j'avais tout organisé et il a tout gâché.

— Oh, Billy, serre-moi, serre-moi fort.

Hélène se jeta dans ses bras, et il l'étreignit. Blottie contre sa poitrine, elle sentait son coeur battre. Des larmes coulèrent le long de ses joues. Elle eut l'impression de pleurer longtemps, pour sa mère, pour Billy et son père ; pour l'Alabama ; pour ses quinze ans ; parce que la lune scintillait et que la brise faisait ployer les arbres. Billy la laissa pleurer sans dire un mot. Quand enfin ses larmes cessèrent, il lui leva doucement le visage vers lui et la regarda dans les yeux.

— J'aurais souhaité que tu me sois destinée, lui dit-il tristement. Je l'ai tellement désiré dans mes prières. Ce soir, je comptais te dire ce que tu es pour moi, ce que tu as toujours été. J'espérais... Mais je me leurrais.

Ses yeux bleus de martin-pêcheur luisaient comme des étoiles.

— Parfois, j'aimerais savoir ce que nous réserve l'avenir, ce qui t'attend. Je ne sais pas où tu iras, mais je sais que c'est loin d'ici. J'aimerais tant que tu sois heureuse et aussi que tu te souviennes de moi, de tout ce que nous avons fait ensemble, des endroits où nous sommes allés.

— Billy ?

— Je t'aime, lui dit-il en lui prenant la main, depuis le premier jour où je t'ai vue. Tu étais une petite fille. Tu es si belle et puis tu es si différente des autres. Quand je te regarde, c'est comme si le soleil et la lune brillaient en même temps. C'est tout. Je voulais que tu le saches. Ça ne changera rien. Je ne te demande pas d'éprouver les mêmes sentiments.

Hélène baissa la tête. Des larmes affleuraient.

— Sais-tu ce que m'a dit Priscilla ce soir ? dit-elle sans oser le regarder. Elle a dit... que ma mère était une putain.

Billy se redressa aussitôt, tel un animal pressentant un danger. Il s'approcha d'elle.

— Oui, voilà ce qu'elle m'a dit. Elle a prétendu qu'à Orangeburg tout le monde était au courant sauf moi. Elle a dit...

Billy la prit dans ses bras.

— Oublie ce qu'elle a dit. Elle est jalouse.

— Comment l'oublier ? Tant que je vivrai, ses paroles resteront gravées dans mon esprit. Je t'en prie, Billy, dis-moi la vérité. À qui d'autre pourrais-je demander ? Est-ce vraiment ce que tout le monde raconte ?

— Les gens disent n'importe quoi, répondit-il, embarrassé. Ta mère n'est pas comme eux, toi non plus, d'ailleurs, et ils n'aiment pas ça. Ils ne peuvent supporter de...

Billy baissa soudain les yeux. Hélène sentit son coeur se glacer. Au bout d'un moment, il s'avança vers elle et lui saisit le bras.

— Tu vas m'écouter, bien m'écouter, lui dit-il. Les gens sont amenés à faire n'importe quoi quand ils n'ont pas d'argent, quand ils sont seuls et désespérés. Tu vas les condamner pour ça ? Moi, non. Qui sait si tu n'agirais pas comme eux à leur place ? Si les temps étaient très durs ? Si tu n'avais plus aucun espoir ?

Il s'interrompit.

— Ta mère t'aime, Hélène. Elle s'est toujours occupée de toi le mieux possible. Qu'importe ce qu'elle a fait.

— Mais qu'est-ce que ça a à voir avec moi ?

— Rien. Tu as ta personnalité. Tu es la jeune fille la plus belle que je connaisse. Tu es Hélène. Et je suis sûr... Je suis sûr que tu réussiras dans la vie. Tu comprends ? Tu réussiras.

Il la secoua un peu puis relâcha son emprise.

— Bon, viens maintenant, il se fait tard. Cesse de pleurer. Je vais te raccompagner.

Ils refirent le chemin inverse en silence, se faufilant à travers les champs parsemés d'arbres, dans l'herbe rare, et passèrent devant les autres roulottes plongées dans l'obscurité. Soudain, Hélène poussa un cri et se mit à courir. La porte de la roulotte était ouverte. Une lumière jaune venait se refléter dans l'herbe. La radio était en marche. De la grille, ils aperçurent sa mère qui gisait au sol.

Billy courut vers la roulotte. Hélène le suivit, et s'agenouilla près de sa mère, les yeux écarquillés, ne sachant que faire. Il émanait une odeur de vomi. Elle souleva légèrement la tête de sa mère dont les beaux yeux mauves s'ouvrirent et se refermèrent aussitôt. Elle geignait.

Billy restait figé dans cette minuscule pièce.

— Billy, qu'est-il arrivé ? Qu'a-t-elle ?

— Elle a bu, dit-il sans la moindre émotion.

Il ramassa une bouteille d'alcool vide.

— Elle a bu tout ça, ce soir ?

— Ce soir, je ne sais pas. Elle ne boit jamais... enfin je crois.

— Je vais la relever, dit Billy en se penchant.

Leurs regards se croisèrent. Il lui sourit.

— Ne t'inquiète pas, ce n'est rien. Elle va se remettre. Je sais ce qu'il faut faire.

Hélène supporta difficilement la scène dégradante et répugnante qui s'ensuivit. Sa mère ne tenant pas debout, Billy la porta en lui tenant la tête qui dodelinait. Il parvint à la faire sortir à l'air. Sa mère avait des haut-le-cœur. Hélène se boucha les oreilles, incapable d'en supporter davantage.

— Nettoie un peu tout ça, lui cria Billy à travers la porte. Elle va vomir et après elle se rendormira. À son réveil, tout rentrera dans l'ordre.

Il semblait amusé et assez gai.

Quand enfin il ramena sa mère, Hélène resta figée d'horreur. Sa mère était livide. Elle avait de gros cernes sous les yeux et sentait horriblement mauvais. Ses yeux étaient ouverts mais perdus dans le vague. Ils fixèrent Hélène, puis Billy. Elle se mit à geindre.

— J'ai refait le lit, dit Hélène à Billy.

— Très bien.

Il la prit dans ses bras, la porta dans la chambre et l'étendit avec tendresse sur le lit, comme un enfant. Il la tourna sur le côté et arrangea l'oreiller. Puis il tira le drap et la borda.

— Que dois-je lui donner ?

— Rien, ça la ferait vomir. Demain matin, elle aura des maux de tête, tu lui donneras un peu de bicarbonate.

Il prit Hélène par le bras et l'emmena gentiment dans l'autre pièce.

— C'est la première fois que cela lui arrive ?

— Oui.

— Est-ce que quelque chose l'a bouleversée ?

— Non, rien. Elle était bien quand je suis partie, ou du moins l'ai-je cru. Elle avait l'air très heureuse. Oh, Billy !

— Ne t'agite pas. C'est probablement un accident. Elle a eu un moment de cafard et tu n'étais pas là. Elle a dû prendre un verre de liqueur pour se remonter le moral et a continué de boire sans s'en rendre compte.

Il tentait de la réconforter, mais Hélène avait remarqué son embarras.

— Tu veux que je reste avec toi ?

— Non, Billy, ça va aller. Demain tu travailles. Je vais rester auprès d'elle, ne t'inquiète pas.

Billy esquissa un sourire bizarre.

— Je crois que je m'inquiéterai toujours pour toi.

Sur le seuil, Hélène lui prit timidement la main et la serra très fort.

— Merci, Billy, murmura-t-elle. Merci pour tout.

Il ne fit pas un geste, ne se pencha pas pour l'embrasser, mais s'en alla simplement. Hélène vit sa mince silhouette disparaître au clair de lune.

— Jamais je n'oublierai, Billy, jamais..., lui cria-t-elle soudain.

Mais Billy ne se retourna pas. Elle ne sut jamais s'il l'avait entendue.

Quand il disparut complètement, Hélène referma la porte. Elle repartit doucement dans la chambre et s'assit sur le lit. Elle observa sa mère, ses épaules maigres, ses cheveux grisonnants, son visage blême. Elle avait une respiration bruyante.

Un instant plus tard, elle ouvrit les yeux et fixa Hélène sans la voir.

— Mon Dieu, dit-elle d'une voix distincte, qu'ai-je fait de ma vie ?

Puis elle referma les yeux et se rendormit.

Deux jours plus tard, alors qu'Hélène rentrait de l'école sur la route d'Orangeburg, une grosse Cadillac noire décapotable passa devant elle, conduite par un homme vêtu d'une chemise blanche. À l'arrière était jeté un veston également blanc. La Cadillac s'arrêta à hauteur d'Hélène. Sourire radieux. Une main bronzée tendue.

— Hélène Craig. Comment vas-tu ?

— Bonjour, dit Hélène en prenant la main tendue.

Mais elle la retira aussitôt.

— Commandant Calvert ?

— Ned. Appelle-moi Ned, dit-il en souriant de nouveau. Il y a bien longtemps que je ne porte plus d'uniforme.

Il ouvrit la portière.

— Il fait chaud. Veux-tu que je te raccompagne ?

Hélène hésita. Au fond d'elle-même, elle sentait une excitation étrange l'envahir, comme un fruit défendu. Elle n'était jamais montée dans une Cadillac. Elle fit le tour et s'assit à côté de lui.

Il jeta un coup d'œil à sa montre, une Rolex en or avec un bracelet en cuir, puis se tourna vers Hélène.

— Il est tôt. Aimerais-tu visiter la plantation ? C'est une fin d'après-midi agréable.

Il parlait comme s'ils s'étaient quittés la veille, alors que trois ans s'étaient écoulés depuis leur dernière rencontre.

— Très bien, répondit-elle en croisant les bras.

En guise de réponse, il appuya sur l'accélérateur. La Cadillac démarra lentement ; une bouffée d'air frais s'engouffra dans la voiture. Ses cheveux flottaient au vent. Involontairement, elle poussa un soupir de joie et Ned Calvert lui sourit. Hélène l'observait à son insu. C'était le type même du sudiste avec sa stature imposante et sa belle silhouette. Quand elle était plus jeune, elle trouvait qu'il ressemblait à Clark Gable dans *Autant en emporte le vent*. En fait elle ne se trompait pas, car il avait les mêmes cheveux bruns tirés en arrière, le visage bronzé et de fines moustaches brunes ; de larges épaules, des bras puissants. Il portait une chevalière en or à la main gauche, comme les Anglais de la haute société du comté d'Orangeburg. Pourtant, il ne lui inspirait plus aucune confiance.

— J'ai quarante-trois ans, lui dit-il toujours souriant. Toi, tu dois en avoir quinze maintenant. Ah, quelle belle soirée. C'est agréable de se balader ainsi en voiture, n'est-ce pas, Hélène Craig ?

— Oui, c'est bon.

Il lui lança un bref regard et aussitôt appuya sur l'accélérateur. La voiture fit une embardée. Ils longèrent le terrain vague.

— Oui, il fait bon, et on se sent libre. J'aime conduire.

Il coupa l'autoroute à quelques kilomètres de là, contourna la plantation et traversa les champs de coton baignés de soleil. Parfois, quelques bosquets de pins et de peupliers offraient un peu d'ombre dans ce paysage plat.

— Les vendangeurs faisaient leur pause sous ces arbres, lui dit-il, à l'époque où les récoltes se faisaient à la main. La cueillette du coton est une tâche très ardue, ajouta-t-il en souriant. Quand j'étais enfant, je l'ai faite une fois chez mon vieux père. C'est moi qui avais tenu à y participer. Il avait fini par céder. Cela avait duré vingt minutes, pas plus. Je n'ai jamais voulu recommencer. Le coton t'écorche les mains, les lacère. On est vanné à la fin de la journée et on a mal au dos à force d'être penché. Ça monte tellement à la gorge qu'on a l'impression qu'on ne pourra plus jamais respirer. Les machines font le travail plus vite et plus proprement. Au début, le coût est plus élevé, mais c'est rentable par la suite. Il a fallu se recycler il y a quelques années, et je pense que, bientôt, on ne cueillera plus le coton à la main.

Il arrêta la voiture.

— Mon arrière-grand-père a construit cette plantation. Il avait, à l'époque, cinq cents esclaves qui cueillaient le coton. Moi, il ne m'en faudrait pas plus de quarante, quarante-cinq, une ou deux années de suite. Les temps changent, la vie aussi. Le Sud n'est plus ce qu'il était, du moins lorsque j'étais enfant.

Hélène lui lança un regard discret. Impossible de dire s'il appréciait ou regrettait ce changement. Quelques instants plus tard, il remit la voiture en marche. Elle avait cru qu'il gardait souvent le silence, mais là, sans même la regarder, il ne cessait d'évoquer ses problèmes de récoltes, d'insecticides, de marchandises. La tête lui tournait. Elle avait l'impression qu'il se parlait à lui-même ou qu'il entretenait un dialogue avec un étranger. Il arrêta de nouveau la voiture. À deux cents mètres de là se trouvaient deux ou trois Noirs devant quelques masures. Une fumée de bois s'échappait du toit. Soudain, il frappa le volant de sa main.

— Cent cinquante ans d'histoire. Voilà ce qu'ils n'arrivent pas à comprendre, ces satanés Yankees, là-bas à Washington. L'histoire, c'est un mode de vie qui marche. Moi je n'ai connu que ça dans mon enfance. Je sais de quoi je parle, dit-il en désignant les masures. Regarde. C'est mon père qui les a construites. Elles m'appartiennent. C'est moi qui m'occupe de réparer les toits, de mettre des pompes pour l'approvisionnement d'eau. Donnez-leur un salaire plus élevé et ils le dépenseront en allant se soûler. Voilà pourquoi j'agis comme mon père et mon grand-père avant lui. Ils ont besoin de consulter un médecin, je leur prends rendez-vous. Ils ont faim, je leur procure des victuailles. Ils sont heureux : cela, ils ne veulent pas le comprendre dans le Nord.

Il s'interrompit et lui désigna quelque chose dans le lointain. Hélène apercevait simplement le toit blanc de la vaste demeure au-delà de la frondaison qui se détachait dans le ciel.

Ned Calvert se tourna vers elle.

— Je suppose que tu reconnais le drapeau ?

— Bien sûr, répondit-elle avec dédain. C'est celui des confédérés.

— Mon grand-père l'a hissé, dit-il en ricanant, mon père a perpétué la tradition et je ne compte pas le redescendre.

— N'avez-vous pas de fils ? lui demanda-t-elle d'une voix douce.

— Quoi ?

Il la fixa avec étonnement, le front plissé, puis soudain éclata de rire.

— Tu es directe, cela me plaît. Non, je n'ai pas de fils, mais ma vie n'est pas terminée, dit-il en se penchant pour lui ouvrir la porte.

Elle sentit la chaleur de sa peau.

— Sors. Je vais te faire visiter la plantation.

Il fit le tour et s'approcha d'elle.

— N'oublie pas qu'on ne serre pas la main à un Noir. Il ne comprendrait pas.

— Ta mère va bien ? lui demanda-t-il en empruntant un chemin sinueux qui longeait les champs pour la ramener chez elle.

La question, posée brusquement après un long silence, la fit sursauter. Elle sentit ses mains se crisper.

— Oui, très bien. Un peu fatiguée, peut-être. Elle ne supporte pas la chaleur.

— Très bien. C'était une simple question. Mme Calvert l'attendait samedi, comme à l'accoutumée, pour la coiffer et elle n'est pas venue. Elle ne s'est même pas excusée, ce qui n'est pas dans ses habitudes. Aussi voulais-je savoir si elle n'était pas malade, si vous alliez bien toutes les deux.

Il avait l'air particulièrement tendu. Après la réponse d'Hélène, il parut soulagé. Elle se demanda s'il n'avait pas eu vent de quelque rumeur, mais elle chassa cette idée de son esprit. Il ne pouvait pas savoir qu'elle s'était enivrée. Elle était la seule à le savoir avec Billy et pouvait compter sur lui pour garder le secret.

— Veux-tu boire quelque chose, Hélène Craig ?

Elle tressaillit, se sentant de nouveau bizarrement excitée.

Il ralentit et se tourna vers elle.

— Chez vous ?

— Non, fit-il avec un sourire langoureux. Non, non, pas là-bas. Tu n'es plus une enfant, ma femme ne comprendrait pas. Il faut dire que Mme Calvert ne comprend pas grand-chose à mon sujet.

Il ouvrit la boîte à gants et en sortit un flacon en argent.

— Du bourbon. Maintenant, je suis équipé. Il n'y a rien de meilleur qu'une gorgée de bourbon sec à la fin d'une journée aussi étouffante. Tu y as déjà goûté ?

— Non.

— Alors, c'est le moment d'essayer.

Il ôta le bouchon et lui tendit le flacon. Après un instant d'hésitation, elle en versa dans un verre. Elle eut l'impression d'avoir la gorge en feu. Elle avala une autre gorgée et faillit s'étouffer.

Ned Calvert éclata de rire.

— Qu'en penses-tu ?

Hélène eut un sourire forcé.

— Mme Calvert, qu'est-ce qu'elle ne comprend pas ?

— Des tas de choses.

Il lui prit la fiole des mains et but d'un trait en renversant la tête en arrière. Elle remarqua son cou bronzé.

— Je te le dirai un jour.

Il arrêta la voiture et freina.

— Tu sais où tu es ? Tu vois le cyprès, là-bas ? Nous sommes juste derrière la crique où tu allais te baigner.

Il se pencha et lui ouvrit la portière.

— Viens, on va s'étendre un instant. Ce serait bon, tu ne crois pas ? d'aller se reposer à l'ombre. Je connais un endroit délicieux.

Il replaça la fiole dans la poche-revolver de son pantalon. Quand Hélène descendit de la voiture, il lui prit la main et ils se promenèrent en balançant les bras. Après la chaleur étouffante du soleil, il leur fut agréable de trouver un peu d'ombre. Un bruant passa dans les arbres au-dessus de leur tête, puis s'élança vers la lumière. Ils avançaient au milieu de la forêt.

La crique se trouvait un peu plus loin sur la droite. Elle avait le cœur battant. Ils débouchèrent sur un terrain broussailleux. Devant eux se dressait le petit pavillon.

Après avoir jeté un coup d'œil furtif alentour, il la fit entrer. Il y avait trois bancs rudimentaires encastrés dans le mur latéral et une porte ouverte à moitié obscurcie par des plantes grimpantes. Il s'assit et lui fit signe de venir à côté de lui.

— Ici, il fait frais, et c'est d'un calme ! Personne n'y vient jamais. J'ai toujours aimé cet endroit. Encore un peu de bourbon ?

Hélène s'assit près de lui avec une certaine méfiance. Elle prit la fiole et en but une gorgée. Ned Calvert ne la quittait pas des yeux. Elle remarqua qu'il avait la même expression qu'autrefois dans le salon. Il la dévorait du regard.

— J'ai entendu parler de toi, Hélène Craig.

Il lui prit la fiole et but une gorgée de plus.

— De moi ?

Il reposa la fiole et posa son regard sur elle.

— On m'a dit que tu sortais avec le petit Tanner, celui qui travaille au garage Haines, dit-il d'une voix très calme.

— Billy ? dit-elle, surprise. Qui vous a dit cela ?

— Je l'ai simplement entendu dire. Les gens parlent beaucoup. Je voulais te prévenir. Tu ne devrais plus fréquenter ce garçon.

— Billy ? Pourquoi ?

— Il n'est pas pour toi. Ni pour n'importe quelle Blanche convenable qui veuille garder sa dignité.

— Je respecte Billy et j'ai de l'amitié pour lui.

— J'en suis sûr, j'en suis sûr, fit-il en soupirant. Mais tu es encore jeune. Avec ta mère qui a des manières plus anglaises qu'américaines, il t'est peut-être difficile de comprendre la situation. Je te demande simplement de te montrer prudente, je ne voudrais pas que tu souffres, c'est tout.

— Que je souffre, moi ? À cause de Billy ? Il ne me ferait jamais une chose pareille, dit-elle, offensée.

— Peut-être pas lui directement, je suis sûr que c'est un gentil garçon, peut-être pas très intelligent. Il se mêle de ce qui ne le regarde pas, certainement sans mauvaises intentions. Tu dois avoir raison sur ce plan-là. Je voulais te le dire pour ne pas que tu fasses fausse route. Billy a de curieux amis. Il t'en a parlé ? Il t'a dit qu'il avait des amis noirs qui travaillent avec lui au garage Haines ?

Il y eut un court silence. Hélène le regarda droit dans les yeux.

— Des Noirs ? Non, Billy ne m'en a jamais parlé.

— Ah ! tu vois. Et pourquoi, à ton avis ? Parce qu'il a honte. Au fond de lui, il sait qu'il a tort, qu'il est des chemins que les Blancs ne doivent pas emprunter. Les gens d'ici ne le supporteraient pas. Tu sais comment ils appellent les garçons comme Billy ? Les négrophiles. Tu as déjà entendu ce terme ?

— Bien sûr.

— Je suppose que tu n'as pas envie qu'on traite ainsi ton Billy.

Il épousseta son pantalon blanc et leva la tête vers la porte.

— On a vu Billy leur parler, déjeuner avec eux. Il les a même accompagnés dans un restaurant noir l'autre jour, comme s'il oubliait la couleur de sa peau.

Le ton montait.

— Les gens n'aiment pas ça. Pour le moment, personne ne dit rien, mais cela ne va pas durer. Je pressens des ennuis. J'ai vécu ici toute ma vie, je connais leurs réactions.

Il se tourna vers elle et baissa le ton. Hélène, le regard un peu dans le vague, commençait à avoir peur.

— Tu ne veux pas qu'on fasse de mal à Billy, n'est-ce pas ?

— Oh non !

— Alors, peut-être devrais-tu le prévenir. Parle-lui de notre conversation. Dis-lui de se rappeler qui il est, avant qu'il ne soit trop tard. Ensuite, tiens-toi à l'écart. Ta maman n'a pas beaucoup d'amis dans le coin, tu le sais ?

— Oui.

Les paroles de Priscilla résonnèrent à ses oreilles. Elle se sentit rougir. Il avait les yeux fixés sur elle.

— Les gens d'ici parlent d'elle. Mme Calvert et moi ne prêtons pas grande attention à ce qu'ils racontent, mais toi, tu ne voudrais pas qu'on dise de méchantes choses sur toi, n'est-ce pas ?

— Non, dit-elle, les joues empourprées.

— Bon, fit-il en lui tendant la fiole de whisky, que cela ne te bouleverse pas outre mesure. Encore une gorgée.

Elle but cette fois plus longuement. Le bourbon lui brûla l'estomac. Elle ferma les yeux, puis les rouvrit de nouveau. Elle avait l'esprit embrouillé. Des bouffées de chaleur l'envahissaient. Il déployait une grande gentillesse à son égard. Sa mère, puis Billy maintenant, c'était trop d'un seul coup. Il semblait pourtant sincère.

— Tu as les lèvres humides de bourbon, Hélène Craig. Il faut que je t'apprenne à boire du whisky à la bouteille.

Il s'approcha, se pencha vers elle et lui passa un bras autour des épaules. Ses lèvres étaient toutes proches des siennes.

— Oui, très humides, lui dit-il.

Sa voix s'était faite soudain languissante. Lentement, mais avec assurance, il plaqua sa bouche encore humide sur ses lèvres. Elle le sentit esquisser un sourire tandis qu'il l'embrassait. Il lui passa la langue sur les lèvres, la força à entrouvrir les siennes, l'embrassant d'abord langoureusement puis avec une vigueur croissante, lui suçant les lèvres, la langue. Il était tendu.

— Ouvre tes lèvres, encore, encore. Oui...

Il explorait sa bouche de sa langue. Hélène avait la tête qui tournait. Des images, des mots, des paroles lancées par Susie Marshall et confirmées par Priscilla lui revenaient en mémoire. Elle vibrait sous ses caresses tandis qu'il lui effleurait les seins. Une odeur d'eau de Cologne, de menthe et de bourbon se mêlait à celle de sa transpiration. Elle ferma les yeux et se laissa aller. Il relâcha son étreinte tout en continuant à lui caresser la poitrine.

— Tu fais la même chose avec Billy Tanner ? Ou avec un autre ?

Hélène secoua la tête.

— C'est ce que je pensais. Sais-tu que j'attends ce moment depuis longtemps ? Tu me hantais, mais je savais que mon attente serait un jour récompensée. Tu t'en doutais, n'est-ce pas ? Même quand tu n'étais qu'une petite fille. Je l'avais lu dans ton regard.

Il l'attira de nouveau à lui et l'embrassa avec fougue. Hélène sentit des frissons la parcourir.

— Défais ton chemisier, chérie, laisse-moi te contempler.

Tout en parlant, il essayait de lui déboutonner son chemisier.

Hélène tenta de lui résister.

— Non, je vous en prie, il ne faut pas, ce n'est pas bien.

— Je t'ai vue, fit-il en lui écartant les mains. Il y a trois ans. Je t'ai vue te caresser et lancer un regard apeuré autour de toi pour t'assurer que personne ne te regardait. C'est ce que tu voulais quand tu n'avais que douze ans ? Tu y pensais et... doux Jésus ! laisse-moi voir tes seins.

Il défit le dernier bouton, et le chemisier se déchira. Il le lui arracha violemment et essaya de lui dégrafer son soutien-gorge.

— Non, je vous en supplie, je veux partir. Il ne faut pas.

Il était parvenu à ses fins. Il défit les bretelles et lui ôta complètement son soutien-gorge. Ses seins, aux bouts incarnats qui faisaient ressortir leur pâleur, étaient dressés. Il soupira longuement. Elle voulut se cacher la poitrine, mais elle avait le geste lent, l'esprit embrouillé. Il lui écarta les mains facilement et se pencha vers elle, les lèvres écartées et humides.

— Tu es grande, belle, élancée. Tu me rends fou, j'ai envie de te voir, de te toucher. Te rends-tu compte quel désir tu peux éveiller chez un homme ? Laisse-moi simplement te regarder, sentir la douceur de ta peau. Il effleura le bout de son sein. Hélène gémit.

— Tu vois, c'est bon. N'aie pas peur. C'est mou et, sous mes caresses, ils peuvent devenir fermes. Comme ça.

Elle sentit la douceur de ses lèvres sur son corps. Il lui lécha les mamelons, le cœur battant.

— Tu sens ? Tu sens ?

Il sentit ses seins se durcir sous sa langue. Hélène, submergée d'un plaisir soudain, se cambra involontairement. Ses lèvres prirent de nouveau possession de son corps avec avidité. Il lui lécha un sein, puis l'autre, agissant exactement comme ses amies le lui avaient raconté. Toutes les idées qui avaient traversé son esprit depuis des années se concrétisaient. Des bouffées de chaleur l'envahissaient, comme lorsqu'elle ne parvenait pas à s'endormir lorsqu'elle était enfant. Elle savait que c'était mal de ressentir un tel désir, mais son plaisir n'en était que plus grand.

Il leva les yeux vers elle, les mains toujours posées sur sa poitrine, la bouche encore humide.

— Tu aimes ? C'est bon ? Dis-moi ce que tu ressens. Tu vois l'effet que tu as sur moi ? Touche. Viens plus près. Mets-toi sur moi.

Il resserra son étreinte, la hissa maladroitement sur lui en lui écartant les jambes. Il haletait au point de pouvoir à peine parler.

— Tu sens, maintenant, dit-il en lui faisant toucher son membre dressé. Regarde comme il est dur. Tu as déjà fait ça avec d'autres ? Tu es si belle, si belle, que même sans te toucher, rien qu'à te regarder, ma verge se durcit. Touche-moi. Donne-moi ta main et caresse juste le bout. Tu vois ? N'aie pas peur. C'est bon, n'est-ce pas ?

Il lui prit la main et la guida dans son pantalon blanc, sur sa verge, puis sur le gland. Hélène en avait le vertige. Tout tournait autour d'elle.

— Tu vas bien, chérie ?

Elle le sentit soudain tendu, le ton de sa voix avait changé. Il la saisit par les épaules et la secoua violemment.

— Tu vas bien ? Ne t'évanouis pas. Mon Dieu, merde ! Hélène... regarde-moi...

— Je vais vomir.

Elle avait l'impression que sa propre voix venait de très loin. Un frisson glacial la parcourut, elle se sentait toute flasque.

— Hé ! écarte-toi.

Il la poussa tout en la tenant pour la faire sortir du pavillon. Elle tomba à genoux près des buissons avant de rejeter tout le bourbon qu'elle avait ingurgité.

Heureusement, il s'était éloigné. À la seconde où elle s'était sentie mal, il était retourné au pavillon. Une fois soulagée, elle resta accroupie un instant, tremblante, honteuse, l'esprit à nouveau limpide, bouillonnant d'images et de paroles. Quelques instants plus tard, elle se releva, un peu vacillante. Il était revenu et, de la porte, l'observait, son soutien-gorge et son chemisier à la main. Elle n'osait pas le regarder.

— Ça va mieux ?

Sa voix avait retrouvé son timbre habituel et il avait l'air presque jovial.

— Bon, reviens ici et rhabille-toi. Ensuite je te ramènerai chez toi.

Elle entra dans le pavillon, où il l'aida à enfiler son soutien-gorge et à boutonner son chemisier. Puis il ouvrit de nouveau la fiole de whisky.

— Rince-toi la bouche, ensuite crache. Tu te sentiras bien mieux.

Hélène s'exécuta, puis elle leva les yeux vers lui pour la première fois.

Il eut un sourire forcé.

— Tu as un peu trop bu, c'est tout. Avec l'estomac vide, c'est normal. Tu te sens mieux, maintenant ?

— Oui.

— Assieds-toi. Je veux que tu m'écoutes. Je ne vais plus te toucher, chérie.

Elle s'assit en tremblant. Il resta debout devant elle.

— Je ne pensais pas que le bourbon pouvait avoir un tel effet sur toi. J'avais oublié que c'est souvent le cas, la première fois.

Hélène leva lentement les yeux vers lui. Elle savait que ce n'était pas du whisky qu'il voulait parler.

Il s'essuya le front. De grosses gouttes de sueur perlaient.

— Je crois que j'ai un peu perdu la tête et que je t'ai fait peur. J'en suis désolé, chérie.

Comme encouragé par son silence, il vint s'asseoir auprès d'elle, mais pas trop près. Au bout d'un moment, il lui prit la main.

— Es-tu fâchée contre moi, Hélène ? Jamais plus cela ne se reproduira, je te le promets. C'est dur de comprendre, mais quand un homme se trouve seul en face d'une fille... enfin d'une femme comme toi... quand il attend cet instant depuis si longtemps, il n'est pas si facile de se comporter comme il se doit. Comprends-tu au moins cela ?

— Je crois.

— Eh bien, vois-tu, chérie, c'est la vérité, dit-il avec une pointe d'exaspération. Je suis un homme, Hélène, et j'ai des désirs, des besoins, comme tous les hommes. Les femmes, elles, ne se comportent pas toutes de la même manière. Parfois, elles ne veulent pas se laisser caresser, embrasser, et, pour un homme, c'est très dur, Hélène, de se retenir. Il refoule ses désirs et a l'impression de n'être ni vivant ni mort. Sans vouloir offenser Mme Calvert, je dois te dire que nous sommes mariés depuis des années, oui, des années. Et je t'avoue que je suis malheureux.

— Vous, malheureux ?

— C'est la stricte vérité.

— Vous voulez dire que vous n'aimez plus Mme Calvert ?

— Ce n'est pas tout à fait exact. J'admire ma femme et ne voudrais pour rien au monde la blesser mais, pour être clair, j'éprouve à ton égard des sentiments plus forts.

— À mon égard ? dit Hélène, ébahie.

Il s'accroupit devant elle et lui prit les mains dans les siennes. Leurs regards se croisèrent.

— Je tenais à te le dire, fit-il, un sourire aux lèvres. Crois-tu que je t'amènerais ici, que je t'embrasserais, te ferais toutes ces choses si je n'avais pas une profonde admiration pour toi ? Si tu ne m'avais pas rendu complètement fou au point de ne plus pouvoir me contrôler ? Peut-être que, si on ne m'avait rien dit à propos de Billy Tanner, j'aurais pu me retenir mais, dès que je l'ai appris, Hélène, j'ai éprouvé un tel sentiment de colère, de jalousie, que mon esprit n'était plus à même de réfléchir logiquement.

— Vous êtes jaloux de Billy Tanner ? Vous ?

Incrédule, elle le regardait hocher la tête.

— Oui. Quel homme ne le serait pas en pensant que celle qu'il aime sort avec un autre ?

Hélène se leva lentement.

— C'est impossible, impossible.

Il se précipita vers elle et la prit dans ses bras. Quand il relâcha son étreinte, il la regarda droit dans les yeux.

— Crois-tu que je te mentirais ? lui dit-il, les bras passés autour de sa taille. Je ne suis pas homme à raconter des histoires, surtout dans ce domaine. Je serais fou à l'idée que tu puisses avoir une telle pensée. Maintenant, écoute-moi. Je sais que je me suis mal conduit. Je me suis laissé emporter, mais je veux que tu me dises que tu as envie de me revoir. De temps à autre. Simplement pour avoir le plaisir de te regarder, de bavarder, d'aller faire une promenade en voiture, comme aujourd'hui. Rien de plus. Il n'y a pas de mal à cela.

— Je suppose que non. Si nous nous arrêtons là.

Hélène hésita, l'esprit assailli de mille doutes.

Pourtant, il avait pris un air suppliant.

— Jeudi, lui dit-il, je pourrais te prendre juste après l'école sur la route d'Orangeburg. Nous pourrions aller nous promener, ensuite je te raccompagnerai chez toi. Tu ne dois rien dire à personne. C'est un secret entre toi et moi. Tu ne vas pas en parler ? Je suppose que tu ne diras rien à ta mère.

Hélène lui prit sa jupe des mains en soupirant.

— Non, je lui parle peu ces temps-ci. Ce n'est plus comme avant.

Il poussa un soupir de soulagement.

— Jeudi, alors. Promets-moi, donne-moi cette joie.

— Très bien. Peut-être. Mais vous tiendrez votre promesse ? Une simple promenade ?

— Promis. Juré, Hélène.

Ses lèvres effleurèrent ses cheveux.

— Tu es la plus belle créature que j'aie jamais vue. Maintenant, viens, je vais te ramener. Je te laisserai juste devant le terrain vague, d'accord ?

ÉDOUARD

Oxford, Algérie, France, 1949-1958

— Dites-lui que j'arrive.

— Tout de suite, madame ?

— Enfin presque. Je me trouve à Londres. Dans mon bain, à vrai dire. Mais je vais sauter dans ma voiture et je serai à Londres en un clin d'œil.

— Bien, madame.

— Il est là, je suppose ?

— Oui, madame, il passe ses examens la semaine prochaine.

La réponse était faite à dessein. Il y eut un soupir en guise de réponse de l'autre côté de la ligne.

— Quelle horreur ! Dans ce cas, je vais me dépêcher.

Elle reposa l'appareil. M. Bullins, concierge de Magdalen College depuis quarante ans, mit son chapeau melon et arbora l'expression débonnaire qu'il prenait toujours en pareilles circonstances. Il emprunta l'escalier 111 de la cour Saint Swithun où E. A. J. de Chavigny avait l'une des chambres les plus recherchées de l'université. Dans la chambre au-dessous se trouvait H. J. E. Dudley, lord Sayle, et, au-dessus, logeait l'honorable C. V. T. Glendinning. Les titres de ces jeunes aristocrates n'apparaissaient pas sur les plaques qui portaient leur nom, au pied de l'escalier. De telles pratiques étaient autorisées dans certaines facultés d'Oxford, mais pas à Magdalen, songeait avec fierté M. Bullins. À ses yeux, c'était non seulement la plus belle, mais aussi la plus cotée.

Il monta donc au premier étage et, trouvant la porte extérieure ouverte, frappa à celle qui donnait directement dans la chambre.

Édouard de Chavigny était affalé dans un fauteuil, en tenue de cricket, un exemplaire du *Traité de la monnaie*, de John Maynard Keynes, sur les genoux. Il ne semblait pas absorbé par sa lecture. M. Bullins avait une certaine admiration pour lui. À Magdalen, l'on était certain que, sauf imprévu, M. de Chavigny obtiendrait une mention « Très Bien » à son diplôme de sciences politiques. Ce qui était encore plus remarquable, compte tenu qu'il était français, c'était qu'il ne semblait pas déployer de gros efforts et agissait tout naturellement, avec la plus grande modestie, comme il convenait à un aristocrate anglais.

La guerre avait eu, selon M. Bullins, un effet regrettable sur Oxford et même Magdalen. Bon nombre d'étudiants avaient plus de vingt ans, leurs études ayant été retardées à cause de la guerre. Ces jeunes gens qui, pour la plupart, avaient combattu étaient taciturnes, sérieux, travailleurs, mais n'adoptaient pas, à ses yeux, l'attitude du parfait gentleman. Sauf Édouard de Chavigny. Bel athlète, il était particulièrement doué pour le cricket et l'aviron. La sélection pour le « huit » d'Oxford lui avait échappé de peu. Il prenait la parole avec brio aux débats des syndicats, jouait dans la compagnie d'art dramatique de l'université et savait apprécier les joies de la vie. Il donnait des réceptions où le champagne coulait à flots, invitait à déjeuner dans ses appartements des jeunes femmes que M. Bullins reconnaissait pour avoir vu leurs photos dans des magazines comme *Tatler*, qui était sa lecture préférée. Il était toujours vêtu avec une élégance sobre. Très beau, doté d'un grand charme, il se montrait généreux envers son serviteur et envers M. Bullins. Bref, M. Bullins lui vouait une profonde admiration et, chose rare, avait également une grande affection pour lui. Il irait loin, ce jeune homme, se disait-il, souhaitant suivre sa progression dans la vie.

Il s'éclaircit la voix pour attirer son attention.

— Lady Isobel Herbert vient de téléphoner, monsieur. Elle vous fait dire qu'elle est dans son bain, monsieur, mais qu'elle arrive.

Il délivra son message à 10 heures et demie du matin.

Lady Isobel avait une notion du temps assez élastique. Elle arriva à Magdalen dans sa Bentley à 3 heures et quart de l'après-midi. Édouard, qui avait eu le temps de réfléchir, était pourtant surpris de sa venue. Il ne voyait aucune raison particulière à sa visite. Depuis qu'elle avait rompu ses fiançailles avec Jean-Paul, quelques années auparavant, il ne l'avait rencontrée que dans des bals à Londres ou chez des amis en week-end, mais ils n'avaient échangé que quelques paroles brèves. Elle ne lui avait jamais rendu visite à Oxford auparavant, et depuis la guerre, à Londres, il ne s'était jamais trouvé seul avec elle. Il supposait que c'était encore une de ses lubies, et Dieu sait si elle en avait. Quelques accointances avec le parti communiste, pour le simple plaisir de choquer, un scandale évité de justesse à propos d'un divorce impliquant un membre important du Parlement. Au moins deux fiançailles rompues, d'abord avec l'un des as de l'aviation, héros de la bataille d'Angleterre, puis avec un comte italien, pilote de course mondialement connu. Isobel semblait aimer le danger par personne interposée. Pourquoi donc venait-elle ?

Elle entra dans sa chambre sans frapper, vêtue d'une robe de soie vert émeraude, ornée des perles de Conway, et sans chapeau. Le soleil accentuait l'éclat de sa chevelure. Elle s'avança souriante vers Édouard, qui se leva aussitôt.

— Dites-moi, cher Édouard, avez-vous appris à faire des cocktails ?

Il comprit aussitôt le but de sa visite.

Elle but d'un trait deux Martinis secs, refusant toute collation. Puis elle alluma une cigarette et alla s'asseoir sur une banquette dans l'embrasure de la fenêtre.

Édouard ne bougeait pas.

— Allez-vous réussir votre diplôme ? J'ai entendu dire que vous étiez très brillant.

— Peut-être.

— Hugo prétend que c'est une certitude. Je l'ai rencontré par hasard l'autre jour.

— Comment va-t-il ?

— Très bien. En fait... moyennement. Je crois qu'il est malheureux, un peu perdu. Il a l'impression d'avoir gâché sa vie, de ne pas avoir fait tout ce qu'il aurait dû, de ne pas avoir rempli sa promesse. Oh ! il a comme tout le monde des hauts et des bas.

Elle jeta négligemment de la cendre par la fenêtre, l'air perplexe.

— Comment va Jean ? Toujours dans l'armée ?

— Oui, mais il n'est pas dans l'active, il travaille dans les bureaux. Il se peut qu'on l'affecte en Indochine. C'est dans l'ordre des choses. Il passe presque toutes ses permissions en Algérie, dans nos vignobles. C'est un pays qu'il aime bien.

— Qui s'occupe des boutiques en son absence ?

— Moi, répondit Édouard en haussant les épaules, chaque fois que je reviens d'Oxford.

— Vous comptez continuer ?

— Oui. Jean n'a guère de temps libre, et je crois être capable de diriger l'affaire. Depuis la mort de notre père, rien n'a évolué. Il faut axer nos efforts sur le développement, l'expansion.

— Jean me manque parfois, dit-elle en se levant. Il m'amusait. Je crois que je ne me suis pas très bien conduite envers lui. L'émeraude me manque aussi, je dois dire. Vous savez combien j'y tenais.

Leurs regards se croisèrent. Elle lui adressa un large sourire.

— Cette pierre porte malheur, dit Édouard d'un ton hésitant. Je ne voulais pas vous le dire quand vous l'aviez choisie. Mais c'est ce qu'on raconte.

— Ah bon ? dit-elle en le regardant droit dans les yeux. Cela expliquerait bon nombre de choses.

Elle se tourna vers la porte qui se trouvait à l'extrémité de la pièce.

— C'est votre chambre ?

— Oui.

— Bien.

Elle se dirigea vers la porte et entra dans sa chambre. Après un court silence, elle l'appela. Il s'approcha d'elle lentement tout en l'observant.

La robe vert émeraude gisait par terre, et Isobel était allongée, nue, sur le petit lit étroit, les cheveux ébouriffés, un petit triangle de poils roux entre les cuisses et les perles de Conway lovées entre ses petits seins blancs.

— Cher Édouard, vous ne m'en voulez pas, n'est-ce pas ? Il y a des années que j'attendais cet instant.

Ses yeux verts de chatte lançaient des éclairs.

— Je vais me marier, Édouard. Vous l'ai-je dit ? Avec le pilote de course, finalement. La semaine prochaine sans doute, après l'un des grands prix auxquels il participe. S'il ne se tue pas avant, bien entendu. Voilà pourquoi il faut que je me marie très vite. Je ne l'épouserais certainement pas si je n'avais...

Édouard vint s'asseoir auprès d'elle et lui prit la main.

— Ne vous inquiétez pas, lui dit-elle en souriant. J'ai mis un diaphragme avant de quitter Londres. On m'a dit que vous ne vous en apercevriez même pas.

Il se pencha et effleura doucement ses lèvres, puis il se redressa et lui tapota la joue.

— Vous pleurez.

— Un peu, c'est probablement l'attente. Dites-moi, cher Édouard, vous étiez au courant, n'est-ce pas ?

— Je crois que oui.

— Tant mieux, cela nous facilitera les choses. Cher Édouard, me permettez-vous de ne pas détourner la tête pendant que vous vous déshabillez ?

Édouard sourit en ôtant ses vêtement tandis qu'Isobel se recroquevillait comme une chatte dans le lit. Elle écarta les couvertures et le fit glisser près d'elle.

— Cher Édouard, ne m'embrassez pas, pas encore. Oubliez les préambules, je suis prête. J'étais déjà mouillée après avoir bu mon premier

Martini. Vous avez la verge la plus belle que j'aie jamais vue, oui, la plus belle. Je veux simplement...

D'un geste félin, elle se mit à califourchon, raide, son corps aussi souple et diaphane qu'une liane. Puis elle saisit son pénis d'une main habile et le guida entre ses cuisses. Il sentit sa toison humide, son ouverture étroite. Sans le quitter des yeux, d'une simple pulsion, elle s'empala sur son sexe.

— Cher Édouard, je vais jouir sur-le-champ si vous bougez à peine. Oh oui !...

Il remua, et elle gémit de plaisir. Puis il l'embrassa.

Ils firent l'amour tout l'après-midi. Parfois, elle se faisait langoureusement chatte et parfois se cambrait, toutes griffes dehors. Édouard déversa sa sève dans un frisson de plaisir, et l'après-midi s'écoula comme dans un rêve.

Le crépuscule tomba. Il baisa ses cuisses humides, sa bouche. Isobel le regardait de ses yeux à l'éclat d'émeraude, sans la moindre larme, cette fois.

— Cher Édouard, j'ai pour vous un amour un peu particulier. Je savais que vous alliez me comprendre. Je n'ai pas mal agi, n'est-ce pas ?

— Certainement pas, lui répondit-il en souriant.

— M'aimez-vous ? Moi, j'ai toujours eu une profonde affection à votre égard.

— Oui, lui dit-il en l'embrassant tendrement, j'ai toujours eu un penchant pour vous.

— J'en suis heureuse, je préfère l'affection à l'amour. Bien, maintenant je dois rentrer.

Elle se leva d'un bond avec cette grâce qui l'avait toujours séduit et enfila sa robe verte.

— Je vous enverrai un morceau de la pièce montée recouverte de cet horrible sucre glace dont les pâtissiers sont si fiers. J'adore ces petites boîtes entourées de papier dentelle dans lesquelles elles sont présentées. Vous pourrez la goûter avant vos examens, il paraît que le gâteau de mariage porte chance. Ainsi, vous serez certain de réussir et...

— Isobel.

— Si je reste une minute de plus, je vais me remettre à pleurer. Ce serait de mauvais goût. Au revoir, cher Édouard, prenez soin de vous.

La semaine suivante, il lui envoya un télégramme : MERCI POUR LE GÂTEAU, ÉDOUARD. Trois mois plus tard, quand les résultats des examens d'Oxford et de Cambridge parurent dans le *Times*, il reçut un télégramme chez lui, à Saint-Cloud. RAVIE QUE VOUS L'AYEZ MANGÉ. ISOBEL.

Il n'entendit plus parler d'elle pendant huit ans.

Lorsque Édouard quitta Oxford et retourna en France pour s'occuper de la gestion de la société de Chavigny, il fut atterré par ce qu'il trouva. Tout en faisant ses études à Oxford, il venait passer ses vacances en France. Ses séjours relativement courts ne lui avaient pas permis de se rendre compte de la situation désastreuse de la société depuis la mort de son père.

« Vas-y, petit frère, lui avait dit Jean-Paul. Tu verras comme c'est ennuyeux. »

Avec l'assentiment de Jean-Paul, il avait donc repris les affaires en main : la société de joaillerie, les ateliers et boutiques en Europe et en Amérique, les propriétés et vignobles de la Loire et d'Algérie, les titres en Bourse, les capitaux, les propriétés que le baron avait gardées en France et à l'étranger. Partout, c'était la même chose : des employés âgés qui essayaient de mener les affaires comme le baron l'aurait souhaité, réticents à toute modernisation, à toute initiative, et par là même empêchant l'affaire de prospérer et laissant les problèmes s'accumuler. Nul sang neuf n'était venu donner une impulsion nouvelle à la société. Partout, Édouard ne trouva que stagnation et apathie. C'était comme si on avait laissé une grosse machine se détériorer petit à petit sans en prendre le moindre soin.

Après l'exécution du baron, le haut commandement allemand avait réquisitionné la maison, les jardins et la belle demeure de Saint-Cloud datant du XVIIe siècle pour y loger ses troupes. Cela, Édouard le savait, mais il ne parvenait pas à comprendre pourquoi, depuis toutes ces années d'après-guerre, Jean-Paul n'avait pas essayé de restaurer la maison. Il s'était arrangé un petit appartement dans l'aile réservée aux domestiques et avait laissé tout le reste de la demeure en l'état. Le toit était sérieusement endommagé, les plafonds sculptés délabrés, la maison, envahie de souris, sentait l'humidité. Presque toutes les rampes des escaliers avaient été sciées pour servir de bois de chauffage. Les murs lambrissés étaient couverts d'initiales et de graffiti obscènes. Les rares meubles encore en place avaient été saccagés.

Les vieux serviteurs avaient tenté de nettoyer la maison pour son arrivée. Il en fit le tour en silence, passant en revue la chambre de son père, le bureau, les appartements de sa mère, la bibliothèque, le petit salon, les six salles de réception et les vingt chambres. Bien que les sols eussent été lavés, tout était dans un piteux état.

Édouard sentait les larmes lui monter aux yeux. Après avoir constaté l'état de délabrement des lieux, sa mère avait décidé que c'était au-delà de ses forces et était allée s'installer dans le plus beau quartier de la ville. Elle déclara que, de toute façon, c'était beaucoup plus pratique pour elle et qu'à Saint-Cloud les souvenirs étaient trop pénibles. Quand Édouard lui demanda des explications, elle haussa les épaules, visiblement agacée.

— Je ne m'y rends pratiquement jamais, je n'en ai guère le temps. C'est loin de tout, Édouard. Il vaut mieux laisser tomber.

La situation était identique dans les domaines de la Loire, au château des Chavigny où le fameux salon aux miroirs, construit par le septième baron de Chavigny, avait servi de stand de tir. Même chose dans les vignobles : la production de vin avait été arrêtée pendant la guerre ; des hectares de terre avaient été décimés par la maladie ; certains avaient tenté de façon sporadique et sans organisation aucune de relancer la production de vin après la guerre. Ce fut un échec. Édouard goûta avec aversion certains vins aigres et ordonna qu'on se débarrasse sur-le-champ de tout le stock emmagasiné dans la cave.

— Mais, monsieur, qu'allons-nous en faire ? lui demanda le vieux régisseur en jetant un regard désespéré dans la cave.

— Peu importe. Jetez tout à l'égout si c'est nécessaire, mais on ne vendra pas une telle marchandise sous l'étiquette de Chavigny. En boiriez-vous ? fit-il, en éprouvant une certaine pitié à l'égard du vieil homme.

Le régisseur lui adressa un sourire hésitant.

— Non, monsieur.

— Moi non plus, dit Édouard en le prenant amicalement par le bras. Jetez-le, nous repartirons de zéro.

L'enquête d'Édouard dura six mois au bout desquels, après un travail harassant, il connaissait tous les dossiers. Il avait visité la moindre pièce dans leurs propriétés, avait personnellement interrogé tous les anciens serviteurs du baron et tous les employés depuis longtemps à son service. Il s'était rendu chez les avocats de son père, ses associés, ses conseillers, ses courtiers, ses comptables. Il était allé en Suisse, à Londres, à Rome, à New York. Souvent, il perdait espoir. Parvenu à la moitié de son enquête, il tira la conclusion suivante : en cinq ans, Jean-Paul n'avait fait qu'une chose, ériger un monument à la mémoire de son père dans la chapelle du château des Chavigny où lui et ses ancêtres avaient été enterrés. Mais le seul hommage qu'il aurait pu rendre à son père, c'était de conserver le brillant empire qu'il avait construit au prix d'efforts surhumains. Or Jean-Paul l'avait laissé s'effondrer.

Il fallut six mois à Édouard pour prendre une ferme décision : redonner à cet empire sa gloire d'antan, en le développant et en lui donnant de l'expansion. La chose n'était pas impossible. Il devint de plus en plus confiant. Des projets se dessinaient peu à peu dans son esprit. Grâce à la prudence de son père avant la guerre, il disposait d'une véritable fortune. Il s'agissait simplement de la répartir correctement. Ce serait son tribut à la mémoire de son père, à cet homme réservé qu'il avait à peine connu mais profondément aimé, et qui était mort en héros. Son père et celui de Jean-Paul. Il ne doutait pas un instant que, lorsqu'il aurait expliqué à son frère les tenants et les aboutissants de l'affaire, Jean-Paul sortirait de sa léthargie et serait aussi déterminé que lui à mener à bien cette tâche.

Armé de paperasses, la tête pleine de listes d'actions, de chiffres de production, de statistiques des profits et pertes d'avant et d'après-guerre, d'avant-projets architecturaux pour la restauration des trois maisons qu'ils possédaient en France, puis des propriétés à l'étranger, Édouard organisa un plan de travail d'une semaine avec Jean-Paul.

Celui-ci se montra tout d'abord réticent, puis, sous la pression d'Édouard et après avoir changé trois fois d'avis, il accepta de passer une semaine avec lui à l'automne 1950, période où il devait avoir une permission, mais en Algérie, à la maison Alletti, la merveilleuse villa blanche que le vieux baron avait fait construire à la fin des années vingt. Située à flanc de colline, elle dominait la ville et l'extraordinaire baie d'Alger.

Édouard souleva quelques objections, mais Jean-Paul se montra intransigeant. C'était là-bas ou rien. Il y passait toutes ses permissions, car il aimait l'Algérie. De surcroît, Édouard verrait les vignobles et les plantations qui, selon Jean-Paul, étaient prospères.

— Je m'y suis intéressé personnellement, dit-il avec une fierté teintée d'agacement, tu ne trouveras rien à redire.

Édouard n'était jamais allé en Algérie. Dès son arrivée à Alger, il fut frappé par sa beauté et la magnificence du paysage environnant, avec ses collines accidentées, baignées de soleil, ses petites routes tortueuses qui débouchaient soudain sur une Méditerranée étincelante. Il fut d'emblée fasciné par ce pays et cette ville, à la fois si français et si arabes, où deux cultures totalement différentes semblaient se mêler harmonieusement.

Assis à une terrasse du quartier français, devant un verre de vin, il avait l'impression d'être en France. Les vastes boulevards d'Alger, les platanes aux troncs peints en blanc, les élégantes maisons blanches ornées de balcons et de persiennes, les places ombragées réservées aux Européens, tout cela lui rappelait la France qu'enfant il avait tant aimée. Il se serait cru dans une ville du Sud, Arles, Nîmes, Avignon, ou bien dans un petit village de la Loire. Il avait devant lui une ville épargnée par la guerre et apparemment prospère. Il dégustait du bon vin, des plats français merveilleusement cuisinés, le tout en abondance. Des serviteurs impeccables, d'une politesse et d'une efficacité extrêmes, tous arabes mais s'exprimant dans un français parfait, s'empressaient autour de lui. Il lui semblait être revenu au bon vieux temps d'avant la guerre.

Mais il y avait un autre Alger, celui des Arabes avec la vieille Casbah, le quartier arabe construit sur une colline, antre fascinant aux ruelles étroites et escarpées, aux maisons aux toits plats. On apercevait la ville arabe du quartier français et de presque toute la ville. L'endroit fourmillait d'enfants aux pieds nus, de femmes, vêtues de noir des pieds à la tête, le visage voilé, qui n'osaient pas lever les yeux.

C'est dans cette zone située entre le quartier français et la Casbah qu'Édouard eut un aperçu du monde arabe : l'odeur de la cuisine nord-africaine, du couscous, du safran, du cumin et de curcuma ; des marchés où se vendaient des teintures en poudre comme l'indigo, des épices, des bâtons de bois de santal, du henné. Ces odeurs l'enivraient. Les mains et les pieds des femmes et des enfants couverts de henné le fascinaient. Il écoutait les appels du muezzin mêlés aux cris aigus, proférés dans une langue qu'il ne comprenait pas. Il saisissait maintenant pourquoi Jean-Paul était si attiré par l'Algérie.

Il annonça son intention de se rendre dans la Casbah. Jean-Paul étouffa un bâillement. Si Édouard le souhaitait vraiment, il pouvait lui organiser une visite, accompagné d'un serviteur qui savait se débarrasser des mendiants, car il était dangereux de s'y promener seul.

— Vas-y si tu le désires, mais gare à ton portefeuille, dit-il en haussant les épaules. Et ne t'approche surtout pas des femmes.

Ainsi, les tout premiers jours, Édouard explora la ville en compagnie d'un serviteur. L'après-midi, Jean-Paul donna en son honneur bon nombre de réceptions, dehors, sur une magnifique terrasse qui donnait sur la mer. Les mets français étaient délicieusement préparés par un cuisinier arabe et servis par de jeunes Arabes en costume blanc, dont le plus vieux paraissait avoir une quinzaine d'années. Tous les invités étaient français. La plupart d'entre eux possédaient des vignes et certains, comme Jean-Paul, avaient une expérience militaire. Leurs épouses étaient d'un chic parfait, et leur élégance surpassait celle des Parisiennes d'après-guerre. Elles portaient des bijoux étincelants. Édouard trouvait leur conversation insipide et curieusement limitée.

Les discussions animées portaient sur le dernier roman en vogue à Paris, les projets de la Comédie-Française, la réputation des acteurs, des écrivains, des musiciens, des hommes politiques ou des peintres. Ils en parlaient avec une certaine condescendance. Pour eux, la France était finie, l'Europe également, et ils étaient bien mieux ici.

Au bout de trois jours, durant lesquels il avait tout juste eu le temps de se rendre, en compagnie de Jean-Paul, dans les vignobles du baron et d'inspecter un huitième des vastes domaines, Édouard décida que la situation ne pouvait plus durer. Il affronta Jean-Paul à 11 heures du matin, heure à laquelle il se levait.

— Jean-Paul, ne pourrions-nous pas jeter un coup d'œil à ces chiffres et discuter de mes plans ?

En soupirant, Jean-Paul s'affala dans son fauteuil d'osier.

— Très bien, petit frère, mais devant un pastis.

Pendant deux heures, Jean-Paul écouta son frère qui sortit maintes feuilles de papier. Il avait arrondi les chiffres pour simplifier les choses, et comptait en francs français parce que Jean-Paul confondait les taux de change. Jean-Paul but trois pastis et fuma du kif.

— Tu ne veux vraiment pas fumer ? lui demanda-t-il en lui passant une boîte en argent, remplie de cigarettes de kif.

— Non, merci.

— Ça détend.

— Jean-Paul...

— Très bien, très bien. Jusque-là, je te suis. Continue.

La conversation se poursuivit tout le déjeuner. Édouard se rendait compte que le mélange de pastis, de vin et de kif commençait à faire de l'effet. Jean-Paul avait les yeux dans le vague, les joues enflammées. Ses vêtements, d'une blancheur immaculée, étaient déjà froissés. Édouard savait qu'il perdait son temps, mais ne voulait pas s'arrêter. L'enjeu était important. Il s'était donné tant de mal, il fallait à tout prix que Jean-Paul comprenne.

Après le repas, ils prirent un café maure. Jean-Paul s'allongea sur le divan de soie et ferma les yeux.

— Jean-Paul, s'écria Édouard, exaspéré. Pour l'amour de notre père qui a bâti cet empire, fais un effort. Tant de possibilités s'offrent à nous. On peut améliorer ce qu'il a fait. C'est l'œuvre de sa vie. On ne peut la laisser partir en poussière.

Jean-Paul ouvrit les yeux et croisa le regard d'Édouard. Pendant qu'ils parlaient, une jeune Arabe était entrée sans bruit dans la pièce. Elle se tenait immobile, tête baissée, devant la porte.

— C'est l'heure de la sieste, dit Jean-Paul en se levant avec peine.

Édouard remarqua combien le corps de son frère s'était épaissi. Il avait des bourrelets autour de la taille, le visage en permanence bouffi. Il n'était pas dépourvu de beauté, mais ses traits s'étaient affadis, ses mâchoires affaissées. Édouard était stupéfait du changement opéré chez son frère.

— Je me repose tous les après-midi, lui dit Jean-Paul, c'est nécessaire avec ce climat. Il fait si chaud. Ce soir, à la fraîcheur, j'aurai les idées plus claires.

Il lança un regard furtif à la jeune Mauresque qui attendait sans rien dire, la tête baissée, et fit un clin d'œil à Édouard.

— Une sieste et un bon coup, dit-il en anglais sans doute pour qu'elle ne comprenne pas. Ensuite je me sentirai mieux, et nous pourrons reprendre cette conversation. Ce soir, si tu veux. Je te suis très reconnaissant, Édouard. Je me rends compte du mal que tu t'es donné.

Édouard était furieux.

Le soir même, il força son frère à poursuivre les débats en le poussant dans un fauteuil.

— Cette fois, ni pastis ni kif, dit-il en jetant sur la table une pile de papiers. Tu vas m'écouter, Jean-Paul. Je me décarcasse depuis six mois et je ne tiens pas à avoir travaillé pour rien. Tu vas bien m'écouter sinon je prends le prochain avion et je te laisse te débrouiller avec toute cette paperasse.

— Bon, bon, répondit Jean-Paul en levant les mains au ciel. Inutile de t'emporter. Tu as toujours été impulsif. Moi, je suis plus lent à réagir, c'est tout. Maintenant, explique-moi, mais calmement.

Édouard reprit ses arguments un à un. Quand il eut fini, Jean-Paul se leva.

— D'accord, d'accord.

— Que veux-tu dire ?

— Agis comme tu l'entends, fit Jean-Paul en posant la main sur l'épaule de son frère. Moi, je suis incapable de gérer tout cela, tu le sais. Je ne saurais pas par où commencer. Fais tout ce que tu as dit. Je te fais entièrement confiance. Tu as toujours été le plus intelligent. Dis-moi simplement où je dois signer. D'accord, petit frère ? Maintenant, ai-je droit à mon pastis ?

Édouard observa son frère qui n'osait pas le regarder en face. Il se leva.

— Très bien, je ferai ce que je t'ai dit. Tu peux te faire porter un pastis.

Voilà comment, en 1950, Édouard devint baron de Chavigny, sinon en titre du moins en pratique. Jean-Paul signa une procuration à son frère, lui permettant de gérer à son gré tous leurs biens, et Édouard retourna à Paris pour se mettre au travail.

Au début, les deux frères furent satisfaits de cet arrangement.

Édouard définit deux étapes : d'abord restaurer, ensuite construire et donner de l'expansion.

Tout le mobilier, l'argenterie, les tableaux, la collection de bijoux de famille que son père avait cachés en Suisse revinrent en France. La vaste demeure de Deauville avec ses jardins et sa plage privée fut vendue à l'un des magnats arabes du pétrole qui commençaient à investir en Europe. Il n'y avait pratiquement jamais séjourné. Édouard utilisa le capital pour acheter une maison plus petite sur la côte normande en se disant qu'un jour ses enfants ou ceux de Jean-Paul seraient heureux de l'avoir. Le reste du capital servit à payer les frais énormes de restauration de la maison de Saint-Cloud et du château de Chavigny. Quand les travaux furent achevés, les meubles, les tapisseries, les tableaux, les tapis, les tentures furent remis en état. La restauration de la maison et des célèbres jardins prit deux ans. Même Louise de Chavigny à qui, avec fierté, il fit visiter la demeure de Saint-Cloud, une fois terminée, fut impressionnée.

— C'est vraiment magnifique, Édouard. Tu as redonné l'éclat d'antan en apportant même des améliorations. Quelle merveille que ce mobilier Louis XIV et ce salon. Crois-en mon expérience, c'est de bon goût.

— Tu peux revenir vivre ici, maman. Tes appartements sont prêts. Il manque seulement les tentures, car la soie s'est ternie et on les restaure en Angleterre. Elles seront prêtes sous peu. Même dessin, même couleur, j'en ai fait faire la copie exacte.

— Non, Édouard, je resterai à Paris. J'ai mes habitudes. Et puis cela me rappelle trop de souvenirs, fit-elle en regardant les parterres de fleurs dont la réfection avait nécessité le travail de vingt hommes pendant vingt mois.

Édouard s'installa seul à Saint-Cloud.

Il se montra généreux mais ferme à l'égard des serviteurs de son père. Il demanda aux plus anciens de former les nouveaux, selon les anciens critères, avant de prendre leur retraite. Édouard leur accorda une pension conséquente, ce qui suscita de nombreuses plaintes de la part de ses amis parisiens qui craignaient que leurs serviteurs n'eussent les mêmes exigences. Édouard n'en tint pas compte.

— Ils sont restés auprès de mon père pendant toute la durée de la guerre. Ils le méritent.

Les vignobles de la Loire furent labourés et des vignes américaines, exemptes de toute maladie, y furent plantées. Un régisseur, qui avait travaillé chez le baron Philippe de Rothschild, fut engagé. Édouard envisageait de modifier l'appellation des vins de Chavigny et de confier à un artiste en vogue le soin de représenter chaque grand cru comme l'avait fait Rothschild. Mais il abandonna son projet : tirer les leçons de l'expérience du baron Philippe était une chose, le plagier de façon aussi flagrante en était une autre. C'était finalement le contenu de la bouteille qui comptait. En moins de cinq ans, la production de vin fut le double de ce qu'elle était avant-guerre, et la qualité ne cessait de s'améliorer. La première année qu'il obtint un grand cru, il expédia une douzaine de caisses à son ancien régisseur et l'invita à le goûter. Il observa le vieil homme qui huma le vin, en prit une gorgée et la roula sur son palais avant de donner son verdict.

— Pas encore parfait, dit le vieil homme en fronçant les sourcils.

— Y a-t-il donc des vins qui atteignent la perfection ?

— J'en ai trouvé un il y a quatre ans, mais celui-ci me paraît très correct.

— Eh bien, me voilà heureux, fit le baron en lui donnant une tape amicale.

Avec l'essentiel de ce qui constituait l'empire de son père, Édouard avança avec prudence. La joaillerie de Chavigny jouissait encore d'une réputation sans égale pour la qualité des pierres utilisées dans la fabrication des bijoux et pour la perfection de la taille et du sertissage.

Il avait hérité de quatre succursales importantes à New York, Paris, Londres et Rome qui n'avaient nullement souffert de la guerre mais plutôt de la négligence de leurs gérants. Procédant de la même manière qu'avec les propriétés, il engagea une décoratrice, Ghislaine Belmont-Laon. Le travail qu'elle exécuta pour ses ateliers la lança. Il donna une réception grandiose pour célébrer la réouverture de la boutique du faubourg Saint-Honoré. C'était pour lui un sujet de satisfaction et de fierté, mais il savait que ce n'était là que le début. Il avait créé l'essentiel : une vitrine étincelante pour les bijoux de Chavigny. Il brûlait du désir de diversifier ses produits de luxe comme ses brillants rivaux Cartier et Asprey, pour que ses sociétés puissent attirer toute une gamme de clientèle et ne soient plus exclusivement réservées aux riches.

Des articles en cuir pour le bureau, pour la table, des accessoires pour les fumeurs, des babioles de luxe, voilà ce qu'il souhaitait créer, persuadé qu'avec la marque Chavigny ces objets à prix élevé pouvaient ouvrir un marché beaucoup plus vaste que la joaillerie même la plus extraordinaire. Le monde avait changé : de Chavigny ne pouvait plus se permettre de viser simplement les riches. Il fallait penser aussi à ceux qui étaient sur le point de s'enrichir. Édouard fit établir des devis pour les nouvelles boutiques à Genève, Milan, Rio de Janeiro et, à plus longue échéance, sur le boulevard Wilshire à Los Angeles. Mais il savait que la réussite de ses projets d'expansion impliquait un investissement de capital plus important et un dessinateur de génie.

Les capitaux ne poseraient aucun problème. Ses banquiers suisses et français lui avaient déjà donné leur accord. Son conseiller financier le plus proche, un jeune Américain qui avait fait ses études à Harvard, Simon Scher, l'incitait à émettre des actions sur le marché.

— Si nous lancions des actions de Chavigny sur le marché libre dès demain, dit-il à Édouard, la souscription serait couverte quatre fois en un rien de temps. L'argent est là, tout comme la confiance. Depuis les années cinquante, la reprise s'est amorcée.

Mais Édouard n'avait nullement l'intention d'émettre des actions dans le public, souhaitant que la société de Chavigny reste une compagnie privée comme elle l'avait toujours été, avec les rênes dans une seule main : la sienne. Il pensait pouvoir se passer de l'aide onéreuse des banquiers français et suisses. Edward D. Marshall II, son grand-père américain, s'était défait de ses actions en investissant dans l'acier, peu après le krach de Wall Street. Il mourut à la fin de la guerre, quelques mois après son épouse. Sa fortune, estimée peut-être avec excès à cent mille dollars, était parvenue intacte à sa chère fille Louise. Elle était gérée avec la plus grande prudence par une compagnie connue de Wall Street. La majorité des actions était investie en titres, en valeurs d'État et en terres, de l'Oregon au Texas.

Louise ne portait aucun intérêt à sa fortune. Ses investissements lui rapportaient un revenu annuel de plus d'un million de dollars, sans compter les placements et investissements légués par son mari. Pourvu qu'elle puisse acheter ce qu'elle désirait quand bon lui semblait, elle était heureuse.

Édouard avait déjà commencé sa campagne de persuasion auprès de Louise pour qu'elle investisse une partie de son capital dans le programme d'expansion de la société de Chavigny, mais il savait qu'il fallait y aller à petits pas. Louise lui avait permis d'avoir accès à ses dossiers, qu'il étudiait avec Simon Scher. Inutile de presser sa mère à prendre une décision importante. Elle rechignait devant les engagements, qu'ils concernent les finances ou les hommes. Plus les arguments d'Édouard étaient rationnels, plus elle résistait. Elle ne cédait qu'à ses propres caprices.

S'il n'avait aucun pouvoir de persuasion sur sa mère en ces temps de mouvance, en revanche Jean-Paul pouvait se montrer utile. Louise ne refusait jamais rien à son cher fils aîné. Édouard en ressentait parfois une certaine amertume, mais s'avouait impuissant devant les faits. Quelle importance, après tout. Il allait persuader Jean-Paul qui, à son tour, persuaderait Louise. La route n'était pas directe, un point c'est tout. Mais en homme d'affaires, Édouard s'était découvert des talents de diplomate et commençait à y prendre un certain plaisir.

Quant au dessinateur de génie, c'était un autre problème. Le dernier que la société avait engagé, Vlacek, un Juif hongrois qui avait travaillé dans les ateliers Fabergé en Russie, avait été découvert par son père et ramené pour dessiner la collection qui l'avait lancé en Amérique, en 1912. Vlacek était très estimé et il s'était toujours montré loyal. Les nombreuses tentatives pour le faire quitter la société Chavigny avaient échoué. Il était resté fidèle à la compagnie jusqu'à ce que sa vue baisse au début des années trente, puis il s'était éteint pendant la guerre.

Comme tous les grands joailliers, Chavigny avait, dans ses archives, des dessins jalousement gardés, qui remontaient à la moitié du XIXe siècle. Ces dessins étaient constamment utilisés, soit dans leur forme originale, soit adaptés suivant les caprices de la mode et du goût. Ils constituaient la ligne directrice de la société. Mais les dernières grandes collections avaient été conçues par Vlacek à la fin des années vingt, et Édouard souhaitait créer des modèles révolutionnaires qui le mettraient au même rang que Cartier, des modèles qui refléteraient l'après-guerre tout en utilisant les dernières techniques.

Mais les grands créateurs dans le domaine de la joaillerie sont aussi rares que les grands artistes. Édouard cherchait un Picasso, un Matisse qui aurait entre ses mains non point un pinceau, mais des pierres ou du métal précieux, le génie qui serait la clef de voûte de toute son entreprise. Où qu'il soit, en Amérique, au Moyen-Orient, d'un côté ou de l'autre de l'Europe récemment divisée, là où il était connu ou inconnu, Édouard était à sa recherche. Il avait une équipe de gens triés sur le volet dont c'était l'unique fonction. Ils parvenaient à s'infiltrer dans les ateliers de ses rivaux, observaient les collections de tous les plus grands joailliers du monde, assistaient à toutes les présentations de modèles créés par de jeunes artistes, consultaient avec circonspection les collectionneurs les plus célèbres comme Florence Gould. Ils allaient bien trouver cet homme un jour ou l'autre. Édouard lui ferait alors une proposition qu'il ne refuserait pas.

Quatre années durant, Édouard ne vécut que pour son travail. C'était une véritable drogue, un stimulant qui l'absorbait sans cesse, ne lui laissant aucun répit, aucune vie personnelle. Il se divertissait avec la même énergie, ayant découvert très vite que ces deux univers, celui du travail et celui des soirées et week-ends, se chevauchaient et se nourrissaient l'un de l'autre. Il recevait des invitations de toutes parts.

Les Parisiennes se battaient pour l'avoir à leurs réceptions, à des galas d'Opéra, à des bals de charité. Il assistait à des projections privées et, avec l'aide d'un ami d'Oxford, Christian Glendinning, cousin de son ex-tuteur, il acheta des tableaux, augmentant ainsi la somptueuse collection de peintures du XXe siècle héritée de son père.

Christian, dont les ascendants avaient investi en chevaux pur sang, passait pour un non-conformiste et faisait le désespoir de sa famille quand Édouard fit sa connaissance. Il avait des manières outrancièrement affectées d'homosexuel, mais était d'une vive intelligence. Quand le père de Christian se rendit compte que son fils n'avait nulle intention de revenir vivre dans les propriétés familiales pour élever le bétail pourtant primé du Hertfordshire, il lui accorda un petit capital et se désintéressa de lui. Christian l'utilisa pour acheter une petite galerie d'art dès sa sortie d'Oxford. Il organisa la première exposition d'expressionnistes abstraits américains, que les critiques britanniques dédaignèrent. Il vendit deux Rothko et un superbe Jackson Pollock à son ami Édouard de Chavigny. En 1954, il possédait l'une des plus importantes galeries d'art de Cork Street, à Londres, une succursale à Paris et projetait d'en ouvrir une à Madison Avenue. Édouard de Chavigny, son client le plus fidèle mais aussi le plus éclairé, pouvait à la longue constituer une collection que seul était à même d'égaler Paul Mellon ou le Musée d'art moderne de New York.

Une chose plongeait Christian dans le plus profond désespoir et restait incompréhensible à ses yeux : Édouard achetait des tableaux mais aussi des chevaux de course. Il avait réinvesti dans les écuries de son père en Irlande et réussi à engager Jack Dwyer, le meilleur entraîneur du pays, l'extirpant des écuries d'un vieil ami de sa mère, Hugh Westminster, sans le moindre remords. Christian l'accompagna une fois en Irlande pour aller voir une nouvelle pouliche, mais à peine eut-il pris ses jumelles qu'il clama qu'il mourait d'ennui et retourna à ses tableaux. Il repartit dans le nouvel avion d'Édouard avec quinze excellentes toiles de Jack Yeats. Édouard, lui, revint avec la certitude de posséder le futur vainqueur du Prix de l'Arc de Triomphe, la course la plus recherchée, qu'il s'était juré de gagner un jour.

Mais, comme Christian le lui avait fait remarquer avec une certaine pointe d'ironie, Édouard était un homme à facettes et n'avait pas qu'un seul visage, comme il l'avait cru lorsqu'il avait fait sa connaissance à Londres. Édouard de Chavigny passait d'une loge d'Opéra à la chasse à la grouse avec la même élégance et la même assurance. À l'automne, il allait à la pêche et à la chasse en Écosse ; l'hiver, il allait skier à Gstaad ou Saint Moritz où il avait fait de nombreux investissements dans l'hôtellerie. En été, il allait souvent se reposer dans une villa au bord de la Méditerranée ou dans sa maison de la Côte d'Émeraude, où il aidait l'ami de sa mère, l'Aga Khan, à transformer ce lieu en un site luxueux pour richissimes européens. Il lui arrivait de séjourner à Southampton, dans Long Island, avec un magnat de la presse américaine, ou de rendre visite à des cousins éloignés à Newport. Où qu'il aille, il était toujours accompagné d'une femme, mais jamais la même.

Les rubriques mondaines d'Europe et de la côte est américaine s'en donnaient à cœur joie. Qui était sa dernière maîtresse ? Laquelle finirait-il par épouser ? La diva italienne qu'il suivit dans ses prestations de la Scala au Metropolitan de New York pendant quatre mois ? La marquise anglaise, veuve de guerre, qui était la plus belle des célèbres sœurs Cavendish ? La fille d'une des plus vieilles familles du Massachusetts ou celle d'une famille de nouveaux riches du Texas dont la fortune récente provenait du pétrole ? Épouserait-il Clara Delluc, la moins connue de ses maîtresses, mais celle vers qui il revenait toujours après ses frasques ?

Ce ne pouvait être qu'une Française, disaient, pleines d'espoir, les mères de souche aristocratique qui avaient élevé leurs filles dans la religion catholique, comme il se devait, lorsqu'elles abordaient le problème dans les salons parisiens. Certainement pas une Française comme cette Clara Delluc, mais une jeune fille de sa condition et, de surcroît, une vierge. Un homme tel qu'Édouard aimait les femmes, disait-on, mais, quand il s'agissait de choisir une épouse, les critères étaient différents.

Entre-temps se posait la question des cadeaux, sur lesquels les spéculations allaient bon train, au même titre que sur ses affaires. Bien des rubriques mondaines leur étaient consacrées. Édouard de Chavigny était français. Il savait que les femmes abandonnées aimaient garder quelques souvenirs pour atténuer leur peine. Édouard de Chavigny offrait des bijoux. En soi, cela n'avait rien d'extraordinaire, mais, ce qui attirait l'attention, c'était le choix des bijoux et la façon de les remettre.

Chaque joyau était soigneusement choisi en fonction de celle qui le recevait. Des émeraudes si les yeux étaient verts, de merveilleux saphirs s'ils étaient bleus. Si le teint était ce qu'elles avaient de plus remarquable, il choisissait un long collier de perles. Des bracelets en or, de la grosseur d'un poignet d'enfant, pour une blonde, de l'ambre, de l'ivoire, de l'or blanc, des améthystes pour des yeux mauves, des rubis pour la diva qui portait toujours du rouge. Les cadeaux étaient somptueux, d'une valeur inestimable, et bien sûr portaient l'empreinte de Chavigny. Ils étaient généralement remis par le serviteur anglais d'Édouard, sans le moindre message. Inutile. Le bijou signifiait la fin de leur idylle. C'était une chose connue et acceptée. Édouard s'en tenait à cette règle et n'en déviait jamais.

Chacun savait également qu'il n'offrait jamais de diamants.

Cela faisait la joie des chroniqueurs qui avaient là un sujet intarissable. Édouard était devenu un mythe. « Le jour où il tombera amoureux, il offrira des diamants », disaient-ils. C'était simple, poétique. Il gardait les diamants pour cet événement. Ce geste signifierait, aux yeux du monde, qu'Édouard de Chavigny, l'un des cinq prétendants les plus recherchés d'Europe, avait enfin choisi celle qui allait devenir son épouse.

Les femmes, tout comme les journalistes, interrogeaient souvent Édouard à ce sujet. Il refusait systématiquement d'y répondre, n'acceptant jamais de faire le moindre commentaire sur sa vie privée. Le sourire aux lèvres, il changeait de sujet. Rien ne transparaissait.

Il fallut quatre ans à Édouard pour prendre conscience d'un aspect que les chroniqueurs n'avaient jamais soupçonné : sa solitude.

Il revint à Saint-Cloud un soir de 1954, très tard, éreinté. Il était rentré le jour même de New York, après une tournée épuisante pour ses affaires. Les rubis, qui, disait-on, avaient appartenu à Marie-Antoinette, avaient été offerts à la diva. Sa secrétaire avait reçu l'ordre d'annuler tous ses rendez-vous de l'après-midi pour lui permettre de se reposer quelques heures. Les six mois suivants, son carnet de rendez-vous était complet.

C'était l'été. Il se promenait dans les magnifiques jardins, tout seul, émerveillé devant les roses qui avaient été plantées à l'image des roseraies de Joséphine Bonaparte à la Malmaison. La science, l'habileté, le travail et l'amour requis pour créer une telle merveille forçaient son admiration. Il respira le parfum des roses. C'était la première fois depuis quatre ans qu'il promenait son regard sur ces splendeurs.

Il éprouva soudain un violent désir de partager ces joies avec un être à qui il parlerait, qu'il chérirait. Non point sa mère avec laquelle il entretenait des rapports froids et formels, ni son frère qui avait quitté l'armée et vivait désormais en Algérie, ni aucun de ses amis. Encore moins l'une de ses liaisons. Quelqu'un d'autre.

Un être en qui il aurait confiance, avec qui il veillerait le soir. Quelqu'un qui l'aimerait pour lui-même et non pour sa puissance et sa richesse. Un être avec lequel il serait libre.

Il se laissait aller à ses pensées, comme il ne l'avait pas fait depuis des années. Il songea à Célestine, à cette année qu'ils avaient passée ensemble à Londres, et les souvenirs ne firent qu'accentuer sa mélancolie. Il finit par aller se coucher, maudissant sa stupidité et sa sentimentalité, persuadé que ses états d'âme étaient dus à la fatigue causée par le décalage horaire. Le lendemain matin, sans doute, tout serait oublié.

Le jour suivant, il remplit tous ses engagements comme à l'accoutumée. Mais sa nostalgie n'avait pas disparu. Il avait l'impression d'avoir tout et rien en même temps. Les mois passèrent et ce sentiment ne le quittait pas.

Puis, à l'automne, un événement se produisit qui devait bouleverser sa vie. Lors d'une visite au château de Chavigny pour inspecter le cru de l'année, il aperçut un petit garçon jouant dans le jardin d'une petite chaumière située sur ses terres. Édouard était à cheval. Il s'arrêta pour regarder l'enfant qui devait avoir une dizaine d'années et était d'une grande beauté. L'enfant se tourna vers lui. Une jeune fille, trop jeune pour être sa mère, sortit en courant de la chaumière, saisit l'enfant par la main et le fit rentrer malgré ses protestations.

Édouard procéda à une enquête. Il insista auprès des serviteurs embarrassés et découvrit que le petit garçon s'appelait Grégoire. Sa mère était l'épouse de l'un des charpentiers du domaine, et l'enfant était le fils de Jean-Paul, engendré après une beuverie, lors de sa première visite dans la Loire après la guerre. Jean-Paul le lui confirma sans difficulté. Oui, il en acceptait la paternité. L'enfant, qu'il avait vu deux ou trois fois, semblait un bon garçon, légèrement attardé, peut-être. Sa mère avait honte de lui et refusait de l'envoyer à l'école, craignant que les autres enfants ne se moquent de lui. Il n'avait pas à s'en faire, lui dit Jean-Paul. Plus tard, on lui trouverait du travail dans la propriété.

Cette conversation eut lieu à Paris où Jean-Paul rendait visite à Louise à son retour d'Algérie. Édouard écouta son frère sans dire un mot. Jean-Paul était affalé dans un fauteuil, le visage empourpré par le cognac qu'il buvait, bien que ce fût le milieu de la journée. Les questions d'Édouard semblaient l'irriter, tout en trahissant sa plus profonde indifférence pour ce sujet.

— Ne ressens-tu aucune responsabilité à son égard ? lui demanda Édouard.

— De la responsabilité ? Si un homme devait se préoccuper de chacun de ses bâtards, où irions-nous ? Il m'a l'air parfaitement heureux. J'imagine qu'il est en bonne santé. Je ne vois pas pourquoi je me sentirais concerné.

— Je vois. Verses-tu une pension à sa mère ?

— Grand dieu, non ! s'écria Jean-Paul, furieux. Elle est mariée, maintenant. Je donne du travail à son mari. Ce sont des paysans, Édouard, et ils en sont fiers, ils acceptent ce genre de chose. Ils n'ont pas les mêmes critères que nous. Si je lui donnais de l'argent, on jaserait. La moitié des femmes enceintes du domaine jureraient que c'est moi qui suis le père de leur enfant. Occupe-toi de tes affaires, pour une fois. Cela ne te regarde absolument pas.

Édouard, rouge d'indignation, vit son frère prendre la bouteille de cognac, un peu gêné d'avoir à donner toutes ces explications. Les dernières illusions d'Édouard sur son frère s'évanouirent. Il cessa de lui trouver des excuses, écartant le sentiment de fidélité et de confiance qu'il avait toujours éprouvé à son égard. Jean-Paul remarqua sans doute le dégoût et la colère qui se lisaient sur le visage de son frère. Il bredouilla quelques paroles, cherchant à excuser son attitude. Mais, au milieu de son discours, Édouard quitta la pièce.

Il repartit pour la Loire, et retourna à la petite chaumière où vivait Grégoire, avec l'intention d'interroger sa mère. Ce fut un échec. La femme refusa de lui adresser la parole, craignant l'arrivée de son mari. Édouard remarqua qu'elle avait des contusions au poignet et le visage tuméfié. Il promena son regard alentour avec désespoir. Tout reflétait une grande pauvreté. Les meubles étaient rares, mais tout était propre et ordonné. Elle avait eu quatre autres enfants de son mariage. Ils regardaient Édouard avec curiosité.

— Je m'en sors, je m'en sors, ne cessait-elle de répéter, en réponse à ses questions.

— Mais cinq enfants..., dit-il d'une voix hésitante.

Il n'y avait pas de chauffage en dehors du poêle, pas d'eau courante.

— Ma sœur m'aide. Je vous l'ai dit, je m'en sors.

Édouard retourna au château, furieux contre lui-même, pour avoir laissé des êtres dans un tel dénuement. Il appela son régisseur, le réprimanda et lui ordonna de faire une réfection totale de toutes les habitations des fermiers. Il fallait réparer chaque maison et installer le chauffage et l'eau courante. Le régisseur écouta sans rien dire.

— Cela va coûter très cher, dit-il en fronçant les sourcils. Le problème s'est posé juste après la guerre. J'en avais discuté avec le baron qui...

— Peu m'importe ce qu'il en pensait, s'écria Édouard, incapable de maîtriser sa colère. Je veux que ces travaux soient exécutés, compris ? Et tout de suite.

Plus tard, quand il alla se promener, seul, il distingua une petite silhouette, cachée derrière les buissons, qui le suivait. Se retournant, Édouard reconnut la jeune fille qui avait fait rentrer Grégoire de force dans la chaumière. Il s'arrêta. La jeune fille, brune, le visage tendu, leva les yeux vers lui. Sans doute la tante du petit garçon, se dit Édouard. Il avait raison. Elle s'appelait Madeleine.

— J'ai tout entendu, ce matin. J'écoutais aux portes, dit-elle.

Bien qu'apeurée, elle semblait fermement décidée à continuer.

— Ma sœur n'osera rien vous dire, elle a trop peur. Il boit et la bat. Il hait Grégoire. Il lui en a toujours voulu. C'est un méchant homme, violent. Il gronde Grégoire sans arrêt et le frappe avec sa ceinture. J'essaie parfois de l'arrêter ou de cacher Grégoire, mais il finit toujours par le trouver. J'aimerais tant que quelqu'un puisse faire quelque chose.

Ce flot de paroles avait jailli. Elle se mordit soudain les lèvres, comme si elle prenait conscience d'avoir trop parlé. Édouard, touché par ses paroles, voulut la prendre doucement par le bras. Atterré, il la vit reculer de frayeur, persuadée qu'il allait la battre.

— Je t'en prie, n'aie pas peur, dit-il consterné, je ne te veux aucun mal. Je ne suis pas fâché et je suis content, tu sais, que tu sois venue me trouver. Il était dans mon intention de vous aider, c'est la raison pour laquelle je suis venu voir ta sœur.

Il lui tendit la main.

— Viens chez moi. Nous pourrons discuter calmement.

Madeleine accepta à contrecœur. Il fallut l'amadouer pour la faire entrer dans le château. Elle s'assit fébrilement au bord du fauteuil Louis XIV, les jambes serrées, les mains croisées. Édouard demanda qu'on lui apporte un citron pressé et écouta son récit, timide au début puis assuré au fur et à mesure qu'elle prenait confiance. Il n'eut que la confirmation de ce qu'il soupçonnait. À la fin, Édouard lui suggéra avec une infinie douceur de lui amener Grégoire.

Rougissante, elle serra les poings.

— Vous accepteriez ?... Mais pas ici, il serait effrayé. Je l'amènerai à l'écurie. Le permettez-vous ? Il se sentira plus en confiance, il a une passion pour les chevaux.

Édouard accepta en souriant. Elle leva les yeux vers lui comme s'il était son sauveur, puis promena son regard dans la pièce.

— Que de belles choses, lui dit-elle, intriguée. Qu'en faites-vous ?

— Je les regarde, dit Édouard en haussant les épaules.

Il se rendit compte qu'il n'y prêtait jamais attention.

— Ils doivent prendre la poussière, répliqua Madeleine en fronçant les sourcils.

Elle s'en alla. Édouard, ému par ses paroles, porta un regard neuf sur ces objets inestimables. La pièce lui sembla soudain à la fois surchargée et vide.

Le lendemain, il se rendit aux écuries comme prévu. Il y rencontra Grégoire. Madeleine les laissa seuls. Au début, Grégoire, timide, n'ouvrait pas la bouche.

Édouard lui fit faire le tour des écuries, lui montrant la sellerie, puis lui présenta les chevaux. Il lui proposa même de leur donner quelques morceaux de sucre. Peu à peu, Grégoire se détendit. Il lui raconta que, parfois, on l'autorisait à aider les garçons d'écurie. Il aurait aimé monter, mais, bien sûr, cela lui était défendu.

— Ici, tu peux, dit Édouard en hissant l'enfant sur l'un des plus vieux chevaux. Il était léger comme une plume. Du haut de son cheval, il regarda Édouard, qui lui sourit. La mère de l'enfant venait de la région des Landes, et Grégoire lui ressemblait. Mince, très bronzé, le visage solennel, des cheveux bruns épais, il n'avait rien de Jean-Paul. Il jeta un regard vers Édouard et, pour la première fois, sourit.

Édouard ressentit comme un coup de poignard. À cet instant, il eut l'impression qu'un barrage, construit bien des années auparavant autour de son cœur, venait de s'écrouler. Il emmena Grégoire faire des promenades à cheval. Après avoir annulé tous ses rendez-vous de la semaine, il resta dans la Loire, passant ses journées avec l'enfant. À la fin de la semaine, Grégoire reçut la permission d'aller au petit galop. Il accomplit son parcours sans faute. Édouard était bouleversé en le regardant. Quand le petit garçon arrêta son cheval triomphalement devant lui, il ressentit plus de fierté qu'en quatre ans de réussite dans ses affaires.

Il parla à Grégoire, à sa mère, à Madeleine. Ravis, ils donnèrent tous leur accord : Grégoire irait à Paris vivre à Saint-Cloud avec Édouard, qui s'occuperait de son éducation. Il s'engagea à prendre soin personnellement de l'enfant. Madeleine les accompagnerait à Paris quelque temps pour l'aider et, quand elle et Grégoire se sentiraient prêts, Édouard aiderait Madeleine à trouver un centre de formation puis du travail. Il exposa son plan clairement, craignant d'être repoussé. Quand il eut fini, la mère de Grégoire se jeta à ses genoux, lui embrassa la main et se mit à pleurer. Édouard l'aida à se relever. Cette marque de gratitude lui était comme un reproche. Honteux, il se rendait compte qu'il n'avait jamais prêté attention à ceux qui étaient dans le dénuement. Ce ne serait jamais plus le cas.

Édouard craignait que l'adaptation de Grégoire à Saint-Cloud ne fût difficile. Il redoutait que l'enfant éprouve le mal du pays. Mais ses craintes étaient sans fondement. L'enfant était ravi. Les serviteurs le choyaient. Édouard s'arrangeait pour bavarder un moment chaque jour avec lui.

L'hiver, il l'emmena au ski. L'été, dans sa maison de Normandie. Il passait des heures sur la plage, seul avec lui, à jouer et à nager.

Après ces vacances-là, à leur retour à Paris, Madeleine lui dit :

— Vous n'avez plus besoin de moi, Grégoire non plus. Je ne l'ai jamais vu si heureux.

Elle avait alors dix-huit ans. Sérieuse, déterminée, elle confia à Édouard qu'elle aimerait être puéricultrice, car elle aimait beaucoup les enfants.

Après s'être informé, Édouard lui fit choisir une école. Son choix se porta sur *Norland College*, en Angleterre, qui avait formé des générations de nourrices.

— En es-tu sûre, Madeleine ? Tu auras toujours ta place ici. Tu peux rester tant que tu le souhaiteras.

— J'en suis certaine. Je veux apprendre, travailler. Mais je veux aussi vous remercier et je ne sais pas comment. Vous avez transformé ma vie.

— Toi aussi, tu as changé la mienne, et je te retourne le compliment.

Après le départ de Madeleine, Édouard passa de plus en plus de temps auprès de Grégoire, qui l'appelait « oncle » à sa demande, ce qui fit jaser à Paris, mais Édouard n'y prêtait nulle attention. Il s'occupait de Grégoire comme s'il était son fils. Comme Jean-Paul ne s'était jamais marié et resterait probablement célibataire, comme lui-même n'avait pas rencontré la femme idéale, il songeait, au plus profond de lui, à faire un jour de

Grégoire son héritier. « Tout ce que je fais pourrait lui revenir, se disait-il. Il poursuivra mon œuvre, comme j'ai poursuivi celle de mon père. »

Il consulta ses avocats et changea son testament. Puis, lentement, il prépara l'enfant à cet éventuel destin. Il n'évoquait jamais cet héritage, mais essayait, avec douceur, de faire connaître à Grégoire certains aspects de son empire financier. De même que son père lui avait enseigné les rudiments de la joaillerie, de même il les inculqua à Grégoire. Il lui fit visiter les divers ateliers disséminés dans Paris, le laissa observer les ouvriers expérimentés au travail, les spécialistes du métal, les nielleurs, les tailleurs de pierres précieuses, les sertisseurs, toute l'équipe hautement qualifiée qui fabriquait les mécanismes des montres et des horloges.

C'est ce qui intéressait le plus Grégoire. Il semblait avoir l'esprit pratique, et les techniques d'assemblage le passionnaient. Il restait assis des heures à les regarder en silence fixer des anneaux et des ressorts. Ces exercices de précision le fascinaient.

Édouard se rendit compte très vite qu'il aimait les voitures. Ils partagèrent donc cette passion. Mais alors qu'Édouard aimait les voitures pour leur carrosserie, leur beauté et en faisait la collection sur ces critères, Grégoire, lui, s'intéressait aux moteurs.

Ils passaient des heures merveilleuses à conduire de belles voitures, à aller en admirer d'autres, ou simplement à rester dans les vastes garages de Saint-Cloud où Grégoire s'amusait à remonter des roues sous le regard satisfait d'Édouard. Son mécanicien lui donna des leçons. Le petit garçon apprenait très vite. Au bout de quelques mois, il était capable de démonter un moteur et d'en rassembler toutes les pièces. Une fois sa tâche accomplie, il levait vers Édouard un visage radieux, couvert d'huile et de graisse.

— J'y arrive, regardez, tout est en place.

Édouard lui souriait. La vie lui semblait alors toute simple. Les composantes du bonheur étaient là, il suffisait de les rassembler.

Le temps s'écoulait agréablement. Ils allèrent dans la Loire faire le tour des vignobles avant de retourner pour le week-end en Normandie où ils campèrent sur la plage, préparant leur dîner sur un feu allumé sur le sable. Assis côte à côte, en harmonie totale, l'homme et l'enfant.

— J'aimerais rester là toute ma vie, lui dit Grégoire.

— Moi aussi.

Plus tard, allongé paisiblement dans son sac de couchage, Grégoire à ses côtés, Édouard leva les yeux vers le ciel étoilé. C'était la première fois de sa vie qu'il couchait dehors. Enfants, Jean-Paul et lui en avaient rêvé, mais on le leur avait toujours interdit.

Édouard respirait l'air frais, écoutait le doux murmure de la mer qui venait mourir sur le sable, éprouvant un intense bonheur. Il se tourna vers Grégoire, conscient qu'il en était la source. Il lui avait apporté l'amour et lui avait surtout donné un but dans la vie.

Le jour suivant, ils allèrent faire une promenade à cheval. Les tailleurs anglais d'Édouard avaient confectionné une tenue de cheval spéciale pour l'enfant, une copie de l'habit d'Édouard.

Sur le chemin du retour, Grégoire sembla songeur.

— À quoi penses-tu, Grégoire ?

— À vous, à moi... Je vous appelle « oncle » et parfois je souhaiterais...

— Tu souhaiterais quoi, dis-moi.

— Je souhaiterais pouvoir vous appeler « papa », dit-il en levant ses yeux sombres vers lui. Simplement lorsque nous sommes seuls, bien sûr.

Édouard arrêta son cheval, descendit de sa monture et souleva Grégoire dans ses bras.

— Je souhaiterais de tout mon cœur que tu sois mon fils. J'ai même le sentiment que tu l'es. C'est le plus important, tu ne crois pas, Grégoire ? Le nom importe peu entre nous.

Grégoire glissa sa petite main autour de son cou et l'embrassa sur le front.

— Je vous aime.

— Je t'aime aussi, tu sais.

— Beaucoup ?

— Bien sûr.

C'était la première fois qu'ils évoquaient leur affection mutuelle. Édouard était ivre de bonheur.

Quand ils revinrent à Paris, il se rendit compte que son affection pour Grégoire posait bon nombre de problèmes. Sa mère le réprimanda, lui disant clairement qu'elle souhaitait le recevoir seul.

Ils bavardèrent de tout et de rien devant une tasse de thé. Édouard savait depuis le début que Louise désapprouvait cette adoption officieuse. Au début, elle n'avait fait que de simples remarques et quelques allusions, mais là, il lui semblait opportun de se montrer plus claire, tout en gardant une certaine prudence. Édouard se rendait compte que ses rapports avec sa mère avaient changé ces derniers temps.

Louise n'avait toujours pas donné son accord pour investir une partie de son capital dans les sociétés Chavigny. Édouard, attendant son heure, ne la pressait pas. Elle ne le traitait plus avec son mépris habituel depuis qu'il avait acquis une réputation d'homme d'affaires chevronné. De toute évidence, quelqu'un avait dû vanter ses capacités, car elle le considérait maintenant avec circonspection, se demandant si, au fond, elle ne s'était pas trompée et si, après tout, son fils cadet ne pouvait pas lui être utile. Son regard reflétait tous ses calculs. Elle l'écouta avec attention lorsqu'il lui préconisa certains investissements et s'en remit de plus en plus à ses conseils. Elle évoquait devant lui ses affaires, notamment ses achats de terres au Texas que ses conseillers américains lui avaient suggérés.

Édouard fut intéressé, mais ce n'était, à ses yeux, qu'un préambule. Sa mère souhaitait son aide, mais elle voulait aussi aborder la question de Grégoire. Autrefois, elle l'aurait fait d'emblée, mais plus maintenant. Elle se montrait prudente, et Édouard, effaré, se rendit compte qu'elle craignait de l'offenser.

— Mon cher Édouard, dit-elle enfin, j'aimerais soulever la question de cet enfant.

— Grégoire ?

— Oui, Grégoire. Les gens jasent, vois-tu, et tiennent des propos désobligeants et même blessants.

— Cela ne me touche absolument pas. Qu'ils racontent ce qu'ils veulent.

— Bien sûr, bien sûr.

Louise essayait de se montrer conciliante.

— Je me rends compte que tu es dans une position difficile. Tout cela est de la faute de Jean-Paul. Tu as voulu intervenir...

— Il le fallait bien.

— Je comprends. Jean-Paul s'est très mal comporté. Cela n'aurait jamais dû arriver. Mais je crois que tu vas un peu loin. Le faire vivre sous ton toit, le traiter comme si c'était ton propre fils, c'est parfaitement injuste à son égard, Édouard. Il ne sera jamais accepté, tu le sais, et il ne pourra pas non plus retourner dans son milieu. Il ne se trouvera bien nulle part.

— Il se trouve très bien avec moi. Pour l'instant, c'est tout ce qui m'intéresse.

— Mais, Édouard, comment le peut-il ? dit-elle en levant vers lui un regard brûlant de reproches. De toute évidence, tu t'es attaché à cet enfant, mais ne te laisse pas aveugler. Son accent ? Il n'arrivera jamais à s'en débarrasser. Et son éducation est une perte de temps, Édouard. Les gens comme lui n'aiment pas s'instruire. Ils n'en ont pas besoin. Et ses manières ? Il vit avec toi depuis un an, Édouard, et il ne s'est pas amélioré. Lorsque tu l'as amené l'autre jour prendre le thé ici, il a fait tomber cette tasse en porcelaine de Sèvres.

— Il l'a fait tomber parce que vous le rendiez nerveux. Et vous agissiez en toute connaissance de cause. Vous n'avez rien fait pour lui être agréable.

Édouard se leva, blême de colère. Louise marqua un temps d'hésitation. Elle se plaisait généralement à l'agacer, mais là, elle fit un effort.

— Mon cher Édouard, je veux simplement t'apporter mon aide, lui dit-elle en le prenant doucement par le bras. Je ne veux pas que tu sois malheureux, c'est tout. Tu es terriblement obstiné. Une fois que ta décision est prise, tu ne vois plus les difficultés que tu peux créer aux autres. Cette affaire me place dans une position extrêmement délicate. C'est encore un enfant, mais plus tard... Édouard, tu ne penses pas sérieusement que je vais l'inviter ici, le recevoir...

— Si vous ne l'invitez pas, inutile de m'inviter. Si cela était, je ne remettrais plus les pieds dans cette maison et cesserais de vous voir. J'espère que vous comprenez.

Louise ne répondit pas, évaluant les avantages et les inconvénients. Elle poussa un long soupir de résignation devant Édouard, plein d'amertume.

Enfant, il avait désespérément quémandé son amour et lui avait offert le sien, mais elle l'avait toujours rejeté. Là, parce qu'elle avait une idée en tête, elle était prête à capituler. Non point qu'elle recherchât son amour, mais simplement ses conseils, sa perspicacité d'homme d'affaires. « C'était un marché comme un autre », se dit-il froidement.

— Je suis désolée, Édouard, tu te méprends sur mes intentions. Inutile de nous disputer. Parlons de choses plus gaies.

Elle reconnaissait ainsi sa défaite et son impuissance.

Édouard se demandait si elle se rendait compte que c'était trop tard.

— Bien sûr, maman, répondit-il d'un ton affable. Je pourrais peut-être jeter un coup d'œil à vos dossiers du Texas.

Sa voix ne reflétait aucune arrière-pensée.

Au printemps de cette même année 1955, peu après cette discussion, le tuteur qu'Édouard avait engagé le quitta. Édouard, qui cherchait à le remplacer, songea à Hugo Glendinning.

Il ne l'avait pas totalement perdu de vue et savait par son cousin Christian que Hugo traversait des moments difficiles. Le poste prestigieux qu'il occupait à Winchester lui avait été supprimé quelques années auparavant, et Hugo n'avait pu en trouver un autre. « Le régime des prestigieuses écoles privées ne lui convenait pas », lui dit Christian. Il était trop indépendant, et son originalité déplaisait. Christian était persuadé qu'il serait ravi de travailler en France et surtout pour Édouard. On ne recherchait presque plus les précepteurs privés en Angleterre. Les temps avaient changé.

Édouard était hésitant. Il aurait préféré que Grégoire aille à l'école se mêler aux autres. Mais l'enfant, n'y étant jamais allé, avait un retard considérable, et Édouard craignait les railleries. Dans quelques années peut-être, quand Grégoire aurait rattrapé son retard et aurait pris confiance en lui. Il songeait à Hugo qui l'avait profondément marqué en lui inculquant le doute, à ses dons pour susciter l'intérêt, stimuler la pensée. Il se rappelait la passion de Hugo pour son métier, sa sagesse, sa bonté et son esprit vif. Sa voix, récitant des poèmes, résonnait encore dans son esprit. Décidé à l'engager, il lui écrivit. Ce fut sa première grande erreur.

Hugo ne supportait pas de gaieté de cœur les esprits lents. Édouard, qui pourtant n'était pas un imbécile, avait oublié cet aspect de son caractère, dont il n'avait, à vrai dire, pas vraiment souffert. Le temps avait passé, et Hugo avait changé. Sa tendance de jeunesse à perdre patience rapidement s'était transformée, avec les années, en une profonde irascibilité. Hugo voyait ses contemporains moins brillants que lui le surpasser. Il blâmait l'étroitesse d'esprit des hommes politiques, et, lorsqu'il se présenta sous l'étiquette du parti travailliste aux élections de 1945 que les socialistes emportèrent brillamment, Hugo ne gagna aucun siège.

À cinquante ans, célibataire, il avait des méthodes d'enseignement peu orthodoxes. Il n'avait eu jusque-là que des enfants extrêmement brillants. Dès leur première rencontre, une antipathie rédhibitoire s'était manifestée entre Grégoire et lui.

Les capacités de Grégoire d'assembler toutes les pièces d'une horloge, de démonter un moteur, de harnacher un cheval, de connaître et d'aimer le nom et les habitudes des plantes et des oiseaux, tout cela ne signifiait rien aux yeux de Hugo.

Au début, il essaya de se montrer patient. L'enfant n'avait reçu aucune instruction avant qu'Édouard ne le prenne sous sa protection. Il savait maintenant lire et écrire en français. Édouard lui avait appris un peu d'anglais. Mais ses connaissances s'arrêtaient là. Avec enthousiasme, refoulant son inimitié, Hugo établit un programme qui donnerait à Grégoire des bases solides sur les sujets qui lui semblaient importants. Il n'y avait rien sur la mécanique et encore moins sur les moteurs à combustion. Pour Hugo, seules comptaient la littérature, l'histoire et les langues, le reste n'étant que secondaire.

Les leçons se passèrent très mal. Grégoire pouvait se montrer têtu. Hugo se rendit vite compte que l'enfant était obstiné. Ses capacités n'étaient pas en cause, mais il avait décidé de ne rien apprendre. Paresseux, il refusait de se concentrer. À sa grande horreur, Hugo, le socialiste de toujours, critiquait ce malheureux enfant de souche paysanne. Mécontent de son snobisme, il malmenait l'enfant, refusant d'admettre son propre échec.

Il avait connu bien des déboires, mais n'avait jamais échoué dans son travail de pédagogue. Il avait devant lui un enfant impassible qui l'écoutait parler des plus grands auteurs, bâillait en l'entendant déclamer des vers de Villon, regardait par la fenêtre quand Hugo lui lisait du Maupassant ou du Flaubert.

Hugo ne pouvait ni ne voulait se mettre à sa portée, et l'enfant ne pouvait ni ne voulait le comprendre. Ils arrivèrent très vite à une impasse, mais ni l'un ni l'autre n'osa en parler à Édouard, Hugo par fierté, Grégoire de peur de le décevoir.

À la fin de l'été 1955 où il régnait une chaleur torride, Édouard fit un voyage d'affaires en Amérique. Il avait décidé de s'occuper personnellement des investissements de sa mère au Texas et d'examiner les biens que ses conseillers de Wall Street la pressaient de vendre et pour lesquels Édouard avait quelques réticences.

— Je vais m'absenter deux semaines, dit-il à Grégoire. Ensuite, nous irons peut-être en vacances à la mer comme l'année dernière.

Édouard manquait à Grégoire, ce qui accentuait son inattention. Le bureau de Saint-Cloud était étouffant. Hugo était d'une humeur massacrante. Un jour, il faillit frapper l'enfant par frustration et se ressaisit juste à temps. Furieux, il laissa tomber le latin quelque temps et décida de n'étudier que le français. Si l'enfant ne voulait pas écouter de la poésie, il serait bien obligé de comprendre un peu de grammaire. Il donna à Grégoire des pages entières à apprendre, règle après règle. Puis il vérifia ses connaissances.

Un après-midi, une semaine environ après le départ d'Édouard, il remarqua qu'il était plus calme que d'habitude et qu'il avait des couleurs aux joues. Il lui demanda de façon sarcastique s'il se sentait bien.

Grégoire baissa les yeux.

— J'ai mal à la tête, avoua-t-il.

— Moi aussi, répondit Hugo en reposant son livre sur la table. J'aurais moins mal si tu te concentrais. Bien, maintenant abordons les conjugaisons de ces verbes irréguliers. Nous les referons tant que tu ne les sauras pas. Si tu les apprenais, tu penserais moins à tes maux.

L'enfant se pencha sur son livre avec une docilité inhabituelle. Le lendemain, il eut la même attitude. Gardant le silence, il refusa de manger.

— Tu boudes, Grégoire, dit Hugo quand ils revinrent travailler. J'aimerais que tu me dises pourquoi.

L'enfant leva vers lui un visage empourpré.

— Je ne me sens pas très bien.

— Tu te sentirais mieux si tu travaillais. La paresse rend malade.

— Je dis la vérité. La tête me fait mal. Je souhaiterais m'allonger.

L'enfant posa la tête sur ses bras. Hugo poussa un soupir exaspéré. Il se leva, s'approcha de l'enfant et lui toucha le front. Il avait certes un peu chaud, les joues rouges, mais, avec cette chaleur, rien de surprenant.

— Grégoire, ces tours ont peut-être marché avec ton précédent tuteur, mais ils ne marchent pas avec moi, dit-il en retournant à son bureau. Si je te disais que les leçons sont terminées pour aujourd'hui et que tu peux aller te baigner, je suis certain que ta guérison serait, comme par miracle, instantanée. Or je n'ai nullement l'intention de te faire une telle proposition. Redresse-toi, je te prie, et fais un effort de concentration. Ouvre ta grammaire, page 14.

L'enfant fit doucement ce qu'on lui demandait.

À 3 heures et demie, heure à laquelle se terminait généralement la leçon, Hugo, voyant que pour une fois Grégoire semblait écouter, décida de la prolonger d'une demi-heure. L'enfant restait silencieux. Il ne regardait pas par la fenêtre.

À 4 heures moins cinq, Grégoire fut pris de convulsions.

Ce fut très brusque, sans aucun signe précurseur. Hugo perçut un râle sibilant. Au comble de l'inquiétude, il vit que l'enfant avait la tête en arrière, les yeux révulsés. Son bras, sa jambe puis tout le corps furent secoués de convulsions. Il tomba de sa chaise et s'affala par terre.

Hugo ne savait absolument pas quoi faire : il sonna désespérément les serviteurs, alla chercher de l'eau et en aspergea le visage convulsé de l'enfant. Il lui défit le col de sa chemise, tenta vainement de lui mettre une règle entre les dents. Un peu après 4 heures, les convulsions cessèrent.

Il appela une ambulance. Grégoire eut de nouvelles convulsions sur le chemin de l'hôpital. Le meilleur pédiatre de Paris fut appelé en consultation. Il informa Hugo, qui était blême, que c'était sans doute une méningite. Ils allaient procéder à une ponction lombaire pour s'en assurer. Ensuite...

— Ensuite, quoi ? fit Hugo angoissé.

— Il ne vous reste plus qu'à prier, monsieur. Je ferai mon possible, naturellement. Si vous me l'aviez amené plus tôt, il avait une chance de s'en sortir, c'est tout ce que je puis vous dire.

Hugo téléphona au bureau d'Édouard et demanda qu'on le joigne immédiatement. Puis il se mit à prier. Édouard fut informé au milieu d'une réunion à 6 h 15 GMT. Il affréta aussitôt un avion. Grégoire mourut le lendemain matin, deux heures avant l'arrivée d'Édouard à l'hôpital.

Il prit le corps flasque de l'enfant dans ses bras et pleura à chaudes larmes, avec une intensité que ses associés n'auraient jamais soupçonnée.

Trois mois plus tard, Hugo trouva la mort dans un accident de bateau. On parla de suicide, mais l'affaire fut étouffée. Il légua sa bibliothèque à Édouard, qui, lorsqu'il l'apprit, fit vendre tous les livres aux enchères. Grégoire fut enterré dans la chapelle des Chavigny, malgré la colère de Louise et l'indifférence de Jean-Paul, puis Édouard essaya de construire sa vie sur d'autres bases.

Dès lors, il changea totalement. Ses amis, qui avaient pour lui le plus grand respect, se mirent à le craindre.

Au début des années cinquante, Édouard avait demandé à Émile Lassalle, élève de Le Corbusier et considéré comme le meilleur architecte contemporain de France, de contruire les nouveaux bâtiments administratifs de la société mère à Paris. À la fin de l'année 1955, la grande tour de verre noire, conçue par Lassalle, fut achevée. C'était la première de ce type construite à Paris. Cela entraîna de nombreuses polémiques tout en devenant la pierre de touche du secteur commercial.

Durant l'hiver de la même année, Gérard Gravellier, directeur des archives de la société de Chavigny, regardait par la fenêtre de son bureau situé au douzième étage.

Il vit une Rolls-Royce Phantom noire s'arrêter devant la porte, puis le chauffeur en uniforme descendre de voiture et maintenir la portière ouverte. Une longue silhouette noire se profila. Il ajusta sa cravate, épousseta quelques pellicules sur son veston à deux cents guinées, fait sur mesure par un tailleur de Londres et non point par le tailleur habituel d'Édouard, Gieves de Saville Row, trop cher pour lui.

Il était si nerveux qu'il n'avait rien pu avaler au petit déjeuner. Il essayait de se calmer, n'ayant nulle raison de s'inquiéter. Il connaissait la raison de cette rencontre. Le but était de discuter des nouvelles méthodes de classement des archives des modèles Chavigny qui avaient été entièrement reconsidérées selon le désir d'Édouard de Chavigny et qui devaient devenir opérationnelles dans la semaine, dès que les archives parviendraient à leur nouveau département. Le nouveau système impliquait des réductions de personnel, des licenciements volontaires. C'était probablement ce point-là qu'Édouard de Chavigny était venu discuter. Son amour de la précision était connu. Pas le moindre détail concernant la marche de ses affaires ne lui échappait, ce qui ne faisait qu'accroître la nervosité de

Gérard Gravellier. De grosses perles de sueur apparaissaient sur son visage.

Quand la sonnerie de l'interphone retentit dans son bureau, il sursauta. « Calme-toi », se dit-il. Il songea à toutes ses brillantes acquisitions en traversant les couloirs couverts d'épais tapis menant à l'ascenseur réservé à la direction qui conduisait au dix-huitième étage : un nouvel appartement dans le quartier élégant de Beauséjour, un plus petit à Montparnasse où vivait une de ses maîtresses les plus accommodantes, deux voitures dont l'une était le modèle haut de gamme le plus récent de chez Citroën, un compte en banque bien approvisionné que personne, espérait-il, ne viendrait examiner. Il avait obtenu un diplôme des Beaux-Arts à la Sorbonne, suivi des cours au *Victoria and Albert Museum* de Londres et au Musée des arts décoratifs de Paris. C'était un expert en histoire de la joaillerie en général et en particulier celle des Chavigny que nul n'égalait en la matière, sauf l'homme qu'il allait rencontrer. Il soupira, l'air sceptique. Il se sentait indispensable, du moins était-ce là son désir.

C'était la première fois qu'il montait au dix-huitième étage où se trouvait la suite qu'occupait Édouard de Chavigny. Il écarquilla les yeux quand la porte de l'ascenseur s'ouvrit. La rupture avec la tradition était totale. Un océan de beige et de blanc dans une vaste entrée faite de verre et de chrome. Trois immenses divans en cuir naturel entouraient une table de style Le Corbusier. Deux splendides standardistes étaient assises derrière des bureaux de même facture. Toutes deux étaient vêtues d'un chemisier de soie orné d'un collier de perles et rehaussé d'un foulard Hermès négligemment noué autour du cou. Gérard leur lança un coup d'œil furtif. Elles étaient tout à fait désirables, surtout celle de gauche, mais semblaient prêtes à ne céder qu'à Édouard de Chavigny en personne.

— Veuillez patienter un instant, monsieur Gravellier, lui dit l'une d'elles.

Nulle excuse, nulle explication, nulle invitation à prendre une tasse de café. Il attendit quarante-cinq minutes, dégoulinant de sueur.

Puis il pénétra dans la pièce attenante au bureau, d'une beauté époustouflante, où deux chipies de secrétaires le regardèrent avec mépris. Doux Jésus !

Il fut alors introduit dans le sanctuaire, une heure après avoir été convoqué, certain que tout cela était voulu.

Une porte en acajou massif ouvrait sur un immense bureau étonnamment austère. Il s'attendait à trouver des meubles anciens, des fleurs, des portraits d'ancêtres qui avaient toujours eu leur place dans le bureau des précédents barons. Là, rien. Les murs étaient couverts de peintures abstraites : un Picasso de la période cubiste, deux superbes Braque, un Kandinsky de la première période, un Rothko et enfin un tableau particulièrement tourmenté de Jackson Pollock. Sur l'étagère noire, derrière le bureau, étaient posés trois bronzes, un Brâncusi, un Henry Moore et un Giacometti. Prenant son courage à deux mains, il s'approcha du bureau d'un pas tout de même hésitant.

Édouard de Chavigny leva les yeux. Gérard le dévisagea. Il avait trente ans, mais paraissait plus âgé. Mesurant un mètre quatre-vingts, large d'épaules, Édouard avait le même regard magnétique que son père. Bronzé, des traits marqués, des cheveux bruns qui faisaient ressortir ses yeux bleus. Gérard eut l'impression que ce regard le transperçait, lisant ses moindres pensées. Il jeta un regard envieux à son costume : simple, noir, avec un gilet, quatre boutons aux manches alors que lui n'en portait que trois. Là était la différence, songeait-il avec amertume, entre un costume à deux cents guinées et un autre à cinq cents. Une chemise blanche et une cravate en soie noire. Dieu du ciel, il avait l'air d'être en deuil.

— Asseyez-vous.

Gérard lui obéit. Sur le vaste bureau noir se trouvaient bon nombre de téléphones et d'interphones. Sur l'un d'eux étaient posés un stylo en platine de Chavigny et un dossier blanc. Rien d'autre. Et pourtant cet homme était au courant de tout ce qui se passait à Rome, Tokyo ou Johannesburg environ deux mois avant les autres. Comment diable s'y prenait-il ?

Il défit un peu le col de sa chemise sans rien dire. Ses silences étaient célèbres. Ils étaient faits pour énerver l'interlocuteur, qui commençait à bredouiller. Ce que fit Gérard.

— Je suis émerveillé par le nouveau quartier général, monsieur. Je tenais à vous faire part de mon admiration. Notre image de marque va s'améliorer, j'en suis sûr. Quel privilège de travailler dans ces bureaux d'avant-garde ! J'ai entendu dire...

— Je ne vous ai pas fait venir pour parler des bureaux.

Gérard toussota. Le ton était incisif, froid. Il lui fallait se détendre, garder son sang-froid et surtout ne rien dire, mais c'était plus fort que lui.

— Non, bien sûr, monsieur. Si vous voulez que nous abordions le sujet du transfert des archives, je puis vous assurer que nous n'avons pris aucun retard. J'ai apporté plusieurs dossiers... l'agencement, les aménagements de personnel...

— Monsieur Gravellier, depuis combien de temps travaillez-vous pour la compagnie de Chavigny ?

— Vingt et un ans, monsieur.

— Vingt et un ans, deux mois et trois semaines, dit-il en ouvrant le dossier blanc qui se trouvait en face de lui. J'ai là le rapport du chef du département de la sécurité.

Gérard blêmit.

— Je ne pense pas que nous ayons besoin de le détailler. Vous avez commencé à faire de l'espionnage il y a quatorze mois. Au début, vous n'avez relevé que des détails sans importance. Voilà pourquoi nous vous avons laissé continuer. Je voulais voir jusqu'où vous iriez.

« Le mois dernier, vous avez eu accès aux modèles hautement confidentiels concernant la collection 1956-1957. Vous vous les rappelez, j'en suis sûr. Le code était *Glace blanche* et entraînait un usage intensif de platine, d'or blanc et de diamants. En fait, peu importe si vous en avez souvenance ou non, car ils ont été inventés à votre intention et à celle de la compagnie rivale à laquelle vous avez passé tous ces détails confidentiels hier après-midi.

Sourire glacial.

— Nos modèles pour la collection 1956-1957, inutile de vous le préciser, sont totalement différents, et vous ne les verrez pas puisque vous êtes renvoyé.

Gérard se leva. Le sang lui montait au visage. « Le salaud, se disait-il, il m'a laissé faire pendant dix-huit mois et maintenant... »

Il s'appuya sur le dossier de la chaise.

Édouard de Chavigny leva les yeux, le visage impassible.

— Le prêt accordé par la compagnie est annulé. À moins que vous ne puissiez trouver des arrangements, la compagnie va vous saisir. La voiture de fonction vous a été supprimée ce matin. La compagnie a informé vos deux banques, où, d'après ce que je sais, vous avez de gros découverts, que vous ne travailliez plus pour nous et que, par voie de conséquence, nous ne nous portions plus garants. Les points de retraite que vous avez accumulés chez nous sont frappés de nullité. Nos avocats vont intenter une action contre vous pour abus de confiance, fraude et espionnage industriel. Voyez-vous autre chose ?

— Monsieur de Chavigny, je vous en prie... Je suis marié, j'ai quatre enfants qui vont encore à l'école. L'aîné a onze ans et...

Il y eut encore un de ces silences pesants. L'espace d'une minute, la plus merveilleuse de sa vie, Gérard crut qu'Édouard s'était laissé attendrir, que ce robot hyperefficace avait du coeur. En l'entendant parler de ses enfants, l'homme assis derrière son bureau pâlit avant de refermer brusquement son dossier blanc.

— Deux messieurs vous attendent dehors, un inspecteur des Finances et un autre de la préfecture de police. Vous êtes en état d'arrestation. Au revoir, monsieur.

Gérard s'avança vers la porte, puis se retourna, le visage haineux, fou de colère et d'appréhension. Il remarqua de nouveau ce costume d'une coupe parfaite, ce visage parfaitement inexpressif, ce regard glacial.

— Soyez maudit, dit-il d'une voix étranglée. Vingt-deux ans dans cette maison. J'espère que vous irez pourrir en enfer.

Quand la porte se referma sur lui, Édouard, se tournant vers le tableau tourmenté de Jackson Pollock, esquissa un sourire amer et repoussa le dossier. Il était déjà en enfer. Nul besoin des malédictions d'un Gérard Gravellier pour l'y conduire.

Il était d'une nature impitoyable, mais avait toujours essayé de la refouler. Maintenant, il lui laissait libre cours. Autrefois, il essayait de remédier aux défauts des autres quand il rencontrait la trahison, le subterfuge, l'inefficacité. Maintenant, le châtiment tombait inexorablement. Quand il donnait un ordre, il fallait l'exécuter sur-le-champ. Ceux qui acceptaient de suivre son rythme prospéraient, les autres étaient mis à l'écart. Ceux qui l'agaçaient, ils étaient de plus en plus rares, le regrettaient très vite.

Un petit joaillier suisse s'enrichissait depuis des années en copiant de façon éhontée les modèles de Chavigny. Il utilisait des pierres et du métal de moindre qualité, et faisait appel à une main-d'œuvre bon marché. Ensuite, il revendait sa marchandise en la faisant passer pour des modèles de Chavigny. Soudain, par un réseau compliqué de courtiers et de revendeurs, il eut la joie d'obtenir des banques de gros crédits pour ouvrir de nouveaux ateliers. Le joaillier se mit à dépenser sans compter. Lorsque le découvert fut important, sa banque, qui n'était autre qu'une filiale du Crédit suisse, l'une des banques suisses de la compagnie de Chavigny, lui demanda de rembourser l'emprunt. Incapable de payer, il demanda un délai qui lui fut refusé. Son entreprise fit faillite.

La société de publicité de Londres, responsable de l'image de marque des Chavigny en Angleterre pour la joaillerie et le vin, eut douze heures de retard dans la présentation de ses nouveaux modèles, ce qui était un phénomène courant. Elle perdit le marché le jour même. En moins de trois semaines, ses rivales les plus acharnées se lancèrent dans une nouvelle campagne publicitaire qui apparut dans toute la presse.

— Comment ce salaud s'y est-il pris pour faire aussi vite ? s'exclama le directeur artistique en découvrant la double page du *Queens* où s'étalaient tous les nouveaux modèles.

— Je n'en sais rien, lui répondit le directeur commercial, mais il s'agit de se remuer. Nous venons d'avoir encore six annulations.

Six mois plus tard, l'agence de publicité fut rachetée par ses rivales plus chanceuses. Deux mois après cet événement, elle fut absorbée par une agence Chavigny qui venait de se créer aux îles Baléares, avec des bureaux à Londres, Zurich, Milan et New York, ayant l'exclusivité dans le monde entier de la marque et chargée des investissements. Édouard de Chavigny en était le président-directeur général. Rien ne lui échappait.

Il se montrait intraitable, même avec sa famille. Au début de l'année 1956, Jean-Paul vint à Paris, ce qui lui arrivait très rarement. Son but était de rappeler à son frère que c'était lui, après tout, le baron et qu'il souhaitait étendre ses investissements dans des vignobles, du bois et des plantations d'oliviers en Algérie. Jean-Paul était persuadé qu'il détenait un filon.

— Ce crétin d'Olivier de Courseulles vend tout. Il a la frousse. À la moindre agitation, il prend la fuite. Édouard, il y a vingt-cinq mille hectares d'oliviers qui produisent la meilleure huile de la région. Trente mille hectares de bois et un peu moins de mille hectares de vigne. Ce sont les terres les plus productives de la région, et il les laisse pour une bouchée de pain. Tout ça parce qu'il est pressé et aussi parce que c'est un ami. Je lui ai dit que cela ne posait aucun problème.

— Eh bien, tu n'aurais pas dû, répondit Édouard en tapotant la surface de son bureau noir de son stylo en platine.

— Pourquoi ? lui demanda-t-il, le visage blême. Y aurait-il la moindre difficulté ? C'est impossible. J'ai vérifié les rapports que tu m'as envoyés, les bilans financiers et, sans être expert, je vois bien qu'on dispose d'un capital suffisant.

— Là n'est pas la question. Pourquoi, à ton avis, vend-il à un prix aussi bas ?

— Je te l'ai dit. Il est nerveux à cause du climat politique qui règne en ce moment. La situation est plutôt instable.

— C'est le moins qu'on puisse dire.

— Mais ce n'est que temporaire, grâce à Dieu. Le gouvernement français ne va pas tolérer cette situation longtemps. S'il y a encore des troubles, ils enverront les troupes pour ratisser tout ça en un rien de temps. Ce n'est pas un problème. Je connais les Arabes, toi, non. Ils sont incapables d'organiser quoi que ce soit, encore moins une révolution. Ce ne sont que des conneries alarmistes.

— Si tu te trompais, s'ils fomentaient une révolution, dit Édouard d'un ton sarcastique, as-tu pensé à ce que deviendraient les propriétés des Français ?

— Elles seraient sans doute reprises, lui répondit Jean-Paul, agacé, mais c'est impensable. Je te dis que cela n'arrivera pas parce que c'est tout bonnement impossible. L'Algérie est une colonie française, que diable ! Peut-être l'as-tu oublié.

— As-tu entendu parler des récents événements d'Indochine ?

— Évidemment, mais la situation est totalement différente.

— La réponse est non.

Jean-Paul dévisagea son frère, l'air sceptique. Il se rendait compte qu'il le connaissait mal. Cet homme distant, vêtu d'un costume noir austère, était un étranger. Il ne comprenait pas ses motivations.

— Écoute, petit frère, dit-il en se penchant sur le bureau, je ne m'attendais pas à cela. Je ne comprends pas. Tu es là, trônant comme un dieu, et tu dis simplement *non* sans daigner me donner la moindre raison.

— Je peux t'en donner autant que tu voudras, si c'est là ce que tu désires. La plupart d'entre elles sont d'ailleurs consignées dans le rapport que voilà, rédigé à ton intention.

Édouard regarda sa montre.

— C'est un investissement à haut risque qui, si la situation empire, peut dégénérer en perte sèche. Je ne suis pas toujours contre les investissements à risque, mais contre celui-ci, oui.

— Tu oublies une chose. Le baron de Chavigny, c'est moi, pas toi. Je peux passer outre tes décisions.

— Très bien, si tu le souhaites, je donnerai ma démission dès demain matin.

Édouard se leva, le regard noir de colère. Jean-Paul s'inquiéta sérieusement.

— Attends une minute. Ne monte pas sur tes grands chevaux avec moi. Dieu, quel caractère, Édouard ! Tu sais très bien que ce n'est pas ce que je désire, que j'ai toujours suivi tes conseils. Je m'en remettrai à ton jugement si c'est nécessaire.

Une lueur de malice traversa son regard.

— Mais tout de même, de temps à autre, ne pourrais-tu pas m'écouter ? Dans ce cas précis, je sais de quoi je parle. Après tout, tu te sers de moi, je me sers de toi, ce sont les affaires. Tu veux que je serve d'intermédiaire auprès de maman pour les investissements, je suis heureux de t'aider. En fait, j'ai rendez-vous cet après-midi avec elle et je lui en parlerai. Mais je ne vois pas pourquoi je le ferais si tu te montres aussi têtu dans cette affaire. Grand Dieu, Édouard. Je me suis engagé vis-à-vis d'Olivier de Courseulles. Si je change d'avis, je vais passer pour un imbécile.

Édouard se rassit, un sourire pincé aux lèvres.

— Je t'en prie, parles-en à maman, mais que tu le fasses ou non, je ne changerai pas d'avis.

Jean-Paul partit furieux. Dans l'après-midi, il prit le thé en compagnie de Louise de Chavigny dans le salon merveilleusement meublé de la maison du faubourg Saint-Germain, quartier de Paris très recherché par l'aristocratie française prénapoléonienne. Il dégusta du thé de Chine dans une tasse en porcelaine de Limoges du XVIIIe siècle, assis dans une bergère capitonnée de soie, splendide mais peu confortable. Louise, plus belle que jamais, ses rides étant parfaitement invisibles depuis son dernier lifting, portait un fourreau de chez Dior qui lui moulait le corps. Assise en face de lui, elle parlait de tout et de rien. Jean-Paul regardait l'assiette en porcelaine de Limoges remplie de pâtisseries de chez Fauchon. Il goûta un éclair au chocolat succulent.

Louise le toisa d'un air réprobateur.

— Jean-Paul, tu as beaucoup grossi. Tu devrais te mettre au régime et faire un peu plus d'exercice. Édouard monte à cheval tous les matins au bois de Boulogne.

Jean-Paul, fronçant les sourcils, décida d'en venir au fait. Sans trop de subtilité, il souleva le problème du portefeuille d'investissements de Louise, qui soudain dressa l'oreille.

— Mon chéri, je croyais que tu avais vu Édouard, ce matin. C'est très gentil de ta part de t'en préoccuper, mais l'affaire est réglée.

Elle alluma une cigarette avec le briquet en platine de Chavigny.

— Tout cela est si compliqué. Je crois que j'étais fort mal conseillée. Et pourtant c'était une firme sérieuse. Ton père leur faisait confiance. Je suis très reconnaissante à Édouard. Il est vraiment très perspicace, bien plus que je ne le pensais.

Jean-Paul fit grise mine. Ce n'était pas sa litanie habituelle.

— Vois-tu, on me conseillait de vendre toutes les propriétés. Ils avaient même trouvé un acquéreur qui offrait un bon prix. Je croyais qu'il y avait des prairies d'élevage, mais la plus grande partie des terres n'était qu'une zone semi-désertique. J'avais vu une villa merveilleuse... As-tu entendu parler de Saint-Tropez, Jean ? C'est un minuscule port de pêche, exquis et si paisible. La maison était parfaite, mais il fallait toutefois procéder à des travaux de réfection de la cave au grenier. J'avais pensé faire construire quelques pavillons pour nos invités. N'était-il pas stupide d'avoir ce point de chute si extraordinaire et de ne pas s'en servir ? J'ai donc pensé à un yacht. Voilà pourquoi, l'année dernière, j'étais prête à liquider tous les biens que je possède en Amérique. Je l'aurais fait sans l'intervention d'Édouard.

— Il vous a conseillé de ne pas vendre ?

— Mon chéri, il s'est avéré qu'il y avait une quantité incroyable de pétrole sur ces terres. La valeur était bien plus grande que ce qu'on m'avait offert, et les hypothèses les plus désagréables ont été suggérées : que mes conseillers étaient soudoyés, par exemple. J'ai transféré mon portefeuille tout naturellement, dès qu'Édouard m'a mise au courant. Ils ont fait faillite depuis. Quel scandale retentissant ! Il a eu la première page du *New York Times*, tu dois t'en souvenir certainement, Jean-Paul.

— À Alger, je ne lis pas le *New York Times*.

— Tu devrais, chéri, dit Louise, le regard langoureux. Auparavant, je ne m'y intéressais pas. Je ne parcourais même pas les pages financières, mais, maintenant, c'est différent. Tu devrais aussi lire le *Wall Street Journal* et le *Financial Times*...

— Mais qu'avez-vous fait des terres ? l'interrompit brusquement Jean-Paul.

— J'ai tout vendu à une compagnie pétrolière, fit Louise en souriant. C'était une affaire beaucoup plus intéressante, et j'ai même gardé des actions dans le consortium. Édouard détient quinze pour cent des actions, je crois, moi aussi, ce qui fait trente pour cent. Cela ne confère pas un pouvoir de contrôle, mais ce n'est tout de même pas négligeable. Tu comprends ?

Jean-Paul ne comprenait que trop. Il reprit un chou à la crème pour se consoler.

— Édouard dispose donc des capitaux dont il a besoin pour son programme d'expansion ?

La précision était inutile, il le savait. Louise se mit à rire.

— Mon chéri, tu devrais te tenir au courant. Cela fait deux ans au moins que l'affaire a été conclue.

— Avez-vous vendu d'autres biens ?

— Sur les conseils d'Édouard, oui, mon chéri. Je voulais te consulter, mais l'Algérie est si loin et tu ne viens jamais à Paris. Oui, j'ai vendu quelques valeurs qui ne rapportaient rien, pour investir dans la société de Chavigny. Ce fut une sage décision, vois-tu. Les investissements sont très diversifiés, et l'affaire prospère de façon incroyable. Je ne pense pas qu'Édouard veuille investir davantage pour l'instant, mais, si tu as de l'argent disponible, tu ne trouveras pas de meilleur conseiller que...

— Mais c'est ma compagnie ! s'exclama Jean-Paul, le visage rouge de colère. Édouard n'est que mon employé. J'aimerais tout de même qu'on se le rappelle de temps en temps.

Il lança un regard furieux à sa mère qui ne semblait absolument pas émue par cette explosion de colère. « Elle savait toujours de quel côté tournait le vent », songea-t-il avec fureur. La préférence, la dévotion qu'elle avait manifestées à son égard depuis sa plus tendre enfance lui semblaient un dû. Il n'était plus le favori, de toute évidence. Édouard avait su s'insinuer dans ses bonnes grâces en son absence. Il marqua un temps d'hésitation. Sa colère s'apaisa aussi vite qu'elle avait explosé, le laissant affaibli et épuisé. Il n'était pas de taille à lutter contre Édouard. Il n'en avait ni les capacités ni la force. Il lui faudrait donc agir selon le bon vouloir de son frère et retourner en Algérie tout penaud. Son petit frère.

— Dites-moi une chose, maman, Édouard ne vous fait-il pas peur parfois ?

— Peur ? répliqua Louise, les yeux écarquillés.

— Il a tellement changé. Il est distant, il a perdu tout sens de l'humour. Ce n'est plus le frère que je connaissais. J'ai l'impression de parler à une machine.

— Une machine utile et très efficace.

— Oui, mais diable ! c'est mon frère. Nous étions si proches.

— Édouard n'est proche de personne en ce moment.

— Quelle en est la raison ?

— Chéri, comment le saurais-je ? Si c'est là son choix, où est le problème ? J'avoue que les relations sont facilitées. Nous nous entendons très bien maintenant. Nous parlons affaires, il s'inquiète de ma santé, n'oublie jamais mon anniversaire... Édouard a toujours été demandeur, depuis sa plus tendre enfance. On avait l'impression qu'il avait toujours besoin de quelque chose, c'était horriblement fatigant. Maintenant il ne demande plus rien, il semble indifférent à tout et ne recherche plus mon affection. J'avoue que cette attitude me convient parfaitement.

Jean-Paul resta songeur. Il n'avait jamais répondu à son amour de mère, et là, c'était de la répulsion qu'il éprouvait à son égard. Mais il cherchait à comprendre.

— Quelle est son attitude vis-à-vis des femmes ?

— Ah, les femmes ! fit Louise en souriant. Il a de multiples aventures, du moins est-ce ce que l'on raconte. Édouard n'aborde jamais ce problème avec moi.

— Va-t-il se marier ? balbutia-t-il.

— C'est possible, dit Louise en haussant les épaules. Il aimerait un héritier pour que le nom se perpétue. En cela, il tient de votre père. Et toi, tu ne t'es jamais marié, Jean-Paul.

— Je n'ai pas trouvé la femme idéale, mais cela ne veut pas dire que ça n'arrivera pas un jour.

Il fut le premier étonné de constater que sa colère envers son frère s'était apaisée. Il éprouvait pour lui une certaine pitié.

Louise, intriguée, se leva.

— Il est capital qu'Édouard se marie, dit-elle, l'air songeur. J'y pense souvent.

— Pourquoi, maman ?

— C'est évident, mon chéri. Édouard est obsédé par son travail, par la poursuite de l'œuvre de votre père pour honorer sa mémoire. Ne faisait-il pas une fixation sur ce petit Grégoire ? Il me l'a même amené ici prendre le thé. L'enfant n'avait aucune éducation, il a tout renversé par terre. Édouard a prétexté qu'il était nerveux... Si Édouard tombait amoureux et se mariait, cela deviendrait également obsessionnel. Sa femme pourrait l'influencer, Jean-Paul, et...

— L'influencer ? Une femme ? s'esclaffa Jean-Paul. Vous plaisantez. Personne n'influence Édouard.

— Pas encore, mais cela peut changer. Tu ne comprends pas ton frère, Jean-Paul. Ce n'est pas une machine, tu sais. Sous sa carapace, c'est un être passionné.

Jean-Paul songea à la conversation qu'il avait eue avec sa mère avant son départ. Il avait cédé aux exigences de son frère pour l'achat des terres, mais Édouard était resté impassible. Jean-Paul observa l'homme au regard implacable qui se trouvait derrière son bureau. Il se sentit submergé d'affection.

— Mon avion ne part qu'à 9 heures, nous avons le temps d'aller dîner ensemble. Qu'en dis-tu, Édouard ? J'ai horreur de discuter dans un bureau. On n'est pas détendu.

— Je suis désolé, dit Édouard en regardant sa montre en or, j'ai des rendez-vous toute la soirée. Il m'est impossible de les annuler.

— Mon Dieu, quels rendez-vous encore ? Allons, Édouard, on ne s'est pratiquement pas vus depuis des années. Prenons au moins un verre si tu n'as pas le temps de dîner.

— Je suis vraiment désolé, mais je suis déjà en retard.

— Tant pis, c'est dommage. Peut-être viendras-tu en Algérie un de ces jours. J'aimerais, tu sais.

— Ce n'est pas impossible. Si la situation politique change.

— Eh bien, préviens-moi. Téléphone-moi et ne fais pas appeler par une de tes satanées secrétaires. D'accord ?

Édouard lui sourit pour la première fois.

— D'accord.

Ils se serrèrent la main. Sur le seuil de la porte, Édouard remit un petit dossier à Jean-Paul.

— Cela peut t'intéresser. Lis-le dans l'avion, ou à ton retour.

Jean-Paul voyageait en première classe. Au milieu du trajet, l'hôtesse ne répondant pas à ses avances, il ouvrit négligemment le dossier.

Il y avait là les détails de la construction d'une clinique pour enfants, à l'extérieur de Paris, avec une donation de la compagnie de Chavigny qui s'engageait, de surcroît, à verser une rente annuelle. Jean-Paul parcourut le dossier. Il ne comprenait pas pourquoi Édouard le lui avait remis. La société avait de multiples projets pour alléger ses impôts.

L'aile des maladies infectieuses était une fondation spéciale, créée par son frère. Jean-Paul écarquilla les yeux devant les chiffres. Dix millions de dollars. C'était tout de même excessif. Soudain, il comprit. Cette aile de la clinique devait être baptisée du nom de Grégoire.

Au printemps de l'année suivante, en 1957, Marie-Aude Roussain, la secrétaire personnelle d'Édouard de Chavigny, une jeune femme très intelligente, connue pour son sang-froid devant l'adversité, appela Édouard, bouleversée.

— Je suis absolument désolée, monsieur, mais j'ai quelqu'un en ligne qui insiste pour vous parler personnellement. Elle s'obstine et... euh... Je lui ai dit que c'était peine perdue, mais...

— Qui est-ce ?

— Elle prétend être la comtesse Sforza-Bellini, monsieur.

— Débarrassez-vous d'elle. Je n'ai jamais entendu parler de cette femme.

Édouard allait reposer l'appareil lorsqu'il se ressaisit.

— Attendez. A-t-elle un accent anglais ?

— Oui, monsieur, très prononcé.

— Passez-la-moi immédiatement et annulez tous mes rendez-vous de la soirée.

— Les annuler, monsieur ? Mais vous avez un cocktail à l'ambassade d'Arabie Saoudite à 7 heures, une réunion avec le sous-secrétaire d'État du ministère de l'Intérieur américain pour le pipeline de Little Big Inch. Simon Scher doit vous rencontrer à Saint-Cloud à 9 heures pour le projet hongrois et, à 10 heures, vous êtes attendu chez la duchesse de Quinsac-Plessan...

— Je vous ai dit de tout annuler. Passez-moi la communication.

— Oui, monsieur.

Marie-Aude eut un geste d'impatience. Qui pouvait bien être cette femme ?

— Je vous passe M. de Chavigny, madame la Comtesse.

Édouard saisit le récepteur.

— Isobel ! Où êtes-vous ? Au Ritz ? J'arrive.

Parmi les grands hôtels parisiens, le Ritz a un avantage considérable : il est situé sur l'une des plus belles, des plus élégantes places de la capitale, la place Vendôme qui, elle-même, se trouve à deux pas de l'artère la plus alléchante, la rue du Faubourg-Saint-Honoré.

Isobel avait tiré profit de cette proximité. Elle s'était déjà rendue dans la boutique de Chavigny et, comme elle se sentait un peu nerveuse, s'était montrée plus dépensière que jamais. Vêtue d'une robe étroite de crêpe de soie parme, rehaussée d'un collier de Chavigny d'améthyste et de diamants, elle attendait Édouard dans le jardin intérieur. Ses gants en peau fine, qui lui montaient jusqu'aux coudes, avaient été teints pour être assortis à la robe. Elle portait un chapeau des plus extravagants avec une voilette en dentelle noire. Elle l'avait mis et enlevé trois fois. Là, il était posé à côté d'elle. Ses cheveux, étincelants dans l'éclat du soleil, étaient légèrement ébouriffés. Elle se rendait compte avec une joie extrême que tous les hommes se retournaient sur son passage. Elle fêtait son trente-sixième anniversaire, et, en cette circonstance, les regards posés sur elle étaient plutôt rassurants.

Ce fut elle qui aperçut Édouard la première. Austère dans son costume sombre, il traversa le hall.

Isobel sursauta en le voyant. Elle s'attendait certes à ce qu'il ait changé. À trente-deux ans, homme d'affaires brillant, puissant, il était différent du jeune homme qu'elle avait connu. Elle avait lu sur lui bon nombre d'articles accompagnés de photos, l'avait vu une ou deux fois à la télévision, et pourtant elle fut surprise.

Toute la douceur, toute la vulnérabilité qui faisaient autrefois son charme avaient disparu. Il était d'une beauté étonnante. Tous les regards féminins se tournèrent vers lui dès qu'il apparut. Mais il avait dans le regard une lueur effrayante qui lui donnait une expression austère, accentuée par quelques rides. Il jeta un regard évaluateur dans la salle.

« Mon Dieu, j'ai commis une erreur », se dit-elle. Mais il lui sourit, et son sourire donna un éclat radieux à son regard. Non, elle ne s'était pas trompée.

— Cher Édouard, lui dit-elle.

Il lui fit un baisemain sans la quitter des yeux. Elle éprouva un instant de doute, consciente du fait qu'elle aussi avait changé. Des rides étaient apparues sur son visage, autour de ses yeux émeraude.

— Sept ans... presque huit, dit-elle d'un ton hésitant.

« Elle a changé, songea Édouard. Auparavant, elle était plus incisive. Mais elle est plus belle que jamais. »

— Des années qui s'envolent comme par enchantement, lui dit-il, pressant toujours sa main.

— Deux Martinis, dit-il en s'asseyant auprès d'elle.

Le garçon repartit aussitôt. Édouard avait les yeux fixés sur elle. Elle remarqua son regard interrogateur.

— C'est vrai, nous perdons la notion du temps.

Leur conversation manquait de spontanéité. Isobel le trouvait tendu. Tout en conversant agréablement, il semblait poursuivre une autre idée. Refusant un deuxième verre, elle le prit par le bras.

— Cher Édouard, c'est très égoïste de ma part, je suis sûre que vous avez des milliers de rendez-vous.

Il parut sincèrement surpris.

— Bien sûr que non. Je vous invite à dîner si, bien entendu, je ne vous arrache pas à des milliers d'invitations.

— Oh non !

Ils échangèrent un sourire, puis Édouard se leva et lui recula sa chaise.

— Où aimeriez-vous aller ? Chez Maxim's ? Au Grand Véfour ? Choisissez.

— Je préférerais quelque chose de différent, de plus simple, lui dit-elle en prenant son chapeau et en faisant danser sa chevelure éclatante. Là où nous ne sommes pas susceptibles de rencontrer le Tout-Paris. J'aimerais aller dans un endroit que je ne connais pas. Faites-moi la surprise.

— Très bien.

L'air songeur, il la guida le long de l'immense entrée de marbre. Arrivé presque à la porte, il s'arrêta, la solution trouvée.

— J'aimerais vous emmener à Saint-Cloud.

— Cher Édouard, c'est une excellente idée.

— Peut-être souhaiteriez-vous en informer votre cameriste ?

Isobel éclata de rire.

— Cher Édouard, quelle naïveté ! Je n'emmène plus de caméiste en voyage depuis des années. Vous avez devant vous une femme qui a survécu à l'Europe, à l'Amérique du Sud, à l'Afrique orientale, sans la moindre caméiste. Vous êtes impressionné, n'est-ce pas ?

— Certes.

Il l'aida à monter dans sa Bentley. En démarrant, il se tourna vers elle, un sourire aux lèvres.

— Que faisiez-vous en Afrique orientale ?

Isobel s'étira langoureusement, puis ôta son chapeau extravagant qu'elle posa sur le siège arrière.

— J'achetais des lions, dit-elle négligemment.

Il l'emmena dans un petit café des faubourgs industriels de Paris où Isobel n'était jamais venue. Elle pensait qu'il avait choisi le *Café Unique* par hasard. Mais à sa grande surprise, le patron et son épouse, une grosse femme au visage rond, l'accueillirent comme un fils perdu depuis longtemps. Ils embrassèrent Édouard sur les deux joues, lui tapèrent amicalement sur l'épaule tout en jaugeant Isobel d'un regard approbateur.

Le café était vide. Ils s'étaient assis à une petite table couverte d'une nappe à carreaux rouges et par-dessus d'une autre nappe blanche amidonnée sur laquelle étaient posés deux verres, deux couteaux et fourchettes, un panier rempli de petits pains délicieux. Le vin, servi en carafe, était excellent. Le repas fut un véritable festin préparé et servi par la patronne qui ne se sentait pas peu fière, à juste titre d'ailleurs : des moules marinière qui semblaient avoir été prises le matin même sur les rochers, un bifteck saignant mais bien saisi, des frites croustillantes, une salade exquise. Le patron apporta le meilleur camembert qu'Isobel ait jamais goûté, en affirmant avec fierté qu'il provenait de la ferme de son frère en Normandie. C'étaient assurément, selon lui, les seuls camemberts dignes de ce nom.

Ils se régalèrent tous deux. À la fin du repas, quand le café, accompagné d'un petit verre de marc de Bourgogne, fut servi, Isobel se pencha vers lui en souriant.

— C'est le repas le plus merveilleux de ma vie. Oh combien meilleur que chez Maxim's ! Merci, Édouard.

— J'ai pensé que cela vous ferait plaisir. Maintenant, parlez-moi des lions.

Isobel hésita.

— Eh bien, j'étais veuve depuis deux ans. Vous vous rappelez, vous m'aviez même écrit.

— Oui.

Leurs regards se croisèrent.

— J'étais désorientée. J'avais mené une vie de patachon, allant d'un hippodrome à l'autre, sautant dans un avion ou prenant le train pour une destination toujours différente. Et puis, soudain, tout s'est arrêté. Tout ce temps, toutes ces années, j'avais été si occupée que je ne pensais à rien, sinon à prendre une nouvelle place d'avion, à chercher une chambre d'hôtel. Sans doute voulais-je me griser. Toujours est-il que, d'un seul coup, tout s'est brisé.

Elle s'interrompit et lui prit la main.

— Cher Édouard, je sais que vous me comprenez. Je voulais me rendre utile, me vouer à un être, à une cause, dit-elle en détournant le regard. C'était très difficile. L'éducation que j'ai reçue ne m'a pas appris à me rendre utile. Même pendant la guerre, alors que tant de gens, tant de femmes accomplissaient des tâches fantastiques. Elles conduisaient des ambulances, s'engageaient dans l'armée, travaillaient dans les champs. Moi, je n'ai jamais rien fait de semblable.

Elle haussa les épaules.

— Je suppose que je me culpabilisais avec dix ans de retard.

— Qu'avez-vous donc fait pour vous rendre utile ?

Il lui posa la question gentiment, comme s'il compatissait sincèrement. Isobel soupira.

— Je suis retournée chez moi, en Angleterre. Chez mon père. Mon Dieu, Édouard, quelle tristesse ! Je n'étais pratiquement pas revenue depuis des années, seulement pour l'enterrement de ma mère. Sur l'emplacement de la maison de Londres, vendue des années auparavant, avait été construit un hôtel. Cela les avait mis à l'abri du besoin, mais pas pour longtemps. Mon père, tout seul dans cette immense maison, avec trop peu de serviteurs, vivait très mal sa solitude. William vit à Londres. Vous rappelez-vous Will, mon frère aîné ? Travaillant dans une banque d'affaires de la Cité, il essayait désespérément de reconstituer le patrimoine familial. Pendant ce temps, notre pauvre père se trouvait dans son mausolée, incapable de payer les factures. C'est un endroit épouvantable. Quoi que vous fassiez, ce n'est jamais assez. Il y a cent soixante-dix pièces, près d'un hectare de toit, vous vous rendez compte ? Oui, bien sûr, mais là, rien n'avait été rénové depuis 1934, et une partie réquisitionnée par les troupes pendant la guerre. Bref, ce fut une catastrophe. Ne sachant que faire, mon père en a parlé à un de ses vieux amis. Il avait un grand projet : réouvrir la maison à des visiteurs payants qui pourraient venir admirer les Rubens, les Gainsborough, ou du moins ce qu'il en restait, ayant été contraint de vendre les plus beaux. Ils pourraient se rendre à la chapelle, à la bibliothèque d'Adam et dans l'atelier de dessin. Avec un peu de chance, ils seraient trop occupés à contempler les Chippendale et les Hepplewhite pour remarquer les trous dans les tapis.

Elle soupira.

— C'était une bonne idée. Malheureusement, cela n'a pas marché. Le prix de la visite était de cinq shillings six pence, et une somme bien plus importante est nécessaire pour réparer un hectare de toit. Papa a donc décidé d'en faire un parc zoologique.

— Un parc zoologique ? s'exclama Édouard, étonné.

Isobel acquiesça solennellement.

— Absolument. Un parc zoologique, avec des lions, des girafes et toutes sortes de bêtes sauvages. L'idée peut paraître saugrenue mais, en réalité, elle n'était pas si mauvaise, dit-elle en souriant. Les bêtes ne semblaient pas craindre la pluie, ce qui m'a étonnée. Mon père les adore. Il va tous les matins converser avec les lions, dans sa Land-Rover. Il leur a donné un nom à tous, comme aux vaches que nous avions quand nous étions enfants. Mais là, il ne les a pas surnommés Marguerite, Petit Bouquet ou Œillet, mais Ngumbe, Banda, enfin, des noms africains. Papa a passé des semaines à constituer ce troupeau.

— Des gens viennent voir les lions ?

— Des multitudes. C'est beaucoup plus amusant que les Rubens, et je dois dire que je suis de leur avis. Voilà pourquoi je suis partie au Kenya acheter des lions. Comme j'étais une femme, j'ai eu beaucoup de succès.

Elle lui lança un petit regard taquin mais aussi anxieux, craignant qu'il ne se moque d'elle. Édouard, qui savait qu'elle cachait toujours sa vulnérabilité sous un masque frivole, lui pressa la main. Elle l'écarta brusquement avec une pointe de colère.

— Non, Édouard, je ne veux pas de votre pitié. Je sais que c'est ridicule et me méprise. Parfois, je souhaiterais... Oh, mon Dieu, je ne sais plus... Je souhaiterais être un homme. Là...

Il lui prit de nouveau la main et la porta à ses lèvres.

— Vous êtes la plus belle femme que je connaisse, mais aussi la plus intelligente, bien que vous prétendiez le contraire. Maintenant, dit-il en se levant, accompagnez-moi à Saint-Cloud.

Ils arrivèrent tard. C'était la pleine lune. La nuit était d'une douceur et d'un calme reposants. Isobel suggéra à Édouard une longue promenade. Ils errèrent dans les jardins en friche, dans les allées de hêtres blancs et d'ifs, dans la roseraie, le long des parterres de fines herbes où, au printemps, poussaient des ravenelles.

Isobel soupira.

— Des ravenelles. J'adore ces fleurs, j'aime leur parfum.

Elle en cueillit une et la porta à ses lèvres. Le rouge sombre de la fleur ressortait dans l'éclat de sa chevelure. Il régna un instant de silence, puis ils reprirent leur promenade.

Il lui fit visiter les écuries. L'une des vieilles juments posa son museau dans la main d'Isobel. Il l'emmena ensuite dans un long bâtiment qui ressemblait à un petit hangar d'avion. Il alluma la lumière, et Isobel, qui avait une passion pour les voitures, poussa un cri de stupéfaction. Il y en avait une vingtaine, peut-être une trentaine, toutes des hauts de gamme. Elle allait de l'une à l'autre avec ravissement : une Bugatti, une Jensen, une Bristol, une des premières Mulliner Bentley, la légendaire Porsche 235L. Une Rolls-Royce Silver Ghost avec marchepied et toit ouvrant.

C'était un spectacle grisant pour Isobel qui effleurait la carrosserie, s'émerveillant devant les chromes rutilants. Édouard l'observait de la porte, le visage étrangement fermé.

Isobel se tourna vers lui.

— Édouard, elles sont extraordinaires. La Bugatti est un modèle exceptionnel. On n'en a construit que trois, n'est-ce pas ? Je croyais que ces modèles étaient introuvables. Je ne savais pas que vous aviez une telle passion pour les voitures.

— J'aime la vitesse et la solitude, dit-il en haussant les épaules. Il m'arrive de parcourir des kilomètres seul, la nuit, quand j'ai besoin de réfléchir.

— Mais il y en a tant.

— Oui. En fait, je les ai achetées pour quelqu'un d'autre, quelqu'un qui s'intéressait aux voitures. Oh, je suppose que c'est absurde de les garder maintenant, dit-il en se dirigeant vers la porte.

Il éteignit la lumière et s'éloigna. Isobel le suivit. Elle avait entendu parler du petit Grégoire, le fils de Jean-Paul, disait-on, et de l'affection que lui avait portée Édouard. Elle éprouva un élan de pitié. Était-ce là la raison de sa passion des voitures ? Une collection inestimable pour un petit garçon ?

Elle rattrapa Édouard et le prit par le bras.

Après avoir fait le tour de la maison, ils retournèrent au bureau d'Édouard qui se trouvait au premier étage. Un domestique anglais, impassible et efficace, leur servit le café et l'armagnac avant de se retirer. Isobel promenait un regard fébrile dans cette magnifique pièce lambrissée. Comme le reste de la maison, c'était un modèle de perfection, des aquarelles du XVIIIe siècle accrochées aux murs jusqu'au mobilier anglais sobre et aux tapis de soie anciens. Tout reflétait un goût exquis et des moyens illimités, mais aussi une solitude extrême. Comme le reste de la maison, tout était parfait mais sans âme.

Elle posa son regard sur Édouard, assis devant la cheminée, son verre d'armagnac intact, le visage ténébreux. Il se tourna brusquement vers elle et lui prit la main. Il l'attira vers lui et la fit asseoir à ses pieds, sur le tapis de soie orné d'oiseaux et de fleurs sur un fond de bleu, de pourpre et de brun. Elle posa la tête sur les genoux d'Édouard qui lui caressa les cheveux.

— Racontez-moi tout, Isobel, lui dit-il doucement.

Elle leva les yeux vers lui, le comprenant à demi-mot, comme toujours. Son mariage. Voilà de quoi il souhaitait qu'elle parle.

— J'ai connu le bonheur, Édouard. Je l'aimais, voyez-vous, et je crois qu'il m'aimait, lui aussi. Mais il préférait le danger.

Isobel avait l'air songeur, surprise de son propre calme. Jamais elle n'avait parlé de son couple à autrui, ni pendant son mariage ni après la mort de son mari.

— Je m'attendais à ce drame. Je crois qu'au fond il recherchait le danger. Jamais il n'aurait accepté de vieillir, jamais il n'aurait supporté l'échec. Au fond, il a eu la fin qu'il souhaitait. Rapide. La voiture a dérapé. Une explosion. J'ai assisté à l'accident.

Il régna un court silence.

— Vous n'avez pas eu d'enfant ? lui demanda Édouard.

— Non, répondit-elle, une ombre voilant son regard. Au début, j'en voulais désespérément, mais il ne voulait pas de lien. Cela l'aurait sans doute empêcher de courir.

— N'étiez-vous pas un lien ?

— Oh non ! dit-elle en souriant. Je joue trop bien la comédie. Il pensait que j'aimais le danger autant que lui. En réalité, chaque course me rendait malade. Avant et après. Je passais mon temps à prier. Mais il l'ignorait.

Édouard regardait les flammes danser dans l'âtre.

Isobel leva les yeux vers lui.

— Et vous, Édouard ? lui dit-elle avec douceur.

— Moi, il n'y a rien à dire.

— En huit ans ? répliqua-t-elle avec un sourire, se demandant comment elle pouvait l'aider à se détendre. J'ai lu tant de choses sur vous. Vous êtes devenu un personnage célèbre.

— On a écrit tant de mensonges sur moi.

— Dommage. Certains articles ne manquaient pas de romantisme. Ces présents offerts à vos maîtresses. Des joyaux de la couleur de leurs yeux, de leur chevelure ou de leur peau. Des perles noires. Des saphirs, des rubis, mais jamais de diamants. Je me réjouissais pour vous en lisant cela. Je me disais : « Je reconnais bien là mon Édouard. C'est son style. » Était-ce vrai ? lui demanda-t-elle en lui prenant la main.

— En partie, mais c'était sans importance.

— Vraiment ?

Leurs regards se croisèrent.

— Vraiment.

Ils restèrent ainsi un long moment, puis ils éclatèrent de rire. Isobel le sentit enfin se détendre, mais aussitôt une expression sérieuse se dessina sur son visage.

Leurs rires cessèrent. Édouard se pencha vers elle, la prit dans ses bras et l'embrassa. Puis, s'écartant légèrement, il la regarda droit dans les yeux.

— Acceptez-vous de m'épouser, Isobel ?

Isobel posa son visage sur son bras en soupirant.

— Cher Édouard, lui dit-elle. Bien sûr. Vous savez très bien que c'est la raison de ma venue.

Édouard l'emmena dans sa chambre où ils passèrent trois jours et trois nuits. Le quatrième, ils partirent dans la campagne et se marièrent dans une petite mairie, à cinquante kilomètres de Paris. Il n'y eut ni invités ni journalistes.

Isobel reçut d'abord son alliance. Elle choisit sa bague de fiançailles un peu plus tard dans la boutique Chavigny de Paris. Elle passa en revue les saphirs, les rubis et les diamants pour finalement porter son choix sur une émeraude. Quand Édouard la lui passa au doigt, elle esquissa un sourire.

— J'espère qu'aucune superstition n'est attachée à cette pierre.

— Aucune, ma chérie, c'est une grande chance, je vous le promets.

Ils eurent six mois de bonheur sans nuages, faisant l'amour un nombre incalculable de fois. C'était le meilleur amant qu'elle ait jamais connu : le plus expérimenté, le plus compréhensif, le plus doux mais aussi le plus féroce. Il redonna vie à son corps. Ils étaient tous deux inséparables. En six mois, pas une fois ils ne se quittèrent. Plus aucune femme n'existait à ses yeux. Il mit avec courtoisie un terme à sa liaison avec Clara Delluc, et Isobel qui savait qu'elle avait compté pour lui plus que les autres lui demanda si elle pouvait faire sa connaissance. Les deux femmes se lièrent d'amitié.

Isobel était fascinée par la diversité du travail d'Édouard et la lutte perpétuelle qu'il lui fallait mener. Elle se rendit très vite compte qu'elle pouvait l'aider. Pas simplement en tant qu'hôtesse, le seul métier pour lequel elle ait suivi une formation, comme elle le souligna avec un sourire forcé, mais aussi en tant que conseillère. À l'image de son mari, elle possédait une brillante perspicacité intuitive. D'emblée, elle savait à qui il pouvait faire confiance. Mais elle se montrait plus patiente et plus avenante, encourageant les confrères et conseillers qu'Édouard négligeait. De par son origine anglaise, elle ne connaissait que peu de chose sur les vins. Là, elle laissait avec joie Édouard l'instruire. De par sa qualité de femme et le milieu dont elle était issue, elle avait de grandes connaissances en matière de joaillerie. Dans ce domaine, elle pouvait lui donner quelques conseils. Son goût, un peu extravagant, influençait le sien, toujours austère.

— J'adore ce lourd collier en cabochon de rubis entrelacé d'émeraudes et de perles.

— Merci. Ils sont bulgares.

— Ne fais pas grise mine. C'est un peuple merveilleux. Païen, un peu barbare, mais c'est ainsi que devraient être les bijoux, bien mis en valeur et extraordinairement séduisants. À quoi bon un diamant s'il est discret ?

Ce fut Isobel qui trouva à Édouard le dessinateur de génie, réussissant par hasard là où avaient échoué ses meilleurs collaborateurs, après des années de patiente recherche.

Elle avait une amie qui avait suivi les cours des Beaux-Arts. Maria était issue d'une riche famille hongroise qui, après avoir fui la Hongrie, était venue vivre à Paris en 1956, à l'époque de l'invasion russe. Elle était arrivée sans le sou, mais elle avait réussi à sortir en fraude quelques bijoux. Isobel aida son amie à s'installer à Paris et lui trouva du travail. Un jour, Maria lui demanda si de Chavigny serait intéressé par ses bijoux.

— Je n'y suis plus attachée, dit-elle à Isobel en souriant. Je me demande comment j'ai pu l'être, d'ailleurs. Mais l'argent me serait utile.

Elle étala les bijoux sur le lit dans le petit atelier qu'elle louait. Isobel alla aussitôt téléphoner à Édouard.

Ils avaient été faits spécialement à l'intention de Maria par un émigré polonais, Florian Wyspianski, un homme d'une trentaine d'années qui s'était installé à Budapest après la guerre. Maria le disait adroit. Elle et sa mère avaient toujours aimé ses modèles, mais il n'avait pas grand succès. Il tenait un petit magasin, seulement, à Budapest, la vie était très difficile pour un Polonais.

Édouard examina les bijoux à la lumière, près de la large baie vitrée de l'atelier. Il observa chaque pierre à l'œil nu puis avec une loupe. Derrière lui, Isobel retenait son souffle.

Il était ébahi par ce qu'il voyait : des pierres imparfaites, pleines de défauts, souvent de couleurs ternes mais taillées et serties avec une telle habileté et une telle ingéniosité que toutes les imperfections étaient masquées. C'était un travail éblouissant. En plus de trente ans, Édouard n'avait jamais vu de modèles d'une telle beauté et d'une telle originalité.

Il en reconnaissait la facture. Cet homme possédait le savoir et le talent. L'un des colliers, d'une magnificence byzantine, avait clairement subi l'influence de l'école revivaliste de Fortunato Castellani et de son élève Giuliano à qui son grand-père avait autrefois demandé de venir travailler pour lui à Londres. L'utilisation des émaux, les subtilités de couleurs, oui, tout lui rappelait Giuliano, bien que le dessin soit plus subtil, plus aérien. Ce collier, selon Maria, était l'une des premières œuvres de Wyspianski. Par la suite, il s'était un peu éloigné du classique. Il s'était intéressé à la technique des Arabes qui entremêlaient les pierres avec une telle habileté et une telle délicatesse que les bijoux se moiraient sur celles qui les portaient.

Elle prit un collier.

— Voici la dernière pièce que je lui ai achetée. On y sent l'influence mauresque.

Édouard examina le collier avec respect. C'était un joyau d'une finesse fascinante, indiscutablement l'œuvre d'un grand maître. Un petit anneau d'or, entrelacé de perles suspendues, comme des gouttes de rosée tombant d'un pétale, et de diamants en forme de fleurs. Alexander Reza, au début du siècle, avait fait un travail similaire, mais n'avait jamais atteint une telle finesse ni une telle perfection.

Édouard examina de nouveau la collection. Ce qui le séduisait le plus était la volonté délibérée de rechercher l'originalité. C'était là la signature d'un maître. Ces modèles n'avaient pu être conçus que par le même homme. Ils portaient tous la marque du génie.

Enfin, sa longue quête étant terminée, il se tourna lentement vers Isobel.

— Alors ? demanda Isobel, fébrile.

— Extraordinaire.

Isobel et Maria échangèrent un regard anxieux.

— Il y a un problème, avoua Isobel à contrecœur. Wyspianski est encore en Hongrie avec toute sa famille. Il aimerait quitter le pays mais l'autorisation lui a été refusée.

— Ce n'est pas un problème, je m'en occuperai.

Maria soupira. Elle ne connaissait pas bien Édouard.

— Hélas ! c'est impossible. Il y a un ou deux ans, peut-être, ça l'était encore, mais plus maintenant. Les Russes ont la mainmise sur tout.

— J'y arriverai.

Il s'envola pour Moscou avec Isobel le jour suivant. Un mois plus tard, la jeune épouse d'un membre influent du Politburo étonnait ses amies en portant un collier, des boucles d'oreilles et des bracelets dignes de la splendeur tsariste. Le Polonais, Florian Wyspianski, sa femme et sa petite fille obtinrent des visas de sortie de Hongrie.

— C'est de la corruption, s'exclama Isobel d'un ton un peu acerbe, en se recroquevillant dans son manteau de fourrure au moment où ils montaient dans l'avion.

Édouard parut froissé.

— J'ai d'abord commencé mes démarches légalement, en utilisant des arguments rationnels, des stimulants commerciaux. La corruption a été mon dernier recours.

— As-tu déjà utilisé ces méthodes ? lui demanda Isobel, perplexe.

— Bien entendu. Quand c'était nécessaire, s'exclama-t-il, agacé. C'est même ce que j'ai le plus détesté dans ce pays. On ne peut acheter personne ou presque.

Ce voyage avait eu lieu un mois auparavant. Wyspianski et sa famille étaient attendus à Paris la semaine suivante. Isobel, au cours d'une promenade dans les jardins de Saint-Cloud, par une journée d'automne ensoleillée, éprouvait une joie secrète. L'après-midi même, elle était allée consulter un médecin à Paris qui lui avait confirmé ce qu'elle soupçonnait et espérait depuis plus de six semaines. Elle attendait un bébé.

Un enfant et le dessinateur qu'Édouard cherchait depuis longtemps. Les deux à la fois. Isobel dansait de bonheur.

« Maintenant Édouard va enfin avoir ce qu'il désire le plus au monde. Un enfant. Un héritier. Une famille. Et cette ombre, cette tristesse, qui parfois encore se lit sur son visage, disparaîtra à jamais. »

Elle leva les bras au ciel, débordant d'une joie soudaine. Le soleil dardait de ses rayons les feuilles tombantes et sa chevelure aux reflets d'or.

Elle tourna son visage vers le soleil, et en silence, de façon incohérente, ne sachant à quelle divinité elle s'adressait, Isobel remercia les dieux de leur clémence. « Ce soir, songea-t-elle, ce soir, dès qu'il rentrera, je courrai vers lui lui annoncer la nouvelle. »

Le lendemain, Édouard ne savait toujours rien.

Isobel avait entendu le crissement des pneus sur le gravier. Elle s'était précipitée sur le perron comme prévu. Le chauffeur repartait déjà garer la Rolls et Édouard se dirigeait à grands pas vers la maison. Devant son expression préoccupée, elle préféra garder le silence. Ils entrèrent dans le petit salon, selon leur habitude lorsqu'ils se trouvaient seuls dans la maison. Édouard l'embrassa d'un air distrait. Il se mit à arpenter la pièce et se versa à boire, ce qu'il faisait rarement à cette heure de la journée. Isobel l'observait. Quelque chose n'allait pas. Elle brûlait du désir de lui révéler la vérité, mais savait qu'il lui fallait attendre.

Il finit par s'asseoir et se passa la main sur le front.

— Je suis désolé, ma chérie, j'ai cru que tu avais lu les journaux, mais, apparemment, ce n'est pas le cas.

— Non. Je suis allée à Paris, dit Isobel d'un ton hésitant. Là, je me promenais dans le jardin et...

— Je l'avais prévenu, dit-il en posant son verre d'un air furieux. Il y a deux ans, j'ai dit à Jean-Paul que cela ne manquerait pas d'arriver. C'était inévitable. Le Front de libération nationale a fait sauter l'une des plus grosses gendarmeries d'Alger ce matin. Treize hommes ont été tués et deux autres blessés par des tireurs isolés. Quinze hommes en un jour. Le mois dernier, huit policiers ont péri. Ils disent que ce sont des représailles pour les raids dans la Casbah. J'ai eu une conversation très brève avec Mendès France cet après-midi. La situation va empirer, Isobel.

Isobel pâlit.

— Tu crois qu'ils vont envoyer les troupes françaises ?

— Bien entendu. Mendès France n'a pas voulu le dire, même à moi. J'ai téléphoné à un vieil ami de Jean-Paul qui est officier dans l'armée, il me l'a confirmé. Il pense qu'ils vont envoyer les paras.

Isobel ne dit rien. Elle ne connaissait pas grand-chose aux affaires de l'armée française, mais la réputation des paras, ces troupes d'élite dont la plupart étaient des anciens combattants de la guerre d'Indochine, spécialement entraînés pour la guérilla et la contre-insurrection, n'était plus à faire.

— Mais, si c'est le cas... ils vont arrêter net le terrorisme ?

— Ma chérie, ce n'est pas du terrorisme. C'est une révolution. Si tu connaissais l'Algérie, tu comprendrais. Le F.L.N. poursuivra ses activités jusqu'à ce que tous les Français soient dehors. Tant qu'il restera un seul colon, la lutte continuera.

— Mais c'est une colonie française.

— Oui, mais un pays arabe, dit-il, furieux, en se levant. L'époque du colonialisme est terminée à jamais. Il n'y a que Jean-Paul pour ne pas s'en apercevoir. D'après lui, les Français n'ont aucun tort. Ils ont construit des routes, des ponts, des voies ferrées, des maisons, des hôtels, des usines. Ils ont créé un système de protection sociale et formé des Arabes dans l'administration. Jean-Paul pense que les Français ont apporté la prospérité à un pays pauvre, et il y croit fermement parce qu'il n'a jamais mis les pieds hors du quartier européen. Donc, il n'a jamais connu l'aspect sordide de la pauvreté. Sais-tu pourquoi les propriétés de Jean-Paul sont si prospères ? Pourquoi elles font ces bénéfices dont il est si fier ? Parce qu'il paie ses ouvriers algériens une misère, voilà pourquoi. Ils gagnent en un an ce qu'un ouvrier français gagnerait en un mois. Mais ils ont un salaire supérieur à celui des autres Arabes, ceux qui ne travaillent pas pour les Français. Il peut donc faire d'énormes bénéfices et en même temps passer pour un philanthrope. Isobel, j'ai détesté ce pays. À chaque voyage, ma haine n'a fait que grandir. J'ai eu honte de Jean-Paul, honte de mon propre frère.

Isobel le regardait sans rien dire. Elle l'avait rarement entendu parler avec une telle véhémence, jamais vu si en colère.

— Il y a deux ans, en 1956, alors que les signes précurseurs étaient évidents, Jean-Paul m'a demandé d'acheter d'autres terres là-bas. Des vignobles. Des plantations d'oliviers qui appartenaient à l'un de ses amis qui avait décidé de quitter le bateau qui commençait à couler. Je l'en ai dissuadé, et sais-tu qu'à ce jour Jean-Paul ne sait toujours pas pourquoi ?

Il s'interrompit un instant, soudain plus calme.

— Je lui ai donné des raisons financières. Dieu sait si elles étaient nombreuses. Il a fini par accepter. Nous n'avons abordé le problème qu'en termes de profits et pertes. Mais ce n'était pas la raison exacte de mon refus. La vérité était que je ne voulais pas avoir affaire avec ce pays tant que la situation n'évoluerait pas. Sans Jean-Paul, j'aurais cessé toute transaction il y a bien des années.

Isobel esquissa un sourire.

— Mais Jean-Paul est aussi têtu qu'une mule. Si tu lui avais fait part du fond de ta pensée, il se serait incrusté là-bas et aurait insisté davantage, dit-elle en soupirant. Édouard, pour arriver à ton but, tu prends vraiment des voies détournées.

— C'est possible, dit-il d'un ton hésitant. Crois-tu que j'aie mal agi ?

— Je ne sais pas, répondit-elle en détournant le regard.

Il régna un silence tendu. Édouard songea à la famille d'Isobel, à ses grands-parents, ses oncles, ses cousins qui avaient su bâtir et préserver un empire, qui avaient combattu et régné en Inde, en Afrique. Elle ne pouvait pas comprendre ses arguments. Ce léger désaccord le rendait nostalgique. Isobel, de son côté, se disait : « Je ne peux pas lui parler du bébé, non, pas maintenant. »

Elle le sentait distant.

— Tu vas t'y rendre, n'est-ce pas, Édouard ?

Sa perspicacité et sa résignation le touchèrent. Les regrets aussitôt s'évanouirent. Il lui prit la main.

— Il le faut, ma chérie. J'ai essayé d'en parler à Jean-Paul par téléphone, mais c'est vraiment inutile. Il est impossible de lui faire entendre raison. Je dois partir pour le persuader de rentrer en France.

— De quitter l'Algérie ? répliqua Isobel, ébahie.

Elle se rebiffa. Dans sa famille, les hommes n'avaient jamais fui leurs responsabilités coloniales. Elle songeait aux remarques de son père à ce sujet, à son indignation quand l'indépendance fut accordée à l'Inde. Mais son esprit esquivait spontanément la politique, et elle n'avait nulle envie de contrarier Édouard sur ce point. Elle fit très attention à ce qu'elle allait dire.

— Il n'acceptera jamais, Édouard. Tu m'as dit qu'il adorait ce pays. Depuis qu'il a quitté l'armée, il y est très attaché. Il refusera d'abandonner ses vignobles, ses terres.

— Qu'il reste ou qu'il parte, elles ne lui appartiendront pas longtemps. Il ferait mieux de se rendre à l'évidence. Dans deux ans, peut-être plus, cinq au maximum, mais j'en doute, les Français auront été chassés. Tu as probablement raison au sujet de Jean-Paul, mais il est de mon devoir de tout tenter. Alger n'est pas un lieu sûr pour un Français, particulièrement pour quelqu'un comme Jean-Paul.

Il s'interrompit. Une expression de dégoût se dessina sur son visage. Il but une dernière gorgée et se retourna vers elle en haussant les épaules.

— Il me faut donc le persuader de rentrer. Voilà. C'est mon frère.

Isobel l'observait, se demandant ce qu'il voulait dire exactement à propos de son frère, mais elle jugea bon de se taire.

— Quand pars-tu ? lui demanda-t-elle doucement.

— Demain.

— Je t'accompagne.

— Non, chérie, non, lui dit-il avec douceur. Pas cette fois. Je préfère que tu restes ici.

Isobel se leva.

— Si tu pars, je viens avec toi, dit-elle avec fermeté. Si c'est trop dangereux pour moi, ça l'est pour toi, non ?

— Oui, mais...

— Donc je t'accompagne, lui dit-elle avec un sourire désarmant.

— Tu sais très bien que je réussirai à te persuader, aussi ferais-tu mieux de capituler de bonne grâce.

— Ah vraiment ?

Elle le vit changer d'expression devant le défi, mais, avant même qu'il ait eu le temps de protester, elle se précipita vers lui.

— Édouard chéri, je t'accompagne. Pas de prétextes ridicules. Embrasse-moi. Si tu veux, nous reprendrons cette conversation tout à l'heure.

Elle lui passa les bras autour du cou. Édouard lui résista trente secondes avant de l'embrasser en gémissant.

Ils en reparlèrent par la suite, mais Isobel eut le dernier mot. Quand Édouard prit le chemin de l'aéroport le lendemain matin, Isobel était à ses côtés.

Elle ne lui avait toujours rien dit.

Jean-Paul, allongé, observait l'adolescent nu qui lui appliquait de l'onguent sur le corps, de ses longs doigts souples et agiles, avec une force étonnante. Il lui malaxait le corps d'une main experte, adoucissant sa peau flasque, cherchant les recoins les plus sensibles du ventre à la verge, remontant vers la poitrine où il s'arrêtait sur chaque côte sous la couche de muscles relâchés et adipeux.

Il écarta les cuisses de Jean-Paul et lui massa les jambes lentement des chevilles vers le haut puis en sens inverse, le genou, les muscles de la cuisse, remontant de nouveau vers la verge, puis enfin dans l'entrejambe, s'attardant sous les testicules, suivant délicatement la fente de ses fesses de son index et redescendant vers les chevilles.

Jean-Paul ferma les yeux. Ce bâtard savait lui donner du plaisir.

En dehors du visage, du cou et des bras rougis par le soleil, Jean-Paul avait le corps tout blanc, encore frais après la douche. Son corps sentait le jasmin alors que le jeune garçon avait une odeur âcre de transpiration. Tout chez lui reflétait la pauvreté, une maigre nourriture, les logements surpeuplés, la brillantine appliquée sur des cheveux sales, les bus réservés aux Arabes, la saleté. Jean-Paul aimait cette odeur qui faisait partie du rituel, du jeu, de la réalité. Entre eux régnaient les rapports de maître à esclave.

Le jeune garçon était très beau. Il était à moitié arabe avec son teint basané auquel les minces rais de lumière qui filtraient à travers les volets donnaient des reflets d'or. Il pouvait passer pour un Européen, un Italien ou un Français d'une région du Sud comme la Provence. Il avait fait des études en France, ou du moins le prétendait-il. Jean-Paul ne le croyait pas vraiment. Il parlait cependant un excellent français sans pratiquement le moindre accent algérien. Peut-être disait-il la vérité ? Il prétendait avoir dix-neuf ans, se disait orphelin, comme tous les jeunes Arabes. Sans doute pensaient-ils qu'ainsi on les payait plus. Il était garçon d'ascenseur dans un petit hôtel français, faisant parfois des petits travaux d'appoint, comme garçon de café le soir. C'est là que Jean-Paul avait fait sa connaissance trois mois plus tôt.

Il continuait à le masser, promenant son doigt délicat du genou à la verge. Jean-Paul sentit son membre se raidir enfin. Il ouvrit les yeux, la conscience voilée et ralentie par le kif qu'il avait fumé, et essaya de regarder l'heure sur la table de nuit. Presque 4 heures. Grand Dieu, il ne leur restait plus beaucoup de temps. Édouard et Isobel devaient être de retour à 5 heures. Ils n'allaient certainement pas entrer dans sa chambre, mais... Le mystère, la nécessité de se dépêcher l'excitaient. Il saisit le poignet du jeune homme.

— Vite, vite, finis-en.

L'adolescent resta impassible avec, cependant, une lueur de mépris dans le regard. Il s'agenouilla entre les jambes de Jean-Paul, pencha la tête et sa langue enveloppa et caressa le gland. Jean-Paul laissa échapper un gémissement et prit la tête du garçon entre ses mains.

Il aimait cette expression de mépris, de rancœur. La première fois qu'il s'en rendit compte, il repensa à la guerre, à cette nuit passée chez cette putain de Simonescu avec Carlotta, nuit où son père avait été tué. Elle avait eu dans le regard la même expression que ce jeune homme, et Jean-Paul n'y était pas hostile car les sensations provoquées... Son esprit vagabondait au gré des effets du kif. Il se sentait puissant parce qu'il payait, il achetait. Même si on le détestait, il en retirait une impression de puissance.

Il lui enfonça son pénis en érection dans la gorge. Le jeune homme en eut un haut-le-cœur. Jean-Paul resserra son étreinte autour de son cou jusqu'à ce que sa verge lui pénétrât totalement dans la bouche.

La première fois qu'il avait fait l'amour avec un garçon, il avait éprouvé un sentiment de honte. Il savait que c'était courant en Algérie. Les hommes en parlaient ouvertement au club après quelques verres. « C'est tellement meilleur, tellement plus doux, plus agréable qu'avec une femme », avaient-ils coutume de dire. Les jeunes Arabes étaient plus expérimentés, moins inhibés que les Mauresques. Ils étaient prêts à tout pour de l'argent.

Jean-Paul avait ressenti un certain dégoût mêlé à une étrange appréhension, mais le plaisir l'avait emporté. Pourtant, il n'était pas homosexuel, aimant les femmes et non les garçons maquillés qui lançaient des œillades. Il aimait cependant entendre les autres raconter leurs aventures.

La première fois n'avait pas compté tant il était ivre et ne s'était aperçu de rien. Il essaya ensuite de coucher avec une femme. Impossible. Il était pourtant excité, fébrile, mais pas d'érection. Il avait la verge flasque. Pas le moindre spasme quoi qu'elle fît, et elle avait tout essayé. Il retourna donc vers un garçon, particulièrement expérimenté selon la rumeur. Il avait craint le pire, mais le garçon le déshabilla, et de nouveau, comme par enchantement, la machine se remit en marche. Le garçon n'avait pas caché à Jean-Paul son étonnement devant la taille impressionnante de sa verge, qu'il enduit de vaseline avant de se laisser pénétrer en gémissant. Mais ce n'était qu'un de ses tours supplémentaires comme celui de raconter qu'il était orphelin. Cela ne signifiait pas grand-chose.

Par la suite, il eut bon nombre d'aventures avec d'autres garçons et quelques femmes, mais il leur trouva moins d'attrait qu'auparavant. Surtout les Françaises. Il avait une tactique parfaitement au point pour séduire les épouses de ses amis. Quel était l'homme qui n'était pas dans le même cas ? Elles s'ennuyaient à mourir et n'avaient qu'une chose en tête : faire l'amour. Mais elles étaient plus ennuyeuses que les garçons et bien plus exigeantes : elles recherchaient le sexe mais aussi l'amour. Elles avaient trop d'idées préconçues sur la façon dont il fallait s'y prendre, les meilleures positions, et voulaient jouir à tout prix. « Je m'en moque éperdument, avait-il envie de leur dire. Ferme-la et laisse-moi baiser. » Mais il se taisait, bien sûr, aussi avait-il pris le parti de se tourner uniquement vers les garçons qui faisaient exactement ce qu'il désirait et quand il le leur demandait.

Grand Dieu ! Il n'avait jamais fait cela auparavant. C'était bon. Très bon. Aucun doute, ce garçon était une trouvaille.

— Ça suffit. Allonge-toi.

Il poussa le garçon en arrière et lui retira sa verge de la bouche. Le garçon ne dit pas un mot. Il se mit simplement sur le dos de l'autre côté du lit sans éprouver le moindre désir. Il n'avait pratiquement jamais d'érection. Jean-Paul ne se posait plus la question depuis des semaines à ce sujet.

— Imbécile, tourne-toi.

L'effet du kif commençait à s'estomper et Jean-Paul sentait monter en lui une pointe d'irritation.

— Lève ton cul.

Le garçon souleva légèrement les hanches. Jean-Paul contempla son corps oint, puis cracha dans ses mains pour mieux lubrifier.

Il resta immobile un instant, puis le pénétra sans ménagement. Le garçon poussa un cri, puis se mordit les lèvres et ne dit plus rien. Le saisissant aux hanches, Jean-Paul s'enfonça en lui, ressortit, replongea, haletant. La chaleur et la rage le submergeaient, dans un nuage de kif qui l'aveuglait, plus fort que le désir. Il perdit le rythme. « Comme à la guerre, se dit-il, baiser c'est lutter, c'est... »

Puis ses pensées s'envolèrent. Son regard se posa sur le corps soumis du jeune garçon. Il se força une voie entre ses fesses, lui imprégna de nouveau son rythme et déversa sa semence.

Jean-Paul s'affala sur lui, pantelant, dégoûté. Trop de kif. Il lui fallait s'arrêter, car cette drogue jouait des tours au moment où l'on s'y attendait le moins. Grand Dieu, il avait failli tout gâcher.

Le garçon attendit cinq minutes. Comme toujours. Ensuite, il se leva et se dirigea vers la salle de bains. Il y eut un bruit de robinet, puis il en sortit quelques instants plus tard tout habillé.

Jean-Paul avait allumé une cigarette. Il sourit au garçon.

— Il y a un cadeau pour toi. Sur la commode.

Le garçon ne prit même pas la peine de jeter un coup d'œil à la liasse de billets pliés.

— Je t'ai déjà dit que je ne voulais pas de cadeaux, fit-il en bougonnant.

Jean-Paul soupira. Il agissait ainsi depuis deux semaines environ.

— Que veux-tu alors ? Tu ne viens pas pour rien. Je veux simplement te montrer ma reconnaissance. Je t'apprécie, tu le sais.

Il leva la main vers lui, mais le garçon n'y prêta pas la moindre attention. Il lança un regard maussade à Jean-Paul.

— Je te l'ai dit, murmura-t-il, c'est ton amitié qui m'importe.

— Elle t'est acquise, s'écria Jean-Paul, agacé.

— Non. Tu me veux simplement pour ça, dit-il en montrant le lit. On ne se rencontre jamais ailleurs. C'est toujours ici et pour ça.

— Où donc pourrions-nous nous rencontrer ? Que veux-tu que je fasse ? T'emmener au club ? À l'hôtel ? Tu sais bien que c'est impossible.

— Tu pourrais m'emmener au café de temps en temps, dit-il d'un ton obstiné. En général, c'est ce que font des amis. Ils se donnent rendez-vous au café, au restaurant. Ils vont dîner ensemble. Pourquoi pas nous ? Tu n'auras pas honte de moi, tu sais. Je suis à moitié français, j'ai fait mes études en France.

Le ton montait. Jean-Paul regarda hâtivement sa montre. Presque 5 heures.

— Bon, très bien. Bientôt, on se verra au café ou au cinéma. Tu es content ?

— Peut-être. Quand ?

— Je ne sais pas, dit Jean-Paul en prenant sa robe de chambre. Bon, je n'ai plus le temps de discuter. Je te l'ai dit, mon frère et sa femme vont arriver d'un instant à l'autre. Sois gentil, va-t'en.

— Je ne reviendrai plus, fit le garçon, le regard levé vers Jean-Paul qui se rendit compte avec horreur que ses yeux étaient voilés de larmes. Pas avant que nous ne soyons de vrais amis.

— Mon Dieu. Très bien.

Jean-Paul traversa la pièce et prit les billets qu'il lui fourra dans la poche. Il entendit une voiture s'arrêter dans l'allée. Il ajouta un billet à la hâte. Trente francs, cela devait suffir. Pour le garçon, c'était une fortune.

Le garçon ne bougea pas. Jean-Paul, irrité, le poussa vers la porte.

— Bon, va-t'en, maintenant. La prochaine fois, je te promets qu'on organisera...

— Non, pas la prochaine fois, maintenant.

— Très bien. Demain. Au Café de la Paix, place de la Révolution.

Aussitôt, le visage du jeune garçon s'éclaira.

— Tu me le promets ? À quelle heure ?

— 6 heures. Il se peut que je ne puisse pas rester longtemps, dit-il en fronçant les sourcils. Mon frère et sa femme seront sans doute avec moi. S'ils sont là, tiens-toi bien. Fais comme si on se rencontrait par hasard. D'accord ?

À peine avait-il prononcé ces paroles qu'il les regretta. Trop tard. Le garçon était au comble de la joie.

— Ton frère ? Tu veux dire que tu vas me présenter à ton frère ? Je serais si fier. Rassure-toi, je serai prudent, je te le promets. Je ne veux pas que tu aies honte de moi. Je sais me tenir, tu verras.

Jean-Paul fut touché par son ardeur. Il lui fit une tape amicale sur les fesses.

— D'accord. Ne me laisse pas tomber, alors. (Puis d'un ton hésitant il ajouta :) Tu as été bon aujourd'hui, très bon.

— Je l'espère bien. Mon but est de te donner du plaisir.

Il y avait une certaine dureté dans la voix, et Jean-Paul crut discerner une fois encore cette lueur fugace de ressentiment. Le garçon agissait par fierté, un point c'est tout. Il jeta un coup d'œil par la fenêtre et l'adolescent acquiesça.

— Bien, je vais passer par-derrière, du côté des cuisines.

Le lendemain, un peu après 5 heures, Édouard et Jean-Paul sortirent du bureau du ministre de l'Intérieur. Ils furent accompagnés, tout au long de couloirs ventilés à cause de la chaleur, par le directeur de cabinet qui était français et le directeur adjoint qui, lui, était algérien. Encadrés par les deux hommes, ils descendirent le grand escalier de marbre et se retrouvèrent sur le palier dans la lumière éclatante du soleil.

Le directeur de cabinet s'arrêta et fit un salut poli.

— Monsieur le Baron, monsieur de Chavigny, j'espère que nous avons pu vous rendre service.

Puis il se tourna vers Édouard.

— Vous retournez en France demain, je crois ?

— Oui.

— Si entre-temps vous avez besoin de nos services, je serais très honoré de...

— Bien entendu, l'interrompit Édouard. Merci, merci à tous deux.

Il observa les deux hommes. Le Français avait un sourire suave tandis que l'Algérien, un petit brun portant des lunettes à monture d'écaille, était plutôt réservé. Il n'avait pas prononcé la moindre parole de tout l'entretien. Les deux directeurs retournèrent dans leurs bureaux. Édouard et Jean-Paul empruntèrent le grand escalier qui donnait sur la rue.

Jean-Paul acheta un paquet de Gauloises dans un kiosque à un petit Arabe coiffé d'un fez rouge, qui vendait également des amandes, des pistaches et des journaux. *Le Figaro, Le Monde,* le *Herald Tribune,* le *Wall Street Journal, El Moudjahid,* le quotidien algérien le plus important qui était aussi publié en français. Édouard jeta un coup d'œil distrait à la grande photo en première page, puis alla à l'ombre d'un palmier attendre Jean-Paul qui comptait sa monnaie. C'était l'heure de la fermeture des bureaux. La circulation était intense. Il remarqua les belles maisons blanches aux volets clos, puis la baie tout au loin et l'éclat de la mer azurée.

— Viens, dit Jean-Paul en passant un bras autour de ses épaules. Allons boire quelque chose. Je meurs de soif. Il fait une telle chaleur. J'ai dit à Isobel que nous l'attendrions au café de la Paix.

— Isobel ? Je croyais qu'elle restait se reposer à la villa ?

— Elle a changé d'avis au dernier moment. Elle voulait faire les magasins, tu sais comment sont les femmes. Elle a la voiture, on pourra donc tous rentrer ensemble.

— Très bien, mais je ne veux pas rester longtemps. J'ai quelques coups de téléphone à donner.

Édouard haussa les épaules et se laissa conduire jusqu'à la place de la Révolution où se trouvait le café. Il commençait à se remplir d'hommes d'affaires français. Jean-Paul se dirigea vers une table située près de la fenêtre et s'assit.

— Deux pastis, dit-il en se renversant sur sa chaise. D'ici, nous verrons arriver Isobel, et il y fait meilleur avec l'air conditionné.

Il alluma une Gauloise et aspira longuement la fumée en observant son frère. Édouard était un mystère à ses yeux. À la fin d'une journée harassante où il avait rencontré bon nombre de hauts fonctionnaires français, il était aussi frais qu'au début. Son costume de toile blanche était impeccable, absolument pas froissé. Pas la moindre goutte de sueur. Il ne semblait même pas avoir chaud. Jean-Paul examina son propre costume trop étroit et peu confortable, couvert de taches de graisse et portant des traces de vin à la manche. Mais peu lui importait, il se sentait bien.

— À ta santé, fit-il en levant son verre de pastis et en buvant une grande gorgée. Tu te sens mieux, non, petit frère ?

— Le devrais-je ? lui répondit-il d'un ton glacial.

— Je l'aurais cru. Bon, bon, je sais que tu ne m'écouteras pas, mais peut-être qu'eux, tu les écouteras. Ils sont au courant de tout. S'il devait y avoir des troubles, ils seraient les premiers informés. Cela va de soi, non ? Et que t'ont-ils dit, tous ? Rien de plus que ce que je t'avais dit. C'est pratiquement terminé, ils ont le contrôle de la situation.

— C'est ce qu'ils prétendent.

— Et je suppose que tu ne les as pas crus ? Bon sang, Édouard, quand vas-tu cesser de te montrer aussi arrogant ? Le ministre de l'Intérieur a été formel sur ce point.

— Je n'ai nullement été impressionné par le ministre de l'Intérieur. Son directeur adjoint m'a davantage intéressé.

— Quoi ? Le jeune Algérien ? Il n'a pas dit un mot, ce petit avorton effrayé.

— C'est exactement ce qui a attiré mon attention, dit Édouard sèchement.

Il promena son regard dans la salle. Il n'y avait pratiquement que des hommes. Seules y venaient quelques secrétaires invitées par leur patron. Le café était interdit aux Algériens et réservé exclusivement à la clientèle française.

— Je capitule, dit Jean-Paul en appelant le garçon pour commander un autre pastis. Ne nous disputons pas, Édouard, j'en ai vraiment assez. Tu as dit ce que tu avais à dire et tu ne me feras pas changer d'avis. Oublions tout cela. C'est ta dernière soirée dans ce pays, détends-toi.

Le visage d'Édouard s'illumina soudain. Il se leva.

— Voilà Isobel. Elle nous cherche. Excuse-moi un instant.

Il se dirigea vers la terrasse. Dès qu'Isobel aperçut Édouard, elle se précipita dans ses bras en souriant. Jean-Paul les observa en soupirant, puis alluma une autre cigarette. Il se réjouissait de leur bonheur. Pas une seconde il n'avait éprouvé de sentiment de jalousie à leur égard. Sa liaison avec Isobel était si ancienne qu'il avait du mal à s'en souvenir. Ils s'étaient tous deux fourvoyés dès le départ. Elle semblait être faite pour Édouard, le comprenant parfaitement. Il avait un comportement totalement différent avec elle, n'arborant que douceur et gentillesse. Jean-Paul retrouvait le frère de sa jeunesse. De toute évidence, elle savait le prendre. « Ils auront très vite des enfants, ce qui comblera Édouard de bonheur », se disait Jean-Paul.

Il se leva en les voyant arriver. Isobel, le regard étincelant, riait d'une plaisanterie d'Édouard. Elle était vêtue d'un tailleur clair. Elle s'approcha de Jean-Paul et l'embrassa sur les deux joues.

— Jean-Paul, ta voiture est un monstre. Et cette circulation ! Il a fallu que je me gare à des kilomètres. Je me suis perdue. Regarde, je vous ai apporté un cadeau, à tous les deux.

Elle leur tendit deux petits paquets enveloppés dans du papier de soie et munis d'un sceau de cire. Ils défirent avec précaution les paquets sous le regard fébrile d'Isobel.

— C'est du bois de santal. Tu connais, Jean-Paul ? J'adore cette senteur. Tu mets les bâtonnets dans un brûle-parfum, et ils se consument lentement. Le vendeur m'a dit qu'ils embaument toute la pièce. J'avais envie de tout acheter tant les couleurs me plaisaient. De la poudre d'indigo de ce bleu merveilleux qui rappelle le lapis-lazuli. Du henné. Des épices, bien sûr, du cumin et du safran séché.

Les deux hommes échangèrent un regard. Édouard soupira.

— Chérie, t'es-tu rendue au quartier algérien ?

Isobel répondit d'un air vague.

— C'est possible. Je ne sais pas exactement où je suis allée.

— Ne mens pas.

— Bon, j'y étais, oui, mais je ne me suis pas aventurée très loin. Juste à la limite entre le quartier européen et le quartier arabe, j'ai découvert le marché, dit-elle le regard pétillant de malice. Ne prends pas cet air sévère, remercie-moi plutôt.

— Merci, dirent-ils de concert.

Puis Édouard lui sourit.

— Bon, oublions tout cela. Tu es saine et sauve, c'est là l'important. J'aurais dû me douter qu'on ne pourrait pas t'assigner des limites.

Édouard fit signe au garçon.

— Que veux-tu, ma chérie ?

— Simplement un Perrier avec de la glace, dit-elle d'un ton naturel.

Édouard en fut étonné.

— Tu es sûre ? Tu ne veux pas plutôt un verre de vin ? Ou un apéritif ?

— Non, chéri, merci. J'ai trop soif. Un Perrier me convient parfaitement. Et... cette longue marche m'a donné faim. Je prendrais bien un sandwich. Et puis non, un verre de lait froid.

— Un Perrier et un verre de lait froid ? s'exclama Édouard, déconcerté.

Elle acquiesça nonchalamment.

— Oui, merci, chéri.

Le garçon fut surpris de la commande, mais ne fit aucun commentaire. Il revint peu après avec les deux boissons, et Isobel savoura son lait, le visage radieux et souriant. « Demain, oui, demain je lui dirai la vérité, se dit-elle. Au moment du départ. Vivement demain. » Elle observa les clients du café tandis que Jean-Paul et Édouard conversaient. Tout lui semblait beau, les hommes d'affaires aux tempes grisonnantes, leurs jeunes secrétaires, le monde entier, la vie était belle. Le bonheur la grisait. Elle jeta un coup d'œil vers Édouard, penché sur la table, en pleine discussion. Ses cheveux noirs, ses traits anguleux, sa façon incisive de parler. Elle se demandait si le bébé allait lui ressembler. Au fond d'elle-même, elle le souhaitait. Les bébés roux étaient horribles. Plus tard, peut-être, elle en aurait un autre roux, mais elle voulait que celui-ci, fille ou garçon, ressemblât à Édouard qui l'avait rendue très heureuse pour la première fois de sa vie. Subrepticement, elle glissa la main sous la table et la posa sur son ventre. Elle avait hâte de le voir grossir, de sentir le bébé remuer sous ses doigts. Quatre mois. C'est à quatre mois qu'ils commencent à bouger, en général. C'est du moins ce qu'avait prétendu le médecin, à sa grande déception.

— C'est donc si long ! Encore deux mois !

Il avait souri.

— Bon nombre de choses se passent à votre insu. À deux mois, on distingue clairement la tête du fœtus et la colonne vertébrale. À trois mois, les bras et l'ensemble du corps. À quatre mois, madame de Chavigny, quand vous le sentirez bouger et qu'il vous donnera des petits coups de pied, le fœtus...

« Pas le foetus ! avait-elle eu envie de hurler. Le bébé. Mon bébé. Le bébé d'Édouard. Notre miracle. » C'est ce qu'elle ressentait en espérant que toutes les femmes éprouvaient les mêmes joies. Un miracle, une nouvelle vie.

Elle leva les yeux et fit signe à Jean-Paul.

Un jeune homme, debout devant la table, regardait timidement Jean-Paul. D'une grande beauté, il avait l'air un peu efféminé. « Il doit avoir dix-huit ou dix-neuf ans, se dit Isobel. Il vient sans doute du Sud, avec ces cheveux noirs comme jais et cette peau mate. » Il était vêtu d'une chemise de nylon à col ouvert et d'un pantalon impeccablement repassé. Il portait sous le bras une sacoche de cuir. « Sans doute un étudiant », se dit-elle.

— Monsieur le Baron, balbutia-t-il.

Jean-Paul leva les yeux. Sous le regard étonné d'Isobel, le visage de

Jean-Paul s'empourpra. Il se leva et lui tendit la main avec une cordialité excessive.

— Oh, François, quel plaisir de te rencontrer. Comment vas-tu ? Assieds-toi, je t'en prie.

Édouard parut surpris. L'adolescent approcha aussitôt une chaise, posa par terre sa sacoche bourrée de livres et s'assit. Jean-Paul fit de vagues présentations.

— Voici Édouard, mon frère, et Isobel, son épouse. Édouard, Isobel, je vous présente François. Vous ai-je déjà parlé de lui ? Il est étudiant et a trouvé du travail ici pour quelques mois. Je l'ai aidé à connaître Alger.

L'adolescent sourit fébrilement. Jean-Paul fit signe au garçon.

— François, que désires-tu ? Un café ? Vraiment, tu ne veux pas autre chose ? Bon. Et toi, Édouard ? Rien. Un autre Perrier, Isobel ? Oui ? Moi, je vais reprendre un pastis.

Le garçon disparut. Il régna un silence embarrassant.

Puis l'adolescent se tourna vers Édouard et Isobel.

— C'est un grand honneur pour moi de vous connaître.

Isobel remarqua le visage soudain tendu et le regard furieux de son mari. Il observait Jean-Paul qui avait détourné la tête. Il alluma une autre cigarette, et Isobel vit que ses mains tremblaient. Il en offrit une à l'adolescent, mais ce dernier refusa poliment. Il les observait sans dire un mot.

Isobel était désolée pour lui.

— Vous êtes étudiant ? Où faites-vous vos études ?

— À Lyon, madame. J'étudie la philosophie et les sciences politiques.

— Grand dieu !

Isobel se creusa vainement la cervelle pour faire un commentaire. Elle se demandait pour quelles raisons Jean-Paul l'avait invité à se joindre à eux.

— J'ai étudié les mêmes matières.

Édouard, anxieux, fit un gros effort pour se montrer aimable.

— Vous plaisez-vous à Alger ?

— Beaucoup, répondit-il en souriant. Il y a tant de choses à apprendre.

— Les cours à l'université ont déjà repris, fit Édouard d'un ton affable. Au début du mois, je crois.

Il y eut un court silence. L'adolescent, les yeux baissés, rougit.

— À vrai dire, oui, murmura-t-il. J'avais besoin de gagner un peu d'argent pour payer les frais d'inscription. Mon professeur m'a accordé une autorisation.

— François est très brillant, s'empressa d'ajouter Jean-Paul. C'est l'un des meilleurs étudiants.

Il avala une grande gorgée de pastis et regarda sa montre. Si ce geste s'adressait à l'adolescent, il fit mine de ne pas comprendre et continua à boire tranquillement son café.

Édouard tapotait la table d'un doigt, ce qui était chez lui un signe d'irritation. Jean-Paul semblait être à court d'idées.

Isobel, remarquant leur embarras, s'adressa au jeune homme.

— Appréciez-vous le travail qui vous est offert ici ?

— Ce n'est pas si mal, répondit-il en haussant les épaules avec indifférence. Je travaille à l'hôtel La Marine. Celui qui donne sur la baie.

Isobel surprit le regard sournois qu'il lança à Jean-Paul.

— Je suis garçon d'ascenseur. On ne me paie pas grand-chose, bien sûr, mais les pourboires sont conséquents. Les Français se montrent très généreux lorsqu'ils sont contents de vos services.

Édouard décocha un regard glacial au jeune homme. Isobel était rouge de confusion. Elle sentait une tension latente sans pouvoir s'en expliquer la cause. Jean-Paul avait l'air bouleversé. Elle savait qu'Édouard éprouvait une colère froide. Seul l'adolescent semblait maintenant parfaitement à son aise. Il jeta un coup d'œil à la pendule au-dessus du bar, puis termina son café.

— Il se fait tard. C'est moi qui assure la garde ce soir.

— Allez-y, on ne vous retient pas, dit Édouard d'un ton glacial.

Isobel, intriguée, se demandait la raison de son attitude brutale. Ce n'était pas dans ses habitudes.

— François désire peut-être un autre café, dit Isobel, mais elle s'arrêta net.

L'adolescent s'était levé, le visage rouge de confusion. Elle était embarrassée.

— Non, merci, madame, dit-il en les saluant l'un après l'autre. Il faut que je parte, je vais être en retard. J'ai été très honoré de faire votre connaissance.

Son regard croisa celui de Jean-Paul. Le jeune homme fouilla au fond de la poche de sa chemise et en sortit quelques billets froissés qu'il jeta sur la table.

— Je tiens à payer mon café. Messieurs. Madame.

— François, je t'en prie, inutile. Je...

Jean-Paul n'eut pas le temps de faire le moindre geste, le garçon s'était déjà perdu dans la foule derrière le comptoir. Il haussa les épaules et se renversa sur sa chaise. Il avait les joues empourprées et se sentait culpabilisé. « Curieux », se dit Isobel.

Édouard se leva.

— Il faut partir, dit-il d'un ton brusque. Je vais chercher la voiture. Où l'as-tu laissée, Isobel ?

— Rue Pascal. Juste au coin de la rue, à droite et encore à droite.

— Je la trouverai, je sais où c'est.

Édouard s'éloigna en colère. Il régna de nouveau un silence embarrassant, interrompu par le rire des clients installés au bar.

— Je suis désolée, Jean-Paul, murmura Isobel. Que s'est-il passé ? Édouard n'a jamais cette attitude.

— Dieu seul le sait. Il a été d'une humeur massacrante toute la journée. Tu dois y être habituée.

— Je suppose que oui, répondit-elle en haussant les épaules. Enfin, cela n'a aucune importance. J'espère que ton ami ne s'est pas froissé.

Soudain, son regard se posa sur les billets. Elle les déplia.

— Oh, regarde, Jean-Paul, ton ami a dû se tromper. Reprends-les, tu les lui remettras. Il y a trente francs.

Elle s'interrompit. Jean-Paul, immobile, était devenu blême.

A-t-il pris sa sacoche ?

Isobel se pencha, puis se releva en souriant.

— Non, il l'a oubliée également. Quel étourdi ! Jean-Paul, il va falloir que tu la prennes et...

Elle s'arrêta net devant l'expression abasourdie et incrédule de Jean-Paul qui l'avait saisie par le poignet.

C'est alors qu'éclata la bombe cachée dans la sacoche.

Édouard se trouvait dans la voiture de l'autre côté de la place lorsqu'il entendit l'explosion. Ce fut un fracas assourdissant. Il sentit une bouffée de chaleur l'envahir. Il démarra en trombe. Dans le silence effrayant qui s'ensuivit, il leva les yeux et ne vit que poussière et débris se soulever au ralenti. Il se précipita hors de la voiture et courut vers les décombres, alors que tout le monde s'échappait en sens inverse.

La place fut soudain remplie de gens qui fuyaient. Dans une course effrénée, il tentait de se frayer un chemin. La poussière lui piquait les yeux. Soudain, il s'arrêta. La bombe avait soufflé le café et les deux étages au-dessus. Les poutres étaient arrachées. La moitié du mur de la maison attenante avait été détruite, laissant apparaître au grand jour une pièce où se tenaient un lit de fer de guingois au milieu des débris, un rideau déchiré. J'ai déjà vu cela quelque part, songeait-il. Il avait l'impression que tout tournait au ralenti dans son esprit. Mais où ? Dans le *blitz*. Le rideau claquait sur une fenêtre sans vitres. Devant lui, c'était un amoncellement de blocs de béton, de bris de verre, de métal tordu et de poussière de près de quatre ou cinq mètres de haut.

La poussière jaune lui piquait la gorge. Le silence régnait sous les décombres. Nul gémissement. Nul cri. Rien. Il promenait un regard incrédule, figé devant ce spectacle désolant. Sous l'un des énormes blocs de béton, un homme avait une jambe coincée, sectionnée au genou. Des pans de son pantalon noir étaient déchirés. La chaussure, intacte, était encore au pied. Un peu plus haut, telle une poupée démantibulée, gisait le torse d'une femme. Du sang sortait à flots d'un trou béant où aurait dû se trouver la tête, les restes d'une robe à fleurs apparaissant sous la poussière.

« Non, ce n'est pas Isobel, se dit-il. Isobel portait une robe blanche. » Il perçut un cri déchirant et se rendit compte que c'était lui qui hurlait.

Il n'était plus seul, maintenant. Une vieille dame aux cheveux grisonnants, vêtue de noir, se tenait auprès de lui. Elle aussi restait hébétée devant les ruines. Il la vit lever les bras au ciel lentement dans un geste d'horreur ou peut-être de fureur. Elle avait la bouche ouverte, mais nul son ne sortait de sa gorge.

Tous deux tombèrent à genoux et se mirent à fouiller frénétiquement au milieu des décombres. Derrière eux, dans la ville, Édouard entendit les rugissements des sirènes.

Quarante-trois personnes moururent dans l'explosion, parmi lesquelles Isobel et Jean-Paul qui, à proximité de la bombe, furent tués sur le coup. La plupart des corps ne purent être identifiés. Certains le furent grâce à la dentition, les bijoux ou les vêtements.

Le jeune François, alias Abdel Saran, membre du F.L.N. depuis l'âge de seize ans, fut retrouvé dans les vingt-quatre heures. Son frère aîné avait été tué par un gendarme français dans un incident de rue deux ans auparavant. François, alias Abdel, mourut, selon les rapports de la police, dans sa cellule, à la suite de blessures qu'il s'était infligées. Quatre ans après sa mort, comme Édouard l'avait pressenti, Charles de Gaulle mit fin à la guerre d'Algérie. La majorité des Français durent quitter le pays, et l'Algérie devint indépendante.

Édouard n'y retourna jamais pour vérifier l'exactitude de ses prophéties. Dès que les formalités nécessaires furent réglées, il prit le premier avion pour Paris et il alla s'enfermer dans sa maison de Saint-Cloud, refusant de voir qui que ce fût.

C'est là, environ deux semaines plus tard, lorsqu'il se força à ranger la correspondance d'Isobel, qu'il découvrit la lettre de son gynécologue qui lui conseillait certaines maternités. Elle avait été postée le jour de leur départ pour l'Algérie. Il comprit aussitôt pourquoi elle ne lui avait rien dit, se rappela le verre de lait qu'elle avait commandé au café. Pour la première fois depuis des semaines, il se mit à pleurer.

Quand on est catholique, on l'est pour la vie. Ce n'est ni l'adolescent, ni Jean-Paul, ni l'Algérie, ni le colonialisme, ni lui-même qu'il rendait responsable, mais Dieu, ce Dieu de son enfance qu'il avait rejeté à l'âge de seize ans. S'il rencontrait ce Dieu, son plus vif désir serait de lui cracher à la figure.

Sa mère, une convertie qui pratiquait la religion avec la ferveur de tous les convertis, s'inquiéta de ce chagrin rentré. Elle lui envoya un prêtre. Il était vieux et parla doucement à Édouard de la douleur, de la souffrance, de la prière, de la rédemption, de la grâce et de la consolation. Édouard l'écouta jusqu'au bout, mais refusa de se confesser.

À la fin du discours du prêtre, il y eut un long silence, si long que le prêtre se demanda si Édouard n'avait pas oublié sa présence ou, tout simplement, n'avait pas écouté un seul mot de ce qu'il venait de dire. Mais il avait l'expérience de l'âge. Il avait survécu à la Première Guerre mondiale, connu l'occupation de la France par les Allemands et, tout au long de sa vie, avait été le témoin de différentes manifestations de la douleur. Il avait tenté d'aider des femmes de la haute société, comme Louise. Certaines s'effondraient, d'autres se cachaient à elles-mêmes leur douleur, la tenant en échec provisoirement. Il s'était rendu dans les riches demeures des commerçants et des hommes d'affaires où le chagrin était étouffé par les rigoureuses formalités du deuil. Chez les paysans, également. Certains donnaient libre cours à leur affliction alors que d'autres se renfermaient, affrontant dès lors la vie avec une tacite résignation.

Il observait l'homme plongé dans le silence qui se tenait devant lui, l'un des plus puissants de France, même d'Europe, à ce que l'on disait. C'était l'hiver. Édouard était assis dans son bureau près de la fenêtre, la tête penchée. Nulle émotion ne transparaissait. Le prêtre remarqua sa mise impeccable.

La mère d'Édouard avait vainement tenté d'expliquer au prêtre la nature de son fils. Éprouvant un profond mépris pour la vulnérabilité, elle n'en avait pas fait mention. D'une façon un peu décousue, elle lui avait parlé de la force de caractère de son fils et de son goût pour la vie d'ascète. Les gens, ne se fiant qu'à son apparence, se méprenaient totalement. Comme il ne parlait jamais de ses sentiments, ils le jugeaient indifférent. Elle-même ne le comprenait pas toujours. Il avait tellement changé. Enfant, il était très gai, très ouvert, confiant. Peut-être trop anxieux, car il prenait tout au sérieux. Elle regrettait de ne pas avoir été aussi proche de lui qu'elle l'aurait souhaité. En fait, il l'avait toujours tenue à distance, ayant une préférence très nette pour son père. Elle avait eu moins de mal avec Jean-Paul, son frère aîné tant aimé qui était beaucoup plus direct, plus rayonnant, n'ayant jamais de sautes d'humeur et plaisantant en permanence.

Édouard était plus intelligent que son frère. C'était un être dynamique et ambitieux, mais même son ambition était un mystère à ses yeux. À peine avait-il atteint le but qu'il s'était fixé qu'il passait à un autre. On aurait dit qu'il se testait délibérément, toujours à la recherche d'une chose indéfinissable qu'il ne parvenait pas à trouver. Elle souhaitait parfois qu'il agisse à l'image du commun des mortels, c'est-à-dire qu'il finisse par se résigner et voir la réalité en face. « Qui, en ce monde, mon père, est vraiment content de son sort ? » Elle avait versé quelques larmes, reparlé de son fils aîné. Le prêtre, pensif, s'en était allé.

Dans cette belle pièce austère, le vieil homme observait Édouard. Le soleil hivernal perçait les pâles nuages, éclairant le visage d'Édouard de profil avec la précision d'un camée.

La lumière faisait ressortir son expression dénuée de tout sentiment, accentuant simplement certains signes comme l'épuisement et le combat intérieur, si familiers au prêtre. Des cernes profonds trahissaient le manque de sommeil. Il était pâle comme la mort.

Mais il se tenait droit, les mains jointes, pour éviter de laisser paraître la moindre émotion. Le prêtre était conscient de la fierté de cet homme, mais le sentait au bord de l'effondrement, même si lui-même ne s'en rendait pas compte. Édouard leva les yeux vers lui pour la première fois, et le prêtre croisa son regard. C'était comme si la porte d'une fournaise venait de s'ouvrir brusquement et qu'il contemplait le cœur du foyer.

Le prêtre se força à soutenir le regard de l'être qui se trouvait devant lui, ce qui n'était pas facile à cause de son intensité. Il avait vu le chagrin se manifester souvent par des explosions de colère, mais jamais avec une telle violence dans l'expression. Il finit par baisser les yeux. Les voies de Dieu sont impénétrables. La colère, voire la haine, peut constituer une étape sur la route du salut.

Édouard le vit baisser les yeux. Il avait rejeté les prêtres, les prières, les confessions, bien des années auparavant, et n'allait pas se laisser aller dans un moment de faiblesse. Quel dieu accepterait les prières d'un homme ou d'une femme qui n'avait recours à la prière qu'au bord du gouffre et du désespoir ? Et quel dieu prier ?

Il avait envie de confier au prêtre tout ce qu'il avait au fond du cœur depuis des années et qui, après s'être enflammé, laissait son cœur flétri d'incompréhension, en proie à une haine intense. Une fois, Jean-Paul lui avait reproché de se prendre pour Dieu. Cette accusation l'avait profondément touché et il ne l'avait pas oubliée. Pourtant, si, au fond de lui, il n'arrivait pas à condamner son frère ou l'adolescent qui avait utilisé les faiblesses de Jean-Paul pour l'entraîner vers la mort, comment ce dieu d'amour de sa jeunesse pouvait-il tout détruire d'une façon aussi arbitraire et avec tant de férocité ? Pas seulement son frère et son meurtrier, mais une femme aussi innocente et aussi courageuse qu'Isobel et la vie d'un enfant pas encore venu au monde ? Et, pis encore, s'adonner à la destruction systématique, jour après jour, mois après mois, année après année, sur toute cette planète qu'il était censé avoir créée. Ces dernières semaines, Édouard s'était efforcé de parcourir les journaux, mais c'était toujours la même chose : les accidents, la maladie, la violence et la mort soudaine s'offraient au coupable comme à l'innocent. C'était la raison de sa fureur. Il n'était pas le seul à pâtir de cette injustice. Elle était partagée par des milliers d'êtres, riches ou pauvres, forts ou faibles, hommes ou femmes, parents ou enfants. Quel était donc ce dieu qui avait créé un monde qui logiquement devait haïr et invectiver son créateur ? Non, il ne pouvait croire en un tel dieu et si, autrefois, il avait cru en lui et en ses desseins maléfiques, maintenant il l'exécrait.

Mais il savait que le prêtre avait déjà dû entendre toutes ces doléances et ne serait donc pas surpris par ses propos. Comme il était jésuite, il devait avoir des réponses toutes prêtes à ces accusations. Édouard les connaissait pour les avoir entendues en classe dans sa jeunesse et n'avait nullement l'intention de recevoir le même sermon. Que les prêtres et les simples d'esprit s'en contentent et y trouvent le réconfort. Il se pencha en avant. Le prêtre, voyant qu'enfin il s'apprêtait à parler, leva les yeux vers lui. Édouard attendit d'avoir toute son attention avant de lui parler d'une façon calme et délibérée.

— Je souhaiterais que le restant de ma vie ne soit qu'un blasphème.

Le prêtre fut ému par ses paroles, mais tenta de dissimuler ses pensées. Il se leva lentement et fit le signe de la croix. L'homme assis en face de lui détourna la tête comme si on lui avait assené un coup ou une remarque obscène.

— Dieu comprend votre chagrin, mon fils.

Le prêtre partit, troublé. Il revint une semaine plus tard et en diverses occasions par la suite. Mais le baron de Chavigny refusa systématiquement de le voir.

Trois mois après l'attentat, à la fin de l'année et à l'aube de la nouvelle, choisissant délibérément la date et avec une ironie amère, Édouard quitta la maison de Saint-Cloud, tard dans la soirée, et partit seul en voiture se promener dans les rues de Paris.

Il prit la voiture préférée de Grégoire qui se trouvait par hasard être également la préférée d'Isobel. Son long capot noir luisait à la lueur des réverbères, et le puissant moteur vrombit dans les rues désertes. Il évita les lieux fréquentés par ceux qui fêtaient le nouvel an. Il parcourut des petites rues et les boulevards résidentiels plus calmes où les gens, oublieux de la date, étaient plongés dans le sommeil ou célébraient cette fête en privé.

Il passa devant le Café Unique où son père et Jacques, accompagnés d'autres membres du réseau de la Résistance, s'étaient réunis pour la dernière fois et où il avait dîné avec Isobel le soir où il l'avait demandée en mariage. Il longea les parcs et les jardins où, enfant, il venait jouer, les maisons de ses anciennes maîtresses, l'appartement de Clara Delluc. Il passa devant la demeure de sa mère qui donnait, ce soir-là, une réception en l'honneur de son nouvel amant, un célèbre mécène, puis devant l'École militaire, où son frère avait commencé sa carrière de soldat, dans cet uniforme qu'il se rappelait parfaitement. En longeant la Seine, il vit passer un bateau-mouche tout illuminé, aperçut deux amoureux enlacés, un clochard gelé à la recherche d'un peu de chaleur se diriger vers une bouche de métro, un sac en papier et une fiole d'alcool sur le côté. Il parcourut les quartiers les plus pauvres de Paris puis les plus riches. Peu avant minuit, il gara sa voiture dans une large artère aux maisons cossues.

Il ne s'était jamais rendu à cet endroit qu'il cherchait, mais il en avait entendu parler bien des fois par des amis. Pauline Simonescu, trouvant le Londres d'après-guerre trop austère pour des affaires rentables, s'était installée à Paris à l'époque où il était revenu d'Oxford. Cette coïncidence lui plaisait. C'était comme si elle l'attendait depuis des années.

Certains de ses amis préféraient fréquenter ces lieux la nuit, comme Jean-Paul. Pour d'autres, c'était le jour, les plaisirs langoureux de l'après-midi. « En fait, il n'y a pas grande différence, lui avait dit l'un d'eux, un jour. Dans cette maison, les volets sont clos en permanence et les lampes allumées. Là-bas, c'est toujours la nuit. »

Cette remarque lui revint en mémoire au moment où il s'arrêta devant la maison. Tout était sombre et silencieux. De l'extérieur, elle ressemblait à toutes les demeures respectables qui la jouxtaient. Mais lorsqu'on y pénétrait...

Il frappa un coup à la porte. Elle fut aussitôt ouverte non par le Noir qu'il s'attendait à voir, mais par Pauline Simonescu en personne. Peut-être avait-elle entendu ses pas avant qu'il ne frappe. Était-ce la même femme, debout devant la porte, la tête inclinée, attentive comme autrefois aux sirènes et aux bombes prêtes à rugir ou à exploser ?

Elle ne lui fit pas un accueil chaleureux, mais le fit entrer rapidement dans un hall au sol de marbre, si semblable au précédent avec ses lustres en cristal illuminés et son immense escalier que, l'espace d'un instant, il en eut l'esprit confus et se sentit ballotté dans le temps.

Il promena son regard dans la pièce. Des tableaux de Fragonard, du Titien. Il percevait des bribes de conversation interrompues d'éclats de rire dans la pièce voisine. Mme Simonescu le conduisit dans une salle éclairée. Elle portait toujours au doigt son gros rubis. Il ressentit de nouveau, chez elle, cette force latente, cette volonté intense, qui l'avait tant frappé autrefois. La tête inclinée, attentive au moindre bruit, elle ne disait rien.

Il prêta lui aussi l'oreille. Dans la pièce à côté, les bruits soudain cessèrent, laissant place à un silence total qui s'étendit bien au-delà de la ville, de la planète, un silence d'une beauté aussi effroyable que le vide de l'espace, que l'univers, l'harmonie infinie du silence des sphères.

C'est alors que retentit l'avènement de la nouvelle année : les cloches se mirent à sonner, les sirènes des bateaux rugirent sur la Seine, hommes et femmes s'embrassèrent dans un débordement de joie.

En regardant Pauline Simonescu, il se sentit soulagé, comme si un poids énorme lui était ôté des épaules. Il savait qu'il n'avait pas besoin de parler. Elle ne demandait ni récit du passé, ni explication, ni prétexte. Elle savait le prendre, et il la reconnaissait bien. Tous deux avaient perçu le vide du silence.

— Monsieur le Baron, fit-elle comme autrefois.

Sans prêter la moindre attention à la jeune femme qui était apparue en haut des escaliers, elle le conduisit dans un petit salon luxueux à l'autre extrémité de la maison, qui, de toute évidence, était une pièce privée.

Elle l'invita à s'asseoir devant un feu de cheminée et lui apporta, sans même lui demander son avis, un verre de son armagnac préféré. Puis elle s'assit en face de lui, rapprocha une petite table sur laquelle se trouvaient deux jeux de cartes.

Un jeu ordinaire et un tarot. Elle étala les cartes sur la table en acajou. Édouard remarqua leur couleur diaphane et vit qu'elles étaient usées à force d'être utilisées. Il vit des images : une tour en ruine qui lui fit penser aux fissures sur sa terrasse d'Eaton Square ; la mort par noyade, ce qui lui rappela Hugo Glendinning ; un pendu, et il pensa à l'un des membres du réseau de Résistance de son père ; deux amants, lui et Isobel ; un roi et une dame de carreau. Il ne pensa plus à rien.

Pauline Simonescu leva les yeux, tandis que ses mains fragiles se déplaçaient sur les cartes, et l'observa. Ses doigts se fixèrent sur la morte, les amoureux, le roi de coupe, le fou.

— Monsieur le Baron, voici une année qui commence. D'abord, je vais vous tirer les cartes, ensuite, si vous le désirez toujours, vous pourrez faire ce pour quoi vous êtes venu. (Elle sourit.) Mais d'abord les cartes. Puis à vous de jouer.

HÉLÈNE

Orangeburg, Alabama, 1959

— Comment veux-tu que je te coiffe, ma chérie ? Tu les veux tirés en arrière ? Retombant sur le visage ? Une queue-de-cheval, peut-être ?

Cassie Wyatt, de ses mains habiles, jouait avec les cheveux d'Hélène. Elle lui tournait la tête dans tous les sens, le regard fixé dans la glace.

— Tu as de très beaux cheveux, tu sais, ma chérie ? On dirait de la soie, et ils sont épais. Avec cette qualité, tu peux en faire ce que tu veux.

Le regard d'Hélène croisa dans le miroir celui de Cassie, qui lui fit un clin d'œil.

— C'est un jour spécial ?

— En quelque sorte. Je veux être belle.

— Aucun problème, dit Cassie avec un large sourire. Mais quelle coiffure souhaites-tu ? Tu ne m'as toujours pas répondu.

— Pas en hauteur et pas de queue-de-cheval, répondit Hélène d'un ton hésitant. Si vous pouviez simplement faire une légère coupe et leur donner du mouvement.

— Laisse-moi faire.

Elle saisit ses ciseaux et posa les mains sur les épaules d'Hélène, l'observant toujours dans la glace.

— Tu as grandi très vite, lui dit-elle soudain. Très vite, tu sais. Seize ans. Tu vas en faire tourner des têtes, ma chérie. As-tu déjà vu les films de Grace Kelly au cinéma en plein air ? La semaine dernière, on a donné *Fenêtre sur cour* et *Haute Société*. Tu lui ressembles. On pourrait essayer sa coiffure. Les cheveux tirés en arrière. Tu me fais confiance ?

— Bien sûr.

— Alors, allons-y.

De son peigne, elle souleva sa longue chevelure couleur de miel et y donna de grands coups de ciseaux.

Hélène l'observait mais, peu à peu, ses pensées vagabondèrent. Oui, c'était un jour particulier, bien qu'elle ne pût en donner la raison à Cassie. Elle était tout excitée. Ce soir, elle allait dîner avec Ned Calvert. Sa femme étant absente, il l'avait invitée au restaurant.

Elle avait une nouvelle robe, pas une faite par sa mère, mais une neuve, achetée dans un magasin. À sa dernière rencontre avec Ned Calvert, il lui avait glissé un billet de vingt dollars dans la main.

« Un petit présent pour ma petite chérie, lui avait-il murmuré à l'oreille. Non, ne dis rien. Je veux que tu ailles à Montgomery et que tu achètes la plus belle robe que tu trouveras. Ensuite, tu la porteras pour moi. »

Après avoir presque défailli de bonheur, elle avait trouvé une robe qui lui allait à la perfection. C'était une robe en coton à carreaux rose et blanc, décolletée, à manches courtes bouffantes. Un jupon en nylon, raide et rugueux, lui donnait de l'ampleur tout comme les robes de Priscilla-Anne. Il lui était resté suffisamment d'argent pour acheter des sous-vêtements : une petite culotte à volants, un soutien-gorge en dentelle avec armature pour maintenir la poitrine haute. Maintenant, c'était au tour de la coiffure. Elle espérait que ce ne serait pas trop long, car elle avait hâte de rentrer chez elle pour se regarder dans la glace.

— Tu es allée à Montgomery aujourd'hui ? lui demanda Cassie. Je t'ai vue descendre de l'autobus.

— Oui, j'ai fait un tour dans les magasins.

— Tu n'as eu aucun problème dans le bus ?

— Non.

— L'autre jour, il y a eu des incidents. Voilà quelques semaines, sur la route de Maybury, des Noirs ont boycotté les bus. Je ne peux pas dire que je sois pour eux, mais ça ne doit pas être drôle d'être toujours coincé à l'arrière. Ils devraient avoir leurs propres bus.

Elle s'interrompit et coupa de nouveau une mèche.

— La semaine dernière, il y a même eu des combats de rues lors d'une manifestation. Je crois même qu'un jeune Noir a été sérieusement blessé.

Une mèche de cheveux tomba.

— Tu devrais être prudente, Hélène. C'est dangereux de prendre le bus en ce moment.

— Je n'ai eu aucun problème.

— Comment va ta mère ? demanda Cassie, décidée apparemment à changer de sujet. Elle me manque beaucoup, tu sais. Je pensais bien que cet emploi n'était pas celui dont elle rêvait, mais de là à imaginer qu'elle allait me quitter !

Hélène baissa les yeux. Sa mère avait quitté Cassie Wyatt un mois auparavant.

— Elle va bien, dit-elle d'une petite voix.

— Tant mieux, fit Cassie en soupirant. Ta mère et moi, on se connaît depuis si longtemps.

Hélène percevait un accent de pitié dans sa voix. Cassie savait que sa mère n'avait pas d'autre emploi, comme tout Orangeburg, d'ailleurs.

— Il se peut que nous repartions en Angleterre, dit-elle fièrement. L'année prochaine, à la fin de mes études. Ma mère organise notre voyage, elle est très occupée.

— Bien sûr, ma chérie.

Le visage de Cassie se ferma. Elle ne dit plus un mot. Elle secoua la serviette qu'Hélène avait autour du cou, et un amoncellement de cheveux couleur de miel tomba par terre.

— Passons au bac et ensuite je te ferai une mise en plis avant de les faire sécher, d'accord ?

Hélène resta deux heures sous le casque. Les rouleaux et les épingles en acier que Cassie avait utilisés lui brûlaient le crâne. Hélène parcourut quelques pages du *Redbook* et jeta un coup d'œil à un vieux *Time* qui datait de près de deux ans. Des images d'un café bombardé en Algérie. Elle referma le magazine. Tout un monde l'attendait là-bas : Hollywood, New York, l'Angleterre, l'Europe.

Ned Calvert était allé en Europe, d'abord pendant la guerre, puis en vacances. Accompagné de Mme Calvert, il s'était rendu à Londres, Paris et Rome. Tous deux étaient descendus dans les meilleurs hôtels ; ils étaient allés au théâtre, au musée, dans les galeries d'art. À Londres, ils avaient assisté à des courses et à Paris, fait un tour en bateau-mouche le long de la Seine. À Rome, les hommes étaient mal élevés.

Elle reposa le magazine. La mère de Susie Marshall se faisait coiffer elle aussi. Cassie, après lui avoir teint sa chevelure rousse, lui faisait une permanente. Les regards d'Hélène et de Mme Marshall se croisèrent dans le miroir. Mme Marshall la transperça du regard.

Quelle expression triste ! Sans doute le spleen des petits villages. C'était ce que disait Priscilla, le soir, à la sortie de l'école, derrière le terrain de sport. On se sent piégé. Minable. Impatient.

Priscilla, fiancée à Dale Garrett, était enceinte. Ils allaient se marier à l'automne et s'installer dans une grande maison sur un lotissement tout neuf dans la banlieue de Montgomery dont Merv Peters était le promoteur. Merv Peters réussissait brillamment. La maison était leur cadeau de mariage. Priscilla rayonnait de bonheur. Ce n'était pas elle qui en avait parlé à Hélène, bien entendu. Depuis la soirée chez Howard Johnson, elles n'avaient plus aucun contact. En classe, Priscilla ne s'asseyait même plus à côté d'Hélène, et les autres avaient suivi son exemple. Hélène Craig était traitée en paria.

Hélène serra les dents et ne dit rien. Qu'elles racontent ce qu'elles veulent. Que les garçons se moquent d'elle. Quelle importance ? Finissait-on vraiment par avoir le spleen en vivant à Montgomery ? Elle n'en savait rien, mais l'espérait. C'est ce qui arriverait à Priscilla, mais certainement pas à elle. Un jour elle quitterait Orangeburg à jamais avec sa mère. Elles iraient en Angleterre ou à Paris. Là-bas, elle deviendrait riche et célèbre. On en entendrait parler même à Orangeburg, et peut-être un jour reviendrait-elle dans ce village dans une magnifique Cadillac. Elle les reverrait tous, les garçons de l'école de Selma, les amies de Priscilla, avec une totale indifférence, exactement comme ils agissaient maintenant envers elle.

Le séchoir lui donnait des maux de tête. Les yeux clos, elle poursuivit son rêve en se jurant qu'il deviendrait réalité. Avec de la volonté, elle y parviendrait à coup sûr.

Ce dont elle rêvait le plus, c'était d'offrir un peu de bonheur à sa mère, en la faisant vivre dans une somptueuse maison et en lui achetant tous les vêtements qu'elle désirait. Finis les problèmes d'argent ! Elle se remettrait peu à peu. Ces temps-ci, Hélène la trouvait fatiguée. Sa mère se traînait comme si elle avait perdu toute énergie. Elle ne mangeait presque plus et était d'une maigreur effrayante. Elle avait le teint jaunâtre et le visage fripé. Depuis qu'elle avait quitté son emploi chez Cassie, elle faisait quelques travaux de couture qui lui rapportaient peu.

Hélène avait voulu arrêter l'école et chercher du travail, mais sa mère avait refusé catégoriquement. Rouge de colère, elle avait ordonné à Hélène de terminer ses études. C'était une nécessité absolue pour réussir dans le monde.

Hélène n'était pas du même avis. En lisant les journaux et les magazines, en écoutant la radio, elle se disait qu'il y avait mille autres façons de briller, instruction ou pas. Les sportifs, les chanteurs, les danseurs, les écrivains, les acteurs et les mannequins, des gens comme Merv Peters qui avait monté une petite affaire et se retrouvait à la tête d'une compagnie. La beauté était un atout pour une femme, elle en avait pris conscience. Ce n'était pas tant en se regardant dans une glace que dans le regard des garçons, et surtout des hommes. Chez Billy, chez Ned, elle retrouvait la même intensité, la même fixité, la même fascination. Elle en éprouvait un sentiment de puissance qui la rendait heureuse et en même temps lui donnait de l'assurance.

Parce qu'elle savait que, quoi qu'il arrive, qu'elle abandonne ou non l'école, qu'elle ait ou non du talent, on ne pouvait pas lui enlever cela. Son arme principale était sa beauté. Si tout ratait, il lui resterait au moins cela. Elle allait s'en servir pour sortir de l'ornière.

Elle fit à la mère de Susie Marshall un sourire radieux en quittant le salon. « Vieille sorcière, un jour je te montrerai ce dont je suis capable », se dit-elle.

Quand elle retourna à la roulotte, sa mère n'était toujours pas rentrée, ce qui la soulagea. Elle ne voulait pas qu'elle découvre le sac qui contenait ses achats. Il lui faudrait trouver une explication pour la robe, mais ce serait plus difficile si sa mère remarquait le reste.

Elle l'attendit donc dans la petite pièce étouffante. Elle n'aimait pas avoir recours au mensonge, pourtant, chaque jour, elle avait l'impression de s'y enfoncer, de s'y noyer presque. La confusion était telle qu'elle avait peur de ne plus savoir distinguer la vérité. Mais il lui fallait mentir. Les mensonges lui permettaient de voir en cachette Ned Calvert. Depuis presque un an, elle le voyait régulièrement. C'était le commencement du mois de juillet. Au début de septembre, il l'avait emmenée en Cadillac pour la première fois. Dix mois déjà !

Le temps ne lui avait pas paru long. En fait, il avait passé deux mois à Philadelphie dans la famille de Mme Calvert et elle ne l'avait donc pas vu.

Durant son absence, l'idée qu'elle était peut-être amoureuse de lui traversa son esprit. Il lui avait manqué, et elle regrettait ces soirées passées avec lui, ces promenades ensemble, leurs conversations. La solitude lui pesait. Elle n'avait plus rien à attendre.

À son retour de Philadelphie, il lui confia qu'il avait éprouvé le même sentiment. Il lui dit que cela ne pouvait pas durer ainsi. Ils ressentaient de l'amitié l'un envers l'autre, bien sûr, mais elle avait dû se rendre compte qu'il l'aimait, qu'il en était fou. À Philadelphie, il n'avait cessé de penser à elle. Cela devenait une obsession.

Hélène alla cacher à la hâte les sacs sous le lit. Elle fit chauffer de l'eau sur le poêle et porta dans sa chambre un seau rempli d'eau chaude. Elle arracha les horribles petits rideaux fanés des fenêtres et les lava, se savonnant en même temps le corps. Elle avait horreur d'être contrainte de faire sa toilette dans de telles conditions, de ne pas avoir de salle de bains. Elle exécrait la pauvreté. Ned ne pouvait pas comprendre. Il était né riche et cela lui paraissait normal.

Elle jeta le gant dans l'eau et s'assit pour se faire sécher à l'air.

Quand Ned n'était pas là, elle ne se remémorait que les bons souvenirs et les choses agréables comme sa peau toujours merveilleusement parfumée, ses beaux costumes, sa voix aux accents de riche sudiste, la force avec laquelle il la prenait dans ses bras, le réconfort de l'âge et de l'expérience, son bon goût et ses connaissances multiples sur le vin, la nourriture, les maisons, la peinture, le jardinage et les voitures. Il était riche, et sa richesse la fascinait parce qu'elle lui donnait de l'assurance, qu'il parle de la coupe de son costume ou de politique. C'était un homme influent qui fréquentait les hommes politiques et les hommes d'affaires les plus connus d'Alabama. Quand Ned Calvert annonçait une nouvelle, il ne l'avait pas apprise par les journaux, mais directement d'un ami lors d'un déjeuner ou d'un dîner. Il ne s'en vantait jamais. Cela lui semblait aussi normal que de ne porter qu'une montre Rolex, de ne conduire qu'une Cadillac ou une Lincoln et de ne passer ses vacances qu'en Europe.

Il semblait prendre plaisir à répondre aux questions d'Hélène, comme s'il était flatté de lui apprendre quelque chose. Au début, la plupart du temps, il ne faisait que parler, et Hélène l'écoutait. Les sujets de conversation étaient divers : la différence entre un bordeaux et un bourgogne, la raison pour laquelle le Mouvement des droits civiques ne pourrait jamais conquérir le Sud, parce que c'était un acte contre nature. Il parlait donc de sa voix lente, assurée. Hélène s'était rendu compte qu'il ne supportait pas la moindre contradiction, aussi l'écoutait-elle en silence. Elle ne faisait connaître son opinion que très rarement et seulement sur des sujets sans controverse possible.

Il l'avait appelée sa « petite chérie » dès le début de leur rencontre. Curieusement, Hélène s'aperçut qu'elle y répondait instinctivement. Aussitôt, mille souvenirs l'assaillirent. Elle se rappela les femmes qu'elle avait observées, Priscilla-Anne essayant d'apaiser Dale Garrett, sa mère même, tentant de séduire un homme derrière un comptoir de magasin. Un rôle tout prêt se présentait à elle : celui de l'innocente, naïve, chatte, confiante, jamais critique, usant de subterfuges féminins pour toujours agir à sa guise, parfois timide, parfois railleuse, n'hésitant pas à recourir à la flatterie ou à l'hypocrisie.

Oui, c'était bien de l'hypocrisie. Chaque fois qu'il parlait et qu'elle écoutait, une partie de son esprit faisait un commentaire lucide, passait tout au crible, pesait le pour et le contre, et bien souvent ne le croyait pas. Mais il n'en sut jamais rien.

Elle n'était pas du même avis au sujet des Noirs, ni des pauvres Blancs comme les Tanner. Elle n'aimait pas sa façon ostentatoire d'appeler les Noirs des « nègres », n'utilisant jamais le terme plus rude des autres Blancs d'Orangeburg, mais elle savait qu'il partageait leurs idées. Elle n'aimait pas ses plaisanteries sur les juifs et les libéraux de Washington. Son opinion sur les femmes lui paraissait erronée. « Un homme aime mettre une femme sur un piédestal », lui disait-il. Il s'occupait d'elle, l'estimait. C'était nécessaire. N'était-ce pas important pour un homme de respecter une femme, comme lui la respectait ?

— Et Mme Calvert ? lui demanda-t-elle, incapable de se retenir.

— Ah oui ! Mme Calvert, avait-il répondu solennellement.

Mais elle avait remarqué que cette question l'avait irrité.

« Les femmes sont faites pour le mariage, avait-il prétendu, une autre fois. Pour la maternité. Quoi de plus beau qu'une mère et un enfant ? » Il ne comprenait pas que les femmes travaillent. Quel sentiment pouvaient-elles éprouver ? Et leurs maris ? Quel homme ne se sentirait pas froissé à l'idée de ne pouvoir subvenir aux besoins de sa famille, de ne pas rapporter assez d'argent dans son foyer ?

« Les hommes ont leur fierté, Hélène, lui avait-il dit, un jour. Ils n'en parlent peut-être pas, mais c'est ainsi. C'est un sentiment terrible mais beau. Comme celui d'être fier de son pays, fier d'être américain. »

« Les femmes n'ont-elles donc pas leur fierté ? » avait voulu rétorquer Hélène, mais elle s'était tue.

Parfois, elle se trouvait un peu bizarre d'avoir ces idées-là, de garder au fond d'elle-même cette lucidité qui ne la quittait jamais.

Les autres filles de Selma avaient-elles les mêmes pensées ? Et Priscilla-Anne, avec ce balourd de Dale Garrett ?

Elle n'avait aucun moyen de le savoir. Ses amies ne lui avaient parlé de rien, même du temps où elle les fréquentait à l'école. Peut-être, après tout, était-elle bizarre, peut-être quelque chose n'allait-il pas en elle ? Parce que, toute sa vie, elle avait entendu la même litanie : l'amour et le mariage, tels étaient les objectifs d'une femme, la source de son statut, de son identité.

C'était apparemment le but de toutes les élèves de Selma. Alors pourquoi n'était-ce pas le sien ? Pourquoi, chaque fois qu'elle y songeait, se sentait-elle piégée ?

Et culpabilisée. Elle se regarda dans la glace. Culpabilisée, parce qu'il fallait qu'elle soit amoureuse de Ned Calvert. Si ce n'était pas le cas, pourquoi continuait-elle à le voir, lui un homme marié ? Pourquoi le laissait-elle l'embrasser, parfois la toucher, et pourquoi aimait-elle ses caresses ? Elle passa doucement la main le long de son corps, envahie soudain de désir par anticipation. Une chose était parfaitement claire. Tout ce que lui avaient dit les autres filles, sa mère, tout ce qu'elle avait lu concordait : les hommes et les femmes étaient différents. Les hommes pouvaient éprouver du désir physique pour une femme sans l'aimer. Alors que, chez les femmes, le sentiment primait. Le baiser, les caresses étaient permis puisque c'étaient là les privilèges offerts par la femme au nom de l'amour. Sur cet autel, elle pouvait éventuellement sacrifier sa virginité. Pas autrement. Sinon les hommes, entre eux, vous méprisent en vous taxant de femme facile, même s'ils vous font l'amour. Et s'ils vous méprisent, c'est la fin de tout, car où est l'identité dans tout cela ?

Elle devait être amoureuse de Ned Calvert. L'amour était certainement de l'affection. Cela n'impliquait certainement pas d'avoir à acquiescer systématiquement. Il fallait simplement mettre un terme à ces instants de perplexité.

Un flot de doute et d'indécision l'envahit, la plongeant dans l'affolement.

Elle avait laissé Ned lui donner de l'argent pour la robe. Elle lui avait permis de l'embrasser. Elle prenait plaisir à ses baisers. Elle l'aimait à coup sûr.

« Tais-toi, disait-elle à cette petite voix qui trottait dans sa tête. Tais-toi, va-t'en ailleurs. »

Elle prit sa nouvelle robe et les dessous qu'elle venait d'acheter. « Je m'habille pour aller retrouver mon amant, murmura-t-elle. C'est un homme bien. »

Elle se laissa glisser dans ce rôle avec un certain plaisir. Lorsque, une fois habillée, elle se regarda dans le miroir, la petite voix se tut.

— Veux-tu une tasse de thé, maman ? Je vais faire chauffer de l'eau.

Sa mère venait de rentrer. Assise à la table de la cuisine, elle avait le regard fixé sur la toile cirée. Hélène attendait qu'elle remarque sa nouvelle robe et lui pose des questions. Rien.

— Quoi ? Oh oui ! s'il te plaît. Il fait très chaud, et j'ai soif. Il y a longtemps qu'il n'a pas plu.

Sa mère ne tourna même pas la tête. En silence, Hélène mit de l'eau à chauffer sur le réchaud à gaz.

— Hélène...

— Oui, maman.

— Quel jour sommes-nous ?

Hélène jeta un coup d'œil au calendrier qui se trouvait au-dessus du poêle.

— Le 15, maman. Le 15 juillet.

— C'est bien ce que je pensais, dit-elle en baissant la tête.

Hélène prépara le thé, mit du lait dans un pot pour lui faire plaisir, et plaça devant elle une tasse et une soucoupe. Sa mère n'y prêta pas la moindre attention, aussi Hélène ajouta-t-elle elle-même le lait.

— Hélène, veux-tu aller dans la chambre chercher la boîte. J'aimerais que tu me dises... combien d'argent il nous reste.

Hélène hésita, mais la voix de sa mère avait quelque chose d'effrayant. Elle alla chercher la boîte, l'ouvrit, puis compta l'argent. Le silence régna.

— Alors ?

— Vingt dollars, maman. Ou presque. Dix-neuf dollars quatre-vingt-cinq cents, pour être précis.

Sa mère baissa la tête et se mit à pleurer.

Hélène se précipita vers elle et lui passa les bras autour du cou. Mais sa mère ne fit pas un geste. Elle continua à pleurer. De terribles sanglots la secouaient. Puis, brusquement, ses larmes cessèrent.

— Va me chercher un mouchoir, je te prie, Hélène. Je suis désolée. Je suis épuisée, c'est tout. Inutile de pleurer.

Hélène lui obéit. Sa mère sécha ses larmes et se moucha. Hélène s'assit à ses côtés et lui prit la main. Elle avait envie de pleurer, elle aussi, tant sa douleur et sa pitié étaient grandes.

— Maman, lui dit-elle avec une infinie douceur, je t'en prie, ne sois pas triste. Ne pleure pas. Dis-moi ce que tu as. Si tu as des ennuis, parle-moi. Je peux t'aider, j'en suis sûre.

— J'ai besoin d'argent, l'interrompit sa mère, donnant l'impression de ne pas avoir entendu un seul mot d'Hélène. Il me faut soixante-quinze dollars. Il me les faut absolument.

Hélène, les yeux écarquillés, sentait la panique l'envahir. Elle ouvrit la bouche, mais sa mère ne lui laissa pas le temps de parler et se leva. Elle triturait le mouchoir dans ses mains.

— Je dois aller consulter un médecin. Je ne suis pas bien, Hélène. Je le sentais depuis quelque temps déjà. Tu me l'as dit, toi aussi, et tu avais raison. Je m'en rends compte maintenant. Je dois aller voir un médecin et il me faut l'argent. Les soixante-quinze dollars. C'est une nécessité.

— Maman, qu'est-ce qui ne va pas ? Tu as beaucoup toussé, ces temps-ci. C'est ça qui te tracasse ?

— Oui, mais il y autre chose. Je ne suis pas bien, un point c'est tout, répondit sa mère, agacée. Cela dure depuis pas mal de temps, et je dois aller consulter un médecin. Ça ne peut pas continuer. Seulement, un médecin, ça se paie, et il va certainement me prescrire des médicaments très chers, Hélène. Rien n'est gratuit, tu le sais. Il me faut ces soixante-quinze dollars. On en a vingt. Je dois trouver les cinquante-cinq autres. Peut-être même soixante. Où vais-je trouver soixante dollars ?

Hélène regarda la robe qu'elle portait, malade de dégoût et de peur. Cet après-midi même, elle avait eu entre les mains un billet de vingt dollars. Ce n'était pas beaucoup, mais tout de même.

La voix de Ned retentissait dans son esprit. « Prends-le, Hélène, je le veux, ma chérie. Je tiens à gâter ma petite chérie. »

Elle se leva, les joues empourprées.

— Je vais peut-être pouvoir t'aider, maman. Je crois être en mesure de trouver soixante dollars.

Sa mère, qui n'avait cessé d'arpenter la pièce, s'arrêta net et se tourna vers Hélène, les yeux pleins d'espoir. Mais aussitôt l'espoir s'évanouit.

— C'est tout de suite que j'en ai besoin, Hélène, et tu ne peux trouver soixante dollars comme ça.

— Il le faut, maman, et je suis certaine de réussir.

Hélène fit brusquement le tour de la table, prête à mentir.

— Merv Peters acceptera de m'avancer la somme, j'en suis sûre. Je suis allée l'aider plusieurs fois à son bistrot après l'école. Il m'a dit qu'il voulait que je vienne l'aider plus régulièrement, le samedi matin surtout. C'est là qu'ils ont le plus de travail. Il m'a proposé dix dollars par semaine et acceptera certainement de me faire une avance. Si je lui dis que j'en ai besoin.

Elle s'interrompit, ébahie par les mensonges qu'elle proférait si naturellement. Jamais elle n'avait travaillé dans ce bistrot. Merv en avait émis l'hypothèse des mois auparavant, mais rien ne s'était produit, et cela ne risquait pas d'arriver maintenant. Priscilla y veillerait. Mais l'histoire du bistrot lui donnait un parfait alibi pour ses retards après l'école, ces derniers mois, et sa mère ne lui avait jamais posé la moindre question. Elle remarqua son visage tendu et livide et eut envie de se jeter dans ses bras et de lui dire la vérité. C'est sans doute ce qu'elle aurait fait si elle n'avait pas vu aussitôt le changement d'expression de sa mère.

L'espoir illumina ses yeux mauves. Ses mains cessèrent de triturer son mouchoir. Elle retint son souffle.

— Tu crois que tu pourrais, Hélène ? Tu penses vraiment qu'il acceptera ?

— J'en suis sûre, maman.

— Oh, Hélène ! s'écria-t-elle, effondrée, en lui tendant les bras.

Hélène se précipita et étreignit sa mère. C'était elle la plus grande, maintenant. Le corps de sa mère lui paraissait frêle. Au bout d'un instant, sa mère s'écarta, esquissa un pâle sourire et désigna sa robe en guingan rose.

— Quelle belle robe ! Tu retournes travailler au bistrot, ce soir ? Tu ne m'as rien dit, je ne me rappelle pas très bien... Pourrais-tu lui demander ce soir, Hélène ?

— Je ramènerai l'argent, dit Hélène en aidant sa mère à s'asseoir, tu l'auras ce soir, je te le promets. Tu pourras aller consulter un médecin et guérir très vite, ensuite... (Elle hésita un instant en voyant la tête penchée de sa mère.) Ensuite, il faudra que l'on parle... comme avant, maman. Tu te rappelles, nous faisions des projets. Je vais bientôt quitter l'école et ensuite...

Sa mère leva les yeux.

— Il est 6 heures, Hélène. Tu devrais être partie. Ne t'inquiète pas, je vais bien, je me sens mieux. Je ne veux pas te retenir.

Elle saisit la tasse et but le thé à moitié froid. Hélène se dirigea d'un pas hésitant vers la porte.

— Il se peut que je sois en retard, maman.

— Cela ne fait rien, ma chérie, je sais où tu es. Je ne m'inquiéterai pas. Cours.

Ned l'attendait devant le vieux pavillon. Ils s'étaient souvent donné rendez-vous là, ces derniers mois, quand il ne venait pas la chercher dans sa Cadillac sur la route d'Orangeburg. Il l'attendait comme toujours, en faisant les cent pas sur la pelouse, une cigarette aux lèvres. Hélène l'aperçut la première et son cœur battit à tout rompre. Il était si fort, si grand, si beau et il semblait l'attendre avec une telle impatience. Elle avait couru. Elle accéléra le pas en le voyant et alla se jeter dans ses bras. Elle s'accrochait à lui, à bout de souffle, refoulant ses larmes. Ned, agréablement surpris, éclata de rire et l'étreignit.

— Eh bien, eh bien, murmura-t-il doucement en effleurant sa chevelure de ses lèvres. Tu sembles bien pressée de venir. Qu'y a-t-il ? Quelque chose t'a bouleversée ?

Hélène secoua la tête et se blottit contre lui. Elle ne pouvait pas lui demander tout de suite. Il fallait trouver une explication, mais plus tard, plus tard.

— Je vais bien, dit-elle en pressant ses lèvres contre sa belle chemise de batiste.

Elle percevait les battements de son cœur.

— J'ai couru, c'est tout. Je... J'avais hâte de vous voir.

— Moi aussi, ma chérie. Je comptais les minutes.

Il la prit dans ses bras, tout en la maintenant un peu loin pour la regarder. Hélène recula timidement et se passa la main dans ses cheveux ébouriffés. Il promena son regard sur son visage empourpré, ses yeux fébriles, puis le long de son cou.

— Vous aimez ma robe. Dites-moi que oui, j'ai mis une éternité à la choisir et je n'étais pas sûre...

— Tu es merveilleuse, Hélène, dit-il d'une voix douce.

Il y avait dans son regard une intensité qui trahissait sa sincérité.

— Oui, tu es très belle. Tu es allée chez le coiffeur également, dit-il en lui caressant les cheveux.

Sa main descendit le long de sa poitrine.

— Te regarder me comble de bonheur. Savoir que tu as fait tout cela pour moi... Embrasse-moi, ma chérie, juste un petit baiser. Ma petite chérie ne veut-elle pas me dire qu'elle est heureuse de me voir ?

— Oh oui ! je suis si heureuse.

Il effleura lentement ses lèvres de sa langue tandis qu'elle parlait, l'attirant contre lui et la tenant d'un air protecteur.

— Ma chérie, si tu savais l'effet que tu produis sur moi.

Il la prit par le bras.

— J'ai une petite surprise pour toi. Suis-moi.

Il se dirigea vers le pavillon. Hélène accéléra le pas pour le suivre. Après avoir contourné le bosquet, ils traversèrent la pelouse et arrivèrent devant les baies vitrées. Hélène s'arrêta.

— Où allons-nous ? Je croyais que nous allions au restaurant ?

— J'ai changé d'idée. J'ai songé à quelque chose de mieux, tu vas voir. Viens.

Il la fit entrer dans la maison, la tenant toujours par la main. La fraîcheur du hall puis du vaste salon la fit tressaillir. Les volets étaient clos, les lampes allumées bien qu'il fasse grand jour. Ned remarqua son regard étonné devant l'obscurité et lui sourit.

— C'est plus intime ainsi. J'ai renvoyé les domestiques. Nous ne serons pas dérangés. Regarde, Hélène.

À l'autre extrémité du salon, il alla ouvrir avec panache une double porte.

Derrière se trouvait la salle à manger qu'Hélène n'avait jamais vue. C'était une vaste pièce aérée par des ventilateurs accrochés au plafond. Au fond était disposé un buffet ancien, rempli de plats en argent. Là aussi, les volets étaient clos, et seuls des chandeliers, disposés au centre d'une longue table en acajou, donnaient de la lumière. Ils éclairaient la porcelaine, le cristal, les vases de gardénias du jardin et les fruits de serres. Vingt personnes auraient pu s'asseoir facilement autour de cette table. Tout au bout, deux couverts étaient mis.

Devant l'étonnement d'Hélène, Ned se mit à rire.

— Regarde.

Il s'approcha du buffet et souleva des couvercles en argent.

— Langouste. Poulet froid. Une sauce aux raisins spéciale, préparée par notre cuisinière. C'est délicieux. On t'a déjà offert tout cela, Hélène ? Melons. Framboises fraîches et pêches. Avec de la crème.

Il se dirigea vers un seau à glace.

— Champagne français, bien frappé. Du Krug ? Tu connais, Hélène ? Tout cela nous attend. Tu ne trouveras pas mieux dans un restaurant, ma chérie.

Il remarqua une lueur de doute dans son regard et vint auprès d'elle.

— Hélène, dis-moi que tu es heureuse. Je voulais tant te faire plaisir. Je voulais t'avoir ici, ce soir, à ma table, dans ma maison. Ma petite chérie, assise à mes côtés, comme la grande dame qu'elle est. devant une coupe de champagne. Il faut fêter l'événement, Hélène.

— Quel événement ? lui demanda-t-elle, étonnée.

— Nous verrons plus tard. Toi et moi, nous avons beaucoup de choses à fêter.

Il lui prit la main et la ramena dans le salon.

— Assieds-toi, je vais t'apporter du champagne. Déguste-le lentement. Tu te rappelles le bourbon ?

Hélène ne se le rappelait que trop, aussi se montra-t-elle prudente. Une seule coupe de champagne. Un seul verre de vin de tout le dîner. Elle savait que, de toute façon, cela lui ferait de l'effet. Elle se sentait plus gaie, c'était plutôt agréable. Ned était aux petits soins. Il lui racontait une histoire sur un membre du Congrès qu'il connaissait. Il semblait détendu, assis sous un portrait horrible de son père, exactement comme si ce dîner était quelque chose de parfaitement habituel.

Il buvait beaucoup. Trois coupes de champagne pendant qu'elle n'en prenait qu'une. Après le dîner, quand ils revinrent au salon, il but un verre de whisky.

Assis confortablement en face d'elle, les jambes écartées, il fumait son cigare dont l'odeur âcre se répandait dans toute la pièce.

« Dès qu'il va reposer son verre, je lui demanderai l'argent. Il le faut. Impossible d'attendre plus longtemps », se dit Hélène.

Il reposa son verre, et elle lui en fit la demande. Un lourd silence régna. Sa question sembla le surprendre, mais il lui sourit en tirant longuement sur son cigare.

— Soixante dollars ?

— C'est un emprunt, bien sûr. Je vous rendrai tout jusqu'au dernier centime. J'en ai besoin immédiatement, voilà le problème. C'est pour une amie.

— Je la connais ?

— Non, non.

— Bon, voyons cela.

Il fouilla dans la poche de son veston blanc et sortit un portefeuille en crocodile, rempli de billets. Il jeta un coup d'œil aux billets, puis leva les yeux vers Hélène et reposa son portefeuille.

— Viens ici, ma chérie.

Hélène se leva lentement et alla s'asseoir auprès de lui. Il lui prit la main.

— Tu vas être très gentille avec moi, ce soir, Hélène. Tu vas me rendre heureux, et je serai très content de t'aider. Je te l'ai dit, j'aime faire des cadeaux à ma petite chérie.

Il avala une autre gorgée de bourbon. Malgré la fraîcheur de la pièce, il avait les mains moites. Lentement, il les fit glisser le long de ses cuisses.

— Embrasse-moi, Hélène. Un petit baiser seulement.

Hélène se pencha vers lui. De nouveau, elle remarqua la lueur de son regard et pressa ses lèvres contre les siennes.

— Pas comme ça, chérie, dit-il en changeant de position. Ouvre la bouche, tu sais comment j'aime t'embrasser.

Ses lèvres avaient le goût de bourbon. Sa moustache la chatouillait. Il la fit basculer en arrière et l'écrasa de tout son poids tout en la caressant. Sa langue fouillait les méandres de sa bouche.

— Chérie, que portes-tu sous ta robe ?

Il lui prit les seins entre ses mains. L'armature de fer lui pénétra dans la peau.

— Tu as acheté tout cela pour me plaire, n'est-ce pas, Hélène ?

Hélène baissa les yeux, le cœur battant, la gorge sèche.

— Peut-être.

Son regard demandeur l'excitait tout en la plongeant dans la confusion. Sa lucidité et sa vivacité d'esprit la surprenaient elle-même.

— Tu es un petit renard, le sais-tu ? Un petit renard rusé qui sait rendre un homme fou. Où as-tu appris cela, Hélène ? Une petite fille comme toi.

Il approcha ses lèvres de son cou et l'embrassa derrière l'oreille.

— Tu aimes, n'est-ce pas ? murmura-t-il. Parfois, tu prétends le contraire, mais je sais que tu mens. Dis-moi, Hélène, dis-moi que ma petite chérie aime que je l'embrasse.

— Oh oui ! dit-elle d'un ton hésitant, j'aime que vous m'embrassiez.

— Et quand je te caresse ? Tu aimes aussi, chérie ?

— Souvent, répondit-elle en détournant le regard, mais peut-être ne devrais-je pas.

— Ne dis pas cela, tu entends ? dit-il en lui passant la main sur le cou. Si tu aimes, il faut le dire, chérie. Tu sais que je suis fou de toi, que je ne te ferai jamais de mal. Tu as confiance en moi, j'en suis sûr, chérie. Tu ne viendrais pas me demander de t'aider si tu ne me croyais pas sincère.

Le ton, suave jusque-là, avait légèrement changé. Pour la première fois, Hélène sentit qu'elle perdait le contrôle de la situation. Il la couvrit de baisers et lui caressa les seins sous sa fine robe de coton. Soudain, ajustant son pantalon, il se leva au moment même où Hélène allait lui dire d'arrêter et lui prit la main.

— Il fait chaud ici, tu ne trouves pas. Allons ailleurs, dans un endroit plus frais et plus confortable.

Après lui avoir fait traverser le hall, il la guida vers les escaliers, ne prêtant nulle attention à ses protestations. Sur le palier à galeries, il l'attira contre lui, haletant, et d'une main fit tourner la poignée de la porte. Il la fit entrer et referma la porte.

C'était la chambre de sa femme. Hélène la reconnut aussitôt, même après tant d'années. Les volets étaient ouverts, et le clair de lune baignait la pièce, se reflétant sur le triple miroir, les lourdes brosses d'argent et les flacons en verre. Les fauteuils capitonnés étaient recouverts de draps pour les protéger de la poussière. Ned alla en ôter un et le jeta sur le lit de sa femme, par-dessus le couvre-lit en soie brodée. Il l'étendit avec soin, aplatissant les plis de telle façon qu'un carré de tissu blanc apparut au milieu du couvre-lit en soie. Puis il défit sa ceinture.

Hélène ne bougeait pas. L'espace d'un instant, elle se remémora le passé, sentant presque les pinces dans sa main, l'odeur des fers à friser, se rappelant le teint jaunâtre, la poudre collée aux joues par la chaleur. Elle essaya de l'arrêter.

— Non, je ne peux pas. Que faites-vous, Ned ? Je vous en prie.

— Écoute, chérie, cessons ce petit jeu, veux-tu ? fit-il, l'air agacé.

— Si tu veux un cadeau, tu vas être bien gentille avec moi, d'accord ? Très gentille, tu m'entends, comme tu sais l'être quand tu veux.

Il déboutonnait déjà sa braguette. Elle entendit glisser la fermeture Éclair, tandis qu'il s'approchait d'elle et lui prenait la main.

— Allons, Hélène, donne-moi la main. Ne me tourmente plus, les hommes n'aiment pas ça. Caresse-moi, ma chérie. Mets ta main là, dans mon pantalon. Doucement.

Il gémit de plaisir.

— C'est ça, c'est ça, chérie. Tu aimes ? Regarde comme ça grossit. Tu vois l'effet que tu produis chez moi ?

Il lui maintenait la main contre sa verge. La moiteur de sa peau, la taille de son pénis terrifièrent Hélène. Elle resta figée, et il interpréta son immobilité comme une invite. Il l'attira sur le lit, la souleva dans ses bras et l'allongea sur le lit. Puis il se déshabilla en prenant tout son temps comme s'il prenait plaisir à ôter ses vêtements devant elle.

Hélène l'observait sans bouger. Son esprit n'était plus en ébullition mais d'une froide lucidité. Elle comprenait tout avec calme et détachement comme si cela arrivait à quelqu'un d'autre.

Il arrivait au but recherché depuis des mois, guettant le moment où sa femme s'absenterait. Le fait de lui avoir demandé de l'argent lui avait donné le prétexte qu'il attendait. Sa conduite était donc parfaitement justifiée à ses yeux. C'était un marché. Elle avait d'abord accepté un cadeau, et maintenant de l'argent. En échange, il voulait obtenir son dû. Il n'y avait aucun amour. Comment avait-elle pu être assez stupide pour le croire ? Il s'agissait d'une pure transaction. Soixante dollars pour un instant de plaisir.

Il garda son caleçon. Hélène le regardait toujours. Déshabillé, il était impressionnant avec son corps puissant et musclé, un peu rondelet autour de la taille et le ventre légèrement proéminent. Il avait des poils sur la poitrine qui descendaient sur le ventre puis disparaissaient sous son caleçon. Par opposition à son visage, son cou et ses bras bronzés, son corps était d'une blancheur effrayante. Sa verge raidie formait une poche sous son caleçon. Les mains sur les hanches, le sourire aux lèvres, il semblait sûr de lui. Hélène l'exécrait.

— As-tu déjà vu un homme dans cette tenue ?

— Non.

— Je veux que tu te sentes encore mieux, ma chérie.

Ses doigts saisirent la fermeture Éclair de sa robe qui se prit dans ses cheveux. Il la fit glisser d'une main mal assurée. Il lui ôta sa robe et la jeta par terre. Puis il se mit à genoux sur le lit et promena son regard sur son corps.

— Doux Jésus !

Il ne lui défit pas son soutien-gorge de dentelle, mais le souleva simplement pour découvrir sa poitrine. Puis il la renversa en arrière et lui suça les bouts de sein. À moitié agenouillé, à moitié accroupi, il enfouit la tête dans sa poitrine. Hélène ne faisait pas un geste. Elle l'observait avec un détachement surprenant, comme s'il était à des années-lumière d'elle. Prenant conscience pour la première fois de sa lucidité, elle calculait le moment propice où elle déciderait de l'arrêter. Au début, il était trop agité pour se rendre compte de son manque de participation. Il la léchait, la suçait, la caressait. Ses doigts glissèrent sur son corps, coururent le long des plis de l'aine, repoussant sa culotte de nylon, puis au-dessus de la toison qu'il saisit brusquement comme on attrape un chien par la nuque.

— Écarte les cuisses, chérie, juste un peu. Je ne vais pas te faire mal. Je veux te donner du plaisir. Laisse-moi te toucher. Dis-moi, que ressens-tu lorsque je te caresse ?

Son doigt suivit le sillon des lèvres, il l'enfonça plus profondément et exerça une rude pression sur le clitoris.

— Tu n'es pas encore humide, chérie. Attendons un peu, dit-il en étouffant un petit rire. Une femme, c'est comme une voiture, tu le sais, ma chérie ? Il faut lui donner le temps de chauffer.

De nouveau, il plongea le doigt au fond de son vagin. Hélène grimaça de douleur.

— Allons, chérie, tu n'es pas très coopérante.

Il ôta sa main d'un geste brusque et lui prit la sienne.

— Tu me sens ? Tu vois comme je suis excité, chérie ?

Il lui guida la main sous son caleçon, sans ménagement, et la fit glisser le long de la grosse veine gonflée, sur la cambrure de la verge, près des testicules humides, ronds et durs comme de petits rocs. Le gland doublait de taille au simple toucher. Hélène ferma les yeux.

— Tu veux regarder de plus près, chérie, dit-il en baissant son caleçon.

Elle imaginait son sourire.

— Ouvre les yeux, maintenant, chérie. Contemple ton œuvre.

Hélène ouvrit les yeux. Le gland embrasé et enflé était perlé de blanc en son centre.

— Embrasse-moi là, chérie. C'est bon.

Son corps fut parcouru d'un frisson. Il resserra ses doigts autour de sa verge comme une invite.

— Chérie, je ne peux me retenir plus longtemps. Tu sais ce que je veux, dit-il d'une voix confuse.

Il essayait de la faire glisser sous lui. Hélène le fixa.

— Je n'irai pas jusqu'au bout.

Ses paroles avaient été prononcées très clairement. Surpris, il ouvrit de grands yeux, ne s'attendant pas à de tels propos. Mais ce fut éphémère. Les joues empourprées, les lèvres relâchées, le regard de nouveau inflexible, il avait l'air de ne pas la voir.

— Oui, oui, étends-toi, dit-il, haletant.

Il la poussa brutalement, lui prit les seins dans la main et les referma autour de sa verge, réglant la cadence de ses mouvements, les ralentissant ou les accélérant avec fougue selon son degré d'excitation. Il avait le visage crispé.

— Comme ça, comme ça. Oh oui ! c'est bon, tellement bon. Mon Dieu, ne bouge plus. Pour une petite fille, tu es si...

Soudain le rythme redoubla avant de s'arrêter net. Son corps se tendit, et il laissa échapper un râle d'extase. Hélène avait les yeux fermés. Tout s'était passé très vite. Elle les rouvrit, en proie à l'inquiétude. Il ne bougeait plus. Était-il mort ? Puis elle sentit des gouttes de sueur tomber sur son cou et sa poitrine. Il s'affala sur elle, pantelant.

Au bout de quelques minutes, elle le repoussa et il roula à côté d'elle. Elle se redressa avec précaution et se leva en jetant un coup d'œil au carré de linge blanc qu'il avait pris la précaution d'étendre. Le couvre-lit de soie de sa femme n'avait pas été taché. Combien de fois s'était-il adonné à ses petits plaisirs dans cette chambre ? Peu lui importait, mais une froide curiosité la démangeait.

— Il faut que je rentre.

Il se redressa et enfila son caleçon.

— Oui, mais tu ferais mieux de te laver avant.

Il alla chercher des serviettes et l'essuya sans la moindre vergogne.

— C'est la meilleure lotion du monde, chérie, lui dit-il, un sourire forcé aux lèvres.

Hélène boutonna sa robe. Elle attendit en silence qu'il eût fini de s'habiller.

— Pourrais-je avoir l'argent maintenant ?

Pas le « cadeau », l'argent. Elle avait prononcé ce mot très clairement pour qu'il comprenne qu'elle n'était pas dupe. Mais elle voulait surtout qu'il sache qu'elle n'avait rien ressenti. Il s'était acheté du bon temps, un point c'est tout.

Il plissa le front, signe évident de mécontentement, mais il tenta de n'en rien laisser paraître.

— Tu as une façon plutôt brutale de t'exprimer, dit-il en portant la main à la poche de son veston d'un geste hésitant. C'est donc tout ce que cela représente pour toi ? Allons, chérie.

— Je croyais que vous aimiez me faire des cadeaux ?

Elle ne pouvait plus masquer son mépris, et il le remarqua. Son visage s'assombrit. Il sortit posément une liasse et se mit à compter les billets, qu'il posa sur la commode de sa femme. Trente. Quarante. Cinquante. Cinquante-cinq. Il remit la liasse dans sa poche avec un sourire narquois.

— Il m'en faut soixante.

Il en reste cinq en compte. Tu les auras la prochaine fois que tu te montreras aimable avec moi.

Hélène lui lança un regard furieux, traversa la pièce et ramassa l'argent. Il la saisit par la main.

— Tu es un drôle de numéro, tu sais. Je n'en crois pas mes yeux. Dans les bordels de Louisiane, les femmes ont plus de tact.

Il resserra son emprise.

— Dis-moi, maintenant, chérie, pourquoi as-tu cette attitude ? Qu'ai-je fait qui t'a bouleversée ? Hélène, parle-moi, dis-moi quelque chose. Tu as pris du plaisir, non ? Je t'ai rendue heureuse.

— Il faut que je parte, dit-elle en se libérant.

Elle commençait à trembler et souhaitait quitter la pièce le plus vite possible pour qu'il ne le remarque pas.

— Hélène, dit-il d'un ton suppliant.

Il leva la main vers elle, et elle l'observa un instant.

— Hélène, chérie, je t'en prie, attends.

— Non, s'écria-t-elle, donnant soudain libre cours à sa colère et à sa douleur. Je vous hais. Je me hais. Vous n'auriez pas dû faire ça, non, vous n'auriez pas dû.

Le ton était monté. Elle avait des sanglots plein la gorge. Hélène savait qu'elle se comportait comme une enfant, mais elle savait aussi qu'elle ne le serait plus jamais. Elle quitta aussitôt la pièce en courant.

Cette nuit-là, il y eut une émeute à Orangeburg qui suscita bien des controverses.

Certains prétendirent que tout avait commencé au moment où trois Blancs et une Blanche sortaient d'un bar. Un Noir avait, paraît-il, fait une remarque désobligeante sur la femme quand il l'avait croisée dans la rue principale.

Selon d'autres, trois Blancs, dans une Chevrolet, avaient essayé de faire monter de force une jeune Noire et son petit ami les en avait empêchés.

Certains mettaient cela sur le compte de l'alcool. D'autres rendaient les activistes noirs responsables, ceux-là mêmes qui avaient provoqué les manifestations contre la ségrégation dans les bus. Quelques-uns évoquaient la chaleur. Le taux d'humidité était élevé et la température n'était pas descendue au-dessous de 40 depuis plus d'une semaine. On blâmait aussi la police de l'État ou le gouvernement fédéral. Mais, quelles que soient les causes, les résultats étaient là.

Leroy Smith, un jeune Noir âgé de dix-sept ans, mécanicien au garage Haines, route quarante-huit, mourut durant son transfert à l'hôpital du comté de Montgomery, à la suite de blessures au cœur.

Trois autres Noirs furent arrêtés avant d'être jugés. Deux jeunes Blancs furent interrogés par la police puis relâchés. Deux vitrines de magasins furent endommagées, une voiture incendiée. Il n'y eut aucun témoin.

Hélène entendit les sirènes qui la réveillèrent à 1 heure du matin alors qu'elle dormait profondément. Sa mère se retourna simplement, mais ne se réveilla pas. Les sirènes hurlaient dans la nuit. Hélène finit par se lever et s'assit sur les marches de la roulotte.

L'air était étouffant. Les branches remuaient à peine. Un mince clair de lune se reflétait sur les arbres, leur donnant l'apparence de serpents d'argent. De gros papillons de nuit blancs volaient à l'aveuglette, attirés par la lumière. Une luciole prit une teinte rouge avant de disparaître.

De l'autre côté du terrain vague, Hélène percevait des voix, des portes qui claquaient. Et, sur la route, des projecteurs illuminaient le ciel tandis que les sirènes rugissaient. Elle resta assise une heure, peut-être plus, sans savoir ce qui s'était produit, mais capable de l'imaginer car ce n'était pas la première fois que de tels événements survenaient. Les sirènes étaient le symbole de la haine et de la mort.

Peu après 2 heures du matin, les sirènes se turent. Le ciel retomba dans l'obscurité. Les voix cessèrent. Les portes se refermèrent. Tout au loin, au-delà des plantations de coton, elle entendit le train et le crissement des roues sur les rails, perturbant la quiétude retrouvée de la nuit : la haine et la mort, la haine et la mort, la haine et la mort. Le train siffla en traversant Orangeburg, puis ce fut le silence.

Elle resta là un long moment. Soudain, une ombre se profila derrière les arbres. Elle se leva. L'ombre continuait à avancer. Elle descendit les marches en courant, traversa la cour et se précipita vers la grille.

— Billy ?

Debout sous les arbres, il était livide. Elle se rendit compte qu'il était blessé. Du sang coulait sur sa chemise. Il avait une large estafilade sur la joue.

— Billy, tu es blessé ! Tu vas bien ? Que t'ont-ils fait ? Que s'est-il passé ?

Il lui prit les mains et les serra dans les siennes.

— Leroy est mort. Il allait se marier la semaine prochaine. Je suis allé à l'hôpital. Je savais qu'il ne pouvait survivre à ses blessures, mais j'espérais. Le médecin était blanc. Il y avait des flics partout, dans l'entrée, dans les couloirs. Ils n'ont pas voulu me laisser entrer. Ils ne voulaient même pas me dire s'il était vivant ou mort. C'est une infirmière qui a fini par me le dire. Sa fiancée est arrivée. Quand elle a appris la nouvelle, elle s'est mise à hurler.

Billy se couvrit les oreilles de ses mains.

— Je l'entends encore. Elle n'arrivait pas à le croire. Tout s'est passé si vite. J'étais avec eux. J'ai assisté à tout. Leroy n'a strictement rien fait. Il n'a même pas dit un mot. Quand le couteau s'est enfoncé, il n'a pas crié. Il s'est simplement plié en deux, comme essoufflé. Puis on a vu ses yeux se révulser et son corps se raidir. J'ai alors tout compris. C'était mon ami. J'ai travaillé avec lui trois ans. Je lui avais promis d'assister à son mariage.

Soudain Billy vacilla et s'effondra dans la poussière, la tête penchée, les bras recroquevillés autour du corps. Hélène resta figée un instant avant de s'accroupir auprès de lui. Elle avait terriblement froid, terriblement peur.

— Billy, dit-elle, la gorge sèche. Billy ? Tu as tout vu ? Alors tu sais qui a fait le coup ? Tu les as reconnus ?

— Oui, répondit-il sans lever la tête

— Billy, regarde-moi. L'as-tu répété à la police ?

Il leva la tête lentement.

— Pas encore, fit-il, le visage tordu de douleur. J'ai bien essayé. Mais il m'a semblé que les flics faisaient la sourde oreille.

— Mais tu vas faire une déclaration, non ?

— Le commissariat sera plus calme demain, dit-il en haussant les épaules. Il faudra bien que j'y aille.

Il leva les yeux vers elle et approcha la main de son visage.

— Tu pleures, fit-il, surpris. Hélène, pourquoi pleures-tu ?

— Tu sais pourquoi, Billy, tu le sais très bien.

Il la fixa un instant puis, avec une infinie douceur, essuya ses larmes. Il avait les traits durcis par cette épreuve. Hélène le trouvait changé. Il avait l'air fatigué.

— Je ne veux pas que tu sois blessé, Billy.

— Ne t'inquiète pas, dit-il en souriant.

Elle se rendait compte qu'il lui mentait intentionnellement.

— Regarde. Ce n'est qu'une égratignure.

— Billy.

— C'est simple, il n'y a pas le choix si je veux continuer à me regarder dans une glace.

Il se leva et attira Hélène vers lui.

— Un jour...

Il s'interrompit et passa négligemment un bras autour de son épaule. Un jour, tu quitteras ce village. J'espère que je pourrai t'accompagner, c'est mon seul...

— Mais bien sûr que tu viendras avec moi ! s'écria spontanément Hélène. On pourrait partir ensemble. Rien ne nous retient ici. On trouvera du travail ailleurs. Il faut trouver un endroit qui ne ressemble pas à celui-ci. C'est possible, Billy.

— J'aimerais en être aussi sûr.

— Pourquoi es-tu aussi pessimiste ?

— Parce que c'est comme ça, dit-il doucement. Mais toi, tu t'en iras, j'en suis certain. Et cela me rend heureux. Quoi que tu fasses, quoi qu'il arrive, je me sentirai concerné. Je serai heureux de cette façon. Et fier, même.

Hélène le regarda longuement, puis détourna le regard.

— Tu ne me connais pas, Billy. Si tu me connaissais vraiment, tu ne me dirais pas cela.

— Je te connais mieux que tu ne le penses. Et je maintiens ce que je dis.

Il lui caressa le visage. Hélène avait l'impression qu'il lisait au fond de son cœur.

— Retourne te coucher, maintenant. Il se fait tard.

— Non. Je veux rester avec toi, Billy.
— Pas maintenant. J'ai besoin d'être seul. J'ai besoin de réfléchir.

Hélène se leva à 6 heures. Bien qu'il fût tôt et que le soleil fût encore bas dans le ciel, il faisait déjà une chaleur oppressante que seul un orage pouvait briser. Sur la petite commode, près du lit de sa mère, étaient posés les soixante dollars qu'elle lui avait remis la veille. C'est la première chose qu'elle verrait en se réveillant.

Hélène lava la petite cuisine. Il n'y avait aucun plat de la veille. Sa mère n'avait donc rien pris depuis. Elle arrangea le châle en cachemire totalement élimé sur le fauteuil. Après avoir balayé, passé un chiffon sur la toile cirée, elle disposa les tasses du petit déjeuner pour toutes les deux. Elle alla chercher de l'eau à la pompe et la fit chauffer, puis, lorsqu'elle entendit sa mère bouger, la lui apporta pour sa toilette.

— Il me faut des affaires propres, Hélène.

Elle mit du temps à se préparer. Quand enfin elle arriva dans la cuisine, Hélène se rendit compte de l'effort que cela lui avait coûté. Bien coiffée, maquillée au point que ses lèvres ressortaient sur la pâleur de sa peau, elle avait mis du mascara qui avait légèrement coulé. Elle était vêtue de sa plus belle robe et de ses plus belles chaussures à hauts talons qui auraient eu besoin d'une réparation. Sa mère y lança un regard plein de regrets en ajustant la couture de ses bas.

— Ma dernière paire neuve, dit-elle avec un vague sourire. Je l'avais mise de côté.

Hélène prépara le thé en silence, mais sa mère n'en but que quelques gorgées sans lait. Elle n'avait pas faim.

Hélène s'assit et se pencha vers elle.

— Maman, maman, je veux que tu m'écoutes.

Sa mère leva les yeux. Ses yeux mauves croisèrent ceux d'Hélène, mais elle détourna très vite le regard.

— Maman, je t'en prie. J'ai réfléchi. Il faut qu'on parte d'ici. Maman, il le faut.

— Je le sais, ma chérie.

De nouveau elle se tourna vers Hélène, les yeux dans le vague, l'écoutant à peine.

Désespérée, elle prit la main de sa mère.

— Écoute-moi, maman, je t'en supplie. Quand j'étais enfant, nous parlions ensemble, nous faisions des projets, nous tentions de faire des économies pour partir. Puis il nous arrivait de ne plus l'évoquer. Mais maintenant je parle sérieusement, il faut qu'on s'en aille très vite. C'est un endroit horrible qui nous pénètre par tous les pores. Il aspire toute notre énergie et notre volonté. Les gens se font des illusions, maman. Ils croient que cela va changer, et, quand ils se rendent compte du contraire, il est trop tard.

Elle s'interrompit. Sa mère ne l'écoutait pas.

— Maman, dit-elle en serrant les dents, je vais écrire à Élisabeth. Ta sœur Élisabeth. Je vais lui écrire aujourd'hui.

Sa mère avait réagi.

Hélène étreignit sa main un peu plus fort.

— Je vais lui écrire, maman, et tout lui expliquer. Je vais lui dire que tu es malade et que nous avons besoin de son aide.

Elle respira longuement.

— Je vais lui demander de nous envoyer l'argent du voyage jusqu'en Angleterre. Je suis sûre qu'elle nous aidera, maman. C'est ta sœur. Tu ne lui as jamais rien demandé. Si elle n'accepte pas... eh bien, je quitterai l'école. Pas l'année prochaine, maintenant. Je vais chercher un emploi et gagner de l'argent. Cela prendra un peu plus de temps, mais j'y arriverai, maman, j'en suis certaine. Je peux avoir deux emplois comme Billy Tanner. Travailler la journée et le soir. Je suis jeune, maman. C'est facile. Dans un an, nous aurons économisé suffisamment. Penses-y, maman. Un an, c'est tout. Peut-être moins. Si Élisabeth nous aidait, ce serait dans quelques mois, peut-être quelques semaines.

Sa mère fit un léger mouvement et se cogna la cheville sous la table. Il régna un court silence. Elle étendit lentement la jambe, les yeux baissés. En étirant la jambe, le bas fila de la cheville au genou. Elle leva les yeux vers Hélène.

— Je suis enceinte, dit-elle d'une petite voix impassible, sans l'ombre d'une émotion, puis toussa et s'éclaircit la gorge. Deux mois. Huit semaines. On peut le faire sauter jusqu'à trois mois mais, plus on attend, plus c'est dangereux. À deux mois, il n'y a pratiquement aucun danger. Grâce à toi, j'ai l'argent, Hélène. Je te remercie. J'irai à Montgomery aujourd'hui même.

On aurait dit une chose naturelle, comme se faire arracher une dent.

— Maman...

— Ne t'inquiète pas, ma chérie. Je sais que ce n'est pas légal, mais c'est la loi qui est irréaliste et, grâce à Dieu, il y a toujours eu des médecins qui en ont été conscients et qui sont prêts à vous aider. Des médecins et d'autres, bien sûr. J'ai entendu dire que Mississippi Mary le faisait parfois, mais je n'en suis pas sûre et je n'irais pas n'importe où, aussi ne te fais pas de souci. Je vais consulter un médecin à Montgomery. Il est qualifié. Tout ira bien.

Sa mère, lentement, retira sa main de celle d'Hélène. Elle leva les yeux et regarda par la fenêtre. Elle avait l'air parfaitement calme.

— Il va le faire aujourd'hui. Je crois que c'est très rapide et pas très compliqué. Je reviendrai ce soir vers 6 heures, parce qu'il faut se reposer après l'opération. À mon retour, nous reparlerons de nos projets, ma chérie. Ce soir ou demain. Mais tu te rends compte, n'est-ce pas, Hélène, qu'il m'est impossible d'y réfléchir maintenant ?

Elle s'interrompit en plissant le front, comme si elle essayait de se rappeler quelque chose.

— Je n'avais pas l'intention de tout te révéler. Ce n'est pas vraiment un sujet de discussion, fit-elle avec un vague sourire. Mais je tiens à te tenir au courant. Vois-tu, j'ai été stupide, je le reconnais. Et je ne veux pas que tu commettes les mêmes erreurs. Ne fais jamais confiance aux hommes, Hélène. Ne compte jamais sur eux. C'est très difficile, bien sûr. On croit qu'on est amoureux, les femmes surtout, mais c'est là un signe de vulnérabilité. Souvent je me dis que, si les femmes ne tombaient pas si stupidement amoureuses, elles auraient une vie plus simple et beaucoup plus heureuse. Elles ne croiraient plus aux mensonges. J'ai cru à ceux de ton père, Hélène. Et il a menti sur toute la ligne. Il a prétendu qu'il avait trouvé du travail en quittant l'armée. Il a dit qu'il nous achèterait une belle maison et, quand je suis arrivée ici, voilà ce que j'ai trouvé : un horrible petit bungalow où habitaient déjà son père, sa mère, ses frères et ses sœurs. Il m'a dit qu'il vénérait le sol que je foulais, Hélène... Je ne sais pas pourquoi... Mais c'était la guerre... Les Américains avaient du prestige à l'époque, et il était différent de tous ceux que j'avais connus avant lui. Je l'ai donc épousé et je suis venue m'installer ici avec toi quand tu n'étais qu'un petit bébé. Et puis je me suis rendu compte que tout était faux et je suis partie par fierté. (Elle s'interrompit et fixa Hélène.) Tu es née en Angleterre, chérie. Tu ne dois pas l'oublier.

— Maman, je t'en prie, arrête.

Sa mère poussa un long soupir.

— Je suppose que tu as raison. Il est inutile de se rappeler le passé. Je m'en rends compte maintenant. J'y ai trop pensé, et cela ne nous a rien apporté. L'histoire se répète. On commet toujours les mêmes erreurs, on croit aux mêmes mensonges proférés par des voix différentes. (Elle repoussa la tasse et la soucoupe.) Pour moi, c'est bien la dernière fois. Surtout après aujourd'hui. Et j'espère que tu as enregistré la leçon, Hélène. C'est très important à mes yeux. Tu es une femme maintenant, ma chérie, et ta vie ne fait que commencer.

Elle s'arrêta soudain. Hélène leva les yeux vers elle. Sa mère regardait la pendule sur le mur. Les vieux traits rouges étaient toujours marqués, un peu effacés cependant.

— Tu te rappelles les fois où tu m'attendais quand je sortais ? Tu étais une enfant merveilleuse, ma chérie. Tu te souviens de la robe gris et blanc qui venait de chez Bergdorf Goodman ? C'était une si jolie robe en pure soie ! Je n'en avais pas eu depuis l'avant-guerre. C'est avec cette robe que tout a commencé. En fait, au début, il me regardait gentiment quand j'allais coiffer sa femme. Mais il m'a offert cette robe, et le lendemain j'ai accepté un rendez-vous...

Hélène sentit son corps se raidir, sa gorge se nouer. Sa mère poursuivait son récit comme dans un rêve.

— C'était si beau, Hélène. Il me faisait faire le tour de la plantation en voiture. Il y avait un vieux pavillon dans le jardin. C'est là que nous nous rencontrions. C'était un peu délabré, bien sûr, mais il me rappelait mon enfance. Nous avions une petite masure dans ce style attenant à la maison où j'ai grandi. Je le lui avais dit, et il m'avait paru intéressé. Il peut se montrer si charmeur avec ses bonnes manières et son beau regard.

Elle hésita un instant, comme s'il y avait un décalage entre les faits et ses paroles. Hélène, les poings serrés, s'enfonçait les ongles dans la main.

— C'était très romantique, Hélène. Il est important que tu comprennes cela. Je ne veux pas que tu penses que je me suis lancée dans une liaison sordide ou désagréable. Oh ! je savais qu'il était marié, mais il n'était pas très heureux en ménage. J'ai cru... oui, j'ai pensé que peut-être, un jour, il divorcerait pour m'épouser. Il m'a dit qu'il le souhaitait et qu'étant donné qu'il n'avait pas d'enfant, ce ne serait pas difficile. Le seul problème, c'est que tout appartient à sa femme. C'est elle qui finance la plantation. Je l'ai compris, bien sûr. Je n'ai jamais fait pression sur lui, vois-tu. Je critique les femmes qui ont cette attitude. Je prenais mon mal en patience. Il me parlait souvent de mariage. On faisait même des projets idiots, comme par exemple la nouvelle décoration de la maison quand nous l'habiterions ensemble. Nous évoquions la façon dont nous allions nous divertir. Mme Calvert, elle, ne sort jamais, ce qui est, à mes yeux, une erreur, vu ce qu'elle est et ce qu'elle représente. J'aurais eu une attitude bien différente, à sa place.

— Maman, je t'en prie.

— Je l'ai vraiment cru, Hélène, dit-elle d'un léger ton de reproche. Te souviens-tu du soir où tu avais compté l'argent ? Tu avais évoqué la possibilité d'un retour en Angleterre, et nous nous sommes querellées. J'ai failli te dire alors que notre vie risquait de changer. Il m'avait promis de parler à sa femme. (Elle s'interrompit.) Inutile de te dire qu'il ne l'a jamais fait. Le mensonge n'était pas vraiment délibéré. Tous les hommes mentent, mais ils sont à moitié sincères. Voilà pourquoi tu dois être très prudente, Hélène. Il est si facile de se laisser prendre au piège.

— Maman, dit Hélène en se penchant vers elle.

Il fallait mettre un terme à cette conversation totalement insensée.

— Oui, chérie.

— Maman, est-il au courant ?

— Pour ça ? répondit-elle en souriant. Non, bien sûr. Vois-tu, ma chérie, il a quelqu'un d'autre.

— Quelqu'un d'autre ? répliqua Hélène, soudain blême.

— Je ne sais pas qui, naturellement. Ce ne sont pas mes affaires. À dire vrai, je crois qu'il en a toujours eu d'autres. De temps en temps. Des Noires. Comme son père, d'après ce qu'on raconte. C'est un Sudiste. Il a ça dans le sang. Je ne voulais pas savoir, parce que cela ne changeait rien. C'était différent entre lui et moi. Notre liaison a duré longtemps. Très longtemps. Parfois, nous nous disputions et nous restions même plusieurs jours sans nous voir, mais à la fin nous finissions toujours par revenir l'un vers l'autre. Je crois qu'il m'a aimée, Hélène. Jusqu'à ces temps derniers, nos rendez-vous étaient réguliers, moins qu'avant peut-être, mais il disait qu'il avait besoin de moi. Et puis cet accident est survenu. C'est de la négligence et de la stupidité de ma part, mais il était parti à Philadelphie pendant deux mois et j'étais si heureuse de le retrouver. (Son visage se radoucit. Elle but une petite gorgée de thé.) Tu vois, j'éprouve une certaine fierté de ne lui avoir rien dit, Hélène. J'aurais pu. Ça aurait été si facile de pleurer et de prendre un ton suppliant, mais je ne pouvais m'y résoudre. J'ai décidé de ne plus le revoir, c'est tout. Il ne saura jamais, Hélène... En fait, il me rappelait ton père. Voilà comment tout a commencé. La première fois que j'ai rencontré ton père, je portais une robe de soie mauve pâle avec une rose sur l'épaule. Nous étions allés au Café Royal en groupe, je me rappelle. Quelle soirée merveilleuse... C'était si gai ! Tout le monde était charmant. Je savais que ton père avait une profonde admiration pour moi.

Elle s'interrompit brusquement, pencha la tête et la secoua légèrement, comme pour s'éclaircir l'esprit. Son regard, qui commençait à s'éclairer, reprit sa tristesse initiale.

— Dix-sept ans déjà ! Et maintenant cet incident stupide.

Hélène se leva. À son retour de Philadelphie... Deux mois auparavant... Elle s'appuya contre la table pour éviter de trembler.

— Je voudrais le tuer ! s'exclama-t-elle. Doux Jésus, je voudrais le tuer.

Sa mère, comme si elle n'avait rien entendu, jeta un regard absent vers la glacière. Les aiguilles étaient sur le 9. Elle se leva.

— Veux-tu aller me chercher mon sac, Hélène ? J'ai préparé quelques affaires. Il est dans la chambre.

Il était impossible de faire le moindre geste dans Orangeburg sans que tout le monde fût au courant. C'était ce qu'Hélène détestait le plus dans ce village.

« Crache dans la rue principale à 2 heures, disait Billy quand ils étaient enfants, rends-toi à Maybury à 3 heures, et ils te diront où le crachat a atterri. »

Souvent, Hélène remarquait que les gens d'Orangeburg n'avaient rien de mieux à faire que de cancaner, assis devant leurs magasins, surtout quand la chaleur était étouffante comme en ce moment. Parfois, ce n'était qu'un rideau qui s'écartait imperceptiblement ou une ombre sur la moustiquaire. Même sans les voir, elle sentait les regards.

Il faisait un temps épouvantable, pire que d'habitude. Les stores étaient baissés. Il y avait des bris de verre sur le trottoir. Pas un Noir en vue. Seuls des groupes de Blancs, hommes et femmes, bavardaient dans les rues, mais les conversations cessaient, lorsque, avec sa mère, elles arrivaient à leur hauteur, puis reprenaient après leur passage.

La carcasse de la voiture calcinée avait été enlevée. Au bout de la rue principale, une voiture de police était garée dans l'ombre, le gyrophare allumé. La poussière tourbillonnait. Une certaine tension régnait. Hélène et sa mère attendaient l'autobus dans l'air chatoyant.

L'arrêt se trouvait juste devant le salon de coiffure de Cassie Wyatt. En plein soleil. Sa mère ne semblait pas remarquer la chaleur. Serrant contre elle son petit fourre-tout, elle faisait la queue, le regard tourné du côté où était attendu le bus. Hélène ne devait pas l'accompagner à Montgomery. Sa mère n'y tenait pas.

Au bout d'un moment, Cassie Wyatt sortit de son salon, encore vêtue du tablier qu'elle portait pour les coupes de cheveux. C'était un samedi matin. Elle devait donc avoir beaucoup de travail. À travers la vitre, Hélène voyait les quatre séchoirs occupés. L'une des nouvelles employées faisait une coupe, une autre lavait les cheveux à une cliente dans les nouveaux bacs que Cassie venait d'acheter. Des bacs avec un creux pour pencher la tête en arrière. Cassie était fière de ses dernières acquisitions.

Hélène la vit s'approcher de sa mère. Soudain elle changea d'expression en la regardant. Ahurie, elle fit un pas en avant et posa la main sur son bras.

— Violette ? Violette ? Vous êtes malade ? dit-elle d'une voix hésitante.

Hélène remarqua son regard posé sur le petit fourre-tout.

— Non, je vais bien, merci, Cassie. J'attends le bus de Montgomery, répondit sa mère en tournant à peine la tête.

— Voulez-vous venir vous asseoir au salon un moment ? Il fait si chaud et, ce sacré bus, on ne sait jamais à quelle heure il passe. Vous risquez d'attendre encore une demi-heure. Venez vous reposer à l'intérieur. Les ventilateurs donnent un peu de fraîcheur.

— Merci, Cassie, je crois qu'il arrive.

Sa mère tourna légèrement la tête. Une grosse larme coula le long de sa joue. Elle l'essuya aussitôt.

Les traits de Cassie se radoucirent. Elle avait l'air sincèrement inquiète.

— Je vous en prie, Violette, lui dit-elle gentiment, vous n'avez pas l'air bien. Entrez un instant. Vous pouvez aller dans l'arrière-salon, si vous préférez. C'est plus calme. Il passe des bus en permanence. Vous prendrez le suivant.

— J'ai un rendez-vous. Il faut que je prenne celui-ci.

Sa mère donnait l'impression d'avoir un déjeuner d'affaires important. Elle fit signe à l'autobus de sa main gantée de blanc.

— Ça ira, Cassie, murmura Hélène.

Les gens les dévisageaient. À l'intérieur du salon, une employée avait cessé de couper les cheveux de sa cliente pour les observer.

Le bus approchait dans un nuage de poussière. Cassie se tourna vers Hélène.

— Tu accompagnes ta mère, Hélène ?

— Non, elle ne vient pas avec moi, fit Violette.

Hélène traînait les pieds dans la poussière.

— Je l'attends ici, répondit-elle gauchement. Je viendrai la rechercher ici.

L'autobus s'arrêta. Les portes grincèrent en s'ouvrant. Sa mère marqua un temps d'hésitation.

— Je n'ai pas oublié mon porte-monnaie ? Non, le voici.

Elle se tourna vers Hélène et l'embrassa furtivement.

— Au revoir, ma chérie. À ce soir. Je serai de retour aux alentours de 6 heures.

Elle grimpa dans l'autobus, dont les portes se refermèrent. Le bus démarra dans un nuage de fumée. Hélène lui fit un petit signe d'adieu. Elle regarda sa montre, cadeau reçu pour ses seize ans, et la secoua parce qu'il lui arrivait de s'arrêter. Mais elle marchait très bien. Il était 10 heures.

Elle avait mille idées en tête. Retourner à la roulotte, s'allonger sur son lit et pleurer. Se rendre à la plantation et tuer en plein cœur Ned Calvert. Expédier sur-le-champ une lettre à Élisabeth. Parler à Billy. Prendre le bus suivant pour Montgomery et aller retrouver sa mère pour la ramener. Revenir en arrière dans le temps, un mois, une année plus tôt, avant le début de ce cauchemar. Elle ne voulait plus entendre la voix de sa mère, d'un calme trompeur, qui ne faisait qu'accentuer son désarroi.

Elle longea la rue principale, tourna juste après la station-service et contourna le parking. Là se trouvait un terrain vague où des pancartes annonçaient une nouvelle construction.

Personne ne s'y aventurait jamais. Hélène alla s'asseoir près d'une masure en ruine qui donnait un peu d'ombre. Le regard perdu dans le vague, elle avait envie que le temps passe vite. Des massifs d'orties, les restes d'un chemin cimenté, un mur couvert de toxicodendrons, tel était le spectacle qui s'offrait à elle. Autrefois, il y avait une maison et un jardin à l'endroit même où elle était assise. Les yeux clos pour se protéger du soleil, elle ne cessait de se répéter : « l'Angleterre, l'Europe, l'Angleterre ». Quelques instants plus tard, elle se leva et se dirigea vers la station-service où elle s'arrêta.

Une longue Cadillac noire à toit ouvrant était garée devant la pompe à essence. Ned Calvert était penché sur le capot. Il lui tournait le dos et se trouvait en pleine conversation avec cinq autres Blancs, dont Merv Peters et un jeune homme, Eddie Haines sans doute. Hélène ne reconnut pas les autres. L'un d'eux avait un fusil de chasse à l'épaule.

Tapie contre le mur, elle les observa un instant, puis s'éloigna furtivement. Dans la ruelle qui débouchait sur la rue principale, elle remarqua les sacs poubelles, le linge qui séchait dans les jardins. Sur un mur étaient peintes en rouge les trois lettres KKK. Elle cracha dessus avant de poursuivre son chemin.

Sous le prétexte de lécher les vitrines, elle s'attarda dans la rue. En fait, elle attendait le bus de Montgomery. Sans raison aucune, elle se disait que sa mère devait s'y trouver. Mais seuls deux Blancs en descendirent. « Mon Dieu, faites que tout se passe bien pour maman et qu'elle revienne vite. »

Elle se doutait de l'endroit où sa mère s'était rendue à Montgomery, malgré ses explications apaisantes. Les femmes riches n'allaient pas à Montgomery se faire avorter. Soit elles partaient pour Puerto Rico ou Mexico, dans des cliniques privées. Susie Marshall connaissait quelqu'un qui connaissait quelqu'un qui l'avait fait une fois. Soit elles payaient très cher un médecin qui préconisait l'opération pour raisons médicales. Quel médecin accepterait de pratiquer un avortement pour soixante-dix dollars ? Et comment s'y prenait-il ? « Je ne sais pas, lui avait dit un jour Susie Marshall. Je suppose qu'il arrache ça. Ce n'est pas encore un bébé, simplement un peu de gelée, je pense... »

Hélène frissonna. Elle en avait la nausée. Elle pouvait à peine avaler tant la gorge lui piquait. Il lui fallait boire à tout prix, mais pouvait-elle se permettre d'aller commander une limonade chez Merv Peters ? Elle savait qu'il n'était pas dans son café. Elle s'approcha et jeta un coup d'œil à l'intérieur. Priscilla ne s'y trouvait pas non plus, donc tout allait bien. Une femme qu'elle ne connaissait pas servait au bar.

Hélène y entra. La fraîcheur de l'air la surprit. Merv Peters avait fait installer l'air conditionné l'année précédente ainsi qu'un juke-box.

Elle alla s'asseoir sur un haut tabouret près de la fenêtre d'où elle voyait le spectacle de la rue et surtout l'arrêt de l'autobus. Près du juke-box, se tenaient des filles de l'école de Selma qui chuchotaient et riaient à voix basse. Elles ne prêtèrent nulle attention à Hélène.

— Une limonade, s'il vous plaît, dit-elle en comptant ses pièces.

La serveuse poussa un verre de limonade sur le comptoir.

— Merci.

— Il n'y a pas de quoi.

Un disque d'Elvis Presley se terminait. L'une des filles mit un jeton dans le juke-box et choisit une autre chanson. Une voix profonde, languissante et nostalgique remplit la salle. Les jeunes filles se turent, les yeux rêveurs.

Blue moon
Tu m'as donné une raison de pleurer
Tu m'as donné une raison de mourir...

Elles mirent ce disque trois fois de suite. Hélène fit durer sa limonade, puis se leva et s'en alla. Elle aimait cet air, mais ne voulait plus l'entendre de sa vie.

— Billy Tanner...

L'une des jeunes filles venait de prononcer son nom. La porte se referma sur ces paroles. Dès qu'elle sortit, Hélène aperçut Billy.

Il était seul et avançait lentement. Quelqu'un l'observait. Cassie Wyatt se tenait sur le seuil de la porte de son salon. L'une de ses employées passa la tête pour voir ce qui se passait. Devant la quincaillerie, un homme balayait le trottoir. Il s'arrêta et s'appuya sur son balai, lui barrant ostensiblement le passage. Billy dut descendre sur la chaussée pour poursuivre sa route.

Il passa devant la voiture de police dont le gyrophare était allumé. Un policier en sortit. Il s'appuya sur la portière, une main sur le toit, l'autre sur l'étui de son revolver. Soudain, il régna un silence de mort dans la rue. Rien ne bougeait. Une femme, qui sortait du supermarché de Merv Peters, hésita un instant, les bras chargés de provisions. Un enfant l'accompagnait. Elle jeta un coup d'œil dans la rue, puis s'avança, traînant son enfant derrière elle. Hélène s'aperçut que les élèves de l'école de Selma avaient abandonné le juke-box et s'étaient agglutinées à la fenêtre, le visage livide, visiblement dans l'attente d'un événement. L'une d'elles portait des bigoudis. Hélène tourna de nouveau son attention vers la rue. La lumière se reflétait sur le verre et l'acier brûlants. Billy avançait toujours. Près de la station-service, on perçut une puissante détonation.

Hélène resta figée sous l'auvent. Puis elle quitta l'ombre pour se précipiter dans la chaleur étouffante de la rue, traversa la route en courant et prit Billy par le bras.

— Billy, Billy, rentrons. Viens, on va aller se baigner à la crique.

Sa voix limpide remplit la rue. Billy la regarda en secouant la tête. Il essaya de se dégager mais Hélène n'y prêta pas attention. Au contraire, elle accentua son étreinte. Billy lui sourit en soupirant. Ils partirent ensemble.

Nul ne parlait. Ils marchaient côte à côte, longeant les magasins de la rue principale où se trouvaient pêle-mêle des maisons, des garages de voitures d'occasion, des dépôts de boissons alcoolisées qui marquaient l'entrée de la ville. Ils dépassèrent les premiers champs de coton, traversèrent la voie ferrée, puis longèrent les vieilles maisons délabrées où vivaient maintenant des Noirs, la chapelle baptiste sudiste en brique, annoncée par la grande pancarte où était inscrit : « Jésus, notre Sauveur ! » Et, tout ce temps, une Cadillac noire les suivait à une dizaine de mètres.

À mi-chemin entre le village et le terrain vague, Hélène s'arrêta. Billy chercha à continuer, mais elle refusait d'avancer, agrippée à son bras. La Cadillac s'approcha lentement et arriva à leur hauteur. Ned Calvert ne pouvait se résoudre à croiser le regard d'Hélène, mais les autres avaient les yeux fixés sur eux. Quatre visages grimaçants, un devant, trois derrière. Le soleil se reflétait sur le canon de leurs fusils de chasse. Hélène les dévisagea : Ned Calvert, Merv Peters, Eddie Haines et deux autres qu'elle ne reconnut pas.

— Vous voulez quelque chose ? hurla-t-elle soudain. Dites-moi donc ce que vous cherchez.

Ses paroles se perdirent dans le silence de l'air étouffant. L'un d'eux éclata de rire.

Eddie Haines cracha son chewing-gum sur la route.

— Tu viens de perdre un emploi, petit, s'écria-t-il avant de taper sur l'épaule de Ned Calvert.

La Cadillac fit une embardée dans un nuage de poussière et disparut rapidement sous le regard inquiet d'Hélène. Elle jeta un coup d'œil à sa montre. Midi passé. Presque 1 heure. Quand ils quittèrent l'autoroute pour prendre la direction du terrain vague, le soleil tombait à la verticale.

— Tu n'aurais pas dû te mêler de tout ça, lui dit Billy. Tu sais où j'étais ?

— Au commissariat. Bien sûr que je le sais.

— Tu n'aurais pas dû faire ça, répéta-t-il en secouant la tête. Je ne veux pas que tu aies des ennuis.

— Billy, dit-elle en lui pressant le bras. Il fait chaud, allons nous baigner.

Ils se tenaient à l'ombre des peupliers dont les branches leur zébraient le corps. Tout était silencieux. Ils n'entendaient que leur propre respiration.

— Hélène ?

— Je veux aller nager, Billy.

Elle s'écarta de lui. Ombre et lumière se mêlaient dans son esprit. La chaleur de la matinée, la fraîcheur des peupliers. Elle savait où elle voulait en venir, sans comprendre exactement pourquoi. Mais peu importait le pourquoi des choses.

Billy l'observait, tendu et las, comme s'il sentait la frénésie cachée d'Hélène.

Hélène, sans le moindre tremblement, déboutonna son chemisier qu'elle ôta, ainsi que son bracelet-montre, son jean, ses sandales et ses sous-vêtements. Billy ne bougea pas. Une fois entièrement déshabillée, elle resta un instant impassible. Billy soupira. Puis elle se retourna et se glissa dans l'eau saumâtre. Elle plongea et secoua ses cheveux en arrière quand elle refit surface. Des gouttelettes perlaient comme des diamants sur ses bras.

— Je t'en prie, Billy.

L'espace d'un instant, elle crut qu'il allait refuser, tout en sachant qu'il comprenait parfaitement. Puis, lentement, il enleva sa chemise et ses espadrilles et entra doucement dans l'eau en gardant son jean. L'eau lui recouvrit peu à peu le corps, comme à un baptême. Quand l'eau lui arriva à hauteur de poitrine, il s'immobilisa et eut un long et drôle de sourire. Soudain il plongea et sortit de l'eau en se secouant. Il éclata d'un grand rire joyeux qui retentit à travers les arbres puis vint nager à ses côtés.

Ils nagèrent longtemps côte à côte, sans se toucher. Hélène sortit la première. Elle l'attendit sur la rive légèrement inclinée, dans un coin ombragé de bruyères. Elle savait qu'il s'approcherait d'elle. Le temps s'était arrêté. Plus rien n'existait, ni Orangeburg ni Montgomery, ni passé ni avenir, que cet instant de pureté dans un monde dépourvu de raison.

Billy finit par sortir de la rivière. Il vint auprès d'elle et fixa sur elle son regard d'un bleu de martin-pêcheur, un regard triste et ennuyé.

— C'est impossible, lui dit-il. Pas maintenant, pas comme ça. Je ne veux pas agir mal envers toi, tu le sais.

— Mais ce n'est pas mal agir ! C'est très important pour moi, je sais que tu comprends.

— Oui, je comprends, dit-il en lui prenant la main et en la serrant très fort contre lui. Mais ce n'est pas pour ça que c'est bien. Écoute. Ici...

— Justement, ici, dit-elle en baissant la tête. Je veux que tu sois le premier, Billy.

Elle le sentit se raidir et aussitôt leva les yeux vers lui.

— Tu as toujours su la vérité, n'est-ce pas ? Tu savais que je voyais Ned Calvert ?

— Je vous ai vus ensemble un jour, répondit-il en haussant les épaules. J'ai préféré garder le silence. Je savais que tu te rendrais vite compte de ce qu'il est. C'était mieux ainsi.

— Ne me parle pas de lui. Je ne veux même plus y penser ! Billy, je t'en supplie, je ne te demanderai rien d'autre. Jamais.

— Je t'aime depuis si longtemps. Je crois même que je t'ai toujours aimée, dit-il, le corps parcouru de frissons. Si seulement j'avais pensé que toi aussi tu pourrais m'aimer.

Hélène s'apprêtait à lui répondre, mais il lui posa doucement un doigt sur les lèvres.

Ne mens pas maintenant. C'est inutile. Pas de mensonge, tu m'entends ? Pas entre toi et moi.

Hélène leva les yeux vers lui. Il avait une expression de douceur extrême et en même temps d'une infinie tristesse. Elle lui passa lentement les bras autour du cou, lui effleurant la poitrine de ses seins. Elle déposa un baiser sur ses joues, puis sur ses lèvres, et s'écarta.

— Je sais que je ne fais rien de mal. Jamais de ma vie je n'ai ressenti une telle certitude, lui dit-elle, le regard embrasé. J'ai les moyens de te convaincre, Billy.

— Je le sais, répondit-il en souriant. Mais ce n'est pas utile.

Il lui passa tendrement les bras autour du cou et l'allongea sur le sol près de lui. Il plongea son regard dans le sien, comme pour lui faire comprendre ce qu'il ne parvenait pas à lui expliquer.

— La première et la dernière, dit-il en fronçant légèrement les sourcils. Voilà ce que j'ai toujours pensé, Hélène. Tu es ma fin et mon commencement. C'est tout. Dis-moi que tu me comprends, Hélène.

— Oui.

— Alors, je suis content.

Tandis qu'il effleurait ses lèvres, un oiseau remua dans les branches.

Quand ils s'allongèrent près de la rivière, il ne restait plus à Billy que trois heures à vivre. Il fut tué aux alentours de 5 heures, là où le chemin qui mène au terrain vague croise la route d'Orangeburg.

Hélène perçut la détonation alors qu'elle se trouvait sur la route d'Orangeburg où elle partait à la rencontre de sa mère. Elle s'immobilisa. C'était une forte détonation. Une nuée de palombes s'échappa des arbres, tournoya au-dessus de sa tête et se reposa dans le silence. Elle entendit alors des pas précipités dans les buissons, une porte claquer, le crissement de pneus sur la route couverte de poussière. Quand elle atteignit l'endroit où ils l'avaient abandonné, elle sentit une odeur de caoutchouc brûlé. Billy gisait sur le dos dans l'herbe, au bord de l'autoroute, les mains pendantes. On aurait dit qu'il dormait les yeux ouverts.

Elle s'agenouilla près de lui, haletante. Une fine sueur lui couvrait le front. Ses taches de rousseur se détachaient sur ses pommettes. Il avait les mains encore chaudes. « Tout va bien. Ils ne sont pas arrivés à leur but. Ils l'ont raté. Ils voulaient simplement lui faire peur. Il va bien. » Elle aperçut alors des gouttes rouges et blanches couler le long de sa nuque sur l'herbe. Elle poussa un cri et lui prit la tête entre les mains pour atténuer sa douleur, panser sa blessure, lui donner du courage, le guérir, le cacher... Sa tête tourna légèrement et elle vit ce que le fusil avait fait. Il avait la moitié du crâne arrachée. Billy était mort.

Levant la tête comme un animal, elle se mit à hurler.

Ce fut soudain un attroupement. D'où étaient-ils sortis en si peu de temps ? Et pourquoi ? Il n'y avait rien à voir. C'était trop tard. Des enfants se rassemblèrent aussitôt. Le jeune couple du terrain vague. Un homme, qui passait en voiture, s'arrêta et alla vomir dans les buissons. Le médecin d'Orangeburg. Lui, qui l'avait appelé ? Ne voyaient-ils pas que Billy n'avait plus besoin de médecin ? Ils venaient tous comme au spectacle, et Hélène n'en éprouvait que plus de haine à leur égard. Elle se recroquevilla sur Billy parce qu'elle ne voulait pas qu'on le regarde. Ils ne comprenaient pas et essayaient de la tirer, de lui parler, de l'éloigner.

Des murmures soudain s'élevèrent, puis une sorte de gémissement. Hélène, voyant les gens s'écarter, leva les yeux. Mme Tanner se frayait un chemin dans la foule. Elle portait sur la hanche son dernier-né dont les petites jambes dodues étaient accrochées à son tablier à fleurs. Elle s'immobilisa et posa le bébé par terre.

Puis elle s'agenouilla près d'Hélène sans rien dire, sans crier sa douleur. Elle ne fit que regarder et prit la main de Billy dans la sienne. Un bouton de la chemise de son fils était défait. Avec une grande douceur, elle le reboutonna. Soudain, la pluie se mit à tomber avec violence, comme toujours après les jours de canicule. De grosses gouttes tombèrent sur la tête, puis sur la chemise de Billy. Elle étendit les mains sur lui, comme pour le protéger de la pluie.

— Sa chemise neuve. Sa chemise propre. Je viens de la laver.

Elle leva les yeux et croisa le regard d'Hélène. Ils étaient du même bleu que ceux de son fils.

— Mon aîné. Mon premier enfant. Billy.

Le ton montait. Elle se pencha sur lui et le secoua comme pour le tirer d'un profond sommeil.

— Billy, que t'ont-ils fait ? Qu'ont-ils fait à mon enfant ?

Elle le prit dans ses bras et le berça doucement jusqu'à l'arrivée de la police. Ils essayèrent de la relever, mais elle les frappa de toutes ses forces, puis s'arrêta, le regard fixé sur Hélène comme si elle la voyait pour la première fois. Elle la poussa avec violence, les mains mouillées de pluie et de sang, le visage soudain déformé par la haine.

— Ne t'approche pas de lui, tu m'entends. Qu'est-ce que tu lui veux ? J'avais bien dit à mon fils de se méfier de toi. « Éloigne-toi d'elle, elle te causera des ennuis, Billy. Même si tu ne fais que la regarder, elle te fera du mal. » Oui, c'est ça que je lui avais dit, il y a bien longtemps, quand il n'était qu'un enfant.

Toute sa haine rejaillit alors, alternant entre la tension extrême et le relâchement. La police finit par avoir gain de cause. Le bébé hurlait. Le ciel était strié de blanc et de bleu. La sirène de l'ambulance retentit. Les gens s'écartèrent.

Hélène se releva et se fraya un chemin vers la route. Là, elle se recroquevilla à terre tandis que la foule se dispersait sous les injonctions de la police. Le bébé pleurait. Elle était toujours là lorsque Cassie Wyatt arrêta sa vieille Ford délabrée et se dirigea vers la voiture de police. Après leur avoir glissé quelques mots à l'oreille, elle revint vers Hélène. Se penchant vers elle, le visage blême et creusé par la fatigue, elle l'aida à se relever.

— Viens dans la voiture, ma chérie. Viens. Il faut que tu m'accompagnes, ta maman a besoin de toi. Elle te demande, Hélène. Tu m'entends ? dit-elle en relâchant le frein. Ta maman a vraiment besoin de toi.

Sa mère revint par le bus de 4 heures, deux heures plus tôt que prévu. Elle s'évanouit sur le trottoir devant le salon de Cassie Wyatt qui la fit entrer. Quand elle se rendit compte qu'elle faisait une hémorragie, elle la transporta dans sa voiture jusqu'à l'hôpital catholique de Maybury. Celui de Montgomery était plus grand mais il fallait avoir une assurance sociale pour y être admis.

— Sans la carte d'assuré social, ils vous laissent mourir sur le pavé, dit Cassie.

Quand les infirmières s'étaient rendu compte de la situation, elles avaient pâli et leurs visages s'étaient fermés, mais elles l'avaient tout de même admise au service des urgences. La première transfusion avait semblé donner des résultats. Quand Hélène et Cassie arrivèrent à l'hôpital dans la soirée, Violette n'avait pas encore perdu connaissance. Au-dessus du lit était accroché un crucifix. On lui faisait du goutte-à-goutte, et son bras était immobilisé. Une femme gémissait au fond de la salle. Hélène se pencha vers sa mère. Elle avait le visage blême et chiffonné. Ses bras reposaient sur des draps amidonnés, blancs et frais. On entendait le ronflement de l'air conditionné. Dehors, la pluie tombait.

— On est très bien ici, Cassie, dit-elle. Une des infirmières m'a dit qu'il y avait un jardin où l'on a la permission d'aller quand on va mieux.

Ce furent ses dernières paroles. On lui fit une seconde transfusion durant la nuit. Elle mourut un quart d'heure avant l'arrivée de Cassie et d'Hélène, le lendemain matin. La religieuse leur annonça la nouvelle avec calme et douceur. On avait l'impression qu'elle priait. Au bout d'un moment, elle se leva. Les perles de son chapelet ressortaient sur sa jupe noire.

— Votre mère a été préparée. Vous pouvez la voir maintenant, leur dit-elle.

Elles écartèrent les rideaux autour du lit. La religieuse refusa de laisser Hélène seule. Celle-ci posa son regard sur sa mère. Le goutte-à-goutte avait disparu. Le lit avait été refait. Sa mère, les mains croisées sur la poitrine, les yeux clos, avait les traits tirés. Son visage était différent. Hélène se pencha et déposa un baiser sur le front glacé. Elle ne savait plus que faire. À quoi bon rester ? Sa mère n'était plus là. Pourtant, quelque chose la retenait.

Un instant plus tard, la religieuse s'approcha d'elle en soupirant et prit Hélène par le bras pour la faire sortir. Elle lui remit un petit sac étiqueté contenant les affaires de sa mère et son fourre-tout. Hélène l'ouvrit quand elle arriva chez Cassie. Il y avait un mouchoir bien repassé, des sous-vêtements impeccables, un peigne et un calepin où rien n'était inscrit. Les sous-vêtements étaient parfaitement pliés sur quelque chose de dur et carré. C'était la bouteille de parfum *Joie* que sa mère laissait toujours pour en imprégner le linge. En Alabama, on ne connaissait même pas les petits sacs de lavande.

Sa mère s'éteignit le dimanche matin. Les obsèques se déroulèrent le mercredi suivant. Cassie et Hélène étaient les seules à suivre le cortège. Cassie acheta deux couronnes d'immortelles mauves, l'une en forme de cercle, l'autre en forme de cœur. Hélène savait que sa mère les aurait exécrées. Sur le chemin du retour, Cassie donna libre cours à ses regrets.

— Il aurait mieux valu des violettes, ne cessait-elle de répéter. C'est ce qu'elle aurait préféré. Je n'ai choisi que la couleur. Elles durent longtemps, c'est au moins une satisfaction. Mais, tout de même, il aurait mieux valu des violettes. Si seulement j'en avais trouvé.

Le soir, elle essaya de faire manger Hélène. Malgré ses efforts devant la gentillesse de Cassie, Hélène ne put avaler grand-chose. Elle goûta le poulet, mais chaque bouchée l'étouffait. Cassie desservit enfin la table. Elle revint avec une enveloppe qu'elle posa sur la table et vint s'asseoir en face d'Hélène. Elle semblait gauche et nerveuse.

— Il faut que nous ayons une petite conversation. Oui, il le faut. Tu n'as pas versé la moindre larme, tu n'as strictement rien dit.

Elle hésita un instant, mais devant le silence d'Hélène, elle s'écria :

— Ma chérie, tu ne peux plus rester à Orangeburg. Il faut que tu partes. Pourquoi pas chez la sœur de ta mère, en Angleterre ? Ta mère me parlait souvent de la maison où elle avait grandi. Je crois que tu devrais aller la voir. C'est ta famille. Quand elle apprendra la mort de ta mère, elle sera certainement très heureuse de s'occuper de toi. Ton père... j'y ai pensé également. Mais Violette ne voulait pas faire appel à lui. Elle m'a dit un jour qu'elle ne savait même plus s'il était vivant et, de toute façon, s'en moquait. Je sais qu'il n'a jamais levé le petit doigt pour essayer de vous retrouver ou de vous aider. Quelles que soient les difficultés, Violette ne serait jamais allée lui demander de l'aide. Mais sa sœur... Je suis sûre que Violette l'aurait souhaité. Elle évoquait souvent l'Angleterre. Pas ces derniers temps, il est vrai. Mais il y a longtemps. La première fois qu'elle est venue travailler chez moi... Hélène, je suis certaine que c'est le conseil qu'elle te donnerait.

Elle s'interrompit. Ses joues commençaient à se colorer. Elle poussa l'enveloppe sur la table vers Hélène.

— Tiens, voilà cinq cents dollars. Prends-les. Ils sont à toi.

Hélène resta bouche bée, le regard fixé sur l'enveloppe. Elle leva lentement les yeux.

Cassie secoua la tête en souriant.

— Je les avais mis de côté pour les mauvais jours, dit-elle en haussant les épaules. Et puis je me suis dit que c'était idiot. Je ne suis plus toute jeune et je n'ai pas d'enfant. Les affaires marchent bien maintenant. Je n'ai plus besoin de cet argent. Toi, si. (Elle se pencha vers Hélène.) Ma chérie, je me suis renseignée. Tu as assez pour le voyage en train et en avion, et il t'en restera même pour commencer une nouvelle vie en Angleterre. J'aurais voulu t'en donner plus. J'avais une profonde amitié pour ta maman, Hélène. Je lui dois beaucoup, car elle m'a aidée quand j'ai ouvert le magasin. Je suis profondément peinée de voir comment les choses ont tourné pour elle. Accepte cette somme pour me faire plaisir.

Hélène posa la main sur l'enveloppe. Après un instant d'hésitation, elle la repoussa.

— Cassie... Cassie, c'est impossible. Je vous suis bien plus reconnaissante que je ne saurais l'exprimer. Mais je ne peux accepter. Ce ne serait pas bien. Et puis... vous avez tout vu, Cassie. Je ne peux partir maintenant.

Cassie se raidit.

— Tu veux parler de l'affaire Tanner ?

— Je connais les responsables, dit Hélène d'une voix parfaitement calme. Je sais pourquoi Billy a été tué. Je sais également qui l'a tué. Je ne pars pas. Pas avant d'avoir révélé ce que je sais.

Le silence régna. Cassie éprouva une profonde lassitude. Elle se voila le visage de ses mains et, lorsqu'elle se ressaisit, sa voix tremblait de colère.

— L'expérience ne sert-elle donc jamais ? J'ai eu diverses opinions sur toi, Hélène Craig, mais je ne t'avais jamais prise pour une imbécile jusqu'à présent. Tu as une tête, il faut t'en servir.

Elle se renversa sur son fauteuil en croisant les bras.

— D'accord, tu as des révélations à faire. Raconte-moi. Tu les as vus, n'est-ce pas ? Tu as vu les fusils dans leurs mains ? Tu as vu le coup partir ?

— Non, pas exactement, répondit Hélène, rouge de confusion. C'est pour empêcher Billy de parler qu'ils l'ont tué, pour éviter qu'il ne témoigne à propos de ce qui s'est passé l'autre soir. Je le sais. Tout le monde à Orangeburg le sait. Vous avez vu Billy sortir de la station-service. Vous avez certainement remarqué la voiture qui le suivait.

— J'ai vu la Cadillac de Calvert, avec des jeunes gens dedans, qui descendait la rue principale. Je ne pourrais pas dire si c'était toi ou Billy qu'elle suivait. Elle passait, un point c'est tout.

— Je n'ai pas vu que ça, s'écria Hélène avec une pointe d'indignation. Je les ai vus se concerter à la station-service. Il y avait Calvert, Merv Peters, Eddie Haines et deux autres. L'un d'eux avait un fusil de chasse. Ils nous ont suivis presque jusqu'au terrain vague. Ensuite, Eddie Haines a crié à Billy qu'il avait perdu son emploi par sa faute. Puis la voiture s'est éloignée.

— Ce n'est pas un crime de renvoyer un homme. Pas dans cet état, à ma connaissance. Le tuer, oui. (Elle soupira et sa voix se radoucit.) Hélène, ma chérie, ne vois-tu pas ce que j'essaie de te faire comprendre ? Tout le monde va se moquer de toi. Tu n'as aucune preuve, chérie, aucune.

— Aucune ? s'écria Hélène d'un ton mal assuré.

— Ma chérie, même si tu les avais pris sur le fait, sais-tu ce qui se passerait ? Exactement ce qui est arrivé à Billy, dit-elle d'un ton amer. Tu te rendrais compte que tout le mécanisme de la justice est pourri. Sa roue tourne à une lenteur incroyable. Et tu finirais comme Billy. Renversée par une voiture ou noyée dans la rivière. Depuis combien de temps vis-tu ici, ma chérie ? Comment se fait-il que tu ne saches pas cela ?

Elle s'interrompit, la main posée sur l'enveloppe. Lentement, elle la repoussa vers Hélène.

— Tu crois que Billy Tanner et ta mère souhaitent que tu sois blessée ? C'est parfaitement inutile. Tout cela ne changera rien. Même si tu as assisté à tout, tu ne parviendrais pas jusqu'au tribunal. Billy n'était pas un imbécile en dépit de tout ce qu'on racontait sur lui. Quand il est allé travailler à cette station-service, il savait qu'il fourrait son nez là où il ne fallait pas. C'était son choix, ma chérie, pas le tien, à moins de vouloir finir comme lui. Prends cet argent et va-t'en. Le plus vite possible. Il y a un train demain matin.

Cassie mit l'enveloppe dans la main d'Hélène.

— Dis-toi que c'est un emprunt ou ce que tu voudras. Mais prends-le. J'en ai assez de la haine et du sang.

Hélène ramassa l'enveloppe et leva les yeux vers Cassie.

— C'est Ned Calvert le responsable. Peut-être n'a-t-il pas tenu le fusil, mais c'est sa faute. Il a tué Billy. Et ma mère.

Cassie écarquilla les yeux, stupéfaite devant ces paroles. Mais elle se ressaisit très vite et se leva.

— Les clientes parlent beaucoup au salon. J'ai entendu pas mal de choses sur Ned Calvert, sur ta mère et même sur toi. Quelquefois sur les trois ensemble. Je suis lasse de tout ça. Ned Calvert m'a fait mauvaise impression lors de notre première rencontre, mais on ne peut rien contre lui, ma chérie, il faut que tu le comprennes. À Orangeburg, il est intouchable. Oublie-le. Chasse-le totalement de ton esprit. Prends cet argent.

L'expression qui se lisait dans le regard d'Hélène l'effraya.

— Il mourra un de ces jours, chérie, comme tout le monde. Et, là, il affrontera le Seigneur. Si la justice n'existe pas en ce monde, là-haut on n'y échappe pas. C'est une conviction profonde bien que je n'aie pas mis les pieds à l'église depuis dix ans. Tôt ou tard, c'est notre lot. Tu verras.

Le silence régna. De toute évidence Hélène n'en croyait pas un mot. Devant la mention de justice divine, un rictus se dessina sur ses lèvres. Elle réfléchit un instant, puis saisit l'enveloppe et la pressa contre son cœur.

— Je vais prendre cet argent et suivre vos conseils. Merci, Cassie.

Elle se précipita dans les bras de Cassie.

— Vous avez été toujours si gentille, si bonne. Je ne l'oublierai jamais. Un jour, je vous rendrai tout, j'en fais la promesse.

Cassie lui caressa l'épaule en l'embrassant. Puis elle leva le menton d'Hélène et plongea son regard dans ses beaux yeux gris-bleu.

Cassie eut un mouvement de recul devant l'expression de dureté qui s'y lisait. Il y avait certes beaucoup d'affection et de gratitude à son égard, mais autre chose également qu'elle essayait de cacher.

La haine.

Un visage d'une infinie beauté. Mais que de haine !

Cassie alla dans la cuisine préparer un peu de café, laissant Hélène seule dans ce salon minable. Les yeux clos, elle laissa libre cours à son dégoût, mais, en même temps, le sentiment d'un étrange pouvoir l'envahit.

« Il paiera, oui, il paiera », se disait-elle.

Elle saisit l'enveloppe et la secoua d'un air triomphant au-dessus de sa tête. Tous les dollars, soigneusement économisés, tombèrent en cascade sur sa tête et s'éparpillèrent sur le sol.

« Pas dans l'autre monde. Dans celui-ci. »

Lorsque Cassie revint avec le café, Hélène, un sourire étrange et rayonnant aux lèvres, semblait avoir retrouvé son calme. L'épaisse enveloppe se trouvait sur la table. Poussant un long soupir, Cassie vint s'asseoir auprès d'elle.

« Quelle belle enfant », songea-t-elle. L'étrange lueur s'était estompée. La dureté de son expression avait disparu, et son visage reflétait la franchise. Cassie se détendit. Hélène avait été bouleversée mais, après toutes ces épreuves, n'était-ce pas normal ? Elle était jeune et se remettrait. D'ailleurs, elle avait l'air d'aller déjà mieux. Extraordinaire ! Hélène semblait presque heureuse.

— Nous enverrons un câble à ta tante demain matin, lui dit-elle. Raconte-lui ce qui s'est passé et annonce-lui ton retour.

— Mon retour ? demanda-t-elle, perplexe, mais elle acquiesça aussitôt. Bien sûr. D'accord, Cassie.

Finies les discussions. Quel soulagement. Hélène avait les pieds sur terre, ce qui était un atout.

Cassie versa le café.

« Tout va rentrer dans l'ordre », songeait-elle.

Ce soir-là, Hélène dormit chez Cassie sur le lit d'appoint du salon. Allongée, elle entendait ses allées et venues dans la chambre à côté, le craquement du parquet puis le bruit des ressorts du matelas.

Le rai de lumière qui filtrait à travers la porte disparut, et Hélène fut plongée dans l'obscurité. Elle avait le visage tendu par les larmes refoulées, tout son corps était endolori. Son chagrin lui assaillait l'esprit mais aussi le corps. Elle avait l'estomac noué, le cœur déchiré. Jamais elle n'avait été confrontée à la vie, et maintenant mille images défilaient. Elle revoyait Billy gisant sur le bord de la route, sa mère, les bras croisés sur la poitrine. Elle avait lu que les morts reposaient paisiblement, comme s'ils dormaient. C'était faux. Ils étaient bien morts. Il suffisait de les regarder pour s'en rendre compte. Ils ne revenaient jamais.

Toutes ces images l'oppressaient. Elle essaya de les chasser de son esprit, mais elle ne parvenait plus à se contrôler. Elles revinrent, aussi fugaces que l'éclair. Brusquement, Hélène se mit à pleurer.

Elle ne voulait pas que Cassie l'entende, aussi enfouit-elle sa tête sous l'oreiller jusqu'à ce que ses sanglots s'atténuent. Peu à peu, elle se sentit apaisée.

Elle repoussa les couvertures et s'assit au bord du lit, l'enveloppe toujours à la main, dans l'obscurité totale, à l'écoute des bruits nocturnes. Le passage d'une voiture, des voix, et plus tard, bien plus tard, le train de marchandises qui traversait Orangeburg. Billy était mort. Sa mère aussi. Et les trains poursuivaient leur route ponctuelle, la vie continuait comme si rien ne s'était passé. La mort, qui représentait à ses yeux l'infini, n'était qu'un événement sans importance. Elle n'en haïssait que plus le reste du monde pour son calme et son indifférence.

Elle essaya de prier, s'agenouilla au pied du lit, les mains croisées comme sa mère le lui avait enseigné quand elle était enfant. Mais aucune parole ne lui venait à l'esprit, elle ne se figurait aucun dieu. Elle se releva, alla chercher l'enveloppe et la pressa sur son cœur. À quoi bon s'adresser à un dieu auquel elle ne croyait pas ? Il valait mieux parler à Billy et à sa mère, en silence, même si les mots se bousculaient dans son esprit.

« Maman, Billy, je ne vous oublierai jamais, je vous en fais la promesse. »

À force de répéter ces paroles, elle finit par se calmer, sa respiration devint plus régulière. Peu à peu, Hélène se mit à envisager l'avenir. Mais quelle confusion ! Tout s'y mêlait : les prophéties de Billy, tous les fantasmes que sa mère rêvait de réaliser, mais le simple fait d'y penser la rassérénait. Elle avait l'impression que sa mère et Billy étaient auprès d'elle et la poussaient à agir. Désormais, c'est pour eux qu'elle se lancerait dans la vie, pour faire tout ce qu'ils avaient vainement rêvé d'accomplir, pour que leurs ambitions se concrétisent. C'était là leur legs.

« Je vous le promets », fit-elle d'une voix parfaitement calme.

Dans la rue, un chat miaula. Hélène alla se recoucher dans le tout petit lit.

Le lendemain matin, Cassie l'accompagna à la roulotte. En voyant la toile cirée, la chaise rouge et le châle en cachemire, elle se mit à pleurer.

— Ce n'est pas possible, ce n'est pas possible, ne cessait-elle de répéter.

Hélène la fit asseoir et prépara le thé. Puis elle sortit la vieille valise en carton et emballa quelques affaires. Cassie, séchant ses larmes, l'observait en silence. Hélène avait une expression déterminée. Elle fit ses bagages rapidement et méthodiquement. Quelques affaires, quelques livres. Elle prit sous le lit une vieille boîte de conserve noire et resta à genoux quelques instants à la contempler.

— C'est là que nous mettions nos économies, dit-elle sans la moindre émotion dans la voix. Pour notre retour en Angleterre. Il ne reste plus rien.

— Hélène...

Cassie l'interrompit, et Hélène se retourna aussitôt. Elle leva vers elle un regard livide mais ses yeux bleux lançaient des éclairs.

— Je deviendrai quelqu'un, Cassie. Vous entendrez parler de moi, vous et tout Orangeburg. Vous me verrez dans les magazines. Je vais partir et je ne reviendrai ici que le jour où je serai riche et célèbre. Ensuite...

Elle se mordit les lèvres, comme si elle s'en voulait de cette explosion. Cassie, stupéfaite, en fut émue. Elle secoua la tête tristement. Ce rêve n'était pas nouveau. Personne n'y échappait. Elle-même avait caressé cet espoir, bien des années auparavant, alors qu'elle n'était qu'une enfant et qu'elle croyait aux contes de fées.

Elle posa la main sur l'épaule d'Hélène d'un air compatissant.

— Bien sûr, ma chérie.

La jeune fille leva les yeux vers elle, se rendant compte que Cassie n'en croyait pas un mot, mais elle ne fit pas le moindre commentaire. Elle ajouta quelques affaires dans sa valise, de vieilles photos, des papiers, deux passeports bleu foncé rehaussés d'un emblème doré, celui de sa mère et le sien. Cassie se pencha et saisit celui de Violette. Il y avait une vieille photo. Sous l'inscription « profession », Violette avait inscrit : « actrice ». Cassie remit le passeport à sa place en soupirant.

— Et tout cela, chérie ? dit-elle en désignant un mince tissu de coton et les robes de Violette. Ta mère les aimait tant. Elle était très adroite de ses mains. C'est elle qui les a cousues. Tu ne peux pas les laisser.

Hélène passa tout en revue, une robe rose, un tailleur gris. Malgré leur piteux état, ils étaient soigneusement repassés, protégés sur les cintres par une housse en papier. Au bout de la rangée était pendue une robe grise en soie, de chez Bergdorf Goodman. Hélène poussa toutes les robes d'un côté.

— Je ne les veux pas, je ne les emporterai pas. Je repars de zéro.

Elle boucla la petite valise en carton.

— On y va, Cassie ? Je ne veux pas rater le train.

Cassie alla vers la voiture en soupirant. Il n'y avait rien à dire. Certains s'accrochaient aux souvenirs, d'autres préféraient les effacer. Elle reviendrait un jour chercher le reste. Hélène changerait peut-être d'avis et serait contente de retrouver les affaires de sa mère.

Le calme d'Hélène l'inquiétait. Sur le chemin de Montgomery, elle ne cessa de l'observer. Nulle trace de larmes. Hélène restait impassible. Elle parla peu.

À Montgomery, elles envoyèrent un câble à Élisabeth, la sœur de Violette, et prirent les places d'avion. Puis Cassie conduisit Hélène à la gare.

La chaleur était torride. Elles attendirent le train à l'ombre. Hélène balançait sa valise, l'œil fixé sur la voie.

— Tu as des projets, ma chérie ? lui demanda Cassie, un peu anxieuse.

— Oh oui ! des tas.

— Enfin... As-tu pensé à ce que tu allais faire à ton arrivée en Angleterre ?

— Je serai actrice.

— Quoi ? Comme Violette ? s'exclama Cassie, étonnée mais aussi émue.

Voilà donc à quoi pensait Hélène quand Cassie avait surpris cette détermination dans son regard. Cette question pourtant avait semblé la déconcerter.

— Je suppose. Maman a tout abandonné quand elle s'est mariée. Ce ne sera pas mon cas.

— C'est une vie très difficile, dit-elle d'un air sceptique. Il faut trouver du travail. C'est dur de démarrer dans ce métier. Il ne suffit pas d'avoir un joli minois. Il te faudra peut-être aussi suivre des cours, je ne sais pas. Violette disait toujours...

— Voilà le train.

Cassie vit les signaux verts sur la voie. Mieux valait ne rien ajouter. Il ne restait plus beaucoup de temps, et Hélène ne l'écouterait pas. C'était peut-être un réconfort de s'accrocher à un rêve. Elle esquissa un sourire et étreignit Hélène avec affection.

— Bon, écris-moi pour me dire ce que tu fais en Angleterre.

Elle aida Hélène à monter sa valise dans le train et lui trouva une place. Au dernier moment, alors que Cassie allait descendre du wagon, Hélène la prit dans ses bras et l'étreignit. Les yeux voilés de larmes, elle se blottit contre Cassie, sans rien dire. Cassie sauta sur le quai et referma la portière.

Le sifflement du train retentit, le train démarra et prit de la vitesse. Cassie le vit s'éloigner. Hélène, penchée à la fenêtre, avait l'air si courageuse, si déterminée que Cassie en fut touchée. Des larmes coulèrent le long de ses joues.

Elle lui fit signe de la main jusqu'à ce que le train disparût et prît le chemin du retour. Hélène était une brave petite fille. Comme tous les enfants, elle croyait que la vie était facile et simple, qu'il suffisait d'avoir envie de quelque chose pour l'obtenir. Combien de jeunes filles avaient quitté leur petit village, dans l'espoir de devenir une actrice célèbre ? Hélène rêvait, se disait-elle à tort. Comme sa mère.

« Pauvre Violette », songea-t-elle.

Cassie décida d'emprunter la route du cimetière pour rentrer chez elle.

Dans le train, il faisait une chaleur étouffante. Le wagon dans lequel elle se trouvait était pratiquement vide. Hélène tira le pare-soleil et ferma les yeux. Le rythme du train et le bruit monotone des roues la berçaient. Elle avait l'impression qu'elles lui murmuraient un message : *célèbre et riche* et parfois *puissante et libre*. La chaleur l'engourdissait au point qu'elle ne savait plus si les images lui parvenaient à l'état de veille ou de sommeil. Elle se voyait sur une scène, devant une caméra, avec une telle aisance qu'elle faisait la fierté de sa mère et de Billy. Sa mère l'embrassait et lui chuchotait à l'oreille : « Tu as réalisé tout ce dont j'avais rêvé, Hélène. »

Elle s'imaginait dans un manteau de vison, un bouquet de roses blanches à la main, se glissant à l'arrière d'une longue limousine noire. Elle se voyait entrant dans une pièce où Ned Calvert, pas très rassuré, s'était levé.

Quand elle rouvrit les yeux, l'air était plus frais et la nuit commençait à tomber. Certaines images semblaient insensées, des roses, des limousines. Elle rougit en songeant à ce qu'elle avait raconté à Cassie. Si seulement elle s'était tue ! De toute évidence, Cassie ne l'avait pas crue. Sans doute pensait-elle que c'était un rêve, un fantasme. Elle avait le même air que Priscilla-Anne lorsque Hélène lui disait qu'elle allait retourner en Angleterre. Elle ne commettrait plus cette erreur. C'est le regard qu'on avait toujours posé sur sa mère. La pitié était un sentiment exécrable. Hélène voulait être invulnérable.

Elle découvrit un moyen le lendemain, presque à la fin du voyage. Les wagons étaient bondés de voyageurs qui allaient vers le nord. Le paysage était différent. Les gens aussi. Ils parlaient plus vite avec un accent plus aigu. Elle ne connaissait personne, et pourtant, à chaque arrêt, de nouveaux passagers montaient. Et personne ne la connaissait. Elle éprouva un sentiment de liberté extraordinaire. Elle avait l'impression qu'elle pouvait tout laisser derrière elle, Orangeburg, le terrain vague, la pauvreté, la honte. Personne dans ce train n'avait entendu parler de sa mère et de la façon dont elle se procurait ses robes. Personne dans ce train ne connaissait Ned Calvert. Personne ne savait qu'Hélène s'était persuadée à tort qu'elle l'aimait. Personne ne savait qui même était Hélène Craig à moins qu'elle ne le leur dise.

Dans la matinée, elle engagea la conversation avec une femme d'un certain âge, bien en chair, qui allait retrouver ses petits-enfants à New York. Elle lui montra des photos tout en racontant sa vie et celle de sa famille à Hélène. Puis, intriguée par l'accent d'Hélène, lui posa quelques questions.

Elle tricotait tout en écoutant Hélène qui prétendit être anglaise et se rendre en Amérique pour la première fois. Elle avait suivi des cours dans le Sud chez des cousins éloignés et maintenant rentrait à Londres. Elle s'attendait à ce que la femme pose son tricot et l'accuse de mensonge, mais rien ne se produisit. La femme acquiesça en souriant et lui répondit qu'un si long voyage devait être merveilleux. Elle espérait qu'Hélène avait passé un excellent séjour en Amérique.

Tout était si simple. Hélène éprouva une joie de vivre étonnante. Elle n'était plus Hélène Craig, prise au piège d'Orangeburg, mais une nouvelle personne, une nouvelle femme, et cette femme allait choisir son avenir.

Quand la passagère lui fit ses adieux et lui souhaita bon voyage, Hélène ressentit une pointe de culpabilité, un instant de remords. La femme s'était montrée aimable, et en retour Hélène lui avait menti. Mais la culpabilité s'envola très vite.

Elle n'avait pas eu l'impression de proférer des mensonges. Ce n'était, à ses yeux, qu'une répétition.

Avant de partir pour l'aéroport, elle tenait à faire une chose. Sa valise de carton à la main, elle se fraya un chemin parmi la foule et remonta la Cinquième Avenue, en souvenir de Violette, admirant toutes les vitrines.

Des bouffées de chaleur la faisaient parfois suffoquer. Elle passa devant Saks, Tiffany et s'attarda devant Bergdorf Goodman. Sur le trottoir, il faisait plus de quarante-cinq degrés : les vitrines de Bergdorf regorgeaient de fourrures d'automne.

HÉLÈNE ET ÉDOUARD

France, 1959

— Je l'ai conçue pour feu votre épouse...

Florian Wyspianski, un homme un peu bourru qui s'exprimait maladroitement, était incapable de masquer son émotion. Il désignait une broche à l'extrémité de la longue table sur laquelle tous les modèles de sa collection étaient exposés. Édouard les contempla : un cabochon en émeraude sur une monture en or sertie de rubis, pièce splendide digne d'un tsar, d'un maharadjah ou simplement destinée à une femme qui n'aimait pas les bijoux discrets.

— Isobel l'aurait adorée, dit-il en souriant. C'est exactement son goût.

— J'en suis heureux, je pensais bien ne pas me tromper. Les gens parlent beaucoup d'elle, je les ai écoutés.

— Merci, Florian, lui dit Édouard en lui pressant le bras.

Il examina tous les modèles exposés à son intention et qu'il avait vus naître à partir de dessins. La collection était pratiquement au complet. Il ne manquait que quelques modèles pas encore terminés. La collection serait lancée à Paris, puis à Londres et à New York en novembre. Des années de travail. La joaillerie était sa vie. Il aurait aimé qu'Isobel soit là. C'était grâce à elle que cela avait été possible. Deux ans. Édouard admira les colliers, les tiares et les bracelets si finement et brillamment exécutés. Il se rappelait Isobel dans le salon d'Eaton Square, la main tendue pour lui montrer son émeraude, prête à célébrer dans la joie sa nouvelle bague.

Il quitta Florian Wyspianski et alla passer la nuit avec une femme chez Pauline Simonescu.

Généralement, il n'y passait que quelques heures, mais ce soir-là, il était si désespéré qu'il resta jusqu'au petit matin. Comme toutes celles qui se trouvaient là, sa compagne d'un soir était belle, jeune, expérimentée et complaisante.

Ses longs cheveux noirs soyeux lui caressaient le corps, et, sans doute parce qu'elle sentait son désespoir, elle simula le plaisir.

Édouard d'une main lui serra la gorge.

— Ne fais pas semblant.

Elle resta figée, les yeux écarquillés. Il lui fit l'amour lentement, puis avec brutalité, cherchant à oublier son chagrin dans la sensation physique. Était-ce sa façon de lui faire l'amour, ses paroles, l'intensité de son désarroi ? Peu à peu, Édouard eut l'impression qu'elle répondait avec sincérité. Ses paupières oscillèrent, son corps se cambra, sa respiration devint plus rapide et elle tourna la tête de droite à gauche en gémissant.

Il attendait, pour jouir, d'arriver au paroxysme du plaisir. Ses mains l'étreignirent avec force, mais il n'éprouvait aucun sentiment. Quand il la sentit en proie à la tourmente du plaisir, il la pénétra avec vigueur, lui plaquant la main sur la bouche tandis qu'elle poussait un long gémissement.

La jeune femme, ébranlée, se mit à pleurer. Elle se blottit dans ses bras et lui dit que c'était la première fois qu'elle prenait du plaisir. Elle lui demanda de revenir.

Édouard s'écarta aussitôt, ressentant du dégoût et de la répugnance. Il la saisit par le menton et la regarda.

— Une heure après avoir quitté ce lieu, demain, j'oublierai votre visage. Je ne me rappellerai ni votre nom ni ce qui s'est passé ce soir. C'est la règle, vous devriez le savoir.

Elle s'assit sur les talons, le regard fixé sur lui, sa longue chevelure retombant de chaque côté de son visage. Elle avait cessé de pleurer.

— Je ferai tout pour que vous n'oubliiez jamais ces instants, je le jure, dit-elle en posant la main sur la cuisse d'Édouard. Vous êtes très beau, ajouta-t-elle en penchant la tête. Oui, comme ça, oh oui !

Édouard s'allongea, les yeux clos. Il avait l'impression qu'elle exerçait ses talents sur un autre homme. Plus tard, aux premières heures du jour, cet autre lui-même lui fit encore l'amour, plongeant dans l'ombre de l'oubli, et ce n'est qu'à cet instant qu'il s'aperçut que cet homme, c'était lui.

Il partit un peu après 6 heures et s'engagea dans une rue déserte. Un chat miaula, bondit d'un mur et vint se frotter gentiment contre lui. Édouard l'observa, puis leva les yeux vers la maison aux volets clos de Pauline Simonescu. Il avait devant lui une vague image de deux mèches de cheveux bruns, un visage blême qui déjà s'estompait. Il éprouva un sentiment de haine contre lui-même. Il détourna le regard de cette demeure, conscient d'y être venu pour la dernière fois.

Deux années envolées. Jamais il ne reviendrait. Peut-être rendrait-il visite à Pauline Simonescu qui parfois lui tirait les cartes et lui prédisait l'avenir, mais jamais il ne ferait appel à ses services. Finies les femmes qu'elle lui présentait. D'ailleurs, il se promettait de ne plus approcher de femmes du tout. Il était las de ces aventures successives, de ce répit sexuel qui ne durait jamais longtemps et qui nécessitait d'autres rencontres pour ne lui apporter en définitive que le vide, le néant. De surcroît, c'était nuisible, il s'en était rendu compte ce soir.

Il s'éloigna, et le chat, après avoir miaulé, s'en alla de son côté.

Finies les femmes. Il s'en tint à sa décision pendant trois semaines.

Trois semaines et une belle soirée d'été. Il signait des papiers dans un bureau plongé dans le silence, sous les yeux d'une secrétaire qui cachait mal son impatience d'aller rejoindre son amant.

Trois semaines durant lesquelles le vide de son existence l'effraya. Il jeta un coup d'œil par la fenêtre. Les feuilles dansaient au gré de la brise. Il essaya de se concentrer en revoyant dans son esprit les modèles de Wyspianski, mais leur éclat le laissait indifférent. Il songea à la compagnie Partex Pétrochimie où il possédait, avec sa mère, la majorité des actions, au nouveau directeur de Partex, l'exubérant Texan, Drew Johnson, son ami et son employé. L'action menée pour renvoyer l'ancien directeur inefficace avait été parfaitement élaborée par Édouard et exécutée par Johnson. Il y avait pris un certain plaisir, car cette opération accroissait la puissance d'une firme déjà importante.

Johnson fourmillait d'idées. Partex arrivait au quatrième rang des compagnies pétrolières des États-Unis. Il désirait la faire passer au premier. Édouard admirait sa détermination, son dévouement et son sens des affaires. Mais le quatrième rang, le deuxième, le premier ? Quelle importance, après tout.

Il posa son regard sur les placards qui renfermaient tous les dossiers, sur les téléphones. Il pouvait travailler, séduire une femme au gré de ses désirs. Cette poursuite incessante du profit, du plaisir, le lassait.

En quittant son bureau, il donna congé à son chauffeur pour la soirée, monta dans son Aston Martin noire et s'élança sur le périphérique à grande vitesse, en écoutant de la musique. Quelques instants plus tard, il emprunta une sortie. Il lui fallait une femme.

Pas *la* femme, il ne croyait plus à son existence. Simplement une femme, n'importe laquelle. Une étrangère. Une inconnue. Une aujourd'hui, une autre demain. Des aventures çà et là au hasard de la vie.

Il longea de luxueuses demeures sur la rive droite, admira au passage les vitrines des boutiques Chavigny, étincelantes de joyaux, puis roula en direction du Pont-Neuf par le quai des Augustins.

Le passé le harcelait. En contrebas, la Seine scintillait. Quelques rues plus loin, quelques minutes plus tard, une jeune fille élancée s'arrêta devant une petite église.

Elle avait flâné dans les rues, elle aussi plongée dans ses souvenirs. Elle venait de s'immobiliser devant un édifice. L'église Saint-Julien-le-Pauvre. Elle n'avait que dix francs en poche, mais gardait le sourire.

Derrière l'église se trouvait un parc où jouaient des enfants. On percevait leurs cris. Elle distinguait la couleur de leurs vêtements. Rouge, blanc et bleu. Les couleurs américaines. Les couleurs de l'indépendance.

Elle se trouvait à Paris depuis une semaine après un bref séjour en Angleterre : trois jours dans le Devon, trois jours avec Élisabeth, la sœur de sa mère.

Elle préférait ne plus penser à ces trois jours. Elle s'y était rendue, le cœur plein d'espoir, dans un bus cahotant le long d'étroits chemins, tendant le cou pour apercevoir la maison et le jardin de sa mère. Ce lieu dont sa mère avait tant rêvé pendant des années. À force d'en entendre parler, Hélène avait l'impression qu'elle le connaissait : des pelouses verdoyantes, un pavillon, des bancs peints en blanc à l'ombre des arbres. Elle visualisait très clairement les silhouettes qui y venaient rituellement prendre le thé.

Rien ne s'était passé comme elle l'avait cru. La maison était laide. Élisabeth n'avait manifesté aucune joie, mais plutôt du mépris et de la haine longtemps refoulée.

Elle tentait de chasser tous ces souvenirs en admirant la voûte arquée de l'église. Le passé l'assaillait : Billy gisant mort, sa mère, le bruit du chapelet de la religieuse, un homme avec un fusil, une Cadillac noire. Elle ne pouvait pas non plus oublier tout cela. Ces images, bien ancrées au fond de son esprit, étaient insupportables. Là, elles s'estompaient et se déroulaient comme un film d'autrefois, comme si ces événements étaient arrivés à quelqu'un d'autre. Elle refusait de se laisser aller à la nostalgie. Elle était venue à Paris, « la ville la plus belle du monde, Hélène, encore plus merveilleuse que Londres ». Et c'était vrai. Chaque jour, elle faisait de petits pèlerinages. Tant qu'elle marchait et observait le spectacle de la rue, tout allait bien. Elle ne songeait plus à remuer ses souvenirs ou à pleurer, ce qui se produisait lorsqu'elle restait trop longtemps au même endroit.

Sa nouvelle vie prenait naissance, celle dont elle rêvait depuis longtemps. C'est à cela qu'elle songeait lorsqu'elle perçut le bruit de la voiture.

C'était une grande voiture noire dont elle ne connaissait pas la marque. Remarqua-t-elle d'abord la voiture ou le conducteur ? Impossible à dire. L'espace d'un instant, elle crut qu'il l'avait appelée, mais se rendit vite compte de son erreur. Sans doute s'adressait-il à un enfant dans le parc. Elle s'éloigna, entendit la voiture se rapprocher et se retourna.

Cette fois, elle fixa le conducteur et vit qu'il la regardait avec une expression étrange, comme s'il la reconnaissait. Sensation insolite, car elle eut la même, mais aussitôt se dit que c'était ridicule. Elle ne l'avait jamais vu de sa vie.

Depuis qu'elle avait quitté Orangeburg, elle percevait le monde qui l'entourait avec une netteté accrue, comme en état de choc. Les couleurs, les gestes, les visages, les mouvements, les nuances de discours, tout lui apparaissait avec une clarté étonnante, et c'est ainsi qu'elle voyait cet homme, comme s'il sortait d'un rêve.

Brun, vêtu d'un costume noir, il se pencha légèrement pour arrêter le moteur, puis se redressa sans la quitter des yeux. Dans un silence menaçant, elle remarqua ses yeux d'un bleu sombre comme la mer un jour d'orage.

Elle s'avança vers lui et s'immobilisa devant le capot. Elle sut, comme dans un éclair, ce qui allait se produire. Sans doute en était-il conscient lui aussi, car son visage, intrigué, se figea, comme s'il venait de recevoir un coup de poignard. Une lame lui avait traversé le corps sans qu'elle ait vu le coup partir.

Elle prononça quelques paroles, et il lui répondit. Peu importaient les mots, ce n'était qu'une transition.

Il descendit de voiture et en fit le tour. Hélène avait les yeux fixés sur lui. Elle sentit aussitôt l'amour naître en elle.

Elle grimpa dans la voiture, et ils se promenèrent dans les rues de Paris, par une soirée d'été. Elle aurait voulu que cette promenade, ces lumières durent éternellement.

Bien plus tard, tandis que les lumières tournaient au mauve, ils passèrent devant un cinéma à Montparnasse. Il y avait une longue queue. Une pensée fulgurante la saisit : « Il est trop tôt. » Tout l'effrayait, son indécision même. Elle avait élaboré mille plans, pris de nombreuses résolutions qu'elle était prête à oublier en une seconde.

Elle serait actrice et elle réussirait là où sa mère avait échoué. Un jour, elle retournerait à Orangeburg, riche et puissante, pour montrer à Ned Calvert qu'elle n'oublierait ni ne pardonnerait jamais. Ne s'en était-elle pas vanté auprès de Cassie, quelque temps auparavant ?

Il arrêta la voiture devant Le Dôme et se tourna vers elle. Devant la clarté de son regard, elle éprouva l'envie de se cacher, de s'enfuir. Mais il y avait des moyens plus efficaces de se protéger des autres. Elle l'avait appris depuis son départ d'Orangeburg. Elle songea à sa compagne de voyage dans le train, à d'autres rencontres fortuites et aux histoires qu'elle avait inventées. Une certitude s'imposait : elle ne révélerait pas son identité. Elle voulait s'inventer un personnage. Finie Hélène Craig. Morte à jamais.

— Savez-vous que vous ne m'avez toujours pas dit votre nom ? fit-il en la guidant dans le restaurant bondé.

— Hélène Hartland.

Dès lors, rien ne fut simple.

Elle s'appelait donc Hélène Hartland, avait dix-huit ans, était anglaise. Voilà ce qu'elle avait prétendu. Sa famille portait le nom du petit village où ils vivaient dans le Devon, sur la côte. La maison donnait sur la mer et avait un jardin magnifique. Aimait-il les jardins ?

Son père, pilote dans la RAF, avait été un héros. Il avait été tué à la fin de la guerre. Sa mère, Violette Hartland, écrivain anglais, avait autrefois connu la notoriété. Hélène avait vécu seule avec sa mère qui était morte quand elle avait seize ans. Depuis, elle vivait avec sa tante. Elle avait quitté l'Angleterre une semaine auparavant et travaillait dans un café sur le Boul'Mich', partageant une chambre avec une autre fille employée dans le même café. Non, elle ne savait pas encore combien de temps elle resterait.

Voilà ce qu'elle lui raconta au cours du dîner au Dôme, d'une voix parfaitement calme, répondant à toutes ses questions, apparemment indifférente au tourbillon des célébrités qui les entouraient.

Ils s'exprimaient en anglais, et sa voix fascinait Édouard. D'habitude, il reconnaissait parfaitement les accents. Ses années en Angleterre durant la guerre, et ses nombreux séjours depuis, lui permettaient de situer exactement la personne à laquelle il s'adressait aussi facilement qu'en français. Il lui restait même quelques intonations d'Oxford et l'accent traînant de l'aristocratie d'avant-guerre inculqué par Hugo Glendinning. Pourtant, il n'arrivait pas à déterminer d'où venait la jeune fille. Elle avait une clarté et une perfection d'élocution rencontrées souvent chez les étrangers pour qui l'anglais est une seconde langue. Son accent ne trahissait aucune influence régionale. C'était harmonieux, légèrement démodé et curieusement impossible à classer socialement. Il n'arrivait à définir ni son accent ni son origine.

Pour son âge, elle avait une assurance étonnante, sans complaisance toutefois et sans volonté de l'impressionner. Elle ne minaudait pas, ne s'intéressait pas à tout systématiquement. Simplement lovée dans la perfection de sa beauté, inconsciente ou indifférente au fait que, depuis son entrée dans le restaurant, tous les hommes de vingt à soixante ans avaient les yeux rivés sur elle.

Elle but deux verres de vin et en refusa un troisième. Quand le garçon appela Édouard « Monsieur le Baron », elle le regarda de ses yeux bleu-gris sans rien dire. Peut-être avait-elle entendu parler de lui ? Peut-être pas ? Il était incapable de le dire.

Après le repas, alors qu'ils prenaient le café, Hélène posa sa tasse et leva les yeux vers lui.

— C'est un endroit célèbre, n'est-ce pas ? lui demanda-t-elle.

— Oui, répondit-il en souriant. Dans les années vingt et trente, c'était le repaire des écrivains et des peintres. Picasso, Gertrude Stein, Hemingway, Scott Fitzgerald, Ford, Madox Ford... Il y a aussi La Coupole. C'est un établissement rival. Seulement, maintenant, ils se disputent surtout la clientèle d'acteurs, de chanteurs et de mannequins en vogue. Les écrivains se réunissent plutôt aux Deux Magots, boulevard Saint-Germain. Sartre et Simone de Beauvoir y sont des habitués.

— Je vous remercie de m'avoir amenée ici, j'en suis très heureuse.

Elle se renversa sur sa chaise et promena son regard dans la vaste salle couverte de glaces, observant les garçons dans leur long tablier blanc et tous ces gens brillants. Un homme à une table voisine leva son verre vers elle en souriant, mais elle lui lança un regard glacial.

Édouard se pencha.

— Vous n'êtes jamais venue ici ?

— Non, mais j'aimerais apprendre à en connaître d'autres, dit-elle d'un ton sérieux.

— D'autres ? demanda Édouard qui ne comprenait pas vraiment ce qu'elle voulait dire.

— Eh bien, j'aimerais apprendre bien d'autres choses encore.

Elle leva la main et, un sourire aux lèvres, se mit à compter sur ses doigts tout ce qu'elle souhaitait connaître.

— Les cafés, les restaurants, la cuisine, le vin, les beaux atours, comme ceux que porte cette femme là-bas, la peinture, l'architecture, les livres, les voitures, les maisons, le mobilier, la joaillerie. Oui, tout cela, dit-elle en levant des yeux innocents vers lui. Vous devez avoir du mal à comprendre. Avez-vous déjà eu faim dans votre vie ? Réellement faim ?

— Cela a dû m'arriver une ou deux fois.

— Eh bien, j'ai faim de tout cela, je veux tout connaître, tout comprendre. J'ai vécu dans un tout petit village.

— Est-ce la raison pour laquelle vous êtes venue à Paris ? lui demanda Édouard, intrigué.

Elle avait laissé transparaître une lueur d'émotion pour la première fois. Elle esquissa un sourire, comme si, consciente de son effet, elle regrettait déjà ses paroles.

— C'est l'une des raisons. J'ai travaillé dur. Savez-vous ce que je fais, le matin avant de venir travailler, et chaque soir quand j'ai terminé ?

— Non, dites-le-moi.

— Je me promène dans Paris et j'observe. Les marchés, les galeries de peinture, les maisons, les églises et les boutiques, bien sûr. C'est difficile d'entrer dans les magasins chics parce que je ne suis pas habillée correctement, mais je regarde les vitrines. Je contemple les robes, les chapeaux, les gants, les chaussures et les bas. Les sacs et les sous-vêtements de soie également. Je suis passée devant Vuitton, Hermès et Gucci. Hier, je me suis attardée devant Chanel, Givenchy et Dior. Là je n'ai pas pu admirer les vêtements, car ils ne sont pas exposés en vitrine, alors je me suis contentée de regarder les noms sur les plaques, dit-elle avec un sourire forcé.

— Je vois, dit Édouard, à la fois touché et amusé. Et de tout ce que vous avez vu, qu'avez-vous préféré ?

— C'est difficile à dire, dit-elle en plissant le front. Au début, tout me paraissait si éblouissant. Peu à peu, j'ai fait un choix. J'ai commencé à discerner ce qui ne me plaisait pas, par exemple tout ce qui est clinquant. Ce que j'ai préféré, oh si ! je le sais. C'est une paire de gants.

— Une paire de gants ?

— Ils étaient si beaux. C'étaient des gants de chez Hermès, très sobres, d'un gris pâle, qui montaient seulement jusqu'aux poignets. Là, il y avait trois plis en forme de noeud papillon, piqués juste au-dessus du poignet, dit-elle en désignant le dos de la main. Ils étaient magnifiques. J'aime les beaux gants. Comme ma mère. Elle a dû en avoir des milliers.

— Je vois, répondit Édouard d'un ton solennel.

Hélène lui lança un regard de bravade comme si elle le défiait de se moquer d'elle. Il examina sa robe de coton blanche.

— Et les bijoux, cela vous intéresse ? demanda-t-il avec prudence. Voulez-vous en savoir plus à ce sujet ? Regardez-vous les vitrines des joailliers ?

— Parfois, dit-elle en baissant les yeux. J'ai vu les vôtres. C'est bien à vous la boutique de la rue du Faubourg-Saint-Honoré ?

— Oui.

— J'y suis passée il y a deux jours. Devant chez Cartier aussi, fit-elle, une lueur malicieuse au bord des yeux.

— Et quelle vitrine avez-vous préférée ? La mienne ou celle de mon rival ?

— À dire vrai, celle de Cartier, mais je n'y connais rien. Les pierres, le sertissage...

— Avez-vous une préférence pour une pierre ?

— Oh oui ! le diamant.

— Ce ne sont pas nécessairement ceux qui ont le plus de valeur, une émeraude d'une pureté absolue, vert sombre, ce qui est rare, peut valoir plus.

— Oh, ce n'est pas une question de valeur, répliqua-t-elle avec une pointe de mépris. J'aime les diamants pour leur pureté. Ils n'ont aucune couleur. Ils sont à la fois brûlants et froids, comme le feu et la glace. Les diamants que j'ai vus... C'était comme si je pénétrais au cœur de la lumière. Sans doute pensez-vous que c'est stupide.

— Pas du tout, je pense exactement comme vous. Savez-vous que le diamant a une caractéristique essentielle qui en fait la pierre la plus extraordinaire du monde ?

— Non.

— Savez-vous l'impression que l'on a lorsqu'on tient un diamant dans la main ? On dirait que l'on touche de la glace. C'est si froid qu'il vous brûle la peau.

— Du feu et de la glace ?

— Exactement ce que vous avez dit.

Leurs regards se croisèrent. Édouard se sentait pris dans un tourbillon. L'espace d'une seconde, il eut l'impression de tomber dans le vide. C'était à la fois excitant et terrifiant. « Roi de carreau ; dame de carreau... » Ce souvenir traversa son esprit avant de s'évanouir.

Elle aussi éprouvait un étrange sentiment. Les yeux écarquillés, les lèvres entrouvertes, elle avait une respiration rapide comme en état de choc ou de surprise. Elle tressaillit, puis se ressaisit. Lentement Édouard posa sa main sur la sienne. C'était la première fois qu'il l'effleurait. Une grande confusion s'empara de lui, entraînant un violent déchaînement de sentiments qu'il n'avait pas connu depuis son enfance. Il l'avait désirée dès l'instant où il l'avait vue. Le désir était maintenant si fort qu'il en tremblait.

Il possédait un instinct de conservation affiné à la perfection avec les années. Il retira sa main très vite et se leva.

— Il se fait tard, je vais vous raccompagner chez vous.

Elle le regarda, apparemment indifférente à sa brusquerie, puis lentement se leva et le suivit. Ils sortirent du restaurant. Hélène s'installa sur le siège en cuir moelleux de l'Aston Martin. Sur le chemin du retour, elle ne dit mot. Assise à ses côtés, parfaitement détendue, elle contemplait le spectacle de la rue. Édouard, homme de pouvoir, qui reconnaissait la puissance chez les autres, l'avait décelée en elle, tel un parfum qui embaume l'air. Il jeta un coup d'œil vers elle et sentit des frissons le parcourir. Les lèvres charnues, la poitrine bien faite, la forme élancée de ses cuisses et de ses hanches. Tout trahissait une promesse infinie de plaisir des sens. Et pourtant elle avait le regard moqueur et dédaigneux, comme si elle était consciente du pouvoir de sa beauté et méprisait les sentiments qu'elle suscitait.

Il ralentit en arrivant au café tout illuminé où elle avait prétendu travailler.

Elle se raidit.

— Voulez-vous m'arrêter ici, je vous prie ?

— Laissez-moi vous accompagner jusque chez vous.

— Non, je préfère ici. J'ai un concierge acariâtre, dit-elle en souriant. C'est à quelques rues d'ici. Je m'y rendrai à pied tout à l'heure. Il faut que je voie le propriétaire du café pour lui demander mes horaires de demain.

Elle lui tendit la main.

— Merci. J'ai passé une excellente soirée. Le dîner était délicieux.

Elle lui serra la main solennellement. Édouard maudit le ciel et son apparente incapacité de prononcer la moindre parole cohérente. Il avait presque envie de lui demander de l'épouser, de le suivre n'importe où.

— Travaillez-vous ici chaque jour ? finit-il par dire en l'aidant à sortir de la voiture.

Elle esquissa un sourire en levant les yeux vers lui.

— Oui, je termine mon travail à 6 heures. Au revoir.

Elle s'éloigna sans un regard et disparut dans le café.

Édouard la suivit le plus longtemps possible, puis retourna à sa voiture. Il percevait vaguement des visages, des voix et des éclats de rire. C'était un monde ordinaire. Une jolie fille le suivit du regard, mais Édouard ne la vit pas. À l'extrémité de la terrasse, un petit homme trapu et laid, attablé seul, l'observait attentivement. Édouard n'y prêta pas non plus attention.

Elle devait avoir dix-huit ans. Où donc avait-elle acquis autant d'assurance, autant de calme ? Elle avait parfaitement conscience du pouvoir qu'elle exerçait sur les hommes. Avait-elle été sous la coupe d'un être qui lui avait enseigné tout cela ? Mais alors quel homme, où, comment et dans quelles circonstances ?

Il poussa un long gémissement, monta dans son Aston Martin et fila vers Saint-Cloud où il tenta de noyer sa frustration dans l'alcool. Il passa une nuit blanche.

Le lendemain matin, il envoya son chauffeur chercher la paire de gants gris chez Hermès. Autour d'un doigt, il glissa un solitaire. C'était un extra-blanc de quinze carats d'une pureté absolue. La taille de ce chef-d'œuvre avait été confiée à un maître. Parfait mariage de l'art et de la nature.

Il replaça les gants et la bague dans leur coffret, et attendit fébrilement 6 heures.

Le lendemain, il l'emmena dîner à La Coupole. Elle ne changea pas d'attitude, l'attendant devant le café bondé avec calme. Elle se montra d'une extrême politesse. Comme la veille, elle répondit à ses questions sans en poser. Elle ne se hasarda pas à l'interroger sur sa vie privée, subterfuge des femmes auquel il était habitué. Elle ne lui demanda jamais s'il était marié ou s'il vivait avec une autre femme. Elle le questionna sur son travail et sa vie professionnelle, sur Paris, la France et les Français. Elle ne semblait pas prendre conscience de l'attrait sexuel qu'elle exerçait sur Édouard, qui tentait désespérément de garder son sang-froid et de paraître aussi détaché que possible.

Elle portait une robe droite de coton gris-bleu, de la couleur de ses yeux. Aucun bijou, sinon une petite montre bon marché qu'elle agitait parfois, parce que, disait-elle, elle s'arrêtait souvent. Il remarqua ses jolies mains, ses longs doigts d'écolière aux ongles courts et sans vernis. Elle s'asseyait bien droite, mais ce qui l'étonnait le plus, c'était son calme extraordinaire, son visage impassible qui lui donnait un charme fascinant.

Ne lui avait-elle pas menti sur son âge ? Tantôt, elle paraissait avoir moins de dix-huit ans, avec son allure victorienne, peu soucieuse de son apparence physique et, tantôt, elle avait l'éclat d'une jeune fille de vingt ans. Dans son regard, l'innocence se mêlait à la sensualité. Il avait l'impression d'avoir en face de lui une jeune fille bien élevée, sortant du couvent, ayant été élevée dans un cocon et dont la pureté du regard éveillait en lui des sensations, des pensées et des élucubrations qui n'avaient rien de pur.

La réaction provoquée dans son corps et son esprit le choquait profondément. Sa nature puritaine livrait bataille à sa puissante sensualité. Il s'imaginait faisant l'amour avec elle et rejetait violemment ces idées de séduction qui assaillaient son esprit. À sa grande surprise, il se rendit compte que les rôles étaient inversés. C'était lui qui essayait d'en savoir davantage sur sa vie privée. C'était elle qui écartait toutes ces questions indiscrètes.

Il lui était impossible de se raisonner. Ses sens exacerbés l'emportaient sur la logique. Elle ne sentait pas le parfum mais le savon. C'était pour lui le parfum le plus enivrant qu'il ait jamais connu.

Nul n'aurait soupçonné sa confusion extrême. Édouard avait l'esprit en pleine effervescence.

— Je peux vous raccompagner ou, si vous préférez, nous pourrions aller chez moi, à Saint-Cloud. C'est juste à l'extérieur de Paris.

Il avait la voix traînante. Devant le regard placide d'Hélène, Édouard ne savait plus que faire. Il voulait lui expliquer que ce n'était pas chez lui une façon habituelle de séduire une femme, qu'il n'avait pas d'arrière-pensées. Il ne pouvait tout simplement plus envisager de passer la soirée sans elle.

— Oui, avec plaisir.

Il conduisit à vive allure, au son de la musique. Il ressentait une joie de vivre depuis longtemps oubliée. La vitesse et Mozart comblaient le silence qui les séparait. C'était une parfaite communion entre eux. « Elle sait. Elle comprend », se disait-il de façon incohérente et triomphale.

Il n'amenait jamais de femme à Saint-Cloud. La seule exception avait été son épouse. Exactement comme il l'avait fait avec Isobel, il lui fit faire le tour des jardins fleurant le lilas, s'immobilisant devant un parterre de fleurs, regardant à travers le ciel argenté, la ville rougeoyante qui se profilait dans le lointain. Il agissait délibérément, dans une ultime tentative de se dégager, pensant que les comparaisons et les souvenirs qui ne manqueraient pas de resurgir briseraient le sortilège puissant et magique qui le liait à cette femme.

Mais nulle comparaison ne lui venait à l'esprit, nul souvenir. Lui qui avait toujours cru qu'il ne pourrait jamais se libérer du passé sentait son emprise se relâcher. Le passé s'était évanoui. Il en était affranchi. Là, dans ce jardin, une seule chose comptait : la femme qui se tenait à ses côtés.

Édouard lui prit la main et la garda serrée dans la sienne. Puis lentement ils revinrent vers la maison.

Il l'emmena dans le bureau où, dans une autre vie, un autre homme avait demandé à Isobel de l'épouser. À peine conscient de ce qu'il faisait, il versa à boire. Elle se promena dans la pièce, effleurant une chaise capitonnée avant de fixer son regard sur des aquarelles de Turner. Édouard posa les verres, oubliant leur existence, et s'approcha d'elle. Elle leva les yeux vers lui, et soudain il retrouva la parole.

— Comprenez-vous ce qui se passe ? lui demanda-t-il avec douceur.

— Je ne sais pas, je ne suis pas sûre, dit-elle d'une voix hésitante. Tout cela m'effraie.

— Moi aussi, répondit-il en souriant.

— Je pourrais partir, dit-elle en lançant un coup d'œil vers la porte. Peut-être que si je partais maintenant...

— Est-ce là votre souhait ?

— Non, s'écria-t-elle, sentant le rouge lui monter aux joues. C'est que je n'avais pas prévu... Je n'avais pas pensé... Je ne m'attendais pas...

Édouard lui prit la main et plongea son regard dans le sien. Cette jeune fille si jeune qui parlait avec sincérité de plans, de prévisions, l'émouvait tout en l'étonnant. Sans doute s'en rendit-elle compte, parce qu'elle plissa le front légèrement, comme si la moindre plaisanterie lui ôtait son assurance.

— Vous pensez que c'est idiot ?

— Oh non ! répondit Édouard d'un ton sérieux. Toute ma vie est ordonnancée de façon précise depuis bien des années.

— Et maintenant ?

— Je sais que cela n'a aucune importance. Je l'ai toujours su, d'ailleurs, dit-il en haussant les épaules. Les plans. Les programmes. La stratégie. Tout cela fait passer le temps et permet d'oublier la vacuité de la vie.

Il avait toujours sa main dans la sienne, mais n'osait pas la regarder. Hélène, immobile, l'observait. La lumière dansait dans sa tête. Malgré son calme apparent, elle avait l'esprit en proie à la tourmente. Au début, une petite voix lui murmurait au creux de l'oreille : « C'est un leurre. Tu peux encore y mettre un terme. »

Quand ils étaient arrivés à Saint-Cloud et qu'elle avait découvert cette demeure splendide, d'autres voix détestables s'étaient élevées, prenant tantôt l'intonation de sa mère, tantôt celle de Priscilla-Anne, lui rappelant que tous les hommes étaient des menteurs prêts à tout lorsqu'ils désiraient une femme. Ils étaient tous à l'image de Ned Calvert.

Ces avertissements s'étaient estompés jusqu'au moment où elle était entrée dans cette pièce. Maintenant, ils revenaient en force, mais leurs messages lui paraissaient à la fois minables et absurdes. Édouard lui renvoyait l'image de la vulnérabilité. C'était la première fois qu'elle en prenait conscience.

— Édouard...

Elle venait de l'appeler par son prénom. Il sursauta et se retourna aussitôt vers elle.

— Édouard, se peut-il que les choses s'imposent à soi avec une telle force qu'on n'a plus le choix de les refuser ?

— Oui, j'en suis persuadé.

— Moi aussi, répondit-elle d'un air solennel et, avant même d'attendre la réponse d'Édouard, elle respira longuement, comme pour se donner du courage. J'aimerais rester. Je n'ai aucune envie de partir. En vérité, je ne l'ai jamais souhaité. Voilà, c'est dit, s'exclama-t-elle d'un ton légèrement provocateur. Les femmes ne sont pas censées l'avouer, n'est-ce pas ? Mais il me semble stupide de ne pas dire la vérité. À quoi bon ? J'ai envie de rester. Je ne vous aurais pas quitté hier soir si vous me l'aviez demandé, et probablement même le premier soir où nous nous sommes rencontrés. Vous auriez pu m'amener ici, j'aurais éprouvé le même désir. C'est comme ça. Je ne vous connais pas et pourtant j'ai l'impression de vous connaître. C'est mal, à votre avis ? Mes propos vous choquent-ils ?

Édouard était stupéfait mais profondément ému. Sa façon étrange mais sérieuse de s'exprimer, sa franchise teintée de timidité, alors qu'il était accoutumé à des femmes qui exprimaient leurs désirs fortuitement et souvent brutalement, tout cela le touchait intensément. Son innocence le mettait mal à l'aise, mais il savait que, s'il laissait transparaître son étonnement, elle se sentirait terriblement mortifiée.

Il s'avança vers elle et lui prit tendrement la main.

— Non, lui dit-il d'un ton sérieux, je ne suis pas choqué et je ne pense pas que cette sincérité soit à blâmer. Je veux que vous restiez, je le désire plus que tout au monde. Et vous, trouvez-vous mes propos choquants ? lui demanda-t-il, un pâle sourire aux lèvres.

— Non.

— Quand j'ai quitté mon bureau, le soir de notre rencontre...

Édouard marqua un instant d'hésitation. Il se demandait s'il devait tout lui avouer, mais, en levant les yeux vers elle, il se sentit poussé à lui dire la vérité.

— Ce soir-là, je cherchais une femme. N'importe laquelle. Il y avait plusieurs raisons à cela. Inutile de vous les exposer aujourd'hui. Je ne souhaite pas votre compassion. Je cherchais une femme, comme cela m'est arrivé souvent dans le passé, jusqu'à ce que je trouve *la* femme de ma vie. J'étais dans cet état d'esprit et je tenais à ce que vous le sachiez. Il n'y a aucune raison pour que vous me croyiez, mais je vous jure que c'est la vérité.

Il s'interrompit brusquement et lui relâcha la main. Hélène avait soudain rougi. Édouard détourna le regard, furieux contre lui-même. Pourquoi avait-il fallu qu'il lui raconte cela ? Elle était trop jeune pour comprendre. Il n'avait pas le droit de lui ouvrir un univers aussi complexe. Ses propos lui semblaient parfaitement stupides. C'était une façon rebattue de séduire une femme.

Il eut un petit geste de colère.

— Je suis désolé, dit-il avec une certaine froideur. Je n'aurais pas dû vous parler ainsi. Vous voulez sans doute partir maintenant. Je vais vous raccompagner.

Il évitait de la regarder. Hélène l'observait d'un air perplexe. Elle connaissait la technique qui consistait à tout laisser tomber pour éviter de souffrir. À l'école, elle l'avait mise au point, année après année, s'imaginant naïvement être la seule à y avoir recours. Quel orgueil ! Quelles que soient les motivations, cela lui semblait une affreuse perte de temps. Elle vivait des instants fabuleux et ne voulait pas perdre une seconde.

Elle s'avança vers lui et il se tourna vers elle.

— Édouard, quelle importance ? Merci pour votre sincérité. Je veux toujours rester.

Elle vit son expression changer, comme si son regard retrouvait son éclat. Elle lui prit la main et la serra très fort contre sa poitrine.

Leurs regards se croisèrent. Édouard percevait les battements de son cœur.

Dans la chambre d'Édouard, elle se tint à une certaine distance de lui et se déshabilla. Une fois nue, elle resta immobile devant lui, les mains sur les hanches. Seule sa respiration rapide et le mouvement de sa poitrine trahissaient son émotion.

Ses seins, déjà tendus, avaient la couleur de l'ivoire. La perfection de son corps laissait Édouard pantois. Dans le regard d'Hélène se lisait une certaine puérilité mêlée à une volupté de femme. Hélène se mordit les lèvres. Elle le regarda se déshabiller.

Puis elle s'avança vers lui et s'agenouilla, pressant son visage contre lui, et effleura lentement de ses lèvres sa poitrine, son nombril, puis un peu plus bas.

Le lit était recouvert d'un couvre-lit en soie brodée de fleurs et d'oiseaux du paradis, couleur crème. La soie la ramena l'espace d'un instant dans la chambre de Mme Calvert. Elle revit le sourire confiant de Ned plaçant un drap blanc sur le couvre-lit. L'image était gravée dans sa mémoire. Elle en frissonna. Heureusement, ce souvenir s'estompa. Édouard la prit dans ses bras et la fit glisser près de lui. Elle sentait la chaleur de son corps contre le sien. Elle ne put s'empêcher de pousser un petit soupir avant de se détendre.

Ils restèrent ainsi un long moment sans dire un mot, sans même bouger, puis Édouard, avec une grande douceur, lui prit le visage dans ses mains et le tourna vers lui.

Son souffle lui effleurait la peau, puis ses lèvres, puis ses caresses. Elle ferma les yeux. Il la pénétra avec douceur. Elle ressentit une petite douleur suivie d'une profonde quiétude. Tandis que son corps ondulait sous lui, elle avait l'impression qu'il l'entraînait tout au fond d'une mer émeraude, un lieu sombre où le changement des marées avait lieu au tréfonds de son corps.

— Attends, lui dit Édouard au moment où elle allait s'abandonner.

Trop inexpérimentée, elle luttait avec frénésie pour atteindre l'orgasme.

— Hélène, attends. Je veux jouir avec toi.

Il avait instinctivement prononcé son nom à la française. Elle ouvrit les yeux et s'immobilisa un instant, mais ses paupières frémirent et, les yeux clos, elle imprima à son corps un nouveau rythme, plus en accord avec le sien, si puissant et si merveilleux qu'il faillit perdre le contrôle de lui-même.

Elle céda à l'orgasme en se cabrant brusquement. Édouard sentait que l'expérience acquise au cours de toutes ces liaisons dénuées de sens l'abandonnait. Avec un immense soulagement, il déversa son bonheur. Il y avait une sombre étoile brûlante dans son esprit, une source qu'il voulait atteindre. Hélène prononça son nom au moment où il la posséda. La violence de son plaisir fit frissonner Édouard.

Après l'amour, ils restèrent allongés l'un contre l'autre en silence. Une fois l'esprit apaisé, il s'écarta d'elle avec une légère appréhension. Il s'attendait à voir resurgir cette haine, ce dégoût qui s'emparaient généralement de lui après. Mais ce ne fut pas le cas. Bien au contraire, une grande quiétude l'envahit. La tension de son corps s'évanouit peu à peu.

Ce fut Hélène qui parla la première. Elle lui prit la main et la serra très fort dans la sienne.

— Édouard, lui dit-elle d'une voix mal assurée, tu as effacé le passé.

Sa voix trahissait l'émerveillement, mais il éprouvait le même sentiment.

— Le passé, oui, dit-il, radieux, mais pas l'avenir.

Le lendemain, il se rappela le cadeau de chez Hermès oublié dans son bureau la veille. Il alla le chercher et le lui remit. Hélène était assise sur le lit, appuyée contre des oreillers en dentelle. Il le déposa délicatement dans ses mains.

— C'est un cadeau pour toi. Je voulais te l'offrir hier soir mais...

— Un cadeau ? Pour moi ? dit-elle, les joues empourprées.

On aurait dit un enfant découvrant ses jouets le matin de Noël. Soudain, son enthousiasme retomba, et il remarqua une étrange hésitation, une sorte de défiance dans son regard.

Elle avait peur d'ouvrir le coffret. La voix traînante de Ned Calvert retentissait dans son esprit. « Tu es ma petite chérie. J'aime faire des cadeaux à ma petite chérie. »

Mais, en levant les yeux, elle rencontra le regard d'Édouard. La douceur, le bonheur qu'il tentait de dissimuler sous une apparente nonchalance, la bouleversa. Elle éprouva aussitôt un sentiment de honte. Pourquoi comparer les deux hommes et les deux événements ? L'image de Ned Calvert s'effaça. La longue nuit, suivie de cette longue matinée passée ensemble, lui redonna soudain confiance. Radieuse, elle tira le ruban et ouvrit le coffret.

Une paire de gants. Les gants. Il s'en était souvenu ! Une bague splendide en diamants. Ébahie devant les éclairs blanc-bleu que lançait la pierre, elle leva un regard hésitant vers Édouard qui vint s'asseoir sur le lit auprès d'elle et lui prit la main.

— Quand j'étais jeune, lui dit-il gauchement comme s'il prononçait un discours répété dans son esprit et qu'il ne trouvait plus ses mots au moment de le dire, oui, à l'âge de quinze, seize ans, c'est-à-dire un peu plus jeune que toi maintenant, j'étais tombé amoureux d'une femme beaucoup plus âgée que moi. C'était pendant la guerre. Je vivais à Londres. Ce fut ma première maîtresse. Mon frère me l'avait présentée. Une passion de jeunesse, comme disait mon frère, mais je n'ai jamais partagé son point de vue. J'étais très jeune. Cette liaison qui dura un an, peut-être davantage, m'obséda longtemps. Elle s'appelait Célestine. (Il s'interrompit. Hélène l'observait en silence.) Avec le recul, je m'aperçois qu'elle était très bonne, très gentille. Elle aurait pu tirer profit de la situation, ce que d'autres femmes se seraient empressées de faire, mais ce ne fut jamais le cas. Avec moi, elle s'est toujours montrée patiente et généreuse. Elle m'a dit des choses que je n'oublierai jamais, et une en particulier... À l'époque, cela ne m'avait pas frappé, j'étais trop jeune et sans expérience. Je lui faisais les déclarations les plus enflammées, ayant même envisagé l'avenir avec elle. Mais, chaque fois, elle m'arrêtait, prétendant qu'il ne fallait pas brader les mots, qu'ils avaient un sens, qu'un jour je rencontrerais une femme que j'aimerais et qu'il me fallait garder pour elle tout cet amour. L'emploi futile de ces mots les dévaluait. Je m'étais alors profondément vexé, mais je me rends compte maintenant qu'elle avait raison. Depuis, je n'ai jamais menti à une femme. Je n'ai jamais déclaré un sentiment que je n'éprouvais pas, dit-il en haussant les épaules. Je suppose que ce n'est pas vraiment un exploit.

Hélène n'avait toujours rien dit.

— Pourquoi me dis-tu tout cela ?

— Parce que les gens te raconteront beaucoup de choses sur moi, si ce n'est pas déjà fait, et je veux que tu saches la vérité. J'ai offert des cadeaux à des femmes dans le passé. À une époque, j'étais célèbre pour cela. C'étaient des bijoux de mes boutiques, des rubis, des perles, toutes sortes de pierres. À la fin de chaque liaison...

Il s'exprimait d'un ton détaché mais, au fur et à mesure, Hélène ressentait un pincement de cœur qui confinait à la douleur.

— À la fin ? demanda-t-elle en triturant sa bague. Oh, je vois.

— Non, dit-il en lui prenant la main. Je n'ai jamais offert de diamants à une femme. C'est la pierre la plus belle, celle que mon père préférait. Je l'ai toujours réservée, comme les mots d'amour, je voulais lui garder sa pureté pour l'offrir avec mon amour, le moment venu.

Il régna un profond silence. Il parlait avec calme et douceur, mais son visage trahissait la confusion de son esprit. Hélène le regardait, puis posait son regard sur la bague avant de lever de nouveau les yeux vers lui. Elle se sentait légère, gaie, comme prise dans un brusque tourbillon de joie. L'espace d'un instant, elle se revit devant une petite église, dans l'air embaumé, découvrant le visage d'Édouard. Tout près, on percevait les cris d'un enfant. C'était ça, l'avenir ?

— Je le savais.

— Moi aussi.

Il l'étreignit longuement, puis relâcha son étreinte. Avec précaution, Hélène retira la bague du gant et la glissa sur son doigt. Elle était froide, dure, éclatante. Elle leva la main. Le diamant lança mille feux.

Plus tard, après une longue discussion, Hélène lui dit :

— J'ai une valise, c'est tout ce que je possède. Une seule valise.

Édouard sourit.

— Allons la chercher ensemble.

— Non, dit-elle en secouant la tête, je veux y aller seule, je n'en aurai pas pour longtemps.

Édouard essaya de l'en dissuader, mais, devant son insistance, finit par capituler.

Elle prit un taxi qui l'amena jusqu'à la rive droite, traversa la Seine, puis courut jusqu'à la petite chambre qu'elle avait louée. À son grand soulagement, elle ne rencontra personne. Le vieux dragon de concierge n'était pas devant sa porte.

Hélène grimpa les escaliers et faillit trébucher devant sa minuscule chambre. Il lui fallut un certain temps pour trouver sa valise et y fourrer ses quelques affaires.

Au moment de la boucler, elle jeta un regard à ses papiers et à ses photos : Orangeburg, sa mère, le passé.

Le temps se fractionnait sans qu'elle parvînt à joindre tous les morceaux. Orangeburg, Billy, sa mère, Ned Calvert, Cassie Wyatt, Priscilla-Anne, son petit lit où, allongée la nuit, elle entendait les rideaux claquer sous la brise et sentait les effluves de boue remonter de la rivière. Tout était irréel, lointain, comme une séquence de film vu dans le passé, un univers lunaire. Le bonheur l'avait arrachée à ce monde-là. En trois jours, seize années obscures s'étaient effacées. Elle éprouvait un étrange sentiment de culpabilité mêlée de désespoir. Elle saisit une photographie de Violette et la pressa contre son cœur.

« Il le faut, maman, se dit-elle, il le faut. Je n'ai pas oublié mes promesses. Certes pas, mais je dois retourner vers lui. »

Violette était touchante avec son petit chapeau ridicule et son maquillage outrancié.

Hélène, frissonnante, replaça la photo dans la valise qu'elle referma.

Sa mère aurait compris. Elle aurait agi exactement de même. Par amour...

Cette prise de conscience l'effrayait. Allait-elle suivre le même chemin que sa mère ? Elle se leva et hésita un instant. Puis elle posa la valise par terre et réfléchit.

« Il ne faut pas que je retourne vers lui, se dit-elle. Je pourrais lui renvoyer la bague et entreprendre tout ce que j'avais envisagé sur-le-champ. Sans perdre une seconde. »

Elle se leva, le regard toujours posé sur la valise. Brusquement, elle la saisit, ouvrit la porte, dévala l'escalier et se précipita dans la rue. Elle courut jusqu'au bord de la Seine et s'arrêta près du pont Notre-Dame. Le courant donnait à la Seine des reflets d'acier. Les flèches de Notre-Dame jaillissaient dans la lumière. Sur la rive, des amoureux se promenaient, main dans la main. Elle héla un taxi.

Édouard l'attendait dehors. Il arpentait l'allée graveleuse devant la maison. Dès qu'il aperçut le taxi, il accourut, les bras tendus vers Hélène.

— J'avais peur, s'écria-t-il en l'étreignant, je ne sais pas pourquoi, je craignais que tu ne reviennes pas.

Hélène posa la valise et se blottit contre lui.

— Il fallait que je revienne, dit-elle à Édouard. (Et cela s'adressait en même temps à sa mère, à Billy et à tous les autres.)

— Pour quelles raisons es-tu venue à Paris ?

C'était la première fois qu'Édouard lui posait cette question. Il la lui posa de façon soudaine, après un long silence. Ils étaient tous deux assis à la terrasse des Deux Magots devant un verre de Pernod. Édouard avait ajouté de l'eau et remuait son apéritif sous les yeux attentifs d'Hélène. Elle aimait la fraîcheur de l'anis, la sensation de chaleur que cette boisson lui procurait lorsqu'elle glissait au fond de sa gorge. Elle avait l'impression d'être une chatte, recroquevillée au soleil, en paix avec l'univers.

— Attention, lui dit Édouard, c'est très fort.

Elle aurait voulu rester là éternellement à regarder les gens passer, essayant de capter quelques bribes de conversation aux tables voisines.

La question d'Édouard la fit sursauter.

— Ma mère adorait Paris. Elle m'en parlait souvent. Je n'ai jamais...

Elle hésita, espérant qu'il ne lui poserait plus de questions, car elle ne voulait plus lui mentir. Elle exécrait cet instinct qui l'avait incitée à proférer des mensonges depuis le début de leur rencontre. Chaque matin, elle s'éveillait dans ses bras avec la ferme résolution de tout lui expliquer. « Je n'ai pas été élevée en Angleterre, Édouard. Je t'ai menti. J'ai vécu en Amérique. Dans le Sud. En Alabama. »

Combien de fois avait-elle répété ces paroles ? Mais, quand venait le moment de tout lui révéler, elle n'en avait plus le courage. Elle était prise au piège de ses mensonges. Édouard serait blessé ou furieux. Il lui faudrait expliquer la raison de ses mensonges, lui parler de sa mère, de l'avortement, de Billy, de Ned Calvert. Ces souvenirs la firent rougir de honte. Elle sentait ses joues brûlantes. Changerait-il d'attitude envers elle s'il apprenait la vérité ? Elle détourna le regard.

Édouard remarqua ses joues soudain rouges, mais y donna une autre signification. Il se renversa sur son fauteuil en souriant.

— Si tu ne t'étais pas arrêtée pour contempler l'église, si je n'étais pas passé par là, si ta mère ne t'avait pas parlé de Paris, si, si, si..., dit-il en haussant les épaules. Les dieux se montrent parfois cléments.

Hélène leva les yeux vers lui. Il avait un regard légèrement moqueur. Puis son expression changea. Les clameurs tout autour se turent. Hélène sentit l'univers s'écrouler et ses perspectives prendre une autre tournure. Il n'y avait ni café, ni Paris, ni Amérique, ni Alabama, ni passé. Il n'y avait qu'eux deux. Un seul regard de lui la comblait de bonheur. Soudain, elle se sentit transportée de joie. Elle eut envie de chanter, de danser, de hurler, de clamer son amour à tous ceux qui l'entouraient. Toutes les histoires, les poèmes, les chansons, tout ce qu'ils racontaient, elle en percevait maintenant la signification. Son esprit était en fête. Elle lui tendit la main.

Édouard la prit dans la sienne. Aussitôt le désir s'empara d'elle. Son corps fut parcouru d'un frisson.

Elle avait entendu parler du désir par ses camarades de classe, avait lu des histoires à ce propos, mais rien ne l'avait préparée à ce sentiment dévastateur, à cet aveuglement total. C'était une sensation à la fois douce et aiguë, agréable et douloureuse. Édouard partageait ce sentiment. Elle l'avait lu dans son regard. Ce lien secret qui les unissait la grisait, la plongeait dans un état d'ivresse incroyable, comme sous l'effet d'une drogue.

— On y va ? lui demanda Édouard.

— Oui, répondit-elle en se levant.

Il la prit par le bras, hésita un instant, puis la guida dans l'étroit labyrinthe de rues entremêlées derrière l'église de Saint-Germain-des-Prés. Il marchait si vite qu'Hélène avait du mal à le suivre.

Une petite rue. Une petite place ombragée. Quelques hôtels aux façades étroites tout en hauteur, les volets clos pour se protéger du soleil. Des billets furent lancés sur un vieux comptoir d'acajou. Une signature. Une lourde clé en acier. Un propriétaire empâté, fumant un gros cigare, qui ne daigna même pas lever les yeux.

La chambre était située au premier étage. Avant même d'ouvrir la porte, Édouard attira Hélène contre lui. Sentant son corps vibrer, elle poussa un long gémissement tandis qu'il lui dégrafait son chemisier d'un geste fébrile. Ses lèvres lui mordillèrent le cou, puis les bouts de sein. Impatiente, elle essaya de lui détacher sa ceinture : non, ils n'avaient pas le temps de se déshabiller tant leur désir était fort.

La petite culotte en dentelle qu'elle portait était déjà humide. Édouard la fit glisser le long de ses cuisses, chercha le chemin de son sexe. Hélène, se frottant à lui comme un petit animal, lui guidait la main. Une plainte naquit de sa gorge. Éprouvant un violent désir de prendre son pénis, elle glissa sa main dans son pantalon. Dès qu'elle l'effleura, elle eut envie d'être transpercée, de le sentir au fond de son corps. Édouard rapprocha ses lèvres des siennes.

— Ouvre les yeux, lui dit-il en s'écartant légèrement.

Elle les ouvrit et plongea son regard dans le sien. Cette union magique lui procurait un plaisir infini. Faire l'amour en contemplant le mouvement harmonieux de leurs corps l'excitait. C'était à la fois merveilleux et insupportable. Le sexe luisant et gorgé de désir qui se retirait avant de s'enfoncer de nouveau la plongeait dans l'extase.

Il savait exactement déceler le moment où elle allait jouir. Aujourd'hui, ils éprouvaient ensemble un désir violent. Elle se pressa contre lui fébrilement, se figea soudain, comme elle le faisait toujours avant de crier d'exultation. Il l'aimait dans ces instants d'aveuglement qu'il partageait. Sa verge s'engouffra pour y déverser sa semence. Leurs corps furent parcourus d'un frisson. Dix minutes à peine s'étaient écoulées depuis qu'ils avaient quitté les Deux Magots.

— Nous aurions pu attendre d'être de retour à Saint-Cloud, lui dit Édouard sans trop y croire.

— Vraiment ? répondit-elle en souriant.

Elle promena son regard dans la chambre pour la première fois. Il y avait une grande fenêtre aux volets clos, un vaste lit recouvert de satin pourpre, une immense armoire en mauvais état, un petit tapis et un rideau qui masquait un bidet dans un coin.

— Où sommes-nous ?

— Dans un hôtel absolument pas respectable qui loue des chambres à l'heure à des gens impatients. Je n'aurais certainement pas dû t'amener ici.

— Ça me plaît. Il n'est pas si désagréable, lui dit-elle d'un air de défi. J'aime cette horrible armoire et cet affreux lit. C'est clair et net, ce lieu est destiné aux amants et j'aime cela.

— Les papiers peints pourraient être changés, murmura Édouard.

— Inutile de critiquer, dit-elle en se blottissant contre lui. C'est parfait, et j'aimerai toujours cet endroit.

— On pourrait y rester, fit-il en souriant. J'imagine qu'il est possible de louer une chambre toute la nuit.

Il s'approcha du lit dans un but très précis.

— Puisque tu aimes tant le décor..., chuchota-t-il en attirant Hélène sur le couvre-lit de satin pourpre.

Ils firent l'amour avec tendresse, cette fois, sur ce lit aux ressorts grinçants. La nuit tombée, ils sortirent et allèrent dîner dans un petit restaurant de quartier, rempli de Français solennels qui prenaient leur repas seuls, une serviette enfoncée dans le col de la chemise sous le menton. Personne ne reconnut Édouard. Les garçons les plus anciens de la maison, portant un long tablier blanc, les servaient avec sollicitude, un sourire aux lèvres, leur lançant parfois de petits coups d'œil amusés, comme s'ils étaient ravis, en cette soirée d'été, de servir deux jeunes gens qui, visiblement oublieux de l'univers, étaient si merveilleusement romantiques. Le couple se promena longuement ensuite dans le silence nocturne des petites rues avant de retourner à leur chambre au lit pourpre. Le lendemain, de bonne heure, ils prirent un café au lait et des croissants dans des bols en porcelaine. Le petit déjeuner leur fut monté dans la chambre. Ils le prirent sur une petite table devant la fenêtre qui donnait sur une place dotée d'un seul arbre.

Dehors, un gros chat tigré s'étira sur le rebord d'une fenêtre avant de traverser la place en balançant la queue. Hélène le regardait. Elle était attentive au spectacle de la rue, à la lumière qui, peu à peu, scintillait dans les arbres, aux bruits de la ville qui s'éveillait au petit matin.

Elle se tourna instinctivement vers Édouard, sans se rendre compte qu'il l'observait depuis un moment.

— Mon avenir me préoccupait tant. Je me demandais ce que j'allais devenir. Oh, Édouard, j'avais tellement de projets en tête ! Lorsque je suis avec toi, je n'y songe plus. Tout me paraît dérisoire. Je n'ai plus besoin de devenir quelqu'un. Je suis simplement... (Elle leva les yeux vers lui avec une pointe d'anxiété.) Est-ce que tu me comprends ? Est-ce que tu crois que c'est mal ?

— Je suis dans le même état d'esprit, lui répondit-il calmement. Je suis incapable de juger. Je sais seulement... Une telle certitude ne peut tromper.

— Tout est merveilleux. Paris est splendide. Je t'aime, Édouard, dit-elle et, avec ce petit geste rapide qu'il affectionnait particulièrement, elle vint se blottir au creux de son épaule.

Édouard l'étreignit tendrement et pressa ses lèvres contre sa chevelure.

— Mon amour, mon amour, murmura-t-il avec douceur.

Ils quittèrent l'hôtel, main dans la main, riant et plaisantant, peu après 9 heures. Une fois sur la place, Édouard s'arrêta, hésitant, puis, prenant Hélène par le bras, poursuivit sa promenade. Hélène aperçut une femme d'une élégance extrême, les yeux cachés par des lunettes sombres, qui regarda dans leur direction avant de s'engager dans une rue latérale.

— Ghislaine Belmont-Laon, soupira Édouard, la plus grande commère de Paris. Il y a quelques années, nous avons fait appel à ses services pour la décoration de la plupart de nos ateliers. Elle hante les magasins de la rue Jacob. Elle vient souvent rendre visite à ma mère...

— T'a-t-elle reconnu ? demanda Hélène en levant les yeux vers lui.

— Oh, certainement. Ghislaine est à l'affût.

— Tu veux dire qu'elle va raconter à ta mère, à tes amis..., dit-elle d'une voix hésitante.

— Qu'elle m'a vu sortir d'un hôtel minable, à 9 heures du matin, avec une femme ravissante ? dit-il en souriant. Sans l'ombre d'un doute. Ma mère sera au courant à l'heure du déjeuner et le Tout-Paris, ce soir.

— Cela t'ennuie ? demanda Hélène, inquiète.

— Je m'en moque pas mal. Ils seront au courant tôt ou tard. C'est inévitable. Je n'ai nullement l'intention de te cacher. Mais...

Il eut soudain une expression sérieuse.

— J'ai l'habitude de leurs commérages et de leurs mensonges, toi, non. Je ne veux pas qu'ils te blessent et j'avais espéré l'éviter pendant quelques semaines encore.

Il n'évoqua plus l'incident, semblant presque l'avoir oublié, mais Hélène en garda une certaine impression de malaise latent. Elle aurait préféré continuer à cacher son bonheur. C'était comme s'ils avaient vécu enfermés dans un lieu idéal, à l'abri des intrusions. Elle se voyait avec le regard d'un observateur extérieur : une jeune fille sans argent, sans amis ; un homme plus âgé, riche et puissant.

L'après-midi, Édouard l'emmena chez Chanel, puis chez Hermès où il avait prévu de lui offrir une tenue d'équitation.

— Pourquoi donc aurais-je besoin d'une tenue d'équitation ? Édouard, c'est insensé.

Édouard avait simplement souri.

— Tu verras.

Il lui avait déjà offert plusieurs robes depuis deux semaines qu'ils étaient ensemble à Paris. Elle avait tout accepté avec joie, mais, aujourd'hui, elle ressentait une certaine gêne. Les employés d'Hermès se montrèrent tout à fait courtois, mais Hélène éprouva un malaise devant leurs regards experts. La maîtresse d'un homme riche. Une croqueuse de diamants. Il lui semblait lire dans leurs regards un certain mépris, mais elle n'en souffla mot à Édouard. Ce soir-là, sa mère, Louise de Chavigny, lui téléphona à Saint-Cloud.

La conversation fut brève mais laconique. Édouard avait pris la communication dans sa chambre. Elle se rendit compte qu'après avoir raccroché il avait eu un instant d'agacement. Un voile passa sur son regard. Elle leva vers lui des yeux craintifs.

Il garda le silence quelques instants, mais très vite le voile s'estompa, et il lui tendit la main en souriant.

— Si nous quittions Paris ? lui proposa-t-il brusquement. J'ai envie que tu connaisses la Loire. J'aimerais faire avec toi des promenades à cheval dans cette région.

C'était donc cela, son projet. Le bonheur l'envahit de nouveau. Elle était ravie. Ce n'est que plus tard que le malaise réapparut. Édouard ne lui avait donné aucune explication sur ce départ soudain.

L'emmenait-il dans la Loire parce que, malgré ses allégations, on pouvait cacher plus facilement une maîtresse qui n'était pas de son rang ? Cette pensée la faisait frémir, mais l'obsédait. Elle songea aux amis d'Édouard, à sa mère. Un sentiment de panique s'empara d'elle. Si elle leur était présentée, s'ils savaient qui elle était réellement, quelles seraient leurs réactions ? Elle imaginait leurs regards froids et hostiles. « La dernière maîtresse d'Édouard. » Elle entendait déjà leurs commentaires. C'était comme à Orangeburg, pire même, car, ici, ils seraient méprisants et sauraient vite sa véritable identité. N'influenceraient-ils pas Édouard ? Ne la verrait-il pas, lui aussi, différemment ?

Ils se rendirent dans la Loire avec l'avion privé d'Édouard. La première semaine, dans cette demeure superbe, elle oscilla entre le bonheur absolu et le désespoir infini. Plus elle tardait à révéler à Édouard la vérité, plus le besoin se faisait pressant, impératif, et plus son appréhension et ses craintes étaient grandes.

Il m'aime, mais c'est impossible. Cette contradiction lui martelait l'esprit. Les jours passaient. Une semaine s'écoula. Parfois, Hélène avait l'impression de devenir folle. Au sommet du bonheur, l'instant d'après dans la vallée des larmes. Au soleil puis à l'ombre.

Le mois d'août touchait à sa fin. Septembre prit le relais, un mois ensoleillé, sans la moindre annonce de l'automne, mais Hélène avait l'impression qu'avril habitait son esprit et son cœur, la faisant passer sans transition de la clarté aux pensées les plus sombres, de la joie intense à l'angoisse.

— Je suis dans un état étrange, Édouard. Est-ce toujours ainsi quand on aime ? lui demanda-t-elle un soir, agenouillée à ses côtés, les bras autour de son cou, l'air anxieux.

— Au début, peut-être. Moi aussi, j'ai eu les mêmes appréhensions, dit-il en pressant ses lèvres sur sa main.

Il craignait de lui montrer combien sa franchise et son innocence le touchaient. Quand il lisait l'anxiété dans son regard, il l'attirait contre lui et la serrait très fort dans ses bras.

— Ne doute jamais de nous, lui dit-il. Ce n'est pas possible. Je ne te laisserai pas éprouver la moindre incertitude à notre égard.

À la fin de la deuxième semaine de septembre, Édouard dut, à contrecœur, retourner à Paris pour ses affaires. La première collection Wyspianski allait être lancée, d'abord en Europe puis, un peu plus tard, en Amérique, et, bien qu'il attendît ce lancement avec impatience et que tout eût été préparé avec minutie, il éprouvait quelques craintes dues à la réticence de certains collaborateurs au sein même de l'entreprise. Deux directeurs, en particulier, avaient patiemment mené une action retardatrice. Depuis qu'Édouard avait quitté Paris, ils avaient tout fait traîner en longueur.

— Pourquoi agissent-ils ainsi ? lui demanda Hélène.

Édouard lui avait montré quelques modèles de la collection, et Hélène, sans être experte, les avait trouvés magnifiques.

— Pour mille raisons, ma chérie, fit Édouard avec un geste d'impatience. Parfois, je me dis qu'ils font une opposition systématique, parfois qu'ils sont en train de construire un empire. Ils avancent souvent des arguments valables, pour la plupart commerciaux. Je ne les blâme pas toujours. Seuls les intéressent la balance des paiements, les bénéfices. Ils se moquent de la qualité artistique, parce que l'art ne se vend pas. Les modèles de Wyspianski sont chers et ne visent qu'une clientèle réduite. Il y a toujours eu des gens chez nous pour dire que le marché baisse et qu'il faut se tourner vers d'autres domaines, investir dans les biens immobiliers, l'hôtellerie, par exemple. Ils aimeraient se débarrasser totalement de la joaillerie. Évidemment, cela leur est impossible tant que je suis là, aussi se contentent-ils de ne pas se montrer coopérants. C'est tout. J'avais quelqu'un auparavant qui me tenait au courant de tout ce qui se tramait. Il me prévenait dès qu'il sentait les premiers signes d'un complot et étouffait aussitôt l'affaire. Mais il travaille pour moi en Amérique maintenant, et je n'ai pas trouvé un autre conciliateur. Ne t'inquiète pas, dit-il en souriant. Je vais arranger cela très vite. Je ferai l'aller et retour en avion dans la même journée.

Il partit tôt le lendemain matin, s'assurant que sa venue imminente avait été annoncée à son quartier général de Paris. Une fois arrivé, il fit comme si sa visite n'avait rien de particulièrement insolite. Toute la matinée, il s'occupa des affaires courantes, déjeuna rapidement avec son ami Christian Glendinning, qui lui fit remarquer d'un air malicieux qu'il avait l'air d'excellente humeur. Il retourna ensuite à son bureau et enfin convoqua les deux directeurs.

Il les regarda arriver avec intérêt. M. Brichot, le plus âgé, pâle et volubile, était visiblement nerveux. Il devait avoir dans les soixante ans. C'était un homme travailleur, sans imagination, qui avait atteint depuis longtemps le sommet de sa carrière. Peut-être était-il amer à l'idée de ne plus avoir de promotion ? De toute évidence, il aimait se mêler de tout, même de responsabilités autres que les siennes. Sans doute pensait-il que c'était là une preuve de son dévouement et de son énergie. Ou peut-être était-il trop tatillon ? Toujours est-il que c'était la première fois qu'il s'opposait ouvertement à Édouard, qui était certain qu'il avait été poussé par Belfort qui l'accompagnait.

Jean de Belfort était, lui aussi, livide, mais pas à cause de sa nervosité, Édouard s'en rendait bien compte. Tandis que Brichot était mal à l'aise, approchant une chaise puis ne sachant plus s'il pouvait s'asseoir, Belfort, lui, s'approcha calmement. Grand, trapu, un peu plus jeune qu'Édouard, environ la trentaine, il avait une certaine allure et s'exprimait avec pondération. Blond, le teint pâle, des yeux d'une couleur indéfinissable accentués par de lourdes paupières qui donnaient à son visage une expression arrogante, presque sarcastique, il faisait penser à un gros poisson transparent qui évolue dans les profondeurs de la mer, là où ne parvient aucun rai de lumière. Édouard ne l'aimait pas, mais il éprouvait pourtant une certaine admiration à son égard. Il était totalement dépourvu de charme mais pas d'intelligence. C'était une excellente recrue. Il irait certainement très loin. Alors que Brichot semblait fébrile, les yeux rivés sur Édouard de l'autre côté du bureau, Belfort s'avança vers sa chaise et s'assit avec autorité, comme pour dire : « Je condescends à m'asseoir ici pour l'instant, mais ma place est de l'autre côté du bureau. »

Brichot, qui s'était assis également, avait déjà capitulé. Édouard leur avait à peine adressé la parole que Brichot s'exclama :

— J'ai pensé simplement... J'ai peur que... Belfort m'a dit... Enfin, il semblait prudent...

— *Nous* avons pensé..., rectifia Belfort, lançant un regard glacial à son compagnon. Oui, bien que les dépenses pour la promotion de la collection Wyspianski ait été approuvées après discussion, nous avons pensé que le coût de production était beaucoup trop élevé.

— C'est vrai. Beaucoup trop élevé. C'est ce que nous avons pensé.

— Aussi, poursuivit Belfort avec assurance, il nous a paru sage de retarder l'autorisation définitive pendant que nous procédions à quelques vérifications.

Il régna un lourd silence. Brichot avait les yeux fixés sur le plafond tandis que Belfort regardait droit devant lui, dans la direction d'Édouard.

— Ces vérifications sont-elles terminées ? demanda Édouard d'un ton qui fit frémir Brichot.

— Oh oui ! répondit Belfort de façon détachée. Depuis ce matin. Tous les problèmes ont été résolus. J'ai donné moi-même l'autorisation définitive, il y a à peine une heure. Je voulais vous en informer, monsieur le Baron, malheureusement vous étiez parti déjeuner.

L'espace d'une seconde, il regarda Édouard droit dans les yeux. On y lisait une lueur de reproche. Brichot renifla nerveusement.

— Très bien, dit Édouard en se levant. Je ne vous retiens plus. Jean, dit-il en se tournant vers Belfort, la prochaine fois, si vous avez encore des doutes, peut-être pourriez-vous m'en parler directement ?

— Bien entendu. Là, je ne voulais pas interrompre vos vacances.

Il se dirigea vers la porte d'un air hautain. Brichot le suivit précipitamment.

Édouard les regarda partir avec embarras. Brichot était inoffensif. Timide, près de la retraite, il accepterait avec joie un siège, même sans importance, au conseil d'administration. Avec Belfort, c'était différent. Édouard sentait que Belfort le haïssait. Ce sentiment était partagé. Leur antagonisme s'était manifesté dès le premier jour. Cet homme avait de la valeur, mais il représentait une menace. Perplexe, Édouard reprit son travail.

Un peu plus tard, alors qu'il se félicitait d'avoir réglé tous ses problèmes, heureux de pouvoir s'en aller, il reçut un coup de téléphone de sa mère. Il saisit l'appareil à regret.

Louise passa directement à l'attaque.

Fallait-il qu'elle apprenne par hasard que son fils se trouvait à Paris ? S'était-il rendu compte que des semaines s'étaient écoulées depuis sa dernière visite ? Qu'elle n'était plus toute jeune et que ses médecins éprouvaient quelque inquiétude à son sujet ? Édouard l'interrompit.

— Très bien, maman. Je passerai bientôt vous voir mais pour l'instant je suis occupé.

Louise ronronna de plaisir. Édouard raccrocha. Il savait la raison exacte de cette harangue et se demandait combien de temps Louise mettrait pour en venir au fait.

Il lui fallut une demi-heure. Allongée sur une chaise longue, la main posée sur le front mais l'air parfaitement radieuse, elle aborda le problème des domestiques et de son ancien médecin. Elle évoqua avec verve les symptômes réels et imaginaires de sa maladie. La plupart de ses maux étaient une invention, et généralement un nouvel amant était le meilleur remède. Mais elle en avait de moins en moins. La solitude devait lui peser. Édouard s'étonnait de sa propre indifférence.

Son esprit était ailleurs. La Loire, Hélène. Louise lui adressa un sourire déchirant.

— Assez parlé de mes problèmes, mon chéri. Je te trouve particulièrement bien. Sans doute le grand air et l'équitation... Tu devrais prendre des vacances plus souvent. De toute évidence, cela te convient.

— Merci, maman, répondit Édouard, patient.

— J'ai beaucoup pensé à toi, Édouard, fit-elle en se penchant avec élégance. Puis-je te confier le fond de ma pensée ? Tu ne seras pas fâché ? Je crois, mon chéri, qu'il est grand temps que tu songes à te remarier.

Elle lança cette phrase en l'air, tandis qu'Édouard restait impassible.

— Ah oui ? C'est curieux, j'avais la même idée.

— Vraiment, mon chéri ? demanda Louise avec un sourire ingénu.

Édouard se demandait jusqu'où étaient allés les commérages et ce qu'elle savait exactement.

— Je suis si heureuse. On ne peut pas porter le deuil éternellement. J'en ai fait la triste expérience après la mort de mon pauvre Xavi. Il faut envisager l'avenir. On n'a qu'une vie, après tout. Tes responsabilités sont grandes... (Elle fit un geste théâtral de la main et se leva.) Bien entendu, dans ton cas, ce n'est pas si simple. Je le comprends parfaitement. Tu mérites quelqu'un d'exceptionnel, et je me demandais si, à ton retour de la Loire, mon chéri, je n'allais pas organiser une petite réception. Il y a une éternité que je n'en ai pas donné. Pas une grande soirée, mais on pourrait inviter quelques personnes charmantes. La fille cadette des Cavendish, par exemple. Tu te souviens certainement d'elle, Édouard ? Sylvie de Castellane. Ou Monique, non peut-être pas Monique. Elle est très riche, il est vrai, mais... Non. Je pense également à des amis américains adorables. Gloria Stanhope chez qui j'ai séjourné à Long Island l'année dernière ? C'est une femme merveilleuse. Et...

— Maman, veuillez me pardonner, dit Édouard en se levant, je ne voudrais vraiment pas vous faire perdre votre temps.

— Perdre mon temps ? répliqua Louise, les yeux écarquillés. Édouard, comment peux-tu imaginer de telles sottises ? Oui, j'admets que j'essaie de te trouver un parti convenable, mais c'est le rôle de toutes les mères, mon chéri. N'en prends pas ombrage. C'est dans ton intérêt, car je ne voudrais pas qu'une femme te fasse souffrir. Tu es si imprévisible, Édouard. Parfois même tu te montres implacable. Non, ne sois pas offusqué, tu sais très bien que je dis vrai...

— Maman, l'interrompit brusquement Édouard. (L'intensité de son regard fit taire Louise.) Mettons un terme à cette mascarade. Des commérages vous sont parvenus, sans doute par l'intermédiaire de Ghislaine Belmont-Laon qui, Dieu m'en est témoin, ne sait strictement rien. Et maintenant la curiosité l'emporte. C'est la raison pour laquelle vous m'avez demandé de venir. N'aurait-il pas été plus simple de dire la vérité ?

Louise leva les yeux vers lui en souriant, absolument pas troublée. « J'aurais dû me rappeler, songea Édouard avec amertume, qu'elle a une totale confiance dans le pouvoir de son charme. »

Elle lui lança un regard malicieux presque enjôleur.

— Très bien. Bravo pour ta perspicacité, Édouard ! Des bruits courent et, je l'avoue, j'y ai prêté attention. Je me sens concernée. On m'a parlé d'un diamant qu'elle portait lorsque tu l'as emmenée chez Givenchy et chez Hermès. On m'a dit également qu'elle t'avait accompagné dans la Loire. Tu n'y emmènes jamais personne, aussi, tout naturellement, me suis-je posé des questions. J'ai entendu dire qu'elle était très jeune, anglaise, et nul ne sait qui elle est. Édouard, tu as de nombreuses liaisons, le contraire serait étonnant, et peut-être ne faut-il pas y attacher une grande importance. Toutefois...

— Elle s'appelle Hélène Hartland, fit Édouard en se dirigeant vers la porte. Ce n'est pas une simple liaison. Mais je crois que ma vie privée ne concerne que moi.

Il avait un regard glacial. Louise s'avança vers lui, mais la porte se referma brusquement sur son fils.

Dans la Loire il faisait une chaleur étouffante. Les heures passées sans Édouard semblaient interminables.

Après son départ, dans la matinée, Hélène alla se promener dans les jardins du château et dans le parc jusqu'à la prairie. Ces dernières semaines, elle avait souvent fait ce chemin à cheval en compagnie d'Édouard. Ils avaient arrêté leurs chevaux exactement à cet endroit. Hélène resta là, un instant, à l'ombre des marronniers, le regard perdu sur un vaste panorama. La Loire formait une boucle tout au loin. Pas la moindre ondulation, pas la moindre ride, au point qu'elle semblait immobile. Un peu plus tard, oppressée par l'absence d'Édouard, même pour une si courte durée, elle retourna au château en pensant à lui, à tout ce qu'il lui avait dit, tout ce qu'il avait fait. Ces pensées la rapprochaient de lui et lui réchauffaient le cœur.

Elle s'était aventurée plus loin qu'elle ne le pensait. Le soleil dardait ses rayons à la verticale. Hélène eut soudain des maux de tête. Elle s'arrêta une ou deux fois pour se protéger de la lumière, éprouvant une fatigue inhabituelle. Au loin, le château scintillait dans la chaleur. Le soleil lui donnait des reflets chatoyants, plaquant ses rais sur les toits d'ardoise escarpés, les tourelles, les grandes baies vitrées qui lui renvoyaient son éclat. Seule, sans Édouard pour qui ce n'était qu'une maison parmi tant d'autres, tout lui semblait irréel, comme un mirage, un château de rêve ou une illustration dans un livre d'enfant. Ce n'était pas un lieu où elle pourrait vivre. Une petite fille comme elle, qui a eu la malchance de naître de l'autre côté de la barrière ne serait jamais adoptée. Elle s'était attachée à ces lieux. Pourtant, plus elle s'en approchait, plus la distance qui la séparait de ce château lui paraissait grande. Elle y portait un regard nouveau, celui d'une étrangère, et ne le voyait plus comme la demeure d'Édouard.

On lui servit le déjeuner solennellement comme en présence d'Édouard. Un seul couvert à l'extrémité d'une longue table luisante. Des couverts en argent. Des verres de baccarat. « La domestique doit se tenir à ma gauche, maman, la serviette reposera sur mes genoux et, s'il y a un rince-doigts, je n'y glisserai que le bout des doigts. Je sais, maman. On ne doit pas tremper les mains ! »

Elle pencha la tête, ferma les yeux, puis les rouvrit de nouveau. Malgré la fraîcheur apaisante de la pièce, elle avait chaud et n'avait pas d'appétit pour les délicieux mets qui lui étaient offerts. Elle repoussa son assiette dans un coin. En proie à des nausées soudaines, elle se leva précipitamment. L'espace d'une seconde, tout vacilla autour d'elle. Le domestique la regardait d'un air inquiet. Il s'avança vers elle, embarrassé.

Elle ne savait pas comment lui faire comprendre qu'elle voulait rester seule, ne sachant pas quoi lui dire en anglais, et encore moins en français. Dans le doute absolu, elle essayait vainement de se rappeler comment

Édouard se comportait en pareille situation. Mais impossible de penser. Impossible de se rappeler. À ses côtés, elle oubliait tout pour ne voir que lui.

Le serviteur mit fin à son angoisse. Voyant les couleurs lui revenir aux joues, il s'inclina et lui ouvrit la porte. Hélène, intimidée, passa devant lui. Cet homme expérimenté, poli et efficace, la méprisait-il ? Est-ce que tous la méprisaient ? Était-elle un sujet de dérision parmi les serviteurs ? La considéraient-ils comme une intruse ? C'est dans cet état d'esprit qu'elle regagna ses appartements. Une intruse, une étrangère, une femme qui n'avait pas sa place ici.

Les pièces où Édouard l'avait installée jouxtaient ses appartements privés et donnaient sur le parc. Elles avaient autrefois appartenu à l'une de ses ancêtres, Adeline de Chavigny, une femme d'une grande élégance qui était à la cour de Versailles. C'est elle qui avait choisi le mobilier. Elle et son mari avaient été guillotinés après le roi. Hélène passa par le boudoir pour se rendre à sa chambre, effleurant au passage tous les objets qui avaient autrefois appartenu à Adeline. Les rideaux en soie grise qui entouraient le lit à baldaquin, la chaise capitonnée, cousue au petit point sans doute par Adeline, son éventail, la tapisserie d'Aubusson tissée selon son goût, la table de jacquet dont les fiches de score en ivoire portaient encore son nom et, au-dessous, l'inscription : *le Roi.*

Elle était morte courageusement, lui avait dit Édouard. Hélène s'arrêta devant la cheminée en marbre gris au-dessus de laquelle était accroché un portrait d'Adeline. D'une beauté froide, elle se tenait dans le parc du château avec, à ses côtés, un setter offert par Louis XVI, et son fils aîné qui échappa à la guillotine et devint l'un des grands généraux de l'armée napoléonienne. Le vieil ordre aristocratique et le nouveau. Adeline était entre les deux, symbole de sérénité. Son beau sourire glacial fit frémir Hélène qui se sentait plus que jamais une intruse. Elle ne s'attarda pas.

Dès qu'elle s'allongea, elle s'endormit. Quand elle s'éveilla, elle reprit conscience de la lenteur du temps en l'absence d'Édouard. Elle se leva et posa son regard sur le petit bureau marqueté, fabriqué également à l'attention d'Adeline de Chavigny. Dessus étaient posés du papier et des porte-plume. Hélène, en proie à une nostalgie soudaine, eut envie d'écrire à Cassie.

L'idée la mit en joie. Elle s'assit au bureau, choisit un papier sobre, sans en-tête, saisit un porte-plume et écrivit la date. Elle commença par *Chère Cassie*, mais aussitôt s'arrêta.

Le passé resurgit tout à coup. Le terrain vague, sa mère, éreintée, affalée sur le vieux fauteuil rouge, le visage de Cassie, empreint de bonté mais accablé de soucis. « Prends cela, ma chérie, je n'en aurai plus besoin. »

Elle posa le porte-plume et promena son regard dans la pièce. Que d'objets merveilleux ! Que d'argent ! Tous ceux qu'elle avait aimés, tous ceux avec lesquels elle avait grandi avaient vécu dans le dénuement. Toute leur vie, ils avaient peiné pour économiser une misère et ils n'auraient pas pu acheter un seul de ces objets. Elle éprouva un sentiment aigu de culpabilité.

Elle s'était fait une promesse, avait juré à Cassie qu'elle serait différente des autres, qu'elle réussirait sa vie, qu'elle deviendrait une actrice célèbre et riche. Elle trouverait le moyen de faire payer Ned Calvert pour tous ses méfaits.

« Ma vie, songeait-elle. Mon destin. » Et qu'allait-elle écrire à Cassie ? Qu'elle était amoureuse ? Que son bonheur était tel qu'il lui faisait oublier tout le reste ? Que rien ne comptait lorsqu'elle se trouvait auprès d'Édouard ? Elle regarda la page vierge. Cassie ne serait pas surprise si elle savait la vérité. Ne l'avait-elle pas prévu ? Tous les êtres faisaient des projets sans jamais les réaliser, et Cassie, qui était la bonté même, avait eu assez de tact pour ne pas le lui rappeler.

Non, elle n'écrirait pas maintenant. Plus tard, peut-être, une fois le passé estompé et moins douloureux. Le simple fait d'écrire le nom de Cassie ravivait le souvenir d'Orangeburg.

Penchée sur la feuille blanche, dans le silence de la pièce, elle prit une résolution. Finis les mensonges. C'était trop insupportable.

Ce soir, dès qu'Édouard reviendrait de Paris, elle lui demanderait de l'écouter et lui révélerait toute la vérité depuis le début. Le courage ne lui manquerait pas, il était trop proche d'elle maintenant. Pourquoi tous ces mensonges ?

Elle saisit le papier, le cœur plus léger, mais, au moment de le froisser pour le jeter dans la corbeille à papier, elle se ravisa et le remit à plat. Elle regarda de nouveau ce qu'elle avait écrit et vérifia la date.

Sa vision s'estompa alors. Les mots semblèrent grossir démesurément puis rapetisser. Ils dansaient devant ses yeux et, au fur et à mesure, prenaient des formes effrayantes.

La gorge sèche de terreur, le corps tendu et glacé, elle garda les yeux fixés sur la date, l'esprit en ébullition. Puis, poussant un cri de désespoir, elle déchira la feuille en morceaux et la jeta dans la corbeille.

15 septembre. Deux mois presque jour pour jour depuis le départ en bus de sa mère pour Montgomery. Deux mois depuis l'instant où elle l'avait attendue à Orangeburg. Deux mois depuis qu'elle était allée se baigner avec Billy dans la crique. « C'est ce qu'il faut faire, Billy, j'en suis sûre. »

15 septembre. Le jour le plus merveilleux et le plus terrible de son existence. Le jour où elle se rendit compte que rien ne serait comme avant, le jour également où Édouard lui demanda de l'épouser.

Il lui posa la question sans préambule, comme à son habitude, au milieu de la conversation. Aussi Hélène fut-elle prise au dépourvu. Il n'avait rien remarqué d'anormal. Un instant plus tôt, il lui avait parlé de sa mère.

— Les rumeurs de notre liaison lui sont parvenues. Elle m'a fait appeler pour en savoir davantage. Comme elle n'aborde jamais de front les problèmes, elle m'a posé mille questions avant d'arriver au but. Mais je dois dire qu'elle ne manque pas d'intuition. Elle a évoqué ma vie privée. Sans doute a-t-elle deviné... je ne sais pas. De toute façon, cela n'a aucune importance. Elle m'a seulement un peu retardé, et j'avais tellement envie de revenir auprès de toi. Je voulais te demander ta main.

Il avait fait sa demande sur le même ton, avec un calme parfait. Seul un geste fébrile avait trahi son émotion. Hélène resta ébahie. Son expression volontaire, ses cheveux légèrement décoiffés, son regard observateur, son sourire à cet instant restèrent gravés dans sa mémoire. Il était si heureux que son bonheur irradiait.

Il parlait, et ses paroles résonnaient dans son esprit. Elle ne pouvait ni bouger, ni répondre, ni penser, ni ressentir la moindre émotion. Tout en elle était figé. Le silence pesant semblait s'éterniser. Soudain, elle vit son expression changer. Ne pouvant supporter davantage ce spectacle, elle détourna tristement le regard. Il attendit un instant, puis lentement, très lentement, s'avança vers elle et lui leva le visage pour la contraindre à le regarder.

Il l'observa un long moment, le regard solennel et impassible, avant de lui dire d'une voix étranglée :

— Si tout cela était un leurre, alors la vie serait un leurre. La vérité est un vain mot. Tu comprends ? C'est ce que tu veux dire en détournant le regard ?

Le mot *non* résonnait dans l'esprit d'Hélène, elle le ressentait comme un battement de cœur, si pesant, si persistant qu'elle était certaine qu'il devait l'entendre. Mais le mot n'arrivait pas à sortir de ses lèvres qui restaient fermées. Édouard avait toujours les yeux fixés sur elle. Complètement abattu, il avait une expression dure et glaciale. Puis, sans rien ajouter, il laissa sa main retomber et lui tourna le dos.

Il était presque arrivé à la porte lorsqu'elle prononça son nom. Elle le cria spontanément, consciente seulement qu'elle devait l'arrêter. S'il la quittait maintenant, ce serait irrévocable et injuste.

Il se retourna aussitôt, les yeux débordant d'espoir. Elle courut vers lui, et il la serra très fort dans ses bras. Aucune parole ne fut prononcée. Il lui fit l'amour mais, cette fois, c'était presque une lutte entre eux. Sa volonté à elle contre la sienne. Le silence d'Hélène, le refus d'Édouard de l'accepter. Il voulait la soumettre, mais, par une obstination aveuglément féminine, elle se battit avec une violence et une passion insoupçonnées. Ce qu'elle avait l'intention de cacher, il le sentait et faisait son possible pour qu'elle le révèle. Elle résistait avec frénésie, refusant de se laisser mettre à nu de cette façon.

Il faisait l'amour, les yeux ouverts. Elle éprouva soudain un sentiment de haine à son égard. C'était un étranger, un mâle et un prédateur. Mais à la haine se mêlait l'amour. Elle le sentait plus proche quand il s'opposait à elle que lorsqu'il n'était que douceur. Il était à la fois l'ennemi et l'amant. Elle avait l'esprit vide. Quand il la pénétra, elle lui enfonça les ongles dans la peau avec une telle violence qu'elle le fit saigner.

Il resta un instant immobile, contemplant son poignet. Hélène, poussant un léger cri de détresse, lui prit la main et la porta à ses lèvres. Tandis qu'elle s'enivrait du goût amer de son sang, il lui fit l'amour doucement d'abord puis avec la force du désespoir. Il n'y avait plus d'esprit de lutte, mais n'avait-il pas existé seulement dans son esprit ?

— Édouard, murmura-t-elle, glissant sa main entre ses cuisses pour le repousser légèrement.

Elle pencha la tête et guida sa verge entre ses lèvres tandis qu'il gémissait de plaisir.

Lorsqu'il ne se contrôla plus, elle se mit à trembler. Il fit entrer son pénis jusqu'au tréfonds de sa gorge et, avant même d'avoir achevé ses spasmes, déversa sa semence dans sa bouche. Le corps enfin apaisé, ils restèrent un instant enlacés. Hélène l'embrassa tendrement. Elle voulait qu'il connaisse le goût de l'amour qui émanait de ses lèvres.

Blottis l'un contre l'autre, en sueur, ils n'osaient pas bouger. Hélène sentait les battements de cœur d'Édouard. Elle s'aperçut, un peu plus tard, que son visage était mouillé de larmes. Sans doute Édouard le remarqua-t-il au même instant car il l'embrassa doucement sur les yeux.

— Tu as le choix entre « oui » ou « non ». Tu es liée à moi comme je suis lié à toi. Nous ne serons jamais plus unis qu'à présent. Le mariage n'est qu'une cérémonie. Dis-moi que tu le penses, toi aussi.

— Oui.

— Alors pourquoi ? Pourquoi as-tu agi ainsi tout à l'heure ? Hélène, pourquoi ?

Elle hésita. Un instant plus tôt, la vérité semblait s'imposer, mais là, elle n'était plus sûre de rien.

— Je ne sais pas, j'avais peur.

C'était une fuite. Elle s'attendait à des reproches, mais ce ne fut pas le cas.

— Ma chérie, n'aie jamais peur. Plus maintenant. Que pouvons-nous craindre ? dit-il tendrement en l'enlaçant.

Plus tard, ils allèrent se coucher. Une fois Édouard endormi, Hélène, éveillée et tendue, analysa le sentiment de peur qu'elle éprouvait. Depuis combien de jours, de semaines, de mois, ce sentiment avait-il pris naissance ? Elle avait une envie folle de réveiller Édouard et de lui révéler la vérité, même l'événement sordide qui, sans doute, le détournerait d'elle à jamais.

Elle se sentait si proche de lui à cet instant qu'elle faillit tout lui dire. Mais, au dernier moment, la prudence l'emporta. Elle avait déjà la main tendue vers lui quand elle se ravisa et chercha désespérément le sommeil en se berçant d'illusions. Et si, après tout, elle se trompait ? Il pourrait y avoir d'autres explications. C'était peut-être faux. Elle finit par s'endormir. Mais le lendemain, au réveil, la peur était toujours là.

Elle porta ses mains à l'estomac et tenta de toutes ses forces de la repousser. Édouard dormait toujours. Inquiète, elle se glissa hors du lit et se précipita vers la salle de bains. Dès qu'elle fut debout, elle eut des nausées. Une sensation de pesanteur, des sueurs froides dans la nuque. Penchée sur le lavabo en marbre, elle vomit, puis s'aspergea le visage d'eau froide. Les nausées cessèrent.

Malgré l'évidence, elle se refusait à admettre que ses craintes étaient fondées. Son esprit inventait mille explications. Non, c'était impossible, cela ne pouvait pas être vrai.

Elle se regarda dans la glace. En dehors de sa pâleur, il n'y avait rien d'anormal. Elle se palpa le corps. Elle avait l'estomac plat.

« Je vous en supplie, mon Dieu, s'écria-t-elle fébrilement. Je vous en prie, mon Dieu, pas ça. Pas l'enfant de Billy. »

Un sentiment de honte et de haine à l'égard d'elle-même l'envahit brusquement. C'était sa faute. C'est elle qui avait incité Billy à agir ainsi. Elle se revoyait, debout près de la crique, l'ombre et la lumière dansant dans son esprit, si sûre d'elle, si confiante, disant à Billy qu'ils ne faisaient aucun mal. Et maintenant, deux mois plus tard, elle priait pour ne pas en subir les conséquences. C'était un acte méprisable, un peu comme si elle reniait Billy, comme si elle le tuait une seconde fois. L'espace d'un instant, elle revit son visage, l'éclat de ses yeux bleus de martin-pêcheur. Elle en eut le cœur serré. Il avait une expression triste mais non réprobatrice.

Combien de fois avait-elle pensé à Billy depuis qu'elle avait fait la connaissance d'Édouard, six semaines auparavant ? Une fois ? Peut-être deux ? En vérité, pratiquement jamais. Elle l'avait laissé s'effacer dans son souvenir. Ce n'était pas très correct de sa part.

Elle ouvrit le robinet, regarda l'eau couler à flots dans le lavabo, puis le referma. Dans la fraîcheur de la pièce, dans le silence du petit matin, il lui semblait que, si vraiment elle ne se trompait pas, c'était comme un châtiment qui s'abattait sur elle. Elle avait essayé de laisser Orangeburg derrière elle, d'oublier le passé avec ses promesses et ses résolutions, et avait même effacé Billy. Mais c'était impossible. Une froide certitude l'envahit. Jamais elle ne pourrait tout effacer, pas plus Orangeburg que Billy. Ils étaient là, avec elle et en elle, et y resteraient à jamais.

C'est là qu'elle prit sa décision avec une clarté objective, comme si tout cela arrivait à quelqu'un d'autre. Elle tournait le pour et le contre dans sa tête, et tout lui parut simple soudain.

Elle retourna dans la chambre et observa Édouard qui dormait toujours. Non, ce n'était pas aussi simple.

Édouard dormait paisiblement. Comme tous les êtres endormis, il paraissait calme et vulnérable. Le cœur et l'esprit déchirés d'amour, elle sentit sa résolution s'affaiblir.

Elle se pencha et lui effleura le front de ses lèvres. Elle sentait les battements de son cœur contre sa joue. « Et si je me trompais ? se dit-elle, soudain en proie à des pensées incohérentes. Non, je ne peux me résoudre à le quitter, non, pas encore. »

Édouard savait que quelque chose n'allait pas. Cette idée le tourmentait. C'était une intuition plus qu'une pensée logique, car, lorsqu'il essayait de raisonner, il ne trouvait aucune explication. Quand ce malaise s'était-il instauré ? Pourquoi ? Impossible de répondre. Il avait perçu ces changements depuis son voyage à Paris. Était-ce vraiment là que tout avait commencé ou en avait-il seulement alors pris conscience ?

Mais conscience de quoi ? Hélène n'avait pas changé d'attitude. Ils ne s'étaient pas querellés. Ils éprouvaient toujours la même attirance physique. « Non, tout allait bien. »

Toutes ces pensées assaillaient son esprit. Ce qu'il ressentait était imperceptible, impossible à nommer. Une tension, peut-être. Une réticence de la part d'Hélène, qui sans doute avait toujours existé, mais se remarquait davantage ces temps-ci. Il sentait bien, ce qui parfois le plongeait dans le désespoir, qu'elle s'éloignait de lui, doucement, tristement, à contrecœur peut-être, mais elle s'éloignait tout de même petit à petit.

Il avait noté une attitude particulière qu'elle avait toujours eue, mais qui s'accentuait. Assise auprès de lui, elle l'écoutait, lui parlait et, soudain, son expression changeait. Il avait l'impression que le passé resurgissait, lui rappelant un univers d'où il était exclu.

Ce mystère attisait son intérêt. C'était comme un défi, une barrière qu'il voulait briser. Lorsqu'il lui faisait l'amour, il avait l'illusion de balayer les obstacles, de l'avoir toute à lui. Et l'illusion s'effondrait. Il éprouvait une sensation d'union totale et, en même temps, la crainte de la perdre.

Il avait l'habitude, se disait-il parfois avec un certain cynisme, des femmes qui se donnaient facilement, mais il s'en lassait très vite. Hélène n'était pas comme les autres. Elle était plus directe, plus franche. L'amour qu'elle lui portait était inscrit sur son visage. C'était un amour inconditionnel, insouciant, qu'elle n'essayait pas de cacher et qui la rendait vulnérable. Avait-elle songé qu'il pourrait un jour lui faire du mal ? Édouard n'en savait rien, mais la soupçonnait de ne rien laisser paraître par fierté. Au fond de lui, cependant, il était certain du contraire. Elle possédait une qualité rare qui la rendait encore plus chère à ses yeux, le courage.

Pourtant, il éprouvait le sentiment indéfinissable que l'essentiel lui échappait. Elle se donnait et gardait son quant-à-soi avec la même intensité. Ce paradoxe le troublait, l'obsédait. Il s'évertuait à résoudre cette énigme.

Le problème lui semblait relativement simple : elle avait menti. Pas en ce qui les concernait tous deux, pas sur l'amour qu'elle éprouvait à son égard, mais à propos de sa vie passée. Elle ne lui avait pas dit toute la vérité. Dès le début, il s'était rendu compte qu'elle esquivait les questions qu'il lui posait sur son passé. Avec le recul, il commençait à entrevoir quelques contradictions, quelques points obscurs. De minuscules détails, des dates, des lieux qui ne correspondaient pas toujours à ce qu'elle avait dit précédemment. Il avait l'impression qu'elle lui cachait délibérément un événement de sa vie. Il se sentait frustré et furieux. Elle était si jeune. Que pouvait-elle bien cacher ? Ses origines ? Les circonstances qui l'avaient poussée à quitter l'Angleterre ? Une liaison ? Ses soupçons le rendaient jaloux, sentiment qu'il exécrait. Chaque fois qu'il décidait de lui faire dire la vérité quelle qu'elle fût, un je-ne-sais-quoi le retenait. À la reflexion, il se disait qu'elle finirait par la lui avouer, et il lui semblait important de la laisser décider seule, au moment opportun. Il attendit, mais elle gardait obstinément le silence, refusant d'aborder le passé. Il se rendit à l'évidence avec tristesse : elle ne voulait pas envisager l'avenir avec lui.

Son expérience des femmes lui faisait trouver son attitude tout à fait inhabituelle. Toutes celles qu'il avait connues n'avaient qu'un sujet en tête : l'avenir. « Quand me téléphonerez-vous, Édouard ? Quand vous reverrai-je ? » Il avait toujours détesté cette insistance et y avait résisté.

Maintenant, c'était le contraire. C'est lui qui rêvait de projets, de gages d'amour, tandis qu'Hélène vivait au jour le jour.

— Je t'aimerai toute ma vie, lui dit-il un jour, retenant son souffle.

— Moi aussi, Édouard, lui avait-elle répondu d'un ton calme, en soutenant son regard.

Il avait aussitôt été submergé de bonheur et touché par sa simplicité et la certitude de ses propos. Ils n'avaient pas besoin d'assurances. Quelle importance ? Mais de nouveau, le lendemain, Hélène avait retrouvé ce visage distant qui le paralysait. Il aurait donné sa vie pour avoir ne serait-ce que l'ombre d'une assurance.

Deux jours après son retour de Paris, conscient de la barrière qui les séparait et qu'il ne parvenait pas à comprendre, il avait pris une décision. Pensant qu'il en était peut-être responsable, il lui avait parlé pour la première fois de Grégoire, de son mariage, de la mort de son frère, d'Isobel et de leur enfant.

Jamais il n'avait abordé ces sujets avec quiconque. Les mots sortaient difficilement de sa gorge. Si elle avait essayé de le réconforter, de le consoler maladroitement comme n'importe qui l'aurait fait en de telles occasions, il ne l'aurait pas supporté. Malgré son amour, il aurait regretté d'avoir parlé. Elle l'écouta tendrement et, quand il eut fini, éclata en sanglots comme si la douleur était sienne.

Ces larmes le rapprochèrent d'elle plus que jamais. Il était profondément ému. Mais cette harmonie fut éphémère. Le lendemain, la réticence d'Hélène réapparut. Il lui avait donné une preuve de sa confiance en lui faisant toutes ces confidences. Pourtant elle n'arrivait pas, ne cherchait pas, à se livrer.

Une semaine s'écoula. Septembre touchait à sa fin. Édouard allait devoir retourner à Paris. Il lui était impensable d'y repartir sans Hélène. Mais à Paris, en automne, il leur serait impossible d'être seuls comme ils l'avaient été jusqu'à présent. Il lui fallait refaire son apparition dans la haute société, et Hélène, par nécessité, devrait l'accompagner.

Édouard se demandait si cette perspective l'effrayait ou si, tout simplement, elle n'en éprouvait aucune envie. Ce n'était sans doute pas la raison de ses hésitations, mais, à force de se torturer l'esprit pour trouver une explication, toute solution, même erronée, lui semblait préférable au vide.

Pourquoi pas, après tout ? Peut-être avait-il eu tort de passer ces quelques semaines seul avec elle dans la Loire ? Sans doute aurait-il mieux valu lui montrer, dès le départ, le style de vie qu'il était contraint de mener. Si seulement il arrivait à lui faire comprendre qu'il souhaitait plus que tout au monde l'avoir à ses côtés, que sa vie publique, malgré les commérages et les insinuations, n'était pas intimidante...

Une idée lui traversa l'esprit. Il allait donner une réception au château avant leur retour à Paris. Hélène ne s'opposa pas à cette idée, mais essaya de se dérober. Elle tenta de le persuader de repousser son projet. Édouard, certain, devant ses réticences, qu'elle craignait la transition de leur vie privée à une union au grand jour, la taquinait tendrement et repoussait ses objections tout en poursuivant ses plans.

Le dîner fut donné le 24 septembre. La liste des invités était redoutable. Ce fut une occasion qui resta gravée dans sa mémoire. Par la suite, chaque fois qu'il y songeait pour essayer de comprendre le passé, Édouard se rendait compte que cette soirée avait été décisive et devait être marquée d'une pierre blanche.

Le duc et la duchesse de Guise, tous deux d'un âge respectable, avaient été des amis intimes du père d'Édouard. Jean-Jacques Belmont-Laon et son épouse, Ghislaine, la décoratrice, étaient également invités mais purement par défi. « Les rumeurs iront bon train, avait-il dit en souriant. Donnons-leur, à tous, l'occasion de s'exprimer. Avec Ghislaine, ils s'en donneront à cœur joie. » Il y avait aussi Christian Glendinning, le marchand de tableaux, l'un des meilleurs amis d'Édouard. Clara Delluc qui secondait Ghislaine en dessinant les modèles de tissus et qui avait été la maîtresse d'Édouard durant plusieurs années. « C'est fini entre nous depuis longtemps, ma chérie. Il n'y a aucune arrière-pensée. Tu aimeras Clara. Elle s'était liée d'amitié avec Isobel. Je veux que tu connaisses certains de mes amis en qui tu peux avoir confiance. » Deux Américains : le Texan, Drew Johnson, président-directeur général d'une compagnie pétrolière, et son épouse, Billy. D'autres couples, pour la plupart français. Les femmes étaient très élégantes, toutes plus âgées qu'elle et apparemment pleines d'assurance. Ces gens faisaient partie de l'univers d'Édouard. Ils le connaissaient depuis des années, certains bien avant sa naissance à elle. Le duc de Guise à sa droite. Christian Glendinning à sa gauche. Le duc, plein de bonté, s'exprimait en un anglais excellent, discourant sur les plaisirs de la pêche auxquels il s'adonnait depuis quelque temps.

Hélène était tournée vers lui. Elle l'écoutait avec apparemment beaucoup d'intérêt ou du moins était-ce l'impression qu'elle voulait donner, car, en réalité, son esprit était ailleurs.

Vingt personnes. Édouard et elle. Son regard croisa le sien. Assis à l'autre extrémité de la table, il lui souriait tendrement comme pour l'encourager. Cette réception l'effrayait quelque peu, mais ce n'était rien à côté de la décision qu'elle avait prise et qui la glaçait de terreur. Édouard serait blessé. Si elle avait eu le choix, elle aurait préféré mourir plutôt que le faire souffrir.

Mais elle ne l'avait plus. Au fur et à mesure que les semaines s'écoulaient, la certitude s'imposait. Elle aurait souhaité de toutes ses forces empêcher ce dîner, ne pas connaître tous ces gens. Les choses auraient été plus faciles pour Édouard.

— Ce sont les truites que je préfère, dit le duc de Guise en secouant la tête. Elles sont rusées. C'est une pêche plus sportive que le saumon, bien que la plupart des gens pensent le contraire. Je suppose que vous n'aimez pas la pêche ? Peu de femmes l'apprécient, ajouta-t-il comme à regret.

Hélène était perdue dans ses pensées.

— Malheureusement, je n'ai jamais pêché, s'empressa-t-elle de dire.

— Ah, vous devriez convaincre Édouard de vous apprendre, fit-il en souriant.

— J'aimerais beaucoup.

Elle avait répondu spontanément. C'était vrai en un sens, mais c'était aussi un mensonge, car cela ne se produirait jamais. Le duc imaginait un avenir qui n'existerait pas, comme d'ailleurs la plupart des invités. Elle le devinait aux coups d'œil discrets qu'ils lui lançaient. Édouard était aussi dans le même état d'esprit. Jamais elle n'aurait dû accepter ce dîner.

« Mon Dieu, mon Dieu, qu'ai-je fait ? » se répétait-elle.

À l'extrémité de la table, Édouard observait Hélène. Elle portait la robe blanche qu'il lui avait achetée chez Givenchy. Il la trouvait plus belle que jamais. Givenchy était un génie. Ses modèles, connus pour la pureté de leur ligne un peu stricte, étaient faits pour Hélène. Il l'avait vu au premier coup d'œil, et Givenchy en personne l'avait souligné. Une robe en satin de soie rehaussée d'un étroit corsage à baleines et une longue jupe cloche. Le modèle était conçu pour lui laisser les épaules et le cou découverts. Austérité et sensualité s'y mêlaient. Givenchy avait perçu d'emblée le paradoxe de la beauté d'Hélène.

Ses cheveux blonds étaient tirés en arrière et simplement attachés sur la nuque, accentuant la forme ovale de son visage, la perfection étonnante de ses traits. Son visage commençait à prendre quelques couleurs. Édouard fut soulagé. Peut-être commençait-elle à se détendre en voyant que, finalement, ce dîner n'avait rien de terrifiant.

Il jeta un coup d'œil sur sa gauche. Ghislaine Belmont-Laon observait Hélène froidement. Elle avait accepté l'invitation avec un empressement qui avait déclenché le mépris d'Édouard. Sa maîtresse était sur la sellette. Ghislaine y avait fait quelques allusions discrètes, mais c'était une femme fondamentalement stupide. En fait, se disait Édouard, c'étaient ses invités qui étaient mis à l'épreuve, non Hélène.

La nappe, en mousseline brodée, en recouvrait une autre d'une couleur plus vive. C'était la mode au temps de sa grand-mère, et elle se perpétuait encore.

Les flammes des chandelles adoucissaient le jaune, le bleu et le rose du service en porcelaine de Limoges et accentuaient les couleurs des pyramides de fruits. Le centre de la table était décoré comme au temps de son enfance, avec des fleurs sauvages et de la vigne vierge. Il aimait le charme simple de cette décoration que Louise de Chavigny, avec son goût sophistiqué, avait toujours exécré.

Il ressentit une certaine tristesse mêlée de nostalgie en songeant au passé, à tous ces étés perdus entre les deux guerres. Aux parties de tennis où son père laissait toujours Louise gagner. Aux soirées où il jouait au bésigue avec sa grand-mère. À ses aventures avec Jean-Paul... C'est à cette même table qu'il avait goûté son premier verre de vin auquel son père avait ajouté un peu d'eau de peur que ce ne soit trop fort pour un petit garçon de trois ans. C'était un vin de Chinon qui avait un goût de framboise.

Son regard se posa de nouveau sur Hélène. Elle parlait avec Christian, cette fois. « Nous pourrions venir ici passer l'été avec nos enfants, se disait-il. Depuis combien d'années... »

Édouard avait visiblement l'esprit ailleurs, ce qui ne passa pas inaperçu. La duchesse de Guise, en particulier, le remarqua en esquissant un sourire indulgent. Elle éprouvait une sincère amitié pour Édouard et pensait qu'il était temps pour lui de se remarier. Bien qu'elle ne sût rien de la jeune fille, elle lui paraissait charmante. Hélène s'était montrée très patiente avec ce pauvre Alphonse qui avait dû l'ennuyer avec ses histoires de pêche. « Elle est bien élevée », se dit-elle, confiante. Elle n'appréciait pas les manières des jeunes. C'était un plaisir de rencontrer une jeune fille aussi belle et discrète, bien qu'elle ne fût pas française. À une époque, elle avait caressé l'espoir de voir Édouard apprécier les vertus de sa nièce préférée qui aurait été une épouse parfaite. Mais il fallait bien se rendre à l'évidence : sa nièce était plutôt quelconque, comparée à Hélène. Édouard était sensible à la beauté comme tous les hommes.

Hélène passait tous les invités en revue. Ghislaine Belmont-Laon et son mari lui étaient franchement antipathiques alors que le Texan, Drew Johnson, la fascinait. Il portait un veston blanc que sa femme appelait un *smoking*. Extraordinaire. Était-ce vraiment la mode au Texas ? Édouard avait des amis très pittoresques.

En face de la duchesse, assise aux côtés d'Édouard, quoique pas assez près à son goût, Ghislaine dévisageait Jacqueline de Guise, remarquant avec satisfaction que cette affreuse femme était encore plus laide que d'habitude. Son diadème, pour lequel Ghislaine aurait avec joie vendu son âme, était posé sur sa tête de façon disgracieuse. Quant à sa robe, on se demandait où elle avait pu trouver un vert aussi terne.

Ghislaine, examinant sa propre robe, de chez Balenciaga, et les diamants, malheureusement empruntés, qu'elle portait aux deux poignets, esquissa un sourire de satisfaction. Mais son sourire se figea quand son regard se posa sur le modèle Givenchy que portait la nouvelle maîtresse d'Édouard. Givenchy était inimitable, et ses robes aux lignes carrées étaient extrêmement difficiles à porter. Il fallait être grande et mince et, bien entendu, d'une grande beauté. Et ce modèle lui allait à merveille, il fallait bien l'avouer. Pourtant, c'était encore une enfant... Quel dommage. Les hommes comme Édouard étaient toujours attirés par l'innocence, le manque de ruse, qui caractérisait la jeunesse. Cela l'agaçait. Les hommes étaient vraiment stupides. Des atouts éphémères, et Édouard s'en lasserait vite. Édouard était sensuel. Malgré son apparence d'ascète, il avait eu bon nombre d'aventures et était connu pour son inconstance. Cette jeune fille avait eu de la chance de le retenir pendant un mois ou deux. Elle ne pouvait en espérer davantage. « C'est un autre type de femme qu'il lui faut », se disait Ghislaine. Une femme plus sophistiquée et compréhensive, pleine de ressources, qui saurait fermer les yeux sur les fredaines d'un homme intelligent mais impossible à garder. Une femme comme elle...

Cette pensée, qui avait maintes fois traversé son esprit, la faisait frémir de plaisir. Elle essayait de deviner comment il se comportait au lit.

En face d'elle, son mari, Jean-Jacques, qui l'observait d'un air amusé, avait deviné ses pensées. « Qu'elle essaie », songeait-il. Il n'y voyait pas la moindre objection. Lorsque Ghislaine avait un nouvel amant, elle le laissait tranquille. Il lui faudrait attendre que la jeune fille ait disparu de la scène, mais sa patience n'avait pas de limites dans ce domaine. Les liaisons d'Édouard ne duraient jamais bien longtemps. Pour l'instant, Ghislaine perdait son temps. Édouard avait une expression qui ne trompait pas. Il avait dû lui faire l'amour tout l'après-midi et cachait mal son impatience de voir ses invités partir pour la retrouver au lit.

Jean-Jacques observa Hélène de son regard d'expert. Il comprenait Édouard. Le simple fait de la regarder lui donnait des envies. Instinctivement, il se disait qu'elle devait bien faire l'amour. La pureté de ses lèvres étaient comme une invite. C'étaient toujours les femmes qui paraissaient les plus distantes qui étaient les plus fougueuses. Il examina longuement sa robe Givenchy. Édouard l'avait choisie à dessein. C'était bien son goût. Qui, en dehors d'Édouard, choisirait une femme au corps si tentant et l'affublerait d'une camisole à cinquante mille francs qui masquait toutes ses formes ?

À côté d'Hélène, Christian Glendinning faisait son possible pour être charmant. Il savait très bien que cela ne le mènerait pas loin, ce qui l'étonnait, car c'était rarement le cas. Christian n'avait aucun scrupule à se servir de son charme qui avait soulevé des montagnes dans le passé. Alors, pourquoi pas là ? Il la soupçonnait d'être très astucieuse. Sans doute était-elle consciente de sa méfiance envers elle-même, ce qui ébranlait sa confiance habituelle.

Il soupira et redoubla d'effort. Il avait promis à Édouard de l'aider. Ce dîner serait une épreuve pour toute femme dans sa position, et elle était si jeune. Peut-être plus jeune qu'elle ne le prétendait, d'ailleurs, mais pourquoi mentirait-elle ? Et particulièrement tendue. Il avait essayé de lui parler de l'Angleterre pour la mettre à l'aise, mais elle s'était raidie. Curieux...

Christian l'observait attentivement. Des bruits avaient couru sur elle à Paris, et il avait été impatient de la connaître, friand de ce genre de potin. L'arrivée de la jeune fille avait fait grand bruit. Édouard, de toute évidence, était passionnément amoureux d'elle. Christian ne l'avait jamais vu dans cet état. Ce spectacle lui plaisait. Lui-même tombait amoureux avec une telle fréquence et malheureusement toujours d'adolescents peu convenables, mais il croyait qu'Édouard était à l'abri de tout cela.

C'était compréhensible. Elle était d'une beauté époustouflante. Les rumeurs n'avaient pas menti. Elle avait une voix agréable malgré son timbre inhabituel. Il lui fallait parfois se pencher pour entendre ce qu'elle disait, tant elle parlait doucement. Elle lui rappelait, vêtue de cette robe sculpturale, des portraits de peintres espagnols qu'il avait toujours trouvés séduisants. Une jeune infante, voilà. Seulement, ces portraits donnaient souvent l'impression que les jeunes filles étaient prises au piège...

Il soupira. Son imagination lui jouait des tours, sans doute l'effet des excellents vins. Le maître d'hôtel servait un sauternes, un Château d'Yquem. Merveilleux.

Il leva son verre.

— Nectar et ambroisie, dit-il d'une voix affectée. Les dîners d'Édouard donnent l'impression d'être au pinacle, en compagnie des dieux.

Hélène éclata de rire. C'était la première fois depuis le début du dîner.

En face d'elle, Clara Delluc, qui la regardait avec tendresse et tristesse, soudain se redressa.

« Quelle extraordinaire ressemblance ! Hélène avait le sourire de Jean-Paul... »

Les invités commençaient à partir. Alphonse et Jacqueline de Guise furent les premiers, puis les deux Texans à qui Hélène avait à peine adressé la parole de la soirée, plusieurs autres couples français et enfin Jean-Jacques Belmont-Laon et son épouse, qui lui dit :

— Très chère, j'espère vous revoir à Paris. Nous déjeunerons ensemble. Non, pas toi, Jean-Jacques, seulement vous et moi.

Après un coup d'œil furtif à la bague en diamants que portait Hélène, elle traversa la pièce, suivie de son mari, et embrassa Édouard.

— Hélène ?

Elle sentit un bras posé sur elle. Se retournant, elle aperçut Clara Delluc qui lui souriait.

— Je dois partir, et nous n'avons guère eu le temps de parler. J'en suis vraiment désolée. J'espère que nous aurons le plaisir de nous revoir à Paris.

Cette fois, c'était sincère. Hélène leva les yeux vers Clara et éprouva un élan d'amitié envers elle, exactement comme Édouard l'avait prévu. Petite, le cheveu rebelle, de grands yeux marron, elle regardait Hélène avec une douceur un peu sceptique, comme si elle avait envie de lui confier un secret sans toutefois oser.

– Je voulais vous dire, fit-elle en serrant le bras d'Hélène, que je suis très heureuse pour vous et pour Édouard. Vous êtes jeune et vous ne vous rendez pas compte combien il est transformé. Son bonheur irradie. Je vous en suis reconnaissante, comme tous ses vrais amis. Je voulais simplement vous dire que je vous souhaite beaucoup de bonheur.

Elle s'exprimait rapidement, comme s'il lui fallait faire des efforts. Son visage trahissait une telle sympathie qu'Hélène faillit la prendre par le bras, lui faire ses confidences en lui demandant son aide. Le temps qu'elle se ressaisisse, Clara était déjà partie.

Hélène la regarda s'éloigner avec tristesse. Elle n'irait pas déjeuner avec Ghislaine. Ni avec Clara, d'ailleurs. Elle ne les reverrait plus, et personne ne semblait s'en douter. Nul ne prenait conscience du drame qui se jouait.

« Ai-je l'âme d'une vraie comédienne, se demanda-t-elle avec dérision, ou est-ce le fruit de toute mon enfance passée à dissimuler mes secrets ? »

Après avoir répété pendant des années, elle venait de donner sa première représentation.

Jouer devant des étrangers ne présentait aucune difficulté, mais, face à Édouard, c'était tout autre chose. Il bavardait avec Christian, qui, restant au château, expliquait avec une discrétion particulièrement maladroite qu'il était horriblement fatigué et s'excusait de devoir les quitter.

Elle regardait Édouard converser avec son vieil ami. Le choix n'était pas si compliqué, après tout. Quelle que soit sa décision, il souffrirait, mais peut-être la souffrance serait-elle atténuée pour Édouard et pour elle-même si...

Christian prit congé. « Je dois continuer à jouer le jeu encore un peu », se dit Hélène.

Édouard ne devait pas avoir le moindre soupçon. Ensuite, tout serait terminé.

Ce soir-là, Édouard laissa les volets de leur chambre ouverts et ne tira pas les rideaux. Il aimait contempler le corps d'Hélène au clair de lune qui accentuait ses formes et donnait à sa peau des reflets d'argent. La lune avait un éclat insolite.

— C'est la pleine lune, lui dit Édouard. Regarde comme elle est belle. Aucune étoile.

Elle tourna son visage vers la fenêtre, puis vers lui, l'attirant contre elle avec l'énergie du désespoir. Un peu plus tard, alors qu'ils étaient étendus l'un contre l'autre, elle se redressa en l'entraînant dans ses mouvements. Ils se retrouvèrent à genoux face à face. Elle lui prit le visage entre les mains. Édouard, consterné, s'aperçut qu'elle était livide et que des larmes perlaient au bord de ses yeux.

— Édouard, tu sais que je t'aime. Dis-moi que tu le sais. Promets-moi que tu n'en doutes pas et n'en douteras jamais.

En guise de réponse, il se pencha pour l'embrasser, mais elle l'arrêta d'un geste.

— Non, dis-le-moi. Je veux te l'entendre dire, ne serait-ce qu'une fois.

Elle tremblait et s'exprimait d'une voix suppliante, comme si elle avait un besoin vital de s'entendre rappeler l'évidence même.

— Je te crois. Tu le sais très bien. Mon amour, qu'est-ce qui ne va pas ?

— Rien. Je voulais être sûre. Je ne sais pas pourquoi, dit-elle en se laissant tomber sur les oreillers, les paupières closes.

Édouard, intrigué, s'allongea auprès d'elle. C'était la première fois qu'elle lui demandait quelque chose, ce qui l'émut. Il l'embrassa, goûtant ses larmes salées qu'il essuya avec douceur. Elle ouvrit les yeux et lui sourit.

Édouard l'étreignit avec passion, et ils restèrent ainsi, blottis l'un contre l'autre, en silence. Quand il perçut la respiration régulière d'Hélène, il s'endormit, confiant.

Autrefois, il trouvait difficilement le sommeil. Cette nuit-là, il dormit paisiblement comme un enfant.

Le lendemain, au réveil, la place à côté de lui était vide. Hélène était partie.

LIVRE DEUX

LA RECHERCHE

1959

— Elle reviendra, lui dit Christian.

Il était très tard. Hélène Hartland avait disparu depuis quarante-huit heures. Édouard se trouvait dans son bureau en compagnie de Christian, qui l'avait écouté raconter son histoire sans rien dire. Il avait simplement prononcé cette petite phrase, d'un ton qui se voulait convaincant, après le long silence qui s'était établi entre eux. Généralement, en société, il avait recours aux pieux mensonges sans grande difficulté. Mais là, sans doute parce que cela avait de l'importance à ses yeux et qu'il se voulait réconfortant, il sentait que ses mots sonnaient creux. Édouard leva vers lui des yeux sombres qui contrastaient avec la pâleur de son visage. Leurs regards se croisèrent.

— Vraiment ? fit Édouard, esquissant un vague sourire qui rappela à Christian une expression qu'il avait toujours au temps où ils étaient étudiants, ce sourire anglais, particulier à Oxford, qui semblait dire que l'ironie permettait de supporter n'importe quelle épreuve.

Mais ce sourire manquait de conviction. Christian détourna le regard. Une fois de plus, Édouard baissa les yeux sur son bureau où se trouvait une photographie d'Hélène, faite par l'un des garçons d'écurie qui la lui avait apportée le matin même avec un certain embarras mais qui visiblement voulait l'aider à surmonter sa peine. La photo avait été prise la semaine précédente au retour d'une promenade. Elle venait de ramener son cheval et souriait à Édouard. Il n'avait jamais aimé les photos. C'était la seule qu'il possédait d'Hélène Hartland.

Il avait les yeux fixés sur elle, comme si le portrait qu'il avait devant lui détenait un secret et pouvait répondre à toutes les questions qui lui déchiraient le cœur et se résumaient à un seul mot : « Pourquoi ? » et, bien entendu, « Où ? » Oui, où donc était-elle partie ? Il essayait de mettre de l'ordre dans ses pensées, mais le « pourquoi » s'imposait à lui, laissant un immense vide dans son cœur. Si seulement il comprenait les raisons de son départ, il n'y aurait plus aucun mystère et il était certain de pouvoir la retrouver.

Cependant, ce motif obsédant l'effrayait parce qu'il savait que la réponse devait être d'une simplicité et d'une logique implacables. Elle l'avait quitté parce qu'elle ne l'aimait pas. Telle était la vérité qu'il essayait de refouler depuis deux jours. À sa grande surprise, il se sentit presque aussitôt soulagé, car il savait que c'était faux. C'était logique, certes. Partir ainsi, sans un mot, sans emporter le moindre cadeau qu'il lui avait offert, ni la paire de gants de chez Hermès, ni la bague en diamants, ni la robe Givenchy, ni les autres, d'ailleurs, toujours pendues dans l'armoire avec la tenue de cheval, partir comme si les sept semaines qu'ils venaient de passer ensemble n'avaient jamais existé. C'était là le rejet, la négation de tout ce qui avait été dit, de tout ce qui avait eu lieu.

Pourtant, son esprit se refusait à accepter cette explication. Il revoyait l'expression de son visage lors de cette dernière soirée passée seul à seul, il entendait sa voix murmurer des mots d'amour. Il y croyait encore et y croirait toujours. Si cela était un mensonge, sa vie serait de nouveau un obscur néant.

Il avait suffisamment tourné la foi en dérision pour ne pas être conscient de l'ironie de son obstination. Il leva les yeux vers Christian, assis près de la cheminée, et faillit lui confier ses sentiments. Mais sa réserve habituelle prit le dessus. Christian ne comprendrait pas, lui, l'athée invétéré qui ne croyait en rien, sinon peut-être en la beauté de l'art, persuadé que tout amour était voué à l'échec. De surcroît, il ne s'était que trop épanché, ce soir. Soupirant une fois de plus, il posa son regard sur la photographie.

Christian le regardait avec une sincère compassion qu'il s'efforçait de cacher sous son apparent détachement. Plus il observait son ami, plus il regrettait ses paroles. Pauvre Édouard. Ce doit être l'enfer d'être si fier. Était-il différent avec les femmes ? Avait-il eu une autre attitude envers Hélène Hartland ? En pareilles circonstances, lui arrivait-il de se montrer vulnérable ? Il en doutait mais pas totalement, ce qui le peinait. Christian ne comprenait pas qu'Édouard, pour lequel il éprouvait une amitié sincère, pût être plus proche d'une femme que de lui, son plus vieil ami. Cette barrière était sans doute celle qui séparait un hétérosexuel d'un homosexuel. Même l'amitié n'y pouvait rien. Christian éprouva une certaine jalousie, une haine à l'égard d'Hélène Hartland, intensifiée par une méfiance chronique envers les femmes. Il chassa ces idées de son esprit et se pencha vers Édouard.

— J'aimerais pouvoir t'aider, fit-il maladroitement, s'attendant à être repoussé.

Édouard leva aussitôt les yeux vers lui.

— J'ai besoin de toi, lui dit-il simplement.

Christian le regarda, ébahi. C'était la première fois depuis qu'ils se connaissaient qu'Édouard lui faisait cet aveu. Il se sentit bêtement heureux. Son visage s'éclaira sur-le-champ.

— Que puis-je faire, Édouard ? Tu sais que tu peux tout me demander. Je...

— Je veux que tu m'aides à la retrouver. Il faut que je reste ici un jour ou deux, au cas où elle... Accepterais-tu d'aller à Paris pour moi, Christian ? J'ai fait faire une enquête en Angleterre, mais si quelqu'un allait à Paris... Peut-être est-elle retournée là-bas. Tu sais, je t'ai parlé d'un café où elle avait travaillé.

Christian avait esquissé un sourire devant les propos un peu guindés, presque officiels, d'Édouard. Il bondit de sa chaise.

— Évidemment, le café ! Elle t'a bien dit qu'elle occupait une chambre tout près ? On va refaire cette photo, et je la montrerai dans tous les cafés du coin. Il y a bien quelqu'un qui se souviendra d'elle ou une personne qui saura me dire où elle habite. Peut-être effectivement est-elle repartie là-bas ? Même si elle a circulé depuis...

Il s'interrompit devant l'expression glaciale d'Édouard, un sourire un peu confus aux lèvres, puis haussa les épaules. Son impétuosité lui jouait des tours, mais il aimait l'action.

— Excuse-moi, je vais trop vite. Mais sois sûr que je vais m'en occuper, Édouard. Je partirai dès demain. Je mènerai une enquête approfondie. Je... enfin, vois-tu, j'ai toujours rêvé de jouer au détective privé.

Christian se dit qu'il était allé trop loin. Sans doute donnait-il une impression de frivolité, de fantaisie, mais c'était sa manière de réagir dans les circonstances les plus graves. Il marqua un temps d'hésitation, puis leva les yeux vers Édouard, se demandant s'il l'avait blessé. Le silence régna un instant et leurs regards se croisèrent.

— J'ai beaucoup de chance, fit Édouard sèchement.

Il arbora de nouveau son sourire d'Oxford. Cette fois, c'était plus réussi. Christian fut soulagé. Ce n'est que quelques instants plus tard, lorsqu'il s'arrêta un instant après avoir refermé la porte derrière lui, qu'il entendit les sanglots déchirants, longuement refoulés, d'un homme qui s'effondrait. Il prit alors conscience de la force, de la volonté extraordinaire de son ami et de sa capacité à cacher ses sentiments profonds.

Il resta là un instant, puis s'éloigna doucement. Sa détermination à aider Édouard n'en était que plus grande. Au diable Hélène ! C'était une jeune fille sans expérience qui ne valait pas qu'un homme comme Édouard versât des larmes pour elle. Mais, s'il souhaitait son retour, il serait facile de la retrouver.

« Paris, se dit-il non sans une certaine arrogance. Oui, c'est à Paris qu'elle avait dû retourner, à l'endroit précis où elle savait qu'on la retrouverait. » Il esquissa un sourire confiant. Elle était bien comme toutes les femmes. Son but était de provoquer, de semer la perturbation. Du mélodrame, sans signification aucune.

Demain soir, se dit-il en s'endormant, ou elle sera revenue, ou nous l'aurons retrouvée.

Christian trouva le café sans difficulté. Il avait passé la matinée à aider Édouard dans les enquêtes que ses assistants faisaient en Angleterre. Il quitta la Loire après le déjeuner et partit pour Paris. Le trajet épuisant lui parut interminable. Il arriva au café très tard. Il faisait déjà nuit.

Le café de Strasbourg était situé à l'angle du boulevard et de la place Saint-Michel. « Quel lieu sinistre, se dit Christian. Il n'a même pas la gaieté de ses concurrents vers le haut du boulevard. » Sur la terrasse, il y avait six tables. Les glaces étaient barbouillées de quelques publicités de Pernod. Un garçon et une serveuse faisaient leur travail apparemment sans y porter le moindre intérêt. À l'intérieur, assis au comptoir, le patron, un petit homme brun arborant une moustache à la Hitler, nettoyait ses lunettes d'un air lugubre.

Prenant son rôle au sérieux, Christian s'installa à une table et commanda une omelette et un verre de vin. Il décida de s'offrir du foie gras dès qu'il rentrerait chez lui. Tout en avalant son repas frugal, il remarqua avec intérêt que le personnel était temporaire. La serveuse, française, devait être étudiante. Quant au garçon, au visage agréable, il avait un accent américain. Christian reprit courage. Après avoir commandé une fine à l'eau avec son café, il alluma une cigarette russe et s'appuya dans son fauteuil, l'air songeur. Dans un instant, il allait affronter le patron, intimement persuadé qu'il était sur la bonne voie.

Une demi-heure plus tard, sa confiance fut ébranlée. Au début, le patron avait pratiquement refusé de répondre à ses questions et n'avait jeté qu'un regard distrait à la photo que lui avait tendue Christian. S'exprimant pourtant dans un français parfait, il avait eu du mal à le faire parler. Le patron se détendit légèrement lorsqu'il apprit que Christian n'était pas de la police, et bien davantage lorsque Christian lui glissa un billet de mille francs sous la photo. Il se montra totalement coopérant après avoir entendu l'histoire improvisée de Christian qui prétendait rechercher sa plus jeune sœur qui s'était enfuie de chez elle, brisant ainsi le cœur de son père.

Le brave homme en eut les larmes aux yeux. Lui aussi, apparemment, avait une fille qui lui posait des problèmes. Ils s'installèrent un peu à l'écart et Christian lui offrit une tournée. Un verre de schnaps à la main, le patron observa longuement la photo et, avec une évidente sincérité, balaya un à un tous les espoirs de Christian.

Il était prêt à jurer devant n'importe quel tribunal qu'il n'avait jamais vu cette jeune fille. Il n'aurait jamais oublié une femme d'une beauté aussi exceptionnelle. Il lui arrivait d'employer des étrangers qui, n'ayant pas de permis de travail, n'exigeaient pas les salaires exorbitants des Français. Il fit un clin d'œil complice à Christian. Mais cette jeune fille, non, il ne l'avait jamais vue. Et elle avait prétendu travailler chez lui ? Ah ! elles étaient bien toutes les mêmes. Le mensonge ne leur faisait pas peur. Sa propre fille, malheureusement, était exactement pareille.

— En êtes-vous certain ? Il y a à peu près sept semaines de cela. La première semaine d'août, je crois.

— Monsieur, dit-il en soupirant, je vous l'ai dit, ni en août ni jamais.

Après un instant d'hésitation, il désigna le garçon qui servait les clients sur la terrasse, visiblement désireux d'apporter son aide. Peut-être pourrait-il lui donner quelques renseignements utiles ? Il était intelligent, travailleur, beau garçon, et semblait attiré par les filles. C'était un Américain qui travaillait au Strasbourg depuis près de trois mois. Il habitait tout près et connaissait tout le monde dans le quartier. Pourquoi ne pas lui poser directement la question ?

En l'entendant dire qu'il habitait tout près, Christian sursauta. Le patron se leva et fit signe au garçon à travers la vitre. Il arriva aussitôt. Après une brève conversation avec son employeur, le garçon se retourna vers Christian qui se sentit dévisagé et mis à nu par un regard inquisiteur. Le garçon marqua un temps d'hésitation, puis, haussant les épaules, s'assit en face de lui en lui adressant un sourire franc.

— Lewis Sinclair, bonjour, fit-il en tendant la main. M. Schreiber m'a dit que vous recherchiez quelqu'un. En quoi puis-je vous aider ?

Sans dire un mot, Christian posa la photo sur la table. Lewis Sinclair pencha la tête sous le regard évaluateur de Christian. « Son accent dénote une certaine classe, il doit sortir de Ivy League, l'une des meilleures universités américaines, se dit-il. Même en tenue de garçon de café, ça se remarque. » Il portait des mocassins cousus main. Des cheveux, blondis par le soleil estival de la Nouvelle-Angleterre, retombaient légèrement sur son beau visage de chérubin. Une coupe stricte d'étudiant. Grand, bien bâti, des épaules d'athlète. Il devait avoir vingt-trois ou vingt-quatre ans.

Une poignée de main franche, un regard direct, une pointe d'arrogance et un accent typique de Harvard.

Christian avait vu bon nombre de jeunes Américains de ce style. Il se méfiait d'eux comme de leurs homologues anglais : peu conformiste lui-même, il lui avait fallu des années pour apprendre à ne pas sous-estimer les prétendus conformistes. Sous le vernis, c'étaient des durs. Lewis Sinclair l'intriguait. Il portait une montre Tiffany. Sans doute était-ce un divertissement pour lui que de jouer les pauvres sur la rive gauche, mais travailler trois mois au Strasbourg, c'était trop.

Il attendit. Lewis Sinclair fixa la photo durant trente secondes, puis leva vers Christian ce regard qui, instinctivement, ne lui inspirait aucune confiance, et secoua la tête.

— Désolé, je ne peux rien pour vous. Elle est belle, et j'aimerais bien faire sa connaissance. Mais je ne l'ai jamais vue dans le coin.

— Je sais qu'elle n'a jamais travaillé ici, dit Christian. Mais peut-être s'est-elle attablée à ce café ou promenée par là ?

— Si elle est venue, ce devait être mon jour de congé, parce que je l'aurais remarquée.

— Elle était sans doute habillée autrement.

— Oui, je suppose qu'une jeune femme ne se promène pas sur le Boul'Mich' en tenue de cheval.

Il esquissa un sourire désarmant pour atténuer la brusquerie de ses propos. Devant le regard impassible de Christian, il passa, comme il se devait, à l'attaque.

— C'est votre sœur, je crois, d'après ce que m'a dit M. Schreiber ?

Il avait marqué un léger temps d'arrêt avant le mot « sœur », en lançant un regard méprisant vers le costume de Christian d'un goût un peu douteux.

— C'est cela.

— Elle s'est enfuie de chez elle ?

— Oui.

— Pas de chance, fit-il en jetant un coup d'œil à sa montre. J'aimerais bien vous aider, mais c'est impossible. Vous devriez demander dans les autres cafés. Seulement, ils sont nombreux, et ce n'est jamais le même personnel. Ça ne va pas être facile.

— Je sais bien.

Lewis Sinclair lui sourit avec un air bizarre. On aurait dit que cette impossibilité lui faisait plaisir. Christian nota ce fait avec intérêt. Il remercia M. Schreiber pour son aide et lui dit qu'il poursuivrait ses recherches le lendemain, car il avait une ou deux pistes. Lewis eut une réaction bizarre.

Oh, ce fut très rapide. Il se raidit légèrement et lança un regard furtif. Toujours est-il qu'il avait réagi.

Christian sortit du café et traversa la rue. Malgré son échec, il commençait à prendre goût à son enquête. C'était une belle soirée, d'une douceur exceptionnelle, et il n'avait nulle envie de capituler.

Il alla acheter des cigarettes au tabac du coin. Il n'y avait que des Gauloises, mais elles firent l'affaire pour une fois. À l'angle, il emprunta une petite rue d'où il avait une vue globale sur le café et attendit.

Il n'eut pas à attendre longtemps. M. Schreiber sortit et ferma les volets. Lewis Sinclair plaça les dernières chaises sur les tables, pénétra de nouveau dans le café, en ressortit, un imperméable Burberry sur le bras et dit au revoir à M. Schreiber. Après avoir jeté un coup d'œil de chaque côté du Boul'Mich', il traversa et s'engagea dans une rue latérale. Christian attendit cinq secondes avant de le prendre en chasse. Il avait l'impression de jouer le rôle de Humphrey Bogart.

La filature ne présenta aucune difficulté. Lewis Sinclair ne se retourna pas une seule fois et, de plus, à cette heure avancée de la nuit, il y avait encore beaucoup de monde dans les rues. Sinclair prit la rue Saint-Jacques et tourna à gauche dans le dédale de petites rues et de vieilles maisons situées entre la Sorbonne, au sud, et la Seine, au nord. Christian, qui connaissait très bien le quartier, sentait son enthousiasme grandir. Cet endroit était à cinq minutes du lieu où Édouard avait rencontré Hélène Hartland.

Au milieu d'une rue faiblement éclairée, Lewis Sinclair s'arrêta brusquement devant un immeuble étroit et tout en longueur. Tout au bout de la rue, Christian s'immobilisa. Il chercha une porte cochère pour se cacher, mais n'en trouva pas. Il se plaqua donc contre le mur en retenant son souffle. Précaution superflue. De toute évidence, Sinclair n'envisageait pas la possibilité d'être suivi.

Il palpa la poche de son pantalon en jurant, secoua son Burberry, chercha de nouveau dans ses poches. Pas de clé.

Il leva les yeux vers la maison d'un air hésitant, puis, prenant son courage à deux mains, s'avança et frappa à la porte. Christian comprit aussitôt pourquoi il était si ennuyé d'avoir oublié ses clés. Il lui fallut frapper plusieurs fois avant de se faire entendre. Une lumière s'alluma au rez-de-chaussée et un volet s'entrouvrit. Une voix gutturale, familière à tout Parisien, se fit entendre. Colère, indignation, gémissements d'une vieille concierge réveillée à cause de la stupidité inconsidérée de l'un de ses locataires.

« Celle-ci est particulièrement représentative des concierges parisiennes », se dit Christian en souriant, tandis qu'un flot d'invectives se déversait dans la nuit.

Elle mit deux bonnes minutes à ouvrir la porte à Sinclair.

Une fois les lumières éteintes et le silence rétabli, Christian s'approcha de la maison. Elle était toujours plongée dans l'obscurité. La chambre de Sinclair devait donc donner de l'autre côté. Il attendit quelques instants. Rien. La perspective de retrouver son domicile parisien devenait de plus en plus tentante.

Christian partit peu après minuit et retourna à son magnifique appartement, rue des Grands-Augustins. C'était une demeure datant du XVIIe siècle qui avait probablement appartenu à un négociant de l'époque. Il ouvrit une boîte de foie gras et une bouteille de Montrachet, prépara quelques toasts et dégusta son festin. Il téléphona ensuite à Édouard, qui ne devait pas dormir, et veilla à se montrer optimiste.

Enfin, il alla se coucher. Le lendemain, il retournerait à l'appartement de Sinclair. Ce n'était peut-être pas une piste intéressante, mais c'était toujours mieux que rien.

À 6 heures, il se réveilla brusquement, sortant d'un enchevêtrement de rêves. Il s'assit sur son lit, les yeux fixés sur la photo d'Hélène Hartland qu'il avait posée sur la commode, la veille. Un détail minime, au cours d'une conversation avec Édouard, lui revint à l'esprit avec une clarté étonnante. « Je l'ai laissée au café. Elle m'a dit qu'elle habitait tout près, mais qu'elle rentrerait chez elle plus tard. Elle a précisé qu'elle avait une concierge qui avait très mauvais caractère... »

— Bon sang ! s'écria Christian en arrachant son pyjama de soie.

Il s'habilla à la hâte.

Il était 6 h 45 lorsqu'il retourna à la maison. Trop tard.

La concierge se lança dans une superbe tirade, et Christian, qui avait une panoplie virulente d'insultes et d'obscénités dans quatre langues différentes, lui donna la réplique. Espoir vain. Oui, Lewis et son ami avaient une chambre dans la maison, mais ils s'étaient sauvés à 5 heures du matin après lui avoir réglé ce qu'ils lui devaient.

— Un ami ? Un ami ? fit Christian en la faisant reculer.

La concierge commençait à s'énerver.

— C'était elle ?

Christian agita la photo sous son nez. La vieille femme y jeta un coup d'œil et éclata de rire, puis elle lui lança un regard de triomphe malveillant.

— Elle ? Oh non ! Cochon ! Imbécile ! Vous vous trompez sur toute la ligne.

Sinclair habitait avec un autre Américain dont elle ne connaissait même pas le nom. C'était Sinclair qui payait le loyer. Son ami avait le même âge que lui. Gros, laid, brun, barbu, il parlait à peine le français. Il rentrait et sortait à n'importe quelle heure sans la moindre parole aimable. Une espèce d'animal...

La concierge cracha sur le trottoir avec énergie.

Christian recula, confus. L'espace d'un instant, il avait été si certain de détenir la vérité. Hésitant, il lui montra de nouveau la photo. Peut-être la jeune fille était-elle venue rendre visite à Sinclair ou à son ami ? Peut-être était-elle partie avec eux ? La vieille femme était au bord des larmes. Elle poussa un long gémissement.

Elle ne savait rien. Des centaines de jeunes femmes entraient dans cette maison, des vauriennes, sales pour la plupart, vêtues de pantalons si étroits qu'on leur voyait les fesses. Oh non ! elle n'avait jamais vu de jeune femme comme celle de la photo.

Christian changea de tactique. Il lui remit un billet de cent francs, qui disparut aussitôt dans sa main de rapace. Le billet eut l'effet escompté. Ses gémissements cessèrent brusquement, et elle le conduisit dans la chambre de Sinclair sans lui poser d'autres questions. Elle lui donna les clés. Christian escalada les quatre étages en courant et pénétra dans l'antre de Lewis.

C'était une petite pièce étroite mais toute en longueur. Elle avait un certain charme. Christian comprenait l'attrait qu'elle pouvait avoir aux yeux de Sinclair, au moins pour quelque temps. Lui aussi l'aurait trouvée agréable.

De vieux tapis usés jusqu'à la corde. Deux petits lits. Quelques meubles attrayants. Une vue sur les toits de Paris. Des murs blancs, recouverts d'affiches de films de la nouvelle vague. Tout avait été soigneusement débarrassé. Même la poubelle avait été vidée.

Christian passa la chambre en revue. Il se trouvait très bête. Mais pourquoi Sinclair et son ami avaient-ils déguerpi aussi rapidement, et à 5 heures du matin ? C'était étrange. En dehors de ce départ précipité qui pouvait avoir mille explications, rien ne permettait de trouver le moindre lien avec Hélène Hartland. C'était le fruit d'une imagination débordante et sans doute, se disait Christian tristement, d'une trop grande consommation de films de série B. Il était sur le point de partir et de capituler lorsqu'il perçut la voix d'une jeune fille sur le palier.

— Lewis ? Lewis ? C'est toi ? Il m'avait bien semblé entendre du bruit.

Christian resta figé, mais se rendit compte aussitôt qu'elle avait un accent américain.

Une seconde plus tard, la porte s'ouvrit et une petite brune dodue, aux cheveux en désordre, entra dans la chambre. Elle était chaussée de ballerines et portait un pantalon étroit et un pull-over très ample.

La surprise passée, Christian apprit qu'elle s'appelait Sharon et venait de Duluth.

Les événements prirent alors une tournure nouvelle.

Christian, qui pouvait se montrer extrêmement aimable lorsqu'il le souhaitait, déploya tout son charme. Cinq minutes plus tard, Sharon, assise auprès de lui sur le divan rouge, fumait ses cigarettes. Ils conversaient, tels des amis de longue date. Le départ de Lewis sembla la surprendre et un peu la décevoir, mais sa peine fut passagère.

— Oh ! il a eu envie de partir, Dieu sait pourquoi. Thad aussi, sans doute.

— Thad ?

— C'est son ami, dit-elle en s'esclaffant. Je ne connais pas son nom. Moi, je le surnomme Thad le bossu.

Elle fit une grimace épouvantable.

— On dirait Quasimodo. Trapu, une tête de brute avec une moustache noire frisée. Des lunettes. Si vous êtes l'ami de Lewis, vous avez dû le voir, ils sont inséparables. Et, vous savez, quand on l'a vu, on s'en souvient.

— Je ne suis pas un ami de Lewis, dit Christian, saisissant l'occasion, enfin, pas exactement. Je cherche une jeune fille que Lewis aurait pu connaître. Voici sa photo. C'est ma sœur.

Il lui tendit la photo sans conviction. À sa grande surprise, Sharon se pencha et aussitôt son visage s'illumina.

— Mais c'est Hélène. Oh ! elle est splendide. Je l'ai toujours trouvée très belle, mais je ne l'avais jamais vue comme ça.

— Vous la connaissez ? fit-il au bord de l'évanouissement.

— Si je la connais ? Bien entendu. Elle est restée là une semaine. La première semaine d'août. Elle a même dormi dans ma chambre. Je travaille la nuit dans un bar de Pigalle et je dors le jour. Il faut d'ailleurs que je parte travailler maintenant. Je l'ai fait pour rendre service à Lewis. Elle donnait l'impression de ne pas avoir d'argent, de ne pas savoir où loger. Ça alors ! C'est vraiment votre sœur ? Je me suis demandé ce qu'elle était devenue... Voyez-vous, elle est partie comme ça. Mme mystère. Même Lewis n'a aucune idée de l'endroit où elle a pu aller.

Christian se leva et lui tendit la main.

— Sharon, dit-il courtoisement, tout cela se fête. Allons prendre un verre ensemble. Vous allez me raconter la suite.

— Dans un café, maintenant ? fit-elle, rougissante. Il n'est pas encore 7 heures et demie.

— À Paris, les cafés servent à n'importe quelle heure du jour ou de la nuit, je ne vous l'apprends pas. C'est là un des aspects les plus agréables de la ville.

— C'est sûrement mieux que Duluth, dit-elle en éclatant de rire.

— Nous irons dans un café que je connais où l'on nous servira du champagne, fit-il en prenant Sharon par le bras et en la poussant hardiment vers la porte. Ensuite, vous me raconterez tout ce que vous savez.

— Je vais essayer. Dites-moi, tous les Anglais agissent comme vous ?

— Malheureusement pas, répliqua Christian en lui adressant son sourire le plus charmeur. Vous avez en face de vous, Sharon, un spécimen en voie de disparition.

— C'est bien dommage, dit-elle en le suivant joyeusement.

— Bon, voilà comment ça c'est passé, fit Sharon en goûtant son champagne, appuyée sur les coudes. Je suis arrivée à Paris au mois de mai. J'ai rencontré Lewis en juillet au café de Strasbourg. Il y travaillait et a réussi à m'obtenir un emploi. Je ne suis pas restée longtemps à cause de cet horrible Schreiber ! Il donne des salaires de misère.

— J'imagine, dit Christian, avec un sourire encourageant. Je suppose que Lewis se moquait du salaire ?

— Lewis ? Vous plaisantez ! Lewis est plein aux as. Ce boulot n'est qu'un passe-temps pour lui, c'est tout. Il l'a pris pour ne pas avoir d'ennuis. Enfin, c'est ce qu'il m'a dit. Je suppose que vous savez qui est Lewis ?

— Je ne l'ai rencontré qu'une fois. Il était à l'université américaine de Ivy League, je crois ?

Sharon s'esclaffa.

— Exact. Avec cet accent, ce n'est pas étonnant, n'est-ce pas ? La fortune de sa famille remonte à des générations. Son père est le directeur de la Sinclair Lowell Watson, la plus grande banque d'investissements de la côte est. Lewis est l'unique héritier.

— Je vois.

Christian resta un instant songeur, tandis qu'un garçon diligent posait sur la table des œufs brouillés aux truffes et des brioches toutes chaudes. Sharon les goûta avec délices tandis que Christian n'éprouvait soudain plus d'appétit. Hélène semblait avoir le don d'attirer les hommes riches. Il préférait attendre un peu avant d'annoncer la nouvelle à Édouard.

— Voilà, dit-elle en entamant ses œufs, Lewis m'a rendu service et, à mon tour, je l'ai aidé. Je lui ai trouvé cette chambre, à l'autre bout du couloir. Il est venu s'installer avec Thad à la fin du mois de juillet.

— Il n'a pas la tête à être l'ami de Lewis Sinclair, dit Christian, perplexe. Travaillait-il également au Strasbourg ?

— Thad ? Non, fit-elle avec mépris. Je vous l'ai dit, Thad est étrange. Il n'a jamais eu d'emploi. Sa seule activité était d'aller au cinéma.

— Au cinéma ?

— Oui, il adore les films. Il passe ses journées dans les salles de cinéma. Juste après le petit déjeuner, il s'en va et passe la journée à aller d'une salle à l'autre. C'est facile à Paris. Mais vous vous rendez compte, être dans une ville comme ça pour passer son temps enfermé dans des salles obscures...

— Thad est américain aussi ?

— Oui, de Los Angeles, je crois. Mais je ne sais pas grand-chose de lui. Il était toujours là quand je rendais visite à Lewis, c'est tout ce que je peux vous dire. Assis dans son coin, jamais un mot. Vous savez, j'ai des frissons rien qu'en pensant à lui.

— Mais je suppose que Lewis avait de l'amitié pour lui ?

— Ils étaient inséparables, vous voulez dire.

Christian la regarda en sourcillant. Sharon, rougissante, éclata de rire.

— Bon, d'accord, je ne vais rien vous cacher. J'aimais beaucoup Lewis. Je perdais la boule dès que je l'apercevais. Il est très beau, vous savez. Il ne m'a jamais demandé de sortir avec lui, et j'ai fini par me demander si lui et Thad... enfin... je me suis dit que peut-être... ils étaient pédés...

« Oh, non, pas Sinclair », se dit Christian dont l'instinct en la matière était infaillible. Sinclair lui avait paru particulièrement attiré par les femmes. Il adressa un sourire complaisant à Sharon qui lui lançait des regards languissants. Visiblement, son instinct était moins aiguisé que le sien dans ce domaine.

— Mais vous avez rejeté cette éventualité ? s'empressa-t-il d'ajouter.

— Oui, quand Hélène, je veux dire votre sœur, est arrivée.

Christian retenait sa respiration. Sharon s'arrêta et poussa un long soupir.

— Je ne peux pas lui en vouloir. Elle est si belle. Lewis était fou d'elle. Ça se voyait. Thad également, je crois. Mais, avec lui, c'est difficile à dire. Tout ce que je peux vous dire, c'est qu'un soir je suis rentrée dans leur chambre, ils avaient les yeux fixés sur elle, comme s'ils ne pouvaient pas les détacher. On aurait dit deux papillons attirés par une flamme. J'ai éprouvé un peu de jalousie. Qui n'aurait pas réagi comme moi ?

— Savez-vous comment ils ont fait connaissance ?

— Pas vraiment. Je crois que ça s'est fait incidemment. Elle débarquait d'Angleterre, et l'un d'eux, Lewis, il me semble, est tombé sur elle dans la rue. Elle n'avait pratiquement pas d'argent et ne savait où aller. Ils l'ont donc ramenée ici et l'ont installée dans ma chambre. Pas pour longtemps. Sept ou huit jours seulement. Et puis, un soir, elle est partie et n'est jamais revenue.

Elle plissa le front. Une lueur d'inquiétude passa furtivement dans son regard.

— Je ne sais pas où elle se trouve maintenant ni où elle est allée après. J'espère simplement qu'il ne lui est rien arrivé. Je l'aimais bien.

— Avez-vous eu l'occasion de bavarder souvent avec elle ? Vous ne vous souvenez pas d'un détail qui pourrait m'éclairer sur l'endroit où elle a pu aller ?

— Non. Je ne lui ai parlé qu'une ou deux fois. Mais elle m'a paru très réservée. Triste, peut-être. Et un peu perdue. Je l'ai surprise une fois en train de pleurer. Elle était là, dans ma chambre, toute seule. J'ai tenté de la consoler, mais elle est sortie sans rien dire. Elle passait ses journées dehors, d'après Lewis.

— Seule ? Sans Thad ni Lewis ?

— Non. Elle gardait ses distances, comme avec moi.

— À votre avis... avait-elle une liaison avec l'un d'entre eux ?

— Oh non ! répondit Sharon avec certitude. (Elle repoussa son assiette et se pencha vers lui.) Elle leur était reconnaissante, c'était évident. Elle devait certainement se sentir très seule, mais rien de plus. Comment aurait-elle pu s'intéresser à Thad ? Aucune femme ne le pourrait. Et si Lewis avait eu cette chance, je l'aurais su. Il s'en serait vanté, et de plus, il ne sait pas cacher ses sentiments. C'est ce qui l'a rendu fou, je crois. Vous comprenez, Lewis est le genre de gars dont toutes les filles tombent amoureuses. Or elle ne faisait jamais attention à sa présence. Cela le rendait littéralement fou. Votre sœur a une technique au point. Je devrais prendre exemple sur elle.

— Vous pensez que c'était voulu ?

Christian commençait à se sentir beaucoup mieux. Il parvint même à manger un petit peu.

— Non, pas vraiment. C'était naturel chez elle. On aurait dit une princesse de glace. Quand elle est partie, Lewis a été réellement affecté.

— À votre avis, a-t-elle pu revenir ces derniers jours ?

— Peut-être, dit Sharon en rougissant légèrement. Je ne suis pas rentrée chez moi depuis une semaine environ. J'ai fait la connaissance d'un type extraordinaire et... vous savez ce que c'est...

Elle hésita un instant, s'attendant à une observation malveillante, mais Christian lui caressa la main et la rassura. Oui, il savait très bien ce qu'elle voulait dire.

— Elle a pu venir en mon absence. Je crois que Lewis a encore la clé que j'avais donnée à Hélène. Et cette vieille concierge est à moitié aveugle, elle ne doit pas être au courant. Elle ne sait pas la moitié de ce qui se passe ici. Peut-être, effectivement, est-elle revenue, ce qui expliquerait leur départ précipité. J'ai été la première surprise. Lewis ne m'a rien dit. Il n'est pas souvent là. Que voulez-vous, il a du fric et il adore sortir. J'ai été étonnée qu'il reste à Paris aussi longtemps. Il m'arrivait de le taquiner. Je lui disais que, lorsque nous retournerions ensemble aux États-Unis, je m'inviterais chez lui à Boston.

— Vous le feriez ?

— Vous me croyez vraiment stupide ? dit-elle d'un ton méprisant. Paris est une chose, mais de retour dans son pays, Lewis ne m'adresserait même pas la parole. Ça, je le sais. À votre sœur, oui. Mais il faut dire qu'elle a de la classe.

Elle poussa un long soupir, et Christian éprouva une sincère sympathie pour elle. Son acceptation des barrières sociales qui la séparaient d'un homme comme Lewis était réaliste, un peu forcée peut-être mais sans la moindre amertume. Il fit signe au garçon puis se retourna vers elle.

— Je tiens à vous remercier, lui dit-il simplement. Votre aide m'a été précieuse. C'est important à mes yeux. Vous comprenez, c'est ma sœur et elle fait des ravages.

— Oui, c'est certain, dit-elle, le regard interrogateur. Et elle brisera encore bien des cœurs... Ce n'est pas votre sœur, n'est-ce pas ? Ai-je raison ?

— Non. Je l'avoue, fit-il en soupirant.

— Je m'en doutais.

Sharon en tira aussitôt une conclusion erronée. Elle lui caressa la main, puis l'ôta rapidement.

— Je vous souhaite bonne chance. Vous avez été très gentil. J'aurais souhaité pouvoir vous aider davantage.

Christian signa un chèque, puis leva les yeux vers elle. Sharon avait le regard pensif, hésitant.

— Y a-t-il autre chose, dit-il en se penchant vers elle. Vous pouvez tout me dire. Quoi que ce soit, j'ai besoin de savoir.

— En vérité, ce n'est pas grand-chose. Une simple impression, je peux me tromper. Mais tout de même cela m'a surprise...

— Dites-moi.

— Quand vous parliez tout à l'heure de Lewis et de Thad, je pensais à une chose. Voyez-vous, je me demande jusqu'à quel point Hélène ne préférait pas Thad.

— Thad ? s'exclama Christian, ébahi.

— Oh, pas de façon romantique. Ne vous méprenez pas, je ne veux pas dire qu'il l'attirait, mais il m'a semblé qu'il l'intéressait. Il était totalement différent en sa présence. Je vous ai dit qu'en temps normal il était muet comme une tombe. Eh bien, dès qu'elle apparaissait, il se mettait à parler pendant des heures. Il me tapait réellement sur les nerfs et je n'étais pas la seule. Lewis en avait assez, lui aussi. Mais Hélène, elle, buvait ses paroles.

— Ah bon ? Et vous vous rappelez de quoi ils parlaient ? demanda Christian, intrigué.

— Oh oui ! Je vous l'ai dit, du cinéma. De quoi d'autre auraient-ils parlé ?

— J'ai le résultat de mon enquête sur la Sinclair Lowell Watson. Il m'est parvenu par télex il y a à peine une heure, avec des informations complémentaires sur Lewis Sinclair. J'en attends d'autres d'un instant à l'autre. De toute façon, je connais la banque. J'ai traité quelquefois avec eux.

Édouard, assis dans son bureau à Paris, passa en revue quelques feuillets arrivés par télex. Il eut un geste d'impatience. À ses yeux, la Sinclair Lowell Watson ne représentait pas grand-chose. Christian jeta un regard aux papiers qu'il avait en main en soupirant. Il avait téléphoné à Édouard le matin même, juste après avoir laissé Sharon. Édouard avait immédiatement quitté le château de Chavigny dans son avion personnel et était arrivé dans la journée. Il était 2 heures. Quand Édouard agissait, c'était toujours avec célérité.

Christian regardait son ami. La veille, c'était un homme au bord de la dépression. Là, il était totalement différent. Il avait certes encore des cernes sous les yeux qui trahissaient son manque de sommeil, mais il était vêtu d'un élégant costume, bien rasé, bien coiffé. Il émanait de lui une énergie froide et déterminée. « Je n'aimerais pas être à la place de Lewis Sinclair », se dit Christian.

— Nous ne savons pas avec certitude si elle est retournée dans cette maison, Édouard, lui dit-il doucement, ni si elle est partie avec Sinclair et son ami...

— Sinclair s'est sauvé à 5 heures du matin, peu après que tu l'as interrogé au café de Strasbourg. Il me semble que la conclusion est évidente, l'interrompit Édouard sèchement.

Il tapotait son bureau de son stylo en platine.

— Apparemment, il n'y avait rien entre eux, Édouard, ils étaient simplement amis, même pas d'ailleurs, de simples connaissances. Je crois qu'ils l'ont seulement aidée à trouver une chambre.

— Nous ne lui connaissons pas d'autres amis. À mon avis, il est tout à fait possible qu'Hélène y soit retournée. Quand Sinclair s'est aperçu qu'on la recherchait, lui et son ami ont dû l'inciter à déguerpir sur-le-champ. À

5 heures du matin. À moins de meilleurs indices, j'ai l'intention de suivre cette piste. Voilà.

Christian préférait ne pas discuter avec Édouard quand il était de cette humeur. Il parcourut le télex et se mit à lire. Au fur et à mesure, son admiration pour Édouard, tout comme son anxiété, grandissait. Les papiers ne lui donnaient qu'un bref aperçu de la vie de la Sinclair Lowell Watson, son passé, sa position sociale, des éléments qui, en fait, n'apprenaient rien à Édouard. Il y avait également un curriculum vitae très succinct de Lewis Sinclair.

Vingt-quatre ans, comme il le pensait. Seul fils au milieu de quatre sœurs, il était le bénéficiaire de fonds de dépôts de son grand-père, ce qui lui rapportait environ cent mille dollars par an. Il avait fait ses études à Groton puis Harvard où il ne s'était pas particulièrement distingué. Une importante donation de son père, l'année précédant son entrée à l'université, avait vraisemblablement aidé à son admission. Mais ce n'était là qu'une supposition, car Sinclair avait pu aussi être accepté en raison de ses prouesses sportives. Lewis Sinclair fut un brillant arrière dans l'équipe de football de Harvard. Christian esquissa un sourire, fier de son flair. Le jeune homme aux cheveux d'or. Le footballeur. Il leva les yeux.

— Édouard..., fit-il avec un sourire de reproche.

— Tu te fourvoies. Tu as trois ans de retard. Lewis Sinclair a quitté Harvard en 1956. Ce qu'il a fait depuis, dit Édouard avec un sourire pincé, je te le dirai cet après-midi.

— Il a reçu une éducation bostonienne.

— C'est probable, l'interrompit brusquement Édouard.

— Du côté de son père, on trouve quatre générations d'hommes d'affaires irréprochables. Quant à sa mère, c'est une riche héritière, et on peut remonter ainsi jusqu'aux premiers colons hollandais et même avant. Rien à dire dans ce domaine. Et puis il y a ce fils, pas trop intelligent peut-être, cinquième enfant après quatre filles, qui a sans doute du mal à devenir adulte. C'est un enfant riche et gâté.

— Tu n'en sais rien. Ce ne sont que des suppositions.

— J'ai un ami intime à New York qui les connaît bien. C'est un homme d'affaires de Wall Street. D'après ce qu'il m'a dit, Lewis est une sorte de play-boy.

Devant l'expression méprisante d'Édouard, Christian refoula un sourire.

— Il a, paraît-il, un goût très prononcé pour ce que mon ami appelle la « noce ». Je crois bien que cela constitue la majeure partie de ses activités depuis trois ans. Mais j'en saurai plus cet après-midi, comme je te l'ai dit.

Christian observa Édouard avec une pointe d'appréhension. Il avait beaucoup entendu parler de la nature impitoyable d'Édouard dans certains cas, mais il n'y avait jamais été confronté. Il avait attribué ces racontars à la jalousie. De toute évidence, Édouard n'était pas un saint en affaires. Comment pouvait-on réussir aussi brillamment autrement ? Quant à le croire machiavélique, pervers, prêt à tuer son adversaire ou son rival, non, c'était tout de même exagéré. Pourtant, Christian commençait à avoir des doutes.

— Édouard, fit-il sur le ton de la plaisanterie, j'ai entendu parler de tes vendettas, j'espère que cette histoire ne va pas dégénérer. Lewis Sinclair n'a rien fait de mal.

— Une vendetta ? s'exclama Édouard d'un ton glacial. Une vendetta implique des sentiments exacerbés, non ? Or je n'éprouve rien envers Lewis Sinclair. Il n'est qu'un moyen pour parvenir à mes fins.

Christian le regarda d'un air perplexe. Édouard était sans doute persuadé de sa propre sincérité, mais Christian en doutait. Si Édouard éprouvait un sentiment de jalousie que Christian imaginait intense et terrifiant, comment pourrait-il se comporter avec le calme et la lucidité dont il se targuait ? Jamais il n'admettrait sa jalousie, sentiment qu'il jugeait indigne. Christian, qui savait exactement ce que signifiait être rongé de haine, qui connaissait son pouvoir lent et corrosif sur l'esprit et l'âme, ne partageait pas son opinion.

— Édouard... peut-être Lewis Sinclair essaie-t-il d'aider Hélène. Il ne faut pas négliger cet aspect. Dans ce cas, elle peut se sentir redevable.

C'était exactement ce qu'il ne fallait pas dire. À peine eut-il fini sa phrase qu'il en prit conscience. Édouard, le regard plus implacable que jamais, se tourna vers Christian.

— En effet, pourquoi pas ? Je n'oublierai pas cette éventualité.

Visiblement, Édouard était en plein dilemme. L'expression de froide lucidité avait laissé place à un chagrin profond.

— Je dois suivre cette piste, Christian. C'est la seule que je possède. J'ai le rapport complet de Londres et...

— Aucune trace d'Hélène Hartland ? lui dit gentiment Christian.

— Aucun enfant n'a été enregistré sous ce nom. Nul ouvrage de l'auteur Violette Hartland dans aucune bibliothèque anglaise. Aucun pilote du nom de Hartland n'a été engagé dans la RAF pendant la guerre.

Il posa son stylo sur le dossier. Christian détourna le regard. Édouard avait déjà envisagé la possibilité qu'Hélène lui eût menti, mais pas sur l'essentiel, il en était certain. Christian soupira. N'attachait-il donc aucune importance au nom, à l'origine ?

Édouard s'éclaircit la gorge.

— Tu te rappelles, elle a dit qu'elle avait passé son enfance dans le

Devon. Dans un petit village également du nom de Hartland. Elle y a vécu après la mort de sa mère.

— Oui, je m'en souviens. Elle m'en avait aussi parlé au cours d'un dîner.

— Il y a effectivement un petit village isolé du nom de Hartland sur la côte nord dans le Devon. Mes assistants... Je fais procéder à des vérifications, mais je ne m'attends pas à trouver grand-chose. Si je m'y rendais, Christian, accepterais-tu de m'accompagner ?

Devant son regard démuni, Christian éprouva un élan d'affection.

— Bien sûr, tu le sais. Mais entre-temps, que faisons-nous ?

— Je vais faire suivre Lewis Sinclair. Je finirai bien par trouver où il est parti.

Christian était ébahi. Édouard avait une telle assurance.

— Tu crois ? Il me semble que, si quelqu'un a envie de disparaître quelque temps, c'est relativement facile. Lewis peut se trouver n'importe où en Europe en ce moment. Il a pu se rendre directement à l'aéroport et prendre un avion pour New York, Boston ou...

— Ce n'est pas le cas. Mes assistants ont vérifié tous les vols en partance de Paris. À la seconde où Lewis Sinclair passera la douane ou fera une réservation, je le saurai.

— Et s'il prend le train ? Ou une voiture ? S'il fait du stop ? Ou se terre à Paris ? Édouard, comment le retrouver ? Quelle piste vas-tu suivre ?

Édouard se leva.

— C'est très simple, dit-il en haussant les épaules. Dans le monde moderne, il y a un moyen infaillible de retrouver quelqu'un.

— Lequel ?

— L'argent, mon cher Christian.

Dès que Christian l'eut quitté, Édouard appela New York par sa ligne privée. Son ami de Wall Street, un homme de pouvoir et d'influence, dont la banque d'investissements était connue, lui répondit aussitôt. Édouard en vint droit au fait.

— As-tu parlé à ton contact au bureau des impôts ?

— Oui. Et il a trouvé. Il me doit un service. Il me donnera le détail de tous les comptes de Lewis Sinclair demain matin. Peut-être ce soir. Mais j'espère que tu te rends compte, Édouard, que tout cela est parfaitement illégal. J'ai dû insister lourdement et je n'aime pas beaucoup cela.

— J'apprécie ton geste. Merci. Nous savons tous deux que c'est possible, quelles que soient les lois en vigueur.

— Oui mais, grands dieux, Édouard, j'espère que cela en vaut la peine. Vois-tu, Robert Sinclair est un vieil ami. Nous étions étudiants à la même université. Chaque fois que je me rends à Boston, c'est chez lui que je vais. Nous jouons ensemble au golf. Emily Sinclair et ma femme sont très amies. Elles partageaient la même chambre à Chapin.

— J'ai mes raisons. Je ne peux t'en dire davantage. Je puis t'assurer, te promettre, que toute information qui me sera donnée ne tombera pas en de mauvaises mains ou ne sera pas utilisée au détriment de Lewis Sinclair ou de sa famille.

Le banquier new-yorkais soupira. Édouard de Chavigny était l'une des rares personnes en qui il avait confiance.

— Parfait. Considère le marché conclu. Maintenant, dis-moi exactement ce que tu veux savoir.

— Tout. Je veux connaître toutes ses rentrées et sorties d'argent : quand, combien et où. Je m'intéresse particulièrement à d'éventuels transferts de devises dans des banques étrangères, en Europe, par exemple, même si les sommes sont dérisoires. Aux chèques tirés dans les magasins ou les hôtels. Peux-tu avoir le détail de ses cartes de crédit ?

— J'ai leurs numéros en face de moi.

— Excellent. J'aimerais que tous ses comptes soient examinés. Sans oublier les domiciliations bancaires et autres. Si Lewis Sinclair paie par chèque un tube d'aspirine au drugstore, je veux le savoir. (Il s'interrompit un instant.) Est-ce suffisant pour un début d'enquête ?

Un petit ricanement se fit entendre de l'autre côté de la ligne, signe d'admiration accordée à contrecœur par un homme impitoyable à un autre du même acabit.

— Je crois qu'avec cela, on peut commencer. Et cette information, tu la veux pour quand ?

Édouard sourit.

— Nous nous connaissons depuis longtemps, inutile de préciser, fit Édouard en raccrochant.

Dans le silence qui suivit, Édouard posa son stylo de platine sur le rebord du bureau. Comme toujours dans les moments de grande détresse, il se sentait profondément calme. Il promena son regard dans la pièce d'une beauté froide, s'attardant sur les murs austères, les tableaux. La profusion de couleurs des tableaux de Pollock attira son attention, puis, soudain, la douleur, la confusion due au départ d'Hélène assaillirent son esprit. Il pencha la tête et se cacha le visage dans les mains.

« Pourquoi ? » murmurait en lui une petite voix tandis que des images défilaient devant ses yeux : Grégoire, Jean-Paul, Isobel, leur enfant, Hélène. Tous ceux qu'il avait aimés, qu'il avait perdus, les uns après les autres. Pourquoi ? Pourquoi ? Pourquoi ?

C'est entre la fin des années soixante et le début des années soixante-dix que le quartier du Transtévère à Rome devint célèbre. Mais, en 1959, ce n'était pas le cas. Le Transtévère, depuis des siècles, était le quartier pauvre de la ville, avec ses rues étroites et ses belles places, ses vieilles églises et ses palais peu fréquentés par les touristes. Situé sur la rive gauche du Tibre, loin des boutiques élégantes, des beaux hôtels et des coins les plus visités, le Transtévère était un quartier modeste, grouillant et bruyant, mais d'une rare beauté.

Thaddeus Angelini, dont les ancêtres venaient de cette partie de Rome, promena son regard sur les étroites ruelles ombragées, les balcons ornés de cages d'oiseaux chanteurs et le linge qui séchait, tels des drapeaux, aux cordes tendues de chaque côté de la rue. C'était l'endroit idéal pour filmer. Lewis Sinclair se promenait dans la foule dense des marchés de rue, le long des petits cafés et restaurants qui grouillaient de vie, nuit et jour. Rien de mieux pour disparaître quelque temps. Hélène n'eut pas son mot à dire, pour la bonne raison que ni Thad ni Lewis ne lui demandèrent son avis.

Ils étaient arrivés la veille après un long voyage en train. En ce milieu d'après-midi, le soleil était chaud, et Lewis les avait laissés chercher un hôtel. Luxueux, de préférence, leur avait-il dit en souriant. Le Transtévère était pittoresque, mais Lewis n'avait nullement l'intention de passer les deux mois suivants dans une pension pouilleuse.

Hélène était attablée en compagnie de Thad à un café de la piazza di Santa-Maria, en face de l'une des plus anciennes églises de Rome. Elle avait devant elle une tasse de café *expresso* à laquelle elle n'avait pas touché. Thad monologuait depuis une demi-heure, mais Hélène ne l'écoutait pas, absorbée par la beauté des mosaïques qui ornaient la façade de l'église Sainte-Marie-du-Transtévère, avec, de chaque côté de la Madone, cinq vierges sages et cinq vierges folles.

Thad décrivait en détail un travelling utilisé par Hitchcock dans *Sueurs froides*. Hélène avait mal à la tête. Elle ne se sentait pas très bien. La procession des vierges sur la façade de l'église semblait se brouiller, puis réapparaître avec éclat, sans doute sous l'effet des larmes qu'elle refoulait.

Elle venait de commettre l'irréparable : voilà ce qu'elle ne cessait de se répéter. Après avoir mûrement réfléchi, elle était passée à l'acte. Impossible désormais de revenir en arrière.

Il lui avait été très difficile de partir. Elle avait préparé son départ avec minutie, convaincue qu'il n'y avait pas d'autre solution puisque toute autre décision impliquait une explication. Elle avait fait sa valise, plié ses gants

Hermès, posé la bague dessus, mais au moment de partir, de s'enfuir, elle avait hésité. Comment fuir ainsi sans lui donner la moindre explication ? Elle avait eu envie de lui laisser un message, une lettre, quelque chose. Mais après réflexion, elle avait préféré s'abstenir. Si elle se mettait à écrire, elle n'aurait peut-être plus la force de partir.

Elle s'était glissée hors de la vaste demeure, comme une voleuse. Ensuite, ce fut très simple. Une voiture l'emmena en auto-stop directement à Paris, où elle s'était rendue chez Lewis et Thad. Là, elle avait dormi dans la chambre de Sharon, car elle ne savait pas où aller ni que faire. Lewis avait essayé de lui poser des questions, mais Thad l'avait fait taire. Après avoir fait sortir Lewis de la pièce, il s'assit un long moment en face d'Hélène, marmonnant dans sa barbe, puis il lui dit :

— Je savais que tu reviendrais. Il le fallait. Nous avons l'argent. Maintenant, nous allons pouvoir tourner le film. Tu peux avoir un rôle, si tu le souhaites. Tu sais, je t'en avais parlé.

C'était vrai. Il avait envisagé de tourner un film. Hélène l'avait alors cru, car il savait se montrer très persuasif. Plus tard, dans la Loire, toutes les paroles de Thad lui avaient semblé irréelles, de la pure vantardise. Ce qu'il racontait n'arrivait jamais. Et puis Thad, tout comme Lewis, s'était estompé dans son esprit. Seul Édouard était bien réel.

Hélène l'écoutait d'une oreille distraite évoquer le film et expliquer que Lewis le financerait. Et pourtant, tout cela allait se concrétiser. Peut-être que tout ce dont elle avait rêvé se produirait. Il fallait bien commencer.

Thad et Lewis étaient fous de joie à l'idée de ce projet. Ils ne cessaient d'en parler.

— C'est un petit rôle, dit Lewis.

— Ça l'était, le reprit Thad. Il prend de plus en plus d'ampleur.

— C'est un film expérimental à petit budget, ajouta Lewis.

— Doux Jésus, ferme-la, Lewis, dit Thad en serrant les dents.

Hélène s'assit et les écouta. Elle ne parvenait pas à se concentrer. La tête en feu, elle se demandait si Édouard allait partir à sa recherche.

Le deuxième jour, elle se glissa de la maison et alla s'asseoir près du café de Strasbourg. Chaque fois qu'une voiture noire passait, son cœur battait à tout rompre. Mais ce n'était jamais Édouard. À la fin de l'après-midi, elle se rendit à l'évidence : il ne viendrait pas. C'est ce qu'elle avait souhaité, mais cela ne la rendait pas heureuse pour autant. Elle avait beau se dire que c'était mieux ainsi, elle souffrait.

De retour dans sa chambre, elle essaya de faire des projets. Thad allait tourner le film à Rome, mais il ne savait exactement combien de temps durerait le tournage. Son petit rôle lui rapporterait de l'argent, pas beaucoup certes, mais c'était toujours ça. De plus, tous ses frais à Rome seraient payés.

— Ne t'inquiète pas, lui dit Lewis. Tu resteras avec nous. Nous veillerons sur toi.

Hélène avait des scrupules. Elle se demandait si elle aurait le temps. Son corps n'avait pas encore changé, mais si le bébé grossissait d'un seul coup ? Si elle se mettait à enfler comme un melon au milieu du tournage ? Que faire ?

Cependant, elle était certaine de pouvoir le cacher au moins jusqu'au quatrième mois. Le film serait alors terminé. Elle finit par accepter. Lewis était au comble de la joie. Thad ne fit que hausser les épaules. L'éventualité d'un refus ne lui avait même pas traversé l'esprit. Hélène s'enferma dans la chambre de Sharon et se dit que c'était la meilleure solution. Elle gagnerait un peu d'argent, saurait où loger. C'était le début de sa carrière. Elle se mit à pleurer.

C'était le troisième jour. Tard dans la nuit, ou plutôt très tôt le matin, Lewis fit irruption dans sa chambre et la réveilla.

— Il faut partir, dit-il d'un ton évasif. Plier bagage immédiatement.

Hélène se leva péniblement, le regard perplexe.

— Partir ? Où ? Pourquoi ? Quelle heure est-il ?

— Presque 5 heures, fit-il en souriant. Thad a opté pour Rome dans un premier temps. De toute façon, il faut partir. Il y a des problèmes.

— Des problèmes ? De quel genre ?

— L'argent. Le loyer. Toujours la même chose. Il vaut mieux déguerpir. Peux-tu te préparer très vite ?

Elle ne l'avait pas vraiment cru. Des problèmes financiers pour Lewis ? Ridicule. Mais, n'ayant pas d'argent, elle n'avait pas le choix. Une fois les nausées calmées, elle se leva et fit sa valise.

Après un long et épuisant trajet en train, ils étaient enfin arrivés à destination. Il faisait une chaleur étouffante. Thad ne cessait de parler. Dans le train, elle avait eu des nausées à deux reprises et, là, elle s'attendait d'une minute à l'autre à ce que cela la reprenne.

Elle gardait les yeux clos pour se protéger de la lumière intense et de l'image obsédante de la procession des vierges sur la façade de l'église. Depuis son départ de la Loire, elle sentait la présence constante de sa mère à ses côtés. Sa voix se mêlait à celle de Thad de la façon la plus insensée. Thad lui parlait de l'angle de la caméra, tandis que sa mère lui confiait que les hommes ne mentaient pas systématiquement, qu'ils étaient sincères même lorsqu'ils proféraient des mensonges, car ils y croyaient sur le moment, ce qui les rendait très convaincants.

Édouard lui avait-il menti ? Ne l'avait-il pas aimée ? Était-ce la raison pour laquelle il n'avait pas essayé de la retrouver ?

Et s'il était à sa recherche ? À cet instant précis, peut-être se trouvait-il au café de Strasbourg, demandant au patron, aux garçons s'ils ne connaissaient pas Hélène Hartland, s'ils ne l'avaient pas vue ?

Si tel était le cas, il avait dû s'apercevoir qu'elle avait menti et arrêter là ses recherches. Elle en était certaine. Furieux, se sentant trahi, il avait capitulé.

Elle ouvrit de nouveau les yeux. Après tout, c'était mieux ainsi. Elle promena son regard sur la procession de vierges sur la façade. Elles avançaient, reculaient. Cinq vierges folles, cinq vierges sages.

D'où leur venait cette sagesse, précisément ? Elle prit soudain conscience que Thad s'était arrêté de parler depuis un long moment.

Il lui tapota la main maladroitement comme on tapote un chien. Comme il portait toujours des lunettes teintées, on ne distinguait pas ses yeux, mais il semblait inquiet.

— Tu vas bien, Hélène ? Tu as encore des nausées ?

— Non, tout va bien. Je... je songeais au passé.

— Raconte-moi tout, lui dit-il.

Ce n'était pas la première fois qu'il le lui demandait. Il semblait s'intéresser à l'histoire de sa vie.

Elle se tourna vers lui. Thad était d'une laideur repoussante, mais il devait être très intelligent. Il lui faisait un peu peur, car il donnait l'impression de lire en elle comme dans un livre ouvert.

Elle était décidée à lui résister. Seul Édouard avait perçu le fond de sa pensée, et elle avait l'intention de ne plus jamais se laisser aller. Tout était plus simple quand on gardait ses distances. C'était plus sûr aussi.

Après avoir respiré longuement, elle se mit à lui raconter des mensonges. Cela lui rappelait son voyage en train avec la dame qui tricotait. Elle s'attendait à ce qu'il l'interrompît à chaque instant pour lui dire : « Allons, ce n'est pas vrai, ne mens pas », mais pas une fois il ne fit la moindre remarque.

Hélène s'inventa une famille anglaise. Mille détails lui venaient à l'esprit au fur et à mesure qu'elle parlait. Sa famille s'appelait Craig. Il ne pouvait en être autrement, car Lewis et Thad avaient vu son passeport. Son beau-père ressemblait un peu à Ned Calvert et sa mère, maintenant décédée, avait tout de Violette. Elle avait fui sa famille, en particulier son beau-père.

— Il se peut qu'il me cherche, dit-elle à Thad en toute sincérité, mais pas longtemps. Et, même s'il me retrouvait, je ne retournerais pas chez lui.

Thad ne dit pas un mot. Il l'écoutait simplement, sans la quitter des yeux.

Quand enfin elle termina son récit, Hélène le regarda avec anxiété. Il fallait que Thad la croie. C'était une sorte d'audition, de test.

Thad ne fit aucun commentaire. Quand elle se tut, il resta silencieux un instant, puis hocha la tête.

— Eh bien, quelle histoire ! dit-il en levant les yeux vers elle.

Hélène éprouva un sentiment de mépris à son égard. Il lui avait été si facile de le duper.

Ce n'est que bien plus tard qu'elle prit conscience de son erreur.

Il n'y avait qu'un tableau dans la chambre de la princesse. Il était suspendu juste au-dessus du lit. C'était un Dali.

Agenouillé sur les draps de soie noire, tandis que la princesse exécutait un numéro qui l'avait rendue célèbre sur deux continents, Lewis Sinclair se sentit contraint, à moins de fermer ostensiblement les yeux, d'y accorder de l'attention.

L'espace d'un instant qui lui parut une éternité, il contempla ce paysage désert en putréfaction, d'où émergeaient dans le sable des protubérances d'aspect visqueux, appuyées sur des béquilles aux côtés d'un cadran de montre en déliquescence, sans aiguilles, qui défiait le temps. Lewis les contemplait tout en se prêtant aux caprices sensuels interminables de la princesse.

Ce n'était vraiment pas excitant. Lewis, toujours pragmatique et conscient de l'importance de plaire à la princesse, agissait en poltron. Feignant le plaisir, il ferma les yeux. La princesse mit fin à ses baisers, d'une façon comme toujours soudaine et sans la moindre délicatesse. Quand il ouvrit les yeux, elle lui sourit, découvrant de petites dents perlées.

— À vous, Lewis, *mi amore*.

« Va te faire foutre », songea Lewis, et il la baisa.

À la fin de leurs ébats, la princesse s'étira en bâillant. Elle effleura ses bras, qui portaient encore les marques de l'étreinte de Lewis, en lui adressant un sourire reconnaissant.

— Lewis, Lewis, quel amant merveilleux ! Vous n'avez certainement pas appris tout cela à Harvard ?

— Non, à Baltimore.

Lewis se pencha vers son paquet de cigarettes, en alluma deux et en offrit une à la princesse. Elle se redressa légèrement en s'appuyant sur les oreillers de soie noire et inhala longuement la fumée.

— Baltimore, Baltimore ? dit-elle en fronçant les sourcils. Où donc se trouve cette ville ?

— C'est un port, princesse, répondit Lewis avec son sourire d'enfant, légèrement pervers.

— Près de Boston ?

— De Washington. Cela vaut le détour.

La princesse éclata de rire.

— Lewis, Lewis, dire que je croyais que vous étiez un jeune Américain bien sage. Je vous ai sous-estimé, fit-elle d'un air méditatif.

Lewis, toujours allongé dans le lit, changea de place. Il aurait fallu mettre une fois de plus en pratique ses talents pour conclure l'affaire qu'il avait en tête, mais il n'en avait plus l'énergie. Fort heureusement, la princesse semblait temporairement apaisée. Elle lui passa langoureusement la jambe autour de ses hanches et s'enroula autour de son corps comme un serpent. L'instant d'après, elle relâcha son étreinte et fuma paisiblement sa cigarette. « Elle reprend des forces », se dit Lewis. Elle lui faisait penser à un énorme python rassasié, digérant agréablement son dîner, provisoirement au calme en attendant que l'appétit revienne. Lewis se demandait s'il devait aborder le problème maintenant ou s'il était préférable d'attendre.

— Ainsi, vous allez tourner un film avec vos amis, Lewis. Oh, mon petit ange, que vous êtes brillant, dit-elle en s'esclaffant.

Elle effleura de sa langue la poitrine de Lewis qui réagit aussitôt.

— Vous auriez dû m'en parler avant, lui dit-elle sur un ton de reproche. J'aurais pu vous présenter des gens utiles. Federico, par exemple. Vous le connaissez, n'est-ce pas ? Je suis sûre qu'il vous adorerait, Lewis.

— Vraiment ?

— C'est certain. Avec ces cheveux d'or, ces... Oh, peut-être que non, après tout. Peu importe.

Elle posa sur lui un regard pensif, tout en lui caressant la cuisse de ses longs doigts aux ongles vernis d'un rose opalescent.

— Quel type de film, Lewis ? Vous ne m'en avez pas parlé ?

— C'est un film à petit budget, répondit-il avec un peu plus d'assurance. Nous n'avons pas beaucoup d'argent.

— Est-ce vraiment votre ami, celui qui est si laid, qui va faire la mise en scène ? Est-il réellement compétent ?

— Il est bon, dit Lewis en haussant les épaules, même très bon.

Il savait où elle voulait en venir.

— Et cette jeune fille, Lewis ? Va-t-elle avoir un rôle ?

— C'est possible, tout dépend de Thad. Ce ne sera pas un bien grand rôle. Moi, je m'en moque, mais si cela lui fait plaisir.

— Il couche avec elle ?

— Qui sait ? fit Lewis en détournant le regard.

— Et vous, Lewis, vous couchez avec elle ?

Il fallait trouver une réponse rapide et convaincante. Si la princesse soupçonnait qu'il s'intéressait à Hélène, sa vanité serait blessée et elle lui refuserait son aide.

— Moi ? Cette gosse ? Vous plaisantez ! dit-il en souriant.

Ses ongles opalescents creusèrent un sillon le long de sa cuisse.

— Mais cela ne vous déplairait pas ?

— Oh ! s'exclama Lewis en l'embrassant dans le cou. Ce n'est pas du tout mon type, princesse.

Il ne mentait pas très bien, mais cela sembla la convaincre. Le mensonge, et ce qui s'ensuivit, était un moyen sûr de détourner son attention. La princesse poussa un long soupir.

Très vite, l'appétit du python sembla se réveiller de façon alarmante. Lewis leva les yeux vers elle et, tout en la maintenant fermement, lui murmura :

— Alors ? Nous pouvons rester ici pour tourner quelques scènes ?

— Petit démon !

Elle fit une moue qui accentua les rides de son beau visage. « Dommage », se dit Lewis en lui lançant un regard concupiscent qui lui venait maintenant naturellement. Après tant d'années, sa tactique était parfaitement au point. Oui, c'était vraiment dommage que même les meilleurs chirurgiens esthétiques ne puissent effacer totalement les ravages du temps.

— Je pense que c'est possible, lui dit-elle en le taquinant. Je dois m'absenter trois mois. Vous pouvez rester ici pendant ce temps... Si vous me promettez de bien vous conduire. Pas de scandale, Lewis. Raphaël n'apprécierait pas.

Lewis lui sourit. Le prince Raphaël, descendant des Sforza et des Médicis, était connu pour sa complaisance, tout comme son épouse l'était pour ses talents érotiques. Comme il préférait la compagnie de jeunes adolescents, sa complaisance s'expliquait aisément. Lewis se blottit contre les seins incarnats de la princesse.

— Pas de scandale, princesse, c'est promis.

— Pas de réceptions, Lewis, vous me le jurez ?

Lewis songeait à la soirée privée qu'avait donnée la princesse, la veille. Malheureusement, il y avait assisté seul. Deux nains avaient prouvé que les rumeurs enthousiastes qui circulaient à propos de la taille de leur sexe étaient parfaitement fondées. Un homme, portant une robe de cardinal et, comme on l'apprit par la suite, rien d'autre, lui avait fait ouvertement une proposition dans la splendide bibliothèque ancestrale du prince Raphaël, au milieu d'ouvrages rares.

En soupirant, Lewis leva vers elle ses yeux noisette.

— Princesse, comment pouvez-vous m'en croire capable ?

— Tout est possible, Lewis. Bien des bruits courent sur vous.

— Ce ne sont que des mensonges. Je serai l'hôte idéal. Je veillerai sur les serviteurs, les gardiens...

— Vraiment ?

— Je m'occuperai des chiens. Vous savez bien que j'adore les chiens, princesse.

Un voile assombrit son beau visage.

— Oh, mes pauvres bébés. Comme ils vont me manquer. Ils ne cesseront de gémir, Lewis, comme toujours en mon absence.

Lewis refoula un grognement. Il haïssait les chiens, et la princesse en possédait vingt-sept, sans compter les dobermans qui gardaient la propriété.

— Un bifteck d'excellente qualité deux fois par jour. De l'exercice. Ils vivront comme des rois.

— Vous me le jurez, Lewis ?

— Oui, princesse.

— Très bien. Vous m'avez convaincue, petit démon.

« C'est une bonne affaire », se disait Lewis. La princesse possédait trois maisons en Italie, une à Monte-Carlo, une à Tanger, quoique cette dernière fût réservée à son mari, une sur la plage en Jamaïque et enfin une autre dans la Cinquième Avenue. La plupart étaient occupées par des parasites que la princesse trouvait divertissants. C'est ainsi qu'il l'avait connue. Il y avait aussi un avantage important : le *palazzo*, juché sur une colline à une dizaine de kilomètres de Rome, était une véritable forteresse. En dehors des dobermans, des gardes étaient en faction nuit et jour. Nul ne pouvait entrer et, qui plus est, nul ne pouvait sortir. Hélène ne pourrait ainsi plus disparaître inopinément. Lewis y veillerait personnellement.

— Vous m'exploitez, petit démon. Ne croyez pas que je ne m'en rends pas compte, dit la princesse en lui pinçant très fort le bras.

— Mais je vous aime aussi. Tournez-vous.

Par jeu, Lewis lui donna une petite tape sans douceur. La princesse gémit. Elle se mit à plat ventre complaisamment. Lewis, détournant les yeux du tableau de Dali, une fois de plus, s'apprêta à la récompenser de sa générosité.

La princesse se cambra, pleine d'espoir. Elle agitait ses mains sur les draps noirs, avide de plaisir. Lewis se prépara. La gifle qu'il lui avait donnée l'avait excitée.

— Oh, Lewis, dit-elle en soupirant, vous êtes devenu si vite un homme. Dire que je vous ai tenu dans mes bras quand vous étiez bébé... J'étais jeune, moi aussi, alors...

Lewis s'immobilisa sur elle. La princesse n'avait pas d'enfant et elle avait exactement le même âge que sa mère. Croyait-elle qu'il avait oublié ce détail, cette stupide garce vaniteuse ?

— Oh oui ?

Il la prit soudain par surprise. Son cri de douleur l'encouragea.

Les traits figés, les yeux clos, Lewis la pénétra. Avec une vigueur gratifiante, il lui montra quelques menues vétilles apprises à Baltimore.

Une heure plus tard, Lewis retourna au café du Transtévère où Thad et Hélène l'attendaient. Il les aperçut le premier. De loin, ils donnaient l'impression d'être en grande conversation. Thad, levant la tête, scruta la place de son regard de myope avant de se pencher de nouveau vers Hélène. Lewis perçut d'abord la voix monocorde de Thad.

— C'est le procédé cinématographique qu'il a dû employer. Il n'a pas pu obtenir cet effet autrement. D'abord, il a fait un gros plan sur la poupée qui dégringole les escaliers après avoir reçu une balle dans le corps, puis il a filmé l'acteur dans la transparence de l'écran, et...

Il s'arrêta au milieu de sa phrase quand il aperçut Lewis. Hélène leva simplement les yeux sans dire un mot. « Elle a la beauté du diable », se dit Lewis. Il adressa un sourire à Thad qui posait sur lui un regard interrogateur.

— Salut, Lewis. C'est arrangé ?

— Absolument.

— De combien de temps disposons-nous ?

Pas un mot de félicitation ou de remerciement à l'égard de Lewis, ce qui l'irrita passablement.

— Trois mois. Elle doit s'absenter tout ce temps-là. À ton avis, ça suffit ?

— Certainement, c'est plus qu'il n'en faut.

— Le tournage sera long ?

— Six semaines, répondit Thad d'un ton las. Six semaines et deux jours, peut-être.

— Bon Dieu, quel mec ! fit Lewis en glissant une chaise entre Hélène et Thad. Comment peux-tu savoir exactement ?

— J'ai le scénario définitif, je sais que c'est possible.

— Première nouvelle.

Lewis fit signe au garçon et commanda un café. Il n'était pas dans les habitudes de Thad de se vanter. Peut-être était-ce pour impressionner Hélène ?

— Bon, si tout est prêt, puis-je y jeter un coup d'œil, fit-il en se penchant vers Thad.

— Non.

— Et pourquoi ? Pour l'amour de Dieu, où est ce scénario ?

— Là-dedans, dit-il, hilare, en se tapant le front.

Lewis, haussant les épaules, se tourna vers Hélène et lui prit la main en la pressant légèrement.

— Comment te sens-tu ?

— Très bien, fit-elle en lui retirant sa main.

— Tu vas aimer le palais de la princesse, lui dit-il d'un ton encourageant. C'est le décor rêvé pour le tournage. Tu verras les pièces. Elles sont si vastes qu'on en reste ébahi. Et puis...

Il hésita. Lewis ne lui avait pas encore parlé de l'homme qui était venu au Strasbourg poser des questions à son sujet.

— C'est un endroit très paisible, à l'abri des regards indiscrets. Alors...

— C'est le rêve, lui dit-elle de son accent anglais incisif, le regard perdu dans le vague. A-t-il été difficile de convaincre la princesse ?

Un je-ne-sais-quoi dans ce regard interrogateur fit rougir Lewis. Il espérait qu'elle ne s'en rendrait pas compte.

— Non, pas vraiment, lui répondit-il promptement. C'est une vieille amie de ma mère, vois-tu, elle est très généreuse.

Thad s'esclaffa. Lewis lui lança un regard glacial. Parfois son manque de tact allié à une grossièreté étonnante l'énervait.

— Elle connaît tout le monde, poursuivit-il d'un ton réprobateur. Les artistes, les acteurs, les écrivains, les metteurs en scène. Elle voulait nous présenter à Fellini, elle me l'a dit...

— Dis-lui de ne pas se donner tant de mal.

Thad ôta ses lunettes, souffla dessus avant de les nettoyer de sa manche sale. Lewis l'observa avec dégoût.

— Tu ne veux pas faire la connaissance de Fellini ? Pourquoi ?

— Ses films, c'est de la merde, dit-il en remettant ses lunettes.

Un jardin anglais.

La Rolls-Royce Phantom noire était venue chercher Édouard à l'aéroport de Plymouth. Elle sillonnait les routes incroyablement étroites du Devon, en direction du nord. Ces premiers jours de novembre étaient plongés dans le froid et la grisaille. Il faisait presque nuit, bien que ce fût le début de l'après-midi. Christian lança un regard furtif vers Édouard qui n'avait pas dit un mot depuis qu'il était monté en voiture. Il avait le visage tourné vers les hauts talus et les haies, bordant la route, qui défilaient sous ses yeux. Son regard livide était impassible.

La faible lumière, les nuages bas dans le ciel, les hauts talus donnaient à Christian un sentiment de claustrophobie. Il avait l'impression de traverser un tunnel. Lorsqu'il lui arrivait parfois d'apercevoir une grille ou une trouée dans ces remblais, il contemplait le paysage avec soulagement. Malgré la beauté du décor, c'était sinistre. De rares maisons, des champs récemment labourés dont on apercevait les sillons de terre rouge retournée, des massifs d'aubépines qui ployaient sous le vent soufflant de la côte. Parvenu au sommet d'une côte, Christian aperçut la mer pour la première fois : plate, d'un gris métallisé, elle s'étendait indéfiniment là où l'horizon allait se perdre derrière les nuages.

— C'est au bord de la mer. Exactement ce qu'elle a dit.

Les paroles d'Édouard firent sursauter Christian. Mais il détourna une fois de plus le regard, puis, après un soupir, se plongea de nouveau dans la lecture de l'ouvrage posé sur ses genoux.

Les parents de Christian, surtout sa mère, amie de Vita Sackville-West, étaient passionnés de jardinage. La revue *Guide des jardins nationaux*, qui donnait la liste des jardins ouverts au public et dont l'argent était recueilli pour des œuvres de charité, lui était donc familière. La demeure de ses parents, le manoir de Quaires, était répertoriée dans la région d'Oxford.

Aux yeux de Christian, cette publication reflétait l'âme anglaise. Bien que de modestes jardins y soient inclus, c'était essentiellement le témoignage de l'obsession de l'aristocratie anglaise pour l'horticulture. Chaque comté, chaque manoir y était dépeint avec minutie : un parterre herbacé par-ci, un jardin par-là, la taille ornementale des arbres, des roseraies, des massifs de rhododendrons et mille autres détails extrêmement précis, notamment des instructions pour trouver la demeure et le jardin en question, ainsi que le nom, le titre et le numéro de téléphone des propriétaires. Christian avait autrefois taquiné ses parents en leur faisant remarquer qu'on aurait dû intituler cette revue : *la bible du parfait cambrioleur.*

Christian ne pensait pas qu'Édouard s'intéressait à ce style de revue, mais ses connaissances étaient si vastes, dans des domaines aussi différents que les sciences ésotériques, que Christian ne s'étonnait plus de rien. C'était Édouard qui avait eu l'idée de consulter ce guide et qui avait souligné d'un fin trait noir, dans la section consacrée au Devon :

> Penshayes House (Mlle Élisabeth Culverton), Compton, près de Stoke-by-Hartland. À trois kilomètres de Milford, sur la B2556, prendre la direction de la métairie. Un hectare et demi de

jardins dans une vallée située à moins de cinq cents mètres de la mer. Fondée par feu sir Hector Culverton. Parc boisé classé historiquement. Massifs de roses et d'éricacées. Jardin potager.

Christian sourit. L'entrée coûtait un modeste shilling. La tante d'Hélène ouvrait son jardin tous les deuxièmes vendredis du mois, un trimestre par an. L'endroit était au fin fond du pays. « Malgré ses efforts, se disait Christian, elle ne devait pas gagner plus de dix livres par an. » Pourtant, comme sa mère l'aurait fait remarquer, cela n'avait aucune importance. Aux yeux de Christian, qui éprouvait une indifférence totale pour l'horticulture, un jardin ne servait qu'à vous esquinter le dos, vous briser le cœur, pour retourner en friche six mois après votre mort. Piètre récompense après une vie de labeur. « Les jardins sont comme les femmes, se disait Christian. Les hommes ont beau essayer de les dompter et de les façonner, ils échouent toujours. » Mais il s'était bien gardé de faire partager ses pensées à Édouard.

Cependant, il semblait que, sur un point au moins, Hélène avait dit la vérité, ou plutôt une vérité partielle. Le jardin qui donnait sur la mer existait. La tante existait. Sur l'ordre d'Édouard, une enquête de la plus haute discrétion avait été menée par un groupe de détectives privés qui avaient retrouvé sa trace grâce à cette revue.

L'enquête avait pris quelques semaines, mais elle s'était révélée plus fructueuse que la recherche de Sinclair Lewis qui s'était opérée simultanément. Sinclair ne restait jamais au même endroit, ce qui compliquait les choses. Un dossier complet sur ses activités de ces trois dernières années, depuis qu'il avait quitté Harvard, avait été établi, principalement grâce aux chroniques mondaines des journaux. Le parfait noceur : réceptions à New York, à Los Angeles ou San Francisco. Un tour à Londres avec, au passage, une réception à Chelsea, suivie d'une descente de police. Gstaad, l'hiver précédent. Un bref retour à Boston, et encore des réceptions. Le seul souvenir que Christian gardait de ces dossiers était une série de photos de Sinclair en tenue de soirée débraillée, avec une femme chaque fois différente à ses côtés. Ainsi Sinclair continuait-il sa ronde infernale, ce qui rendait d'autant plus intéressant le fait qu'il se fût volatilisé. De toute évidence, il se montrait prudent.

Quant à Élisabeth Culverton, c'était un autre problème. Dans cette zone rurale, où les familles vivaient depuis des générations, n'ignorant aucun détail sur le passé et le présent de chacun et où peu d'étrangers s'aventuraient, il était relativement aisé de mener une enquête. Un jardin, une sœur prénommée Violette, ces seuls éléments avaient suffi. Nul n'avait identifié la photo d'Hélène Hartland, du moins était-ce encore le nom auquel se référait Christian, mais parmi les habitants les plus âgés des villages de Hartland et de Stoke-by-Hartland, certains avaient souvenance de la jeune Violette Culverton qui avait vécu dans la grande maison et s'était enfuie pour monter sur les planches. À l'époque, l'histoire avait fait scandale. Peu importe si l'événement s'était produit juste avant la guerre, soit vingt-cinq ans auparavant, chacun en parlait comme s'il s'agissait de la veille.

Christian referma son guide et regarda le paysage défiler par la fenêtre. Selon lui, il y avait deux catégories de menteurs : ceux qui inventaient tout du début à la fin et ceux qui émaillaient leurs mensonges de quelques vérités. Hélène Hartland faisait, sans doute, partie de cette seconde catégorie. L'existence d'Élisabeth Culverton et de la maison en était la preuve. Édouard avait, sur ce point, de la chance. Mais était-ce vraiment une aubaine ?

L'attitude d'Édouard inquiétait Christian qui, bien sûr, n'en souffla mot. Au fond de lui, il aurait préféré qu'Hélène ait menti sur toute la ligne. Ne valait-il pas mieux pour tout le monde qu'elle ait totalement disparu ? Il poussa un long soupir en apercevant un panneau, puis regarda sa montre. Ils allaient arriver avec un quart d'heure d'avance.

Édouard agita la poignée d'une vieille cloche en bronze qui retentit à l'intérieur de la maison. C'était une énorme bâtisse horrible en brique rouge, de type victorien. On y accédait par une longue allée bordée de rhododendrons. La maison semblait vide.

Édouard et Christian se regardèrent, et reculèrent pour mieux l'observer. Des rangées de fenêtres sombres, pas de lumière, une gouttière brisée, des murs imprégnés d'humidité. Même en plein été, elle ne devait guère exercer le moindre attrait. En cette froide journée de novembre, elle avait un aspect rébarbatif tout à fait déplaisant. Édouard actionna de nouveau la poignée. Tout au fond du jardin, un chien se mit à aboyer. Édouard et Christian, sans se consulter, partirent en direction des aboiements. Ils empruntèrent un étroit chemin dallé qui contournait la maison, passèrent devant des dépendances et une vieille écurie en ruine, et débouchèrent sur un jardin. Christian aperçut une vaste étendue de petits jardins uniformes aux pelouses jonchées de feuilles humides. Tout au fond, derrière un séquoia ruisselant et des haies sombres d'ifs qui avaient besoin d'être taillés, se profilait la mer.

Le chien se mit de nouveau à aboyer. Christian et Édouard se retournèrent. Le chemin longeait un vieux pavillon au toit affaissé, couvert de plantes grimpantes, et donnait sur un enclos carré, maintenant désert et sinistre mais qui avait été, de toute évidence, un jardin de roses.

Là, deux gros labradors noirs s'amusaient à se pourchasser, et une femme assez grande, un sécateur à la main, taillait un immense massif de roses. Ils l'aperçurent avant qu'elle ne remarquât leur présence. Décharnée, elle devait avoir une soixantaine d'années, et ses cheveux gris étaient coupés très courts. Elle portait une veste en velours épais, un pantalon d'homme, des bottes de caoutchouc couvertes de boue. Édouard s'avança vers elle. Les chiens s'arrêtèrent net et se mirent à grogner en signe d'avertissement. La femme se dégagea d'une longue branche épineuse où s'étaient accrochés ses cheveux, puis les regarda arriver sans broncher. Le soleil fit une brève apparition derrière un nuage et se refléta sur la lame du sécateur. D'un geste de colère, elle calma les chiens et vint à leur rencontre. Elle avait le visage buriné, des yeux d'un bleu intense, des traits anguleux. « Un visage de fouine typiquement anglais », se dit Christian. Elle arborait une expression particulièrement peu accueillante.

— Oh, vous êtes entrés, dit-elle en s'avançant vers eux, je ne pensais pas que vous oseriez. Bon, puisque vous êtes là, venez. J'espère que ce ne sera pas long parce que le moment est mal choisi. J'en ai encore soixante-quinze à tailler.

Elle s'approcha d'eux puis, après les avoir toisés du regard, leur montra le chemin. Les chiens la suivirent.

— Allons, Livingstone, Stanley, couchés.

Elle les siffla, et les chiens se mirent à faire des bonds autour d'elle. Édouard et Christian échangèrent un regard. Comme ils s'apprêtaient à la suivre, Christian prit Édouard par le bras.

— Édouard, tu connais ta réputation de charmeur.

— J'en ai entendu parler.

— Eh bien, je crois que c'est le moment de t'en servir, non ?

Élisabeth Culverton les fit entrer dans un hall glacial, carrelé de damiers orange et verdâtres. Après avoir ôté ses bottes et accroché sa veste à des andouillers qui servaient de porte-manteau, les pieds bien au chaud dans de grosses chaussettes de laine, elle leur dit d'un ton péremptoire :

— Vous pouvez laisser vos manteaux ici.

Au milieu d'un fatras de bottes de cheval et de chaussures couvertes de boue, elle prit une paire de pantoufles d'homme à moitié rongées par un chien et leur indiqua une pièce de l'autre côté du couloir. Lentement, Christian et Édouard ôtèrent leurs pardessus. Christian promena son regard alentour. Il y avait un énorme escalier de chêne. Sur les murs, où ressortaient des fleurs sur fond brun, étaient suspendus d'affreux portraits de famille qui se distinguaient à peine dans l'obscurité. Il remarqua un renard empaillé, dans une cage, des têtes de cerf et des andouillers, des cannes à pêche et toute une série d'insectes pour la pêche à la mouche. Il croisa le regard d'Édouard.

— L'intérieur est pire que l'extérieur, lui murmura-t-il à l'oreille. Ce qui est un exploit.

— Christian, je t'en prie.

— D'accord, d'accord, je me tiens bien.

Il suivit Édouard dans la pièce de l'autre côté du couloir. Il y avait une odeur de fumée de bois. Au moment où ils entrèrent, Élisabeth Culverton jeta une bûche dans le feu vacillant et la poussa violemment du pied. Christian, de plus en plus étonné, continuait son inspection.

La pièce qui, de toute évidence, était un ancien fumoir semblait ne pas avoir subi la moindre modification depuis 1914. Il s'y trouvait de gros fauteuils confortables, certains en cuir usé, d'autres en chintz fané. Le plafond élevé, d'un brun sale, était en ogive. Des photos étaient collées sur les murs lambrissés : un groupe de rameurs, de jeunes écoliers, des équipes de cricket, des hommes alignés, vêtus de pantalon blanc de flanelle, les bras croisés, une moustache comme celle de l'empereur Guillaume. Au-dessus de la porte était accroché un aviron, avec l'inscription : *Trinity, 1906*.

Au-dessous, il y avait une autre photo, représentant six jeunes gens qui arboraient l'expression arrogante de la jeunesse. Là aussi se trouvait une inscription : *Beefsteak club, Cambridge, 1910*.

Élisabeth s'approcha d'une petite table d'acajou massif, saisit une carafe et, au grand soulagement de Christian, versa deux doigts de whisky dans de jolis verres ébréchés avant de reposer la carafe sans aucune délicatesse.

— Je ne vais pas vous faire du thé. Il fait beaucoup trop froid dans cette cuisine. D'ailleurs, je suis glacée. Un peu de whisky ? fit-elle en leur désignant les verres.

Elle prit le sien et s'approcha du feu. Le lourd manteau de cheminée, de type victorien, qui devait avoir plus de deux mètres, était d'une laideur sans égal. À droite, un canotier d'Eton était suspendu au porte-manteau et à gauche, chose bizarre, des bâtons de discipline de délégué de classe étaient disposés en éventail et liés par un nœud rose fané.

— Puisque vous êtes là, asseyez-vous donc, dit-elle en maugréant.

Christian, qui se sentait fatigué, saisit le verre de whisky et s'affala sur un fauteuil aux ressorts cassés, couvert de poils de chien. Édouard resta debout. Élisabeth Culverton dévisagea Christian, puis Édouard qui tournait le dos à la fenêtre et dont le visage était dans l'ombre. C'est à lui qu'elle s'adressa au bout d'un moment.

— Bon, je sais qui vous êtes. Vu le mal que vous vous êtes donné pour me trouver, je suppose que c'est important, fit-elle en levant le menton de façon agressive. Avant de continuer, peut-être pourriez-vous me donner quelques explications sur l'intérêt que vous portez à ma nièce ?

Il régna un bref silence. Christian, qui s'apprêtait à déguster son whisky, resta interdit. Il eut une envie irrésistible d'éclater de rire. Pour la première fois, Édouard rencontrait un adversaire à sa taille.

Édouard fit un pas en avant. Il sortit de l'ombre et fixa Élisabeth Culverton droit dans les yeux.

— Bien sûr, dit-il d'un ton glacial. Je l'aime et je veux l'épouser. J'espère que je réponds à votre question.

Élisabeth fut prise au dépourvu, état qui, apparemment, ne lui était pas familier. Hésitant un instant, elle baissa les yeux en clignant des paupières et, brusquement, éclata de rire en posant son regard sur lui.

— Vous êtes plutôt direct. Asseyez-vous, je vais vous expliquer la raison pour laquelle c'est une idée particulièrement stupide.

Elle désigna le verre de whisky sur la petite table. Une lueur de malice traversa son regard.

— À votre place, je ne dirais pas non. Vous pourriez en avoir besoin.

— Elle s'appelle Craig. Hélène Craig. Son prénom s'écrit et se prononce à la française, ce qui vous donne une idée des goûts de sa mère. Elle a toujours eu des manières stupides et affectées. Hélène ! La petite a seize ans, bientôt dix-sept.

Elle s'était mise à parler brusquement, sans préambule, après s'être installée dans un fauteuil près du feu, le verre de whisky dans une main et une cigarette Senior Service sans filtre dans l'autre. Elle respira longuement, puis toussota, déçue par le silence d'Édouard. « Cette femme n'aime pas les hommes, c'est un véritable vampire », se dit Christian.

— Vous croyez que je peux vous aider, dit-elle en regardant Édouard d'un air méditatif, mais vous vous trompez. Je la connais à peine et je n'ai aucune idée de l'endroit où elle se trouve. Peut-être me donnera-t-elle des nouvelles, mais j'en doute.

Édouard avait les yeux baissés, le visage tendu. Christian était désolé pour son ami. Il comptait les mensonges : le nom, l'âge, les lieux où elle avait passé son enfance. Trois jusque-là. Christian se pencha vers elle.

— Elle est bien venue au début de l'année ? Nous avons cru comprendre que...

— Bien sûr qu'elle est venue, fit Élisabeth Culverton, agacée. C'était plutôt irréfléchi de sa part. Elle avait envoyé un télégramme, mais il ne m'est parvenu que trois heures avant son arrivée. Ce n'est pas une chose à faire. Si elle avait écrit, je lui aurais déconseillé de venir. Une fois qu'elle était là, je lui ai dit de rester. Que pouvais-je faire d'autre ?

Une lueur d'anxiété s'était insinuée dans sa voix. Édouard leva les yeux vers elle et la vit finir son whisky d'un trait. Elle se leva et alla remplir de nouveau son verre. Du whisky sec. Sa main tremblant légèrement, le verre tinta en effleurant la carafe. Christian l'observait attentivement, tandis qu'elle regagnait son fauteuil. De toute évidence, elle essayait de cacher ses sentiments. Il jeta un regard furtif vers Édouard, pensant qu'il allait la pousser dans ses derniers retranchements, mais il n'en fit rien. Encore l'un de ses fameux silences. Christian se rendait compte de l'effet qu'ils pouvaient avoir. À sa grande surprise, Élisabeth Culverton posa son regard sur Édouard, aspira longuement sa cigarette et, sans y être incitée aucunement, se mit à parler d'une voix saccadée, presque irritée.

— Je vais sans doute vous paraître dure, mais il faut que je vous dise. Je ne me suis jamais bien entendue avec sa mère. Nous étions comme chien et chat. Nous n'avions aucune affection l'une pour l'autre. Peut-être a-t-elle prétendu le contraire, mais probablement parce que cela l'arrangeait. Même enfant, je ne l'ai jamais aimée et j'ai été ravie lorsqu'elle est partie. Elle m'a écrit de temps à autre, et je ne lui ai jamais répondu. Je savais qu'elle avait un enfant, bien sûr. Elle s'attendait à ce que je lui dise de revenir avant la naissance du bébé, comme chaque fois qu'elle a eu des ennuis. (Elle s'interrompit, inhala une dernière bouffée et jeta son mégot dans les cendres.) Enfin, il y a si longtemps. Seize ans déjà. Je n'ai pratiquement plus eu de nouvelles de ma sœur, depuis. Ma demi-sœur, pour être plus précise. Je ne savais pas qu'elle était morte. Je n'ai même pas su qu'elle avait été malade. Jusqu'à l'arrivée de ce télégramme et de la petite. Pour être sincère, j'ai été surprise. Violette semble lui avoir appris les bonnes manières. Elle était bien élevée et s'exprimait très bien. Au début, je l'ai trouvée charmante. Elle n'avait pas très bonne mine. Elle était d'une pâleur extrême et semblait épuisée. Sans doute était-elle bouleversée par la mort de Violette. Elle n'avait nul autre endroit où aller. J'étais obligée de lui dire de rester. (Elle se tut un instant et rougit légèrement.) Pour moi, c'était un arrangement temporaire, vous comprenez, et, peu à peu, je me suis attachée à elle et me suis demandé si, au fond, il ne valait pas mieux qu'elle vive avec moi. Je suis seule, voyez-vous, et je souffre de cette satanée arthrose. Je n'ai pas de domestique. Autrefois, du temps de mon père, nous avions seize jardiniers. Maintenant, il faut que je lutte seule. (Elle haussa les épaules de façon agressive.) Je ne lui ai jamais fait part de cette idée. Je n'en ai pas eu l'occasion. Elle a passé exactement trois jours ici, ensuite elle est partie. Je suppose qu'elle pensait que j'avais de l'argent. Quand elle a découvert que j'étais pauvre, elle a disparu. Je m'en lave les mains, ce que j'aurais dû faire, d'ailleurs, dès le début.

— Je vois, fit Édouard, pensif.

Il se leva et s'approcha de la fenêtre, leur tournant le dos pour contempler les jardins. La nuit tombait.

— C'est un beau jardin. En été, il doit être magnifique.

Christian fut surpris de ses paroles. Édouard semblait parfaitement sincère, et il ne comprenait pas pourquoi Édouard perdait son temps. Mille questions assaillaient son esprit et il avait hâte de les poser. Il ouvrit la bouche, mais, devant l'expression d'Édouard, se tut. Élisabeth Culverton, sans doute comme Édouard l'avait prévu, se mit de nouveau à parler. D'abord méfiante et sur la défensive, elle se radoucit.

— C'était le bon temps, oh oui ! Lorsque j'étais enfant, avant la guerre, il y avait des domestiques et de l'argent. (Elle éclata de rire à nouveau.) Mon père aurait le cœur brisé s'il voyait ce jardin maintenant. C'est lui qui l'a créé, vous comprenez. Son père, avant lui, avait planté quelques fleurs, mais le véritable créateur, c'était lui. De son temps, c'était un horticulteur connu. Un visionnaire. Tout ce que je sais, c'est lui qui me l'a appris. Nous étions si proches. Surtout après la mort de ma mère. Il me considérait comme un fils...

« Il n'avait peut-être pas tort », songea Christian en levant les yeux vers elle. Édouard, se retournant, posa un regard empreint de douceur et de compassion sur cette femme qui se tenait près du feu.

— Je commence à comprendre, dit-il. Moi aussi, j'étais très proche de mon père.

Édouard se rassit et contempla le feu. Il parut hésiter un instant.

— Je suppose qu'il s'est remarié ? demanda-t-il avec une arrière-pensée.

— Oui, j'avais dix-sept ans. Ce ne fut pas un mariage heureux. Il l'a regretté toute sa vie. Elle s'appelait Beryl. Beryl Jenkins. C'était une femme horriblement vulgaire. Je la haïssais. Elle devait exercer un certain charme auprès d'une catégorie d'hommes, attirés par les serveuses de bar ou les filles de music-hall. Elle possédait un peu d'argent, étant, je crois, la veuve d'un brasseur. Je ne me suis jamais vraiment penchée sur le problème. L'argent a dû jouer un rôle dans ce mariage. Mon père avait des dettes. Il est impossible qu'il ait éprouvé la moindre admiration pour elle. Elle n'était absolument pas présentable. Aucune de nos relations ne l'aurait reçue. Elle a coupé mon père de tous ses amis, l'a manipulé...

— Violette était sa fille ?

— Oui, elle est née un an après leur mariage. Sa mère a abandonné mon père peu de temps après. Elle est morte au bout d'un ou deux ans. Violette est restée ici. (D'un geste, elle désigna la pièce plongée dans l'obscurité.) C'est là qu'elle a grandi. Mon père l'adorait...

— Cela n'a pas dû être facile pour vous, murmura Édouard.

— Pas vraiment. Mon père m'adorait, je le sais. Nous étions plus proches que jamais. Mais Violette était perverse. Elle l'adulait. Elle était belle, certes, mais c'était une beauté un peu insipide. Elle zézayait comme un enfant, était toujours accrochée à mon père, se blottissant contre lui, grimpant sur ses genoux, passant ses bras autour de son cou. J'avais horreur de cette attitude. Mon père était très protecteur. Elle jouait les timides. Mais elle n'était pas très intelligente. Je ne la supportais pas. (Elle s'interrompit un instant.) Elle a toujours souhaité devenir actrice. Depuis sa plus tendre enfance. Elle s'entraînait avec mon père. Elle passait des heures à faire des mimiques devant la glace. Le soir, après le dîner, dans le salon, elle lui récitait d'horribles poésies, de Tennyson, la plupart du temps. Elle n'avait absolument aucun talent, mais mon père était si bon qu'il l'encourageait sans cesse. Elle lui faisait faire ce qu'elle voulait, l'entraînant même à commettre des folies, chose qu'à l'époque nous ne pouvions nous permettre. Je me rappelle qu'une fois il l'a emmenée à Paris. Paris ! J'ai essayé d'expliquer cela à Hélène. Je voulais qu'elle comprenne pourquoi je détestais tant sa mère. C'était si injuste. J'aimais mon père, je m'en occupais. Il ne représentait rien pour Violette. Deux mois après leur voyage à Paris, elle l'a quitté. Je crois qu'elle est partie en tournée avec une petite compagnie théâtrale. Elle a changé de nom. Je suppose qu'il y avait un homme derrière tout ça. Dieu sait où elle avait dû le rencontrer ! Seule, elle n'aurait jamais eu le cran de partir. Son départ a tué mon père. Elle n'est jamais revenue, et il en a eu le cœur brisé. Un médecin stupide a prétendu que c'était une pneumonie, mais ce n'était pas vrai. C'est le chagrin qui l'a tué. Je rends Violette responsable de sa mort. Je lui avais écrit pour le lui dire. Je ne voulais plus la revoir.

Christian remarqua l'air préoccupé d'Édouard qui secouait la tête, comme si cela lui rappelait quelque chose, mais il ne parvenait pas à se rappeler quoi exactement. Dans le silence qui s'ensuivit, Élisabeth alluma une autre cigarette. Elle semblait regretter ses confidences. Sa voix se fit plus mesurée.

— Je ne l'ai plus revue. J'ai simplement reçu quelques lettres. Elle a fait un mariage stupide, ce qui était prévisible. Elle a épousé, je crois, un G.I. Sa fille est née ici. Ensuite, elle l'a suivi en Amérique. Cela n'a pas duré longtemps. Je ne me rappelle plus les détails et j'ai brûlé toutes ses lettres. J'ai gardé simplement l'adresse de leur domicile. Quelque part dans le Sud. Je peux vous la donner, si vous le souhaitez, mais je doute que cela vous soit utile. La petite n'a pas dû y retourner.

— Ah bon ? Vous croyez ?

Élisabeth Culverton s'était levée d'un air guindé, surprise par la question d'Édouard, posée avec calme et douceur.

— J'en suis certaine. Elle exécrait cet endroit, elle me l'a dit. Et sur ce point, je la crois.

— Vous avez l'impression qu'elle vous a menti, autrement ?

— Avec le recul, non.

Elle ouvrit un secrétaire et fouilla au milieu de papiers éparpillés dans un désordre parfait.

— Ah, voici l'adresse. Et le télégramme qu'elle m'a adressé. Je vous le donne également si cela vous fait plaisir. Je n'en ai plus rien à faire.

Elle observa un instant Édouard, les papiers en main, puis les lui tendit.

— Je vous l'ai dit. La petite était perturbée, dit-elle brusquement. Au début, elle était calme, mais elle avait des crises de larmes. De longs silences, suivis d'histoires mensongères sur elle et sa mère. Quand elle est partie, je me suis dit qu'elle enjolivait tout ce qu'elle racontait. À sa décharge, on peut dire qu'elle était sous le choc de la mort brutale de sa mère. Visiblement, elle a été déçue en venant ici. (Elle se tut un instant et son expression se durcit.) En fait, je crois qu'elle est fantasque, comme sa mère. En toute franchise, je n'étais pas mécontente qu'elle parte.

Tout en parlant, elle s'était dirigée vers la porte, comme pour leur faire comprendre que l'entrevue était terminée. Les deux hommes se levèrent, mais, lorsqu'elle arriva près de la porte, elle se retourna brusquement et fixa Édouard de son regard incisif.

— J'ai entendu parler de vous, fit-elle en guise de concession. Vous possédez des chevaux, n'est-ce pas ? Jack Dwyer est votre entraîneur ?

— Oui, répondit Édouard, intrigué.

Élisabeth lui adressa un sourire malicieux.

— Alors peut-être me comprendrez-vous lorsque j'affirme que, d'après mon expérience, que ce soit les chevaux, les chiens... (elle désigna les labradors) ou les êtres, la généalogie est importante. Je ne sais rien du pedigree de son père, bien sûr. Mais je puis vous dire qu'Hélène ressemblait beaucoup à sa mère. Je crois qu'il vous faut toujours garder ce détail en mémoire. Les hommes perdent souvent la raison pour des femmes, je suppose donc que vous n'en tiendrez aucun compte. Mais vous êtes venu de loin. Voilà pourquoi je tiens à vous donner mon avis tout en vous informant.

Elle se tourna et sortit dans le hall. Christian rougit de confusion devant sa grossièreté. Édouard ne paraissait pas ému. Dans le couloir, il lui serra la main courtoisement et la remercia de son aide. Elle n'était pas parvenue à le faire sortir de ses gonds, ce qui semblait l'irriter.

Une fois dans la Rolls, Christian s'affala sur son siège en soupirant.

— Mon Dieu, quelle horrible bonne femme ! « Le pedigree de son père ». J'ai honte d'être anglais quand je vois des êtres pareils.

Édouard haussa les épaules.

— Cette espèce n'est pas réservée aux Anglais. On peut en rencontrer ailleurs.

— Oui, mais on peut l'éviter, lui fit remarquer Christian insidieusement. Tu prends tout très calmement. J'ai été un peu déçu. Je pensais que tu allais la remettre à sa place vertement.

— À quoi bon ? Elle n'a pas été si inutile que ça.

Édouard se tourna du côté de la fenêtre. La nuit était tombée. Christian était intrigué.

— Ah ? Ce n'est pas mon avis.

— Ses informations ne vont pas nous servir immédiatement. Mais à long terme... (Édouard se tourna soudain vers Christian.) J'ai besoin de tout connaître sur elle. Si je sais tout sur elle, je suis certain de pouvoir la retrouver, Christian. Je veux savoir qui elle est réellement, ce qu'elle désire.

Christian l'observa avec lucidité. L'ardeur qui se lisait sur le visage d'Édouard, l'expression de son regard, lui rappelait le jeune Édouard qu'il avait connu bien des années auparavant, lorsqu'il n'était encore qu'un enfant. Il éprouva une certaine émotion voilée de crainte.

— Tu pars du principe qu'au fond d'elle-même c'est toi qu'elle désire ? lui dit-il doucement en posant la main sur le bras d'Édouard. Et supposons qu'en la retrouvant, tu t'aperçoives que tu t'es trompé ?

Édouard hésita.

— Aucune importance, répondit-il de façon laconique avant de se tourner une fois de plus de l'autre côté.

À l'aéroport de Plymouth, un des collaborateurs d'Édouard l'attendait. La Rolls s'avança sur la piste où un avion se tenait prêt à décoller. Les moteurs tournaient, un steward s'impatientait en haut de la passerelle éclairée. Christian resta dans la voiture qui devait le ramener à Londres. Édouard en descendit et échangea quelques paroles avec son collaborateur sur la piste d'atterrissage.

Il s'était mis à pleuvoir, et un vent fort soufflait. Édouard, en pleine conversation, ne semblait prêter attention ni au vent ni à la pluie. Christian l'apercevait à la lueur des feux de signalisation. Malgré la pâleur extrême de son visage, il gardait l'esprit vif. Le vent soufflait en rafales. Édouard parut l'interroger car l'homme acquiesça. Édouard leva la tête pour examiner le ciel, puis il lui donna une tape amicale sur le bras avant de revenir à la voiture.

Christian baissa la vitre. Avant même de voir l'expression d'Édouard, il avait compris.

— Ils ont retrouvé la trace de Sinclair ?

— Oui, cet après-midi.

— Tu repars pour Paris ?

— Non, Rome.

— Bien, bien.

Leurs regards se croisèrent. Édouard fit un pas en arrière.

— Bonne chance, lui cria Christian quand la voiture démarra.

Il n'était pas sûr qu'Édouard l'eût entendu. L'espace d'un instant, son visage, livide mais déterminé, lui apparut sous une pluie battante.

Christian se retourna. Édouard était déjà dans l'avion, et les portes se refermaient sur lui.

Le film s'intitulait *Jeu de nuit*, mais se déroulait uniquement le jour. « Exemple typique de l'esprit perverti de Thad », se disait Lewis. Lewis, n'aimant pas ce titre qui, selon lui, suggérait des ébats pornographiques, tenta de l'en dissuader, mais Thad répliqua par une boutade.

Bien pis, Lewis s'était rendu compte, à ses dépens, que non seulement il avait financé le film à cinquante pour cent, mais qu'en plus, ces six dernières semaines, c'est lui qui s'était arrangé pour loger tout le monde gratuitement. Et, en fin de compte, il ne savait même pas le sujet du film. Le dernier jour de tournage, il en était au même point qu'au début. Il se tenait en haut des escaliers du palais de la princesse italienne, en pyjama, un verre d'Alka-Seltzer à la main. Il était 6 heures du matin, et il avait la gueule de bois. Dans la vaste entrée au sol de marbre, le directeur de la production, qui était français, supervisait le transfert du matériel dans les camions garés devant la demeure. Des assistants venaient parfois l'aider ou le relayer. Il y avait un Français et un Américain. Tous les autres étaient italiens. Leur conversation polyglotte l'avait réveillé.

Lewis les observait d'un air sinistre. Thad et Hélène étaient déjà partis. On tournait les dernières séquences, dans le Transtévère. La présence de Lewis n'était pas nécessaire. Comme, d'ailleurs, depuis sept semaines. Il termina son Alka-Seltzer et perçut les grognements d'un chien du côté des cuisines. C'était l'heure de promener ces satanés chiens. Là, au moins, il pouvait se rendre utile.

Thad était beaucoup trop secret au gré de Lewis. Il retourna dans ses appartements et pria qu'on lui monte un café fort. Lewis avait découvert qu'en période d'activité professionnelle intense il se renfermait totalement sur lui-même, de façon presque pathologique. Thad ne lui avait rien montré de tangible, et encore moins ce manuscrit dont il parlait. Chaque matin, Thad arrivait sur le plateau, les mains pleines de petites feuilles de papier chiffonnées sur lesquelles étaient griffonnées quelques notes illisibles. Ensuite, il donnait ses directives aux acteurs, au cameraman, Victor, ou à quelque autre assistant. Il brandissait ses bouts de papier, se frottait la barbe, essuyait ses lunettes tout en maugréant. Il n'aimait pas voir Lewis dans les parages et s'emportait lorsqu'il essayait de s'immiscer dans les conversations désordonnées qu'il avait avec son entourage.

Lewis n'avait aucune expérience du tournage, mais il lui semblait que Thad créait à dessein cette confusion. Il changeait d'avis en permanence, demandait à un acteur de jouer une scène d'une façon et à un autre de façon parfaitement différente. Il ne faisait qu'une prise pour des scènes qui, selon Lewis, n'étaient absolument pas au point. En revanche, il faisait refaire systématiquement toutes celles qui lui paraissaient les meilleures. Il ne tenait jamais en place. Lewis avait toujours pensé qu'un metteur en scène dirigeait le plateau, assis sur son fauteuil de toile caractéristique. Thad n'avait même pas de chaise. Il était toujours debout à s'agiter, promenant son corps adipeux au milieu du matériel de tournage, trébuchant sur les câbles, fourrant son nez partout, fignolant de petits détails avec minutie. Il pouvait passer une heure sur une prise de vues, une autre à manipuler l'acteur principal comme une marionnette. Ses pieds devaient être ici, sa tête là, exactement dans l'axe de la fenêtre. Après la réplique d'Hélène, il devait compter jusqu'à cinq, puis tourner la tête vers la caméra, non pas comme ça, oui...

L'acteur en question, Lloyd Baker, était un jeune Américain que Thad avait déniché à Paris. Il l'avait choisi à cause de ses sourcils, du moins était-ce ce qu'il avait prétendu. Lewis avait accepté parce qu'on ne le payait pas cher. Il n'était pas très intelligent, mais avait passé six mois à l'*Actors' studio*.

— Dans cette scène, quelle est ma motivation profonde ? gémissait-il tandis que Thad lui déplaçait le coude d'un centimètre. Thad, que doit exprimer mon visage ? À quoi dois-je penser ?

— Tout le monde s'en fout. Pense à une gonzesse. À ta mère. À Bing Crosby. Mais garde ton putain de visage dans l'axe de la fenêtre...

— C'est impossible, s'écria l'acteur d'un ton maussade. Si je ne sais pas ce que je suis censé ressentir, ça ne peut pas marcher.

— Écoute, lui dit Thad en le prenant par le coude, tu as entendu parler de Greta Garbo ?

— Évidemment, je ne suis pas débile.

— Sais-tu quelle est sa meilleure scène ? L'une des plus belles de l'histoire du cinéma ? Eh bien, c'est la fin de *La Reine Christine*, la dernière scène, très précisément le gros plan sur son visage... Il y a tout un mystère, un mystère insondable. Sais-tu comment Mamoulian s'y est pris pour cette prise ? Sais-tu ce qu'il a dit à Greta ? « Ne pense à rien, Greta, strictement à rien », et c'est ce qu'elle a fait.

Il y eut un long silence. Lloyd Baker soupira.

— D'accord, j'ai compris. Je me tourne vers la caméra. Je ne pense à rien. Mais que suis-je censé ressentir ?

— Pour l'amour de Dieu, oublie ce que j'ai dit. Oublie ton rôle. Oublie la fenêtre. Joue simplement.

Ils parvinrent à tourner la scène. Lewis avait une impression d'anarchie totale, mais Thad dit seulement :

— Silence, on tourne !

Il parut satisfait de lui-même.

Ce jour-là, Lewis alla noyer sa nostalgie dans un bar à proximité du lieu de tournage. Il se dit qu'il n'y avait qu'une alternative : soit Thad était le génie qu'il prétendait être, soit c'était un plaisantin. Si Lewis avait dû parier, il aurait joué à pile ou face, car il était impossible de déceler la vérité.

Quelques années plus tard, bien entendu, lorsque Thad devint une célébrité à Hollywood, le prodige du cinéma américain, Lewis affirma ne jamais avoir douté de son talent. « Je l'ai toujours su. Jamais je n'ai mis en question son génie », proclamait-il. Et qui pouvait en douter ? Lewis remercia le ciel de ne pas avoir, à l'époque, divulgué le fond de sa pensée.

Il se tut essentiellement pour deux raisons. D'abord, il craignait Thad sans vouloir l'admettre. Ensuite, il se rendait compte que personne ne partageait ses doutes, malgré la confusion totale dans laquelle Thad les faisait travailler. Hélène et les autres acteurs l'écoutaient religieusement.

Toute l'équipe, sans exception, l'adorait. La plupart d'entre eux étaient français. Thad avait fait leur connaissance l'année précédente, en France, alors qu'il était l'assistant du jeune metteur en scène François Truffaut dont le film *Les Quatre Cents Coups* fit sensation dans toute l'Europe. Seul son cadreur, Victor, était américain. Victor avait suivi les mêmes cours que Thad à l'école cinématographique de l'université de Los Angeles et avait tourné quelques courts métrages. De toute évidence, il avait de l'estime pour Thad. Aux yeux de tous, Thad avait un talent prometteur, et, comme c'étaient tous des professionnels du cinéma dont la réputation ne faisait que croître en Europe, Lewis se rallia à leur jugement.

Lewis les trouvait très intellectuels, trop acharnés au travail. Il n'y avait pas de place pour le rire. Ils évoquaient les films en noir et blanc, les mises en scène, décortiquaient les théories de tel ou tel scénariste, lisaient les *Cahiers du cinéma* à leurs moments perdus. Ils avaient des goûts étranges en matière de films. Tantôt ils encensaient des metteurs en scène dont il n'avait jamais entendu parler, comme Wajda, Franju et Renoir, ou des nouveaux, tels Godard, Chabrol et Truffaut. Tantôt ils portaient aux nues des films que Lewis avait adorés dans son enfance, des westerns, des films policiers et des comédies. Mais, alors que Lewis prenait simplement plaisir à les regarder, ces gens-là en débattaient avec sérieux, prise par prise, plan par plan, comme si c'était du grand art. Lewis ne se sentait plus à la hauteur et, si la discussion durait, cela le plongeait dans l'embarras.

Dans ces moments-là, lui qui n'était pas un intellectuel, et les détestait en tant que tels, se demandait comment il avait pu se laisser embarquer dans une telle galère. C'est ce qu'il se dit en se dirigeant vers la douche, après avoir terminé son café. Il en connaissait évidemment la réponse. Thad l'avait introduit dans ce milieu et il y était resté à cause d'Hélène.

En prenant sa douche, il songea à elle, à la délicatesse de ses traits, à sa beauté, à sa voix pondérée, légèrement éraillée, à sa quiétude. Elle n'avait pas conscience de sa beauté époustouflante. En imaginant son corps, il sentit le désir monter en lui, mais ce désir suscitait en lui toutes sortes d'émois troublants qu'il ne parvenait pas à s'expliquer.

Était-ce un sentiment protecteur à l'égard d'Hélène ? Cela l'inquiétait. Lui, protecteur ? Quelque chose, décidément, n'allait pas.

La semaine précédente, Lewis avait passé bon nombre de nuits blanches. Il avait arpenté le couloir qui menait à la chambre d'Hélène. Se sentant ridicule en pyjama et robe de chambre, il avait attendu un long moment devant sa porte, incapable de frapper ou de retourner se coucher. Une ou deux fois, il lui avait semblé entendre quelques sanglots à l'intérieur. Il avait essayé de tourner la poignée, mais en vain. La porte était fermée à clé. Il avait fini par repartir furtivement dans sa chambre.

Son manque d'entrain lui était peu familier, aussi Lewis ne parvenait-il pas à le comprendre. Il se demandait parfois ce qui serait arrivé s'il avait ouvert la porte et pénétré dans sa chambre. Il se disait que l'inspiration lui viendrait, car Lewis se prenait pour un tombeur, mais, à son grand étonnement, il était certain qu'il aurait simplement été s'asseoir au bord du lit pour consoler Hélène. Elle avait besoin de lui et il l'aurait prise tendrement dans ses bras.

Lewis sortit de sa douche et se sécha. Il avait mille sujets de préoccupation, notamment la soirée qui devait célébrer la fin du tournage. C'était lui qui s'en occupait. Il lui fallait aller chercher l'argent qu'il avait fait transférer de sa banque. Il voulait acheter un cadeau à Hélène, visiter les alentours du Transtévère. Impossible. Des images d'Hélène assaillaient son esprit. Une en particulier, qui datait de quelques semaines. Le tournage avait commencé depuis une dizaine de jours.

La scène se passait dans le *palazzo*. Hélène, debout devant la fenêtre, devait se tourner vers l'un de ses deux amants. Lewis ne se rappelait plus lequel. C'était un simple plan. Aucune parole n'était échangée. Thad lui avait fait refaire la scène vingt-quatre fois. Se tourner, se lever, regarder d'un côté, de l'autre. Vingt-quatre fois.

Entre les prises, Thad donnait des directives à Hélène en maugréant.

Et elle recommençait. Pas une fois elle ne se plaignit. Elle ne montra jamais le moindre signe d'agacement, d'impatience, de fatigue, bien que la scène fût tournée en fin de journée. Elle ne se rebellait jamais, contrairement à Lloyd Baker. Elle se contentait d'écouter Thad attentivement et de lui glisser parfois à l'oreille quelques mots que Lewis ne pouvait entendre, avant de rejouer la scène. « Jusque-là, se disait Lewis, son attitude à l'égard d'Hélène avait été relativement normale. Il la désirait, un point c'est tout. » Mais, dans l'après-midi, un événement insolite s'était produit. On l'avait relégué au fond de la salle, contre le mur, au milieu de l'équipe de tournage, dans un fatras de matériel. Et pourtant, malgré sa position inconfortable, il avait perdu la notion du temps. Il aurait pu rester des heures à la contempler, à la voir évoluer, se tourner, se lever, regarder d'un côté, de l'autre. L'image d'Hélène valsait dans son esprit depuis des semaines. Il ne pouvait pas la chasser, incapable d'éclaircir le mystère de cette fascination qu'elle exerçait sur lui.

Il avait demandé à Thad de lui expliquer la scène, mais Thad s'était contenté de sourire d'un air entendu. Lewis s'était senti exclu de leur univers.

— Parle-moi au moins du rôle d'Hélène, lui avait-il dit d'un ton agressif. Je ne comprends rien. Pourquoi se conduit-elle ainsi ? Qui diable est-elle ?

— C'est la femme que l'on recherche, lui avait-il répondu gentiment.

Cette réponse n'avait fait qu'accroître sa colère. Mais elle était restée gravée dans son esprit. Alors que l'image d'Hélène tournait sans cesse dans sa tête, il commençait à entrevoir ce que Thad avait voulu dire.

— La femme que l'on recherche ? s'était exclamé Lloyd Baker. Pourquoi la recherche-t-on ? Je sais où elle vit. Nom d'une pipe, je la baise, Thad ! Comme tous les autres types. Et quand je m'en rends compte, je deviens fou. Alors, ça n'a aucun sens de la rechercher.

Il secoua la tête comme pour déloger une idée ancrée stupidement dans son esprit. Puis, lentement, son visage s'éclaircit.

— Oh ! je vois. Je commence à comprendre. Vous voulez dire qu'elle est perdue, et quand elle me rencontre, elle...

— Non, Lloyd, dit Thad avec une patience d'ange, ce n'est pas du tout ça.

Lloyd prit un ton boudeur.

— Bon, je crois que nous nous éloignons du sujet. C'est l'une de mes scènes les plus importantes. J'ai passé la nuit à la travailler. Si nous pouvions nous concentrer une minute seulement sur mon personnage. Je ne sais pas vraiment ce que je suis censé éprouver.

— Personne ne le sait, Lloyd. Ça fait partie de la vie.

— Ah ?

— Exactement, fit Thad en bâillant. Joue simplement. Je veux avancer.

Hélène, assise à l'autre bout de la pièce, les observait sans rien dire. Il n'y avait qu'un lit au milieu de la pièce jonchée de matériel. Elle se leva.

Cette scène, que l'on voyait au début du film, était l'avant-dernière ; il ne restait plus qu'une séquence à tourner. Elle s'approcha d'eux en se disant : « C'est presque fini. Le temps a passé si vite. »

La première semaine du tournage, elle avait eu le trac. Tout était si étrange, si compliqué, si déconcertant. Elle arrivait chaque jour sur le plateau, tremblante de peur, les mains moites. Rien n'avait de sens à ses yeux. Elle jouait une séquence, l'histoire semblait avancer, puis on retournait en arrière. Hélène ne savait pas à quoi servait tout le matériel qui l'entourait. Elle se plaçait toujours là où il ne fallait pas. Raide, manquant de naturel, elle ne reconnaissait même plus sa voix. Elle s'attendait à chaque minute à entendre la voix tonitruante de Thad lui crier qu'elle était minable.

Mais Thad ne lui fit jamais la moindre remarque, alors qu'il s'emportait contre tous les autres. Jamais il ne se moqua d'elle, jamais il n'eut de geste d'impatience comme avec Lloyd. Il lui parlait simplement de sa voix monocorde, et soudain tout s'éclairait.

— Aie confiance en toi, lui disait-il.

Confiance ? Elle avait failli éclater de rire. Comment pouvait-elle avoir confiance en elle ? Ces premiers jours de tournage, il lui semblait avoir perdu son identité. D'une voix timide, elle finit par faire cette confidence à Thad, s'attendant à des sarcasmes. Mais, en guise de réponse, il lui adressa un sourire plein de tendresse.

— Peu importe, lui dit-il d'un air satisfait. En fait, c'est très bien. Tu n'es plus Hélène, mais Anne.

C'était le nom du personnage. Après ces quelques paroles échangées avec Thad, elle s'était mise à aimer Anne. Elle la libérait. Anne lui faisait oublier sa propre gêne. Grâce à elle, elle atteignait son but. Anne avait sa vie propre, son indépendance, et, au fur et à mesure que les jours passaient, le personnage lui devenait de plus en plus familier. Quand elle se plaçait sous les feux des projecteurs, Hélène n'éprouvait plus la moindre crainte, bien au contraire, c'était un soulagement, une libération totale. C'était Anne qui s'exprimait, Anne qui évoluait sur le plateau. Hélène ne faisait que l'incarner.

Plus Anne prenait de l'ampleur, plus Hélène se sentait disparaître derrière le personnage. Elle l'acceptait joyeusement, attendant, chaque fois avec plus d'intérêt, la prise suivante. La transition se faisait instantanément. Durant ces heures de tournage, tout s'effaçait. Elle ne pensait plus à Orangeburg, à Édouard, oubliait le bébé, n'éprouvait plus d'anxiété ni de douleur. Anne vivait tandis qu'Hélène mourait. Au bout d'un mois, elle dut se rendre à l'évidence : pour la première fois de sa vie, elle réalisait quelque chose. Malgré toutes les qualités de l'équipe, malgré l'habileté de Thad, c'était elle, et elle seule, qui créait Anne. De surcroît, elle prenait conscience de son talent.

Cette sensation toute nouvelle l'emplissait de joie, lui conférant une force qu'elle n'avait jamais connue auparavant.

Pas toujours, il est vrai. Parfois, sa confiance en elle vacillait, et elle retrouvait aussitôt ses incertitudes et ses doutes. Mais cela ne lui arrivait que lorsqu'elle était loin du plateau, loin de Thad. Dès qu'elle recommençait à travailler avec lui, la confiance lui revenait.

C'est dans cet état d'esprit qu'elle se trouvait au moment de tourner cette scène avec Lloyd. Anne l'attendait et l'accueillait comme une amie. Deux prises. Trois. Quatre.

De l'autre côté de la pièce, Thad avait bondi de sa chaise.

— On tourne !

Puis il s'était approché d'Hélène en souriant. La lumière des projecteurs se reflétait sur ses lunettes.

— Bon, nous allons tourner la dernière scène. Victor et moi, sur le plateau avec Hélène. Tout le monde dehors.

Il avait l'air bizarrement excité, agitant ses mains en l'air.

« C'est sans doute parce que la fin approche », se dit Hélène, en proie aussitôt aux regrets.

Lewis avait demandé à la *Chase Manhattan Bank* de transférer quelque dix mille dollars à une succursale de la Banca Nazionale de la via Veneto. Mais il était venu trop tôt, la banque était encore fermée.

Une demi-heure à attendre. La via Veneto était fort heureusement un site agréable. Il remonta la rue et alla s'attabler à un café tout proche, en face de l'hôtel Excelsior. Après avoir commandé un *expresso,* il alluma sa première cigarette de la journée. Le soleil dardait ses premiers rayons, donnant une impression estivale. On avait peine à croire que c'était le mois de novembre. Lewis s'installa confortablement dans un fauteuil, jetant incidemment un regard aux clients assis autour de lui. Des hommes d'affaires italiens, pour la plupart, vêtus de costumes sombres, portant des lunettes foncées, qui s'arrêtaient pour prendre un café et lire le journal avant de se rendre à leur travail. Détournant le regard, il exposa son visage au soleil et se mit à penser à l'organisation de sa journée. L'un des hommes vêtus de sombre avait les yeux braqués sur lui, mais Lewis n'y prêta pas attention. Une fois de plus, ses pensées allaient vers Hélène.

Si Thad finissait, comme prévu, le jour même, ce qui paraissait certain, il lui faudrait six à huit semaines pour terminer le montage, ce qui les menait à Noël. Il comptait faire la réalisation à Rome, dans l'atelier d'un ami, et avait suggéré à Lewis de prendre quelques jours de vacances puisqu'il allait être sans cesse occupé. Il lui avait même proposé, avec un sourire aimable, d'emmener Hélène avec lui.

— Nous n'avons pas envie de la perdre à nouveau, lui dit Thad.

Cependant, Hélène n'avait fait aucun commentaire sur ce projet. Elle esquivait toutes les tentatives de Lewis d'obtenir une promesse définitive. Lewis, lui, débordait d'idées.

Son carnet d'adresses regorgeait de noms de personnes influentes, amis de ses parents, et de connaissances à lui qui, toutes, souhaitaient sincèrement l'inviter avec Hélène.

« Ce serait, se disait-il, moins compromettant pour elle que l'hôtel. » Il était certain qu'elle se montrerait réticente. Mais comment ne pas céder devant des amis qui vivaient dans des sites merveilleux, la Toscane, par exemple, ou Venise. Nice. Cannes. Les Alpes suisses. Gstaad. Non, il y avait provoqué trop de scandale, c'était une mauvaise idée. Londres, peut-être. C'était une ville agréable, juste avant Noël, et, depuis le temps, tout le monde avait dû oublier ses frasques et la descente de police au milieu d'une réception.

Ils pouvaient même aller plus loin. Mexico. Acapulco, par exemple. Les Bahamas. Les Caraïbes. Il envisageait toutes ces possibilités en rêvant. La perspective d'offrir le monde entier à Hélène le séduisait. Ils pouvaient aussi se rendre à Boston, chez lui, à Beacon Hill, avec Hélène. Chez son père et sa mère qui, chaque fois qu'il avait l'occasion de leur parler, ce qui n'arrivait pas souvent, lui demandaient de revenir. Hélène s'y plairait peut-être. Cette somptueuse maison, aux meubles anciens de style anglais, était entretenue par des serviteurs d'une efficacité discrète qui étaient là depuis près de vingt ans. Il s'imagina Hélène, assise près de la cheminée, conversant avec sa mère.

Il chassa aussitôt cette idée de son esprit. Comment avait-elle pu l'effleurer ? Il exécrait Boston et souhaitait ne jamais y retourner. Il connaissait bien cette ville qu'il avait fuie depuis très longtemps.

Aussi loin que remontaient ses souvenirs, Lewis avait toujours essayé de fuir. Sa voie avait été soigneusement tracée par sa famille qui l'avait rejeté, sans réfléchir, lorsqu'il avait émis l'idée d'emprunter une route différente.

Lewis comprenait la raison de leur conduite, mais il n'en souffrait pas moins. Ses parents, Robert et Emily, avaient dû attendre onze ans la naissance d'un fils. Ils éprouvaient de l'affection pour les quatre filles qu'ils avaient eues avant lui, mais, dans certains domaines, une fille ne comptait pas, car elle ne pouvait perpétuer le nom et la tradition des Sinclair. Une fille ne pouvait pas diriger une banque.

« J'étais si heureuse à ta naissance, Lewis, que j'en ai pleuré », racontait sans cesse sa mère.

Enfant, Lewis en éprouvait de la fierté. Par la suite, il se sentit piégé.

Depuis sa plus tendre enfance, il n'avait connu que le meilleur, mais les privilèges qui lui étaient accordés s'accompagnaient toujours de sermons. Aux yeux de ses parents, pour qui l'ostentation de la richesse était un acte des plus méprisables, les privilèges et la fortune n'étaient acceptables que s'ils étaient contrebalancés par un sens du devoir social. Lewis avait reçu une éducation à la fois stricte et complaisante. Il recevait de nombreux cadeaux : de beaux livres, des jouets sérieux, comme des jeux de construction, des planches à dessin, des boîtes de peinture. Quels souvenirs pénibles, ces fêtes de Noël et ces anniversaires ! Il rêvait alors de fusils, de patins à roulettes, de karts. Et il lui fallait cacher sa déception et garder le sourire devant ce qui lui était refusé.

On lui avait fait prendre des cours de danse. On l'amenait aux concerts de l'orchestre de Boston. Son éducation en matière artistique s'était faite progressivement, d'abord dans les musées et les galeries de peinture, puis grâce aux collections privées de ses innombrables tantes et cousins.

Un peu plus tard, il prit des leçons de tennis, de natation et de squash. Étant doué pour le sport, Lewis y prenait plaisir. Mais il haïssait les cours que ses parents l'obligeaient à prendre, de même qu'il exécrait la culture inculquée de force. Ce n'était pas pour lui un divertissement. La vie était une longue leçon, et l'expérience lui apprit peu à peu, au fur et à mesure que les années passaient, une chose terrible : c'était une matière dans laquelle il n'excellait jamais.

Il avait fait des efforts. Son esprit bouillonnait d'informations qu'obstinément il se refusait à ingurgiter. Mais il ne parvenait jamais à être le reflet exact de ce que ses parents attendaient de lui. On lui expliquait bien qu'il fallait persévérer, son père avec franchise, sa mère plus délicatement. C'était un Sinclair. Il ne suffisait pas d'avancer dans la vie, il fallait être le meilleur.

Il adorait sa mère, alors qu'il craignait son père. Lewis était contrit de ne pas être à la hauteur.

« Je t'aime, maman », s'écriait-il en se jetant dans ses bras, lorsqu'il était enfant.

Mais Robert Sinclair avait laissé entendre qu'ils étaient trop indulgents envers leur fils. Emily, d'un air coupable, le repoussait lorsqu'il avait ces élans.

« Tu n'es plus un bébé, Lewis, lui disait-elle. Fais un effort. »

Avec quelques remords, elle déposait alors sur sa joue un baiser.

Lewis reposa sa tasse de café. Il lança un coup d'œil irrité à sa montre. Encore quinze minutes. Pourquoi donc l'idée de Boston lui était-elle venue à l'esprit ? Il avait vingt-cinq ans et pourtant, lorsque ses pensées prenaient cette tournure, les années n'avaient plus d'importance. Il éprouvait la même confusion, la même impuissance que lorsqu'il était enfant. Les souvenirs revenaient à tire-d'aile, assaillant son esprit, humiliation après humiliation. Cette impuissance le plongeait dans une colère aveugle et douloureuse. Il percevait encore le cri de son enfance qui jaillissait de son cœur : « Ce n'est pas juste, ce n'est pas juste. »

Délibérément, il eut alors recours à un artifice qu'il utilisait pour apaiser ces affres : il essaya de se concentrer sur ses exploits d'antan.

Il avait remporté quelques succès au football, à Groton, puis à Harvard. Cette évocation le faisait encore frémir de joie, alors que ses parents avaient toujours éprouvé un certain mépris à cet égard. Avec son casque et sa tenue rembourrée, sa taille bien au-dessus de la moyenne, Lewis avait l'impression d'être un dieu. Il y avait aussi les femmes. Il avait toujours eu du succès auprès d'elles. Et puis il y avait son ami Thad.

Lewis esquissa un sourire, remuant légèrement sur sa chaise. Ses parents n'auraient jamais approuvé son choix en ce qui concernait les femmes qu'il avait jusque-là fréquentées. Ils auraient même été parfois choqués. Ils auraient encore moins approuvé son amitié pour Thad, ce qui réjouissait Lewis en un certain sens. Aller à l'encontre des souhaits de ses parents était pour lui une vengeance triomphale. Finis les sermons. Finis les échecs. Il avait tout rejeté en abandonnant Beacon Hill et les valeurs désuètes qu'on y prônait. Il était maintenant son propre maître et ne passait plus pour un raté. En fait, il ne l'avait jamais été. Ce n'était là qu'une interprétation erronée de ses parents, et il la rejetait comme le reste.

Il alluma une autre cigarette tout en faisant un clin d'œil à une prostituée qui passait. Une fois de plus, il avait conscience de cette nouvelle identité qui reposait sur ses épaules. Il se sentait rebelle. Oui, rebelle, mais pas paumé. Depuis sa rencontre avec Thad, c'était devenu une certitude.

La banque ouvrait ses portes. Lewis se leva en s'étirant. Il jeta quelques lires sur la table, prit sa serviette et se dirigea vers la banque. Là, il se rendit au comptoir. L'un des hommes vêtus de noir, attablé comme lui au café, le suivit et fit la queue derrière lui, mais Lewis ne remarqua rien. Pas plus qu'il ne se rendit compte, quinze minutes plus tard, lorsqu'il sortit de la banque, que l'homme lui avait emboîté aussitôt le pas sans même se faire servir.

Lewis héla un taxi et prit la direction de son terrain de chasse favori : les beaux magasins de la piazza di Spagna et de la via Condotti. Ce soir-là, il offrit le champagne à tout le monde au *palazzo* avant d'aller passer une agréable mais fébrile demi-heure à lécher les vitrines. Il voulait offrir un présent à Hélène.

Il n'avait guère l'habitude d'avoir des largesses envers une femme. Ce n'est qu'à sa famille qu'il avait fait parfois des cadeaux. Aussi était-il embarrassé. S'il s'était écouté, il aurait acheté une frivolité luxueuse, de la lingerie en soie, des vêtements, des bijoux peut-être. Il s'attarda devant les vitrines de Chavigny. Il y avait une très belle barrette en saphir, de la même couleur que les yeux d'Hélène. Mais un reste d'éducation bostonienne, dont il ne pouvait se départir, le faisait hésiter. Sa mère aurait trouvé parfaitement inconvenant d'offrir un tel présent en ces circonstances. Excepté en matière d'habillement, Lewis n'avait guère de goûts bien affirmés, tant on s'était moqué de lui dans le passé. Il songeait avec honte aux cadeaux qu'il faisait à sa mère quand il était petit. Pendant des semaines, il économisait en secret avant d'aller lui acheter, dans un débordement de joie, ce qu'il croyait être la merveille des merveilles : un grand chien en plâtre de Paris, haut en couleur, un petit bracelet doré de pacotille.

« Comme c'est merveilleux, Lewis », lui disait sa mère en fourrant le chien ou le bracelet — qu'elle ne portait jamais —, au fond d'un placard.

Dans la via Condotti, Lewis rougit de confusion en se rappelant ses erreurs de jeunesse, vieilles de seize ans. Il fut littéralement pris de panique. Un livre ? Non, c'était trop impersonnel. Des fleurs ? Il voulait lui offrir bien plus. Du parfum ? Hélène n'en mettait jamais, peut-être parce qu'elle n'aimait pas cela.

Pour mettre un terme à ses réflexions, il se dit que, si Hélène acceptait de partir avec lui, ce cadeau serait au moins utile, et entra chez Gucci. Après une longue hésitation, il choisit un sac de voyage en crocodile marron, un peu voyant et extrêmement cher, qui n'aurait certainement pas été du goût de sa mère. Qu'importe, ce n'était pas pour elle mais pour Hélène.

Au comble de la joie, il les pria de faire graver les initiales, ce qui prenait quelques heures. Lewis hésita, une fois de plus, avant de se décider.

Il fit donc inscrire H.C. et leur demanda de livrer le sac le jour même chez la princesse.

En entendant ce nom, le vendeur aussitôt fit mille courbettes et se montra charmant. Lewis, ravi, quitta le magasin. Au moment où il sortait, il faillit heurter un homme qui y entrait. Lewis lui lança un regard gêné. Il était grand et portait un costume sombre. Sans doute quelqu'un d'important, car deux vendeurs s'étaient immédiatement précipités pour lui ouvrir la porte en s'inclinant. Il effleura Lewis en s'excusant sèchement en italien. Dès qu'il fut sorti, Lewis oublia l'incident.

Il héla un autre taxi qui l'amena dans le Transtévère, de l'autre côté du fleuve. Le trajet, au mileu d'une circulation dense, ponctuée de hurlements typiquement italiens, lui parut interminable. Il était midi lorsqu'il arriva sur les lieux du tournage. Thad faisait généralement une pause d'une heure, et Lewis avait hâte de le rejoindre avec Hélène pour déjeuner. Il demanda au taxi de l'arrêter piazza di Santa Maria et se faufila le long de rues étroites en sifflotant gaiement. Il allait pénétrer dans la maison lorsque l'entrée lui fut barrée. Le régisseur, Fabian, un Français un peu dégingandé, se tenait au bas des escaliers.

Lewis, en suivant du regard les câbles qui serpentaient le long du couloir, s'arrêta devant une porte close.

— Salut, fit Fabian, le sourire aux lèvres, mais sans bouger.

— Excusez-moi...

Lewis s'avança intentionnellement.

— Désolé. C'est fermé. Thad ne veut personne en haut.

— Cela ne me concerne pas.

— Ça concerne tout le monde, je suis désolé, Lewis.

Hésitant, Lewis regarda sa montre, puis leva les yeux vers Fabian. Il ressentit une pointe d'anxiété. Thad avait certes tout fait pour l'inciter à ne pas assister aux tournages, mais ne lui avait jamais interdit l'accès du plateau.

— Ils vont bien prendre une pause. Que diable font-ils, là-haut ?

Fabian haussa les épaules.

— C'est la séquence finale. Il y a Thad, Victor et Hélène. C'est tout. Ça ne devrait pas être long. Le mystère est total.

Lewis plissa le front. Il savait que le film débutait sur un gros plan d'Hélène et se terminait de la même façon. Mais, entre les deux, que se passait-il ? Il n'en savait strictement rien. Il se rappelait simplement que la séquence finale venait après le meurtre et montrait Hélène, seule. Au lit.

Il prêta l'oreille. À travers la porte, il ne percevait que la voix traînante de Thad. Il poussa Fabian et monta les escaliers en courant. La porte était fermée à clé. Thad s'était arrêté de parler quand il avait entendu les pas précipités de Lewis. Lewis actionna rageusement la poignée. Il perçut, à l'intérieur, des petits éclats de rire et le pas de Thad.

— Lewis, hurla-t-il à travers la porte, fous le camp !

Lewis, rouge de colère, se demanda, l'espace d'un instant, s'il allait l'enfoncer de ses larges épaules de footballeur ou simplement la marteler de coups de pied. Après réflexion, il se dit que cela manquerait de dignité. Et il était trop fier pour répondre. Il redescendit sans un mot.

Fabian lui lança un regard fataliste et haussa les épaules avec une indifférence bien française.

— Voulez-vous que je fasse parvenir à Thad un message dès qu'il sortira ?

— Oui, dites-lui que je vais me soûler.

— Bien, fit Fabian en bâillant.

— Et dites-lui que je reviens dans une heure.

— Je crains que ce ne soit un peu court, fit Fabian d'un air sceptique.

— Et pourquoi donc ? s'écria Lewis avec agressivité. D'après ce qu'il m'a dit, c'est une minuscule séquence. Un seul plan. Combien de temps ça peut prendre, à votre avis ?

— Qui sait ? dit Fabian d'un ton résigné.

— Est-ce qu'elle est nue ? C'est ça ? Il l'a fait déshabiller ?

— Je vous jure que je n'en ai aucune idée. Mais, si c'est vrai, il a bien de la chance.

Lewis s'éloigna sans commentaire. Il était secoué de tremblements dont il ne comprenait pas la raison. Il alla sur la piazza et entra dans le premier bar qu'il trouva.

La première *strega* lui fit du bien. À la deuxième, il se sentit encore mieux. La troisième fut une erreur. Quant à la quatrième, ce fut un désastre.

C'était un petit bar fréquenté par les ouvriers du coin. Lewis s'assit à une table en bois. Le bruit des flippers se mêlait à celui de la télévision qui marchait quelque part au fond de la salle. Il percevait vaguement les exclamations d'un commentateur de football italien. Dans un autre univers, sur une autre planète, une équipe, quelque part, rencontrait le Real Madrid.

Il secoua tristement la tête en suivant du doigt la marque laissée par le verre humide sur la table. Il se demandait, son esprit confus étant incapable de raisonner logiquement, si les sentiments qu'il éprouvait étaient le résultat d'un désir refoulé, de la jalousie, d'une impression d'avoir été trahi ou bien tout simplement de l'amour. Et qui donc avait pu susciter de tels sentiments ? Peut-être Hélène. Oui, sans aucun doute. Il en était pratiquement certain. Ou bien était-ce Thad ?

Il avait rencontré Thad par hasard, et ce hasard avait changé le cours de son existence. Parfois, Lewis avait l'impression qu'il avait toujours été à la recherche de Thad. Sa vie, jusque-là, avait été un cauchemar. Il préférait oublier l'époque qui avait précédé leur rencontre. Harvard était si loin. Il avait fui Boston, pris du bon temps et, soudain, une profonde inquiétude s'était emparée de lui, sans doute provoquée par la prise de conscience brutale du temps qui s'écoulait inexorablement. La jeunesse des visages qu'il croisait dans les réceptions ne lui renvoyait-elle pas l'image de son propre vieillissement ? Il n'en était pas certain.

La conséquence immédiate fut la nécessité urgente d'arrêter de gaspiller sa vie et de la réussir. Dans ses accès de pessimisme, Lewis ne s'en sentait pas capable, mais, à d'autres moments, il éprouvait la certitude euphorique qu'un jour il y parviendrait. Il s'imaginait, lui, le fils prodigue, retournant à Boston couvert de gloire. Oui, mais dans quel domaine ?

Sa mère avait eu une prédilection particulière pour la politique. Elle y avait fait souvent allusion avec regret, faisant remarquer l'ascension fulgurante de John F. Kennedy. Pour Emily Sinclair, les Kennedy étaient des parvenus catholiques irlandais. Si John Kennedy pouvait arriver au sommet, que dire de Lewis, ce splendide descendant des Sinclair ? Le père de Lewis était plus direct. Son fils était destiné à lui succéder à la banque, et son refus catégorique, après avoir terminé ses études à Harvard, était déplacé et inexplicable.

Lewis ne voulait absolument pas se lancer dans la politique ou la finance. Mais, lorsqu'il cherchait une profession susceptible de lui apporter la notoriété, rien ne se présentait à son esprit. Il songeait instinctivement à l'une des carrières en vogue dont il entendait parler dans les journaux, ce qui était banni chez les Sinclair. La publicité. L'industrie de la musique. Le journalisme. Le show-business. Toutes ces professions où seuls comptaient l'esprit et l'énergie, et non le fait d'avoir un père, ayant pignon sur rue, qui tire les ficelles.

Toutes ces idées se mêlaient dans son esprit sans que l'une d'elles s'imposât vraiment. Puis, sur l'invitation d'une actrice rencontrée à New York, il était parti pour la côte ouest. Soudain, une illumination lui vint : il avait découvert le métier qui lui plaisait. Ce n'était pas celui d'acteur, il n'en était pas capable. Ni celui de metteur en scène, Lewis était conscient de ses limites. La production l'intéressait par son aspect fluide et imprévisible. C'était un milieu interlope, il fallait savoir jouer des coudes, mais cela lui plaisait également. Le brassage des affaires, le bagout, la drogue, tout le fascinait. Mais il aimait, par-dessus tout, les réceptions et les filles.

Lors de son voyage, il fit la connaissance de jeunes producteurs et les observa longuement, fasciné par leur univers. Il lui fallut cependant quelque temps avant de se rendre à l'évidence : tous étaient différents de lui, ils étaient juifs. Il confia imprudemment ses ambitions à une actrice, un soir où il avait trop bu. Elle faillit tomber du lit tant elle rit aux éclats.

Lewis se dit qu'au fond elle avait sans doute raison. Il se lassa de l'actrice, de Hollywood, de la fantaisie. Il acheta son billet de retour pour la côte est. Il l'avait mis dans la poche arrière de son jean, tenue qu'il avait adoptée en Californie, lorsque, tard un soir, l'actrice lui annonça qu'ils étaient invités à une réception. Sa dernière soirée en Californie. Lewis accepta en haussant les épaules.

Elle avait lieu dans une résidence secondaire, au bord de la plage. C'est à cette soirée que sa vie avait commencé, parce qu'il y fit la connaissance de Thad.

L'actrice l'avait présenté, d'un geste de la main, comme le « crapaud » avant de s'éloigner vers quelqu'un qui était censé avoir une réplique dans une distribution de la MGM.

Lewis, pris au piège et incapable de s'échapper, apprit que le crapaud s'appelait Thaddeus Angelini. Il était de la deuxième génération italo-américaine, né et élevé à Los Angeles. C'est lui qui se présenta, de façon laconique, avant de plonger dans un silence total. Lewis était très embarrassé. Il lui restait quelques séquelles d'éducation bostonienne, et il lui fallait parfaire l'art d'Hollywood de descendre en flèche celui qui n'avait ni réputation, ni influence, ni argent, ni espoir. Un silence gênant s'était établi. Le crapaud, adipeux et suant, se taisait toujours. Lewis, ne sachant que dire, lui demanda ce qu'il faisait.

— Des films, répondit-il en clignant des paupières, derrière ses lunettes sombres.

En toute naïveté, Lewis le regarda avec un intérêt accru. Il avait rencontré à Hollywood bon nombre de personnes ayant mille projets, mais c'étaient tous des pleutres.

— En ai-je vu certains ?

— C'est tout à fait improbable, aucun n'est sorti.

Le gros homme s'esclaffa. Lewis vacilla. « Doux Jésus, se dit-il, je suis tombé sur un dingue. »

— Ils sont dans ma tête. Pour l'instant, fit-il en riant nerveusement.

Lewis pensa qu'il était idiot, ivre ou sous l'effet de la drogue. Sans doute les trois à la fois. Remarquant pourtant qu'il buvait de l'eau et ne fumait pas, il l'observa avec plus d'attention. Conscient de l'intérêt qu'il suscitait, le gros homme lui adressa un sourire d'une douceur étrange, déparé seulement par d'horribles dents jaunâtres.

— Foutez le camp, si vous voulez, personne ne reste avec moi, dit-il d'un ton complaisant. C'est ce qu'ils font tous. Ça m'est égal.

Ce n'était pas un défi, mais c'est ainsi que Lewis l'interpréta. Il avait toujours eu horreur d'être influencé. En tirant une certaine fierté, il se fraya un chemin à travers un groupe bruyant d'homosexuels et vint s'asseoir par terre, sur un coussin, près de Thad.

— Très bien, puisque vous y tenez. Dites-moi ce que vous cherchez dans la vie.

À sa grande surprise, Lewis lui répondit spontanément.

Leur conversation dura près d'une heure. Puis ils se rendirent en ville, dans l'appartement de Thad situé au quatrième étage sans ascenseur. Là, ils poursuivirent leur conversation. À l'aube, Lewis s'étendit par terre et s'endormit. Lorsqu'il se réveilla, le lendemain, dégrisé, ils reprirent leur conversation. Le soir même, ils allèrent voir un film de Bergman, *Le Septième Sceau*, dans un cinéma du campus de l'UCLA. Lewis en avait vu une partie à Harvard. Thad l'avait vu trente-cinq fois. Quand ils retournèrent à l'appartement, ce fut à son tour de parler. Ce qu'il fit durant quatre heures d'affilée. Il analysa le film et tous les autres de Bergman.

Lewis ne comprit que la moitié de ses explications, mais elles lui semblèrent géniales. Thad voyait toujours l'esprit derrière la lettre, reliait le cinéma à la vie. Il lui montra comment il était possible, techniquement, de faire passer un message. Lewis l'écoutait. L'art prenait vie. La vie avait un sens.

Le lendemain, sans se rappeler avec exactitude tous les détails, il était encore sous le charme. Thad l'avait totalement convaincu. Leur amitié prit naissance ce jour-là. Lewis n'avait jamais eu d'ami, mais il supposait que c'était cela, l'amitié.

Ils ne se séparèrent pratiquement pas pendant deux mois. Ils ne se nourrissaient que de sandwichs. Lewis continuait à dormir par terre chez Thad. Ils passaient le plus clair de leur temps à aller au cinéma pour en discuter la nuit. L'obsession bienveillante de Thad apportait à Lewis le calme. Pour la première fois de sa vie, il se sentait parfaitement détendu. Thad n'attendait rien de lui. Si Lewis souhaitait l'accompagner au cinéma, il était le bienvenu. Si ce n'était pas le cas, il partait seul en haussant les épaules. Il ne lui avait jamais posé la moindre question sur sa famille, cela ne l'intéressait nullement. Quand Lewis avait envie de parler, Thad l'écoutait, acceptant le rôle de confesseur avisé. Il ne portait jamais de jugement, ne faisait jamais de reproches. Lewis avait l'impression que le problème de la moralité ne se posait jamais à lui. À ses yeux, les concepts de devoir, d'honneur, de vérité, qui étaient le code de l'aristocratie bostonienne, n'existaient pas. Sauf dans les films.

Lewis, assis par terre, les jambes croisées, dégustait un plat chinois dans une barquette, accompagné d'un verre de vin. Soudain, il ressentit une impression extraordinaire de liberté. Pour la première fois de sa vie, il se sentit libre et heureux. Quand il eut terminé la bouteille de vin, son idée de la liberté prit une ampleur encore plus grande. Il porta un regard nouveau sur ses parents, les trouvant aussi vieux jeu que la plupart de ses contemporains à Harvard. Ils étaient nés vieux. Tout comme sa famille, ils appartenaient au passé, à l'univers morose de l'après-guerre d'Eisenhower. Lui et Thad étaient différents. Ils se foutaient pas mal des codes et des conventions. Ils n'avaient pas les mêmes critères que sa famille. Au diable les maisons, les voitures, les diplômes... et l'argent ! Lewis les rejetait violemment.

Après avoir tenu ce discours à Thad, il s'effondra, épuisé. Thad l'écoutait en hochant la tête.

Au bout d'un long moment, il se mit à parler.

— Ouais. Il se peut que nous ayons besoin d'argent, Lewis. Ça, oui.

— L'argent ? L'argent ? Qui en a besoin ? s'écria Lewis, oubliant sur le coup la rente qu'il percevait et jetant en l'air sa barquette de riz cantonais.

— Nous en avons besoin, Lewis, pour produire des films.

Lewis changea aussitôt d'attitude et fixa Thad.

— *Nous* ?

— Évidemment. Toi et moi. Quand nous tournerons un film, fit Thad en bâillant avant de se lever. Allons dormir, maintenant.

— D'accord, Thad, répondit Lewis, docile comme un enfant.

Il se coucha par terre, comme d'habitude, mais resta éveillé des heures, les yeux fixés au plafond. Il était transfiguré. C'était, pour lui, une renaissance. Thad voulait faire un film avec lui. Il lui avait annoncé cette grande nouvelle comme si c'était une chose évidente, normale. Lewis éprouvait un sentiment d'humilité et se sentait en même temps honoré. Enfin il avait un but dans la vie. Il se réveilla, le lendemain matin, un peu ivre, certes, mais toujours sous le choc.

En cinq mots entrecoupés d'un bâillement, Thad lui avait révélé sa vocation. Personne, en dehors de son entraîneur de football, ne lui avait témoigné une aussi grande confiance. Lewis avait l'impression de se trouver sur le terrain, feintant, après avoir capté le ballon lors d'une passe parfaite, puis courant, évitant la défense, certain de réussir à marquer un but.

Lewis sentait une confusion de plus en plus grande l'envahir. Tout se mêlait dans son esprit. La voix du commentateur de télévision s'éleva brusquement. Dodelinant de la tête, il s'assoupit.

Une demi-heure plus tard, quand Victor, le cadreur de Thad, qui venait de terminer la scène, passa en sifflant devant le petit bar, songeant à la soirée qu'ils allaient passer, Lewis dormait toujours.

Dans la salle, Thad finissait de charger la caméra. Avec une expression bizarre, il se tourna vers Hélène et se dirigea vers la porte qu'il ferma à double tour.

— Est-ce que tu comprends, fit Thad en lui adressant un sourire. Victor nous gênait. Maintenant, ça va aller mieux. Tu vas y arriver.

Hélène le regarda sans comprendre. Ils travaillaient cette scène depuis des heures, et elle savait qu'elle n'était pas parvenue au but recherché. Il voulait une expression précise qu'elle n'arrivait pas à saisir.

Tout l'après-midi, elle s'était posé vainement des questions sur son attitude. Elle comprit soudain, lorsqu'il ferma la porte à clef et se tourna vers elle en souriant. Brusquement, un sentiment de peur l'envahit.

— Que fais-tu ? lui demanda-t-elle en haussant le ton malgré elle.

C'était une question stupide à laquelle Thad ne prit pas la peine de répondre. Elle se rendait très bien compte de ce qu'il faisait.

Il tenait tendrement sa caméra contre lui et essuyait la graisse autour de l'objectif.

Lewis se réveilla en fin d'après-midi. Il sortit du bar en courant. Dès qu'il se retrouva à l'air, il fut pris de violents haut-le-cœur. Il fit quelques pas en titubant et alla vomir sur un pot de géraniums. Il se sentit ensuite nettement mieux.

Toujours un peu vacillant, il se rendit sur les lieux du tournage. Fabian n'était plus là. Il s'effondra sur les marches. La porte du haut était toujours fermée. Il perçut la voix traînante de Thad, puis ce fut le silence.

Il se rappelait vaguement Thad qui, dans le passé, sans doute à Los Angeles, avait prétendu qu'ils formaient une équipe, tous les deux, mais qu'il leur manquait un troisième élément. Thad avait précisé alors qu'ils devaient trouver une femme, une actrice, et que tout se jouerait sur ses capacités. Il leur fallait *la* femme, *le* visage qui colleraient exactement à l'idée qu'ils se faisaient de l'héroïne du film.

Durant les trois mois passés à Paris où Lewis avait travaillé au café de Strasbourg, Thad avait cherché ce visage. Il avait interviewé et auditionné une soixantaine de jeunes femmes, toujours dans une pièce fermée à clé. Aucune d'entre elles ne convenait. Et puis, un soir, Thad était arrivé au Strasbourg tout essoufflé, le regard radieux. Il l'avait trouvée, avait fait sa connaissance dans la rue, devant la cinémathèque. C'était la perfection même. Elle les attendait dans leur chambre. Thad lui avait dit qu'il lui trouverait un logement.

Ils avaient quitté aussitôt le café et étaient rentrés directement chez eux. Et là, assise sur le divan, dans leur chambre mansardée, Hélène les attendait. Le visage d'Hélène se mouvait dans son esprit maintenant. La tête lui tournait. Lewis, gémissant, s'affala dans les escaliers et sombra dans l'inconscience. Hélène et Thad. Thad et Hélène. Hélène, Thad et Lewis...

Avait-il dormi ? Rêvé ? Il ne savait pas. Quand il reprit ses esprits il aperçut Thad, debout devant lui. Lewis ne savait plus où il était, n'avait aucune souvenance de ce qui avait bien pu se passer. Les seules séquelles apparentes étaient des maux de tête douloureux et la gorge sèche.

Mais, devant l'attitude étrange de Thad, la mémoire lui revint. Son esprit s'éclaircit. Revigoré, il leva les yeux vers lui.

Thad se balançait nerveusement. Son visage reflétait un sentiment de joie refoulée à laquelle se mêlait une lueur d'inquiétude. Malgré la fraîcheur de la soirée, il était en sueur. Les mains enfoncées dans les poches de son jean plein de taches de graisse, il triturait ses clés et les pièces qui lui gonflaient toujours les poches.

— Lewis. C'est Hélène. Ça ne va pas bien. Tu peux venir ?

Lewis se leva, observa longuement Thad avant de se précipiter dans les escaliers. Arrivé devant la porte, il s'immobilisa.

La pièce lui sembla vide. Pas de Victor. Tous les projecteurs étaient éteints. Seule une petite lampe de chevet était allumée. Des câbles jonchaient le parquet. Le matériel était entassé dans un coin. Près de la porte se trouvait une pile de pellicules prêtes pour le montage.

Le lit, seul élément important du décor, n'était pas fait. Lewis mit du temps à se rendre compte que c'était Hélène qui émettait cette plainte terrifiante. Il traversa la pièce en deux enjambées, ôta les draps, le cœur battant, l'estomac noué de peur.

Que s'attendait-il à trouver ? Il n'en savait rien. Du sang, peut-être, parce qu'elle avait l'air de souffrir. Mais il n'y avait pas de sang. Hélène, recroquevillée dans la position fœtale, haletait comme si elle avait reçu un coup de poing dans l'estomac.

Lewis se pencha et la prit dans ses bras, aussi tremblant qu'elle. Il lui enleva les mains qu'elle maintenait désespérément contre son visage.

Aucune contusion. Pas d'entailles. Pas d'hématomes. Pas de blessures apparentes. Les joues noyées de larmes. Elle refusait d'ouvrir les yeux, de le regarder, sans cesser de produire ce bruit saccadé horrible. Dans sa frayeur, Lewis mit du temps à se rendre compte qu'elle ne portait qu'une légère robe de chambre en soie et que, dessous, elle était nue.

Il lui reposa délicatement la tête sur l'oreiller, puis lui remonta les draps jusqu'aux épaules. Il se retourna alors vers Thad qui, debout devant la porte, semblait nerveux.

— Salaud. Ordure. Où est Victor ? Que lui as-tu fait ?

Il pouvait à peine parler tant sa colère était violente. Thad détourna le regard. Il sortit les mains de ses poches et fit un geste d'impuissance.

— Rien. Vraiment rien. Je ne l'ai pas touchée.

— Menteur. Sale menteur, fit Lewis en se jetant sur lui et en le plaquant contre le mur.

— Est-ce que tu l'as battue ? Dis-le.

— Battue ? Bien sûr que non, s'écria-t-il en essayant de se libérer. Je ne l'ai pas touchée. Tu crois que c'est comme ça que je peux tirer quoi que ce soit d'une femme ? Je n'ai rien fait. Lâche-moi, bon sang, Lewis.

Lewis relâcha lentement son étreinte. Thad, glissant le long du mur, se mit à bredouiller nerveusement.

— J'ai laissé Victor partir. Il n'y a pas longtemps. Une heure environ. Peut-être deux. Je perds la notion du temps quand je travaille. Je voulais tourner la dernière scène moi-même. Il le fallait, Lewis. En présence de Victor, ce n'était pas possible, il nous gênait. Je le sentais bien. Ça ne marchait pas. Il faut une poigne de fer pour le dernier plan. Il n'y a que moi qui pouvais le faire. C'est tout, Lewis.

— Espèce de gros porc. Alors pourquoi est-elle dans cet état ? Regarde-la. Vas-y, regarde bien...

Il saisit Thad et l'obligea à tourner la tête dans la direction du lit. Thad était au supplice.

— Je n'en sais rien. Je te le jure, Lewis, je n'en sais rien. J'ai peut-être dit quelque chose qui l'a blessée, je ne me souviens pas. Ça ne marchait pas bien. Elle n'arrivait pas à me donner l'expression que je voulais. Et pourtant, il me la fallait, Lewis. C'est le dernier jour de tournage. J'avais dit six semaines et deux jours, et ça tombe pile. Pour l'amour du ciel, Lewis, lâche-moi. Tu as bu ou quoi ? Tu me fais mal, Lewis. Laisse-moi.

— Si jamais j'apprends que tu l'as touchée, si tu l'as baisée, je t'écraserai la gueule. Je...

— Tout va bien, Lewis.

La voix d'Hélène le fit sursauter. Il se retourna et l'aperçut, assise sur le lit, le drap autour des épaules. Ses larmes avaient cessé. Plus tard, bien plus tard, Lewis devait se rendre compte que c'était la première et la dernière fois de sa vie qu'il l'avait vue pleurer.

— Tout va bien, Lewis, je t'assure.

La pâleur de son visage transparaissait sous son maquillage, et ses yeux sombres semblaient énormes. Lewis relâcha Thad et s'avança lentement vers le lit.

Figé au bord du lit, hésitant, en pleine confusion, il prenait conscience d'un changement en lui. Maladroitement, il lui tendit la main qu'Hélène saisit.

— C'est ma faute, dit-elle calmement. Thad n'a fait que son travail. Il lui fallait ce dernier plan, et je n'y arrivais pas. Il a prononcé quelques paroles qui... m'ont bouleversée.

Tout en parlant, elle avait les yeux fixés sur Thad. Lewis vit leurs regards se croiser et il y lut une parfaite complicité. Puis elle porta son attention ailleurs. Lewis était persuadé qu'elle mentait.

Des images jaillirent dans son esprit. Beauté et bestialité s'y confondaient. Il les chassa aussitôt, conscient de la crainte qu'elles suscitaient en lui, mais également de leur effet excitant. Thad resta silencieux, parfaitement maître de lui. Il se sentait irrésistiblement poussé vers Hélène. Il savait qu'il aurait dû résister, que c'était contre sa nature, que rien dans sa vie ne l'avait prédisposé à éprouver des sentiments d'une telle violence. Il avait pénétré avec force et innocence dans un mystère qu'il ne pouvait comprendre mais dont il savait qu'il lui fallait à tout prix sortir indemne. Son désir de frapper Thad, d'affirmer sa supériorité physique et de le jeter à terre était intense. Il fit un pas en avant, mais s'arrêta. Relevant une mèche de cheveux blonds de son front, il hésita un instant, promena son regard de Thad à Hélène, d'Hélène à Thad avant de s'écrier, sans s'adresser à l'un d'eux en particulier :

— Et merde ! Foutons le camp d'ici.

Brusquement, elle se glissa hors du lit en refermant sa robe de chambre et prit la main de Lewis.

— Lewis, je veux aller avec toi.

Lewis éprouva un sentiment de triomphe, une joie délirante, comme si, après une lutte amère, la victoire s'offrait à lui. Il se tourna vers Thad qui arborait une indifférence totale.

— La soirée est commencée depuis longtemps, fit-il en haussant les épaules.

— Ce n'est pas de la soirée que je parle, dit-elle en se tournant vers Lewis. Je ne veux pas retourner dans cette maison. Je veux partir tout de suite.

Sa voix avait un ton impérieux, légèrement puéril. Elle s'adressait à

Lewis comme si Thad n'était pas là. Lewis trouva cette supplique particulièrement flatteuse. C'était comme si elle lui confiait sa propre destinée.

— Nous ne sommes pas obligés d'y retourner. Nous irons où tu voudras.

— Merci, Lewis, répondit-elle en lui pressant la main. Je vais me changer.

Elle s'éloigna vers la pièce attenante qui servait de salon de maquillage et referma la porte derrière elle. Thad poussa un long soupir de soulagement. Le sourire aux lèvres, il s'appuya contre le mur en hochant la tête.

— Oh, Lewis, Lewis...

Il avait un air condescendant et amusé. Lewis lui lança un regard furieux.

— Puis-je partager ton hilarité ?

— J'en doute, Lewis. Oui, j'en doute.

Lewis parut intrigué. Tandis que la joie débordante tout comme le mystérieux sentiment de puissance qu'il avait ressenti un instant auparavant s'évanouissaient, il s'affala sur le lit.

Il avait encore la gueule de bois et n'avait pas retrouvé une totale clarté d'esprit. « Je ne suis sans doute pas dégrisé », se dit-il. Il ne comprenait pas ce qui se passait. Il avait simplement le sentiment d'être à la fois impliqué et exclu, puissant et inefficace, et en éprouvait de la jalousie et de la colère. Les événements qui venaient de se produire prenaient l'aspect d'un rapport de force, apparemment entre lui et Thad, mais en fait entre Thad et Hélène. Elle avait paru avoir besoin de lui et non de Thad. C'était vers lui qu'elle s'était tournée et non vers Thad. Pourtant, au fond de lui, il avait l'impression d'être manipulé. Il se cacha le visage dans les mains.

Thad déploya alors une grande gentillesse. Il lui expliqua qu'Hélène était très tendue, que le tournage revêtait, à ses yeux, une importance majeure et que la tension qui avait présidé à cette scène finale l'avait fait craquer. C'étaient toujours les femmes qui paraissaient les plus fortes qui s'écroulaient. Il lui conseillait d'aller prendre quelques jours de repos. C'est ce qu'il ne cessait de dire depuis des semaines. De toute évidence, Lewis était la personne toute désignée pour l'accompagner puisqu'elle lui témoignait une totale confiance, comme elle n'avait pas hésité à le lui montrer.

Quelqu'un devait veiller sur elle, ils étaient tous deux d'accord sur ce point. Autrement, il se pourrait très bien qu'elle disparaisse à nouveau. Or ni lui ni Lewis ne le souhaitaient. Ils voulaient continuer à travailler avec elle. Quand Lewis verrait les rushes, il comprendrait. Elle était fabuleusement douée mais il ne fallait pas le lui dire de peur que sa confiance en elle ne fasse naître un esprit d'indépendance. Elle était très jeune, mi-femme mi-enfant. Quand elle avait une idée en tête, elle prenait une attitude tout à fait puérile. Il valait mieux alors se plier à ses caprices. Si elle ne désirait pas retourner à la soirée ou au *palazzo*, cela n'avait vraiment aucune importance.

Il tint ce discours jusqu'au retour d'Hélène. Quand il la vit réapparaître, Lewis se dit que Thad n'avait pas tout à fait tort. Elle semblait parfaitement remise, un peu pâle peut-être mais très calme. Sa crise de nerfs n'était plus qu'un mauvais souvenir.

Il fut décidé que Lewis l'emmènerait dîner et qu'alors ils envisageraient ensemble la suite des événements. Partir ? Où ? Quand ? Rester ? Ils trancheraient au cours du repas. Thad ne se mêla pas à la conversation, apparemment peu intéressé par leur décision. Il arpentait la pièce, vérifiant les pellicules, le matériel. Il leva à peine la tête lorsque Lewis et Hélène s'en allèrent.

— Quoi ? Oui, très bien... Faites ce qui vous plaira. Moi, je dois monter le film. Passez-moi un coup de fil quand vous voudrez. Salut.

Lewis l'emmena dîner chez Alfredo, piazza Augusto Imperatore, célèbre pour ses *fettuccine*. Le repas excellent, arrosé d'une bouteille de chianti, redonna à Lewis le goût de vivre. En l'absence de Thad, le tournage se perdait dans l'irréel. La confusion et l'inquiétude qu'il avait éprouvées lui semblaient absurdes. C'était la première fois qu'il invitait Hélène à dîner, la première fois depuis longtemps qu'il se retrouvait seul avec elle. Il en éprouvait un certain malaise.

Il lui lança un regard discret. Si elle lui avait fait un peu de charme, comme toutes les femmes, elle lui aurait facilité la tâche. Mais, il l'avait bien observée ces six dernières semaines, ce n'était jamais le cas. Il avait remarqué également son attitude lorsqu'un homme essayait de l'approcher. Plusieurs membres de l'équipe avaient tenté leur chance. Lloyd Baker notamment. Hélène s'était aussitôt raidie, le regard glacial. Lewis ne tenait pas à subir le même sort. Il n'avait aucune envie de la séduire. Sa stratégie envers les femmes en général était plutôt directe. Mais là, c'était tout à fait inapproprié.

Il se trouvait donc désemparé, car il n'avait pas l'habitude de parler aux femmes. Il savait se montrer taquin, enjôleur, flatteur. Mais simplement converser, comme avec une personne du même sexe, non, c'était trop difficile. Il opta pour un terrain neutre : le film.

— Es-tu contente d'en avoir terminé ? Le film te plaît ?

— Thad ne m'a pas laissée voir les rushes, si bien que je ne puis juger. Mais, oui, dans l'ensemble, j'en suis contente. C'est bon de... de se sentir capable de réaliser quelque chose. Cela ne m'était jamais arrivé auparavant.

— Oh, ne t'inquiète pas pour les rushes. Personne n'a droit de regard. Thad agit toujours ainsi. Il aime avoir ses petits secrets.

Il hésita un instant, puis la fixa.

— As-tu dit la vérité tout à l'heure ? Après tout, une femme comme toi... Enfin... je suppose que, dans certains domaines, tu es sûre de toi.

— Tu le crois vraiment ? Eh bien, tu as tort, répondit-elle en souriant.

Lewis se sentit submergé de joie.

— Je sais ce que tu veux dire, s'empressa-t-il d'ajouter. Tu commences à prendre confiance, grâce à Thad. Je ne sais pas pourquoi, mais il produit toujours cet effet sur les gens. Peut-être parce que lui-même a l'air d'un roc. Je ne sais pas. J'ai eu moi-même cette impression d'être enfin quelqu'un grâce à lui. On fait toutes sortes de rêves qu'on croit irréalisables, et puis Thad arrive et ce ne sont plus des rêves, mais la réalité.

— Toi aussi, tu as connu cela ? dit-elle, surprise.

— Oui. Je dois beaucoup à Thad. (Il détourna le regard.) Cet après-midi... Je veux seulement m'en assurer... Il n'a pas... Thad ne t'a pas fait de mal ? Tu es sûre ?

— Non, il ne m'a pas touchée. (Son visage se ferma soudain.) Il voulait simplement quelque chose qu'il m'était impossible de lui donner. C'est tout.

Lewis l'observa longuement. Elle choisissait ses mots, et ça le mettait mal à l'aise. Il soupira.

— À vrai dire, Thad n'est pas normal. Parfois, il me semble qu'il a un grain de folie.

Soudain une question qu'il avait envie de poser depuis des semaines, jaillit.

— Est-ce que tu as de l'affection pour lui ?

Elle prit son temps pour lui répondre et haussa les épaules.

— Je ne sais pas, je n'en suis pas bien sûre. J'ai aimé travailler avec lui, un point c'est tout. Il m'a fait voir les choses différemment.

La réponse plut à Lewis. Avec une pointe de culpabilité, il se rendit compte que, si elle lui avait avoué son affection pour Thad, il aurait été contrarié. Il esquissa un sourire.

— Sais-tu quel est le plat préféré de Thad ? Du poulet frit, du riz cantonais et du thé Earl Grey. Sans oublier les *fortune cookies*, tu sais, ces petits sablés chinois avec un message à l'intérieur qui prédit l'avenir. Thad les adore. Il se nourrit ainsi au moins deux fois par semaine.

— Ah bon ?

— Oui, je te le jure. Et il dort avec ses chaussettes et jamais plus de quatre heures par nuit.

Tous deux éclatèrent de rire. L'image de Thad s'estompa, perdant son aspect terrifiant et revêtant plutôt un caractère absurde. Lewis reprit peu à peu confiance. La conversation avec Hélène était nettement plus facile en l'absence de Thad.

— Dis-moi, fit-il à brûle-pourpoint, qu'est-ce que tu vas faire maintenant ?

Il se pencha vers elle et, pour la première fois ce soir-là, lui effleura la main.

Hélène baissa la tête. Lewis avait de jolies mains. Elle sentit la douce caresse sur son bras. Le film était terminé. Il lui fallait faire un choix. Il devenait de plus en plus urgent de songer à l'avenir. Elle leva les yeux vers Lewis.

— Je ne sais pas, répondit-elle simplement. Je ne pensais qu'à une chose : terminer le film. Il m'était impossible d'avoir d'autres perspectives.

— On peut continuer à tourner ensemble, dit Lewis d'un ton détaché. Thad le souhaite. Il a dû t'en parler ?

— Oui, incidemment. Je ne sais pas s'il était sincère. Enfin, je l'espère.

— Évidemment, dit Lewis avec assurance. Nous formons une équipe maintenant. Toi, moi, Thad. Un triumvirat. Un triangle. Il pense qu'une force magique nous unit.

Un sourire triste se dessina sur ses lèvres. Lewis se pencha.

— Écoute. Tu te rappelles tout ce que tu m'avais raconté sur ta famille en Angleterre ? De toute évidence, tu n'as nulle envie de retourner chez eux. Rien ne t'y force. Oublie-les. Tu es avec nous maintenant. Nous sommes ta famille.

Hélène détourna le regard. Elle avait inventé une histoire quelques semaines auparavant, mais cela lui semblait si loin qu'elle ne s'en rappelait pas tous les détails. Était-ce la même que celle qu'elle avait racontée à Thad ? Elle ne savait plus. Tous ces mensonges l'épuisaient.

— Pourquoi ne partirions-nous pas en vacances ? Nous en avions parlé, tu te rappelles ? Quelques semaines, le temps que Thad monte le film. Ce serait agréable. On peut aller n'importe où. J'ai bon nombre d'amis qui seraient heureux de nous recevoir. (Lewis rougit légèrement.) Tu n'as aucune obligation envers moi, dit-il maladroitement. Je veux que tu le saches. Tu es parfaitement libre.

Il s'entendit prononcer ces affreux clichés et fut encore plus horrifié quand il se rendit compte qu'au fond de lui il était sincère.

Hélène l'observa sans rien dire. S'il n'avait pas rougi, s'il n'avait pas paru soudain plus jeune et beaucoup moins sûr de lui que d'habitude, elle lui aurait répondu autrement. Mais, peu à peu, Lewis Sinclair lui apparaissait sous un jour totalement différent. Une grande douceur et une infinie tendresse émanaient de lui. Comme elle, il portait un masque, ce qui l'émut profondément. Si elle avait besoin d'aide — éventualité plausible —, elle ferait appel à lui sans la moindre appréhension. Elle éprouva le désir soudain de s'évader dans un endroit tranquille où elle pourrait faire le point, réfléchir à tout ce qui s'était passé depuis son départ d'Orangeburg et songer à l'avenir.

— Ça me tente, dit-elle au bout d'un moment. J'aimerais trouver un endroit paisible et reposant après ces journées épuisantes.

— Aucun problème. Agitation ou calme ? Choisis, dit-il, jubilant à cette idée. Si nous retournions à Paris ?

— Non, non, surtout pas là-bas, s'écria-t-elle en détournant le regard.

— Je sais ce que nous allons faire, dit Lewis, bondissant de sa chaise. Prenons un taxi jusqu'à l'aéroport. Là, nous regarderons le panneau des départs et nous déciderons. D'accord ? J'en ai toujours rêvé.

Hélène se tourna vers lui. Ses joues étaient empourprées, ses yeux étincelants. Lentement, elle lui sourit.

— Comme ça ? Tu veux vraiment ?

— Oui.

À l'aéroport, elle resta dans le hall des départs, comme une petite fille, tenant Lewis par la main, les yeux rivés au panneau d'affichage. Milan. Athènes. Tenerife. New York. Le Caire. Alger. Johannesburg. Toronto. Sydney...

Lewis éclata de rire.

— N'est-ce pas merveilleux ? J'ai l'impression d'avoir quinze ans.

— Tu as bien dit n'importe où ?

— Absolument, n'importe où.

— Très bien, je vais fermer les yeux, tu vas lire le numéro des vols et je choisirai.

La joie débordante de Lewis la gagnait. Les yeux clos, l'image d'Édouard traversa son esprit. C'était un défi pour elle. Il fallait agir ainsi, de façon aussi arbitraire. En l'absence d'Édouard, toute destination perdait son sens, le monde son intérêt.

Lewis se mit à réciter le numéro des vols. Elle l'arrêta au hasard. Londres. Lewis se rendit aussitôt au guichet d'Alitalia et acheta deux billets de première classe qu'il régla avec la carte d'American Express.

De retour à Rome, dans la demeure du Transtévère, Thad prit le temps de se préparer. Ayant horreur des réceptions, il n'était nullement pressé de retourner à la soirée. Il resta assis quelques instants, attentif au silence, puis alla ranger sa caméra 16 mm que personne n'avait le droit de toucher. Il ôta la graisse de l'objectif et l'essuya soigneusement, démonta la caméra, pièce par pièce, et les plaça à l'endroit qui leur était destiné dans la mallette de métal qu'il ferma à clé.

Il caressa la mallette, comme un autre aurait caressé une femme ou un animal domestique. Puis il s'empressa de la poser près de la porte. Après avoir vérifié à plusieurs reprises les montages de la dernière scène, il les emballa dans un sac dont il tira la fermeture Éclair. Tatillon, il tendit quelques longueurs de câble et contrôla l'appareillage électrique. Les assistants démonteraient le reste le lendemain matin. C'était tout. Thad n'avait pas envie de partir. Il s'était attaché à ces lieux durant ces six semaines de tournage. Il tira les rideaux puis les rouvrit et ferma les volets. Il arpenta la pièce de long en large, une fois de plus, et s'arrêta près du lit un long moment.

L'oreiller froissé portait encore la marque de la tête d'Hélène. Les draps étaient chiffonnés. Celui du haut, qui l'avait recouverte, était rejeté en boule.

Au bout d'un moment, il s'avança et grimpa sur le lit où il s'agenouilla, ses grosses cuisses écartées, la respiration de plus en plus rapide.

Il se pencha ensuite sur l'oreiller où sa tête avait reposé et s'accroupit, caressant la taie blanche de son visage.

Pantelant, il songea à sortir sa caméra, simplement pour la tenir, même si elle n'était pas chargée, mais elle n'était pas à portée de sa main. D'un geste saccadé, il enfouit son visage dans l'oreiller, et sentit l'univers tourner autour de lui. Tremblant, il se mit à gémir. Quelques minutes plus tard, il se redressa. Il avait laissé des marques sur le lit : de la salive sur la taie, de la poussière de ses chaussures sur le drap blanc.

Il tenta vainement d'ôter la poussière, secoua l'oreiller, puis remonta le drap pour cacher les marques de ses chaussures.

Après avoir saisi la mallette contenant sa caméra et les films, il sortit. Il arriva à la réception à l'heure où Lewis et Hélène parvenaient à l'aéroport. La soirée battait son plein.

Les gorilles, à l'entrée, assis devant une caisse de vin, semblaient totalement ivres. L'un d'eux voulait visiblement dire quelque chose à Thad qui, indifférent, n'y prêta nulle attention. Il paya son taxi et s'avança le long de l'allée, balançant sa lourde mallette.

Il faisait très froid, ce qui ne paraissait pas gêner un couple, allongé derrière un bosquet. Thad apercevait le visage de la femme, crispé, comme de douleur, au moment de jouir. Il passa devant eux sans s'attarder. Les portes du *palazzo* étaient ouvertes, la lumière jaillissait de la terrasse. Des hurlements de chien, couvrant la musique et le brouhaha, déchirèrent la nuit.

Gravissant péniblement les marches, Thad s'arrêta sur le seuil. Il y avait beaucoup de monde, des gens qu'il ne connaissait pas et qui, pour la plupart, avaient dû s'inviter. Il régnait déjà une pagaille indescriptible. Des cadavres de bouteilles de champagne roulaient sur le sol de marbre jonché d'aliments écrasés. Il y avait des mégots partout. Une cigarette encore allumée se consumait sur une petite table dorée sculptée. Thad sentit une odeur de marijuana. Il ramassa la cigarette et l'écrasa sous son pied. Elle avait laissé une profonde marque sur la table.

Il promena son regard dans l'assistance, encore ébloui par la lumière. L'un de ses assistants se trouvait au bas de l'escalier, ivre mort. Un figurant tendait une cuillerée de caviar à une statuette tricolore en forme de papillon. Thad les observait. Soudain un être fantomatique s'approcha de lui. Un mètre quatre-vingts, une toge courte, une perruque blonde qui lui tombait sur les épaules, des diamants à foison. Tel un chat importun, il se frotta contre lui, déversant un flot de paroles en italien. Comme Thad ne répondait pas, il lui saisit la main, la plaqua sur ses seins d'albâtre avant de la guider entre ses cuisses. Le spectre avait le pénis dressé.

— Pas maintenant, dit Thad d'un ton plutôt aimable.

— Eh bien, va te faire foutre, s'écria-t-il dans un accent de Brooklyn avant de s'éloigner.

Thad, évitant soigneusement les bouteilles de champagne qui roulaient au sol, pénétra dans le hall.

Fabian vint l'accueillir.

— Thad, vous êtes en retard. Lewis vient d'appeler de l'aéroport.

Il fouilla dans ses poches nerveusement et sortit un morceau de papier sur lequel était griffonnée une adresse.

— Ils se sont tirés à Londres. Lewis m'a dit de vous donner ça. Il vous téléphonera demain.

— Très bien, fit Thad en hochant la tête distraitement.

Il mit le bout de papier dans sa poche en soupirant. Le spectacle qui s'offrait à lui était désolant. Cette orgie ne lui inspirait que de l'ennui. Il décida de se préparer une tasse de thé dans la cuisine avant de monter se coucher, mais, soudain, son regard fut attiré, au milieu de la foule, par un homme qu'il reconnut. Hissant sa caméra sur l'épaule, il s'avança vers lui.

Vêtu, comme les deux précédentes fois où Thad l'avait rencontré, de son trois-pièces qui ressemblait à un costume de deuil, il s'était immobilisé devant l'entrée de la bibliothèque du prince Raphaël. L'expression de son visage reflétait un dégoût profond. La bibliothèque était vide, ce qui n'avait rien de surprenant.

Thad s'approcha de lui. L'homme, de très haute stature, toisa Thad, qui ne mesurait qu'un mètre soixante, tel un aigle regardant une limace. Thad attendit patiemment. Peu à peu, comme prévu, il eut l'impression que l'homme, lentement, le reconnaissait. Il n'avait jamais vu Thad, bien entendu, mais Thad se disait que, s'il était venu de si loin, on avait dû lui donner une description détaillée de sa personne.

L'homme pénétra dans la bibliothèque sans un mot. Thad le suivit en silence, poussa la porte et, après réflexion, la ferma à clé.

Le plafond était orné de fresques de Benozzo Gozzoli et sur les étagères se trouvaient quelques bronzes de Benvenuto Cellini qui appartenaient à la famille du prince Raphaël depuis seize générations. C'étaient des livres anciens splendides, reliés en cuir et portant le sceau de la famille en lettres d'or. La plupart d'entre eux étaient des ouvrages pornographiques. Comme son père et son grand-père avant lui, le prince Raphael était un collectionneur mondialement connu. Thad promena son regard sur les fresques, les bronzes de Cellini, les rangées de livres avant de s'arrêter sur l'homme qui se tenait devant la cheminée de marbre sculpté. Il ne connaissait pas son nom.

Thad, intrigué, remarqua un grand sac en crocodile marron qui semblait lui appartenir. Le contraste était frappant. Il n'aurait pas imaginé un homme aussi austère que lui avec un sac aussi voyant.

Thad, dont le flair aiguisé décelait un pouvoir écrasant chez cet individu, l'observa sans rien dire. De toute évidence, l'homme attendait qu'il parle le premier. Aussi n'en fit-il rien. Il se doutait de la raison de sa venue et portait un certain intérêt à la façon dont il allait s'y prendre pour poser ses questions. Il n'allait certes pas hurler, tenter de l'intimider ou lui faire une scène, Thad en était certain à juste titre.

Quelques instants plus tard, avec un calme parfait, l'homme, d'une voix très claire, s'exprima dans un anglais à peine teinté d'intonations françaises.

— Où est-elle ?

Thad posa ses sacs.

— Hélène Craig ? fit-il de cette voix légèrement aiguë qu'il avait lorsqu'il était énervé.

Il s'était demandé si l'homme la connaissait sous ce nom et si elle lui avait raconté les mêmes mensonges. Difficile à dire devant son impassibilité. Thad, qui l'avait remarqué à deux reprises sans le dire à Hélène et Lewis, l'observait avec intérêt. Il semblait donner des signes d'impatience.

— Oui, dit-il sèchement.

— Elle vient de partir, dit Thad en riant bêtement. (Il attendit un instant pour prolonger le suspense, avant d'ajouter :) Avec Lewis.

L'homme lui lança un regard glacial qui impressionna Thad. Sous la pression de ce regard, n'importe qui aurait été désarçonné et se serait mis à parler. Mais pas Thad. Un instant plus tard, l'homme, d'un air dédaigneux, se dirigea vers la porte. Thad alla s'asseoir sur les coussins moirés d'un divan aux fines sculptures dorées. Dès que l'homme parvint à la porte, il ajouta :

— Je sais où ils sont allés.

Thad ne se retourna pas, mais il sentait que l'homme hésitait malgré son désir de voir disparaître à jamais l'image de Thad qui attendait avec philosophie. S'il avait vraiment envie de partir, qu'il le fasse. Il en avait la trempe. Si ses recherches s'étaient révélées fructueuses jusque-là, il saurait la poursuivre ailleurs. Lewis était un imbécile, se dit-il en se curant le nez. Depuis l'interrogatoire de cet Anglais au café de Strasbourg, Lewis avait manifesté quelques signes de nervosité. Tôt ou tard, il baisserait la garde et se montrerait moins prudent. Alors, ce type pouvait partir s'il le souhaitait. Toutefois, Thad espérait le contraire. Après s'être mouché dans ses doigts, il essuya furtivement sa main sur le coussin de soie. L'homme se retourna et vint vers lui. Leurs regards se croisèrent une fois de plus et, cette fois, il prit son temps.

— Vous n'êtes pas son père, n'est-ce pas ? lui demanda Thad en souriant. Le type du Strasbourg, ce n'était pas son frère ?

— Non.

— Oh, fit Thad en haussant les épaules, elle m'a raconté des histoires. Parfois, ça collait. Mais je ne l'ai pas vraiment crue... Vous voulez tout me raconter ?

— Non, je n'en éprouve ni l'envie ni le besoin.

— Très bien, dit Thad en esquissant un sourire. Peu importe. Je vais vous dire où ils sont allés. Mais d'abord, laissez-moi vous parler du film. D'Hélène et du film.

Thad, appuyé sur les coussins, se mit à parler. L'autre l'écoutait attentivement. Son monologue dura cinq minutes. Pas une fois il ne fut interrompu. En fait, ce qu'il avait à dire était simple, car la trame de *Jeu de nuit* ne présentait pas de difficulté de compréhension : deux hommes, une femme, l'éternel trio. Les hommes, amis au départ, devenaient des rivaux. La femme survivait. Les deux hommes étaient moins chanceux, l'un mourait après avoir tué l'autre. Au début du film, la femme semblait être la proie et les hommes les chasseurs. À la fin, les rôles étaient inversés.

— C'est une comédie, conclut Thad.

— Le sujet a l'air particulièrement plaisant.

— *Jeu de nuit*, c'est le titre qu'on a choisi, bien que toutes les scènes se passent au grand jour. Ce sont les personnages qui sont plongés dans le noir. Comme la plupart des gens, vous ne croyez pas ? C'est plutôt amusant.

Il avait réussi à attirer son attention. Son interlocuteur observait Thad d'un air pensif.

— Ce n'est pas tragique ?

— Oh, en un sens, si. À la fois amusant et tragique. À l'image de la vie.

L'homme, les lèvres soudain pincées, parut brusquement tendu.

— Vous me faites perdre mon temps, fit-il en s'apprêtant à partir.

— Je ne crois pas, dit Thad avec humilité. Voyez-vous, c'est après vous avoir vu que j'ai eu l'idée du scénario.

L'homme s'arrêta net, comme Thad l'avait prévu, et se retourna lentement. Il lança vers Thad un regard de mépris.

— Nous n'avons jamais été présentés.

— Certes pas, mais je vous ai vu deux fois. C'est vous qui ne m'avez pas remarqué, c'est tout, fit Thad en s'esclaffant. Je vous ai vu en compagnie d'Hélène à Paris. Vous l'avez raccompagnée au Café de Strasbourg une fois et vous êtes venu la chercher au même endroit le lendemain soir. Elle n'en a pas parlé la première fois, j'en ai déduit que c'était important. Hélène n'aborde jamais l'essentiel. Elle ne fait ses confidences ni à moi ni à Lewis. J'aime bien cet aspect mystérieux chez elle. Lewis ne comprend pas, bien sûr. Je crois même qu'il n'en est même pas conscient. Il faut dire qu'il est assez naïf. Pour le bla-bla, ça, il est fort...

— Venons-en au fait.

— Eh bien..., dit Thad avec un sourire imperturbable. Vous recherchez Hélène, si je ne me trompe. Vous croyez l'avoir retrouvée. Il n'en est rien. C'est moi qui l'ai retrouvée. Parce que je la comprends, je la connais. Si vous voulez toujours savoir où elle est, je puis vous donner son adresse à Londres et vous pouvez vous y rendre. Mais, à mon avis, ce n'est pas une bonne idée. Si vous souhaitez vraiment la connaître, le film vous donnera la réponse. Celui-ci et tous ceux qu'elle va tourner. Avec moi.

Il régna un long silence. Thad, qui misait sur la tension de son interlocuteur, observait Édouard avec respect. C'était bon de trouver un adversaire à sa taille. Il se demandait s'il allait commettre l'erreur primaire de se montrer méprisant.

Édouard, devant la silhouette empâtée, légèrement ridicule de Thad, fut tenté non point de perdre son sang-froid, il n'était pas si stupide, mais de le rejeter et de faire fi de ses propos. Quel petit homme laid et vaniteux. Un poseur. Un imbécile. Il faillit lui dire le fond de sa pensée, mais il soupçonnait en Thad une puissante volonté qu'il ne sous-estimait pas. Il posa son regard sur Thad, se donnant le temps de réfléchir, comme s'il évaluait les faiblesses de son adversaire lors d'une partie d'échecs. La vanité, voilà le registre sur lequel il devait jouer. Ce bonhomme adipeux n'avait pu résister à la tentation du spectaculaire, avec une pointe d'agressivité, d'ailleurs, tel un cavalier traversant l'échiquier en diagonale ou une reine s'avançant un peu trop tôt. Édouard choisit le mode défensif classique : celui du pion qui se déplace de façon apparemment inoffensive. Une case.

— Je ne comprends pas, fit-il, la voix intentionnellement teintée d'émotion. Ce n'est pas possible. Je croyais la connaître.

— C'était là votre désir. Vous pensez l'aimer, n'est-ce pas ? lui dit-il d'un ton compatissant.

« Parfaitement », se dit Édouard. Malgré son aversion pour ce genre de confidence, il acquiesça.

Le bonhomme adipeux parut satisfait. Il se leva fébrilement.

— Voyez-vous, vous la connaissiez en un sens. Enfin, une partie d'elle...

Il secoua les pièces qu'il avait dans les poches. Le ton montait peu à peu. Il commençait à s'agiter.

— C'est son habitude, je l'ai remarqué. Elle ne révèle qu'une partie d'elle-même aux autres. Elle est à la recherche de son identité et elle a peur, aussi donne-t-elle une parcelle de son être par-ci, une autre par-là, guettant les réactions. Puis, lorsqu'elle a l'impression d'en avoir trop dit, elle s'affole et profère un mensonge. C'est de l'autodéfense. Elle est devenue experte en la matière et elle en est consciente. Elle m'a dit d'énormes mensonges. À Lewis, elle en a dit d'autres. Je suppose qu'à vous aussi elle a dû mentir. N'y prêtez pas attention, ce n'est pas important. La peur seule la fait agir ainsi. Elle sait qu'elle exerce un charme irrésistible sur les autres, et surtout sur les hommes, et a l'impression que, si l'on décelait la réalité derrière le masque, on ne l'aimerait plus. On la rejetterait peut-être. Elle n'a aucune confiance en elle. Il a dû se passer quelque chose dans son enfance.

Édouard écouta ce flot de paroles avec attention. Derrière la banalité du discours, il percevait une vive intuition. « Avançons d'une case », se dit-il. Le gros bonhomme allait avoir besoin d'être stimulé. Édouard baissa simplement la tête en soupirant. Ce fut suffisant.

— J'ai déjà rencontré des femmes comme elle, dit Thad en agitant ses mains. Pas aussi belles, peut-être, mais c'est le même syndrome. C'est la raison pour laquelle j'ai su qu'elle était dans le vrai dès l'instant où je l'ai vue. J'ai tout de suite compris qu'elle était faite pour le cinéma. C'est le regard, je crois. Elle bouge à peine, et les yeux parlent à la caméra. Ma caméra. Parce que je vais là où il faut. Elle ne ment pas à ma caméra. Elle révèle tout. Là, elle n'a plus peur et se donne totalement. Comme si elle faisait l'amour. Je ne plaisante pas. Elle pourrait jouer dans n'importe quel film, mais ce sont les miens qui feront d'elle une star. Plus qu'une star. Une légende.

Édouard leva les yeux vers lui. Thad, les doigts croisés, le visage dodu, avait un regard triomphant. Édouard éprouva soudain de la répulsion à son égard et pensa qu'il était déséquilibré, un peu fou, et même effrayant par certains côtés. Il eut peur pour Hélène.

— Vous croyez que c'est ce qu'elle veut ? demanda-t-il d'un ton glacial, mais Thaddeus Angelini avait baissé la garde.

— Elle ne sait pas ce qu'elle veut, du moins pas encore. Elle en prendra conscience quand elle verra le film. Celui-ci ou le prochain. Sa véritable identité lui sera révélée. (Thad s'interrompit et lança un regard de compassion vers Édouard.) Son départ ne doit pas vous contrarier. Je crois que, pour elle, c'était important. Elle a toujours voulu être actrice depuis sa plus tendre enfance. C'est elle qui me l'a dit, et je la crois. Elle se sent faite pour ce métier et pense que c'est en quelque sorte sa destinée. Si vous l'aviez rencontrée plus tard, tout aurait été sans doute différent.

— Pourquoi ?

Thad eut un mouvement d'impatience.

— Oh, c'est une femme. Tôt ou tard, elle songera à l'amour, au mariage, aux enfants. D'ici là, ce sera une vedette, et elle pourra enfin prendre son destin en main. Elle saura alors s'il lui manque quelque chose et sera en mesure de le définir. Ce sont des sornettes, bien sûr, mais les femmes sont ainsi. Elle finira par se convaincre. Si, à ce moment-là, vous vous trouvez sur son chemin, peut-être aurez-vous une chance, qui sait ? (Il haussa les épaules.) Je crains qu'en fin de compte vous n'y laissiez des plumes. Ce n'est pas cela qu'elle souhaite, voyez-vous, et elle s'en rendra compte un jour. Ce dont Hélène a besoin, je suis le seul à pouvoir le lui donner.

— Et c'est quoi ?

— L'immortalité.

« Échec et mat », se dit Édouard. Il croit qu'il a fait échec et mat. Il fixa les petits yeux de Thad qui brillaient derrière ses lunettes sombres en souriant.

— Je ne vous crois pas, dit-il d'un ton ferme.

Thad parut surpris par sa réponse directe, mais il se ressaisit aussitôt.

— C'est sur l'opportunité que je me trompe, à votre avis ?

— Sur ce point, il est possible que vous ayez raison. Mais c'est sur le résultat que vous vous trompez. Je crois que vous sous-estimez les femmes. Et Hélène en particulier... Les gens, en général, d'ailleurs. Les êtres, hommes ou femmes, n'ont-ils pas besoin de toutes ces valeurs, comme l'amour, l'épanouissement, le mariage, les enfants, que vous rejetez aussi aisément ?

Thad hésita. Il remit les mains dans ses poches et fit tinter ses clés, baissant d'abord les yeux puis les levant avec un air malicieux vers Édouard.

— Moi, je n'en ai pas besoin.

— Vous êtes donc placé si bas dans l'échelle humaine ?

— Ou peut-être si haut, fit Thad en souriant.

Édouard l'observa avec calme. Le gros bonhomme était sans doute sincère et, dans ce cas, ses failles ressortiraient dans ses films. Il se dirigea vers la porte, et Thad se précipita vers lui.

— Vous voulez son adresse, oui ou non ? s'écria-t-il en brandissant son bout de papier.

Édouard le toisa du regard.

— Merci, je n'en ai pas besoin.

Il ouvrit la porte. Thad remit l'adresse dans sa poche.

— Mais... Vous allez vous rendre à Londres, non ?

Édouard, se retournant, remarqua son large sourire.

— Londres ? Après tout ce que vous m'avez dit ? Tout ce que vous m'avez expliqué ? Non, je retourne à Paris.

Thad le regarda d'un air méfiant.

— Vous voulez dire que vous n'allez pas essayer d'entrer en contact avec Hélène ?

— C'est exact. Je n'en ai nullement l'intention.

— Voulez-vous que je lui fasse parvenir un message ?

— Hélène et moi n'avons pas besoin de messager.

Devant le ton hautain d'Édouard, le gros bonhomme fronça les sourcils.

— Pourquoi l'appelez-vous Hélène avec cet accent français ?

— Parce que c'est son vrai nom, fit Édouard en passant la porte qu'il referma doucement derrière lui.

Thad ressentit une pointe de colère. Il n'aimait pas que d'autres prennent les directives. Il envisagea de le poursuivre pour lui asséner une dernière parole, puis y renonça. Quand il retourna dans la pièce, il remarqua que le sac en crocodile marron portait les initiales H.C. Aussitôt, il lui donna un violent coup de pied, puis alla se rasseoir sur le divan.

« Cet homme ment probablement, se dit-il en essayant de se consoler. C'est un bon acteur qui a une parfaite maîtrise de lui-même, un point c'est tout. Son costume en dit long. » Thad l'avait observé avec intérêt. Il trahissait le personnage alors qu'Édouard, lui, était difficile à cerner. Impossible de discerner la vérité quand les femmes sont concernées.

Il ôta ses lunettes et les essuya. Sans elles, Thad ne distinguait plus rien tant il était myope. La grande pièce, les livres, les bronzes aussitôt se brouillèrent.

Déconcerté, il s'allongea sur les coussins, conscient de sa nervosité inhabituelle pour la deuxième fois de la journée. Une première fois à cause d'Hélène et maintenant de cet homme. Il songea à la scène qui s'était déroulée dans la maison du Transtévère, et ce souvenir le remplit de colère. Il se sentait mortifié. Rien ne s'était déroulé comme il le souhaitait. Hélène et cet homme, en quelque sorte, lui avaient échappé. Sa volonté, tel un lasso, les avait emprisonnés, mais ils étaient parvenus à se libérer. C'était comme s'ils savaient quelque chose que Thad ignorait ou ne comprenait pas, et cette connaissance leur conférait un pouvoir combatif qui le contrariait amèrement. « Ce ne sera pas toujours le cas », se dit Thad.

Il laissa errer son regard sur les ouvrages pornographiques, élégamment reliés, qu'il avait vaguement parcourus quelques semaines auparavant. La pornographie l'ennuyait. Cet excès d'obscénités révélait, selon lui, un désespoir et un pathétique voués à l'échec. Tout trahissait le désir de possession. Thad arbora une expression de mépris. La possession sexuelle lui semblait foncièrement superficielle. Ce n'était pas celle dont il rêvait. Ce cortège de positions ne l'excitait aucunement.

L'art. Oui, l'art, c'était autre chose. L'art, c'était la possession suprême. Il songea avec satisfaction au film qu'il venait de tourner. Les séquences, les plans défilaient dans son esprit dans les moindres détails, et il en émanait une beauté proche de la perfection. Son film, sa création, son enfant immortel. Il se sentit aussitôt apaisé, éprouvant un calme olympien, ce calme que confèrent le pouvoir et la maîtrise absolue. Le désir peu à peu l'envahit.

Il glissa ses mains entre ses cuisses, le long de son sexe raidi et ferma les yeux. L'image d'Édouard s'estompa, celle d'Hélène s'imposa. Il détaillait avec plaisir les traits de son visage auquel le hasard avait attribué la perfection à dessein. Le destin offrait à Thad un présent inestimable : l'instrument parfait, fait de chair et de sang. La symphonie future que cet instrument jouerait résonnait déjà dans son esprit. Les yeux clos, Thad en composait déjà la mélodie. L'obscurité, le vide le stimulaient. Lentement, des images scintillèrent, tel un kaléidoscope. Thad les rassembla, charmé par leur chant.

Installé dans son bureau de Saint-Cloud, Édouard prit le téléphone. Il songeait à la conversation qu'il avait eue avec Thaddeus Angelini au sujet d'Hélène.

Sur son bureau, près du téléphone, se trouvaient trois objets : la photo d'Hélène, la paire de gants gris de chez Hermès et la bague en diamants. Il avait du mal à garder son calme. Lorsqu'il avait découvert les gants et la bague, il s'était effondré. Pourquoi eux spécialement, alors qu'à ses yeux ils représentaient une sorte de talisman qui les unissait ?

La douleur était certes moins vive maintenant, et il pouvait les contempler avec plus de sérénité, mais la peine était toujours là. Angelini, cependant, n'avait peut-être pas tort : le diamant, tout comme l'amour, n'était pas venu au moment opportun.

Il songeait avec nostalgie aux présents moins tangibles dont Hélène n'avait sans doute pas pris conscience : le choix qu'il lui laissait de déterminer le moment où elle aurait envie de le revoir, par exemple, car il était résolu à rester en retrait le temps requis, puisque tel semblait être le désir d'Hélène.

Toutes ces perspectives étaient tout de même difficiles à envisager. En revenant d'Italie, il avait beaucoup réfléchi au problème et pris certaines résolutions, mais là, tout son être se rebellait. Il effleura le téléphone. Bien sûr, il pouvait se rendre à Londres et certainement la ramener.

La tentation était grande. La main posée sur l'appareil, il hésitait. Avoir parcouru un si long chemin, être si près du but pour finalement ne pas courir vers elle à Londres. C'était insupportable. Il devait partir, il le fallait. Pourtant, toutes les paroles d'Angelini lui revenaient en mémoire. Elles avaient un accent de vérité.

Hélène avait maintenant le même âge que lui lorsqu'il était arrivé à Londres. C'est à cette époque qu'il avait aimé Célestine, vénéré Jean-Paul, appris la mort de son père. Le temps évoluait alors à chaque seconde. Il ne possédait que des certitudes, des vérités. Tout chez lui n'était qu'ambition, comme peut-être chez Hélène maintenant. Non, il ne devait pas se rendre à Londres.

Il préféra téléphoner à Simon Scher qu'il avait envoyé, deux ans auparavant, au siège principal de la Partex au Texas. Scher était devenu le bras droit de Drew Johnson. Quand il eut sa communication, Édouard avait retrouvé sa sérénité.

— Simon ? Dans la politique de diversification que nous menons actuellement, nous avons fait bon nombre d'acquisitions, si je ne me trompe ?

À l'autre bout du fil, à Dallas, Simon Scher esquissa un sourire devant cette plaisanterie. Édouard s'était-il une seule fois trompé en matière d'investissement ?

— Il me semble que nous avons investi dans une société de distribution cinématographique.

— Exact. La société Sphère. Pour nous, il s'agissait de réaliser l'actif. La compagnie était en liquidation, on l'a eue à bon prix, et ils ont des biens fonciers intéressants.

— Qu'en avons-nous fait ?

— Rien encore. Cela ne remonte qu'à deux mois. Le potentiel de développement des actions est à l'étude. Voulez-vous que je vérifie ?

— Non.

Il régna un court silence.

— Que faudrait-il pour relancer la compagnie ?

— Comment ? Au niveau de la distribution ? fit Scher, apparemment surpris. Pas grand-chose, je suppose. Tout dépend de ce que l'on veut investir. Disons deux millions. On pourrait la faire repartir avec moins, mais si vous tenez à lui donner de l'expansion... Je peux vous faire un bilan. À vrai dire, nous avions totalement abandonné cette option. L'industrie du film est très incertaine en ce moment et, sans une production solide, une société de distribution s'écroule. Sphère était en compétition avec les plus grandes compagnies de distribution, et on a dû capituler. À la direction, il n'y avait personne de compétent, aussi avons-nous décidé que la Partex...

— Je veux relancer cette société.

— *Quoi ?*

Scher en avait le souffle coupé. Il imaginait autant Édouard dans la production cinématographique que devant les machines à sous de Las Vegas.

— Je tiens à la relancer sur le plan de la distribution avec la perspective, à brève échéance, de produire un film.

— De produire ?

Scher croyait perdre la raison. Il avait dû mal entendre.

— Vous voulez dire que vous souhaitez que nous produisions un film ?

— Pas le faire, le financer. Je suis sérieux, Simon. J'y tiens. Pour commencer, nous pourrions envisager une subvention d'environ six millions. Les trois premières années seront certainement déficitaires, et il faudra attendre la quatrième année avant que l'affaire ne soit rentable.

— Édouard, nous parlons de films...

— Je vais financer l'opération à titre personnel et je me porte garant. J'exige une seule chose : mon nom ne doit figurer nulle part. Sphère sera la couverture.

Au ton de sa voix, Scher se rendit compte qu'Édouard avait déjà son plan.

— Il vous faut un chasseur de têtes, un bon, qui connaisse à fond le milieu du cinéma. Je veux le bilan financier de Sphère des dix dernières années. J'ai besoin...

— Vous souhaitez que je saute dans le premier avion, fit Scher, terminant la phrase d'Édouard.

C'était une idée insensée, mais toutes celles d'Édouard s'étaient révélées géniales dans le passé.

— Vous devriez être déjà là, dit-il sèchement, mais ce soir, ça ira. Vous préférez avertir Drew ?

— Bien sûr. C'est le président-directeur général.

Scher étouffa un petit rire. C'était pour Édouard le cadet de ses soucis.

— Très bien, c'est mon ami... Dites-lui plutôt que j'ai besoin de son aide.

— Si je lui dis ça, il va prendre le premier avion, lui aussi.

— Alors prévenez-le immédiatement.

La conversation s'interrompit un court instant durant lequel Scher demanda à sa secrétaire les heures de vol. C'était la première fois en dix ans d'association qu'Édouard demandait de l'aide. Cela l'intriguait. Quand il revint en ligne, sa voix était plus circonspecte.

— Vous vous rendez compte des pertes que l'on peut subir ? dit-il à Édouard, conscient de la futilité de ses propos. Vous ne l'ignorez pas, c'est certain, mais il est vrai que ce serait un nouveau départ pour nous tous. Il ne faut pas miser sur la distribution, mais la production... C'est un panier de crabes, Édouard, et tout peut arriver. Nous...

— Nous suivons une polititique de diversification, n'est-ce pas ? fit Édouard, amusé.

— Oui, certes, mais avec une perspective financière favorable. Là, nous... Enfin vous prenez de gros risques, et les pertes...

— Il est facile de limiter les risques.

— Tout en parlant, il contemplait la photo d'Hélène. La perte était d'une tout autre nature. L'espace d'un instant, il perçut le néant d'un avenir sans elle, qui n'était que le prolongement du vide lugubre de son passé.

Il hésita puis retourna la photo.

— Je peux évaluer les pertes, dit-il d'un ton ferme.

LIVRE TROIS

LEWIS ET HÉLÈNE

Londres-Paris, 1959-1960

— Je vais déjeuner avec des gens sensationnels au nouveau restaurant italien dont je t'ai parlé. Pourquoi ne viens-tu pas ?

— Non, merci, Lewis.

— J'ai des places demain soir pour Covent Garden. Elles valent de l'or. C'est un récital de la Callas. Je t'en prie, viens.

— Ce soir, il y a une réception à l'Albanie, nous sommes tous deux invités. C'est l'un des endroits les plus étonnants de Londres. Il faut que tu le connaisses.

— Non, vraiment, Lewis.

Un bal après une partie de chasse dans le Oxfordshire. L'inauguration d'un night-club à Mayfair. Du jazz dans la demeure de Chester Square d'un riche dramaturge en vogue du Royal Court Theatre. Un petit déjeuner à Brighton. Une soirée dansante à Dorchester. Après quelques mois inhabituellement calmes passés à Paris et à Rome, Lewis avait refait son apparition dans la haute société. Il était infatigable.

— Nous sommes invités à une visite privée de la galerie Glendinning. Champagne à midi. C'est la nouvelle exposition de Sorenson. Il paraît qu'elle est extraordinaire.

— Lewis, c'est impossible. Je préfère rester ici. Et de plus, je pose pour Anne demain.

— Et alors ? Dis-lui que tu ne peux pas. Anne Kneale commence à me taper sur le système. Tu te rends compte qu'elle est lesbienne ?

— Lewis...

— Bon, très bien. C'est peut-être vrai, peut-être faux. De toute façon, elle en a l'allure, et je ne l'aime pas.

— Lewis, nous habitons chez elle, dans sa maison.

— Sa chaumière, oui. On a à peine la place de bouger. Je ne connais pratiquement pas cette femme, je ne comprends pas pourquoi elle nous a proposé cette bicoque. Et je ne sais pas ce qui m'a pris d'accepter.

— Moi, je m'y trouve bien. C'est calme ici.

— Il fait un froid de canard. Mon lit est dur comme du bois. La dernière fois que j'ai voulu prendre un bain, il m'a fallu trois quarts d'heure pour obtenir un fond de baignoire, et encore d'eau tiède.

— Il y a une cheminée. C'est agréable. Mon lit est très confortable.

Lewis, rougissant légèrement, se tut. Il se demandait toujours si ses remarques étaient innocentes ou bien si elles étaient issues d'un désir de le provoquer. Le lendemain, il repartit en campagne.

— Nous pourrions nous installer dans une suite au Ritz et y passer Noël. Pourquoi pas ?

— Non, Lewis. Vas-y si tu veux, moi, je préfère rester ici.

— Non, j'ai l'intention de veiller sur toi. Tu as besoin d'être entourée. Je n'ai nulle envie que tu disparaisses comme à Paris.

— Ne t'inquiète pas. Ne suis-je pas toujours là ? Tu te rends à tes réceptions et, lorsque tu reviens, je n'ai pas bougé.

— Mais je veux te faire connaître Londres. Je veux que Londres te connaisse. Ce ne doit pas être très gai de rester là tout le temps. Viens déjeuner avec moi aujourd'hui, simplement déjeuner. Je t'en prie, fais-moi plaisir.

— Non, Lewis, j'ai besoin d'être seule, je te l'ai dit.

— Je vois. Comme Greta Garbo, n'est-ce pas ? dit-il en faisant grise mine.

— Non, Lewis, je ne veux imiter personne.

Lewis capitula. Le lendemain, il repartit à l'attaque ainsi que le jour suivant. Avec opiniâtreté, il persévérait à lui offrir des choix éclectiques. Une grande première musicale. Une réception sur un bateau, ancré sur la Tamise. Un dîner avec l'ambassadeur des États-Unis. Un banquet à l'hôtel de ville. La réception chez Chavigny pour lancer la nouvelle collection de bijoux de Wyspianski.

— Non, Lewis, répondit-elle sur le même ton pour toutes ces invitations.

Lewis s'y rendit. Le lendemain, incidemment, elle lui demanda de raconter ses aventures de la veille. Elle lui posa des questions sur le banquet à l'hôtel de ville, puis sur la réception des de Chavigny. Lewis esquissa un sourire.

— Oh, le champagne coulait à flots. Il ne manquait personne.

— Les bijoux étaient-ils beaux ? demanda Hélène, songeant au jour où Édouard lui avait montré sa collection.

— Plutôt, fit Lewis en haussant les épaules. Je n'y connais pas grand-chose, mais il y avait de somptueux rubis dont les femmes étaient folles. Pourtant, elles croulaient déjà sous les bijoux. Les Cavendish, avec lesquels je m'y suis rendu, avaient sorti tous leurs trésors de la banque. D'habitude, ils ne prennent pas cette peine et portent des copies. L'assurance coûte des prix exorbitants. En fait, j'ai trouvé qu'il y avait pas mal d'excès. Chavigny était là, bien sûr. Il était accompagné de cette décoratrice, Ghislaine... je ne sais plus quoi. On se l'arrache à New York en ce moment. Elle avait une telle kyrielle de bijoux autour du cou qu'elle avait du mal à tourner la tête. Lucy Cavendish a dit que sa mère était contrariée. Elle arborait un collier Romanov et se sentait éclipsée.

— Ghislaine Belmont-Laon, dit Hélène, surprenant Lewis.

Elle fronça légèrement les sourcils et changea de sujet.

Le jour suivant, Hélène garda le silence. Lewis la trouva un peu pâle. Son refus de sortir de la chaumière commençait à l'inquiéter. Elle semblait sur la défensive, comme si elle avait peur.

Était-elle malade ? L'idée traversa l'esprit de Lewis, car parfois elle donnait des signes de fatigue lorsqu'elle faisait des efforts. Mais Hélène dissipait ses inquiétudes. Au bout de quelques jours, sa pâleur et sa lassitude disparurent. Après deux jours d'abstinence, Lewis accepta de nouveau les invitations avec un air de bravoure. Il se sentait offensé, car il avait l'impression qu'Hélène y était parfaitement indifférente.

À la fin du mois de novembre, trois semaines après leur arrivée, un statu quo s'était établi. Lewis sortait à sa guise, essayant sporadiquement de persuader Hélène de l'accompagner. Il acceptait ses refus systématiques de bonne grâce mais, tout de même, avec étonnement.

Un matin, Lewis, en retard, s'apprêtait à sortir. Hélène, assise sur un divan près de la fenêtre, lisait le *Times*. Il enfila son manteau de vigogne, mit son écharpe et ses gants, car il faisait très froid dehors, remarquant avec amertume que son départ ne suscitait même pas l'ombre d'un regard. Elle lui dit au revoir d'un air distrait. Pourtant, dès qu'il fut parti, elle le suivit des yeux.

Elle le vit prendre la direction de King's Road où il allait chercher un taxi. Ses cheveux blonds flottaient au vent. Il avait les mains dans les poches. Quelle élégance. Il paraissait plus anglais que les Anglais.

Elle le vit disparaître et se replongea dans sa lecture. Il y avait un article sur la réception donnée pour le lancement de la collection Wyspianski à New York. Toute la collection était passée en revue avec enthousiasme. Une photo du baron de Chavigny, avec, à ses côtés, Ghislaine Belmont-Laon qui venait, paraît-il, de refaire l'intérieur des ateliers de Chavigny dans la Cinquième Avenue, attira son regard.

Elle posa le journal. Le fait de savoir Édouard à Londres l'avait profondément perturbée. Il ne s'y trouvait plus, et elle tentait de se persuader qu'elle en éprouvait de la joie, oui, de la joie. Elle regarda la photo avec une certaine tristesse. C'était prévisible. Plus de deux mois s'étaient écoulés. Tôt ou tard, elle devait tomber sur un visage connu. Aujourd'hui, il s'agissait de Ghislaine Belmont-Laon. Cela aurait pu être quelqu'un d'autre.

Elle reprit le *Times* et l'ouvrit à la page financière, comme elle le faisait chaque jour quand Lewis n'était pas là, craignant qu'il ne se moquât d'elle. Patiemment, elle s'efforçait de lire : société fiduciaire, actions, obligations. Bien qu'elle eût du mal à comprendre, cette lecture lui apportait un curieux apaisement. En persévérant, elle était certaine de finir par comprendre. Derrière l'aridité des rapports et de tous ces chiffres où elle se perdait, elle devinait la passion. Des drames se nouaient, des vies, des carrières, des fortunes se faisaient et se brisaient aussi rapidement. Tout cet univers l'attirait. En parcourant tous ces comptes rendus, elle songeait que l'argent pouvait être un moyen de vengeance. L'idée lui vint en pensant à Ned Calvert. Elle vérifiait toujours le cours du coton. Pour acquérir une fortune, il fallait posséder une certaine somme au départ, ce qu'elle n'avait pas. Il lui faudrait donc y parvenir. Cela devenait urgent.

Elle posa le journal d'un air pensif. Elle luttait contre l'angoisse qui l'assaillait de nouveau. Sur une chaise, Lewis avait laissé le pull-over en cachemire vert sombre qu'il portait la veille. Il eût été facile de l'accompagner ou de le persuader de rester. Un mot. Un geste. Depuis leur départ de Rome, elle aurait pu faire ce qu'elle voulait de lui.

Mais elle s'était prise d'affection pour Lewis et, par scrupule, elle s'était refusée à prononcer ce mot, à faire ce geste. Elle ne voulait pas le blesser, mais autre chose également la retenait : le souvenir tenace d'Édouard, le refus de tuer ce merveilleux sentiment qui l'animait encore. Elle se sentait seule, terriblement seule, et en éprouvait quelque appréhension. Le pavé était humide, la rue déserte. Elle avait bien fait d'agir ainsi à l'égard de Lewis. Pourtant, soudain, elle en éprouva du regret et presque de la colère.

La nuit tombait rapidement. À 4 heures et demie, chaque jour, Hélène tirait les rideaux de laine pourpre et allumait les lampes avant de s'installer devant le feu qui brûlait dans la cheminée de style victorien. Parfois, elle préparait du thé. La simplicité de ces rituels tout simples lui plaisait. En Alabama, il ne faisait jamais aussi froid et aussi humide.

Mais elle ne détestait pas ce temps brumeux. Les feuilles des platanes, couleur d'automne, qui jonchaient le sol, la gelée blanche qui recouvrait pelouses et branches, l'odeur âcre de Londres au petit matin, tout cela la ravissait. Mais c'était surtout la douceur des lueurs diaphanes de la brume au-dessus de la Tamise qui l'enchantait.

Le temps passait ainsi de façon tangible. Le ciel s'assombrissait en début d'après-midi. Les réverbères s'allumaient. Les gens, engoncés dans leurs manteaux pour se protéger du froid, se pressaient, à la sortie du métro, pour rentrer chez eux. Ces gestes quotidiens l'apaisaient. Elle attendait la neige avec impatience car elle ne l'avait jamais vue tomber.

Ils avaient trouvé cette maison tout à fait par hasard. À leur arrivée à Londres, une amie de la mère de Lewis leur avait prêté un magnifique appartement à Eaton Square. Leur hôtesse, une Américaine, qui préparait ses réceptions de Noël, était débordée. Elle leur avait offert l'hospitalité avec bienveillance. Hélène s'était dérobée au tourbillon d'activités dans lequel Lewis s'apprêtait à plonger avec enthousiasme. La fatigue et l'anxiété s'étaient emparées d'elle à la fin du tournage. Les événements de l'été précédent s'étaient succédé à une vitesse vertigineuse et maintenant s'infiltraient insidieusement dans ses rêves, la nuit, la laissant dans une confusion et un chaos pernicieux. Elle se rendait compte qu'au fond ce qu'elle avait toujours souhaité et qu'elle trouvait maintenant, c'était un lieu paisible où elle pouvait se tapir, tel un animal blessé, en laissant le temps s'écouler.

Ils ne pouvaient pas s'éterniser à Eaton Square. Lewis envisageait donc une autre solution lorsque, inopinément, il reçut un coup de téléphone de la portraitiste, lady Anne Kneale. Il ne la connaissait que très peu. Elle avait entendu dire, par des amis, que Lewis cherchait un logis et lui proposa sa chaumière.

— Voilà. J'utilise simplement l'atelier qui se trouve derrière la maison, mais, actuellement, je vis avec un ami, vous pouvez donc l'habiter aussi longtemps qu'il vous plaira.

Ils étaient allés la visiter le lendemain. La visite ne fut pas longue. C'était une minuscule maison avec deux chambres à l'étage, un salon et une cuisine au rez-de-chaussée. Des châlits en bronze, des couvertures paysannes, des plaids et des lampes à huile dans les chambres. La cuisine, au sol en pierre extrêmement froid, comportait un énorme poêle noir qui servait à faire chauffer les plats et un buffet rempli de porcelaines de Spode bleu et blanc, rangées n'importe comment. Le petit salon avait du charme malgré son aspect vieillot. Le parquet était recouvert de tapis turcs anciens. Aux murs étaient accrochés des tableaux et des étagères bourrées de livres dans un désordre parfait. De chaque côté de l'âtre se trouvaient deux chaises massives de couleur rouge et sur le manteau de la cheminée étaient posés deux chiens du Staffordshire, un vase bleu rempli de plumes d'oiseau brunes, un œuf d'autruche et quelques galets lisses et gris. C'était en désordre et d'une propreté douteuse. Lewis avait été très déçu, mais Hélène ravie.

— Oh, Lewis, qu'elle me plaît !

— On dirait une maison de poupée. Dieu qu'il fait froid. Pourquoi donc les Anglais ne connaissent-ils pas le chauffage central ?

— Je t'en prie, Lewis.

— Très bien, si elle te plaît.

C'est là qu'elle avait pris réellement conscience de ce qu'elle soupçonnait depuis longtemps : Lewis était incapable de lui refuser quoi que ce soit.

Ils avaient emmenagé dès le lendemain et s'y trouvaient encore. Lewis n'y séjournait pas souvent, invité la plupart du temps à de fabuleuses réceptions. Hélène restait seule. En dehors d'Anne Kneale dont elle avait fait la connaissance lorsqu'ils étaient venus visiter la maison et qui lui avait demandé l'autorisation de faire son portrait dans la semaine qui suivit leur installation, Hélène ne voyait personne. La solitude lui avait manqué ces derniers mois, sans doute parce que son enfance l'y avait préparée ou peut-être parce que l'isolement lui était nécessaire pour panser ses blessures.

Il lui arrivait d'aller se promener le long de la Tamise. Un jour, elle s'aventura en bus jusqu'à Regent's Park où elle fit le tour du lac, contemplant les canards et les kiosques où, l'été, les orchestres se succédaient.

Elle erra ainsi pendant des heures. La voix de sa mère évoquant Londres, les parcs, les orchestres, les airs qu'ils jouaient, les valses résonnait dans sa tête. Sa mère semblait si proche.

Elle rentrait ensuite à la chaumière, et si Lewis n'était pas encore de retour, ce qui arrivait la plupart du temps, elle posait pour Anne Kneale, lisait ou simplement se reposait près du feu, fascinée par les flammes dans l'âtre. Parfois, elle donnait à manger au chat énorme et majestueux, au pelage roux, qui venait lui rendre visite, en quête de lait. Il passait des heures, assis sur ses genoux, la contemplant de ses grands yeux ambre.

Lewis avait maintes fois tenté de savoir, tantôt avec douceur, tantôt avec une pointe d'exaspération, pourquoi elle tenait tant à rester enfermée. Sans doute se sentait-elle en sécurité.

Elle avait l'impression de vivre dans une maison de fée, dans la chaumière d'un bûcheron, peut-être, où l'on se sentait à l'abri des maléfices et des dangers de la forêt. Elle savait qu'elle ne pourrait pas y vivre éternellement ni d'ailleurs très longtemps, mais elle avait besoin de vivre dans cette quiétude réconfortante.

Là, le passé ne l'assaillait pas. Là, elle envisageait même l'avenir, ce qui devenait urgent au fur et à mesure que les jours, les semaines s'écoulaient. Envisager l'avenir devenait une nécessité pour elle, mais aussi pour le bébé. « Le bébé de Billy », ne cessait-elle de se répéter en se caressant le ventre. Il ne bougeait pas encore, mais elle sentait sa présence en voyant son corps se déformer. Il lui berçait l'esprit.

Parfois, assise devant le feu de cheminée, elle lui parlait. À Rome, au début du tournage, elle avait eu de très fortes nausées. Matin et soir, avant et après le travail. Une grande faiblesse l'avait envahie. Ce fut un moment extrêmement pénible. Le soir, lorsqu'elle s'enfermait dans sa chambre du *palazzo*, elle écrivait à Édouard.

C'était presque un besoin. Elle notait tout ce qu'elle n'avait osé lui avouer. Nulle lettre ne partit, bien sûr, et elle n'en relut aucune. Elle les cacha toutes dans un tiroir fermé à clé.

Puis un changement s'était opéré avec le temps. « Aie confiance en toi », lui disait Thad. Ses paroles l'avaient rassérénée, non seulement lors du tournage, mais aussi quand elle se retrouvait au *palazzo* dans la solitude de sa chambre.

Un soir, un mois environ après le début du tournage, elle prit le paquet de lettres non expédiées, les jeta dans la cheminée et y mit le feu. Le jour suivant, elle perçut un réel changement en elle. Son esprit s'endurcit, ses malaises disparurent à jamais. La confiance en ses possibilités s'accompagnait d'un sentiment de bien-être extraordinaire et d'une énergie débordante.

Mais la tourmente du passé et l'angoisse de l'avenir étaient latentes. Dès la fin du tournage, à peine eurent-ils quitté Rome qu'elles se manifestèrent de nouveau. Les cauchemars qu'elle avait faits en France à une ou deux reprises resurgirent. Chaque nuit, ils venaient l'assaillir.

Elle serrait dans ses bras Billy, puis Édouard, ensanglanté, qui s'éteignait. Sa mère dansait et chantait dans ses rêves, ses grands yeux mauves perdus dans le vague. Ned Calvert revenait, vêtu de son costume blanc, et l'emmenait dans la chambre de son épouse. Il lui disait que c'était elle sa femme maintenant, qu'elle était prise au piège, qu'elle serait à lui pour toujours. Hélène levait les yeux vers lui. Elle avait envie de saisir les bouteilles qui brillaient sur la table et de le tuer. Elle prenait une bouteille, mais elle se transformait en diamant. Le diamant était très froid et pourtant il la brûlait.

Ces rêves l'effrayaient. Elle aurait voulu en parler à quelqu'un, mais, en dehors d'Anne et de Lewis, elle ne voyait personne et elle ne parvenait pas à s'y résoudre.

Le jour, ils s'estompaient sans toutefois disparaître complètement. Il fallait qu'elle soit forte pour le bébé qui était devenu son ami, son confident. Elle avait l'impression de le connaître déjà, savait tout de lui, même le jour exact où il avait été conçu : le 16 juillet, bien sûr, le 16 juillet. C'était aussi le jour de la mort de Billy. Il allait vivre grâce au bébé. Personne n'avait été capable de tuer Billy.

« Il faut que je tienne le coup. Il faut que je sois forte », ne cessait-elle de se dire, parfois à haute voix en se balançant d'avant en arrière, les mains croisées sur son ventre. Forte pour le bébé, celui de Billy. Il était important de penser souvent à Billy, parce que le bébé ne le connaîtrait jamais. Elle s'efforçait de penser le moins possible à Édouard, mais, malgré ses efforts, il s'insinuait dans son esprit, ce qui la culpabilisait.

Ce sentiment lui laissait autant d'amertume que ses rêves. La culpabilité soulevait trop de questions. Son esprit partait dans toutes les directions, suggérant diverses éventualités, des choix qu'elle aurait pu faire, mais qu'elle se refusait à affronter.

Le bébé de Billy. Le bébé de Billy. Cette phrase revenait comme une litanie. Elle tira les rideaux, symboles de son refus du monde extérieur, et revint près du feu. La litanie berçait son esprit, l'aidant à envisager l'avenir.

Ses plans devaient être précis. Pratiques.

Cette décision avait pris naissance le jour où Lewis s'était éclipsé lors d'un déjeuner. Il n'était rentré que le soir. La pluie tombait. Il avait pénétré dans la petite pièce auréolée de taches ambre dues aux flammes qui dansaient dans l'âtre. Après s'être essuyé les pieds, avoir ôté son écharpe en cachemire et ses beaux gants, il avait secoué son manteau en plaisantant sur cette pauvre Angleterre vouée aux intempéries. Brusquement, sans raison apparente, il s'interrompit au milieu d'une phrase.

Il observa Hélène, assise près de la cheminée. Il avait souvent l'impression qu'elle ne le voyait pas, même quand elle posait son regard sur lui, mais qu'elle discernait quelqu'un d'autre plus loin. Or là, sans doute parce que son arrivée l'avait surprise, elle le regardait droit dans les yeux, l'air pensif. Lewis, intrigué, enleva son manteau, ses chaussures mouillées et s'assit.

Il était censé aller au théâtre puis au restaurant. Leurs regards se croisèrent. Hélène baissa les yeux, rougissant légèrement. Lewis s'agita sur sa chaise. La chaleur du feu était agréable.

— Dois-tu vraiment sortir, Lewis ? dit-elle calmement.

Lewis ressentit une joie immense, comme si, après avoir gravi une multitude de marches, il parvenait enfin au but.

— Non, s'empressa-t-il de répondre. Il fait un temps affreux. En fait... je crois que je vais rester.

Elle leva les yeux. La rapidité avec laquelle il avait capitulé la surprit. Elle lui sourit timidement.

Elle songeait avec lucidité à sa jeunesse, à sa pauvreté et se disait qu'il fallait un père au bébé de Billy. Elle pesait le pour et le contre. D'un côté, les besoins du bébé, de l'autre, ceux de Lewis Sinclair, qui se révélait plus vulnérable et hésitant qu'il ne le paraissait.

Hélène ne laissait rien paraître de ses calculs. Lewis pensa que sa décision de ne pas sortir lui faisait plaisir, mais qu'elle était trop pudique pour le lui avouer. Il était transporté de joie.

Rien d'autre ne fut exprimé, mais cet instant décida de leur avenir.

Trois semaines plus tard, à l'approche de Noël, il neigea abondamment. Hélène, en s'éveillant, trouva l'atmosphère de sa chambre inhabituellement légère. Après s'être glissée hors de son grand lit de bronze, elle ouvrit les rideaux.

Il était très tôt. Le sol était jonché de neige. Un soleil radieux brillait dans la clarté du petit matin, illuminant un univers diaphane. Pour la première fois, elle sentit le bébé bouger.

Elle resta figée, les mains sur son ventre proéminent sous sa chemise de nuit. Quelle étrange sensation, totalement différente de celles que l'on décrivait dans les livres. L'espace d'un instant, elle se demanda si son imagination ne lui avait pas joué un tour. Mais, de nouveau, un léger battement, tel un oiseau blotti dans le creux de sa main, frémit en son sein. Il faisait partie d'elle-même tout en étant autonome. Ce mouvement imperceptible la submergea d'un désir intense de protection. Ses yeux se voilèrent de larmes. Ce matin-là, alors qu'elle posait pour Anne dans son atelier, elle lui demanda l'adresse d'un médecin... ou plutôt d'un gynécologue à Londres.

Il régna un court silence. Anne, immobilisant son pinceau, posa sur Hélène un regard perçant.

— Bien sûr. J'en connais un qui est horriblement obséquieux, mais c'est un éminent spécialiste.

Elle se remit à l'ouvrage, donnant sur sa toile de petits coups de pinceau saccadés. Aucune autre parole ne fut échangée, dans la pure tradition britannique. Le lendemain après-midi, elle alla consulter le Dr Foxworth, à son cabinet de Harley Street, sans le dire à Lewis.

Le Dr Foxworth, avec sa haute stature, avait belle allure. Il était vêtu d'un costume gris trois-pièces, avec une cravate assortie. Il avait à la boutonnière un bouton de rose jaune pâle et était assis derrière un large bureau. Sur les murs étaient accrochés de petits tableaux représentant des paysages anglais, parfaitement éclairés, en harmonie totale avec la tapisserie à rayures Régence, terne mais de bon goût. Hélène avait les yeux fixés sur ces tableaux, et le Dr Foxworth sur son dossier. Il lui demanda la date de ses dernières règles et ne fut pas très satisfait de sa réponse. C'était la première fois qu'elle abordait ce problème devant un homme. Elle était rouge de confusion.

Il soupira. Décidément les femmes restaient un mystère, un peu lassant parfois. Il la pria d'aller se déshabiller dans la salle d'examen où une infirmière l'attendait. Cet examen lui semblait regrettable mais nécessaire.

L'infirmière n'était pas très aimable.

— Déshabillez-vous complètement. Vous trouverez une blouse au portemanteau.

Hélène s'exécuta. Quand elle sortit, vêtue d'une blouse verte, l'infirmière l'aida à s'installer sur une table étroite d'examen, protégée par un drap blanc en papier et au pied de laquelle se trouvaient deux étriers. Hélène se sentait humiliée. L'infirmière appuya sur une petite sonnette discrète, et, quelques minutes plus tard, le Dr Foxworth arriva.

Il saisit un objet en acier qui ressemblait à un fer à friser, l'agita d'une main recouverte d'un gant de caoutchouc tandis que, de l'autre, il faisait quelques essais préliminaires.

— C'est froid au début. Détendez-vous, je vous prie, lui dit-il.

Ce furent les seules paroles qu'il prononça de tout l'examen.

Hélène aussitôt se raidit. Le Dr Foxworth parut agacé. Il plaça les pieds d'Hélène dans les étriers en lui levant les jambes. Il fit pénétrer l'objet de métal, procéda à quelques ajustements et l'enfonça. Hélène ferma les yeux.

Quand elle les rouvrit, elle vit le Dr Foxworth ôter ses gants de caoutchouc qu'il jeta dans une cuvette. Il tâta ensuite le ventre d'Hélène, repoussa sa blouse et lui palpa la poitrine. Il n'avait vraiment pas l'air d'y prendre plaisir. Hélène se demanda si c'était dû au fait qu'elle ne fût pas mariée. Peut-être examinait-il les autres patientes d'un air plus satisfait ? Elle se rhabilla. L'infirmière l'appela « madame Craig », ce qui ne fit que confirmer ses doutes.

Cette aversion discrète et non exprimée la terrifiait. Pourquoi n'avait-elle pas pensé à porter une alliance et à prétendre qu'elle était mariée ? Tout plutôt que de lire cette désapprobation sur son visage.

Elle retourna dans le cabinet du Dr Foxworth qui, tout en continuant à écrire, lui fit signe de s'asseoir. Quand enfin il leva les yeux, il avait la mine renfrognée. Mesurant ses paroles, il lui parla comme on s'adresse à une arriérée mentale.

— Mademoiselle Craig, une grossesse normale est de quarante semaines. Nous sommes le 22 décembre. Vous en êtes à votre dix-neuvième semaine. Il m'est difficile d'être plus précis, compte tenu de l'imprécision de la date de vos dernières règles. Je dois donc vous dire que, si vous avez l'intention de soulever le problème d'une interruption de grossesse, je m'y refuserais. Les exigences de la loi sont strictes. Après douze semaines, il est formellement interdit d'y procéder… Mademoiselle Craig, me comprenez-vous ?

Hélène leva les yeux vers lui. Ses paroles lui semblaient tout à fait dénuées de sens.

— Interruption de grossesse ? Vous voulez dire un avortement ? Mais il n'en est pas question. Je veux mon bébé.

Le Dr Foxworth prit un air pincé. Le terme *avortement* visiblement choquait sa sensibilité. Il ajusta le calendrier qu'il tenait à la main.

— Bien sûr, bien sûr, dit-il d'un ton suave et apaisant, mais, de toute évidence, il n'en croyait rien. Je comprends. Vous vouliez simplement que je vous confirme que vous étiez enceinte. Vous auriez dû venir plus tôt. Bon, vous êtes en parfaite santé. Sans risque de se tromper, nous pouvons prévoir un accouchement aux alentours du 4 mai. Ce sera un petit bébé du printemps. C'est toujours très agréable pour les mamans.

Il devait répéter cette phrase à toutes ses patientes, mais là, sentant l'incongruité de ses propos, il se ravisa.

— Cela vous laisse le temps de réfléchir, ce qui est heureux pour vous, mademoiselle Craig. Vous pourrez ainsi agir au mieux de vos intérêts et de ceux de votre enfant. Je me demande… (Il arbora une expression grave.) Avez-vous considéré l'éventualité d'une adoption, mademoiselle Craig ?

Il avait posé sa question tout naturellement, comme si la chose paraissait si évidente qu'il semblait inutile de la mentionner. Hélène fut choquée. Le médecin la dévisageait d'un air méprisant. Elle portait un manteau bon marché qu'elle avait acheté quelques semaines auparavant. Elle se rendit compte que son apparence vestimentaire ajoutée au fait qu'elle n'était pas mariée prêtait à toutes les déductions. Elle lui lança un regard de mépris et songea à sa mère. Avait-elle subi, elle aussi, l'affront de cette avorteuse de Montgomery ?

À cet instant précis, elle se fit une promesse, qui certes n'était pas nouvelle mais la requinqua. Cela ne se reproduirait jamais plus. Non, jamais plus on ne la traiterait avec condescendance. Quelles ques soient les circonstances, son bébé ne subirait pas de telles humiliations. Jamais il n'éprouverait cet atroce sentiment de fierté qui est le sous-produit de la pauvreté.

Elle se leva.

— Je vous l'ai dit. Je veux ce bébé. Le problème de l'adoption ne me concerne pas, fit-elle d'un ton sec.

Le Dr Foxworth l'observa attentivement avant de se plonger de nouveau dans ses notes. « Il regrette de m'avoir reçue. Si je n'avais pas eu la recommandation d'Anne Kneale lorsque j'ai pris rendez-vous, il aurait refusé de me recevoir », se dit Hélène.

Sur ce point, elle se trompait. Le Dr Foxworth réfléchissait aux dates. Vu les lois sur l'avortement en vigueur en Angleterre, il avait l'habitude de recevoir des femmes qui lui mentaient sans aucune vergogne et avec le sourire sur la date de leurs dernières règles. Des riches, des femmes du monde, des jeunes et des moins jeunes. Parfois, elles arrivaient souriantes, parfois en pleurant. Le but était toujours le même : le persuader que la grossesse n'avait pas dépassé les limites autorisées par la loi et que l'interruption était donc possible. Ces femmes, habituées pour la plupart à ce que l'on cède à tous leurs caprices, pouvaient laisser éclater leur colère et aller jusqu'à l'insulter lorsqu'il leur annonçait tranquillement qu'elles se trompaient d'adresse.

C'était cependant la première fois de sa carrière qu'une patiente prétendait que sa grossesse était plus avancée qu'elle ne l'était en réalité. Mlle Craig avait essayé de le convaincre qu'elle était enceinte de cinq mois, ce qui signifiait que la conception datait de la mi-juillet. Impossible. C'était étrange. Encore plus curieux était le fait qu'elle se refusait à entendre raison. Il avait pourtant tenté de lui expliquer qu'elle se trompait.

Le Dr Foxworth était intrigué. Sa vie professionnelle était vouée aux femmes, et pourtant il ne les aimait ni ne les admirait particulièrement. Elles avaient, selon lui, l'art de laisser de côté les faits qui ne leur convenaient pas, particulièrement au point crucial d'intersection de leur vie sentimentale et sexuelle. Cette jeune femme souhaitait, pour des raisons personnelles, se persuader que l'homme qu'elle avait choisi, et non le vrai, était le père de son enfant.

Il avait déjà été confronté à ce problème. Tous les hommes, même ceux qui étaient mariés, étaient des pères putatifs à ses yeux, et bon nombre de ses amis, qui présentaient à la société leurs fils et leurs filles, n'étaient pas — le Dr Foxworth le savait avec certitude — les vrais pères. Étrangement, les femmes étaient capables d'effacer totalement de leur esprit cette vérité encombrante. Elles finissaient non seulement par revendiquer la paternité de leurs enfants pour leur mari, mais aussi par y croire fermement.

Il chassa ces réflexions de son esprit pour observer sa patiente. Leurs regards se croisèrent. Les joues légèrement empourprées, l'œil vif, elle avait un air de défi. Le Dr Foxworth n'éprouvait aucune sympathie à son égard. Extrêmement jeune, célibataire, et, dans son état, une expression d'humilité ou de détresse eût été plus appropriée.

En guise de réprimande, il releva légèrement sa manche de chemise et jeta un coup d'œil à sa montre. La jeune femme se mordit les lèvres. Elle le remercia de l'avoir reçue, avec une pointe d'ironie qui offensa le Dr Foxworth.

Il lui demanda d'un ton sarcastique si elle avait compris ce qu'il lui avait dit. Elle esquissa un sourire et le pria de lui dire le montant de ses honoraires. Le Dr Foxworth était affligé. Il était certain que la question était délibérée et absolument pas due à son ignorance des usages. Rougissant, il se leva et lui suggéra de laisser son adresse à la secrétaire.

— Mes honoraires (il avait du mal à prononcer ce terme, trouvant indigne de s'y référer car ils étaient très élevés) vous seront adressés.

Hélène s'en alla. Elle descendit l'élégant escalier, passa la lourde porte d'entrée avant de se retrouver dans Harley Street. Un taxi venait de s'arrêter juste devant. Un homme d'une cinquantaine d'années en sortit. Il maintint la portière ouverte pour aider une belle femme vêtue d'un manteau de fourrure à sortir du taxi. Tenant par le bras l'homme qui l'accompagnait, elle avait un air radieux et le regardait en riant. Elle semblait ravie d'être enceinte.

Hélène resta figée quelques instants, engoncée dans son manteau léger, le col relevé pour se protéger du vent froid. Elle les regarda d'un air pensif, oublieuse de sa propre condition, puis s'avança brusquement vers le taxi.

Le 4 mai. Son bébé. Elle ne songeait à rien d'autre. Il était nécessaire d'agir vite. Elle donna l'adresse au chauffeur et se retourna une dernière fois vers le couple, tout en lui demandant d'aller vite car elle était pressée.

Lewis se trouvait au premier étage. Il était à moitié nu et se préparait pour une soirée lorsqu'il entendit la porte s'ouvrir et se refermer. Il n'était pas de bonne humeur. Il faisait un froid glacial dans la chambre. Du haut de ses un mètre quatre-vingt-huit, il touchait presque le plafond. Thad le harcelait quotidiennement de coups de téléphone pour qu'il rentre à Paris. Les longues conversations téléphoniques entre Thad et Hélène, anxieuse à cause du film, l'agaçaient. Il avait promis à une amie de lui servir de cavalier pour un dîner dansant à Berkeley Square. Jamais il ne s'était vu dans cet état. Il ne comprenait pas ce qui lui arrivait et perdait toute maîtrise de lui-même.

En entendant des pas dans l'escalier, il marqua un instant d'hésitation. Irrité, il enfila sa chemise amidonnée, prit un nœud papillon et contempla sa belle silhouette dans le miroir. Pourquoi se rendre à ce bal ? Il suffisait de téléphoner à cette amie et de trouver une excuse de dernière minute. Il pourrait rester là. Cette solution le tentait. Ces dernières semaines, il éprouvait de moins en moins le désir de sortir, et ce goût naissant pour la vie de famille l'inquiétait. Il n'avait jamais connu ça. Hélène ne lui avait suggéré de rester qu'une fois et n'avait jamais réitéré sa demande. Après un instant d'hésitation, il décida de sortir et arrangea son nœud papillon.

Il lui était de plus en plus difficile de cohabiter avec Hélène. Quand elle était auprès de lui, il avait envie de la toucher, de lui prendre la main, de passer le bras autour de son cou... Ce désir le rendait fou. Après tout, s'il voulait lui prendre la main, pourquoi diable résister ? Lewis se posait ces questions depuis des mois.

Il n'en connaissait pas les réponses. Il savait simplement que, lorsque son regard se posait sur Hélène, il fondait. Il lui fallait envisager le problème sous un autre aspect. Mais lequel ?

Il enfila sa veste de smoking. Le miroir lui renvoya l'image d'un étranger. Il avait l'impression de ne plus savoir qui il était. Toute sa personnalité se mouvait, comme si elle se forgeait de minute en minute, dépendant mystérieusement du bon vouloir d'Hélène. Il avait besoin de son aide, elle seule détenant le pouvoir de le libérer.

Lewis exécrait l'introspection. Cette pensée s'insinuait au fin fond de son esprit, là où il confinait tous ses vieux idéaux. Avec fermeté, il les refoula. Il se détourna du miroir et se dirigea vers l'escalier. Un traitement s'imposait, celui qu'il avait déjà essayé et qui, cette fois, ne manquerait pas de porter ses fruits.

Hélène n'essaya pas de le retenir, mais elle fit un geste inhabituel. Au moment où Lewis ouvrit la porte, elle saisit solennellement son écharpe et la lui mit autour du cou. Au passage, elle effleura doucement sa peau. Lewis ressentit l'ivresse du parfum de son corps et de ses cheveux. Puis elle se leva sur la pointe des pieds et lui posa un chaste baiser sur la joue. Lewis sortit dans la rue en titubant. Il faillit tout oublier, sa résolution, sa compagne, le dîner. Il aperçut un taxi au bout de la rue et se mit à courir, de peur de changer d'avis.

Après avoir indiqué l'adresse de Mayfair au chauffeur, il s'affala sur le siège arrière, un peu plus calme. Tandis que le taxi filait à toute allure, la confiance lui revenait.

Tout allait marcher. Enfin. Il était presque 7 heures. Apéritif. Dîner. Bal. À 11 heures au plus tard, Lewis Sinclair serait dans le lit d'une femme.

À 10 heures, le bal s'arrêta et le dîner fut servi. La salle regorgeait de jeunes Anglais bruyants en habit, accompagnés de débutantes — ou presque —, les joues empourprées par des danses endiablées. Lewis se fraya un chemin jusqu'à la table d'hôte où des mets somptueux étaient disposés.

Langoustes. Œufs de caille. Filets de morue en gelée. Gelées au vin en forme de château, pyramides de fruits, glaces et sorbets présentés sur des plateaux d'argent. Son voisin de table laissa tomber un œuf de caille et aussitôt l'écrasa du pied. Un plat de caviar fut dégusté en un rien de temps. Les langoustes, disposées avec art un instant auparavant, ne furent pas longues à disparaître.

Lewis, en sueur, était d'une humeur exécrable. Après avoir bousculé un Anglais, il parvint à la table. Il saisit deux assiettes, l'une pour lui, l'autre pour l'ex-débutante qu'il avait choisie pour la soirée. Un garçon épuisé lui servit deux pinces de langouste et de la mayonnaise. Du saumon poché accompagné de concombres y fut ajouté. Cela suffisait.

Lewis eut du mal à rejoindre sa compagne qui, ignorant les projets de Lewis à son égard, conversait avec une amie. Elle portait un ensemble rose avec une jupe ballon. Ses longs gants blancs laissaient apparaître, en haut des poignets, une chair bien dodue. Dès qu'elle aperçut Lewis, elle déboutonna ses gants et les ôta.

— Oh, du saumon ! s'écria-t-elle en faisant la grimace. J'aurais préféré de la viande.

— Il n'y en a plus, fit Lewis sans hésiter à mentir.

— Oh, quel dommage ! Et du caviar ?

Lewis se mordit les lèvres.

— Veuillez patienter un instant, je vais chercher du champagne.

— Patienter pour quoi ? répondit-elle.

De toute évidence, elle pensait faire de l'esprit, car son amie et elle éclatèrent de rire.

Lewis, maîtrisant sa colère, se dirigea une fois de plus vers la table difficile d'accès.

Il n'avait pas le cœur à bousculer tout le monde pour y parvenir. S'il s'était écouté, il serait reparti sur-le-champ. Seule son obstination l'arrêtait. Il avait fait un pari et voulait s'y tenir.

Il avait déjà tâté le terrain, envisagé la possibilité d'avoir une chambre et finalement opté pour la salle de bains. C'était moins confortable, mais elle avait l'avantage de fermer à clé. Lewis avait remarqué que toutes les clés des chambres avaient disparu. Les Anglais étaient méfiants.

Il s'appuya à un pilier, attendant son tour avec résignation. Autrefois, il lui était facile de faire l'amour. Il songea à ses conquêtes du passé. Le visage, tout comme le corps de ces femmes, était indistinct. Il ne se rappelait même pas leur nom. Ce n'était pas surprenant. Ces aventures étaient éphémères.

Autrefois, il avait préféré les très jeunes. Ce n'était plus le cas. Sa liaison la plus longue avait duré six semaines durant l'été passé à Cape Cod. Sa conquête avait l'âge de sa mère. Elle enseignait la littérature dans une université féminine. C'est ainsi que Lewis apprit le sens du mot érogène et bien d'autres choses encore.

— Tu es si brusque, Lewis, prends ton temps. On dirait que tu as horreur de ça.

Lewis plissa le front. Cette remarque l'avait piqué au vif, sans doute parce qu'il y avait une part de vérité. Il avait mis un terme à sa liaison très peu de temps après.

Il n'aimait pas les intellectuelles. En fait, il n'appréciait pas les femmes du même milieu que lui. Elles étaient entièrement passives. Il préférait de loin la compagnie des prostituées de Times Square ou des strip-teaseuses de Baltimore qui roucoulaient en faisant l'amour, se moquaient de son accent et lui demandaient plus cher qu'aux marins qu'elles racolaient. C'était de bonne guerre, après tout, et ces filles, avec leur accent vulgaire, au moins le faisaient rire. Il se rappela la nuit passée auprès de deux d'entre elles, une Blanche et une Noire, chacune d'un côté, dans le lit. Ils étaient tous trois complètement ivres.

— Viens ici, chéri ! s'était écrié la Noire, ta mère t'a jamais parlé des sandwichs au chocolat ?

— Non, pas de ceux-là, avait-il répliqué en les saisissant toutes les deux. Ces paroles l'avaient stimulé. En se contorsionnant, les deux filles l'avaient léché, sucé, et tout ce temps, quelque part dans son esprit, se profilait le visage choqué de sa mère.

— Dis-donc, tu es une affaire, lui dit la strip-teaseuse noire. Reviens me voir, je te jure, bébé, que ça sera gratuit la prochaine fois.

Il ne l'avait plus jamais revue. D'ailleurs, il ne se rappelait même plus son visage. Seuls lui revenaient en mémoire les instants où il l'avait baisée avec rage, comme pour se défouler. Et ses paroles, bien sûr.

Lewis secoua la tête. Il venait de parvenir à la table où se trouvait le champagne. Deux verres. Un champagne tiède.

Il était surpris de se souvenir de ses paroles et non de son visage.

10 h 45. Il avait gagné la salle de bains du haut. Lewis avait déjà fait l'amour dans une salle de bains. L'ex-débutante, apparemment non. Elle avait consommé suffisamment de champagne pour se laisser entraîner sans difficulté. Dès qu'elle s'aperçut que la porte était fermée à clé, elle eut un sursaut d'indignation. Lewis la prit dans ses bras en se disant, sans grand enthousiasme : « On a quinze minutes ». Il l'embrassa un long moment tout en explorant furtivement ses dessous qui formaient un bouclier impénétrable.

Elle avait un décolleté plongeant et un étroit corset. Lewis passa une main expérimentée qui se heurta aux baleines du corset. La jupe à ballon lui descendait aux chevilles. Lewis tenta de la lui relever jusqu'aux genoux pour y glisser sa main. Il sentit la courbe de sa cuisse, son bas de nylon et même le crochet en métal d'une jarretelle. Il l'embrassa avec une ferveur accrue en la caressant légèrement plus haut. Elle portait, comme il s'en était douté, une gaine qui était un véritable remède contre l'amour. Lewis avait certes l'habitude de déshabiller une femme, mais son expérience des gaines n'était pas encourageante. Il abandonna l'idée de commencer par le bas et se concentra sur la poitrine. Un soutien-gorge à baleines et une chair bien dodue. Il avait la sensation de tenir un pigeon dans les mains.

Lewis n'était nullement excité. Au fond de lui, il regrettait de se trouver dans cette situation, mais, puisqu'il avait commencé, il fallait bien aller jusqu'au bout. 11 heures. Le désir surgirait bientôt. Il la couvrit de baisers, remarquant au passage ses joues plus colorées, son souffle plus rapide. Il s'enhardit à lui plaquer la main sur les seins.

La débutante réagit aussitôt en poussant un gémissement outragé et en lui donnant une tape.

— Sale Américain ! Que faites-vous donc ?

Elle eut un mouvement de recul. Lewis haussa les épaules et enfonça ses mains dans ses poches en lui adressant un sourire langoureux particulièrement effronté.

— Vous avez accepté de monter ici avec moi. Vous m'avez vu fermer la porte à clé. À votre avis, dans quel but ?

Il avait bu une quantité de champagne suffisante pour être persuadé de sa logique implacable.

L'ex-débutante, visiblement, n'était pas du même avis. Elle lui lança un regard foudroyant.

— Croyez-vous, dit-elle en se balançant légèrement, que j'aie l'intention de perdre ma virginité avec un Américain dans une salle de bains ?

— Quel est le pire ? Ma nationalité ou le lieu choisi ?

Elle sembla offusquée, puis aussitôt s'esclaffa.

— À dire vrai, Lewis, vous avez un sang-froid remarquable.

Lewis marqua un instant d'hésitation, se disant qu'il serait facile de se montrer persuasif maintenant. La rebuffade faisait partie du jeu. Il pouvait la courtiser, la couvrir de baisers, mais l'idée lui en était intolérable.

Leurs regards se croisèrent. Elle était mignonne, et Lewis, qui avait fait sa connaissance quelques semaines auparavant, l'aimait bien. Il soupira. Le champagne et un sentiment de désespoir le ragaillardirent.

— Pourquoi pas ? fit-il. Qu'est-ce qui vous arrête vraiment ? Après tout, pourquoi y attacher une importance primordiale ?

— À son grand étonnement, la question ne sembla pas l'offenser. Lewis eut la vague impression que ce n'était pas la première fois qu'elle se trouvait dans cette situation.

Elle prit un air pensif.

— Je ne sais pas. Peut-être devriez-vous éprouver un peu d'amour ?

Un brusque sentiment de lassitude s'empara de Lewis. Il s'appuya contre le mur.

— Merveilleux ! Ce ne sont ni le mariage ni les fiançailles que vous recherchez, alors ?

— Non, Lewis, rassurez-vous. Ça, c'était la génération de ma mère.

— Bon, je suppose que c'est le progrès.

— Ainsi, si vous m'aimiez, cela ne poserait pas de problème, et aussi... je ne voudrais pas tomber enceinte...

À cet instant, elle rougit légèrement, puis poursuivit :

— Mais je ne vous aime pas et vous non plus, vous ne m'aimez pas, alors le problème est résolu.

— Au moins, c'est clair et net, dit Lewis en soupirant. Vos arguments me semblent raisonnables jusqu'à un certain point.

Il s'appuya de nouveau contre le mur.

— Ainsi, nous ne pourrions pas faire l'amour simplement par plaisir ou pour passer un bon moment ?

— Non, Lewis, dit-elle en éclatant de rire.

— Il faut y mettre du sentiment ?

— C'est-à-dire que cela change tout, Lewis, murmura-t-elle d'un air sincère.

— Ça change tout ? Ah bon ? fit-il en hochant la tête.

Il se sentait ivre mais, tout au fond de son esprit, il percevait une ouverture. Toutes ses paroles prirent soudain un sens.

— Ce serait donc différent ? dit-il lentement. Voyez-vous, si nous... Quand je... quand quelqu'un...

— C'est ce que je pense. Et vous ?

— Je ne sais pas, je n'ai jamais été amoureux.

— Vous m'avez dit que vous aviez vingt-cinq ans.

— Et alors ?

— Lewis, vous avez l'insensibilité des séducteurs, s'écria-t-elle d'un ton cinglant en se dirigeant vers la porte.

— Je ne suis pas insensible, protesta-t-il faiblement.

Il commençait à percevoir pleinement le sens de ses paroles, comme s'il s'ouvrait à la vie.

— Oh si ! Pour choisir une salle de bains, il ne faut pas être très délicat.

Lewis fut atteint par cette remarque. Il se retourna au moment où elle allait sortir.

— Vous avez raison, absolument raison. Je vous prie de m'excuser.

— Lewis, vous êtes complètement ivre, dit-elle avec fermeté. Mais je vous pardonne.

Elle s'éloigna dans un bruit de froufrou, laissant Lewis seul. D'en bas lui parvenait l'air d'une valse viennoise. La musique douce se mêla intimement aux images suaves qui assaillaient son esprit.

Il jeta un coup d'œil à sa montre. 11 heures. Avec une clarté soudaine, une pensée s'imposa à son esprit. Il aimait Hélène ! C'était simple. La confusion de ces dernières semaines n'avait qu'une seule et unique cause : Hélène. Il avait refusé de se rendre à l'évidence, de reconnaître la vérité.

Il l'aimait ! Il n'y avait donc rien d'anormal chez lui. Bien au contraire.

Lewis s'arrêta au milieu de l'escalier. De là, il avait une perspective sur toute la salle de bal où, sur la piste, évoluaient des danseurs. Il les observa un instant, étincelants comme des joyaux, délicats comme des fleurs. Il fut frappé par l'assurance des hommes qui virevoltaient. De l'or et de l'argent, du jaune, du pourpre et du noir, un bleu diaphane de clair de lune. Les couples, parés de la beauté des étoiles, semblaient tourbillonner sans toucher le sol.

Après avoir enfilé son manteau, il quitta la chaleur de la salle illuminée pour se plonger dans le froid de Berkeley Square désert. Il avait l'impression que cette vision lui avait été accordée comme une grâce. Il eut envie de rentrer à pied, malgré la distance. Il traversa donc Piccadilly, longea Green Park, puis Knightsbridge, avant de prendre la direction du sud vers la Tamise. Il avait les pieds glacés dans ses chaussures vernies, mais il ne s'en rendait même pas compte. Il avançait comme dans un rêve. En temps normal, c'était un signe d'ivresse.

Mais Lewis savait que ce n'était pas cela. Il était dans un état second, certes, mais ce n'était pas sous l'effet du Bollinger qu'il avait absorbé toute la soirée. Sa vie se déroulait, tel un kaléidoscope dont tous les fragments s'étaient, comme par miracle, remis en place.

Il rentra dans la petite chaumière de Chelsea un peu après minuit. Les pièces étaient plongées dans l'obscurité. Lewis ôta son manteau, son écharpe et ses chaussures mouillées. Il gravit les marches en chaussettes pour ne pas faire de bruit. Le cœur battant mais avec une certaine appréhension, il essaya d'ouvrir la porte de la chambre d'Hélène. Elle n'était pas fermée à clé.

Il s'y glissa furtivement.

Elle dormait, les rideaux ouverts. La clarté de la lune et le reflet de la neige formaient des ombres argentées. Lewis s'approcha subrepticement du grand lit de bronze et la regarda. Ses longs cheveux se déployaient sur l'oreiller. Ses longs cils lui ombrageaient les joues. Son souffle était léger et régulier. Lewis laissa errer son regard sur sa peau laiteuse, le bleu de ses veines le long du poignet. Le bras et l'épaule étaient nus. Elle ne portait pas de chemise de nuit.

Tout en la contemplant, Lewis réfléchissait. Sa jeunesse était sans doute responsable de cette obstination stupide qui l'avait aveuglé. Les mains tremblantes, il repoussa doucement les couvertures.

Les draps étaient nacrés de rose pâle. Le corps d'Hélène revêtait une couleur de sable. Les ombres formées sous les seins et entre les cuisses étaient teintées de mauve, telles des volutes de fumée. Elle remua légèrement, comme si elle sentait l'air frais sur sa peau, mais elle ne se réveilla pas.

Lewis frémit, non pas de froid mais d'extase. Se sentant à la fois l'âme d'un adorateur mais aussi d'un intrus, il ôta le reste de ses vêtements.

Une fois déshabillé, il se glissa dans le lit contre elle. Il ne fit pas le moindre mouvement, craignant que la fraîcheur de son corps ne l'éveillât. Pourtant, son corps était en feu, son esprit enflammé. Il la regarda un long moment. Puis, délicatement, lui frôla le visage, les cils, les lèvres légèrement humides.

Sa main glissa le long de son cou jusqu'à la poitrine. Hélène ne bougeait pas. La chaleur de son corps, sa passivité, le silence et l'intimité profonde qu'il partageait à son insu le submergeaient de désir. Il se pencha et posa ses lèvres sur les siennes. Il sentit la chaleur de son souffle contre ses joues. Un peu hésitant, il s'enfonça sous les draps, lui prit les seins dans les mains, porta à ses lèvres le bout incarnat et suça délicatement un sein après l'autre. Ils se raidirent sous ses caresses. Lewis laissa échapper un doux gémissement. Hélène ne fit pas le moindre geste, le moindre mouvement.

Lewis, allongé sur le côté, s'aventura à presser sa cuisse contre la sienne. Le pénis dressé et dur, il avait l'impression de brûler en enfer, mais aussi de vivre un doux rêve. Il la caressa du bout des doigts, tel un aveugle, glissant le long de la courbe de sa taille jusqu'à la toison soyeuse lovée au creux de ses cuisses.

Elle remua en soupirant doucement et se tourna de son côté. Ses seins lui effleuraient la poitrine, et sa verge se frottait contre ses cuisses.

Lewis en avait le vertige. Il avait l'impression d'être en équilibre au sommet d'une crête, prêt à plonger dans une mer d'un noir profond. Il la caressa encore de ses mains tremblantes, puis il lui sembla s'enfoncer dans la tourmente des sens. Il lui entrouvrit les cuisses.

Il lui fut aisé de la pénétrer, sans bruit, en douceur. Il ne fit pas le moindre mouvement, absolument figé en elle, tandis que la tempête faisait rage dans sa tête. C'était une véritable union, mais aussi un peu comme un viol. Il avait le sentiment que le pur et l'impur se confondaient, ce qui l'excitait au plus haut point. Le désir et l'amour. Pour la première fois, il ressentait intensément la puissance de cette fusion. Une lumière blanche aveuglante et des bouffées de chaleur l'envahissaient. Il sentait son corps vibrer. Inutile de bouger. Il la pénétra intimement et s'immobilisa.

L'esprit en ébullition, il céda au plaisir. Ce fut comme un coup de poignard, comme si son sang se déversait. Une mort, en quelque sorte.

Son corps fut secoué de saccades. Des gouttes de sueur perlaient sur son front. Il enfouit son visage entre ses seins. Il perçut une voix, sans doute la sienne, qui disait : « Oh, mon Dieu ! »

Les spasmes achevés, il se retira lentement et s'allongea auprès d'elle avant de sombrer aussitôt dans un sommeil profond.

Quand elle fut certaine qu'il s'était endormi, Hélène ouvrit les yeux et le prit dans ses bras. Cela devait arriver. Elle n'était pas mécontente que cela se soit passé ainsi.

Elle lui caressa les cheveux. « Ce n'est pas une trahison, mais un rêve », songea-t-elle.

Le lendemain, Lewis s'éveilla le premier. Il se glissa hors du lit et alla dans la petite salle de bains glacée. Il éprouvait un sentiment divin.

Une joie intense, mêlée de crainte, l'exaltait. Sans se soucier du froid, il arpenta le couloir de long en large. C'était pour lui une renaissance, une transfiguration. Une mort rapide avait frappé l'homme qu'il était pour laisser place à un être nouveau qui possédait puissance et grâce, à qui rien ne pouvait résister, qui avait l'univers dans sa main.

Ce nouveau Lewis détenait un pouvoir surhumain. Tout devenait facile. Il songea avec amusement aux héros de bandes dessinées qu'enfant il lisait furtivement, à ces héros qu'il avait tant aimés, qui déplaçaient des montagnes, éliminaient les méchants et défiaient les lois de la pesanteur. Aujourd'hui, tout comme eux, il volait.

Il retourna dans la petite chambre et se glissa dans le lit. Il avait à peine remonté les draps qu'Hélène ouvrit les yeux. Leurs regards se croisèrent.

Nulle question. Tout était si étrange, si merveilleux, qu'une seule question en aurait estompé la magie. Pourtant, *dormait-elle vraiment ?*

Elle perçut sa pensée sans qu'il l'exprimât. Un sourire se dessina sur ses lèvres.

— J'ai fait un rêve cette nuit, lui dit-elle.

— Ce n'était pas un rêve, tu le sais, répliqua-t-il brusquement.

— Non, je suppose que tu as raison, lui dit-elle en passant un bras autour de son cou.

Il crut déceler une pointe de regret.

Ce fut réellement un rêve. Les cinq jours et les cinq nuits qui suivirent furent irréels.

Lewis eut l'impression qu'ils s'écoulaient à la fois très vite et très lentement, avec une clarté hallucinatoire. Il savait que ces jours-là allaient rester gravés à jamais dans sa mémoire. Par la suite, malgré tous les événements, ces instants furent les seuls moments privilégiés de vie authentique qu'il connut.

Tombant le troisième jour, Noël fut l'apogée de leur bonheur. Ils vécurent cinq jours et cinq nuits coupés du monde. Lewis décrocha le téléphone pour ne pas que Thad vienne interrompre leur idylle. Ils fermèrent leur porte à clé. Peine inutile, personne ne vint sonner. Ils avaient décidé d'un commun accord de ne pas répondre, le cas échéant. Ils organisèrent leur temps au gré de leur désir, prenant leurs repas à des heures incongrues, tout simplement parce qu'ils avaient brusquement faim, dormant le matin ou l'après-midi et veillant toute la nuit. Nulle contrainte ne venait troubler leur quiétude. Ils vivaient au rythme de l'amour.

La veille de Noël, au milieu de l'après-midi, se rendant soudain compte de l'événement, ils s'emmitouflèrent dans des vêtements chauds et se précipitèrent en riant dans le froid. Comme tout paraissait possible, ils firent les magasins et, malgré l'heure tardive, trouvèrent ce qu'ils désiraient, alors qu'Hélène avait prétendu que les magasins avaient dû être dévalisés.

Ils achetèrent un petit arbre de Noël, des babioles et des paillettes de toutes les couleurs. Ils prirent des dattes, des pommes, du raisin, des châtaignes et des prunes confites très bien présentées. Une dinde pour au moins vingt personnes, qu'ils auraient du mal à faire entrer dans un four trop petit. Du papier doré, des bougies, une étoile, une boîte de caviar, des biscuits rouge et or couverts d'inscriptions. Et des cadeaux. Que de cadeaux ! Ils se rendirent chez Harrod's en taxi. Le magasin commençait à fermer ses portes. Ils entrèrent à la hâte dans l'atmosphère de fête du lieu, où tous les murs étaient parés de décorations étincelantes. Lewis voulait tout acheter. Il lui demanda de l'attendre près des ascenseurs et fit plusieurs rayons en se pressant. Un parfum présenté dans un flacon de cristal opalescent. Du houx et du gui. Un bouquet de fleurs printanières. Des dessous de soie, de satin et de dentelle faits main. Un long collier de perles avec un fermoir en diamants. Un coffret de délicats savons français en forme de coquillage. Lewis jonglait avec ses paquets, les posait, les reprenait en riant. Plus d'incertitudes ne traversaient son esprit, plus d'inhibitions comme à Rome. Son assurance n'était plus soumise aux états d'âme. Il était sûr de ses choix. Il acheta une chemise de nuit sans même regarder la taille. Il décrivit Hélène avec de grands gestes éloquents, épanoui comme un homme possédé. La vendeuse le servit en souriant. Lewis, avec ses joues empourprées et ses cheveux ébouriffés, était particulièrement beau. Le sentant en proie à un amour intense, elle se montra patiente. Noire ou blanche ? Simple ou franchement érotique ? Qu'importait ! Lewis choisit les deux.

Lorsqu'il revint près des ascenseurs, les bras chargés de cadeaux, Hélène avait disparu. Il s'arrêta net, le cœur angoissé.

Une seconde plus tard, elle réapparut, elle aussi rougissante et les bras chargés de paquets. Le soulagement fut tel qu'il courut vers elle, incapable de la prendre dans ses bras sans tout laisser tomber. Il s'immobilisa devant elle, au milieu du magasin, tandis qu'un discret garçon d'ascenseur, évitant son regard, entonna : *Oh, my darling, oh, my darling....*

Ils passèrent la nuit à décorer l'arbre de Noël de guirlandes, suspendant des boules aux branches. Ils avaient tiré les rideaux, fait un feu de cheminée et allumé une seule lampe.

Dans la douce lumière tamisée, la petite pièce avait du charme avec ses chaises capitonnées de rouge et ses tapis douillets, bien qu'usés. Lewis ne remarquait plus leur aspect miteux. Quelle importance, maintenant ? Ils n'étaient plus chez Anne Kneale, mais chez eux.

Ils firent un festin de caviar sur des toasts, devant la cheminée, près du sapin. Main dans la main, ils se parlèrent longtemps.

Lewis savait que ses paroles n'exprimaient pas vraiment ce qu'il ressentait au plus profond de lui. Il tenta de lui expliquer comment, toute sa vie, craignant l'échec, il avait cherché une porte de sortie, les efforts qu'il avait déployés pour être à l'image de ce que ses parents souhaitaient, puis ses amis et enfin Thad. Tout cela ne revêtait plus la moindre importance, car, pour la première fois de sa vie, il était lui-même.

— Je t'aime, murmura-t-il en se blottissant contre elle. Je t'aime. Je t'aime.

Elle lui embrassa les cheveux, en le caressant doucement, telle une mère réconfortant son enfant. Lewis se sentait coupable. Il avait envie de tout lui avouer. Soudain, il déversa la vérité, lui racontant son passé. Le vin, les femmes, les soirées, la confusion. Il avait prétendu aimer tout cela alors qu'il l'exécrait. Comme il regrettait cette vie-là. Il ne se sentait pas assez bien pour elle.

— Ce n'est pas vrai, Lewis. Ne crois pas cela, je t'en prie. Lewis, allons nous coucher.

Le jour suivant, ils passèrent bon nombre d'heures à préparer l'énorme dinde. Comme ils avaient oublié d'acheter des pommes de terre ou des légumes, ils l'accompagnèrent de maïs, trouvé dans le placard. C'était succulent. En revanche, Lewis n'avait pas oublié le vin. Ils burent une bouteille et demie de bourgogne. Ensuite, ils décidèrent d'aller faire une promenade dans les rues désertes, sur les berges, pour faire passer l'effet du vin. *Douce Tamise*, murmura Lewis, se remémorant quelques bribes d'un poème. Il lui prit la main, ivre de bonheur.

Elle s'arrêta pour contempler l'onde. Avait-elle raison ? Elle se le demandait, mais cette question lui semblait sans fondement. Les événements survenaient, il suffisait de les contrôler. Le vin lui berçait l'esprit. Le mouvement de l'eau l'hypnotisait. Elle fixa son regard sur une brindille emportée par un fort courant.

— Autrefois, j'ai vécu près d'une rivière, fit-elle en pressant la main de Lewis. Il fait froid, rentrons.

Ils firent demi-tour. Après avoir allumé un feu de cheminée, ils tirèrent les rideaux et verrouillèrent la porte. « C'est un monde chimérique, se disait Lewis, mais combien agréable. » Ils se forgeaient un univers auquel ils croyaient. Rien d'autre n'importait.

Ils ouvrirent les cadeaux devant le feu. Elle lui avait acheté une cravate, une écharpe, un portefeuille en cuir noir, un coffret de mouchoirs en fil, une chemise en soie et une bouteille d'armagnac. Hélène déposa délicatement ses présents dans les bras de Lewis avec une certaine appréhension.

Lewis, qui savait qu'elle n'avait pas d'argent et que les sommes qu'elle avait perçues pour le film étaient dérisoires, fut profondément touché. Il les défit l'un après l'autre, avec lenteur et précaution, sous le regard anxieux d'Hélène, effleurant parfois une boîte ou tirant un papier récalcitrant. Une fois tous les paquets ouverts, ils se mirent à genoux et se regardèrent. Le tapis était jonché de dentelles et de soie, de papiers déchirés et de rubans étincelants.

— Tu aimes ? Est-ce qu'ils te plaisent vraiment ? Oh, Lewis, c'est si dur de choisir des cadeaux pour un homme ! (Elle lui lança un regard timide, passant délicatement la main sur ses présents.) Ils sont si beaux, comparés à ceux que je t'ai offerts. J'aurais voulu...

Elle s'interrompit. Aussitôt, Lewis s'approcha d'elle et lui prit la main. Il aurait souhaité lui dire qu'une seule chose comptait à ses yeux. Si seulement elle l'aimait, il se sentirait comblé. Mais c'était inutile. En plongeant son regard dans le sien, il sut que les paroles étaient superflues. Elle avait compris.

— Ma chérie, dit-il en posant ses lèvres sur la douce paume de sa main. Ma chérie.

Un peu plus tard, il la persuada de se vêtir de l'une des robes qu'il lui avait offertes. Ils burent un peu d'armagnac et tout se déroula comme un jeu merveilleux et particulièrement excitant pour Lewis. De la soie rose pâle lui effleurait la peau. De la dentelle qui révélait les courbes veloutées de sa poitrine. Les perles autour de son cou. Une robe de chambre de soie blanche qui laissait entrevoir les pointes de ses seins plus sombres, le triangle de sa toison. Lewis sentit le désir monter en lui. Il s'allongea sans la quitter des yeux. Elle ôta sa robe de chambre blanche et enfila la noire.

Elle fut transformée. Il fut frappé par le pouvoir qu'elle détenait de changer de personnalité, au fur et à mesure qu'elle changeait de vêtement. Même les traits de son visage semblaient différents. Elle passait de l'adolescente à la femme mûre comme par un coup de baguette magique. Lewis était fasciné. Elle accentuait la courbure de ses lèvres, la forme de ses yeux qui prenaient une teinte plus sombre, presque noire. On aurait dit qu'elle était immobile, pourtant son expression changeait. Ses seins provocants se dressaient dans une pose érotique. Lewis n'essayait plus de cacher l'attrait qu'elle exerçait sur lui. Elle s'agenouilla auprès de lui, et sa voix susurrante ne fit qu'accroître sa tension. Elle parvenait même à changer son timbre de voix. Lewis était subjugué. Elle avait des yeux rieurs qui ne cherchaient pas à masquer le fait qu'elle le taquinait. Pourtant, tout au fond de lui, il savait que c'était la même femme, la même Hélène. Mais, l'espace d'un instant, il n'en crut rien. Elle se transformait sous ses yeux. Il avait l'impression d'être tenté non plus par une seule femme, mais par plusieurs. Cela l'excitait, mais aussi lui faisait peur. Il lui caressa le visage, le prit dans ses mains et le tourna vers lui pour la regarder droit dans les yeux.

— Hélène, comment fais-tu ? Je ne savais pas que tu pouvais...

Elle lui sourit.

— C'est un de mes dons. Je peux prendre différentes voix. J'ai de l'oreille, c'est tout. Je peux prendre l'accent anglais et de diverses régions. L'accent français aussi, ou italien, ou américain. (Elle baissa la tête, ses longs cils lui effleurant la joue.) Je sais aussi imiter l'accent du Sud ou même le tien, si tu veux.

— Le mien ? Je ne te crois pas, fit-il en riant.

— Écoute.

Le front plissé, elle se concentra. Puis, sous les yeux ahuris de Lewis, elle prononça quelques phrases en accentuant les voyelles brèves avec une pointe d'arrogance typique des Bostoniens.

Lewis la secoua doucement.

— Arrête. Tu m'as convaincu. Tu me séduis en prenant ma voix, je n'aime pas. Cela me trouble.

Elle s'interrompit aussitôt et leva les yeux vers lui, rougissante. Elle reprit sa voix normale.

— Est-ce mon but de te séduire, Lewis ?

— Non, bien sûr, ce n'est pas ce que je voulais dire. Je plaisantais.

Il s'approcha pour l'embrasser, mais la détermination grave de son regard l'arrêta. Elle posa ses doigts sur les lèvres de Lewis.

— Je ne veux pas te jouer la comédie, Lewis. Je veux que tu me connaisses telle que je suis réellement. Je veux être sincère avec toi, dit-elle, légèrement tremblante.

Lewis se sentit submergé d'un immense désir de la protéger, d'un amour et d'une tendresse infinis. Il l'étreignit doucement, passant ses lèvres sur ses cheveux, son visage, ses yeux clos. Son Hélène. Il avait la certitude de bien la connaître, tout comme il était sûr de l'amour qu'il avait pour elle. Il lui ôta sa chemise de nuit de soie noire et l'attira sur le sol, devant le feu, puis, au milieu des papiers et des cadeaux, il lui fit l'amour. Cette fois, enfin, elle s'agrippa à lui lorsqu'il jouit et lui couvrit le visage de baisers timides.

Il la souleva aisément dans ses bras et la porta jusqu'au premier étage. Là, il la glissa dans le lit, sous les draps où régnait une chaleur douillette. Puis il se blottit contre elle, toujours fou de désir, et lui fit de nouveau l'amour. Il avait toujours senti une certaine résistance chez elle. Mais, pour la première fois, elle se donna à lui. Lewis en éprouva un sentiment de fierté mêlée d'étonnement. Elle cria même un nom, mais ce n'était pas le sien.

Le lendemain, quatrième jour, elle s'éveilla la première. Lewis ouvrit les yeux et se rendit compte qu'elle l'observait. Il lui tendit les bras, encore endormi, et attira son corps tout chaud contre le sien. Il la tenait dans ses bras d'un air possessif. Elle attendit qu'il soit totalement réveillé pour lui prendre le visage entre ses mains, puis elle le fixa.

Avec douceur mais gravité, pratiquement sans hésitation malgré son appréhension, elle lui révéla la vérité. Elle était enceinte.

Le bébé devait naître en mai, suivant les prévisions du médecin. Elle ne voulait ni ne pouvait revoir le père de l'enfant. Tout était terminé, et elle ne tenait plus à en parler. Lewis la regarda, atterré. Il contempla son visage, puis les douces courbures de son ventre.

Il sortit de la chambre, la laissant seule, et descendit dans la salle à manger. Devant l'arbre de Noël, dans la faible lueur du petit matin, il se mit à pleurer.

Il se sentait trahi, bien sûr. Mais un sentiment douloureux de jalousie le torturait, l'affectant physiquement, comme s'il recevait des coups de poignard. Qui ? Quel homme ? Comment s'appelait-il et à quoi ressemblait-il ? Il avait envie de le connaître, de l'affronter, de se battre avec lui. L'avait-elle aimé ? L'avait-il aimée ? Que lui avait-il fait ? Combien de fois avaient-ils fait l'amour et où ?

La jalousie sexuelle est un sentiment indigne. Il est d'une laideur navrante mais d'une banalité inéluctable. Lewis en était conscient, ce qui accentuait sa peine. Ce qu'il savait et ce qu'il ignorait le tourmentaient. Il avait envie de hurler, de tout casser dans la pièce, de laisser exploser sa colère aveugle.

Il bondit et gravit les escaliers à la hâte. Il ouvrit brusquement la porte, la souleva dans ses bras en la secouant.

— Dis-moi que tu m'aimes, simplement que tu m'aimes. Dis-le-moi, je te jure que c'est la seule chose qui m'importe.

Sa voix étouffée d'émotion lui parvenait comme si c'était celle d'un étranger. Il ne se reconnaissait même plus.

— J'ai une profonde affection pour toi, Lewis, c'est vrai.

Il eut envie de la frapper. De l'*affection.* Quel terme inadéquat et pathétique. Pourquoi prononcer ce mot ridicule ? Il la haïssait. Il leva la main, prêt à la frapper, mais la laissa retomber, claqua la porte et dévala l'escalier comme un fou.

Il arpenta la pièce de long en large, essayant de se ressaisir, mais la douleur était intense. Il décida de se soûler, se versa un verre d'armagnac, avala une gorgée puis alla dans la cuisine jeter le reste dans l'évier. Il chercha des cigarettes, trouva trois paquets vides et heureusement un plein, ce qui l'apaisa temporairement. Il s'assit devant le sapin de Noël et se mit à réfléchir.

Tout être conscient de l'altruisme et du masochisme inhérents à la passion, et Lewis était naturellement bon et amoureux transi, aurait pu prédire l'évolution de ses pensées. Même Lewis la pressentait. D'abord le pardon. Ensuite, après d'autres accès de colère, les excuses. Là, son esprit débordait d'imagination. Il lui trouva soudain des milliers, des millions de raisons pour avoir agi ainsi. Cet homme l'avait dupée, manipulée. Peut-être l'avait-elle aimé, mais il avait dû l'abandonner, sinon elle serait encore avec lui. Peut-être, après tout, ne l'avait-elle pas aimé. Cette pensée le transporta de joie. Il bondit de sa chaise, chercha un calendrier et se mit à calculer les semaines comme un fou. Cela tombait au moment où elle les avait quittés à Paris. Ensuite, elle était revenue vers eux spontanément. Un certain espoir se faisait jour en lui. Le pardon se transformait en pitié. Il se rappelait ses moments de fatigue à Rome. Combien de fois, au *palazzo*, l'oreille collée sur la porte de sa chambre, l'avait-il entendue pleurer ? Elle avait dû se sentir si seule, si craintive. Quel courage elle avait eu de supporter seule ce fardeau ! Il éprouvait de l'admiration pour sa force de caractère, de la fureur contre lui-même pour s'être laissé aveugler au point de ne rien remarquer. C'est pourtant vers lui qu'elle s'était tournée. C'est à lui qu'elle venait de se confier. Il promena son regard dans la pièce avec les yeux de la veille.

Lewis resta ainsi prostré, en proie à mille pensées, pendant deux heures. Puis, au bord de l'épuisement, frigorifié, incapable d'avoir la moindre pensée logique, il en vint à la conclusion sans équivoque qu'il l'aimait. Oui, c'était bien de l'amour.

Lewis remonta dans la chambre. Elle n'avait pas bougé. Les yeux bouffis, le visage blême, elle avait dû pleurer. Embarrassé, il s'assit sur le lit auprès d'elle et lui prit tendrement la main.

Puis, sans doute parce qu'il ne savait que lui dire, il lui demanda de l'épouser.

Elle se redressa sans rien dire. Lewis lui leva le visage à hauteur du sien en lui pressant la main.

— Je t'en prie, lui dit-il. Je t'aime. Je voulais t'épouser de toute façon. J'y pense sans cesse depuis le jour où... Le bébé n'y change rien. Pourquoi d'ailleurs en serait-il autrement ? Je m'occuperai de toi et de lui. C'est mon souhait le plus cher. Hélène, je t'en prie, dis-moi que tu acceptes. C'est insupportable. Je vais devenir fou.

Hélène avait terriblement peur. De toute évidence, Lewis avait pleuré. L'angoisse qui se lisait sur son visage lui donnait un aspect puéril. L'espace d'un instant, elle songea à eux deux comme deux enfants craintifs, cherchant un réconfort mutuel.

Elle fut tentée de refuser, mais pensa aussitôt au bébé et à la vie qui l'attendait seule avec lui. Il lui faudrait travailler pour l'élever. L'existence serait affreusement pénible. « Je ne laisserai pas mon bébé mener cette vie-là », se dit-elle, et, prenant la main de Lewis, elle accepta.

Le sixième jour, Thad arriva de Paris sans prévenir. Il martela la porte et entra en trombe. Finie l'intimité.

Lewis, encore au lit, épuisé par l'amour, entendit Hélène ouvrir la porte, perçut sa voix et grommela.

— Ne me dis rien, lui dit-il quand elle revint. Il ne parvenait pas à nous joindre par téléphone, alors il est venu.

— Oui, fit-elle en enfilant quelques vêtements sans lever les yeux.

— C'est moi qui vais lui annoncer la nouvelle.

Lewis ôta les couvertures et bondit du lit, l'esprit soudain déterminé. Il la saisit par-derrière et l'étreignit.

— Maintenant ?

— Pourquoi pas ? Il faut qu'il l'apprenne tôt ou tard. Tout le monde doit le savoir. Oui, le monde entier. J'ai envie de crier mon bonheur sur tous les toits.

— Je suppose que tu as raison, mais je crains un peu la réaction de Thad.

Elle arbora une expression qui fit sursauter Lewis. Il se rappela le tournage de la dernière scène dans le Transtévère. Jamais plus il n'y avait fait allusion, et jamais elle ne lui avait donné la moindre explication. Peut-être était-ce le moment de poser des questions. Sans doute cela n'avait-il pas grande importance. Elle lui en parlerait une autre fois.

Sur ce point, il avait tort, mais, ce matin-là, rien ne pouvait ébranler sa confiance, pas même Thad. Il l'embrassa, ravi de cette complicité qui excluait Thad. Il attendait avec impatience le moment où il lui annoncerait la nouvelle, où il lirait la surprise sur son visage.

Là, il fut déçu. Il la lui annonça avec un sourire malicieux, un bras passé autour de la taille d'Hélène. Thad cligna une, deux, trois fois des paupières. Ce fut sa seule réaction. Il continua à boire sa tasse de thé tranquillement. Avec un léger pincement de cœur, il leur dit d'un ton aimable :

— Bravo ! C'est pour quand ?

Lewis ne put s'empêcher de rougir. Il se rendit compte que la façon dont il s'y était pris pour annoncer la nouvelle — « Hélène va avoir un bébé, nous allons nous marier » — impliquait tacitement qu'il était le père. Son impétuosité, son désir pervers d'ébahir son ami l'avaient placé dans une situation difficile. Thad le regardait d'un air imperturbable.

— Quoi ? Le mariage ou le bébé ? demanda Lewis en souriant.

— Les deux, fit Thad en avalant une gorgée de thé.

— Le mariage, le plus tôt possible. Quant au bébé...

— Au printemps, s'empressa de dire Hélène.

Lewis ne put s'empêcher d'éprouver un sentiment de triomphe. Elle était venue à sa rescousse. Cette complicité l'enchantait.

— Merveilleux ! C'est vraiment merveilleux ! s'écria Thad en se levant. Je suis vraiment ravi pour vous deux. Maintenant, parlons du film. Ou plutôt devrais-je dire *des* films. On l'a monté. J'ai vainement essayé de vous joindre depuis plusieurs jours.

Les regards de Lewis et d'Hélène se croisèrent. L'appareil avait été rebranché. Lewis espérait qu'Hélène l'avait fait à l'insu de Thad.

Ils s'assirent tous deux, et Thad commença à arpenter la pièce en agitant les bras. Il se lança dans un long monologue. Le montage de *Jeu de nuit* était pratiquement terminé. Il avait fallu faire des coupures. Truffaut l'avait vu. Des amis à Paris aussi. Tous avaient été emballés.

Thad n'était pas modeste de nature. Ce n'est pas là qu'il allait commencer à l'être. Il parlait de *Jeu de nuit* comme du futur *Citizen Kane*. En un soir, il allait changer toutes les idées reçues sur le cinéma. Il allait devenir célèbre d'un coup et, contrairement au film de Welles, il serait immédiatement premier au box-office.

Lewis l'écoutait vaguement. Ce n'était pas la première fois qu'il entendait Thad tenir de tels discours. Il avait été impressionné dès leur première rencontre à Los Angeles. À Rome, il avait eu quelques doutes sur sa manière de travailler et maintenant, de nouveau, les doutes l'assaillaient. Thad exagérait vraiment. Il ne se rendait même pas compte de l'absurdité de ses propos. Lewis préféra réserver son jugement jusqu'à ce qu'il ait vu le film. Thad s'enorgueillissait, et sa vanité obsessionnelle engendrait un manque de tact. Il n'avait nullement évoqué la prestation d'Hélène. Cette bévue l'irritait, tout comme Lewis.

Maintenant...

Thad aborda le sujet d'Henri Lebec. C'était un jeune homosexuel français, riche, héritier d'une immense fortune bâtie sur la mise en bouteilles d'eau minérale. Lebec se considérait comme un mécène et était connu dans le milieu du cinéma. Thad avait fait sa connaissance grâce à Truffaut, et c'était Lebec qui, avec Lewis, avait financé une partie du film. Ils avaient mis chacun cinquante mille dollars. Lewis soupira. Si *Jeu de nuit* ne marchait pas, il perdrait une fortune. En fait, il pouvait se permettre ce luxe, tout comme Lebec d'ailleurs. Il s'y était préparé dès le début.

Lewis, qui avait toujours eu plus d'argent qu'il n'en fallait, n'y avait jamais attaché d'importance. Il avait décidé de miser sur Thad et de l'aider, mais là, il lui refuserait une nouvelle avance. Perdre une fois, d'accord. Mais il n'était ni prodigue ni complètement idiot. Désormais, tout allait changer. Il veillerait au bien-être de son épouse et du bébé.

Il dut pourtant constater que ce n'était pas le but de sa visite. Il parlait certes d'argent, de grosses sommes en vérité, mais Lewis, tout comme Henri Lebec, n'était plus concerné.

— Alors, voilà... vous savez tout. Les propositions pour *Jeu de nuit* sont multiples. D'un seul coup, tout le monde se l'arrache. On est sacrément bien partis. Truffaut pense que je devrais le présenter au festival de Cannes. Il se peut même qu'on puisse le sortir dans les cinémas proches des cités universitaires et dans quelques ciné-clubs de New-York. C'est un début. Ce que je veux dire, c'est qu'on pourrait obtenir la Palme d'or au festival de Cannes, et cela ne signifierait rien à Los Angeles, mais, si nous parvenons à le faire projeter en Amérique et à obtenir bon nombre d'entrées, ce sera formidable. Alors, nous pourrons faire un autre film en Europe, je pensais à Londres. Ensuite, avec le troisième, nous retournerions en Amérique, cette fois pour y rester. Nous n'aurons plus besoin de faire le tour d'Europe. Si nous arrivons à avoir ce soutien, tout le processus est accéléré, voilà le fond du problème. Le film numéro trois peut être grandiose. Quant au numéro quatre...

— Le soutien ? Quel soutien ? l'interrompit Lewis.

Thad, l'air blessé, se tourna vers lui.

— Tu n'as rien écouté, Lewis. Je viens de te dire...

— Répète, je n'ai pas bien saisi.

— D'accord, fit Thad en soupirant. Il y a cette société de distribution appelée Sphère. C'est une société américaine, tu suis ? Bon. Elle était en faillite, mais elle a été rachetée par Partex Pétrochimie.

Il sortit le nom de cette compagnie comme un prestidigitateur sort un lapin de son chapeau. Mais Lewis, en fils de banquier, en avait entendu parler.

— Et puis ?

— Partex a de grands projets pour Sphère. Ils veulent financer l'affaire. L'argent provient du pétrole. C'est sérieux. Ils veulent étendre le domaine de la distribution et lancer celui de la production. Ils voudraient financer des films indépendants. *Mes* films. Ils vont vite en besogne. Ils ont remarqué les baisses de fréquentation des salles en Amérique et connaissent parfaitement l'impact de la télévision. Qui l'ignore ? Cela ne les dérange absolument pas. Ils savent qu'il y a là un public à gagner. La jeunesse, Lewis. Ceux qui en ont assez de ne voir que des reprises de *Gunsmoke* tous les soirs, ceux qui vont de nouveau se précipiter dans les salles quand on leur présentera un bon produit. Il leur faut des films qui leur parlent. Pas de Jane Russel, de danseuses et toutes ces imbécillités. Mais de vrais films. Des films américains. Du type de ceux que je tourne.

— Tu n'en as fait qu'un jusqu'à présent.

— Lewis, je t'en prie, je suis parfaitement sérieux.

— D'accord, d'accord, fit Lewis en haussant les épaules. Tu dis que cette société est prête à te financer ?

— Ils veulent participer à la distribution de *Jeu de nuit* et ils parlent déjà d'une avance pour notre deuxième film. Et c'est une coquette somme, il ne s'agit plus de menue monnaie.

— Oh, oh ! s'écria Lewis.

La confiance sans bornes de Thad commençait à l'agacer. Il avait envie d'y mettre un terme. Thad avait toujours prétendu ne rien connaître aux arcanes de la finance. Il avait pour habitude, à Los Angeles, de clamer qu'il n'était que le metteur en scène. C'est là que Lewis était intervenu. Thad avait besoin de lui parce qu'il était familiarisé avec les chiffres.

C'était vrai jusqu'à un certain point. Il avait vécu dans le milieu de la haute finance jusqu'à l'âge de dix-huit ans. Il savait lire un bilan financier sans le moindre problème. Il lisait régulièrement le *Wall Street Journal* et répondait aux questions insidieuses de son père à ce sujet. À Harvard, il avait suivi des cours d'économie théorique. S'il avait accepté d'entrer dans la Sinclair Lowell Watson, son père l'aurait mis à rude épreuve, et Lewis était persuadé qu'il en avait les capacités. Mais financer un film était un tout autre problème. C'était un champ de mines. À Los Angeles, il avait écouté attentivement tout ce qui se disait. À Paris, avant qu'il ne soit décidé de tourner avec un petit budget et de participer avec Lebec au financement de *Jeu de nuit*, il avait essayé avec son aide et celle de divers amis de Thad de trouver un soutien financier plus important.

C'était comme s'il avait jonglé avec des bulles de savon. Il brassait des affaires plus ou moins louches. Des transactions bizarres, des avances sur recette, des provisions forfaitaires. Chaque fois que Lewis avait l'impression qu'il touchait au but, les gens qui devaient lui remettre des sommes importantes lui filaient entre les doigts. Une à une, les bulles éclataient.

Avec une certaine admiration pour son cynisme dû à l'expérience, il fit remarquer qu'il n'était pas impressionné par les propositions mirobolantes de la Société Sphère. Quand ils traiteraient ou, encore mieux, quand ils leur signeraient un chèque, là il prendrait l'affaire au sérieux.

Thad parut offensé.

— Je suppose que tu as raison, Lewis, dit-il d'une voix humble. Je ne comprends pas grand-chose à toutes ces histoires d'argent. Le type de Sphère que j'ai rencontré... À ton avis, au premier coup d'œil, il s'est dit que j'étais un pigeon ? C'est ça ?

— Non, pas exactement, Thad, dit Lewis, gêné. Tu as peut-être raison. Pourquoi ne seraient-ils pas sérieux ? S'ils ont fait le premier pas... Mais, dis-moi, comment ont-ils entendu parler de nous ?

Thad prit un air satisfait.

— Ils sont au courant de tout. En ce moment, les Européens font du bon travail, et je suis américain. Ils ont dû entendre parler de *Jeu de nuit*. Je ne sais pas. Mais quand ce Scher a vu les rushes, il m'a dit qu'il l'aimait. Ce n'était peut-être que de la politesse. Il ne voulait pas me blesser.

— Allons, Thad, fit Lewis en se penchant vers lui. Essaies-tu de me faire pleurer ou quoi ? S'il t'a dit qu'il l'aimait, c'était probablement vrai. Je veux simplement dire que ce n'est pas la même chose que de te signer un bon chèque pour le film suivant ou de te donner carte blanche, par exemple. C'est tout.

— Je le sais, Lewis, maintenant que j'ai bien réfléchi au problème. Je n'ai jamais pensé qu'ils me donneraient carte blanche.

Il lança un regard furtif vers Hélène, puis vers Lewis.

— Tu comprends sans doute la raison de ma venue. J'ai besoin que tu reviennes avec moi à Paris. J'ai besoin de ton aide. Je ne peux pas me débrouiller seul, Lewis. Oh, je suppose qu'il me faudra m'y habituer, du moins temporairement, avec tous ces événements, dit-il en désignant Hélène.

Lewis baissa la tête. Il savait ce que cela signifiait et la douceur de Thad ne le trompait absolument pas. Thad ne serait pas satisfait tant qu'il n'aurait pas réussi à ramener Lewis. Jusque-là, il ne bougerait pas. Lewis se tourna vers Hélène, elle vers lui. De toute évidence, elle se disait la même chose. Au grand soulagement de Lewis, c'est elle qui prit la parole.

— Quand veux-tu qu'il rentre, Thad ?

Thad, sans lever la tête, dit d'une petite voix :

— Pourquoi pas demain ?

Thad prétendit vouloir aller s'acheter des vêtements, ce qui les étonna. Une fois qu'il fut parti, Lewis et Hélène se concertèrent. En un sens, sa venue était prévisible, car ils savaient qu'une fois son film monté Thad n'aurait de cesse qu'il ne fît revenir Lewis, qui accepterait pleinement le rôle qu'il lui réservait. Le moment était simplement arrivé un peu plus tôt que prévu.

— Tu pourrais m'accompagner, dit Lewis à Hélène en passant son bras autour d'elle. Si ce n'est pas très prudent de prendre l'avion, tu peux me rejoindre en bateau. Thad n'y verra aucune objection et, si c'était le cas, je l'enverrais au diable. Je veux que tu sois à mes côtés. Je ne peux plus supporter d'être loin de toi, maintenant...

Il l'embrassa dans le cou. Quelques problèmes se posaient. Ils allèrent s'asseoir dans les gros fauteuils rouges du salon et pesèrent le pour et le contre.

L'aspect sérieux et raisonnable de leur conversation plut à Lewis. Ils discutaient en adultes. De toute évidence, il allait être très pris et n'aurait guère beaucoup de temps à lui consacrer. Paris était à une heure de vol de Londres. Dès qu'il en aurait l'occasion, il sauterait dans un avion pour la retrouver. C'était effectivement mieux pour elle de rester dans cet endroit paisible qu'elle aimait. Elle pourrait se reposer et prendre soin d'elle et du bébé. Heureux d'éprouver une fois encore cette complicité entre eux, Lewis s'interrompit.

— Il pense que l'enfant est de toi, Lewis, lui dit-elle en lui prenant la main.

— Je sais, répondit-il avec un haussement d'épaules. Et alors ? Ce ne sont pas ses affaires. Cela ne concerne que nous.

— Tout cela est arrivé si vite. Je ne savais pas quoi dire. Et nous n'avons pas décidé... Enfin, que va-t-on dire aux autres ?

Lewis percevait son embarras et sa vulnérabilité, ce qui ne faisait qu'accroître sa confiance et son désir de la protéger. Plus il la sentait vulnérable, plus il se sentait fort.

— Ma chérie, lui dit-il en l'embrassant, je t'aime. Nous allons nous marier. Je prendrai soin de toi et du bébé. En un sens, ce sera le mien. C'est le mien. J'essaierai d'être un bon père. J'aime les bébés... (Il lui sourit.) Je suis extraordinaire avec les gosses de ma sœur. Tu leur demanderas, tu verras. J'ai déjà six neveux.

Il essayait de paraître enjoué, mais son visage était grave.

— Je suis sérieux, dit-il gauchement. Ce n'est pas si facile à dire. D'autres ne comprendraient peut-être pas. Thad, c'est certain. En un sens, il vaut mieux que personne ne sache. Ce sera notre secret. Je ne veux pas que les gens se mêlent de nos affaires. Si la confiance règne entre nous, si nous nous aimons...

Il s'était risqué à prononcer le mot en la regardant avec anxiété. Le visage d'Hélène se radoucit. Le bleu de ses yeux se teinta de gris, comme toujours lorsqu'elle était émue. Elle lui prit le visage au creux de ses mains.

— Je ne sais pas si nous devons bâtir notre vie sur un mensonge.

— Ce n'est pas un mensonge, fit-il en lui prenant les mains, passionnément convaincu qu'il disait vrai. C'est *notre* vérité. C'est différent.

Elle le regarda, percevant l'émotion dans sa voix, l'intensité de son regard. Elle aimait ses yeux.

Ils étaient sincères, trop parfois, car il était facile de savoir ce qu'il pensait, ce qui le rendait vulnérable. Souvent, Lewis lui rappelait un personnage médiéval, un chevalier partant pour la bataille, heureusement inconscient de n'avoir pour arme qu'une épée, alors que l'ennemi possédait des mitrailleuses. Elle entrevit le danger. Si Lewis se parait pour la bataille, c'était en son honneur, ce qu'elle trouvait flatteur. Il cherchait aussi désespérément son accord pour tout, et, de par son expérience avec les hommes, elle possédait déjà l'art de masquer ses doutes. « La plupart des hommes étaient, se disait-elle, comme Ned Calvert. » Elle n'avait nulle envie de les entendre.

Penchant la tête, elle acquiesça.

Lewis se leva d'un bond, l'esprit plein de projets. Il lui téléphonerait de Paris chaque soir, sauterait dans le premier avion à la moindre occasion. Il saurait s'arranger avec Thad. Désormais, il n'y aurait plus de problème. En attendant, il leur restait une soirée à passer ensemble. Ils iraient dîner au Caprice, ce restaurant qu'il aimait tant...

À 7 h 30, Thad n'était toujours pas reparti et semblait n'en avoir nullement l'intention. Vers 8 heures, Lewis rappela le restaurant et réserva pour trois personnes.

— Bon sang, il ne va pas rester toute la nuit. Non, ça non.

Hélène et Lewis s'étaient retirés dans la cuisine. Thad était affalé sur le divan du petit salon. Il était minuit. Il n'avait pratiquement rien dit au cours du dîner et avait mangé des escargots d'une façon tellement dégoûtante que Lewis en avait rougi de confusion. Quand leur taxi était venu les chercher au Caprice, Thad y était monté le premier, sans un mot. Depuis plus d'une heure, il était assis devant la cheminée, buvant une tasse de thé après l'autre. Il portait les vêtements qu'il venait d'acheter. Hélène et Lewis l'observaient de la cuisine, carrément installé au milieu du salon, fredonnant un air, les yeux dans le vague. Lewis le trouvait complètement grotesque.

Premièrement, il s'était fait couper les cheveux et la barbe. Deuxièmement, il n'avait pas le regard aussi terne que d'habitude, mais plutôt vif, étincelant, et il clignait sans arrêt des yeux à cause de la lumière. Troisièmement, le jean sale, la chemise humide de sueur, les souliers râpés, les chaussettes de nylon qui dégageaient une odeur de poisson, tout avait disparu. Thad semblait avoir pris un bain et il était vêtu d'un costume.

Ce n'était pas exactement le style de costume que portait Lewis. Toujours est-il que c'était un trois-pièces. Le pantalon était un peu juste pour ses cuisses énormes, et les boutons de son gilet se fermaient à peine à cause de son gros ventre. Le pantalon était trop court, et l'on distinguait des chaussettes noires en laine. Il était chaussé de souliers vernis noirs à lacets.

Lewis ne put s'empêcher de grommeler.

— Chut, fit Hélène en souriant. Il va t'entendre.

— Je m'en fous. Il faut qu'il s'en aille. C'est sa dernière tasse de thé. Je veux qu'il parte. Il en a déjà bu trois.

— C'est toi qui le lui demandes ou moi ?

— Je m'en occupe, répliqua Lewis avec fermeté. Tout de suite, d'ailleurs. Regarde.

Il repartit d'un air décidé dans le salon, suivi d'Hélène. Il mit une tasse de thé dans les mains dodues de Thad, remarquant que, pour une fois, il avait les ongles propres, et lui dit d'un ton sec :

— Tu bois ça, Thad, et après tu t'en vas.

— Je m'en vais ? fit-il, l'air ébahi. Je pensais dormir sur ce canapé.

— Tu t'es trompé. Tu bois ton thé et tu t'en vas. Hélène et moi, nous voulons rester seuls. C'est notre dernière soirée.

Lewis éprouva un sentiment de fierté. Thad leva les yeux vers lui.

— Oh, bien sûr. J'aurais dû y penser. C'est idiot de ma part, mais je me disais que peut-être ce canapé...

— Non, Thad, tu ne peux dormir ni sur ce canapé ni ailleurs. D'accord ?

— Bon.

Il capitula de bonne grâce. Lewis s'assit en face de Thad et attira Hélène auprès de lui. Il alluma une Marlboro et inhala la fumée, intrigué par la mise de Thad. Pourquoi ce costume noir et tout le reste ?

— J'ai pensé..., commença Thad.

Lewis fronça les sourcils. Cela n'augurait rien de bon. Généralement, un long monologue s'ensuivait et Lewis se sentait parfaitement incapable de le supporter.

— Je t'en prie, Thad, sois bref.

— Oui, oui, mais c'est très important. Cela vous concerne, Lewis. Toi et Hélène. Parce que c'est surtout à elle que j'ai pensé. En fait, il faut qu'on réfléchisse ensemble, et il faudrait aborder le problème dès maintenant. Comment allons-nous la présenter ? Surtout quand nous serons de retour en Amérique. C'est la clé de tout. Nous devons mettre notre stratégie au point. T'ai-je déjà parlé de Grace Kelly lorsqu'elle est arrivée à Hollywood ?

— Je ne crois pas.

— Sais-tu ce qu'elle a fait ? Chaque fois qu'elle se présentait à un metteur en scène, à un producteur, elle portait des gants blancs. Des gants blancs, tu vois pourquoi ? C'était une façon de dire : « Ne me touchez pas, vu ? » La classe, quoi. Ils sont tous devenus fous. Dans toutes les soirées, dans toutes les réceptions, on ne parlait que de cette superbe fille qui portait des gants blancs. Donc, il nous faut trouver cet équivalent, d'accord ? Parce qu'on ne peut pas faire le coup des gants deux fois.

— Je pourrais en porter des noirs, fit Hélène avec une pointe de sarcasme.

Lewis éclata de rire, et Thad mit quarante secondes avant de saisir la boutade, puis, malgré son embarras, suivit le fil de sa pensée.

— On peut tirer un bon parti de tout ça. Le mariage, c'est une bonne chose. Toi, Lewis, une vieille famille, Groton, Harvard, tous ces vauriens, prêts à vous écorcher vif, hésiteront quand ils apprendront que c'est ta femme. Fantastique ! Extraordinaire ! D'emblée, il faut qu'ils clament que cette femme a de la classe, qu'elle est superbe et que ce n'est pas le genre de fille facile et disponible qu'on trouve habituellement dans ce milieu. C'est crucial, tu m'entends.

— Elle n'est pas disponible, c'est sûr. C'est ma femme. Donc, tout va bien, n'est-ce pas ?

— Lewis, Lewis, je t'en prie, fit Thad en se levant. Nous ne parlons pas de la réalité mais de l'image qu'on veut donner. Si Hélène doit tourner dans nos films, il faut créer l'image qui convient.

— Si ? l'interrompit Lewis, sentant Hélène se raidir légèrement. Pourquoi ce « si » ? Tu m'as dit que nous formions une équipe soudée. Toi, moi, Hélène. L'idéal, c'est toi qui l'as dit. Tu m'as même fait un long sermon sur les associations à trois, tu te rappelles ?

— Ah bon ? Ça se peut. J'ai dit que les meilleurs films avaient toujours une structure ternaire. C'est vrai. J'ai pu l'observer à maintes reprises.

— Exact. Tu m'as donné une longue liste qui partait de la préhistoire en passant par *Le Troisième Homme* et *Autant en emporte le vent* et...

— Non, je ne t'ai jamais dit cela. *Autant en emporte le vent* est un navet.

— Quelques heures plus tard, après m'avoir expliqué que tout le système cinématographique était fichu, qu'il fallait tout repenser, que le metteur en scène indépendant, c'est-à-dire toi, allait être le sauveur du cinéma américain, tu m'as dit qu'il fallait une équipe, un producteur indépendant et une vedette. Une femme, de préférence. C'était, à tes yeux, la structure de base idéale. Avec cela, plus rien n'était impossible, autant que je m'en souvienne.

Thad clignait nerveusement des yeux. Il avait l'air agité et lançait des regards furieux à Lewis qui, lui, souriait. Il connaissait la raison de sa colère. Thad ne voulait pas qu'Hélène sache encore les ambitions qu'il nourrissait pour elle. Il voulait qu'elle en prenne conscience peu à peu. Ainsi, elle serait plus malléable.

Sceptique, Hélène se tourna vers Thad.

— Une vedette ? C'est bien ce que tu as dit ? C'est à cela que tu as pensé ?

— C'est possible, oui. Qui sait ? Des tas de gens y arrivent, lui dit Thad d'un air méprisant.

— Tu as parlé d'une légende, ajouta froidement Lewis.

— Les légendes ne se font pas toutes seules, il faut les fabriquer, et c'est exactement ce que j'essaie de vous expliquer. Le problème, c'est qu'Hélène n'est pas tout à fait au point. Il y a encore beaucoup de travail à faire.

Il se tut, revint, tout essoufflé, vers sa chaise, s'assit et but une petite gorgée de thé. La tasse était pleine à ras bord. Lewis allait l'interrompre une fois de plus lorsqu'il remarqua l'attention que lui portait Hélène. Elle était comme hypnotisée devant Moïse descendant du mont des Oliviers, s'apprêtant à lire les dix commandements.

Sentant l'intérêt grandissant d'Hélène, Thad poursuivit son monologue.

— Il reste beaucoup de travail. Le visage, les cheveux, les vêtements. Il ne faut pas une fausse note. De la classe. La haute couture. Je veux que tu aies l'allure d'une femme, pas d'une gamine. Je veux me dire, en te regardant, que tu vaux une fortune. Je veux que chaque homme bande en te voyant apparaître sur l'écran. Je veux qu'ils se disent : « Je ferais n'importe quoi pour avoir cette femme, mais c'est impossible, elle est trop distante, elle a trop de classe, c'est trop pour moi. »

— Hé, attends un peu..., s'exclama Lewis, furieux.

Thad fit mine de ne pas l'avoir entendu.

— Je veux du sexe, tu comprends. Celui qui rend les hommes fous. Quand ils couchent avec leur femme ou avec leur petite amie, c'est à toi qu'ils doivent penser. Tu dois canaliser tous leurs fantasmes, et, en même temps, il faut qu'ils soient conscients qu'ils ne pourront jamais t'avoir. Pourquoi ? Parce que tu symbolises la pureté, et c'est cette pureté qui les rend fous. C'est le paradoxe classique, Artémis et Aphrodite, la vierge et la catin...

— Voilà, s'écria Lewis, la voix tremblante de colère. Maintenant, tu vas foutre le camp et vite. Je ne tiens pas à écouter toutes tes inepties. Hélène non plus.

Thad, clignant des yeux, ne fit pas le moindre geste. Il semblait sincèrement surpris. Lewis, jusqu'à présent, ne s'était jamais opposé à lui.

— Je suis désolé, Lewis. Hélène, je ne t'ai pas offensée ? Je ne fais qu'exprimer toutes les idées qui se bousculent dans ma tête. Il ne faut pas prendre à la lettre tout ce que je dis. Je veux simplement expliquer l'esprit dans lequel je voudrais qu'on travaille. Cela ne signifie pas que tu es une putain, et je sais que tu n'es pas vierge.

— Thad, un mot de plus et je te jure...

— Lewis, Lewis, calme-toi, veux-tu ? lui dit Thad en avalant une autre gorgée de thé. J'en viens au fait, d'accord ? Hélène, veux-tu que je t'explique ? Ce ne sera pas long. Il est très important...

— Écoutons-le, Lewis, dit Hélène sans quitter Thad des yeux. Si tu allais droit au but ?

— Bon, fit-il en levant sa main visqueuse.

Lewis se rassit. Thad précisa sa pensée.

— Un, la voix. Elle n'est pas mal, mais il faut l'améliorer. Elle est trop marquée, trop cassante, trop anglaise. Ce n'est pas ce que je cherche. Je veux un peu plus de mystère... Pense à Garbo, à Dietrich. Pourquoi se détachent-elles ? Tu ne peux les placer nulle part. Elles s'expriment en anglais et elles ne sont pas anglaises.

— Oui, mais on ne peut pas dire qu'elles soient anglaises, explosa Lewis. L'une est suédoise, l'autre allemande. Qu'y a-t-il de mystérieux là-dedans ?

— Lewis, Lewis, fais-moi confiance. Toi, tu sais que l'une est allemande, l'autre suédoise, mais tous ces gens, dans les salles obscures, ils n'en savent rien et, s'ils le savent, ce n'est pas à cela qu'ils pensent. Ils se disent simplement que cette femme est différente des autres. C'est une étrangère. Un peu d'exotisme, de mystère...

— Si tu prononces encore une fois ce mot, je fous le camp. Pour l'amour de Dieu, Thad.

— Je crois comprendre ce qu'il souhaite, dit Hélène doucement. Il parle du pouvoir que l'on a lorsqu'on est différent. Quand les gens ne savent pas dans quelle catégorie te placer, ne te situent pas...

— C'est ça, le pouvoir ? lui demanda Lewis d'un air sceptique.

— Parfois, oui.

— Thad assista à cet échange avec intérêt.

— Je disais donc que d'abord je veux travailler la voix d'Hélène. Entre ce film et le suivant. Je la veux plus profonde, un peu moins innocente. On garde la pureté en estompant l'accent. On mélange une pointe d'italien, de français pour suggérer l'Europe. Un peu d'américain...

— Quel affreux cocktail ! s'exclama Lewis en se tournant vers Hélène.

Il n'en croyait pas ses yeux. Hélène semblait prendre Thad au sérieux.

— Pourquoi tu ne donnes pas à Thad un aperçu de ton répertoire, ma chérie ? Il ne t'a jamais entendue ?

À peine avait-il terminé sa phrase qu'il s'en mordit les lèvres. Elle devint écarlate. Thad fredonna en levant les yeux au plafond.

— Il le connaît, fit-elle d'une voix monocorde.

— Ah bon ! depuis quand ?

— Rome. On avait fait un essai de voix.

Thad, apparemment las, les interrompit.

— Écoutez, j'ai envie d'avancer. Hélène comprend ce que je veux dire et elle sait également que j'ai raison. Il y a des choses beaucoup plus importantes à discuter. Une en particulier.

— Oh, une seule ?

Lewis était véritablement hors de lui. Comme à Rome, il se sentait exclu. À cela s'ajoutait une pointe de jalousie. Il se leva.

— Oui, pourquoi s'arrêter à une seule ? Je suis sûr que Thad va trouver des milliers de détails à mettre au point. Si nous devons modifier la voix d'Hélène, qui, à mon avis, est merveilleuse, pourquoi ne pas apporter d'autres modifications ? Et si on lui coupait les cheveux ? Ou pourquoi pas les lui teindre ? A-t-on pensé à la chirurgie esthétique ? Et si...

— Le nom, dit Thad avec fermeté. Il faut commencer par là. Je ne l'aime pas.

— Quel nom ? dit Lewis d'un ton belliqueux. Hélène Craig ou

Hélène Sinclair ? Je te rappelle que, bientôt, c'est le nom qu'elle portera.

— Les deux, répondit Thad, agacé. Ils ont une consonance anglaise, un peu ordinaire. C'est triste. Je n'aime pas Hélène. Craig non plus, d'ailleurs. Quant à Sinclair, c'est moche.

— Merci.

— Ne le prends pas comme une offense. C'est bien pour un banquier. Mais pour une star, c'est terne. Bon... réfléchissons. Greta Garbo, il y a deux G, non ? Marilyn Monroe, deux M. Cette nouvelle Française, Brigitte Bardot, deux B et de plus, en français, ça donne « bébé ». Il fallait y penser.

— Pensons-y justement, dit Lewis en allant se rasseoir. On peut aussi citer Carole Lombard, Bette Davis, Katharine Hepburn, Gina Lollobrigida, Marlène Dietrich. Elles semblent toutes avoir réussi sans une double initiale.

— Je te l'accorde. Ce n'est pas une règle, je ne fais que des suggestions.

Les deux hommes se toisèrent. Hélène se leva, les joues empourprées. Se rendant compte soudain qu'ils décidaient de son devenir sans même lui demander son avis et qu'ils agissaient exactement comme si elle n'était pas là, ils se turent.

— Hélène est mon nom de baptême. C'est inscrit sur mon passeport. Tu l'as bien vu, Lewis ?... Ma mère m'a toujours appelée ainsi. Elle aimait ce prénom prononcé à la française. Elle disait... oui, elle disait que c'était comme un soupir.

Il régna un silence profond dans la pièce. Lewis remarqua qu'Hélène avait les mains légèrement tremblantes et que les paroles qu'elle venait de prononcer lui avaient demandé un effort considérable. Bien qu'il ait les yeux fixés sur elle, Thad avait une expression insondable.

— Hélène, lui dit-il, tout cela est très intéressant. Ta mère t'appelait donc ainsi ?

— Toujours.

— Ah ! ah ! fit-il, un sourire mystérieux aux lèvres.

Hélène le regarda, intriguée, mais Thad n'ajouta rien de plus. Il se mit à chanter faux, comme il le faisait souvent lorsqu'il pensait. Lewis reconnut *La Marseillaise* au bout de quelques mesures.

— Je suis née dans un petit village du nom de Hartland. J'ai toujours aimé ce nom. Je ne sais pas si...

Lewis l'observait avec étonnement. Il ne comprenait pas où elle voulait en venir et pourquoi elle ne protestait nullement. L'idée de changer de nom, d'identité, semblait même la séduire. Il allait émettre quelques protestations lorsque Thad leva les yeux. La lumière se reflétait sur ses lunettes.

— Harte, dit-il. Hartland est trop long. Fantastique. Qu'en penses-tu, Lewis ?

Lewis hésita en la regardant. Il avait remarqué combien elle était tendue, refoulant son émotion. Ses joues étaient empourprées, ses yeux brillants. Il eut un moment de colère, sentant confusément que Thad s'amusait d'elle d'une façon qu'il ne comprenait pas, sans la ménager sur certains points qui semblaient avoir une importance capitale à ses yeux. Elle avait un regard d'animal effrayé.

Thad détourna la tête. Hélène, rencontrant le regard de Lewis, baissa les yeux. Un petit signe complice, et aussitôt Lewis se sentit ragaillardi.

— Je crois que c'est bon, dit-il lentement. Oui.

— La nuit porte conseil, fit Thad en se levant. Rendez-vous à l'aéroport demain matin, Lewis.

Sur ce, il s'en alla à leur grand étonnement, sans chercher le moindre prétexte pour s'attarder. Une minute plus tard, il avait franchi le seuil. Le soulagement fut tel qu'Hélène et Lewis se regardèrent, ébahis.

« Hélène, Hélène », murmura plus tard Lewis en lui faisant l'amour.

Oui, c'était comme un soupir. Cela lui allait. La douceur qui en émanait le ravissait.

« Hélène », lui dit-il encore, lorsque, après mille baisers, il lui fit ses adieux à l'aéroport.

« Hélène Harte », murmura Hélène en se regardant dans un miroir, quand Lewis fut parti. Elle se tira les cheveux en arrière et tourna le visage de chaque côté, détaillant tous ses traits. Hélène Harte allait devenir une star et sans doute plus qu'une star, une légende. Hélène Harte allait devenir celle qu'elle avait toujours imaginée, celle qui, un jour, retournerait à Orangeburg, Alabama, en Cadillac. Hélène Harte qui montrerait à Orangeburg et à Ned Calvert qu'elle n'avait pas oublié. C'était maintenant possible. « Tout est possible dans la vie. Il suffit de le vouloir intensément », se dit-elle.

Elle laissa retomber ses cheveux autour de son visage et, l'espace d'un instant, retrouva Hélène Craig, la petite fille d'antan. Jamais plus elle ne le redeviendrait. Elle se détourna du miroir en songeant qu'elle allait donner doublement naissance à un enfant et à elle-même.

Elle ne percevait pas clairement cette nouvelle identité, mais elle était là, à l'état latent. Elle l'imaginait sans faiblesse, avec une volonté de fer, aussi lointaine qu'une étoile, mais aussi sous les traits d'un ange exterminateur, muni d'ailes et d'une épée.

Cette nuit-là, elle rêva d'Édouard.

Les mois s'écoulèrent rapidement. Lewis avait l'impression de mener une double vie, selon deux registres différents. L'un marquait son évolution, pas toujours évidente, avec Thad, l'autre les progrès triomphants de son amour.

Lewis se plongeait avec énergie dans le tourbillon des affaires à Paris. Il aurait certainement préféré retourner auprès d'Hélène, mais il avait conscience que tout ce qu'il faisait, c'était pour elle. Il voulait réussir pour s'affirmer à ses yeux, retourner triomphant à Londres, avec des contrats qu'il déposerait à ses pieds comme un trophée de guerre. Il travaillait sans relâche, apprenait vite et s'étonnait de sa propre rudesse et de sa ténacité qu'il avait toujours soupçonnées, mais qu'il n'avait jamais eu l'occasion de révéler.

Il prit une chambre qui donnait sur la cour du Plaza Athénée, l'hôtel préféré de sa mère à Paris. À peine arrivé, il s'acheta un gros stylo Mont Blanc et une bouteille d'encre. Ensuite, il donna au portier un pourboire faramineux pour qu'il s'assure que la standardiste lui passerait sans délai ses communications pour Londres.

Il se lança alors dans le monde des affaires avec une opiniâtreté et une impétuosité qui étonnèrent Thad. Sphère, malgré les revendications de Thad, donnait des réponses évasives, aussi Lewis chercha-t-il d'autres contrats. Il donna des coups de fil partout. Il accrochait les gens, les obligeant à traiter avec lui, refusant les promesses vagues. Il avait recours aux marchandages, aux cajoleries, aux flatteries et même aux menaces. Il n'hésitait pas à se servir de ses bonnes manières, de ses relations et de son charme considérable. Il prenait l'avion pour parcourir l'Europe comme on prend un taxi. Ses rendez-vous commençaient avant le petit déjeuner et se terminaient après minuit. C'est ainsi que, très lentement, il évolua, apprenant à séparer le bon grain de l'ivraie, ce qui porta ses fruits quand il s'agit de négocier des contrats pour les films.

Il y eut Henri Lebec, ardent et volubile, qui l'invita à La Tour d'Argent et lui caressa ostensiblement les parties génitales sous la table tandis que le garçon faisait flamber les crêpes Suzette. Lebec fut rayé de la liste des financiers potentiels. Lewis cessa de répondre à ses appels, et le Français finit par se lasser et se tourna vers d'autres aventures. Il sembla tout à fait déçu que Lewis ne fût pas homosexuel.

Il y eut le magnat allemand de l'acier qui cherchait à investir pour obtenir une diminution d'impôts. Il y eut également une compagnie de production de Rome, financée par le roi des spaghetti, qui s'intéressait au prochain film de Thad à la seule condition qu'il soit tourné à Cinecittà et prenne pour vedette féminine sa petite amie. Sans parler du groupe yougoslave qui avait l'impression que Thad allait se lancer dans un film à grand spectacle. Ils se proposaient d'avoir le soutien financier du gouvernement, d'offrir une armée de trois mille Yougoslaves à très bas prix, pourvu, évidemment, que le film soit tourné en Yougoslavie. Il y eut quelques avances d'un agent américain, qui en toucha mot à un producteur, qui en parla à un homme de loi qui passa trente-sept coups de téléphone en trois jours entre Hollywood et Paris et cessa brusquement ses appels. Quand Lewis le rappela, il apprit qu'il avait été renvoyé.

Lewis prenait plaisir à ce jeu-là et ne se laissait pas décourager, bien qu'il fût novice en la matière. Thad, qui parfois avait les idées noires, prenait alors un ton théâtral.

— C'est la jungle, Lewis, disait-il.

Cela l'était, certes, aux yeux de Lewis, mais c'était aussi un immense champ de foire où se bousculaient les publicitaires.

Lewis était décidé à les battre sur leur propre terrain. Il sentait peu à peu se développer en lui l'instinct de lutte. Un jour, sans doute, il en aurait besoin.

Il trouvait toujours le temps, cependant, de retourner, le soir, au Plaza Athénée où il téléphonait à Hélène. Avec elle, il retrouvait l'authenticité. Après avoir raccroché, Lewis, qui avait toujours évité de correspondre par lettre, saisissait son stylo Mont Blanc et couvrait des pages de papier à l'en-tête de l'hôtel de son écriture aux rondeurs enfantines. Des lettres à Hélène. Des lettres d'amour. *Ma chérie, mon amour, ma vie, ma douce amie.* Hélène gardait ses lettres et y répondait toujours. Les siennes étaient toutes simples. Lewis les lisait et relisait. Il les gardait dans sa poche pour les ressortir dans un avion, un taxi, au lit, au restaurant. À force de les manipuler, elles étaient couvertes de taches, froissées, mais, pour Lewis, c'était ses talismans d'amour.

Ils se marièrent à la mairie de Chelsea en janvier. Hélène était vêtue d'une robe de laine blanche et d'un manteau blanc. Il neigeait. L'adjoint au maire les maria de façon solennelle. Lewis n'entendit même pas ce qu'il marmonna. La pièce où eut lieu la cérémonie était ornée de chrysanthèmes artificiels. Lewis n'osa pas regarder Hélène jusqu'au moment où il glissa l'alliance à son doigt glacé et se rendit compte que sa main tremblait.

Une fois dans la rue couverte de neige, ils s'arrêtèrent. Hélène posa son regard sur le petit bouquet de fleurs qu'elle tenait à la main. De minuscules roses blanches, des violettes blanches, des freesias blancs. Elle effleura délicatement les pétales. Les fleurs étaient retenues par de minces fils métalliques qui transperçaient le calice.

Ils avaient quatre jours devant eux avant d'entendre la voix plaintive de Thad qui ne manquerait pas de les rappeler à l'ordre. Lewis retourna à Paris où il reprit de nouveau la ronde des rendez-vous, mais aussi des lettres. *Ma chérie, ma femme adorée.* Cette appellation le remplissait d'orgueil. Il l'utilisait aussi souvent que possible.

Il fit la connaissance de Simon Scher, représentant de Sphère, une semaine après son mariage. Auparavant, Scher avait mystérieusement refusé tout rendez-vous, et Lewis se disait que l'optimisme de Thad était mal fondé.

Scher, d'emblée, le félicita de son mariage. Sans doute Thad lui en avait-il fait part. En second lieu, il lui fit remarquer que tous deux étaient allés à Harvard ; lui, pour sa part, avait suivi les cours d'économie. Ce n'est qu'ensuite qu'il ouvrit sa serviette et en sortit plusieurs feuilles de papier qu'il posa sur la table. Scher portait un costume tout à fait traditionnel. Il n'avait pas l'allure d'un jeune loup. Ils se rencontrèrent souvent au cours du mois de février. Lewis, toutefois, continuait à chercher d'autres sources de financement. Il ne voulait pas commettre l'erreur de mettre tous ses œufs dans le panier de Scher.

Sphère acheta les droits de distribution de *Jeu de nuit*. Le film démarrait bien, tout au moins dans les ciné-clubs en Europe. La société avait essayé d'arracher à Thad le scénario du film suivant et son plan de tournage. Ils avaient un budget précis. Un planning minutieux. Les lieux de tournage étaient déjà choisis et les permis obtenus. En dehors d'Hélène et de Lloyd Baker qui souhaitait travailler de nouveau avec Thad, la distribution, bien que provisoire, était répartie. Il y avait une équipe de techniciens et de producteurs solide. Lewis rassembla toutes ces informations, tout le matériel avec une certaine satisfaction.

Scher emporta cet épais dossier au mois de février. Il prétendit avoir besoin de consulter ses collaborateurs. Lewis saisit l'occasion pour aller passer deux jours à Londres auprès d'Hélène, qui insista pour lui présenter son gynécologue.

Le Dr Foxworth complimenta Lewis pour la naissance prochaine du bébé. Hélène avait les yeux fixés sur les tableaux accrochés au mur juste derrière lui. Le Dr Foxworth, remarquant que Lewis portait un manteau Savile Row, une montre Tiffany et des souliers faits main, se montra très affable, d'autant plus que son accent donnait à Lewis une arrogance innée qui révélait son milieu social. Le médecin lui dit, d'un ton obséquieux, qu'il préférerait sans doute voir sa femme accoucher dans une clinique privée plutôt que dans un hôpital public, aussi bon fût-il. Sa propre clinique, d'ailleurs, à St. John's Wood...

Lewis, accoutumé depuis sa plus tendre enfance à cette catégorie de médecins, se sentit en confiance. Il acquiesça aussitôt. Hélène lança au Dr Foxworth un regard triomphant que Lewis ne remarqua pas.

Ils allèrent faire des courses à White House, à New Bond Street, achetèrent une layette adorable toute brodée de dentelle et cousue main par des couturières écossaises. Ils abordèrent le problème de la nurse de l'enfant. C'était nécessaire, car il faudrait lui confier le bébé quelques semaines en juin, le temps du tour d'Europe de Lewis et d'Hélène pour la présentation de *Jeu de nuit*. Par bonheur, la sœur d'Anne Kneale leur recommanda une jeune femme très bien, qui avait d'excellentes références. Lewis l'interrogea, prenant chaque jour ses responsabilités de plus en plus au sérieux. C'était la maturité, comme il se plaisait à le dire.

Un jour, rentrant plus tôt que d'habitude, il surprit Hélène en train de lire le *Financial Times*. Il s'en étonna et fut ému lorsque Hélène lui avoua que ces problèmes l'intéressaient, mais qu'elle avait du mal à tout comprendre. Dans ce domaine, il pouvait briller. N'était-il pas le fils de son père, un Sinclair ?

Il eut soudain terriblement envie de lui montrer ses capacités. Ce n'est pas sur un terrain de football qu'il risquait de l'impressionner. Il lui expliqua quelques termes, élucida certaines données sous le regard attentif d'Hélène qui lui posait des questions pertinentes. Ils passèrent tout l'après-midi à discuter de la Bourse. Lewis y prenait grand plaisir. Lui qui avait toujours eu des précepteurs devenait brusquement le professeur. C'était un nouveau rôle, et son élève était son épouse. Cette expérience l'excitait.

— Est-il difficile de se constituer un portefeuille ? lui demanda Hélène le lendemain.

Lewis éclata de rire.

— Bien sûr que non ! Veux-tu essayer ? Pourquoi pas ? Je t'aiderai, mais plus tard. Après le lancement du film et après la naissance du bébé. Pour le moment, nous avons bien d'autres choses à faire.

— Bien, Lewis, fit-elle d'un ton soumis.

De retour à Paris, la société Sphère émit certaines réticences. Sur la suggestion de Simon Scher, le budget du nouveau film fut révisé et Thad procéda rapidement à quelques modifications dans le scénario.

— Dis-moi simplement ce qu'ils souhaitent, Lewis, je m'y tiendrai. Ce ne sont que des mots, il est facile de modifier certains passages. Notre seul problème est d'obtenir l'argent.

Cette attitude inquiétait Lewis, mais il se garda bien de lui en faire part. Il avait vu la copie originale de *Jeu de nuit*. Thad avait jusque-là refusé de la lui montrer après le premier montage, alors qu'apparemment le Tout-Paris l'avait déjà vue.

Dès l'instant où il assista à la séance, toutes ses craintes s'envolèrent. Chaque fois qu'elles réapparaissaient, la perfection du film s'imposait à son esprit, et il se sentait rassuré. *Jeu de nuit* était excellent. C'était un film d'une lucidité étonnante qui accrochait. Tristesse et drôlerie se succédaient. Thad savait exactement ce qu'il faisait : oubliant les doutes qui l'avaient assailli à Rome, rejetant son anxiété chronique, Lewis se sentit fier. Il avait toujours cru en Thad. Sa foi en lui se justifiait triomphalement.

Quant à Hélène, même à ses yeux, c'était une révélation. Il savait que certains acteurs sont plus photogéniques que d'autres. Maintenant il en comprenait le sens véritable. En la voyant apparaître sur l'écran, Lewis eut l'impression de la découvrir et tomba de nouveau amoureux d'elle. Plus tard, après avoir pris quelques verres d'alcool pour calmer son ardeur, il expliqua ses problèmes à l'aimable Fabian, l'assistant metteur en scène.

Fabian, peu surpris, sourit avec un haussement d'épaules.

— Mais évidemment. Le film n'est-il pas un message d'amour ?

Cette remarque intrigua Lewis. Il essaya de ne plus y penser.

Scher avait également vu le film dans sa version définitive et s'était montré impressionné. Il retourna le voir en compagnie de collaborateurs et de conseillers au début du mois d'avril. Deux semaines plus tard, le contrat pour le film suivant n'était toujours pas signé, et Lewis commençait à perdre patience. À la fin du mois, Scher demanda inopinément à revoir le film, cette fois avec le président de la société mère Partex, le Texan Drew Johnson.

Lewis était agacé. Il exécrait les Texans. Toute cette affaire, qui traînait depuis des mois, allait capoter comme les autres.

Cependant, n'ayant aucun engagement formel de Sphère après des mois de travail harassant, il ne pouvait qu'accepter.

Drew Johnson était la caricature même du Texan que Lewis, avec tous ses préjugés de Bostonien, rejetait. Il assista à une projection privée en compagnie de sa femme, Billy, vêtue d'un tailleur Givenchy, alors que son époux portait une cravate lacée, des bottes de cow-boy et un Stetson. Hautain, Lewis s'assit derrière eux dans la salle de projection.

Ils allèrent dîner au Grand Véfour. Pas une seule fois, ils ne mentionnèrent le film. Ensuite, ils se rendirent au Crazy Horse. Drew Johnson passa une soirée mémorable. Il s'égosilla à force de rire, de crier, et applaudit à tout rompre. Il commanda des magnums de champagne sous le regard impassible et puritain de Lewis qui voyait évoluer les strip-teaseuses avec un certain dégoût. Elles n'avaient pas le moindre effet sur lui, malgré leurs seins provocants, leurs cuisses effilées, leurs gestes aguichants.

Une Rolls-Royce Phantom noire vint chercher le Texan et sa femme à la sortie du club. Ils logeaient chez des amis à l'extérieur de Paris. Drew Johnson serra avec vigueur la main de Lewis et l'invita à venir lui faire ses adieux à Orly le lendemain matin.

Lewis rentra à son hôtel, écrivit à Hélène et, pour une fois abattu, décida d'aller noyer son chagrin dans l'alcool. Le lendemain, certain que le P.-D.G. de la Partex n'avait pas aimé *Jeu de nuit* et que l'affaire était close, il se traîna, avec la gueule de bois, jusqu'à l'aéroport.

C'était un Boeing 707. L'intérieur était remarquablement décoré. Dans les panneaux muraux étaient encastrés un Renoir et un Gauguin dont le musée du Jeu de paume serait heureux de s'enorgueillir. Lewis, d'un air morose, s'installa sur un canapé XVIIIe équipé de ceintures de sécurité, et demanda un jus de tomate.

— Un jus de tomate ? fit Drew Johnson, les sourcils broussailleux dressés. Que se passe-t-il ? Billy, ma chérie, appelle le steward. Fais servir à notre ami Lewis une boisson correcte.

— Non, merci, répliqua Lewis d'une voix cassante. Il est 9 heures du matin, et je n'ai rien de particulier à fêter. Dites-moi, pourquoi ne pas être direct et cesser de me faire perdre mon temps ? Vous avez détesté ce film, n'est-ce pas ?

— Détesté ? fit le Texan, un sourire aux lèvres. Pourquoi allez-vous imaginer cela ? Vous vous méprenez totalement.

— Détesté ou simplement pas aimé. Vous ne l'avez probablement pas compris. De toute façon, je me demande ce que je fais ici et je ferais mieux de partir.

Il posa son verre, se leva et se dirigea vers la porte. Là, il se ressaisit.

— C'est un bon film, peut-être un grand film. Je le sens même si vous êtes incapable de le percevoir. Et je ferai tout ce qui est en mon pouvoir pour que Thad tourne son prochain film. Avec ou sans votre aide.

Il régna un lourd silence. Drew Johnson se tourna vers sa femme en souriant. Soudain, il éclata de rire.

— Voyez-vous, je commençais à croire que vous étiez une sorte d'eunuque. Ah ! ah ! Ils ont du cran, les petits gars de Boston.

Le Texan basané d'un mètre quatre-vingt-quinze traversa la cabine, la main tendue, sous le regard dédaigneux et dubitatif du Bostonien d'un mètre quatre-vingt-cinq.

Le visage de Drew Johnson s'adoucit. Ses yeux d'un bleu perçant croisèrent ceux de Lewis.

— Allons, mon garçon, même à Boston je suppose qu'on se serre la main quand on conclut un marché. J'ai donné mon accord pour le financement hier soir. Si vos conseillers ne cherchent pas la petite bête, l'affaire aboutira rapidement.

Lewis le regarda ébahi. Il prit la main de Drew Johnson en souriant.

— Voyez-vous, je crois que je vais changer les habitudes de toute une vie. Un peu d'alcool me ferait du bien.

— Apporte le bourbon, Billy, s'écria-t-il.

Le contrat fut signé le 1er mai. Lewis se pencha sur les cinquante pages parfaitement tapées à la machine et éprouva un sentiment de fierté. Thad et lui formèrent leur propre société de production qu'ils appelèrent Mirage, tout simplement parce que Thad aimait ce nom, et, en tant que cometteurs en scène, ils apposèrent leur signature, Thad d'une écriture de pattes de mouche, Lewis d'une main assurée avec son beau stylo Mont Blanc.

Le jour où il signa, il téléphona d'abord à Hélène puis à son père. Cet instant, que Lewis attendait depuis des mois, fut délicieux. Lewis décrivit point par point les détails du contrat, qui avaient tout l'air de petites grenades atteignant chaque fois leur cible. Un budget en sept chiffres. L'éventualité d'une association à long terme. Distribution de Sphère. Partex Pétrochimie. Drew Johnson.

À l'autre bout du fil, son père se montra d'abord impatient, puis ce fut le silence suivi aussitôt de questions multiples. Lewis était prolixe. Les chiffres valsaient de chaque côté de l'Atlantique lorsque enfin il perçut dans la voix de son père une note de respect.

Lewis sourit.

— Au fait, j'ai oublié de te dire que je suis marié, ajouta-t-il avant de raccrocher.

Lewis avait espéré que le contrat avec Sphère serait signé la semaine où naîtrait le bébé d'Hélène. Mais ce ne fut pas le cas. La naissance tardait.

— Ne vous inquiétez pas. dit le Dr Foxworth, c'est courant pour un premier enfant.

Lewis commençait à s'agiter. Enfin, le 16 mai, Hélène eut les premières douleurs. Lewis l'accompagna aussitôt en taxi à la clinique St. John's Wood. Le Dr Foxworth arriva, impeccable dans son costume gris perle.

Lewis fuma deux paquets de cigarettes en faisant les cent pas dans la salle d'attente. À 4 heures du matin, le 17 mai, le Dr Foxworth apparut sur le seuil, défaisant les lacets de sa blouse verte de chirurgien. Lewis scrutait son regard. Tout se déroulait comme dans un film. Fou d'anxiété, il avait les yeux fixés sur lui. Cette attente dura une minute qui lui parut interminable. Le Dr Foxworth lui sourit aimablement à travers un nuage de fumée. Il complimenta M. Sinclair. M. Sinclair avait une adorable petite fille.

Lewis, tout tremblant, fut admis dans la chambre d'Hélène. Le médecin et l'infirmière s'éclipsèrent discrètement. Hélène avait, dans les bras, une chose minuscule enveloppée dans un châle en laine blanche.

Elle leva les yeux, et Lewis s'approcha du lit. Sous le châle, il découvrit un petit minois aux traits parfaits, une peau diaphane, des yeux clos. Lewis se pencha. Le bébé fit aussitôt la grimace. Les lèvres entrouvertes, il pressait sa joue contre le châle d'un air contrarié. Après de légères contorsions, il parvint à libérer une main dodue couverte de fossettes aux articulations. Aux poignets, Lewis remarqua des plis, et les doigts qui bougeaient sans arrêt révélaient de petits ongles qui ressemblaient à de minuscules coquilles. Ils étaient un peu longs.

Lewis se mit à pleurer. Il caressa le bébé avec une infinie douceur. Le bébé remua, renifla. Le châle tomba, ce qui le réveilla. Il ouvrit les yeux. Lewis resta bouche bée. De petits cheveux frisés tout noirs et des yeux d'un bleu foncé extraordinaire.

— Elle n'est pas belle ? demanda anxieusement Hélène.

— Superbe !

Lewis lui effleura les cheveux et se redressa. Le bébé regarda dans sa direction. Lewis aurait souhaité de tout son cœur, de toute son âme, qu'il soit blond, comme Hélène, comme lui. Il en éprouva un sentiment immédiat de culpabilité. Il n'allait tout de même tomber devant le premier obstacle, alors que, jusque-là, il avait une totale confiance en lui. Il se tourna gauchement vers Hélène et lui prit la main.

— Elle a des yeux magnifiques. Elle est si... Je...

Il cafouillait et en avait parfaitement conscience.

Hélène semblait confiante. Elle lui adressa un sourire un peu las mais serein.

— Un bleu de martin-pêcheur, fit-elle.

Lewis observa le bébé. Ce n'était pas exactement le terme qui convenait. Il sentit la main d'Hélène se crisper.

— Je me demande... Crois-tu qu'ils garderont cette couleur ?

Ils décidèrent d'appeler le bébé Catharine. À cause de son minuscule visage ovale et de ses grands yeux bleus qui rappelaient à Lewis le petit chat siamois de sa mère. Le nom fut très vite raccourci en Cat.

À l'image de son nom, Cat était à la fois hautaine et terriblement exigeante. Elle montrait une parfaite indifférence lorsque Hélène et Lewis la berçaient, gazouillaient avec elle, la caressaient. Elle plissait les yeux et détournait le regard. Mais, à la seconde où ils la reposaient dans son berceau, après l'avoir baignée, changée et une fois le biberon pris, elle se mettait à crier.

Elle poussait des cris perçants jusqu'à ce qu'on la prenne. Là, elle s'arrêtait net, mais recommençait dès qu'on la remettait dans le berceau. Lewis en rit au début, mais, le manque de sommeil aidant, il en fut de plus en plus irrité. Hélène ne se plaignit jamais. Elle se levait et la berçait à n'importe quelle heure de la nuit. Lewis avait l'impression que les journées n'étaient qu'une longue chaîne d'opérations : des biberons à stériliser, à préparer, des couches à enlever, à laver. Lewis avait trouvé la formule. Il acceptait parfois de donner le biberon, seulement lorsqu'elle était calme, mais il lui était impossible de la changer. Ce n'était pas le domaine d'un homme.

Au bout de deux semaines, il suggéra qu'au lieu d'attendre le dernier moment pour partir à Paris, comme prévu, ils pourraient demander à la gouvernante de les rejoindre immédiatement. Hélène refusa. Ce fut leur premier sujet de discorde. Lewis lui reprocha de s'occuper davantage du bébé que de lui. Il but une demi-bouteille de whisky, ce qui lui permit, lui fit-il remarquer d'un ton sarcastique le lendemain, de dormir quelques heures.

Le jour suivant, après avoir fait la tête, Lewis s'excusa. « S'il pouvait faire l'amour à Hélène, tous ces petits problèmes s'estomperaient », se disait-il. Mais le médecin lui avait demandé de s'en abstenir pendant un mois, et Hélène ne semblait pas partager le même enthousiasme que Lewis pour ces méthodes d'apaisement. Dès l'instant où elle se couchait, elle sombrait dans un profond sommeil. Lewis, allongé auprès d'elle, ressentait une grande frustration sexuelle et de l'indignation. Il était dans un état de tension extrême, vivant au rythme des pleurs du bébé.

La troisième semaine, les appels téléphoniques de Thad se firent plus fréquents, et ils commencèrent à songer au départ. Lewis se pencha sur le berceau et lança un regard de reproche à Cat. Quelle injustice ! Ce n'était pas son bébé, et pourtant c'était lui qui l'avait accueillie au monde. Il avait décidé de la chérir, de prendre soin d'elle. Qu'en avait-il en retour ? Un sourire ? De la bienveillance ? Non, rien.

Il préféra garder pour lui ses états d'âme. Inutile de se disputer. La gouvernante devait arriver le jour même. Dans trois jours, il se retrouverait seul à Paris avec Hélène.

Quand vint enfin le jour du départ, Lewis était triomphant. Ce n'était pas tant le fait de rester seul en compagnie d'Hélène ou même d'avoir une nuit complète de sommeil, que le triomphe d'avoir gagné. Hélène ne voulait pas laisser le bébé. Jusqu'au dernier moment, elle avait essayé de persuader Lewis.

Mais il était têtu et lui opposa avec douceur des arguments d'une telle logique qu'Hélène finit par capituler. Oui, c'était une tournée publicitaire où un nourrisson n'avait pas sa place. Hélène n'aurait pas une minute libre. Interviews, séances de photos, apparitions en public. C'est elle qu'on allait lancer, pas seulement le film. Lewis était conscient que c'était là l'argument principal de Thad, mais il se l'appropriait sans le moindre scrupule. Il lui répétait qu'ils ne s'absenteraient que trois semaines, qu'elle pourrait téléphoner tous les matins et tous les soirs, que la gouvernante avait toutes les qualifications nécessaires, qu'elle était d'ailleurs beaucoup plus expérimentée qu'Hélène et qu'elle était secondée par Anne Kneale. En réalité, Lewis avait une piètre opinion d'Anne Kneale. C'était, à ses yeux, une gouine qui, dans ses moments de paranoïa extrême, déguisait son attirance sexuelle sous un masque de gentillesse. Mais, comme elle lui était utile, il refoula ses sentiments. Madeleine et Anne Kneale étaient parfaites.

— Maintenant que tu es mère, ma chérie, tu ne dois pas oublier que tu es aussi ma femme. Et une actrice, ajouta-t-il après réflexion.

Lewis ne pensait pas réellement à la première de *Jeu de nuit* ou à l'intérêt de la presse pour Hélène que Thad, en bon publicitaire, prétendait être phénoménal. Il songeait à la suite au Plaza Athénée, au balcon où il prendrait son petit déjeuner en compagnie d'Hélène sous un soleil printanier, au grand lit où il allait lui faire l'amour sans être interrompu par les cris du bébé.

Il retrouvait la joie de vivre. Lewis ouvrit à Hélène la portière de la limousine, qui devait les conduire à l'aéroport, avec une bouffée d'optimisme. Hélène n'était pas aussi pressée. Madeleine, sur le seuil, avait le bébé dans les bras. Anne Kneale se tenait derrière elle, scrutant le ciel. Hélène ne pouvait se résoudre à partir. Elle se pencha vers le bébé et l'embrassa. Elle donna ses dernières instructions à Madeleine qui les avait entendues des centaines de fois.

Lewis, déjà installé dans la voiture, regardait l'heure avec impatience. 9 heures du matin. Il se pencha.

— Hélène, dépêche-toi. Nous allons rater l'avion.

Hélène finit par arriver. Elle sauta à l'arrière de la voiture sans rien dire.

Le taxi démarra. Lewis lui prit la main. À mi-chemin, Lewis ressentit une certaine bienveillance à l'égard de Cat. Avec le recul, elle lui semblait mignonne. Il guida la main d'Hélène le long de ses cuisses jusqu'à sa verge.

— Ce sera comme un voyage de noces, lui dit-il.

De retour à la chaumière, après que la voiture emportant Hélène et Lewis eut disparu, Anne Kneale et la gouvernante, Madeleine, se regardèrent. Anne Kneale jeta un coup d'œil à sa montre puis au bébé qui dormait. Au bout de quelques instants, elles rentrèrent.

Madeleine donna le biberon au bébé, le changea et le reposa délicatement dans son berceau. Puis elle descendit sur la pointe des pieds.

Anne, pensive, était assise devant le feu et fumait une cigarette. Cinq minutes s'écoulèrent. Dix. Quinze. Toujours le silence.

Madeleine, née en France dans la région des Landes, avait fait ses études au célèbre Nortland College en Angleterre et exerçait ses talents de gouvernante depuis quatre ans, dont trois chez la sœur d'Anne Kneale qui lui avait donné d'excellentes références. Elle s'assit en soupirant, puis, tournée vers Anne, haussa les épaules.

— Incroyable. On aurait dit qu'elle savait.

Anne éteignit sa cigarette sans rien dire. Au bout d'un moment, elle se leva, se rendit dans son atelier et prit le portrait d'Hélène qu'elle avait terminé quelques semaines auparavant. Elle l'observa d'un œil critique, consciente de ne pas l'avoir réussi comme elle l'aurait souhaité. Elle n'était pas parvenue à saisir l'expression de son beau visage. Elle examina le portrait avec une pointe de mécontentement, puis l'empaqueta avec soin. Elle avait mauvaise conscience. Elle éprouvait de l'affection à l'égard d'Hélène et n'était pas ravie de cet arrangement.

À 10 heures, Madeleine, qui, elle non plus, n'avait pas la conscience tranquille, alla préparer du café dans la cuisine. À 10 h 30, comme prévu, le téléphone sonna. Les deux jeunes femmes sursautèrent. Leurs regards se croisèrent. Lentement, Anne fit le dernier nœud de l'emballage et alla décrocher.

La voix de son ami d'enfance Christian Glendinning l'informa que Lewis Sinclair et Hélène avaient embarqué à bord de leur avion dix minutes plus tôt. Il venait de décoller pour Paris.

— Cesse d'avoir peur, lui dit Christian d'une voix calme. Je téléphone d'Eaton Square. Il sera là-bas dans un quart d'heure. Peut-être moins.

Dix minutes plus tard, une Rolls-Royce noire s'arrêta devant la porte. Anne alla ouvrir. Madeleine regarda par la fenêtre. Elle aperçut la silhouette familière, vêtue d'un costume sombre, descendre de la voiture et s'approcher. Elle entendit un bruit de voix puis la porte du couloir s'ouvrir.

Madeleine devint écarlate. Madeleine aurait donné sa vie pour cet homme qui s'était montré si bon envers elle, envers sa sœur et son petit neveu, Grégoire. Dès qu'elle l'aperçut, elle fit une petite révérence maladroite.

— Madeleine.

— Monsieur le Baron...

Toute question était superflue. Les deux femmes lisaient l'anxiété sur son visage tendu. Anne maintenait la porte ouverte.

— Elle est en haut. Dans la chambre à droite. Elle dort.

Édouard lui caressa le bras en passant.

— Merci, Anne, je ne serai pas long, je vous le promets.

Elles l'entendirent gravir l'escalier, hésiter sur le palier. Une porte s'ouvrit. Il y eut un bref instant d'hésitation, puis la porte se referma.

Madeleine, qui, sous un visage carré et austère, cachait une nature romantique, s'assit en soupirant. Anne Kneale qui, elle, n'était pas sentimentale, mais avait été frappée par l'expression d'Édouard, s'assit également, raide sur sa chaise, comptant les minutes que représentait la trahison envers de nouvelles connaissances au profit d'amis de longue date. Elle songeait à sa première rencontre avec Édouard. Il fêtait ses seize ans, et Jean-Paul avait organisé une sortie désastreuse au théâtre. « C'était pour Isobel qu'elle avait accepté l'invitation », se disait-elle pour se déculpabiliser. Pour Isobel qu'elle avait aimée et pour Édouard pour qui elle avait toujours eu de l'affection sans toujours comprendre ses réactions. Les hommes étaient de tels masochistes... Pourquoi chercher à se faire mal ? Elle haussa les épaules et alluma nerveusement une cigarette.

Dans la chambre, Édouard contemplait l'enfant éveillée dans le berceau. Très calme, elle levait son petit poing en le suivant des yeux. Édouard contemplait une réplique de lui-même, avec cependant la délicatesse des traits d'Hélène et sa peau diaphane. Le bébé avait les cheveux bruns, comme lui et comme son père. Ses yeux avait la couleur bleu sombre tout à fait caractéristique des Chavigny. Le bébé cligna des yeux comme pour accentuer cette ressemblance. Édouard se pencha. Il disposait de peu de temps.

Il avait rarement tenu un bébé dans ses bras. Le sortir de son berceau le rendait nerveux. Les mains tremblantes, il ôta les couvertures et glissa la main sous la nuque pour lui soutenir la tête. Il pensa que le bébé allait pleurer, mais il n'en fit rien. Il semblait suivre ses gestes de son regard vague de nouveau-né. Édouard le souleva. Devant cette petite chose minuscule et si légère, son cœur défaillit.

Il contempla le petit bébé et le serra contre lui. Le duvet de sa peau lui effleura la joue. Il sentait le doux parfum qu'exhalait sa peau de bébé. Sa tête dodelinait. Il fit un rot qui sembla le soulager. Édouard lui tapota le dos, et le nourrisson donna à Édouard de petits coups sur la bouche.

Il entrouvrit les lèvres, puis émit un long bâillement, découvrant une petite langue rose comme celle d'un chaton. Édouard recroquevilla un doigt et l'approcha de ses lèvres. Le bébé le suça avec une vigueur étonnante, puis, soudain, gémit. Son minuscule visage se crispa et rougit sous l'effet de hoquets qui visiblement le gênaient. Édouard, avec un instinct qu'il possédait sans le savoir, le pressa doucement contre son épaule pour l'apaiser. Les gémissements cessèrent.

Lorsqu'il fut certain qu'il avait retrouvé son calme, il baissa légèrement les bras et contempla l'enfant qui le regardait d'un air solennel.

— Un jour, dit-il au bébé, à son bébé, un jour, je reviendrai te chercher, je t'en fais la promesse.

Il se pencha, reposa l'enfant dans son berceau et la borda tendrement.

Il la regarda ainsi quelques minutes avant de s'arracher à elle, sachant que, s'il tardait, il lui serait impossible de partir. Il redescendit. La porte de l'autre chambre était ouverte. L'armature de bronze d'un grand lit était visible. Édouard détourna le regard.

Il fit des adieux rapides aux deux jeunes femmes. Anne Kneale lui tendit le portrait qu'il lui avait demandé.

Ce n'est qu'en fin de journée qu'il l'ouvrit, lorsqu'il fut certain d'être seul. Il le contempla longtemps en silence.

Le soir même, il alla dîner en compagnie de Christian qui ne put se taire jusqu'au bout.

— Bon, que vas-tu faire, maintenant ? lui dit-il après avoir bu un bon verre de whisky pour se donner du courage.

Édouard, impassible au cours du dîner, eut l'air vraiment surpris de cette question.

— Faire ? Eh bien, je vais attendre, bien sûr.

— Attendre ? Mais combien de temps ? s'écria Christian qui manquait de patience.

— Le temps qu'il faudra.

Christian soupira. Il avait envie de pousser Édouard à agir immédiatement, mais il savait que c'était inutile. Édouard avait une patience à toute épreuve. En général, elle portait ses fruits. Un millier de plans mélodramatiques assaillirent l'esprit fertile de Christian, en l'espace de quelques secondes. Mais, avant qu'il ait prononcé la moindre parole, Édouard, avec discrétion mais fermeté, changea de sujet.

ÉDOUARD

Paris-Saint-Tropez, 1962

— C'est un cancer, dit Philippe de Belfort.

Il accepta le verre de whisky que lui tendait Édouard et prit une expression solennelle en secouant la tête.

— C'est affreux. Il y a six mois à peine, il était en pleine forme. Il attendait avec impatience sa retraite après avoir fait des placements particulièrement habiles, à ce qu'on m'a dit. Nous avons dîné ensemble. Un repas excellent. Il a pris des huîtres, je me rappelle très bien. Il ne m'a jamais paru aussi bien. Je lui ai dit : « Brichot, vous avez bien de la chance. Finie la foire d'empoigne. Qu'allez-vous faire de tout ce temps libre ? » Savez-vous ce qu'il m'a répondu ? « Philippe, je vais claquer mon fric. J'ai passé des années à tout économiser, et maintenant je vais le dépenser. Je vais vivre comme s'il n'y avait pas de lendemain. »

Une lueur de méchanceté qu'il s'empressa de refouler apparut sur le visage de Belfort.

— Il est évident qu'il n'avait pas de lendemain. Personne à qui parler, en fait. Six mois plus tard, liquidé. C'est tout de même terrible. Pauvre Brichot. Je ne peux pas dire que j'étais très proche de lui, mais cela nous fait réfléchir. Nous vivons dans un univers imprévisible. Oh oui ! *Sunt lacrimae rerum*. Voilà ce qui m'est venu à l'esprit quand j'ai appris la nouvelle. *Les larmes de la vie*... Ce pauvre Brichot ne s'intéressait guère à la poésie.

— Ce sont plutôt les larmes des *choses*, murmura Édouard.

Belfort leva les yeux.

— Comment ?

— *Rerum* signifie « choses » et non « vie ». Virgile a sans doute utilisé ce terme général à dessein.

Belfort refoula une pointe d'irritation.

— Bien sûr, j'oubliais... Je n'ai jamais été très fort en latin.

Il régna un court silence au cours duquel Belfort poussa un long soupir.

— Je suis désolé pour sa femme qui va se retrouver seule. Ils étaient très proches, je crois. Pourtant, pourtant... Vous êtes allé aux obsèques, évidemment ?

— Oui.

— J'y serais allé, mais les circonstances m'en ont empêché. J'étais pris par les négociations à Londres qui sont à un stade délicat. Très délicat. Je ne voulais pas risquer de les compromettre.

— Bien entendu, fit Édouard poliment.

Il attendait l'instant propice. Il était presque 6 heures en cette fin d'après-midi. Tous deux étaient assis dans un coin du bureau d'Édouard où quelques fauteuils en cuir d'un noir austère étaient groupés autour d'une table de verre et de chrome également austère. Un Jackson Pollock était accroché au mur derrière eux. Belfort y jetait parfois un coup d'œil évaluateur, comme s'il calculait la valeur au centimètre.

Édouard, qui avait encore deux heures de travail devant lui, un dîner avec Christian, puis une réception chez sa mère qui fêtait son anniversaire, montrait quelques signes d'impatience. Belfort avait insisté pour être reçu, et ce n'était probablement pas pour se lamenter sur la perte de Brichot. Il y avait bien une raison, mais Belfort n'allait jamais droit au but.

Penché sur la table, il tournait son verre dans tous les sens d'un air préoccupé. Il songeait sans doute à Brichot, son allié de naguère. Belfort sollicitait souvent ce genre d'entrevue, toujours sous un prétexte professionnel, alors que, de toute évidence, il cherchait à établir un autre type de relation. Mais Édouard soupçonnait une autre raison. Il n'était pas simplement question d'avancement. Visiblement, Belfort en avait besoin. Il était toujours attiré par ce qu'il exécrait.

— J'aimerais soulever deux ou trois points au sujet de notre offre pour le groupe des hôtels Rolfson, finit par dire Belfort après avoir laissé le silence se prolonger plus que d'habitude. Si vous pouvez m'accorder quelques minutes...

— Bien sûr.

Tout se tenait : des questions mineures, des suggestions concernant les offres publiques d'achat de Chavigny pour l'acquisition de l'une des grandes chaînes d'hôtels les plus prestigieuses d'Angleterre. Belfort était à la tête du département hôtellerie. C'était un poste important que lui avait confié Édouard et dans lequel il avait fait preuve de talent et d'efficacité. Édouard avait bien l'intention de le cantonner à ce secteur, mais Belfort semblait avoir d'autres idées.

Là, il se montrait tout à fait discret quant à ses ambitions. Il avait parcouru un long chemin depuis le moment où il avait eu l'imprudence de s'allier à un crétin comme Brichot. Il prenait soin de maintenir l'équilibre précaire entre l'indépendance de la direction et l'opposition systématique. Plus de positions opiniâtres sur des sujets dérisoires. Belfort guettait, de toute évidence, le moment où il pourrait abattre son jeu et se lancer dans une épreuve de force. « Il eût été plus prudent, se disait Édouard, de se débarrasser de lui en douceur ou simplement de le renvoyer purement et simplement. » Pourtant il ne s'y était jamais résolu. Là, en l'écoutant attentivement soulever des questions sur lesquelles, en apparence, les conseils d'Édouard étaient indispensables, il se demandait pourquoi.

Sans doute était-ce parce que Belfort l'étonnait. C'était le Cassius de la compagnie, la seule menace au sein de la société. « Suis-je parvenu à un tel degré de lassitude, songeait Édouard, qu'il me faille la rivalité d'un homme comme Belfort pour donner un peu de piment à mon travail ? »

— Il faut donc s'en tenir à Montague Smythe ? lui dit Édouard en se levant.

— En vérité, nous avons toujours été contents de leurs services. Seulement, vu les gros enjeux, les craintes de contre-enchères, je me demandais si nous ne devrions pas nous tourner vers une banque d'affaires plus dynamique. C'est une approche un peu plus risquée, c'est tout. Cela dit, je suis sûr que vous avez raison, il vaut mieux, de toute évidence, garder Montague Smythe.

Il se dirigea vers la porte et, juste au moment de sortir, se retourna d'un air presque naturel mais intempestif. Édouard vit que Belfort, avant même de parler, s'en était rendu compte.

— Oh, j'allais oublier. Ce pauvre Brichot. Je suppose que vous allez le remplacer à la tête du conseil d'administration ?

Il avait abattu son jeu. Maintenant, il était à découvert. Belfort s'efforçait de paraître indifférent, mais il était visiblement tendu. Il avait un sourire figé, une expression de panique et d'ambition refoulées.

L'espace d'un instant, Édouard éprouva une certaine pitié à son égard. Pauvre Belfort ! Son avidité lui faisait commettre une erreur stupide. Déployer une telle énergie à grimper échelon par échelon sans avoir une idée claire de ce qu'il ferait en arrivant au sommet !

Leurs regards se croisèrent. Belfort ne parvenait pas à masquer une lueur de défi qui trahissait sa haine, sa jalousie, sa détermination de prouver qu'il serait, un jour, le meilleur. Ce n'était pas un imbécile, et il avait pris conscience de son erreur. Embarrassé, il s'apprêtait à partir après avoir renoncé à ses projets lorsque Édouard l'arrêta.

— Philippe.

— Oui.

— Décrochez cette O.P.A., et le siège au sein du conseil est à vous.

Il y eut un instant de silence. Belfort devint écarlate. Visiblement, il était surpris. Dans son regard se lisaient la méfiance et un sentiment de triomphe naissant, teinté de mépris. Belfort se ressaisit très vite. Quelques mots de remerciement, un témoignage de profonde reconnaissance, tout cela avec une extrême courtoisie. Il eut l'intelligence d'être bref.

Dès que la porte se referma, Édouard se mit à réfléchir. Il était conscient de son imprudence, mais ne s'y appesantit pas. Belfort méritait ce poste et, s'il allait trop loin, il serait facile de le remettre à sa place. Pourtant, quelque chose dans sa propre attitude l'intriguait.

— Voilà, je lui ai donc offert ce qu'il souhaitait. Un siège au conseil d'administration, confia-t-il à Christian au cours du dîner au Grand Vefour.

— Ensuite ?

— Rien. Je me suis demandé pourquoi j'avais agi ainsi. Je me le demande encore, d'ailleurs. À quel titre lui accorder ce qu'il veut ?

— Pourquoi affûter le couteau et lui offrir ton dos ? C'est cela que tu veux dire ?

— Pas exactement. Le couteau n'a guère besoin d'être aiguisé. Et je n'ai nulle envie de lui offrir mon dos comme cible.

— Mon Dieu, je ne sais plus, fit Christian en soupirant. Tu as un esprit pervers, tu aimes vivre dangereusement. Regarde la vitesse à laquelle tu conduis.

— Je conduis très bien, répliqua Édouard, vexé.

— Oui, mais trop vite, ne put-il s'empêcher d'ajouter.

Christian marqua un temps d'arrêt, avec une certaine hésitation mêlée de prudence.

— Et puis, tu as trop d'énergie, ce qui engendre des inimitiés, je suppose. Si les choses étaient différentes, ce ne serait pas le cas.

— Si les choses étaient différentes ?

Christian perçut le ton glacial de sa voix. Il détourna le regard d'un air maussade.

— Écoute, Édouard, tu sais très bien ce que je veux dire.

Il y eut un bref silence. Christian s'éclaircit la voix.

— Pardonne-moi.

— Je t'en prie. Tu as raison, bien sûr.

Édouard baissa les yeux. Christian savait à quoi il pensait. Il alluma une cigarette et aspira longuement. Pauvre Édouard. Deux ans et demi. Il hésita encore, puis se risqua à lui dire :

— J'ai vu son dernier film. Je ne me rappelle plus si je te l'ai dit. Je ne pense pas qu'il soit déjà sorti ici. Je l'ai vu à Londres. J'ai pensé...

Édouard leva les yeux. Christian tressaillit.

— Elle joue très bien, dit-il gauchement.

— Tant mieux si tu as aimé, répondit Édouard en faisant signe au garçon de lui apporter la note.

Christian capitula. Il ne connaissait que trop cette expression et ce ton.

— D'accord, Édouard. L'affaire est close.

C'est ce qu'il souhaitait, certes. Quelques minutes plus tard, Édouard monta dans son Aston Martin noire et se rendit chez sa mère.

Il aurait souhaité que cette affaire fût réglée à jamais. Ne plus en entendre parler, ne plus y penser. Il lui fallait de l'action pour couper définitivement ces liens.

Une autre femme, peut-être. La solution semblait évidente. C'est ce que Jean-Paul aurait préconisé. « L'amour, petit frère, il ne faut jamais y croire. Aux premiers symptômes, fuis. Une autre femme te guérira de cette folie. »

Il y avait réellement songé, surtout l'année qui venait de s'écouler. Chaque fois qu'il se rendait à un dîner ou à une réception comme celle que donnait sa mère ce soir, il se disait : « C'est pour ce soir », prêt à se contenter de n'importe quelle femme disponible.

Il y allait avec cette ferme intention. Dès son arrivée, il scruterait chaque visage. La rousse, la blonde, la brune. C'étaient les seuls éléments qui les distinguaient les unes des autres. Il pourrait même jeter son dévolu sur sa voisine de table. C'était toujours la même chose. Pas la moindre fantaisie, pas le moindre suspense. Il arrivait d'un air décidé et repartait seul.

Sa mère, remarquant son dégoût et son agacement, s'était mis en tête de lui présenter tous les beaux partis. Devant son air affligé, elle redoubla d'effort. Louise prenait un malin plaisir à jouer les entremetteuses. Elle organisait un déjeuner, un dîner, une réception comme celle-ci. « Monique, Sylvie, Gwen, Harriet, vous avez fait connaissance, n'est-ce pas ? Puis-je vous présenter mon cher fils, Édouard ? »

Édouard l'observait. Elle se frayait un chemin dans la foule des invités pour venir l'accueillir. Un mot par-ci, un baiser par-là. Une robe rose de mousseline, un collier de perles autour du cou, le teint encore frais, la silhouette élancée. Elle fêtait ses soixante-sept ans. Il songea à l'époque où, en ouvrant une porte, il l'avait surprise dans les bras de Hugo Glendinning. Elle était alors également vêtue de rose. De loin, elle ne semblait pas avoir vieilli. Vingt ans ! Pourtant, le souvenir était ausssi précis que si c'était la veille.

— Cher Édouard, tu es très en retard, fit-elle en l'embrassant dans le vide. La soirée est presque terminée.

— On ne dirait pas, dit Édouard, souriant.

Il y avait au moins quatre-vingts personnes dans la salle, et apparemment aucune ne semblait vouloir partir. Fort heureusement, il n'était pas venu plus tôt.

Il lui tendit un petit coffret contenant une broche de diamants et de perles commandée par son père à Vlacek dans les années vingt. Il avait été difficile de la récupérer, et il avait eu la folie de penser que ce souvenir de Xavier lui aurait fait plaisir.

— Édouard, que c'est gentil de ta part. Merci.

Elle posa, sans l'ouvrir, le coffret sur une petite table et le prit par le bras, minaudant comme une petite fille.

— Édouard, viens avec moi et, je t'en prie, ne sois pas désagréable.

— Je ne peux guère rester longtemps, maman. Je pars pour New York demain matin...

Mais Louise n'écoutait pas. Elle le propulsait dans la salle, et c'était la même rengaine. Des têtes qui se tournaient sur son passage. Des murmures. Un intérêt soudain. Des regroupements.

Nathalie. Geneviève. Sara. Monique. Consuelo, chétive, brune et exotique comme une orchidée. Charlotte, une autre de ces Cavendish que l'on retrouvait dans toutes les réceptions, grande, blonde et imposante, une sorte de déesse Athéna anglaise.

Édouard joua son rôle habituel. La pratique lui conférait de l'aisance. Poli, courtois, portant apparemment de l'intérêt à la conversation mais, en réalité, plongé dans sa solitude. Charlotte passa une demi-heure à lui raconter tout ce qu'il avait manqué à Gstaad durant l'hiver. Encore une demi-heure, et, au risque d'offenser Louise, il partirait.

Mais Louise avait parfaitement manoeuvré. Elle l'avait conduit à l'autre bout de la salle, loin de la sortie.

— Dites-moi, Édouard, est-il vrai que vous avez un gagnant pour le Derby, cette année ?

— Oh, Édouard. Il y a si longtemps que nous n'avions eu le plaisir de vous rencontrer. Ainsi, vous partez pour New York ? Quand ? Oh, vous viendrez dîner à la maison.

— Édouard, je suis affreusement contrariée. Nous sommes allés voir *Figaro*, l'autre soir, en compagnie de Jacqueline de Varenges. J'étais certaine de vous y voir. Je tenais à vous demander... Je parle sérieusement. Cet été, vous avez promis...

— Ce week-end...

— Le mois prochain...

Édouard eut du mal à se rapprocher de la sortie. Chaque fois qu'il croyait s'esquiver, Louise apparaissait, comme par magie, pour lui présenter une jeune femme belle, riche et avec des relations. Édouard regardait sa mère. Les jeunes femmes défilaient, et le passé l'assaillait de nouveau. Il avait seize ans. Debout chez Pauline Simonescu, dans le couloir, légèrement éméché. Le sol se dérobait sous ses pieds, et Pauline Simonescu donnait, en souriant, le nom de ses filles.

Il dévisagea celle qui s'appelait Consuelo. Elle s'était imperceptiblement rapprochée. Maintenant, elle lui donnait des précisions sur son séjour à Paris, le temps qu'elle y passerait et l'hôtel où elle résidait. Son parfum faillit asphyxier Édouard. La présence de son mari, à quelques mètres d'elle, ne semblait nullement la gêner.

— J'espère que vous apprécierez, tous deux, votre séjour à Paris. Maintenant, si vous voulez bien m'excuser.

L'issue était proche. Les portes étaient libres. Louise était temporairement occupée par un groupe de messieurs bien plus jeunes. Édouard se retourna, soulagé. Soudain il se trouva face à face avec Ghislaine Belmont-Laon.

— Édouard, fit-elle, toute souriante, vous êtes transparent. Je n'ai jamais vu un homme aussi pressé de s'esquiver. Ne vous inquiétez pas, je ne vais pas vous retenir. Échappez-vous tant que vous le pouvez. Mais... peut-être pourriez-vous simplement me donner du feu avant de partir ? Je ne sais pas où j'ai mis mon briquet.

— Bien sûr.

Édouard lui alluma sa cigarette, presque soulagé. Il n'aimait pas particulièrement Ghislaine, mais au moins il n'était pas en pays inconnu. Ils avaient travaillé ensemble. Avec elle, c'était la neutralité parfaite.

— Comment va Jean-Jacques ?

Ghislaine s'était penchée pour allumer sa cigarette. Elle se redressa et aspira longuement la fumée. Elle lui lança un regard qui signifiait, sans l'ombre d'un doute, qu'il aurait mieux fait de s'abstenir de poser cette question. Mais, comme ils se connaissaient depuis longtemps, elle préféra s'en sortir par une boutade.

— Édouard, si vous tenez à connaître la réponse, ce n'est pas à moi qu'il faut le demander. Il doit être par là comme d'habitude.

— Oh, je vois. Je suis désolé. Et vous, comment allez-vous ?

Ghislaine éclata de rire.

— Quel manque de tact, Édouard. Je comprends vos objectifs. Je vais très bien. Beaucoup de travail, comme toujours, voyez-vous. Louise m'a demandé de lui refaire cette maison de Saint-Tropez. Vous l'a-t-elle dit ?

— Saint-Tropez ? Je croyais qu'elle l'avait vendue. Elle n'y va jamais.

— Oh, elle a changé de petit ami, sans doute, fit-elle d'un air entendu comme si elle était au courant de quelque secret qu'il ne partageait pas. (Puis elle haussa les épaules.) Vous connaissez Louise. Elle annulera tout un de ces jours.

Elle le regarda avec le sourire franc et amical d'une vieille amie, d'une femme indépendante qui le connaissait depuis trop longtemps et était une trop proche collaboratrice pour avoir un autre type de rapport avec lui. Elle était élégante comme à son habitude. Un fourreau noir probablement de chez Dior mais qui ressemblait à Mainbocher. Ghislaine avait trouvé un style 1930 qui lui allait et avait eu le goût et l'intelligence de le garder. À l'épaule, elle portait une broche en forme de panthère prête à bondir, faite d'or et d'onyx.

— Vous la reconnaissez, n'est-ce pas, Édouard ? fit-elle en remarquant le regard d'Édouard posé sur le bijou. C'est l'un des derniers modèles de Vlacek. Chavigny, bien sûr. Ce n'est pas à moi malheureusement. Je l'ai empruntée.

Elle le prit par le bras, jeta un coup d'oeil par-dessus son épaule, puis esquissa un sourire entendu qu'Édouard ne comprit pas.

— Si vous voulez vous échapper, c'est le moment. Louise ne s'en rendra pas compte. Plus maintenant.

Édouard lui dit au revoir et s'éloigna. Ce n'est qu'au moment où il se retourna qu'il en perçut le sens.

De l'autre côté de la pièce, Louise, le visage soudain embrasé, avait levé les yeux. Elle regardait dans la direction de la porte. Édouard suivit son regard. Sur le seuil se trouvait Philippe de Belfort.

Belfort lissait la manche de son smoking. « C'est impossible », se dit Édouard. Puis il vit l'expression du regard de Belfort et sut que cela ne l'était nullement. Belfort avait trente ans de moins que Louise. Mais cette différence avait-elle jamais joué aux yeux de sa mère ?

Il sortit. En se croisant, les deux hommes échangèrent des salutations très brèves.

Il avait eu l'intention de se rendre directement à Saint-Cloud après la réception. Mais, à la seconde où il se retrouva dans sa voiture, il changea d'avis. Il prit même la direction opposée. Comme il l'avait fait maintes fois, il longea les quais jusqu'à l'endroit où il avait vu Hélène pour la première fois.

Il conduisait à vive allure dans les rues presque désertes à cette heure. À sa gauche, la Seine formait une masse sombre. À l'angle de la rue Saint-Julien, il gara sa voiture. Minuit passé. Il fit à pied le reste du chemin.

Il s'arrêta devant la petite église où il l'avait aperçue la première fois, regardant tour à tour l'église, le petit parc où les enfants jouaient, et le quai.

La rue déserte était plongée dans le silence. Seul le bruit d'une voiture dans le lointain venait interrompre cette quiétude. Cette pulsion qui le ramenait là était stupide, il le savait, mais aussi réconfortante. Il se sentait toujours mieux ensuite. Ces lieux apaisaient son esprit, effaçant le bruit, les fourberies, l'heure atroce qu'il venait de passer. Chaque fois qu'il se trouvait là, il avait l'impression irraisonnée qu'Hélène était proche de lui. Il ne pouvait s'empêcher de penser que, s'il venait régulièrement, un jour, il entendrait des pas, lèverait les yeux et l'apercevrait.

Il resta là cinq minutes, peut-être dix. La fraîcheur de l'air fleurait le printemps. Nulle voiture ne passa, et, l'espace d'un instant, Paris tout entier fut plongé dans le silence.

Au bout de dix minutes, il repartit à contrecoeur vers son Aston Martin. Le moteur vrombit. Il appuya sur l'accélérateur et démarra en trombe.

Il était très précisément 1 heure du matin. Il partait pour New York dans la matinée.

— Tu sais que tu es complètement folle. Il est presque 1 heure du matin et tu vas te balader dans les rues de Paris !

Lewis but son verre de cognac d'un trait. Ils se trouvaient dans leur suite au Ritz.

— Je sais l'heure qu'il est. Peu importe. Je ne serai pas longue, Lewis. J'ai simplement besoin d'aller marcher, sinon je ne vais pas dormir. Il me faut un peu d'air...

Elle se dirigeait déjà vers la porte. Lewis aurait pu suggérer de l'accompagner, insister même. Mais c'était peu probable. Deux verres de whisky, une bouteille de bordeaux, trois cognacs. Il ne lui viendrait même pas à l'idée de sortir. Sans doute serait-il de mauvaise humeur le lendemain, si toutefois il s'en souvenait.

« Il faut que je cesse de surveiller ce qu'il absorbe », se dit-elle en regardant Lewis. Elle avait l'impression de l'espionner. Il leva les yeux vers elle en même temps que son verre. Un petit salut ironique et légèrement déplacé.

— Comme tu voudras. Mais je t'aurai prévenue.

Il y avait encore des gens dans les rues. Ne voulant être ni vue ni reconnue, elle leva le col de son manteau et se glissa dehors par une porte latérale.

Une fois dans la rue, elle pressa le pas. Sans être vraiment consciente de la distance, elle savait que c'était loin. Édouard l'attirait. Vingt minutes. Elle parvint, haletante, au pont Notre-Dame. Elle s'arrêta sur le pont et regarda par-dessus le parapet. De l'autre côté de la Seine, un bruit de moteur, amplifié par la nuit, gronda.

Elle traversa le pont, le quai et déboucha sur la rue Saint-Julien. Là, elle s'arrêta net.

Elle avait accouru avec la certitude de le voir. Ce n'est qu'à cet instant qu'elle en prit conscience, dans cette rue déserte. Elle avait eu cette conviction insensée et, quand elle se rendit compte qu'elle s'était trompée, elle ressentit son absence avec une telle intensité qu'elle faillit tomber à genoux et se mettre à pleurer.

Elle n'était jamais revenue là. Chaque fois que, par obligation, elle s'était trouvée à Paris, elle avait évité cet endroit où elle avait pourtant profondément souhaité retourner. Peut-être était-ce la raison de cette certitude absolue. Ces lieux étaient tellement liés à Édouard dans son cœur, tellement habités par lui qu'elle ne pouvait imaginer ne pas l'apercevoir en y venant, persuadée qu'il l'attendait.

Elle remonta la rue en direction de l'église, vers la place où elle s'était arrêtée. Une fois arrivée, elle leva les yeux vers la façade de l'église sans la voir vraiment, tout comme elle l'avait fait en ce mois d'août.

Que se serait-il passé s'il s'était tenu là, elle n'en avait aucune idée. Son esprit n'était pas allé au-delà de cet instant. Pas une seconde elle n'avait pensé à ce qu'elle lui aurait dit, à ce qu'elle aurait fait. Rien. Elle n'avait songé qu'au moment où, en levant les yeux, elle l'aurait aperçu. Rien d'autre n'aurait compté, car il était la nuit et le jour, le seul être capable d'illuminer sa vie.

Elle resta cinq minutes devant l'église, peut-être dix. La conviction insensée qu'elle allait entendre le bruit de ses pas ne la quittait pas. Au bout de dix minutes, elle repartit à contrecœur et, sur les quais, héla un taxi.

« C'est fini. En fait, je le savais », se dit-elle en jetant un coup d'oeil à sa montre. 1 h 30. Elle était là pour le lancement de son nouveau film. Dans la matinée, elle avait une séance de photos et trois interviews.

Jean-Jacques Belmont-Laon quitta la salle de projection privée, où était passé le dernier film de Thaddeus Angelini, à 7 heures. *Short Cut*, c'était le titre du film, mettait en vedette une certaine Hélène Harte. On ne parlait plus que d'elle.

C'était compréhensible, et pas seulement parce que le film risquait de remporter la Palme d'Or au festival de Cannes et Hélène Harte le prix de la meilleure actrice. Il s'installa dans le taxi, tout pensif. C'était un très bon film, bien qu'il ne l'ait pas particulièrement aimé. *Elle* était excellente. Le rédacteur de l'un de ses magazines à grand tirage le harcelait depuis des mois pour la faire paraître. Jean-Jacques lui donnerait le feu vert... Mais il n'y avait pas que ces considérations professionnelles. En fait, elles étaient plutôt mineures. Bon nombres d'artistes éclataient en un jour, et ses magazines aussitôt parlaient d'eux.

Mais cette femme n'était pas comme les autres. Pas du tout comme les autres. Elle avait suscité chez Jean-Jacques des sensations qu'il ne parvenait pas à s'expliquer, bien qu'elles fussent évidentes. Il avait eu une érection dans une salle bondée et enfumée. Cela ne lui était jamais arrivé. Même Monroe ou Bardot le laissaient froid. Jean-Jacques était prompt à s'emballer pour une femme, mais jamais par écran interposé. Non, c'était la toute première fois, et cette pulsion était incroyablement intense. Il était fou de désir. Il lui fallait une femme.

Il glissa sa main entre ses cuisses et sentit sa verge palpiter. La scène où elle se déshabillait... En fait, on ne voyait rien. Angelini devait s'inspirer de Vadim. C'est là qu'il avait été submergé de désir sans en comprendre la raison. Il ne savait pas exactement si c'était là tout l'art d'Angelini ou si c'était elle qui en était la cause. Il y avait un je-ne-sais-quoi dans son visage, ses yeux, sa bouche... Quelle bouche ! Il avait assisté à plusieurs projections, mais ces images ricochaient dans son esprit comme des balles.

Dieu Tout-Puissant ! Ils étaient pris dans un embouteillage. Jean-Jacques enrageait. Il venait malheureusement de rompre avec sa dernière maîtresse sinon il se serait rendu directement chez elle. En ce moment il n'avait personne, mais cela ne durerait pas. Il se contenterait de Ghislaine, pour une fois. Si toutefois elle était là, ce qui était rare. « Sois là, sois là, je t'en prie », se disait-il.

Ghislaine était rentrée. Jean-Jacques ne perdit pas de temps en préambule. C'était sa femme, après tout. Et puis Ghislaine le comprenait. Elle aussi avait ses petites manies, et l'une d'elles, que ses amants trop sensibles ne comprenaient pas mais qu'elle partageait avec son époux, était de faire l'amour pour le plaisir, sans tendresse.

Elle le comprit dès qu'elle l'aperçut. Lui aussi, devant la soudaine fixité de son regard avide de désir. Elle se trouvait dans la cuisine quand il entra. Il se dirigea directement vers elle et, sans qu'elle se retournât, pressa sa verge tendue contre ses fesses, pour qu'il n'y ait aucun doute sur ses intentions.

Elle perdit un peu de temps, il est vrai, à l'embrasser et à tenter de le diriger vers la chambre. Mais ce n'était pas du tout ce qu'il désirait. Il la voulait sur place, dans la cuisine, la porte entrouverte, indifférent au fait que la domestique pouvait apparaître d'un instant à l'autre.

En fait, il ne voulait pas faire l'amour. Non, il avait envie qu'elle s'agenouille, tout habillée, et qu'elle le suce.

Il poussa Ghislaine, la faisant presque tomber, puis défit la fermeture Éclair de sa braguette hâtivement pour qu'elle se rende compte de la grosseur de son sexe raidi de désir.

Sucer n'était pas la spécialité de Ghislaine. Elle avait certes quelque talent dans ce domaine, mais il en avait connu de meilleures. Aujourd'hui, cependant, il fallait parer au plus pressé. Ses lèvres humides et entrouvertes étaient suffisantes. Il la saisit par les cheveux et écarta légèrement sa tête avant de lui enfoncer son pénis dans la bouche par saccades. Les yeux clos, il revit le visage d'Hélène Harte, sa bouche. Cette image lui enflammait l'esprit. Il sentait sa verge embrasée, pleine de sperme, prête à exploser dans sa bouche, dans la gorge de cette putain...

Le mot *putain*, ou peut-être *gorge*, fut le détonateur. Jean-Jacques, secoué de frissons, déchargea sa semence en gémissant.

Ce fut un instant de délice, de plaisir intense, puis les palpitations cessèrent.

Il ouvrit les yeux et éprouva alors un profond dégoût. Son regard se posa sur une série de casseroles en cuivre. Le feu était encore allumé sur la cuisinière. Et l'image s'était estompée. À la toute dernière seconde, elle s'était évanouie.

Il s'écarta et regarda Ghislaine avec étonnement. Cette putain, l'endroit, la bouche. Rien n'allait.

Ghislaine était toujours agenouillée. Blême de colère, elle lui lança un regard meurtrier.

— Qui était-ce ? s'écria-t-elle. Pourquoi ne me le dis-tu pas ? Je veux simplement savoir à qui tu pensais... Espèce de salaud.

Jean-Jacques la regarda ébahi, l'esprit en proie à une grande confusion. L'image était bien présente. Il était certain de la saisir et, au meilleur moment, elle lui avait échappé.

— Doux Jésus, Ghislaine..., commença-t-il en l'aidant à se relever.

Une expression sur le visage de sa femme déclencha des souvenirs. Ce n'était pas vraiment clair, mais, à cet instant, la mémoire lui revint. Il se rappela où il avait vu Hélène Harte auparavant.

Au même moment, Ghislaine prit définitivement conscience de la haine qu'elle lui vouait.

Deux jours plus tard, Ghislaine déjeuna, en compagnie de Louise de Chavigny, au restaurant préféré de Louise pour parler de la future décoration de la maison de Saint-Tropez.

Elle n'avait pas accepté avec joie cette invitation de Louise, qu'elle n'aimait pas, et son humeur était telle qu'elle faillit tout annuler, bien que Louise fût une cliente à ne pas négliger. Elle finit par s'y rendre. Les cinq premières minutes, elle n'écouta pas un mot de ce que lui dit Louise, non point par manque d'intérêt, mais Ghislaine ne parvenait pas à effacer l'image horrible et humiliante de la scène dans la cuisine : à genoux devant Jean-Jacques qui, les lèvres entrouvertes, le visage cramoisi, lui tirait les cheveux. Elle était d'autant plus submergée de colère et de répulsion qu'elle ne pouvait en parler à personne. Elle avait encore son goût dans la bouche, cet horrible goût repoussant comme une odeur de poisson. Quand Louise commanda une sole grillée, elle eut un haut-le-coeur.

Elle but une gorgée de vin et s'efforça de concentrer son attention ailleurs. Elle détailla les atours de Louise : un nouveau collier d'opale, un petit chapeau très chic muni d'une voilette. « Une voilette, même petite, à son âge, c'est ridicule », se dit Ghislaine d'un air méprisant. Louise, en agitant les mains, expliquait que sa maison de Saint-Tropez était charmante. Le décor en était si merveilleusement romantique. Maintenant, elle le trouvait si triste, si démodé... Elle souhaitait évidemment que Ghislaine s'en occupât, mais rapidement.

Elle leva vers Ghislaine un visage non dénué de beauté, avec une expression de douceur et d'incertitude qui masquait une volonté de fer.

— J'aimerais que tout soit prêt pour le mois de mai, lui dit-elle.

Elle avait auparavant mentionné la fin de l'été.

— Vers la mi-mai. Édouard m'a dit qu'il viendrait peut-être.

Elle s'interrompit et lui sourit. Ghislaine savait que ce n'était pas à Édouard qu'elle pensait lorsqu'elle arborait un tel sourire.

— Et deux ou trois autres personnes, un peu plus tard au cours de l'été. Mes invités viendront y passer quelques jours. Une retraite idéale, Ghislaine. Je trouve la vie de Paris si épuisante ces jours-ci.

« Philippe de Belfort », se dit Ghislaine. Elle comprit en un éclair, et Louise, ravie de cette complicité, détourna le regard avec un vague sourire.

Ghislaine sentait le mépris grandir en elle. Cette Louise était incroyable. Quelle vanité ! Si encore elle avait des amants de son âge, mais un homme qui pourrait être son fils ! Comment Belfort pouvait-il s'intéresser à elle ? Il ne pensait qu'à une chose : son avancement. Elle observa Louise avec curiosité. Faisait-elle encore l'amour avec eux ? Après tout, c'était probable, elle paraissait à peine la cinquantaine, et, avec Louise, rien n'était impossible. Mais tout de même... Ce que Louise souhaitait, ce qu'elle avait toujours souhaité, d'ailleurs, ce n'était pas le plaisir sexuel mais l'adulation.

Ghislaine songea au passé, à Xavier de Chavigny qu'elle n'avait rencontré qu'une ou deux fois lorsqu'elle n'était encore qu'une enfant. C'était un homme merveilleux qu'elle avait toujours admiré de loin, lorsqu'elle caressait des rêves romantiques avant de découvrir, en grandissant, la véritable nature des hommes. Jeune, elle avait toujours rêvé de rencontrer quelqu'un comme le baron de Chavigny. Et Louise, son épouse qu'il avait aimée à la folie, comme tout le monde se plaisait à le dire, en était réduite à être fière d'insinuer que son dernier admirateur était Philippe de Belfort.

Brusquement, en regardant Louise manger du bout des lèvres tout en décrivant sa charmante maison sans savoir ce qu'elle désirait vraiment, Ghislaine fut saisie de panique. Elle s'imagina avec horreur vingt ans plus tard. Pas aussi stupide qu'elle, peut-être, moins dupe mais tout aussi amère.

Elle avait son travail, heureusement, ce qui était une différence fondamentale. Louise n'avait jamais remué le petit doigt. Toutefois, malgré ses efforts pour ne pas trouver de ressemblance, quelques-unes lui paraissaient évidentes. Louise ne s'était mariée qu'une fois. Ghislaine avait fait trois mariages malheureux. Ces dix dernières années, elle avait vécu avec ce paysan de Jean-Jacques qu'elle avait exécré. Il lui fallait toujours prétendre ne pas voir les simagrées de ses amis, comme du Tout-Paris, qui ne parlaient que de sa dernière maîtresse, mannequin ou secrétaire. Jean-Jacques préférait lui faire l'amour quand il savait qu'elle sortait du lit de son amant. Quant à ses amants, justement, Dieu sait s'ils avaient été nombreux, aucun ne l'avait vraiment satisfaite. Un seul d'entre eux l'avait-il aimée ? Un seul lui avait-il demandé de quitter Jean-Jacques pour l'épouser ? Non, aucun. Le fait qu'elle soit mariée les sécurisait. Ils n'avaient ainsi rien à craindre.

— Le salon donne sur la mer, disait Louise en faisant la moue. Au début, je trouvais cela merveilleux. Le soleil baignait cette pièce, trop peut-être...

Ghislaine ne l'écoutait pas. Elle était plongée dans ses pensées. « J'ai quarante-sept ans, se disait-elle, Louise soixante-sept. Je pourrais tout lâcher, Jean-Jacques, tous ces satanés hommes, et me consacrer à mon travail. Je peux très bien vivre seule. Qui a besoin d'eux ? Tous les mêmes ! »

Elle reprit un instant courage, confiance même, prête à affronter une vie nouvelle. Puis son courage se dégonfla comme un ballon. Elle savait qu'elle essayait de se leurrer. Ce n'était pas ce qu'elle souhaitait. Une femme sans homme n'était rien sinon un pantin ridicule comme Louise.

Non, il lui fallait un homme. À peine s'en était-elle convaincue qu'elle sut aussitôt lequel. Elle le voyait très clairement. Celui qui ressemblait tant à son père, celui qui incarnait tous les idéaux de sa jeunesse. Comment avait-elle pu être aussi stupide ? Si lente à comprendre ? Pourquoi, sachant que cet homme l'attirait, n'avait-elle jamais fait le moindre geste ? Elle piqua sa fourchette avec une énergie nouvelle. Elle se sentit rougir comme du temps où elle était une petite fille. La chaleur lui montait aux joues lentement au point de la faire atrocement souffrir.

Louise lui lança ostensiblement un regard malveillant.

« Pauvre Ghislaine, se dit-elle avec une pointe de contentement amer. Elle en est donc au stade de la ménopause. On n'a jamais pu savoir exactement son âge, elle a toujours été évasive. »

Louise décida de se montrer aimable et de ne pas souligner l'humiliation évidente à laquelle était soumise Ghislaine.

— Ma chère Ghislaine, dites-moi, acceptez-vous de faire cela pour moi ? Et en temps voulu ?

Malgré la joie et l'excitation qui l'envahissaient, Ghislaine essaya de se maîtriser. Elle prétexta un emploi du temps très chargé, des commandes prioritaires, jusqu'à ce que Louise, qui désirait toujours ce qu'elle avait du mal à obtenir, fût contrainte de la supplier. Là, Ghislaine capitula.

— C'est bien pour vous, ma chère, fit-elle en souriant.

Louise était une cliente impossible. Elle changeait d'avis un million de fois par minute et marchandait les prix avec une verve égale à celle des petits vendeurs de rues arabes. Ghislaine y prêtait peu attention. Elle avait trouvé l'occasion rêvée. Elle pouvait facilement s'arranger pour rester à la villa jusqu'à l'arrivée d'Édouard. Elle avait d'ailleurs vérifié les dates. Une énergie nouvelle l'envahit. La demeure serait époustouflante, son chef-d'œuvre. Elle le ferait pour Édouard, non pour son imbécile de mère. Il serait forcé de l'admirer pour ses talents, et ensuite... Elle n'était sûre de rien, mais ce pouvait être un bon début.

Durant une semaine, elle travailla en toute confiance. Elle fit un régime, s'acheta de nouveaux vêtements, se fit couper les cheveux et changea de parfum. Elle avait l'impression d'être une autre femme.

Parfois, elle cédait à ses pulsions. Un jour, elle composa le numéro de téléphone d'Édouard à Saint-Cloud dans l'espoir d'entendre sa voix, mais ce fut un domestique qui lui répondit. Un autre jour, elle passa devant son bureau en voiture, alla déjeuner dans un restaurant où il avait coutume de se rendre et l'aperçut de loin. Elle prenait grand plaisir à parler de lui à ses amis. Le simple fait de prononcer son nom lui procurait de la joie. Il y avait un avantage supplémentaire : ses amis lui confirmèrent ce qu'elle soupçonnait : Édouard n'avait pas d'attaches. Édouard, si recherché et pourtant si seul.

Cette semaine-là, il lui sembla faire autant de progrès qu'en un an. Il lui était difficile de penser que rien ne s'était produit en réalité. Ghislaine se disait que, si elle-même avait changé, Édouard ne pourrait que le remarquer et changer à son tour. Entre vieux amis, ils pouvaient partir sur de bonnes bases. Il respectait son travail, admirait son goût. En réfléchissant, elle se disait qu'il avait toujours eu à son égard une attitude spéciale, indéfinissable... Ah, Édouard !

Puis, au moment même où elle se sentait vingt ans de moins, au sommet d'une vague de bonheur, l'événement se produisit. Alors qu'elle rentrait de son travail par une soirée agréable, elle s'arrêta net sur le trottoir. De l'autre côté de la rue se trouvait un cinéma et à l'extérieur était placardée une série d'affiches. L'une d'elles présentait une très belle jeune fille vêtue d'une robe blanche.

Des sourcils à l'arc parfait, des cheveux bruns coupés court, une bouche délicate, le regard provocant. La couleur et la coupe des cheveux intriguèrent Ghislaine un bref instant.

Soudain, elle la reconnut. La jeune fille de la Loire, celle de Givenchy, celle à qui Édouard avait offert une bague en diamants. Celle aussi qu'elle avait vue sortir d'un hôtel douteux, au bras d'Édouard, à 9 heures du matin.

Ghislaine resta figée. Elle reprit sa route, plus lentement. En un rien de temps, la soirée, la semaine qui venait de s'écouler, tout fut gâché.

Boulevard Saint-Germain, il y avait une série d'affiches d'environ deux mètres cinquante de haut chacune. Édouard détourna les yeux. *Short Cut, un film de Thaddeus Angelini*, put-il lire en énormes lettres noires au-dessus de l'entrée d'un cinéma. Des gens faisaient la queue pour la séance en matinée sur une file assez longue. Édouard se pencha, ouvrit la vitre de séparation et demanda à son chauffeur d'aller plus vite. Il se renversa de nouveau sur le siège de cuir et ferma les yeux. Il arrivait de New York où la photo d'Hélène était placardée sur tous les murs. Maintenant c'était à Paris, où qu'il posât son regard. Et ce n'était que le début. Dès son apparition au festival de Cannes, elle ferait la une de tous les journaux, de tous les magazines. Elle apparaîtrait à la télévision, sur les panneaux d'affichage...

Instant étrange où un nom inconnu la veille est, en l'espace d'une nuit, sur toutes les lèvres. Cela arrivait toujours avec une rapidite etonnante. Un jour, un être n'était connu que de quelques-uns qui croyaient en lui, en son avenir, en son succès, mais rien de plus. Le lendemain, le nom de cette personne devenait familier aux présidents comme aux marchands de poissons, le public s'emparait d'elle, et elle devenait leur propriété.

Édouard était certain qu'elle obtiendrait un prix au festival de Cannes. Elle se verrait décerner une récompense très vite. Il avait vu *Short Cut*, évidemment, bien avant Christian, bien avant sa sortie officielle. Devant l'insolente assurance qui se dégageait de ce film, il éprouva une admiration mêlée de colère. Oui, Angelini avait le génie qu'il avait prétendu posséder. Hélène, exactement comme Angelini l'avait prévu, révélait, à l'écran, un érotisme extraordinaire, teinté d'innocence. Des images du film, se confondant à celles du passé, le hantaient.

Il y avait également ce nouveau projet, *Ellis*, pour lequel Angelini cherchait à obtenir un important soutien financier de Sphère. Il programmait le film pour l'année suivante, et une copie du scénario d'Angelini se trouvait sur son bureau à Saint-Cloud. Ce soir-là, Édouard devait rendre une réponse pour le financement du film. Il avait déjà lu le scénario et comptait le relire.

La Rolls Royce s'arrêta devant les ateliers de Chavigny, rue du Faubourg-Saint-Honoré. Le portier en uniforme s'avança aussitôt en le saluant. Édouard y pénétra par son entrée privée et se dirigea, comme il avait été convenu, vers une salle spéciale.

Là, dans une salle à côté des chambres fortes, les pièces qu'il avait demandé à examiner étaient toutes posées sur une table : une douzaine de valises en cuir repoussé dont le dessin et les ornements rappelaient différentes époques du passé. Il y avait des modèles de Chavigny, Cartier, Wartski's, le célèbre bijoutier de Londres, et même Van Cleef et Arpels. Certains venaient également de Bulgarie.

Édouard demanda à être seul et ouvrit les valises une à une. Il voulait choisir le cadeau d'anniversaire de sa fille. Ensuite, le présent serait remis dans un coffre spécial placé dans une chambre forte des ateliers de Chavigny jusqu'à... « jusqu'à ce qu'elle soit plus grande », se disait Édouard.

Le coffre contenait déjà deux cadeaux. Un collier de perles et de superbes diamants roses, taillés en briolette, qui avaient été le chef-d'oeuvre de la première collection de Wyspianski. Il avait été placé là le jour de la naissance de Catharine. Pour son premier anniversaire, Édouard avait jeté son dévolu sur un diadème fait de diamants taillés en rond et d'onyx noir, surmonté d'une rangée de perles, et conçu pour Cartier en 1914. Contrairement à la plupart des diadèmes, il était très léger. Édouard se disait que Catharine aurait plaisir à le porter.

Il passait lentement en revue tous les coffrets, les ouvrant les uns après les autres. De chez Cartier encore : une aigrette de diamants, commandée par le prince Gortchakov en 1912, un merveilleux pendentif avec une poire en diamants de vingt carats. De Chavigny : un collier de perles de saphir et d'émeraude entremêlées de diamants, dessiné par Vlacek à l'intention du père d'Édouard en 1920. « Pas d'émeraudes », se dit Édouard en passant aussitôt au coffret suivant.

Une bague trop sérieuse : un diamant jaune taillé en carré, de près de trente carats, qui ne plaisait pas à Édouard malgré la valeur de la pierre. Une petite mallette en or, émaillée et sertie de lapis-lazuli de la couleur des yeux de sa fille. Une montre unique, véritable pièce de collection, avec un mécanisme du célèbre Jean Vergely, dessinée en 1925, montée sur un bracelet de soie. Elle était faite également d'or et de lapis-lazuli ; deux minuscules rubis marquaient les heures. Un collier de corail fait en Chine au XVIIIe siècle dont les fleurs sculptées formaient de petits massifs d'onyx, de diamants et de perles noires. Une broche en rubis et diamants dessinée à l'intention de l'un des Romanov, un collier en résille de diamants, fait par les ateliers de Chavigny en 1903, qui était une copie d'un collier porté par Marie-Antoinette et acheté par la belle Otéro.

Édouard examina chaque pièce une première fois sans parvenir à se décider. Il écarta celle dont l'histoire était triste. Il y avait une paire de bracelets assortis surmontés de cabochons de rubis qui, autrefois, avaient appartenu au maharadjah de Mysore. « Isobel les aurait adorés », songea-t-il avec tristesse. Il porta finalement son choix sur la pièce dont la valeur venait du travail et non de la pierre : le collier chinois. Après l'avoir mis dans le coffre, Édouard partit pour Saint-Cloud.

Il promena son regard sur le paysage qui défilait par la vitre de la voiture sans rien distinguer vraiment. Deux ans et demi. Dans ses moments les plus sombres, il se disait que l'espoir et la certitude qui l'habitaient parfois n'étaient qu'une construction de son esprit pervers, une obsession destructrice à laquelle il se rattachait dans le néant de sa vie. D'autres fois, il ressentait exactement le contraire. Il ne se posait même plus de questions. Les deux positions contradictoires coexistaient dans son esprit, comme deux pôles complémentaires et opposés, le nord et le sud. Il en acceptait maintenant la constante oscillation. En un mot, il s'était résigné.

À Saint-Cloud, un maître d'hôtel lui servit son repas. Il se sentait affreusement seul. Il retourna ensuite dans son bureau. Rien n'avait changé. Les aquarelles de Turner étaient toujours accrochées au mur, les mêmes tapis recouvraient le sol. Il revit un instant Isobel, assise en face de lui, évoquant d'un air moqueur son mariage avec un homme qui n'aspirait qu'à la mort.

Édouard s'assit à son bureau. Dans un tiroir qu'il ouvrit se trouvait une enveloppe timbrée d'Amérique. Elle lui était parvenue la veille, jour de l'anniversaire de sa fille.

Il en sortit une fois de plus la photo accompagnée d'une feuille où Madeleine avait inscrit quelques mots.

La photo était celle d'une petite fille vêtue d'une robe bleue à smocks et chaussée de sandales. Sa chevelure noire lui tombait sur les épaules. Ses yeux bleu sombre fixaient l'objectif d'un air sérieux.

La photo était prise dans un jardin. Dans le fond, on distinguait à peine les murs et les fenêtres d'une maison. À ses côtés, la regardant avec fierté, se tenaient Madeleine, dans son uniforme beige clair de Norland College et une dame plus âgée, un peu dodue, aux cheveux gris.

Madeleine écrivait en français :

> *La petite Cat a deux ans. Cassie et moi l'avons mesurée aujourd'hui. Elle fait quatre-vingts centimètres et pèse exactement neuf kilos. Cat est petite, mais elle grandit très vite. Je ne sais plus combien de mots elle sait, mais son vocabulaire s'accroît chaque jour. Le mois dernier, Cassie et moi en avons compté cent quatre-vingt-dix-sept, mais ce nombre est dépassé maintenant. Elle connaît cinq mots de français : bonjour, bonne nuit, merci beaucoup,. Pour son anniversaire, je lui tricote un gilet bleu, sa couleur préférée. Il est pratiquement terminé, il ne me reste plus que les manches. Cassie lui a fait une jupe avec une jolie petite bordure bleue. Elle dort beaucoup mieux maintenant et a un très bon appétit. En février, elle a eu un rhume, mais tout est rentré dans l'ordre.*

Trois mots étaient barrés. Impossible de les déchiffrer. Madeleine avait terminé ainsi :

> *Sur la photo, vous apercevez Cassie et moi. Cassie est la domestique et elle fait parfois la cuisine. Elle est arrivée en juin dernier lorsque nous avons emménagé ici. Nous sommes devenues amies.*
> *Avec l'assurance, Monsieur le Baron, de ma reconnaissance et de mon respect.*

La lettre, ou plutôt la note, était signée. Madeleine avait ajouté, après réflexion : *Tout va bien.*

Édouard relut ces derniers mots plusieurs fois. Il resta un long moment à contempler la photo, puis la glissa dans l'enveloppe, qu'il remit dans le tiroir. Dessous se trouvait une autre lettre envoyée par Madeleine un an auparavant à la même date en mai. Il lui avait donné des instructions très strictes sur la fréquence de leur correspondance, et Madeleine les suivait scrupuleusement.

Elle ne devait pas être là au simple titre d'informatrice. Édouard, trouvant cela profondément déshonorant, avait insisté sur ce point. Malgré son embarras devant cette situation, il avait tout expliqué à Madeleine. Il ne voulait strictement rien savoir des gens qui se trouvaient dans cette maison, des événements ou des conversations qui s'y déroulaient. Madeleine était là pour une seule et unique raison : s'assurer que sa fille était bien soignée et en bonne santé. « Une fois par an, le jour de son anniversaire, j'aimerais simplement que vous m'envoyiez une photo », lui avait-il demandé. La requête lui avait paru difficile. Madeleine avait penché la tête. Elle avait eu l'idée de ces petites notes anodines qui, en fait, disaient l'essentiel. Il n'avait pas le courage de la prier de ne plus écrire.

Il lui avait donné des instructions sur un ton sec, comme à l'accoutumée lorsqu'il voulait masquer son émotion. Il brûlait du désir de lui poser mille questions. Catharine était-elle heureuse ? Sa mère l'était-elle également ? À quoi passait-elle ses journées ? Que pensait-elle ? Que disait-elle ? Que ressentait-elle ? Aimait-elle son mari ? Catharine aimait-elle Lewis Sinclair ? L'appelait-elle papa ?

Il souhaitait une réponse à toutes ces questions et à bien d'autres encore. Il éprouvait une pointe de mépris à l'égard de lui-même et de ce besoin qu'il ne maîtrisait pas totalement, mais n'en parlait jamais. Cette conduite était délibérée. Jusque-là, il avait tenu et ne comptait pas dévier des rails d'acier de son code personnel.

Tout va bien. Il savait la raison qui avait poussé Madeleine à écrire ce post-scriptum. Et si elle avait écrit le contraire ? Rien ne va plus. C'est le désordre complet, Catharine souffre, elle n'est pas heureuse... Qu'aurait-il fait alors ? Il se cacha le visage dans les mains avec lassitude. Édouard était, avant tout, méthodique et minutieux. Il avait consulté un avocat et discuté, dans l'abstrait, certains points. L'homme de loi l'avait observé avec attention et une certaine pitié, peut-être. Puis il avait croisé les mains.

— Dans la situation que vous exposez, monsieur le Baron, la loi est formelle. Le terme qui s'applique est *père putatif*, et, dans le cas que vous décrivez, le père putatif n'a aucun droit. Il ne peut rien revendiquer.

— Rien du tout ?

— Rien, monsieur le Baron.

Édouard se leva. Il ferma le tiroir de son bureau à clé et mit la clé dans sa poche. Il sortit de chez lui, monta dans son Aston Martin noire et conduisit à vive allure pendant une heure dans les rues de Paris. La nuit était tombée. Il avait mis quelques pièces pour piano de Beethoven dont le premier enregistrement avait été fait par Schnabel en 1938. Il aimait particulièrement ce disque et l'écoutait souvent chez lui. C'était une musique mélancolique avec des accents de douceur entrecoupés de brusques envolées sauvages. Il y avait parfois également une note de gaieté.

Quand il revint chez lui, il demanda à son maître d'hôtel, Georges, de lui servir un verre d'armagnac. Une fois servi et de nouveau seul dans la pièce, Édouard prit le scénario d'*Ellis* et le relut.

Le scénario était accompagné de nombreux rapports des conseillers techniques et des directeurs de production de Sphère. Certains étaient favorables au projet, d'autres opposés. Édouard les mit de côté et examina le détail du scénario. Il était exceptionnellement long, ce qui sous-entendait un film d'une durée également inhabituelle. Il lui fallut près de deux heures pour le lire attentivement. Tout au long du scénario, il inscrivit quelques notes.

Le film commençait sur l'île d'Ellis en 1912. C'était l'histoire de trois familles, juive hongroise, irlandaise et allemande, devenues américaines et dont les aventures étaient imbriquées. Le thème principal en était la naissance d'une nation. « La comparaison avec D. W. Griffith était inévitable, se disait Édouard, et amuserait certainement Thaddeus Angelini. »

Le film se concentrait surtout sur les jeunes générations et en particulier sur Lise, une jeune orpheline allemande de quatorze ans. C'est ainsi que débutait le film. Ce rôle devait être joué par Hélène. Sans nul doute, il avait été écrit à son intention. Ce rôle, il en était certain, allait lui valoir le premier prix d'interprétation.

Une fois la lecture du scénario terminée, il le referma et resta un long moment pensif, les mains croisées. Il connaissait les talents de metteur en scène d'Angelini. Le scénario l'avait bouleversé. Il était remarquable.

S'il se refusait à financer le film, d'autres sociétés se précipiteraient, trop heureuses de l'aubaine. La réputation d'Angelini grandissait à vue d'œil. La participation d'Hélène Harte en assurait le succès commercial. Le film trouverait de toute façon un producteur, et le financement serait réparti entre plusieurs sociétés.

Il hésita avant de signer, conscient, s'il donnait son accord, de perdre Hélène. Ce serait pour elle le succès absolu. Ce document était une sorte de mort garantie de ses espoirs.

Il saisit son stylo de platine et apposa sa signature.

— Ma chère Louise, je vois exactement ce que vous voulez, mais c'est vraiment impossible.

Elles venaient de terminer le tour de la maison et étaient retournées au salon qui donnait sur la mer. Louise, assise, gardait pour une fois le silence. Ghislaine était encore debout au milieu de la pièce et accompagnait ses dires de larges gestes théâtraux.

— Toutes ces petites notes personnelles, Louise, quel goût ! Mais le reste est atroce. Il faut tout refaire et repartir de zéro.

— Vraiment, Ghislaine ? Je me laisserai guider par vous, bien entendu, je vous fais entièrement confiance.

Louise ne semblait plus porter grand intérêt à la question. Ghislaine l'observa attentivement. Allait-elle changer d'avis ? Abandonner son projet ? « Tout est possible avec elle », se dit Ghislaine. Louise était capable de changer quinze fois d'avis en quelques minutes.

Ghislaine laissa errer son regard, en proie à une grande hésitation. La villa était merveilleuse, très bien située au sommet d'une colline, à une douzaine de kilomètres de Saint-Tropez. Les pièces étaient vastes et claires, il y avait une magnifique terrasse et quarante hectares de terrain qui permettait un isolement total. Quant à l'intérieur, si la maison lui avait appartenu, Ghislaine aurait été tentée de la laisser en l'état. Le décorateur anglais qui s'en était occupé, un homosexuel exubérant, ne plaisait pas à Ghislaine. Mais elle reconnaissait qu'il avait un talent extraordinaire. L'utilisation de la couleur, le sens des formes, la qualité des rideaux, les tapis qui à eux seuls valaient une petite fortune, tout était d'un goût exquis.

Toutefois c'était la maison de Louise, non la sienne, et Ghislaine n'avait nullement l'intention de lui dire le fond de sa pensée. Seulement, l'indifférence de Louise l'intriguait. Elle s'attendait à des arguties, à une opposition. Or, jusque-là, rien ne s'était produit. Ghislaine craignait un ennui sérieux.

Elles devaient déjeuner sur la terrasse. Au cours du repas, Ghislaine repartit à l'attaque. Louise savourait son vin, le regard perdu vers la mer. Ghislaine, sentant l'intérêt pratiquement nul que portait Louise à ses paroles, commençait à désespérer.

— C'est simple, extrêmement simple, ma chère, d'une simplicité audacieuse. C'est là que réside l'élégance. Mais tout cela, vous le savez, vous qui représentez... (Elle s'interrompit dans l'espoir d'une réponse. Louise accepta le compliment avec un sourire rêveur.) Il faut des couleurs passe-partout, poursuivit Ghislaine, s'animant un peu. Un merveilleux blanc cassé. Un peu de bleu qui rappelle celui de la mer. Et cet exquis gris-vert, la couleur du romarin.

— Vert ? J'ai toujours détesté le vert, quelle que soit la nuance, fit Louise d'un ton maussade.

Ghislaine, qui portait une robe verte, poussa un long soupir.

— Nous supprimerons le vert, s'empressa-t-elle d'ajouter. Si nous tentions une note de rose ? Qu'en pensez-vous ? Ce serait prodigieux. Un rose très pâle, un rose coquille, mais il faut être extrêmement prudent. Rien de trop éminemment féminin. Ni franfreluches ni ornements superflus. Il ne faut aucune extravagance. Quant au mobilier, rien d'imposant là non plus. Ne serait-ce pas surprenant, Louise ?

— La simplicité ? répondit Louise, un vague sourire aux lèvres, oh oui ! cela semble tout à fait charmant.

— Il nous faudra prêter une attention particulière aux peintures, continua Ghislaine avec entêtement. Cette tapisserie horrible doit être changée. C'est parfaitement incongru dans une telle demeure. Voyez-vous, il faut davantage mettre en valeur ces baies vitrées. Peut-être devrions-nous demander conseil à Clara Delluc ? Elle pourrait s'occuper des tissus. Elle est merveilleusement originale. Je l'adore...

Louise repoussa son verre de vin avec une pointe d'agacement.

— Bien sûr, bien sûr. Je vous ai déjà dit, Ghislaine, que vos idées sont séduisantes et que je vous laisse le soin de régler les détails. Je n'en ai guère le temps. Ah ! quand un sujet vous passionne, Ghislaine, vous harcelez votre interlocuteur de questions.

Ghislaine lui lança un regard haineux que fort heureusement Louise ne remarqua pas. Elle avait l'intention de lui faire payer une petite fortune.

— Très bien, fit-elle d'un ton sec, il va falloir aller vite. Le travail préliminaire est terminé, tout le monde est prêt. Je ferai l'impossible, ma chère, puisque c'est pour vous.

Louise ne prit même pas la peine de la remercier. Elle était, une fois de plus, perdue dans ses rêves.

— La maison porte trop l'empreinte d'une femme, vous ne trouvez pas, Ghislaine ? C'est ce qui ne va pas, je crois. Quand je pense à cet horrible homosexuel qui l'a conçue, je me demande vraiment pourquoi j'ai fait appel à lui. Je devenais folle tant il me tourmentait. Mais vous, vous avez une imagination masculine, aussi suis-je certaine que votre réalisation me plaira. J'aimerais... j'aimerais que ce soit le style de maison où un homme puisse se plaire, oui, voilà ce que je souhaiterais. Maintenant, je vois très bien.

Ghislaine l'observa attentivement. Effectivement, c'était très simple. Louise ne pouvait jamais penser à deux choses à la fois. Ce n'était pas par manque d'intérêt, mais son esprit était habité par Philippe de Belfort.

Lorsqu'elles montèrent dans l'avion d'Édouard qui devait les ramener à Paris, Louise retrouva sa bonne humeur. Elle se conduisait comme si elle s'était absentée plusieurs mois et non quelques heures. Elle confia à Ghislaine, avec un coup d'œil complice, qu'elle était attendue à l'aéroport. Ghislaine sourit naïvement.

— Par Édouard ? Il arrive de New York, je crois.

— Édouard ? Mon Dieu, non, Ghislaine. Par Philippe de Belfort.

Louise se trouvait au milieu de la passerelle. Parvenue à la dernière marche, elle se retourna en soupirant et respira les fumées d'oxyde de carbone, puis, offrant son visage au soleil, eut un sourire radieux.

— N'est-ce pas le jour le plus merveilleux ? Voyez-vous, Ghislaine, je me sens rajeunie.

Dès que l'avion eut décollé, Louise demanda du champagne. Elles fumèrent, une coupe devant elles, et l'atmosphère se détendit. Ghislaine y prenait presque plaisir, Louise également. Elles parlèrent de robes, de chapeaux, des qualités de telle ou telle vendeuse. Elles évoquèrent le goût de certains amis communs qu'elles trouvaient toutes deux exécrable. Bien qu'elles n'aient pas réellement d'atomes crochus, il y avait entre elles certains liens et, le champagne aidant, il se développa sinon de l'amitié, du moins une alliance chaleureuse.

— J'adore Balenciaga, fit Louise en soupirant. C'est un génie. Malheureusement, je ne peux porter ses modèles. Je suis trop petite. Sur vous, Ghislaine, ils sont parfaits. Absolument parfaits.

— Ah oui ! Mais vous, vous pouvez porter du Chanel, ma chère. À moi, cela ne me va pas du tout. Je me rappelle vous avoir vue dans une robe Chanel. C'était le bon temps. Je vous revois clairement. Elle était rose, et vous étiez avec Xavier. Que vous étiez belle ! Mon Dieu, que le temps passe vite. Ce devait être autour de 1930.

Ghislaine allait ajouter qu'elle avait quinze ans à l'époque, mais préféra se taire.

— Oh oui ! Je m'en souviens parfaitement, Ghislaine. Nous étions jeunes.

En d'autres occasions, cette allusion au passé, comme si elles étaient du même âge, aurait agacé Ghislaine au point qu'elle lui aurait répondu vertement. Mais pas là. Le champagne la rendait bienveillante. Elle ne tenait pas à gâcher l'atmosphère de sympathie qui régnait.

Elles poursuivirent leur conversation, de femme à femme, et le ton se fit plus confidentiel. Ghislaine parvint à glisser quelques questions sur Édouard, mais Louise ne lui apprit rien.

— Édouard me déçoit, en un certain sens, Ghislaine. Je ne devrais pas dire cela, mais c'est la vérité. Nous n'avons jamais été très proches, il est vrai, et j'avoue que, même maintenant, je ne le trouve pas très sympathique. Il est si prude. Et avec les femmes, il est désespérant malgré toutes ses aventures. Il ne nous comprend pas, Ghislaine, et je crains qu'il n'y ait aucun espoir de changement.

— Quel est l'homme qui comprend les femmes, Louise, quand on y réfléchit ? fit Ghislaine en secouant la tête.

Très peu, Louise était d'accord sur ce point, bien qu'il y ait parfois des exceptions...

Les deux femmes se regardèrent. Sans préciser leur pensée, elles se comprirent parfaitement. Le moment était venu de faire des révélations intimes, mais de telles révélations avaient un code : elles ne devaient pas être à sens unique. Un bon équilibre garantissait la confiance mutuelle.

Ghislaine en était consciente, aussi fut-elle la première à parler.

— Ma chère, vous savez que je n'aborde jamais ce sujet, et pourtant...

Louise, intéressée, se pencha vers elle, les yeux écarquillés. Ghislaine lui parla de Jean-Jacques, évoquant des détails certainement déjà connus de Louise. À sa grande surprise, elle éprouva un certain soulagement d'en parler. À la fin de sa confession, Louise demanda une autre coupe de champagne.

— Non, Louise, pas Xavier, je n'arrive pas à le croire !

Louise acquiesça avec emphase. Elles prenaient toutes deux un plaisir certain à ces confidences. L'instant était propice pour passer des maris aux amants. Ghislaine prit les devants, et Louise la suivit. Des noms furent prononcés, et elles découvrirent que, longtemps auparavant, un jeune homme leur avait fait la cour en même temps, ce qui déclencha leur hilarité.

— Louise, dites-moi. En fait, je ne l'ai jamais trouvé très...

Louise, riant aux larmes, s'essuya le visage.

— Moi non plus ! Ah, ah ! Ghislaine, comment pouvions-nous prendre tout cela au sérieux ? Quelle absurdité ! Mais dites-moi la vérité. Quand vous étiez mariée, vous arrivait-il de vous sentir coupable ?

— À dire vrai, jamais. C'était même le contraire.

— Oh, Ghislaine, je vous adore. Vous êtes d'une franchise crue...

Elles terminèrent la deuxième bouteille de champagne. Le sceau de leur amitié chaleureuse fut scellé. L'avion vira. Ghislaine était consciente d'être légèrement ivre. C'est à cet instant, alors qu'elle n'était plus sur ses gardes, tout comme Louise, que cette dernière commit une erreur irrémédiable.

Elle jaillit de cette intimité et de cette bonne volonté toutes récentes, encouragées par un climat de confiance et sans doute aussi par la pulsion irrésistible de prononcer le nom de Philippe de Belfort.

Louise se pencha vers Ghislaine et lui prit le bras.

— Ma chère, voyez-vous, tout ce que vous me racontiez sur Jean-Jacques, sur sa radinerie...

— Ah, vous pouvez le dire. Il ne partageait pas un sou. Si j'avais dépendu de lui, j'aurais dû m'habiller au Printemps. C'est moi qui payais tout, les factures des couturiers...

Louise, choquée et compatissante, écarquilla les yeux.

— Regardez, fit Ghislaine en tendant la main pour lui montrer sa bague.

— Elle est splendide, ma chérie. Je l'admirais tout à l'heure.

— Je l'ai empruntée, dit Ghislaine avec une pointe d'amertume. Comme la plupart de mes bijoux.

— Ma chérie, mais c'est injuste ! De toute évidence, vous êtes très mal conseillée. Vous pourriez doubler, voire tripler, votre capital et sans rien faire. Philippe de Belfort dit que... (Elle s'interrompit et fit à Ghislaine un clin d'oeil complice.) Il est très intelligent, vous savez. Depuis qu'il me conseille, je puis vous dire, Ghislaine, que c'est très rentable. Vous pourriez faire la même chose.

Philippe vous conseille ? fit Ghislaine, étonnée. Philippe de Belfort ? Mais je croyais qu'Édouard...

— Oh, Édouard ! dit Louise en minaudant. Édouard est si collet monté, si conservateur. Il est intelligent, bien sûr, mais il manque d'audace. Philippe, lui...

Ghislaine avait l'esprit en alerte. Louise se pencha, approcha ses lèvres de l'oreille de Ghislaine et lui glissa quelques mots.

— Rendez-vous compte, Ghislaine. Cent mille ! fit-elle avant de se redresser, le regard étincelant. Ghislaine était perplexe.

— Francs ?

— Ghislaine, ma chérie, ne soyez pas stupide. Livres sterling. Tout est parfaitement en règle. C'est ma banque suisse qui s'occupe de tout. En deux mois.

Ghislaine était stupéfaite.

— Deux mois ?

— Ce sont les gains en deux mois, fit-elle avec un sourire conspirateur. J'avais une envie folle de vendre et de récupérer les bénéfices, mais Philippe me l'a déconseillé. Il m'a suggéré de persévérer. Il croit que les valeurs peuvent encore grimper de vingt pour cent, peut-être davantage. N'est-ce pas merveilleux ? C'est ce genre de petite gratification qui fait toute la différence. Vous me comprenez, n'est-ce pas ?

Ghislaine ne la comprenait que trop. Cent mille livres en deux mois. Elle s'imaginait dépensant une telle somme en bijoux authentiques, bien à elle. Jamais son ressentiment ne fut plus grand à l'égard de Louise qui pourtant déployait une grande bonté. Cent mille : de la menue monnaie pour Louise, mais elle y prenait autant de plaisir qu'une petite fille qui vient de gagner à la loterie.

— Tout cela est très bien, lui dit Ghislaine, mais vous possédez un capital que malheureusement je n'ai pas et...

— Il faut spéculer pour accumuler, Ghislaine. N'oubliez jamais ce principe de base. Ensuite, c'est facile, il faut être bien placé pour être au courant de tout. Avez-vous, en ce moment, un peu d'argent disponible ?

— Oui, je viens de recevoir une certaine somme pour la décoration de la demeure des Rothschild et j'ai terminé la maison de Harriet Smithson il y a environ un mois, aussi...

— Ma chérie, je vais vous dire simplement un mot, ou plutôt trois. Mais il vous faudra agir vite. Ensuite, vous oublierez que c'est moi qui vous l'ai dit. Promis ?

— Promis.

— Pas un mot à quiconque et surtout pas à Édouard. Je peux compter sur vous, Ghislaine ? Si Édouard savait que je ne l'ai pas consulté, il serait très contrarié, et tout serait gâché.

— Pas un mot, ma chère, naturellement, je le jure.

Leurs regards se croisèrent, puis Louise esquissa un sourire.

— Le groupe Rolfson Hotels.

Mille sonnettes d'alarme retentirent dans la tête de Ghislaine, qui éprouva une brusque sensation d'apaisement. Elle vit d'emblée tous les avantages que pouvait lui procurer la trahison de cette confidence.

Le lendemain, installé dans son bureau de Paris, Édouard avait sous les yeux quelques pages remplies de chiffres et, en face de lui, Philippe de Belfort. C'était leur premier rendez-vous depuis le retour d'Édouard de New York, la veille. Édouard l'avait convoqué de toute urgence. Belfort semblait parfaitement calme.

Édouard examina les chiffres inscrits sur les registres d'un air las. Il s'en voulait d'avoir perdu un jour. La veille, il avait été très occupé. Il avait passé des heures à choisir un présent pour Catharine, puis à lire le scénario d'Angelini à Saint-Cloud. Et tout ce temps, le dispositif de la bombe était en marche. Il est vrai que la délégation des pouvoirs était une nécessité. C'était en quelque sorte la responsabilité de Belfort et son domaine, mais c'est à lui qu'incombait la faute. Édouard faisait et refaisait ses calculs, furieux contre lui-même. Lorsque enfin il leva les yeux, il eut un air glacial.

— Nous étions constamment en contact lors de mon séjour à New York. Voulez-vous me dire la raison pour laquelle vous n'avez jamais mentionné ce problème.

— Je savais que vous surveilliez le marché, je présumais que vous étiez au courant. Vous avez soulevé le problème une fois, si je me souviens bien.

Il parlait d'un ton nonchalant, presque insolent.

Édouard se raidit.

— J'ai évoqué le problème, et vous m'avez dit que vous continuiez à surveiller le cours. J'étais alors très pris par les négociations avec la Partex, comme vous le savez. C'est vous qui étiez à Londres pour négocier. C'est votre entière responsabilité. Hier, vous auriez pu m'en parler dès mon retour.

— Je ne suis pas entré en contact avec vous ni hier ni plus tôt pour une bonne raison. J'ai bien vérifié la situation et je ne voyais vraiment aucune cause d'inquiétude. Mon point de vue n'a pas changé, d'ailleurs.

— Je vois.

— Le ton de Belfort avait une pointe d'agressivité, comme chaque fois que son jugement était mis en doute. Édouard se pencha, une fois de plus, vers les chiffres. Au bout d'un moment, il leva la tête et regarda Belfort droit dans les yeux.

— Le message de ces chiffres est parfaitement clair. Il y a une erreur.

— Je ne la discerne pas.

— Eh bien, je vous suggère de procéder à des vérifications. Nous sommes en mai. Les actions du groupe Rolfson Hotels ont monté régulièrement depuis février.

— Pas de façon étonnante, fit Belfort en haussant les épaules. Cela arrive. Nos titres n'ont pas bougé. On ne peut empêcher les rumeurs. Le marché est instable.

— Instable, précisément. C'est exactement ce que je souhaitais. Une hausse et une baisse dans les actions Rolfson. C'est classique avant le rachat d'une société. Or ce n'est pas le cas. Depuis février, il y a une hausse constante et virtuellement aucun repli.

— C'est inhabituel, je l'avoue, dit Belfort, hautain. Mais, dans ce domaine, ce n'est pas toujours conforme aux règles. Il y a des exceptions. C'est ce qui s'est passé pour les actions de Mackinnon en 1959. Si cela continue, je l'admets, nous pourrions être amenés à faire une offre légèrement plus importante. Nous sommes encore en deçà de nos marges. Mais je ne pense pas que cela sera nécessaire. Les actions ne vont pas continuer à grimper. Elles vont retomber d'un jour à l'autre. Il nous reste encore une semaine.

Édouard parut sceptique. Les propos de Belfort n'étaient pas dépourvus de bon sens, mais il sentait chez lui un certain malaise. À force de se battre, on acquiert l'instinct des affaires. Édouard, lui, était né avec cet instinct que la force de l'habitude avait acéré. Il examina les chiffres une fois de plus. Quelque chose n'allait pas. Il observa Belfort.

— Vous êtes formel sur le système de sécurité ?

— Absolument. Nous avons utilisé des codes secrets depuis le début.

Quatre ou cinq personnes seulement connaissent le nom de la société et le moment où nous ferons cette offre. Nous commencerons à imprimer les lettres destinées aux actionnaires de Rolfson dès demain. Là, ce sera plus difficile. Personnellement, je pense que les fuites proviennent de l'imprimerie et j'aurais préféré attendre. Mais nous avons été très prudents. C'est une petite firme de Birmingham qui s'en est chargé. Nous avons déjà travaillé avec eux, tout comme Montague Smythe. Nous n'avons jamais eu d'ennuis.

— Il y a eu simplement cette histoire dans la presse, rien d'autre ?

Édouard glissa l'article sur le bureau. Belfort y prêta à peine attention.

— Ce torchon ? Personne n'a remarqué cet entrefilet, et cela n'a eu aucune conséquence. Personne ne prend cet homme au sérieux à Fleet Street. Ce n'est que de la pure spéculation de sa part.

— Il fait allusion cependant à l'éventualité d'une contre-enchère.

Belfort soupira.

— Nous avons déjà abordé ce problème. C'est évidemment une possibilité qu'on ne peut totalement effacer. Mais, à mon avis, vu l'opportunité de l'offre, juste après l'annonce du bilan — et nous savons très bien quelle va être la réaction des actionnaires —, je pense que nous n'avons rien à craindre. À dire vrai, je ne comprends pas très bien votre inquiétude.

— Quelqu'un a acheté, l'interrompit brutalement Édouard. Vous n'êtes pas un imbécile, vous pouvez le voir aussi bien que moi d'après ces chiffres. Quelqu'un rachète des parts depuis deux mois, pour plus de précision, depuis février, à intervalles réguliers et investit des sommes importantes. Il ne peut y avoir qu'une explication : il y a eu une fuite sur nos enchères.

— Je n'accepte pas...

Le ton montait. Édouard continua comme s'il n'avait pas entendu.

— Quelqu'un a racheté des parts et continue à le faire. Il y a eu une hausse de sept points ces trois derniers jours seulement. Ce qui me fait penser que non seulement quelqu'un est au courant de notre transaction, mais qu'il sait qu'une contre-enchère va avoir lieu. (Édouard, le front plissé, se tut.) ... Quelqu'un a déjà fait des bénéfices substantiels et, s'il y a une contre-enchère, il va gagner une fortune.

— Il nous reste une semaine, fit Belfort en se levant, le visage pourpre de colère. Ces chiffres sont trompeurs. Je suis sûr qu'il y aura une baisse dans les prochains jours. Il nous suffit d'attendre patiemment.

— Je n'en ai nullement l'intention.

— En fait, je n'ai pas l'impression que nous ayons vraiment le choix.

— Oh, il existe toujours diverses possibilités, fit Édouard en se levant. (Il lança un regard implacable à Belfort avant d'ajouter d'une voix calme :) Je retarde notre offre.

— Nous ne pouvons pas faire cela. Enfin, vous ne pouvez pas, c'est impossible.

Les lourds traits du visage de Belfort se crispèrent soudain. Ses yeux ternes de poisson mort qu'Édouard détestait se posèrent sur lui. Il lui fallut une seconde, peut-être plus, pour se ressaisir.

— Si nous agissons ainsi, nous perdons le bénéfice de l'initiative. L'occasion sera perdue. Si je ne vous connaissais pas, j'aurais l'impression que vous cédez à la panique. C'est ridicule. Vous détruisez tout ce que j'ai fait depuis des mois.

Édouard ne répondit pas. Se retournant, il composa un numéro sur l'interphone.

— Passez-moi Montague Smythe. Richard Smythe en personne.

Il y eut un silence. Belfort se tut. Il détourna le regard et contempla le tableau de Rothko. Derrière lui, d'une voix parfaitement calme mais qui ne présageait rien de bon, Édouard dit :

— Qu'il quitte la réunion. Immédiatement, je vous prie.

Debout devant la fenêtre de sa suite à l'hôtel du Cap d'Antibes, Lewis Sinclair promenait son regard sur les beaux jardins qui descendaient jusqu'à la Méditerranée. Hélène n'était pas là. Elle avait encore une interview. Thad, enfoncé dans un fauteuil derrière lui, lisait le journal, tournant une page de temps à autre. La présence de Thad lui devenait insupportable.

Il y avait un certain prestige à séjourner à l'hôtel du Cap pendant le festival cinématographique de Cannes. Le commun des mortels se battait pour obtenir les meilleures suites au Carlton ou au Majestic à Cannes. Les gros bonnets, comme les appelait Thad, résidaient là, à quarante minutes en voiture du centre de la ville, dans ces lieux magnifiques mais extrêmement onéreux.

« Sphère doit veiller à son image de marque, avait dit Thad. Il faut que l'on descende au Cap. Pour moi, cela n'a aucune importance, mais c'est primordial pour Hélène. »

Voilà pourquoi ils avaient choisi cet endroit. Ils étaient arrivés depuis quatre jours, bien avant le début du festival. Thad avait ainsi eu le temps d'organiser bon nombre de rendez-vous, et Bernie Alberg, l'infatigable agent de presse d'Hélène, des interviews à n'en plus finir. Quant à Lewis, que pouvait-il faire d'autre sinon nager dans la piscine, aller au bar et replonger dans la piscine.

Thad froissa une page, et Lewis lui décocha un regard furieux par-dessus son épaule. Sans doute Thad le remarqua-t-il, car, devant Lewis étonné, il se leva peu après.

— Je crois que je vais aller prendre une douche rapide avant de me changer. Nous devons être à l'heure.

Lewis ne prit pas la peine de lui répondre. Thad avait la manie de la ponctualité, ce qui irritait Lewis. Et même s'ils étaient en retard ? Quelle importance ? Ce n'était qu'un dîner de plus, donné par l'un des innombrables hommes d'affaires qui vivaient du festival. Dans ce cas, il s'agissait d'un promoteur de la Côte d'Azur spécialisé dans la vente de villas somptueuses à des Américains, et la période du festival était une aubaine. Lewis le comparait à un requin bien nourri.

— Susan Jerome sera là, fit Thad d'un air suffisant.

Susan Jerome était la critique cinématographique la plus influente en Amérique.

— Et alors ? dit Lewis en haussant les épaules.

— Ainsi que la directrice d'*Artists International*. C'est payant de faire la connaissance de ces gens, tu sais, Lewis.

— Peut-être pour toi, mais pas pour moi. Susan Jerome est une emmerdeuse.

— Elle apprécie nos films.

— Tes films, tu veux dire. J'ai lu son dernier panégyrique. Il ne me semble pas qu'elle parlait de moi.

— Lewis, nous devrions aborder ce problème ensemble. Vraiment. Vois-tu, je suis dans la pièce d'à côté et les cloisons sont minces. J'entends tout, sans le vouloir... Je suis ton ami, Lewis. À qui te confier sinon à moi ?

Il n'obtint aucune réponse. Lewis poussa un soupir.

— Écoute, Thad, fous le camp, d'accord ?

Thad sortit, et Lewis resta debout devant la fenêtre. Un long moment s'écoula. Il aurait pu se rendre à la piscine, au bar, se promener dans les jardins, lire un journal, faire la sieste. Toutes ces possibilités effleurèrent son esprit, mais, comme aucune ne le tentait vraiment, il lui était impossible de faire un choix. L'inertie était préférable.

Il se versa un verre de gin auquel il ajouta du tonic et des glaçons, puis repartit devant la fenêtre. Dans les jardins en contrebas, une silhouette surprenante, juchée sur de hauts talons aiguilles, traversait la pelouse avec difficulté. Elle était vêtue d'une robe blanche semi-transparente plaquée sur ses rondeurs voluptueuses, et une toison de cheveux blonds étincelants accentuait son aspect insolite. Elle donnait le bras à un petit homme sec et ridé qui était l'un des agents de Hollywood les plus cotés. Stephani Sandrelli, le nouveau sosie de Monroe. Elle et son agent avaient été presentés à Lewis lors d'un dîner. Il ne se rappelait pas exactement où et n'y attachait d'ailleurs pas grand intérêt. Des visages, des noms s'entremêlaient. Il se versa un autre gin. Hélène était en retard.

Lorsque enfin elle arriva, elle s'arrêta devant la porte et s'écria, de cette voix qu'il haïssait :

— Oh, Lewis.

Ce ton léger de reproche déclencha sa colère, comme toujours.

Il s'avança vers elle. Hélène ferma la porte.

— Lewis, je suis en retard. Je dois me changer. On n'a pas le temps. Lewis, je t'en prie, pas maintenant.

Lewis ne l'écoutait pas. Il était certain de parvenir cette fois à ses fins. Ils n'avaient pas besoin de préambule. Si seulement elle ne discutait pas...

Elle capitula assez vite. Lewis évita de la regarder. Il cacha sa tête dans son cou. Cette fois, tout allait marcher, oui...

Mais il eut le malheur de croiser le regard d'Hélène qui ne reflétait que de la pitié. Ensuite, ce fut impossible. Hélène tenta de lui passer les bras autour du cou.

Il se leva en criant.

— C'est ta faute, tout ça. Sur l'écran, tu es parfaite, mais dans un lit tu ne sais même plus faire l'amour.

Dans la pièce à côté, Thad entendit. Lewis en était absolument certain. Il voulait qu'il entende. Voilà pourquoi il avait crié.

Après tout, il fallait bien qu'il le dise à quelqu'un, et Thad était son meilleur ami.

À qui pouvait-il se confier sinon à Thad ?

— ... Susan Jerome. Gregory Gertz, un des metteurs en scène qui montent en flèche. Américain. Joe Stein, directeur d'*Artists International*. Mme Joe Stein, très intéressée par la Maison Jasmin. Je leur ai dit qu'elle avait appartenu à Colette. En fait, je crois qu'elle y a passé un week-end.

Les yeux de Gustav Nerval, un fabuleux promoteur, étincelaient de plaisir. Ils s'assirent sur le balcon de sa suite à l'hôtel du Cap. Nerval prenait plaisir à faire la liste de ses invités de la soirée organisée pour la charmante Mme Belmont-Laon. Il avait gardé le meilleur pour la fin.

— Thaddeus Angelini. Avez-vous vu *Short Cut* ? Il va obtenir la Palme d'Or, c'est une certitude. Et Hélène Harte. Quelle beauté. Quelle grâce. Je la crois très intelligente. Sans oublier son mari.

— Hum, tout cela est très bien, fit Ghislaine qui le regardait avec amusement.

C'était un petit homme trapu, très brun, doté d'un charme considérable et, en matière de finance, d'une énergie prodigieuse. Elle avait entendu parler de lui, bien évidemment. Il était devenu une légende sur la Côte. Lui aussi avait entendu parler d'elle.

Elle le soupçonnait, sans en être vraiment sûre, d'avoir organisé ce rendez-vous, chez des amis communs. Elle le soupçonnait, sans en être sûre non plus, de viser la villa de la baronne de Chavigny. Elle le soupçonnait, toujours avec la même incertitude, de vouloir traiter avec elle. Une association entre un homme comme Nerval, spécialisé dans les belles villas spacieuses, la plupart du temps tristement délabrées, et Ghislaine Belmont-Laon, qui pouvait leur redonner leur éclat avec son talent de décoratrice, n'était pas si surprenante.

— Croyez-vous que Joe Stein va acheter ? Vous graissez toujours la patte ainsi ?

Nerval éclata de rire.

— Bien sûr. Si une clé ne tourne pas dans la serrure, il faut la huiler avant de forcer.

— Et les autres ?

— C'est pour le décor. Les gros poissons se nourrissent de compères du même acabit. Aucun ne présente vraiment d'intérêt pour nous. Sauf Hélène Harte. Elle n'achètera pas cette année, mais l'an prochain ou dans deux ans. Je suis sûre qu'elle se montrera intéressée. Bon, laissez-moi vous servir un autre verre.

Ghislaine l'observa tandis qu'il traversait le balcon de sa suite pour aller chercher la bouteille dans le seau à glace. Tous deux prirent du Perrier. Ghislaine s'étira en souriant et offrit son visage au soleil.

Tout se déroulait si bien qu'elle arrivait à peine à le croire. Elle logeait dans l'aile réservée aux invités de la villa de Louise, à une soixantaine de kilomètres de là. Sans rien débourser, elle vivait dans le luxe. Elle avait d'innombrables amis dans le sud de la France et avait largement le temps de leur rendre visite, tandis que ses collaborateurs travaillaient pour elle. Elle avait fait la connaissance de Nerval, qui pourrait la lancer. Sa carrière entrait dans une nouvelle phase. Avec la commission qu'elle avait reçue des Rothschild, elle avait placé quinze mille livres en actions du groupe Rolfson Hotels et avait vu son capital grimper rapidement. Elle possédait des informations pour lesquelles Édouard lui serait reconnaissant à vie, étant donné son aversion pour Belfort. Il serait furieux d'apprendre qu'il avait conseillé sa mère sur le plan financier. De surcroît, ce soir, elle allait faire la connaissance d'Hélène Harte à l'égard de laquelle elle éprouvait une profonde curiosité teintée de jalousie.

Le hasard faisait bien les choses. Elle rencontrerait Édouard à son prochain voyage à Paris, lui demanderait conseil pour son investissement en Rolfson, lui avouerait son inquiétude pour Louise... tout en s'arrangeant pour que les travaux de Saint-Tropez soient légèrement retardés afin d'être sur place lorsque Louise et Édouard arriveraient.

Tout était parfait ! Elle ne s'était jamais sentie aussi heureuse.

Nerval était utile, car il connaissait tout le monde.

— Dites-moi, fit-elle lorsqu'il revint s'asseoir auprès d'elle, parlez-moi d'Hélène Harte. Qui est-elle ? Pourquoi cet engouement soudain ?

— Demandez à Joe Stein ce qu'a rapporté son dernier film. Il essaie de la faire entrer à *Artists International.* Il vous le dira.

— Combien de films a-t-elle tournés ? Je n'avais jamais entendu parler d'elle.

— Trois ou quatre, je ne sais pas exactement. Oui, quatre, je crois. Deux courts métrages et deux longs métrages. Vous ne l'avez pas vue dans *Été* ? Je crois que c'était son deuxième film. Ensuite, il me semble qu'elle a joué dans *Une vie seule* qui a obtenu un grand succès en Amérique mais pas en Europe. Et maintenant, c'est le tour de *Short Cut*, et si elle a un pourcentage sur les recettes, eh bien...

— Vous croyez que c'est le cas ? s'écria Ghislaine, intriguée.

— Je ne pense pas qu'elle va laisser échapper une telle aubaine, fit Nerval en souriant. Une femme qui aime ce qu'il y a de mieux engage les meilleurs avocats du pays, non ?

Cette remarque irrita Ghislaine. Elle préférait considérer Hélène Harte comme une mercenaire et non comme une femme astucieuse.

— Ce qu'il y a de curieux, poursuivit Nerval d'un ton pensif, c'est qu'il n'y a pas le moindre parfum de scandale autour d'elle. Aucune photo d'elle posant nue à l'époque où elle n'était pas encore une vedette, aucun ex-amant prêt à témoigner. On ne lui connaît d'ailleurs aucun amant. Simplement son mari. Son agent publicitaire crée un certain mystère autour d'elle. Jusque-là, ça a marché... Vous connaissez la presse. Ils adorent ces énigmes.

Il s'interrompit. Ghislaine souriait discrètement. C'était bon d'être au courant de certains faits qui déclencheraient un véritable scandale si la presse s'en emparait. Cependant, même Jean-Jacques, si toutefois il reconnaissait Hélène Harte, n'en soufflerait mot.

Il s'arrangerait même pour que ses magazines ne publient pas une ligne sur elle. Édouard n'était-il pas son principal actionnaire ?

— De toute façon, fit Nerval en se levant, n'ayez aucune inquiétude à son sujet, du moins pas encore. Hélène n'est que le sucre glace sur le gâteau...

— Et le gâteau, c'est Joe Stein ? lança Ghislaine innocemment ?

Nerval se pencha vers elle en lui prenant les mains.

— Allons, Ghislaine, lui dit-il sur un ton de reproche, ayez l'esprit plus vif. *Madame* Joe Stein. Les maris sont faits pour gagner de l'argent et les femmes pour le dépenser.

Quel hasard extraordinaire. C'est merveilleux, se dit Ghislaine.

Vingt-quatre personnes étaient invitées à la réception de Nerval. Vingt-quatre personnes réparties en quatre tables au Pavillon Eden Roc, le restaurant de l'hôtel du Cap qui donnait sur la célèbre piscine et la mer au-delà des rochers.

À la table de Nerval se trouvaient évidemment Joe Stein et son épouse. Ghislaine devait faire leur connaissance à la fin du repas. À côté de Joe Stein, Hélène Harte. Elle était arrivée en retard et tournait le dos à Ghislaine. Dans la bousculade générale, Ghislaine avait évité une présentation. Elle était certaine que l'actrice ne l'avait pas remarquée, ce qui était son but. Elle avait l'intention de lui parler avant la fin du repas. Ghislaine attendait son heure.

À sa table, Ghislaine avait Gregory Gertz, le metteur en scène américain dont on parlait de plus en plus, Susan Jerome, la critique cinématographique américaine, Thad Angelini, un petit homme adipeux qui en était déjà à son troisième petit pain, et, surtout, Lewis Sinclair. Le mari. Il était assis à côté d'elle. Ghislaine avait remarqué son regard un peu vitreux et sa démarche bizarre. Elle en déduisit qu'il était déjà ivre et avait du mal à le cacher.

Son regard se posa sur Hélène Harte dont elle ne voyait que le dos et le cou. Elle l'avait déjà observée minutieusement de loin lorsque Hélène avait fait son apparition.

Elle l'aurait reconnue d'emblée, évidemment. Il est des visages que l'on n'oublie pas malheureusement. Dans *Short Cut*, elle devait porter une perruque. Là, elle avait exactement la même coiffure que lorsqu'elle l'avait rencontrée dans la Loire. Les cheveux tirés à l'arrière, avec un petit chignon tenu par un grand nœud en soie noire. Elle était vêtue d'un long fourreau noir en ottoman qui lui laissait le cou et les épaules dénudés et ne laissait rien deviner de ses seins. Son collier de perles était d'une beauté extraordinaire. Jamais Ghislaine n'en avait vu de plus beau. Il émanait d'Hélène la même impression de calme et de paix qui l'avait déjà frappée dans la Loire.

Cependant, elle avait changé. C'était une femme maintenant, elle n'avait plus l'allure d'une jeune fille. Équilibrée, confiante, elle avait pris de l'assurance. Le timbre de sa voix n'était plus le même, son accent non plus. Il était difficile de deviner sa nationalité. Anglaise ? Américaine ?... Non, européenne, une Européenne ayant vécu longtemps loin d'Europe.

Elle avait une confiance en elle fort enviable. Pourtant, Ghislaine avait remarqué un détail intéressant : Hélène Harte n'avait pas quitté son mari des yeux à l'apéritif. Elle avait eu un instant d'hésitation, à peine perceptible, lorsqu'elle s'était rendu compte que son mari avait été placé à une autre table. Une seconde de consternation, vite masquée. Lewis Sinclair, s'en apercevant au même instant, avait paru agréablement surpris de sa réaction.

À peine assis et avant que le vin ne fût servi, il demanda discrètement au garçon de lui apporter un Martini sec.

Le Martini ne fit pas long feu.

Il avait salué Ghislaine de façon très formelle après avoir lancé un coup d'oeil rapide aux cartes portant le nom des invités.

— Je vous en prie, appelez-moi Ghislaine, lui dit-elle en souriant. Nous n'avons pas été présentés.

— C'est vrai, mais nous étions un peu en retard. Hélène, ma femme, avait de nombreux rendez-vous.

Il s'exprimait d'une voix monocorde tout en tournant son verre de Martini dans les mains. Ghislaine l'observait attentivement.

C'était un très bel homme, près de la trentaine, sans doute. Excellente éducation, bonnes manières, bien habillé et possédant l'aisance des riches. Avec son flair habituel, elle le cerna très vite avant de le passer au crible. Des cheveux blonds, bien coupés et légèrement longs selon la mode anglaise. Des yeux noisette un peu voilés par l'alcool qui reflétaient une lueur d'anxiété et de défi. Une ou deux fois, il leva les yeux vers l'exubérant Thad Angelini, assis en face de lui. Il avait l'air d'un enfant cherchant l'approbation de ses parents. Il avait lancé le même regard à sa femme.

Ghislaine attendait son heure. Sinclair conversait avec l'actrice italienne qui se trouvait à sa droite dans un français correct, car elle ne savait pas l'anglais. Ghislaine était en grande conversation avec son voisin de gauche, Gregory Gertz, qui, de toute évidence, n'écoutait pas un mot de ce qu'elle disait. Il n'avait visiblement qu'un but : engager Angelini qui, lui, bavardait avec un critique de cinéma. Ghislaine en percevait quelques bribes. Les réponses d'Angelini n'avaient rien de modeste. Il allait produire deux autres films à la suite, avec cinq semaines de tournage pour chacun, en utilisant une équipe aussi réduite que la loi le lui permettait. Le premier s'intitulerait probablement *Quickstep*. Quant au deuxième, le titre n'était pas encore choisi. Il lança un regard vers Lewis avec un sourire étrange. Susan Jerome lui posa une question. Angelini acquiesça, légèrement agacé. Bien entendu, Hélène Harte serait la vedette des deux films. L'année suivante, il avait d'autres projets.

Ghislaine le regarda avec dégoût. Maniaque, sûr de lui, raseur. Il avait tout pour lui. De plus, il dégageait une énergie négative qu'il dirigeait à sa guise vers ceux qui partageaient sa table, les vampirisant au gré de sa volonté.

Ghislaine, n'ayant nullement l'intention d'être manipulée, se tourna vers Lewis Sinclair. Elle avait pris la précaution d'assister à une projection de *Short Cut* avant de quitter Paris et l'avait détesté. Le film lui paraissait bien fait mais sans chaleur. Elle ne comprenait pas l'engouement qui l'entourait. Bien évidemment, elle n'exprima pas son opinion. Se tournant vers Lewis, elle fit l'éloge du film avec véhémence, émaillant ses compliments de citations du *Monde*.

Lewis, producteur du film, acquiesça sans rien dire. Il avait le regard perdu vers les rochers et la mer assombrie qu'il apercevait de sa place.

On avait servi du caviar et des cailles, et maintenant un filet de bœuf fourré au foie gras. Le bourgogne était excellent et Lewis Sinclair en était à son quatrième verre de champagne.

— Cette association à trois est plutôt inhabituelle, ne trouvez-vous pas ? demanda Ghislaine. C'est bien trois films que vous avez tournés ensemble, n'est-ce pas ?

— Quatre, corrigea Sinclair. Nous avons commencé en 1959 avec un film à petit budget, *Jeu de nuit*...

— Oh, c'est vrai ! s'exclama Ghislaine qui n'en avait jamais entendu parler.

— Notre association date de longtemps. En Europe, c'est une pratique plus courante qu'à Hollywood.

— Hollywood est en pleine mutation. L'industrie du film change. C'est moi qui l'ai changée, fit Angelini, s'immisçant dans leur conversation, entre deux bouchées de viande.

Gregory Gertz esquissa un sourire ironique. Angelini reprit sa conversation avec le critique américain, comme si elle n'avait pas été interrompue.

L'intervention d'Angelini, et le fait qu'il avait apparemment écouté toute leur conversation, parut bouleverser Sinclair. Il but d'un trait son verre de bourgogne.

— En vérité, poursuivit Lewis à voix basse, j'ai décidé de m'éloigner un peu. Thad est très pris à l'heure actuelle, et j'ai quelques projets. Pour être franc, la production n'est pas toujours très gratifiante. Récemment, j'ai décidé de me tourner vers l'écriture. Une idée m'a traversé l'esprit, et j'ai envie de la concrétiser. Un changement de cap de temps à autre, c'est essentiel, vous ne croyez pas ? dit-il avec une certaine nostalgie.

— Absolument. C'est même revigorant, dit Ghislaine.

Levant les yeux, elle s'aperçut qu'Angelini les observait. Un trio dont Lewis se sentait légèrement écarté. Intéressant, se dit-elle.

Un garçon desservit, et Ghislaine décida d'en savoir davantage. Elle poursuivait sa conversation au milieu des garçons qui s'affairaient autour d'eux, faisant en sorte que Lewis sache exactement qui elle était et ce qu'elle faisait. Il l'écoutait poliment, sans vraiment y porter d'intérêt.

— C'est amusant, fit-elle après avoir glissé le nom de certains clients, dont celui de Louise de Chavigny, sans provoquer la moindre réaction de sa part. Oui, c'est amusant, mais cela ne fait pas appel à la créativité. Ce n'est pas comme les activités de votre femme ou les vôtres. Tourner un film, ce doit être...

— Vous êtes modeste, lui dit-il soudain, l'œil vif. J'ai un aperçu de votre talent. J'ai séjourné chez des amis à Cavendish en Angleterre. C'est bien votre œuvre, non ?

Ghislaine révisa aussitôt l'opinion qu'elle avait de lui. Pas si candide que cela, se dit-elle. Pas si ivre non plus. Il ne perd rien de la conversation. Elle se montra dès lors plus prudente, dégustant une pêche glacée baignant dans un coulis chaud à la framboise.

Elle posa bien des questions dans les limites de la décence. Il lui parla de leur maison sur les hauteurs de Los Angeles, construite par Ingrid Nilsson, la grande vedette du cinéma muet, et transportée à Hollywwod depuis l'Angleterre, brique par brique.

— Elle me semble parfaitement ridicule, mais Hélène s'y plaît.

Non, il n'avait pas fait appel à un décorateur, sa femme avait tout arrangé seule. Avec beaucoup de goût. Des photos allaient même paraître dans quelques magazines... Ghislaine écoutait avec attention. Cette dernière remarque l'avait irritée. Elle avait une aversion particulière pour les amateurs talentueux. Lewis Sinclair avait du mal à faire une phrase sans prononcer le nom de sa femme.

— L'idée d'une propriété dans le coin vous séduit-elle ? lui demanda Ghislaine en souriant. Je suis sûre que Gustav essaiera de vous tenter.

— Il faut poser la question à ma femme. C'est elle qui s'intéresse à tout cela et elle a un sens des affaires très développé. (Ces paroles un peu malveillantes lui avaient échappé. Confus, il s'empressa d'ajouter :) Ne vous méprenez pas, elle est très douée dans ce domaine.

Il avait retrouvé sa voix suave, mais n'avait pu cacher une pointe de ressentiment.

— C'est magnifique. Remarquable. Si jeune...

— Ce n'est pas si remarquable. Elle veille sur tout, fit-il avec un petit sourire amer. Je l'aide, bien entendu. Ou, du moins, je l'aidais.

— Mais, dites-moi, avez-vous des enfants ? demanda Ghislaine sur sa lancée.

— Nous avons une fille, oui. Elle vient d'avoir deux ans.

— Comme c'est charmant. Une petite fille. Ressemble-t-elle à sa mère ?

— Pardon ?

Il blêmit soudain et parut ne pas avoir entendu sa question. Ghislaine fut un peu désarçonnée.

— Je...

— Oh, je vois. Non, pas vraiment. Non, elle ne ressemble pas du tout à Hélène. Je suis désolé, c'est très bruyant et...

Il cherchait un garçon du regard, une main serrée autour d'un verre vide. Il avait l'air littéralement en manque, au point d'en paraître pitoyable.

Pour détendre l'atmosphère, Ghislaine se pencha légèrement vers lui et lui pressa le bras.

— Vous avez une femme très belle et qui a tous les talents. Je n'arrive pas à croire...

Elle s'interrompit. Lewis, qui s'était tourné de nouveau vers elle, avait l'air bouleversé. Était-ce dû à son désir intense de boire ou aux compliments adressés à sa femme ? Ghislaine n'en savait rien. À l'autre bout de la table, Thad Angelini avait, une fois de plus, les yeux fixés sur eux. La lumière se reflétait dans ses lunettes. Lewis lui jeta un coup d'œil, puis regarda Hélène.

— Oh, Hélène sait tout faire, dit-il avec une indifférence calculée.

Il posa sa serviette sur la table, repoussa sa tasse de café et alluma une cigarette.

— Enfin, presque tout, ajouta-t-il.

De l'autre côté, Thad Angelini sourit.

Ghislaine attendit presque jusqu'au moment de partir. Ils étaient tous retournés dans la suite de Nerval prendre un verre de cognac. Comme promis, elle avait eu une longue conversation avec Rebecca Stein, l'avait rassurée sur les problèmes de plomberie en France et l'avait époustouflée par son élégance, du moins l'espérait-elle profondément. Le lendemain, elle allait visiter la Maison Jasmin avec les Stein et Nerval. Elle pourrait même vérifier l'état des travaux dans la villa de Louise, ce qui ne manquerait pas de les impressionner ; ensuite elle reprendrait l'avion de Paris pour la rencontre, la grande rencontre, avec Édouard.

Devait-elle lui dire qu'elle avait vu Hélène Harte ? Sans doute pas. Il valait mieux ne pas lui rappeler tous ces souvenirs. Allait-elle tout lui dire comme elle en avait l'intention ou finalement partir sans la moindre allusion ? Après tout, qu'était-elle au juste ? Une des innombrables ex-maîtresses d'Édouard.

Elle avait pratiquement pris la décision de partir lorsque la voix de Rebecca Stein s'éleva.

— N'est-elle pas merveilleuse ? s'écria-t-elle, désenchantée.

Elle porta son regard sur Hélène Harte, entourée de son mari qui avait l'air de s'ennuyer profondément et de Thad Angelini qui était tout sourire.

— Quelle beauté ! poursuivit Rebecca Stein en hochant la tête. On donnerait n'importe quoi pour le simple plaisir de la regarder.

Ghislaine n'en croyait pas ses oreilles. Elle lança un regard venimeux à l'encontre de Rebecca Stein qui, dans sa bêtise, n'avait même pas conscience de son manque de tact.

— Ah, elle a la beauté de la jeunesse. Cela aide, continua Rebecca en souriant. Ni vous ni moi ne retrouverons nos quarante ans, n'est-ce pas ?

Quarante ans ? Rebecca Stein paraissait cinquante-cinq ans bien sonnés, et le fait qu'elle ait pu estimer l'âge de Ghislaine avec une telle certitude la rendait positivement furieuse. Elle partit aussitôt en la saluant sèchement.

Elle s'approcha d'Hélène en prenant soin de ne pas se faire voir jusqu'à ce qu'elle soit à ses côtés. Elle serra la main de Lewis Sinclair en murmurant quelques plaisanteries, puis se tourna vers Hélène Harte avec un air de surprise feinte. S'adressant à la fois à Sinclair et à sa femme, elle s'écria :

— Suis-je bête. Je suis vraiment confuse. Vous devez me trouver impolie, mais je viens, à l'instant, de m'en rendre compte. Nous nous sommes déjà rencontrées, votre épouse et moi...

Hélène Harte tourna la tête. Leurs regards se croisèrent, et Ghislaine lui adressa son plus beau sourire.

— Vous ne vous en souvenez certainement pas. Quelques années se sont écoulées depuis. Était-ce en 1960 ? Non, en 1959, je crois. Lors d'un dîner dans la Loire. Vous étiez l'hôte d'Édouard de Chavigny. Vous vous rappelez maintenant ?

Il y eut un court silence. Hélène Harte prit l'air sceptique, puis lui sourit en secouant la tête.

— Je suis désolée, vous devez vous tromper. Nous ne nous sommes jamais rencontrées. Je me souviendrais de vous, j'en suis sûre.

— Il est impossible que vous ayez oublié. Il n'y a pas si longtemps. Un détail me revient. Vous portiez une robe blanche splendide de chez Givenchy, je crois. Alphonse de Varenges était assis à vos côtés, et Édouard vous avait appris à monter à cheval. J'en suis certaine, je me rappelle même les paroles d'Édouard. Il...

— Je dois avoir un double ou une sœur jumelle, fit Hélène en éclatant de rire. Tout cela me semble agréable, mais je crains que vous ne soyez dans l'erreur. Je ne suis jamais allée dans la Loire.

Hélène parlait avec un tel naturel et un ton si plaisant que, l'espace d'une seconde, Ghislaine douta d'elle-même. Elle était sur le point d'ajouter quelque chose lorsque le metteur en scène, Angelini, s'avança.

— Hélène, excuse-moi, je crois que Joe Stein désire te parler.

C'est ainsi qu'il parvint à la sortir d'une situation délicate. Son geste semblait presque délibéré. Il emmena l'actrice avec lui. Hélène, souriant en guise d'excuse, leur fit un petit geste de la main. Ghislaine avait perdu une belle occasion.

Elle resta seule avec Lewis Sinclair. Ils se regardèrent. Avait-il cru sa femme ? Ghislaine n'en était pas certaine, mais elle avait l'impression que non. Les traits tirés, le visage renfrogné, il avait l'air d'un enfant au bord des larmes. Ghislaine faillit regretter son acte.

— C'est stupide de ma part, s'empressa-t-elle de lui dire. Comment ai-je pu commettre une telle erreur ?

— Nous en commettons tous, répliqua-t-il tristement.

Il se tourna vers elle, puis brusquement, tel un enfant se rappelant les bonnes manières, lui offrit son bras.

— Vous partez ? lui dit-il poliment. Je vous en prie, laissez-moi vous accompagner jusqu'à votre voiture.

— As-tu une sœur jumelle ?

— Lewis...

— Ou un double ?

— Mais enfin, Lewis, c'est parfaitement stupide.

— Ah, tu ne peux évidemment pas en avoir, tu es unique. Nous le savons tous. Hélène Harte, la plus belle femme de la création. C'est ce que tout le monde prétend, tu sais. Je l'ai lu l'autre jour. On montrait une photo de toi avec un grand titre : « Est-ce la femme la plus belle du monde ? » Ils demandaient aux lecteurs d'écrire et de voter. Je suis sûr qu'ils ont tous voté pour toi. Pour ma part, c'est ce que j'aurais fait. J'aurais envoyé plusieurs bulletins. Le seul problème, c'est que le magazine était italien et la lettre n'aurait pas été timbrée d'Italie.

— Lewis, il se fait tard, et tu es fatigué. Viens te coucher.

— Je n'en ai pas envie, merci. Pas encore. C'est curieux que tu aies l'impression que je suis fatigué, parce que je me sens en pleine forme. Je me suis beaucoup amusé. Une robe Givenchy. Je ne savais pas que tu portais des robes Givenchy avant de me connaître.

— Lewis, je te l'ai déjà dit, elle a commis une erreur.

— Tu portais des jeans. J'aimais bien ta robe en popeline bleue. Et le manteau que tu avais acheté à Londres. Mais ce n'était pas de chez Givenchy. Oh, je suppose que la mémoire me fait défaut. T'offrait-il également des bijoux ? Il est célèbre pour cela, non ? Je me rappelle ces histoires. On en a beaucoup parlé. Ma soeur m'avait lu un article à ce propos, dans la rubrique des potins mondains. Il offrait des bijoux différents selon les femmes. Ma soeur se régalait. Elle trouvait cela très romantique. Moi, non. Je trouvais cela idiot. Pourquoi faire de tels présents alors qu'on peut avoir une femme gratuitement ?

— Je ne veux plus entendre toutes ces inepties, Lewis. Je vais me coucher. Il faut que je me lève à 6 heures.

— Tu mens très bien. Terriblement bien. Tu as failli tromper cette femme, cette Ghislaine ou je ne sais qui. Même Thad. Je parie qu'il t'a crue ou presque. Il y a toutefois un détail sur lequel tu devrais peut-être te pencher. Je suis certain que tu peux apporter quelques améliorations. C'est dans ton regard. Il y a une lueur imperceptible que je discerne à force de vivre avec toi, jour et nuit. Cette expression, tu l'as lorsque je t'embrasse, par exemple. T'en étais-tu rendu compte ? C'est fugace. Il faut la saisir en une seconde. Avant d'esquisser un sourire, tu as un voile devant les yeux. Tu as un regard vide. J'en suis toujours déconcerté. Il y a bien d'autres détails, comme par exemple ton aversion lorsque je te touche. Et puis tu n'as même plus cinq minutes par jour à m'accorder. Oh, ce n'est pas grand-chose. Il n'y a rien de bien important, rien de bien net. Ce n'est pas la peine de se lamenter.

Il s'était mis à pleurer. Hélène percevait des sanglots dans sa voix.

Il essuya quelques larmes de sa main, puis dit d'une voix normale :

— 1959, c'est une année que j'ai beaucoup aimée. Nous avons tourné notre premier film, et c'est l'année où je t'ai rencontrée. Nous avons passé un Noël merveilleux. Te souviens-tu de l'arbre ? Nous l'avions acheté la veille de Noël et décoré ensemble, puis... C'est le père de Cat, n'est-ce pas ? Tout paraît s'enchaîner logiquement. Il t'a appris à monter à cheval, et tu as fait la connaissance de tous ses amis. Il t'a offert une robe Givenchy et il t'a donné Cat. Tu aurais pu me le dire. Je ne comprends pas. Il y a beaucoup de choses que je ne comprends pas, d'ailleurs, surtout celle-ci.

Il régna un long silence. Lewis était assis à l'extrémité du lit, le regard fixé sur son verre vide.

Hélène en avait la nausée. Elle avait l'impression d'être enserrée dans un carcan qui l'empêchait de respirer. Son cœur battait à tout rompre, et mille idées contradictoires assaillaient son esprit. Elle posa son regard sur Lewis, en proie à un sentiment de pitié et de culpabilité tel que tout son corps lui faisait mal. « Pourquoi lui ai-je fait cela, à lui ? Oui, à lui. C'est ma faute. » Cette pensée tournait à l'obsession. Quand les événements avaient-ils pris aussi mauvaise tournure ? Ne pouvait-elle donc pas les arrêter ?

Au bout d'un long moment, Lewis leva les yeux vers elle. Même en état d'ivresse, Lewis gardait toujours la même apparence. Parfois, il avait le regard plus brillant et légèrement voilé, comme s'il ne la voyait pas, mais c'était tout. Là, au contraire, il la fixait intensément de ses yeux noisette, l'air intrigué.

Hélène s'agenouilla près de lui. Leurs regards se croisèrent.

— Très bien. C'est vrai. J'étais là-bas. Mais il y a si longtemps, Lewis. Je ne l'ai plus revu. Pas depuis que... Lewis, tu es mon mari.

— Est-il le père de Cat ? Oui ou non ?

— Non, Lewis, non. Il ne l'est pas.

Elle avait haussé le ton. Lewis lui avait saisi le bras. Il la regarda droit dans les yeux, puis relâcha son emprise.

— Je ne te crois pas, fit-il d'une voix neutre. Pourquoi te croirais-je ? C'est encore un mensonge. Tu mens tout le temps. Ou tu esquives les questions. Tu ne sais même pas quand tu dis la vérité, je crois.

— Lewis, je ne mens pas. C'est la vérité. Je ne mentirais pas à ce sujet. Je n'en serais pas capable. Lewis, je t'en prie.

Elle l'avait pris par le bras et le serrait fort dans ses mains. Il lui sembla soudain essentiel de convaincre Lewis. Elle eut l'impression d'y parvenir. Le visage de Lewis se radoucit. Aussitôt, elle ressentit un immense soulagement. Mais son visage se durcit à nouveau.

— D'accord. Alors, qui est-ce ?

Hélène s'était mise à pleurer. Ses yeux étaient gonflés de larmes qui se déversaient le long de ses joues. Lewis n'y prêta pas la moindre attention.

— Qui est-ce ? lui dit-il en la secouant par le bras. Je crois que je suis en droit de savoir. Tu ne sais pas ce que c'est que de vivre dans la même maison qu'elle, jour après jour, sans savoir, mais en se posant mille questions. Ça me détruit. J'en suis malade. Jusqu'à sa naissance, c'était merveilleux. J'étais très bien. Nous étions très bien. C'est idiot, mais j'avais parfois l'impression que c'était ma fille. Je ne sais pas pourquoi. Sans doute par amour pour toi. Je savais que ce n'était pas vrai, mais j'arrivais à me convaincre. Jusqu'à sa naissance, jusqu'à ce que je la voie. Alors j'ai su. Elle n'était pas à moi, et toi non plus, tu n'étais pas à moi. Je ne sais qui il est, mais c'est à lui que tu penses, et quand je m'en aperçois, je...

Il avait des sanglots dans la voix.

— Ce n'est pas vrai, Lewis, fit-elle d'une voix calme. J'essaie de ne plus y penser... Il s'appelait Billy. Il était américain. C'était un ami de toujours, et maintenant il est mort. Il est mort bien avant que je te connaisse.

Elle avait fait un effort considérable pour lui faire cet aveu. Elle avait prononcé chaque mot détaché, et ils tombaient dans le silence comme des galets dans l'eau. Lorsqu'elle se tut, elle respira longuement. Une petite voix résonna dans son esprit. Désormais tout irait bien. Elle avait dit à Lewis la vérité. Il ne pouvait que la croire. Tout allait rentrer dans l'ordre.

Mais ce ne fut pas le cas. Lewis resserra son emprise, le regard noir de colère, et la secoua.

— Sale petite putain ! Tu avais seize ans quand j'ai fait ta connaissance. Combien en as-tu connu, dis-le-moi, pour l'amour de Dieu. Combien ? Combien ?

Puis il la frappa, lui assenant une gifle cinglante. Il lui était arrivé bien des fois de se mettre en colère, de crier, mais jamais il ne l'avait frappée. Tous deux restèrent sous le choc.

Ghislaine Belmont-Laon lui avait donné rendez-vous. C'était urgent, avait-elle précisé. Ghislaine avait suggéré une rencontre dans le jardin intérieur du Ritz à Paris. Elle ne savait pas tous les souvenirs que déclencherait cet endroit chez Édouard. Dès qu'il fut installé à la petite table, des images si vivantes lui revinrent en mémoire qu'il perçut à peine les paroles de Ghislaine.

Il se voyait approchant de la table où était installée Isobel dans sa robe parme. Il la revoyait levant ses yeux émeraude vers lui avec une expression à la fois étonnée et anxieuse. Isobel était morte depuis cinq ans. Il perçut même le timbre de sa voix.

Édouard pencha légèrement la tête et se frotta les yeux. Il essaya de se concentrer sur ce que disait Ghislaine, conscient de sa fatigue où se mêlait un désespoir profond dont il ne pouvait se départir. Ce sentiment confus lui collait à la peau depuis son retour de New York et avait pour effet de le couper totalement de son entourage, au point de rendre tout geste et toute conversation inutiles.

Il fit un effort. Levant la tête vers elle, il lui sourit. Le verre de Ghislaine étant vide, il appela le garçon.

Ghislaine paraissait tendue. C'était une femme capable, efficace, qui n'avait jamais, à sa souvenance, fait de drame pour rien. Il se demandait pourquoi elle avait tant tenu à le voir ce soir-là. Sa mise était particulièrement soignée. Édouard remarquait toujours l'élégance chez une femme. Tailleur noir Saint-Laurent, un peu austère comme tout ce que portait Ghislaine, accentuant son élégance légèrement masculine. Il la complimenta pour son goût et le choix de ses vêtements qui lui allaient très bien, tandis que le garçon les servait. Un Martini, comme Isobel. Il aurait préféré qu'elle commandât autre chose.

Édouard devait retourner à son bureau. Il lui fallait parler à Belfort et à Richard Smythe, car il s'inquiétait toujours pour l'offre publique d'achat. Il regarda discrètement l'heure. Ghislaine sentait son impatience. Elle alluma une cigarette, aspira longuement la fumée, puis décida d'en venir au fait.

— Je sais que vous êtes très occupé, Édouard. Je suis consciente de vous faire perdre votre temps, mais il m'a semblé qu'il était important que je vous parle. C'est plutôt difficile, mais je suis terriblement inquiète, et cela vous concerne. Enfin... indirectement. J'aurais préféré vous parler plus tôt, mais il s'agit d'une confidence, d'un sentiment de loyauté envers quelqu'un, et je n'étais pas certaine de bien agir... Il s'agit d'un problème financier, en partie tout au moins. Voyez-vous, on m'a donné un tuyau, un tuyau pour un placement en Bourse, et...

— Ghislaine, je suis désolé, je ne conseille jamais mes amis dans ce domaine. C'est une règle que je ne transgresse jamais.

Ghislaine leva les yeux vers lui. Édouard commençait à s'impatienter vraiment.

— Je veux parler du groupe Rolfson Hotels.

— Pardon ?

— Oui, le groupe Rolfson Hotels. Édouard, je vous en prie, soyez patient. Je suis terriblement inquiète. Voyez-vous, c'est un peu personnel, mais Jean-Jacques et moi, nous dissocions nos affaires financières, et je n'ai pas un gros capital à investir. Quand on m'a donné ce tuyau, j'ai pensé que c'était une aubaine à ne pas laisser passer. J'ai donc acheté quelques actions qui sont montées en flèche. C'était extraordinaire. Puis, ces jours derniers, elles ont commencé à baisser. Et j'ai si peur. Je ne sais que faire. Faut-il vendre à perte ou s'accrocher ou...

— Ghislaine, je suis désolé, l'interrompit Édouard d'un ton glacial. Je ne peux vous donner l'ombre d'un conseil. Parlez-en à votre agent de change.

— Je l'ai fait. Mais c'est inutile. Il m'avait conseillé de ne pas investir là-dedans. J'allais l'écouter comme toujours. En temps normal, je suis extrêmement prudente, mais, voyez-vous, c'est plus compliqué que cela. À peine avais-je acheté mes actions que je me suis aperçue de mon erreur. Je savais que quelque chose n'était pas net. J'aurais dû venir vers vous aussitôt, dès qu'elle m'en a parlé...

Elle s'interrompit, le regard brillant. Elle paraissait réellement bouleversée. « Elle peut se faire du souci, songea-t-il avec pessimisme. Les actions du groupe allaient baisser bien davantage. »

— Ghislaine, dit-il d'un ton plus doux, de quoi parlez-vous exactement ? Qui vous a donné cette information ?

— C'est le point le plus délicat. En vérité, c'est réellement très difficile à avouer. Elle m'a fait une confidence. Édouard, je l'ai respectée. Et puis je me suis peu à peu rendu compte qu'il y avait quelque chose qui n'allait pas, qu'elle avait mal placé sa confiance. Voyez-vous, je crains qu'elle ne perde tout si elle ne vend pas tout de suite. Elle a investi énormément, pas suffisamment pour être véritablement en danger, mais tout de même. Et j'ai tant d'amitié pour elle, je suis si dévouée à Louise. Je ne veux pas qu'on lui fasse du mal.

Il régna un long silence. Édouard arbora une expression de dureté et de colère qu'elle ne lui avait jamais vue. Malgré une pointe d'anxiété réelle pour ses propres investissements, Ghislaine éprouvait un sentiment de triomphe et de joie.

— *Ma* mère vous a conseillé d'acheter ces actions ? fit-il, époustouflé. Quand était-ce ?

— Oh, il n'y a pas longtemps. Un peu plus d'une semaine. Mais Louise m'a dit qu'elle en achetait depuis février. Elle a déjà gagné cent mille livres sterling... Édouard, je m'en veux. J'aurais dû vous en parler plus tôt, mais Louise m'avait fait promettre de n'en rien faire. Seulement, je me suis aperçue, même avant la chute des actions, combien elle était vulnérable. Elle n'est plus toute jeune, elle a toujours été si impétueuse, et quand il s'agit d'un homme...

La vérité lui apparut brusquement. Toutes les pièces du puzzle sur lequel il avait buté toute la semaine s'assemblaient parfaitement.

— De qui s'agit-il ? demanda-t-il, bien qu'il connût déjà la réponse.

Ghislaine, l'esprit délirant de triomphe, le lui avoua.

Après cette révélation, il réfléchit un instant, puis posa gentiment sa main sur la sienne.

— Ghislaine, je suis désolé de tout ce qui arrive. C'est grave, bien plus grave que vous ne le pensez. Je vous suis très reconnaissant. Je comprends vos scrupules et je tiens à vous dire que je me sens redevable envers vous. (Il marqua un temps d'hésitation.) Je ne devrais pas vous le dire, même après cela, mais je vais vous donner un conseil. Allez immédiatement voir votre agent de change et vendez vos actions. Ensuite... (Il prit un ton plus formel et un peu gauche.) Vous me direz le montant de vos pertes et je vous rembourserai. (Il ôta sa main et se leva.) Je suis désolé... Pardonnez-moi, je dois vous quitter.

Ghislaine ne se leva pas en même temps que lui. Elle resta à sa place, enivrée par le contact de sa main, le timbre de sa voix. Elle était si heureuse, si soulagée qu'elle aurait pu passer là toute la nuit. Sa joie était si intense qu'il lui était égal de perdre tout ce qu'elle avait investi. Édouard comblerait ses pertes, mais ce n'étaient pas celles-ci qui lui importaient. C'étaient toutes les autres, toutes les humiliations, les insatisfactions qui avaient été son lot jusque-là et la conviction absolue que, si elle savait s'y prendre, Édouard les comblerait également.

Il était inutile de nier. Belfort n'essaya même pas. Assis dans le bureau d'Édouard, il l'écouta disséquer l'affaire point par point.

Pas une seconde son visage ne trahit la moindre émotion. Ils auraient pu trouver une circonstance atténuante, remonter au passé lointain. Mais non, il resta parfaitement impassible. Quand Édouard eut fini, un sourire à peine perceptible effleura ses lèvres. Il eut l'impression que, de façon obscurément perverse, Belfort éprouvait un certain soulagement d'avoir été découvert. Les conséquences de ses actes ne semblaient ni l'inquiéter ni l'effrayer. La seule chose qui le faisait réagir, lui procurant un plaisir qu'il ne cherchait pas à cacher, c'était la colère froide d'Édouard.

— Vous auriez pu acheter des actions pour vous, fit Édouard, livide de colère. Pourquoi ne pas avoir utilisé un intermédiaire ? Une banque suisse, même un agent de change. Bien entendu, c'était plus risqué. Pourquoi se servir de ma mère ?

— Il me semblait que cela était évident. Je ne possède pas un tel capital, et votre mère, si...

« Et précisément parce que c'est ma mère », songea Édouard instinctivement.

— Nous avons conclu un accord, fit Belfort avec un air de lassitude. Elle, soixante pour cent, moi quarante. Elle n'était pas disposée à marchander.

Édouard eut envie de le frapper. Il fut pris du désir soudain de saisir Belfort par le collet, de le plaquer contre le mur. Il l'aurait fait s'il n'avait pas senti que Belfort espérait cette réaction. Édouard, debout, retourna s'asseoir à son bureau. Il jeta un coup d'oeil aux dossiers, puis leva les yeux vers lui.

— Et vous saviez qu'il existait une forte probabilité de contre-enchère et qu'ainsi la Bourse allait encore monter ?

— Oh oui ! j'ai un ami chez Matheson De Vere. Ils étaient tout prêts à investir. Lorsque nous avons différé l'offre, je suppose que cela les a refroidis. Le bruit a dû se propager. Voilà pourquoi les actions ont commencé à baisser.

— Je vois, dit Édouard, serrant les dents.

Il regarda Belfort droit dans les yeux. Il n'arrivait pas à comprendre comment on pouvait agir ainsi. C'était proprement incroyable. Le sang-froid de Belfort lui paraissait invraisemblable. Il semblait satisfait de lui-même.

— Vous êtes conscient de vos actes ? lui dit-il enfin. Vous avez compromis ma société, ma mère et moi. Vous avez également compromis votre avenir de façon rédhibitoire. Vous vous rendez compte que ni moi ni personne n'acceptera désormais de vous employer ?

— Je ne vois pas les choses de la même façon, répliqua Belfort avec un entêtement débonnaire. Tout le monde ne partage pas vos critères absolus. Même au sein de cette compagnie. J'ai mes partisans, voyez-vous. De plus, je ne suis pas le premier à agir ainsi. Les dessous de table ne sont pas illégaux en Angleterre.

— Pour l'amour de Dieu, fit Édouard, repoussant les dossiers avec colère, il n'y a pas de loi contre ce type d'exploitation. Le monde financier est fondé sur la confiance. Je suis sûr qu'il est inutile que je m'étende sur ce point. Si vous exploitez cette confiance, vous la trahissez. Vous sapez tous nos fondements.

Il s'arrêta. Belfort avait esquissé un sourire.

— Ah oui ! Vous voulez parler de la parole d'un gentleman et de tout cela. C'est ce qu'on dit à la Cité de Londres. Personnellement, je ne crois aucun d'entre eux et je ne sais pas ce que c'est que la confiance. C'est un terme qui ne fait jamais partie de *mes* contrats.

— Moi, j'avais confiance en *vous*, fit Édouard en le fixant. Je ne vous ai jamais beaucoup aimé, comme vous le savez sans doute. Je me suis mis en quatre pour vous aider, car j'avais conscience de vos possibilités. Vous aviez un avenir prometteur. Vous avez obtenu une promotion. Votre salaire est correct. Vous aviez un poste de responsabilité. Ne vous est-il jamais venu à l'idée que vous m'étiez redevable ainsi qu'à toute la compagnie ? J'avoue que je ne parviens pas à imaginer comment quelqu'un d'aussi bien placé que vous a pu se comporter ainsi.

Un vague sourire se dessina sur les lèvres de Belfort.

— Le manque d'imagination est un handicap sérieux. Votre talon d'Achille, en quelque sorte.

Cette remarque anodine atteignit Édouard au plus profond de lui-même. Il détourna le regard. Une imagination limitée par son incapacité à comprendre l'infamie. Oui, il percevait la vérité sous le sarcasme. Sa mère aurait dit exactement la même chose.

Il contempla les colonnes de chiffres inscrites devant lui, des chiffres qui révélaient la fraude. Submergé de désespoir, il songea non point à Belfort, mais à Hélène. Il avait confiance en elle, en son amour, et le point de vue cynique de Belfort lui ouvrait les yeux. Une confiance aveugle, obstinée, invraisemblable. Il prenait soudain conscience de l'aspect illusoire de tous les principes auxquels il croyait fermement.

Belfort l'observait, attendant de voir si ses paroles avaient porté. Mais Édouard n'avait nullement l'intention de lui donner cette satisfaction. Il étala les dossiers sur le bureau et se leva.

— J'ai annulé notre O. P. A. sur le groupe Rolfson Hotels. Il est évident que nous ne pouvions pas poursuivre. Inutile de vous dire que vous êtes renvoyé.

— Vous ne pouvez me traîner en justice.

— Non, malheureusement.

— Je me demande ce que votre mère en pensera, fit-il en soupirant.

— Ce n'est pas votre problème. Vous ne la reverrez pas.

— Il me semble que c'est à elle et non à vous de décider.

Pour la première fois, une lueur de colère traversa le regard de Belfort. Il haussa les épaules.

— Vous pouvez vous amuser à donner des ordres à tout le monde mais pas à Louise. Et pas à moi non plus. Je ne travaille plus pour vous, faut-il vous le rappeler ?

— Très bien, dit Édouard, se rasseyant à son bureau, le regard glacial. Je vais être franc envers vous. Vous ne trouverez plus de poste de responsabilité dans aucune compagnie. J'y veillerai. Mais si vous tentez de revoir ma mère, si vous communiquez avec elle de quelque façon que ce soit, j'irai plus loin. (Il se pencha vers lui.) Je vais vous démolir, vous me comprenez ? Tous vos comptes, vos investissements, les revenus que vous avez déclarés au fisc et ceux que vous leur avez cachés, les indemnités que vous avez réclamées, les transactions, les achats à l'étranger, tout sera passé au peigne fin jusqu'à ce que je trouve ce qui pourra vous achever. Ça prendra le temps qu'il faudra, mais j'y arriverai. Je crois que vous me connaissez suffisamment pour savoir que je dis la vérité. J'espère pour vous que vous me croyez. Car je veux que vous sachiez que je poursuivrai mon but sans l'ombre d'une hésitation. Vous repartirez d'où vous êtes venu et pour longtemps.

Au bout d'un long moment, Belfort poussa un long soupir.

— Oh, je n'en doute pas une seconde. Je vous ai vu agir dans le passé. Dans mon cas, vous y prendriez un plaisir certain.

— Vous croyez ? fit Édouard sur un ton de mépris. Curieusement, vous vous trompez. Autrefois peut-être, mais plus maintenant. Et vous n'êtes pas différent des autres, vous jubilez trop vite.

Belfort commençait à s'exaspérer. Il se leva.

— Très bien. De toute façon, je vais quitter le pays. Comme vous me l'avez si bien dit, je ne me fais aucune illusion sur mes chances ici.

Il se dirigea vers la porte lentement. Sur le seuil, il se retourna. Il promena son regard sur le mobilier, les sculptures, les tableaux, puis sur Édouard. Nulle trace de haine, de rancune. Pas la moindre émotion.

— Tout ceci, fit-il en désignant les trésors qui se trouvaient dans la pièce, tous ces tableaux, ces maisons, ces bureaux, ces sociétés, ces actions... Tout ce travail, et vous n'avez pas d'enfant. Rien ne vous survivra, j'espère que vous en avez conscience. Avez-vous jamais pensé à l'euphorie générale après votre mort, quand les gens se partageront votre héritage ? De toute évidence, non, dit-il en esquissant un sourire. Sans doute, là aussi, à cause de votre manque d'imagination. Quel dommage ! J'aimerais que vous y pensiez de temps à autre. (Il ouvrit la porte.) Mes respects à votre mère.

— J'ai l'impression que tu plais beaucoup à cette horrible bonne femme toute peinturlurée, Édouard, lui fit remarquer Christian d'un ton détaché.

Il alluma une cigarette et s'installa confortablement dans son fauteuil. Ils étaient assis sur la terrasse de la villa de Louise. C'était le premier jour de ce qui était censé être des vacances. Édouard avait invité Christian au tout dernier moment. Christian ne savait pas s'il devait s'en réjouir. On lui avait servi un excellent Montrachet. Le soleil brillait, et il était de bonne humeur. Devant l'impassibilité d'Édouard, il soupira. Il connaissait la raison de cette invitation. Édouard était totalement déprimé, et il devait jouer le rôle du bouffon. Parfois, ce rôle l'amusait, parfois le rebutait. Aujourd'hui il ne savait pas trop que penser.

Il observa son ami. Avait-il seulement entendu sa remarque ? La voix gutturale de Ghislaine leur parvenait d'une pièce située de l'autre côté de la terrasse. Tous les gros meubles avaient été déplacés pour modifier l'agencement des pièces. Son ton péremptoire contrastait avec la voix plus douce de Clara Delluc, chargée de poser les soixante paires de rideaux.

— Ghislaine ne peut s'éterniser, poursuivit Christian, décidé à ne pas capituler. Elle aurait pu s'en aller depuis plusieurs jours. Elle reste à dessein. Une crise se prépare, Édouard, tu es averti.

— Christian, cesse, je t'en prie. Cela ne m'intéresse pas, fit Édouard, lui aussi bien installé dans son fauteuil, le regard fixé sur la mer.

— Je m'en rends compte, insista-t-il lourdement comme s'il ne comprenait pas vraiment. Cela ne va pas l'arrêter. Elle est si prétentieuse qu'elle ne remarque rien, et tu es si aveuglé par tes propres désirs que tu ne vois pas son manège. Sincèrement, Édouard, c'est une désaxée sexuelle. Tout le monde sauf toi l'a remarqué. C'est affreux. Crois-tu que c'est dû à son âge ? La luxure et la concupiscence brillent dans ses yeux chaque fois qu'elle te regarde. Comme si elle voulait te dévorer. Ou, ce qui est plus probable, chercher refuge auprès de toi. Je ne discerne pas réellement son but.

— Tu exagères, comme d'habitude. De surcroît, ce n'est pas très gentil.

— Oh, pour l'amour de Dieu, pourquoi serais-je gentil ? Je ne peux la supporter et ce n'est pas nouveau. Dis-moi, si on s'échappait ? On pourrait aller à Saint-Tropez faire un gueuleton chez Sénéquier. Oublie les femmes. Toutes les femmes, pour une fois.

— Christian, je suis désolé mais c'est impossible. Ma mère va arriver d'un instant à l'autre, et je dois l'attendre. Et puis j'ai du travail en retard, ajouta-t-il en haussant les épaules.

— En principe, nous sommes en vacances. Je sais que tu n'en prends jamais, mais c'est un tort. Tu es un rêveur.

Édouard secoua la tête, et Christian haussa les épaules. L'atmosphère de la maison commençait à lui peser, et l'arrivée de Louise ne ferait que l'envenimer. Christian n'avait jamais eu beaucoup d'affection pour elle. Que de femmes ! Clara allait s'en aller dans la soirée. Louise accorderait probablement un délai à Ghislaine. Ensuite, les choses pourraient peut-être s'arranger. Mais voilà. Hélène Harte était dans la région, à quelques centaines de kilomètres sur la Côte. Était-ce la raison de la mauvaise humeur d'Édouard ?

Il était las de ses sautes d'humeur.

— À tout à l'heure, s'écria-t-il en lui faisant un signe amical de la main. Je vais aller voir une partie de boules place des Lices ou bien faire un tour au musée. J'aimerais jeter de nouveau un coup d'oeil à leur Vuillard. Ils ont un Seurat extraordinaire. Je serai de retour dans l'après-midi. (Il hésita puis esquissa un sourire malicieux.) Si par hasard Ghislaine passe à l'attaque, je veux en connaître tous les détails, même les plus osés. Tu me le jures.

— Christian, arrête ce petit jeu. Si tu veux partir, pars.

— Oh, très bien. Vois-tu, parfois ta probité me lasse.

Édouard le regarda partir. Une mince silhouette élancée, vêtue d'un élégant costume un peu froissé, et coiffée d'un chapeau de paille qu'il avait porté dans des jours meilleurs. L'ancienne cravate de son école lui servait de ceinture, et de la pochette de son veston ressortait un foulard à pois en soie d'un rouge éclatant. Il disparut de sa vue. Édouard resta sur la terrasse, le regard toujours perdu vers la mer. Un yacht aux voiles blanches avait jeté l'ancre au loin. L'air fleurait le sel.

Quelques instants plus tard, il se leva brusquement et prit la direction de la plage. Le chemin était bordé de buissons de thym sauvage, de romarin et de lavande. Toutes les senteurs de la Provence.

Édouard faisait les cent pas sur la plage déserte, donnant parfois des coups de pied dans le sable diaphane qu'il foulait. La remarque finale de Philippe de Belfort l'avait obsédé toute la semaine. Elle lui revenait en mémoire maintenant. « Vous n'avez pas d'enfant. » C'était pratiquement la vérité. Il avait une fille qu'il ne pouvait reconnaître, une fille qui ne l'avait jamais vu. Il aimait une femme qui menait une vie indépendante et ne lui reviendrait jamais. Et depuis trois ans, il était habité par la même obsession qu'il avait jusque-là réussi à maîtriser. Il alla, furieux, s'asseoir sur les rochers qui dominaient la mer paisible.

Peut-être devrait-il se remarier ? Bien des raisons l'y poussaient. Il était plongé dans ses pensées lorsqu'il perçut des pas sur le sable. Levant les yeux, il aperçut Clara.

Il la regarda avancer tant bien que mal sur la plage, la main sur le front pour se protéger du soleil.

— Je suis venue vous faire mes adieux, lui cria-t-elle de loin, tout essoufflée.

Dès qu'elle fut tout près, elle lui sourit et Édouard se leva.

— C'est enfin terminé. Mon travail, tout au moins. Je tenais à vous dire au revoir avant de partir. Une voiture vient me chercher d'une minute à l'autre.

— Vous auriez dû me laisser vous accompagner.

— Mais non. Louise va arriver. Tout est arrangé. Et puis, c'est plus facile ainsi. (Elle s'interrompit brusquement.) Édouard, quelque chose ne va pas ?

— Non, non. Venez vous asseoir un instant auprès de moi. J'étais un peu nostalgique, c'est tout.

Il parlait d'un ton léger. Souriant, il lui tendit la main. Clara la saisit, et il l'aida à s'asseoir auprès de lui. Ils gardèrent le silence. Clara se pencha légèrement pour mieux l'observer. Il avait de nouveau le regard perdu vers la mer, exactement comme elle l'avait aperçu de la terrasse. Une fine brise soulevait la mèche qui lui tombait sur le front. Elle remarqua avec une bouffée d'affection qu'il avait l'air fatigué et sinistre. Elle se rappela le jeune Édouard, de retour en France après avoir terminé ses études à Oxford, débordant d'énergie et d'optimisme. Il lui avait ravi son cœur sans crier gare. Mais jamais il ne s'était donné totalement. Il avait toujours gentiment manifesté une certaine distance à son égard, lui permettant de s'approcher de lui mais jamais très près. Elle en avait longtemps souffert. Il ne lui avait jamais menti, jamais fait de promesses qu'il savait ne pas tenir, et il ne lui avait jamais dit qu'il l'aimait.

Clara détourna le regard. Elle l'avait trop aimé pour lui faire la moindre remarque, lui chercher querelle ou rompre définitivement. Elle n'était pas très satisfaite d'avoir à se plier à ses quatre volontés ni fière de ce qui s'était produit à la fin de leur liaison.

Elle avait survécu. Comme tout le monde. Mais elle avait connu cinq années d'enfer et n'était pas prête à recommencer. Elle se méprisait pour avoir perdu son identité et sa raison de vivre. Le succès professionnel l'avait hissée au sommet, et elle ne tenait pas à retomber dans l'abîme où elle s'était trouvée. Plus jamais elle ne souhaitait être amoureuse, comme elle l'avait été d'Édouard. Il lui arrivait de se dire, à la fin d'une courte aventure, qu'elle avait de la chance d'être une femme libre. « Les femmes, se disait-elle, sont plus heureuses sans homme, même si c'est quelqu'un comme Edouard. »

Il avait ramassé quelques galets qu'il lançait dans l'eau d'un air absent.

— Êtes-vous heureuse, Clara ? lui demanda-t-il soudainement.

Surprise par la question, elle hésita.

— Je suppose que oui.

— J'en suis ravi, lui dit-il, se retournant pour la regarder. Je vous ai rendue malheureuse, je le sais. Il faut me pardonner.

— Oh Édouard, j'ai ma part de responsabilité, fit-elle en lui pressant doucement la main. Je n'en éprouve aucune amertume. Sauf peut-être pour mes moments de faiblesse. Mais je n'en ai plus.

Édouard eut un sourire forcé. Il hocha la tête, puis détourna le regard une fois de plus. Clara avait surpris l'expression de ses yeux. Elle fut de nouveau envahie par ce flot de pitié et d'affection impuissantes, et se pencha vers lui impulsivement.

— Oh, Édouard, que vous arrive-t-il ? Que cherchez-vous ?

— Je ne le sais plus.

Soudain, il se leva furieux et jeta le galet qu'il tenait à la main. Il décrivit un grand arc de cercle et fit plusieurs ricochets sous son regard attentif.

— Je ne sais plus. Autrefois, je savais ou, du moins, le croyais-je.

Ils reprirent ensemble, main dans la main, la direction de la maison. Édouard s'arrêta net. L'expression de son regard la fit frissonner.

— Nous vivons dans un monde pitoyable, informe, lança-t-il presque sans se contrôler, mais il se ressaisit très vite. Ce n'est pas la première fois que je le ressens. Après la mort d'Isobel... je suis désolé. Il n'y aucune raison pour vous assommer avec toutes ces histoires. Laissez-moi vous raccompagner à votre voiture.

Il reprit sa marche et Clara resta immobile un instant. Elle brûlait du désir de courir vers lui, de le prendre dans ses bras et de le secouer. Elle avait envie de hurler : « La vie n'est pas comme ça. Ce n'est pas vrai. » Mais elle n'en fit rien. Ses paroles auraient semblé ridicules. Un simple cri stupide de défi auquel Édouard n'aurait pas prêté attention ni elle non plus, quelques années auparavant, lorsqu'elle était follement amoureuse.

Elle le rejoignit lentement. De la terrasse, Ghislaine n'avait rien perdu de la scène.

Ce soir-là, Louise, Ghislaine, Édouard et Christian dinèrent ensemble. En présence de Louise, chacun fut prié de s'habiller pour le dîner. L'atmosphère était tendue. Christian, incapable d'en comprendre la raison, blâmait Louise qui était d'une humeur exécrable depuis son arrivée.

Elle arriva dans sa Bentley bleu nuit, suivie de deux autres voitures. Dans l'une d'elles voyageait sa caméariste chargée de ses mallettes de bijoux et dans l'autre les quinze valises Vuitton et les cartons à chapeaux que Louise exigeait pour tout voyage supérieur à sept jours. Ghislaine se joignit à Édouard pour l'accueillir, ce qui, aux yeux de Christian, était une erreur. Dès cet instant, après leur avoir lancé un regard glacial à tous deux, Louise déclara ouvertement que la présence de Ghislaine dans cette maison lui était imposée de façon insolente et irritante. Ghislaine annonça son départ pour le lendemain, mais l'atmosphère n'en fut pas détendue pour autant.

Louise avait fait le tour complet de la maison sans cesser de se plaindre amèrement.

— Êtes-vous sûre que j'ai donné mon accord pour un tel tissu, Ghislaine ? Il me semblait que j'avais opté pour une couleur plus atténuée, plus subtile. C'est peut-être la façon dont ce rideau est accroché. Toujours est-il qu'il ne me plaît guère.

Elle prit un ton récriminateur et geignard pour critiquer le nouvel agencement de la chambre. Quant aux autres pièces, elle les regarda à peine. La salle de billard était horrible, la serre complètement ratée, le salon mal mis en valeur. Quand elles revinrent dans le salon, elle donna libre cours à sa hargne.

— Eh bien, Ghislaine, je suppose que vous m'avez demandé mon avis, mais maintenant, après ce que je vois, j'en doute. Le mobilier est vraiment réduit au minimum et fort mal agencé. Et ce rose ! M'avez-vous réellement consultée sur ce point ? Il tire un peu sur le beige. C'est un tissu terne et sans consistance. Qu'est-ce exactement, Ghislaine ?

— De la soie grège, Louise.

Ghislaine avait du mal à se retenir. Elle avait la gorge nouée.

— C'est un tissu de soie brute, fait et teint à la main. Seuls certains vers à soie produisent cette matière rare. Je l'ai fait venir spécialement de Thaïlande, et c'est le tout dernier cri. Tout le monde essaie de l'acquérir.

— Je ne vois vraiment pas pourquoi, fit Louise d'un ton acerbe. De toute façon, je n'ai jamais aimé la Thaïlande. Je préfère de loin la Birmanie.

Elle s'était affalée sur une chaise, mais son agitation était telle qu'elle se leva très vite en poussant un petit cri de détresse. Christian et Édouard, qui les avaient rejointes pour visiter la maison, échangèrent un sourire forcé.

— Regardez ces murs ! Qu'avez-vous donc fait, Ghislaine ? Ils ont un effet déplorable sur mes beaux Cézanne. Et même sur le Matisse que Xavi aimait tant. Ils ne ressortent absolument pas, et leur beauté est plutôt ternie. Édouard, Christian, n'êtes-vous pas de mon avis ?

Christian songeait qu'on pouvait pendre les Cézanne dans un infâme grenier et que cela n'y changerait rien. Il haussa les épaules.

— Il serait difficile de leur ôter leur beauté, maman, fit Édouard, exprimant à haute voix la pensée de Christian avec tact.

Ghislaine, appréciant cette remarque, esquissa un sourire. Louise, furieuse de la traîtrise, lui décocha un regard incendiaire.

— Vous devriez peut-être aller vous reposer, maman. Le voyage a dû vous fatiguer.

— Je me sens très bien. Je te prie de ne pas t'adresser à moi comme si j'étais invalide. Vois-tu, Édouard, il t'arrive de te montrer étonnamment stupide.

Elle s'interrompit, se tournant d'abord vers Édouard, puis vers Ghislaine, remarquant au passage sa belle chevelure brune parfaitement soignée et ses chaussures noires lacées à l'arrière.

— Je reconnais mon erreur, dit-elle d'un ton cassant. J'aurais mieux fait de ne pas faire confiance au jugement d'une amie.

Là-dessus, elle sortit de la pièce et appela sa camériste. Devant Christian ébahi, Édouard et Ghislaine échangèrent un regard teinté de culpabilité mais assurément complice. Christian n'en croyait pas ses yeux.

Le dîner fut servi. La pièce regorgeait de vases de fleurs, mimosas, jasmins, roses, fleurs d'oranger qui dégageaient un parfum agréable. Sur la table étaient posés quatre chandeliers d'argent. Service en porcelaine de Limoges. Ils étaient tous les quatre impassibles. Louise, habillée d'un ensemble de velours rehaussé de perles roses. Ghislaine d'une robe d'un pourpre provocant. Édouard, silencieux et distrait. Christian, vêtu d'une veste d'intérieur en velours vert qu'il portait avec un noeud papillon en soie jaune canari. Ce fut un dîner particulièrement tendu.

Christian trouvait la situation absurde et avait du mal à ne pas éclater de rire. Il but un peu plus que de coutume, mais, devant l'expression d'Édouard, éprouva quelques remords. Il cessa aussitôt de boire, ce qui ne changea rien. Sobre ou ivre, il ne se rendait pas compte que sous cette atmosphère glaciale sourdaient les soupçons et l'hostilité.

Christian avait l'impression que Louise essayait de jouer un nouveau rôle, celui d'une vieille dame arrogante, terriblement exigeante. Il ne lui manquait qu'une canne à pommeau d'argent. Christian l'imagina avec terreur, quelques années plus tard, tapant le plancher de sa canne et rendant la vie impossible à son entourage. Elle avait soixante-sept ans. Ses aventures amoureuses s'espaçaient depuis une dizaine d'années, selon les rumeurs. Elle prenait sans doute conscience que ses charmes étaient presque inexorablement flétris, et ce nouveau rôle remplaçait celui de séductrice et d'enjôleuse. Christian, en l'observant, remarqua, que, pour la première fois depuis qu'il la connaissait, elle paraissait son âge. « Elle est vieille, se dit-il d'un air lugubre. Nous vieillissons tous. Dans deux ans, je fêterai mes quarante ans. La moitié de ma vie, peut-être davantage, s'est envolée. »

Il observa Édouard, impassible, qui n'avait pratiquement rien dit au cours du repas et songea avec amertume qu'il vieillissait sous ses yeux. Il avait l'air las, malheureux et sinistre. Quelle différence avec le jeune homme d'Oxford. « Nous avions vingt ans. Tout alors nous semblait possible. Avant que l'éventail de nos choix se réduise... », songeait-il avec mélancolie.

Édouard se dit que l'alcool le rendait, comme toujours, sentimental... Ghislaine et sa mère ne cessaient de se quereller.

— Ma chère, il s'agissait de Harriet Cavendish, et c'était en 1952. À l'époque, elle était mariée à Bonky. Je m'en souviens parfaitement.

— Ghislaine, pardonnez-moi, mais je connais Harriet depuis son enfance. C'était en 1948, et je puis vous assurer qu'elle n'était pas mariée à Binky à ce moment-là mais à...

— Veuillez m'excuser, fit Édouard en se levant.

Il régna un silence soudain. Édouard se tourna vers sa mère, prise au dépourvu, puis vers l'âtre où scintillaient les flammes. La pièce semblait se briser, se désintégrer sous ses yeux. Tout vacilla un instant. Édouard regarda son entourage en songeant : « C'est à l'image de notre vie. Cette méchanceté. Cette mesquinerie. Cette inconséquence. Que de temps perdu en de vaines activités ! »

— Veuillez m'excuser, maman, fit-il poliment. Ghislaine, Christian, il faut que je vous quitte. Un travail urgent m'appelle.

Christian pensait qu'Édouard allait sortir directement. Il n'en fit rien. Il s'arrêta devant la chaise de sa mère, le visage empreint de douceur. Louise leva la main vers lui. Édouard la serra affectueusement et se courba courtoisement. Soudain, sans raison apparente, Louise ôta sa main.

— Tu es terriblement égoïste, Édouard, dit-elle d'un ton hargneux. Je suis arrivée il y a à peine quelques heures, et tu dois déjà retourner à ton sempiternel travail. Eh bien, vas-y si tu ne peux faire autrement. Laisse-moi seule, comme toujours.

— Vous n'êtes pas vraiment seule, maman, fit Édouard, mais Louise l'arrêta net.

— Oui, je suis seule et je vieillis. Personne ne s'intéresse à moi.

— Maman, je vous en prie, vous savez très bien que c'est faux. Vous savez que je...

— Toi ? En quoi m'es-tu utile ? En quoi l'as-tu jamais été ? Dis-moi. Ah, fit-elle avec un gémissement de détresse, c'est dans de tels moments que je regrette mon cher Jean-Paul.

Elle saisit un mouchoir bordé de dentelle et s'essuya les yeux. Christian, stupéfait, se demandant bien qu'elle pouvait être la cause de cette manifestation de douleur, remarqua qu'elle pleurait vraiment. Juste un peu.

Édouard ne dit plus rien. Il avait seulement pâli. Debout près de la chaise de sa mère, il regardait sa tête penchée. D'un ton parfaitement calme, il lui souhaita une bonne nuit. Puis, après s'être respectueusement incliné comme il le faisait depuis son enfance, il sortit en silence.

Cela se passait à 10 heures. Deux heures plus tard, Ghislaine était sortie sur la terrasse de sa chambre donnant sur la mer qui ne formait plus qu'une masse sombre.

Le dîner s'était terminé après le départ d'Édouard. Louise, contrariée, s'était aussitôt retirée dans sa chambre. Christian et Ghislaine s'étaient retrouvés seuls. Le café leur fut servi au salon et Ghislaine, pleine d'espoir, scrutait Christian. Elle ne l'aimait pas particulièrement, mais le savait très proche d'Édouard. Comme il était passablement éméché, elle pensait le questionner sans difficulté.

Mais Christian ne lui en donna pas l'occasion. Avec une grossièreté consciente, il s'affala sur l'un des divans et cala un coussin tout neuf d'une merveilleuse texture sous ses pieds chaussés de vieilles pantoufles en velours noir.

— Ah, c'est l'heure de ma lecture, enfin ! s'exclama Christian.

Il jeta un coup d'œil vers Ghislaine, saisit un livre écorné et l'ouvrit. C'était un ouvrage de Proust. Ghislaine, qui n'avait jamais lu Proust, n'en fut que plus furieuse.

— Quel régal, fit Christian en levant les yeux de son livre. Je le relis chaque été. Tout au moins en partie. Quand j'étais plus jeune, j'avais une passion pour *Le Rouge et le Noir* et aussi pour *L'Éducation sentimentale*. Je les lis toujours avec plaisir. Mais, à mon âge, c'est à Proust qu'on s'intéresse.

— Ne lisez-vous jamais de romans anglais ? lui dit Ghislaine d'un ton acerbe.

— Pratiquement jamais quand je peux l'éviter.

Il feuilleta le livre d'une manière désordonnée. Ghislaine remarqua qu'il avait la déplorable habitude de corner les pages. Ce volume en était la preuve, car bon nombre de pages avaient été abîmées. Elle pinça les lèvres. Bien qu'elle lût peu, elle pensait que les livres devaient être traités avec respect.

— J'ai terminé *Du côté de chez Swann* et maintenant j'en suis à Balbec et Albertine.

— Ah bon ?

— Proust décrit si bien l'amour. Vous ne trouvez pas ?

De nouveau, Christian la dévisagea d'une façon qui la mettait mal à l'aise.

— Où en étais-je ? Ah oui ! voilà. C'est un passage magnifique. Je suis sûr qu'il va vous revenir en mémoire. Écoutez.

Il s'éclaircit la gorge et se mit à lire d'une voix traînante qui déplut à Ghislaine.

— *Il y a bien longtemps, alors que je me promenais sur les Champs-Élysées...* Je saute un passage. *Que, lorsqu'on aime une femme, on projette simplement en elle l'état de notre âme et que l'important est donc non point la valeur de cette femme, mais la profondeur de cet état...* (Il s'interrompit et lui sourit.) Je pourrais vous en lire bien davantage, mais vous avez là l'essentiel, non ? Je songe souvent à Édouard quand je lis ce passage, mais je ne lui avouerai jamais, bien sûr.

Ghislaine lui décocha un regard glacial. De toute évidence, Christian voulait lui faire comprendre quelque chose qu'elle ne souhaitait pas entendre.

— Ce n'est pas très flatteur pour les femmes. Je suppose que le contraire est tout aussi valable. Les femmes projettent sur les hommes toutes sortes d'idées et de fantasmes.

Elle songea aussitôt à Louise.

— Ah bon ? fit Christian, un sourire aux lèvres. Réellement ? Il est vrai que vous le savez mieux que moi. Je n'ai jamais prétendu être expert.

Sur ces paroles, il leva son livre en soupirant d'aise, puis se tut. Ghislaine, impassible sur sa chaise, fulminait sans savoir exactement pourquoi. Elle avait perçu l'allusion, mais ne la comprenait pas... Elle feuilleta bruyamment un magazine, fumant cigarette sur cigarette. Lorsque le silence devint insupportable, elle s'en alla sans souhaiter une bonne nuit à Christian.

Elle était retournée dans sa chambre. Une nuit blanche s'annonçait. Les derniers événements de la journée lui revenaient en mémoire : la vision d'Édouard, sur la plage, en compagnie de Clara, le sentiment de jalousie intense qui l'avait submergée en les apercevant. Louise qui l'avait purement et simplement mise à la porte. Ses remarques humiliantes. Certes, Ghislaine aurait souhaité pouvoir lui répondre, mais elle s'était retenue à cause d'Édouard.

Elle arpenta la pièce de long en large. Si elle ne voyait pas Édouard le soir même, avant son retour à Paris, elle avait l'impression qu'elle en perdrait la raison. Être dans la même pièce que lui, entendre sa voix lui suffirait, se disait-elle, refoulant quelques fantasmes. Lui aussi était tendu, nerveux, troublé. Il traversait une crise et luttait. Ni Louise ni Philippe de Belfort n'en étaient la cause.

Voilà. L'excuse parfaite. Vu les circonstances, sa démarche n'était pas surprenante. Elle pourrait simplement demander à Édouard où il en était de cette affaire.

« Je ne peux plus attendre, se dit-elle. À Paris, il s'écoulera des semaines avant qu'une telle occasion ne se présente. Il faut que je le voie. Il faut que je lui parle. »

Elle passa par la terrasse et se dirigea lentement vers la chambre d'Édouard. Une image s'imposa à son esprit : elle avait quinze ans. Trop grande pour son âge, les épaules carrées, un peu gauche. C'était en 1930. Elle était invitée à une garden-party à Saint-Cloud. Xavier de Chavigny s'y trouvait en compagnie de sa célèbre femme, vêtue d'une robe Chanel. Petite, très fine, ravissante, tout ce que Ghislaine n'était pas et aurait souhaité être. Elle les avait observés de l'autre côté de la pelouse. Louise avait murmuré quelque chose d'inaudible à l'oreille de son mari, qui lui avait répondu par un sourire. Se croyant à l'abri des regards, il avait glissé la main autour de sa taille, puis lentement en haut des cuisses. Ensuite, ils avaient rejoint les autres comme si de rien n'était.

Ce geste de complicité familière avait éveillé la sexualité naissante de Ghislaine. Elle ne connaissait rien à l'amour et n'avait nulle expérience de la vie. Mais elle connaissait la signification de ce geste, la réponse immédiate de son corps au supplice en était la preuve. Elle désirait Xavier de Chavigny de tout son cœur, de toute son âme. Elle garda cet amour secret jusqu'à son premier mariage.

Trente-deux ans s'étaient écoulés. Pourquoi éprouvait-elle l'étrange sensation, en longeant la terrasse dans sa robe rouge, qu'elle venait à un rendez-vous donné bien des années auparavant.

La chambre d'Édouard se trouvait à l'autre extrémité de la maison. Des portes-fenêtres donnaient sur la mer. Les volets extérieurs étaient ouverts, les persiennes intérieures closes mais non accrochées, sans doute pour empêcher papillons et insectes d'entrer. Les rideaux n'étaient pas tirés, et la lumière était encore allumée.

Ghislaine réfléchit. Elle ne se sentait plus le courage d'avancer.

Elle resta là dix ou quinze minutes. Édouard ne se montra pas. Vêtue seulement d'une robe de soie fine, elle frissonna. Une ombre se profila derrière les persiennes. Elle allait l'appeler lorsqu'elle entendit Édouard prononcer quelques paroles inaudibles et Christian Glendinning lui répondre. Là, elle n'hésita plus. Elle s'avança sur la pointe des pieds vers les volets et tendit l'oreille.

Christian se trouvait sur le seuil de la porte, son Proust sous le bras. Édouard était assis devant une table où s'amoncelaient des dossiers dont les piles étaient intactes.

Christian promenait son regard sur Édouard, puis sur les papiers en secouant la tête.

— Je savais que tu ne serais pas couché et je parie que tu n'as pas touché à ton travail. Mon Dieu ! Quelle soirée ! J'ai pensé que tu avais besoin de te dérider.

— Autrement dit, tu veux un cognac. Très bien, assieds-toi, je vais en chercher.

Christian s'installa confortablement, les jambes allongées et les bras croisés au-dessus de sa tête.

— Nous serons mieux quand le scorpion sera parti. Enfin on pourra se détendre. Ce soir, j'avais l'impression d'un dîner chez les Borgia. Mais, dis-moi, qu'a Louise ?

— Un certain nombre de problèmes, fit Édouard en haussant les épaules. Rien de bien nouveau. Il faut simplement un peu de patience et de gentillesse, si toutefois tu en es capable.

— J'essaierai. (Christian prit le verre que lui tendait Édouard.) Tu sais ce qui ne va pas, lui dit-il avec un sourire forcé. Ce matin, j'ai compris. Tu sais qu'elle est en France, c'est cela, non ? Et pas seulement en France mais tout près d'ici, à une heure de route, moins si c'est toi qui conduis. Tu es là et elle est à Cannes, ce qui n'arrange rien. Inutile de faire cette tête. Le bordeaux et Proust aidant, je suis prêt à résister à tes sarcasmes, et tu n'arriveras pas à me mettre dehors.

— Il n'y a pas que cela, répondit Édouard en s'asseyant en face de Christian. Le temps qui passe, les ragots... Je suis désolé, Christian, je ne suis pas une compagnie agréable.

— Sur ce point, tu as raison, acquiesça Christian en plaisantant. Et tu sais pourquoi ? Parce que tu ne supportes pas l'inaction. Ce n'est pas dans ton tempérament. Tu t'y es contraint pour des raisons que je ne comprends pas et maintenant tu en paies les conséquences. Tu perds la foi. Tu devrais relire Proust, il traite ce sujet avec brio. Vois-tu... (Se redressant, il se pencha vers lui.) Je crois que tu devrais tout oublier. Soit tu te décides à admettre que c'est terminé, soit tu passes à l'action. Grimpe dans ta maudite voiture noire et file vers Cannes. Va la voir et dis-lui : « Hélène. Me voici. Viens-tu avec moi, oui ou non ? » Ce n'est pas un bon scénario ?

Malgré lui, Édouard sourit.

— J'avoue que la perspective est séduisante. Il y a une certaine hardiesse et un panache que j'aime.

— Évidemment, parce que cela correspond à ta nature. Du moins la hardiesse. Tu es téméraire quand tu le veux, et, en ce moment, c'est le cas. Alors, qu'attends-tu ?

— Je ne tiens pas à prendre l'initiative. C'est elle qui doit faire les premiers pas. Et puis tu oublies un ou deux détails.

— Le mari ? Et alors ? fit-il avec un geste de dédain.

— Arrête, Christian, j'apprécie ton aide, mais je préfère que tu me laisses seul. Je n'ai pas envie de parler de tout cela.

— Pourtant...

Christian but une gorgée de cognac et alluma une de ses cigarettes russes. Tous deux gardèrent le silence. Au bout d'un moment, Christian leva les yeux vers lui et lui dit d'un ton désinvolte :

— Est-ce que tu perds la foi, Édouard ? Ou l'espoir ou tout ce qui faisait ta force jusqu'à présent ?

Édouard se leva brusquement, se dirigea vers la fenêtre et, là, se retourna.

— Parfois, c'est vrai. Il est difficile de garder confiance quand seuls des souvenirs vous soutiennent encore. Et même l'espérance..., dit-il avec un sourire triste avant d'aller se rasseoir.

— Mais tu ne capitules pas ?

— Non, lui dit-il en secouant la tête. Je crois que j'en suis incapable. Pourtant, je le souhaiterais. Mais j'aurais l'impression de renoncer à moi-même. Je ne sais pas comment t'expliquer.

Leurs regards se croisèrent. Christian poussa un long soupir.

— Je te comprends dans un sens, bien que la fidélité n'ait jamais été mon fort. Je ne suis qu'un papillon...

— Tu es fidèle à ta façon.

Christian, légèrement embarrassé, réagit avec vigueur mais trop promptement pour un Anglais.

— Quelle connerie ! Enfin, peut-être.

Il écrasa sa cigarette dans le cendrier, termina son cognac et se leva.

— Bon, cela suffit pour ce soir, je vais aller me coucher. Il est minuit passé, fit-il en regardant sa montre. Je crois que tu es à l'abri de Ghislaine maintenant. Elle avait l'air hystérique pendant le repas. Sans doute les affres de la ménopause. C'était plutôt effrayant. Je ne pense pas que les visites de nuit soient son style, mais on n'est sûr de rien, n'est-ce pas ?

— Christian...

— Dis-moi, que se passe-t-il entre vous deux ? J'ai observé le regard que vous avez échangé, cet après-midi, quand Louise est partie. C'était un regard de conspirateur. Si je n'avais pas été certain que ton éducation catholique ne te pousse pas vers des prédateurs peinturlurés d'un certain âge, j'aurais eu des doutes.

— Christian, occupe-toi de tes affaires, veux-tu. Je connais Ghislaine depuis longtemps. Elle m'a rendu un grand service ces temps-ci pour une affaire qui concerne ma mère justement. Nous avons travaillé ensemble.

— Oh, je vois. C'est un mystère. Si tu es conscient de ses travaux d'approche...

— Christian, ne sois pas ridicule.

— Cela te paraît peut-être ridicule, mais à elle non, répliqua sèchement Christian.

— Je suis sûr que tu as tort. Tu sous-estimes Ghislaine. Elle est tout sauf stupide. Tu sais très bien que je ne lui ai jamais donné la moindre raison de penser...

— Qui te parle de raison ? Mon cher Édouard, tu n'es certes pas idiot, mais tu te montres extraordinairement obtus.

Il régna un silence pesant. Les deux hommes se regardèrent, puis Christian éclata de rire. Édouard s'efforça de sourire.

— Eh bien, sincèrement, j'espère que tu te trompes. C'est tout.

— Je ne me trompe jamais. Dans ce domaine, j'ai un instinct infaillible, dit Christian en se dirigeant vers la porte. (Sur le seuil, il lança à Édouard un regard malicieux.) Tu avoues tout de même que Louise a raison à propos de la maison, non ? C'est d'un mauvais goût parfait. Ne prétends pas le contraire, je t'ai vu pâlir.

— D'accord, c'est affreux. Mais, pour l'amour de Dieu, va te coucher.

La porte se referma. Édouard se rassit. Il jeta un coup d'œil aux papiers étalés sur son bureau, puis se prit la tête entre les mains.

Dehors sur la terrasse, Ghislaine s'éloigna sans bruit. Elle avait la nausée.

Elle se vêtit avec soin pour le petit déjeuner. Un tailleur en toile noire un peu austère. Moins de maquillage que d'habitude. En se regardant dans le miroir, elle se rappela les paroles de Christian : « Peinturlurée... La ménopause. Elle exécrait ce sale petit homosexuel, tout comme elle éprouvait de la haine à l'égard d'Édouard de Chavigny, le trop poli, trop courtois Édouard qui n'avait pas prononcé une seule parole pour sa défense, ce qui l'avait blessée davantage que les commentaires de Christian. Édouard qui s'était moqué d'elle.

Le petit déjeuner fut servi sur la terrasse. Ghislaine, arrivée la première, patienta quelques instants. Louise resterait au lit, puisqu'elle ne se levait jamais avant midi. Rien ne ferait bouger Ghislaine tant qu'elle n'aurait pas vu Édouard, tant qu'elle ne lui aurait pas dit ce qu'elle n'avait cessé de se répéter toute la nuit. Elle prit un croissant, but deux tasses de café. Enfin, elle vit arriver Édouard et Christian par la terrasse. « C'est encore mieux en présence de son ami », se dit-elle.

Ils se joignirent à elle. Édouard portait un costume léger beige clair. Sa beauté était accentuée par son bronzage. La fatigue de la veille avait disparu.

— Bonjour, Ghislaine.

— Quelle belle journée, fit Christian en regardant le ciel ensoleillé.

Ghislaine leur sourit. À la blessure de la veille s'ajoutait un profond mépris.

Elle prit un autre croissant, en rompit un morceau et y étala du miel.

— Nous pourrions aller assister à une partie de boules, fit Édouard. Ensuite déjeuner et faire une promenade sur les collines.

— Tout sauf la plage. J'ai une aversion profonde pour les plages.

— Quand devez-vous partir, Ghislaine ? Êtes-vous venue en voiture ?

Édouard, avec sa courtoisie habituelle, feignait de s'intéresser à son sort. Ghislaine lui lança un regard haineux.

— J'ai ma voiture et je vais bientôt partir. Je dois me rendre chez un ami, un promoteur qui achète et vend des villas sur la Côte. Il s'appelle Gustav Nerval. Vous le connaissez peut-être ?

L'idée de rendre visite à Nerval ne lui était pas venue à l'esprit auparavant, mais c'est ce qu'elle allait faire. Au moins Nerval, lui, n'était pas un hypocrite.

— J'ai entendu parler de lui, fit Édouard, mais je ne pense pas le connaître.

— C'est un homme charmant. Je suis certaine que vous l'apprécieriez. Oh, j'allais oublier, il m'est arrivé une chose extraordinaire. Il a donné une petite réception, il y a quelque temps au Cap, et il avait invité des gens du cinéma. J'y étais conviée et j'y ai rencontré une de vos amies.

— Une de mes amies ? demanda Édouard qui s'était figé.

— Vous vous rappelez ? Hélène. Jean-Jacques et moi l'avons rencontrée chez vous dans la Loire, il y a une éternité de cela. Ce devait être er 1959, non ?

Les deux hommes avaient les yeux fixés sur elle. Ghislaine éprouva un brusque sentiment de triomphe. Elle garda un ton tout à fait naturel.

— Elle se fait appeler Hélène Harte maintenant. Elle est actrice, le saviez-vous ? Elle est si belle. Encore plus splendide que dans mes souvenirs. Et si aimable. Elle est plus mûre. Elle m'a fait grande impression... J'étais assise à côté de son mari au dîner. C'est un très bel homme, plein de charme. C'était plutôt touchant. Ils ont l'air passionnément amoureux et ne se quittent pas des yeux. Ils ont un enfant, une adorable petite fille. Comme le temps passe ! (Elle s'interrompit, l'air perplexe.) J'ai fait allusion à notre rencontre, bien entendu. Savez-vous, Édouard, qu'elle n'en avait aucune souvenance ? Elle ne se rappelait ni moi ni le dîner. Même lorsque j'ai prononcé votre nom, elle a eu l'air déconcertée. Sur ce, quelqu'un est arrivé, et je n'ai plus eu l'occasion de bavarder avec elle. Je suppose qu'elle a dû s'en souvenir par la suite. Quelle merveilleuse soirée nous avions passée dans la Loire ! J'ai toujours cru... Mais c'est le propre des jeunes, n'est-ce pas ? Je trouve effrayant la facilité avec laquelle ils effacent le passé alors que pour nous il est si proche, dit-elle en souriant. Enfin, voilà. J'ai pensé vous faire plaisir en vous disant que je l'avais rencontrée. (Elle repoussa son assiette et se leva.) Maintenant, il faut que je me dépêche. Tout ce travail pour Louise m'a retardée. Christian, ne lisez pas trop. Édouard, j'ai été ravie de vous revoir et je suis sûre que Louise... Bien, nous en parlerons une autre fois. (Elle fit un petit signe de la main.) Au revoir. Passez de bonnes vacances.

Elle tourna les talons et les quitta, fière d'elle. Parfait. Elle souhaitait que ses paroles l'étouffent de rage.

« Gustav Nerval, se dit-elle en mettant le contact de sa jolie petite voiture. C'était toujours mieux que Jean-Jacques. Pas l'idéal, il est vrai, mais Nerval, pourquoi pas ? »

Christian et Édouard entendirent le bruit du moteur s'estomper.

— Elle ment, Édouard, fit Christian. Elle est bête et méchante, la garce.

— Pourquoi mentirait-elle ? Elle ne sait pratiquement rien. Elle a rencontré Hélène une seule fois, et je n'ai jamais fait la moindre allusion depuis.

— Elle ment, j'en suis sûr. Elle jubilait.

Le silence régna un instant.

— Crois-tu vraiment qu'elle mente ? dit Édouard. C'est peut-être vrai. Mais il se peut aussi qu'elle dise la vérité. Je le sais. Je suppose que je l'ai toujours su.

Il s'était levé lorsque Ghislaine était partie, puis était venu se rasseoir. Christian s'apprêtait à répondre lorsque Édouard, avec une brutalité surprenante, lui dit :

— Non, Christian.

Christian se tut. Édouard servit le café. Au bout de quelques instants, incapable de se contenir plus longtemps, Christian explosa.

— Pour l'amour de Dieu, Édouard, pourquoi faut-il que tu sois ainsi ? Pourquoi... je ne sais pas, moi... ne parles-tu pas, ne te mets-tu pas en colère, ne dis-tu pas ce que tu penses ? Va te soûler. Tout serait mieux que de garder ce silence affreux. Tu es renfermé...

— Très bien.

Édouard, devant Christian ébahi, repoussa sa chaise et se leva.

— Très bien. Allons nous soûler. Il y a longtemps que cela ne m'est pas arrivé. Si je ne suis pas capable de parler, je peux au moins m'enivrer. Allons-y, Christian.

Ils allaient repartir en avion de Nice. Le festival du film était terminé. La limousine était grande mais sans air conditionné. Il faisait très chaud à l'intérieur. Ils étaient tous assis à l'arrière. Thad fredonnait, Lewis ne disait rien, et Hélène regardait le paysage défiler par la fenêtre.

Ils approchaient de l'aéroport, lorsque, à un feu rouge, une voiture s'arrêta derrière eux. Hélène entendit d'abord le moteur. Un bruit distinct. La voiture vint à leur hauteur. C'était une voiture de sport, longue, noire. Une Aston Martin.

Elle crut que son cœur s'arrêtait de battre. Elle se pencha et tendit le cou. Mais ce n'était pas la voiture d'Édouard. L'intérieur était différent, et elle était conduite par un inconnu. Le feu passa au vert. L'Aston Martin les doubla sans effort, et elle remarqua avec tristesse que la plaque d'immatriculation était suisse, non française.

Elle appuya la tête contre la vitre et ferma les yeux. La vision de cette voiture avait produit en elle un tel choc qu'elle lui avait révélé sa vulnérabilité. Elle fut submergée d'un amour immense pour Édouard. Elle percevait sa voix, sentait la douceur de ses caresses, le parfum de sa peau, de ses cheveux. Elle le sentait plus proche que jamais, plus proche encore que lorsqu'elle s'était glissée dans la nuit et s'était retrouvée rue Saint-Julien, à Paris. L'amour, la douleur étaient si intenses qu'elle se sentit comme disloquée, aveuglée. Elle oublia un instant où elle se trouvait, avec qui et l'événement qui venait de se produire.

À l'aéroport, ils furent retardés par des photographes. *Short Cut* venait d'obtenir la Palme d'Or. Hélène avait le prix de la meilleure actrice.

Les photographes se bousculaient pour prendre des clichés de Thad Angelini. Ils se battaient pour approcher Hélène. Personne ne prêta attention à Lewis.

Les photographes hurlaient en français, en anglais, en italien pour prendre Hélène en photo. Ils étaient surexcités. Hélène semblait ne pas les voir.

Quelques instants plus tard, Thad lui prit le bras.

— Ils veulent que tu souries, lui dit-il. Écoute. Est-ce que tu les entends ? Ils essaient de te dire quelque chose.

— Quoi ? lui répondit-elle, livide. Quoi ? Que disent-ils ?

— Ce que je fais que te répéter : que tu es une star.

Il l'effleura du bout des doigts.

— Tu t'es conduit d'une façon épouvantable. Sans réfléchir. Avec égoïsme. Tu es sorti toute la journée et la moitié de la nuit. Vous avez fait du bruit en rentrant. On a dû vous entendre depuis Saint-Tropez. Vous étiez ivres. Christian chantait.

Louise frissonnait de colère. Elle avait demandé à Édouard de venir dans sa chambre. Ses bagages étaient faits.

— Je m'en vais. Je rentre à Paris aujourd'hui. Tu peux rester ou partir, comme tu voudras. Mais avant de t'en aller, je te prierais de m'expliquer ce qui s'est exactement passé, et n'essaie pas de me tromper en tournant autour du pot ou avec de vagues excuses. Je veux... je veux savoir en détail ce qui s'est passé avec Philippe. Où est-il ? J'ai essayé de téléphoner chez lui. Personne ne répond, pas même les domestiques... J'exige une réponse, Édouard. Oui, je l'exige.

Elle était presque en larmes.

— Maman...

— Je veux savoir, Édouard. Je ne vais pas te laisser me traiter comme... comme si j'étais une enfant. Comment oses-tu me faire ça ?

— Très bien, fit Édouard.

Il remarqua qu'elle tremblait. Édouard avait tout le corps endolori, la tête prise dans un étau. La lumière lui faisait mal aux yeux. Il ne s'était pas encore rasé et la nuit passée à s'enivrer n'avait servi à rien. Il était encore plus sinistre qu'avant, détaché de lui-même, de la vie, et surtout, en cet instant précis, de sa mère. Il n'éprouvait même pas de colère à son égard, simplement du dégoût. Ce fut sans doute la raison qui l'incita à lui avouer la vérité, à lui expliquer les raisons qui l'avaient poussé à agir ainsi. Mais il le fit d'une façon plus directe et avec moins de tact qu'il ne l'aurait fait en temps normal.

Louise s'était assise pour l'écouter. Elle ne l'interrompit pas une seule fois.

Quand il eut fini, elle bondit vers lui. Édouard crut qu'elle allait le frapper.

— Imbécile ! Comment as-tu pu agir ainsi ? À quel titre t'es-tu mêlé de mes affaires sans même m'en parler ? Te rends-tu compte des conséquences de ton acte ? Non, bien sûr, tu ne comprends rien. Tu es trop aveugle, trop arrogant, trop stupide.

— Écoutez, maman. J'ai agi au mieux de nos intérêts. C'est peut-être désagréable, mais vous m'avez prié de vous dire la vérité et c'est ce que j'ai fait. Belfort se servait de ma société comme il se servait de vous.

— Crois-tu que je ne le savais pas ? fit-elle, la voix tremblante d'émotion en se tournant vers lui. Penses-tu que je sois vraiment idiote ? Eh bien, vois-tu, ce n'est pas le cas. Tu m'entends ? Je savais exactement quel type d'homme était Philippe de Belfort et j'ai su dès notre première rencontre à qui j'avais affaire. Mais cela m'était égal. Quelles qu'aient été ses raisons, l'argent, mes relations, peu m'importait. Ce n'était pas le premier. L'essentiel, c'est qu'il était là. Il m'offrait de petits présents, m'envoyait des fleurs, me téléphonait, envoyait son chauffeur me chercher. Avec lui, je me sentais rajeunir et j'étais heureuse...

— Si vous n'exigez rien d'autre, maman, vous retrouverez très vite le bonheur.

Elle le gifla. Des larmes coulaient le long de ses joues. La colère la faisait trembler des pieds à la tête.

— Tu ne peux pas comprendre, tu ne veux pas comprendre. Tu ne comprends ni ne comprendra jamais rien à l'amour. Tu n'as ni cœur ni imagination, Édouard. Malgré ses défauts, Jean-Paul t'était bien supérieur. Voilà pourquoi je l'aimais, pourquoi toutes les femmes l'aimaient. Parce qu'il était ouvert, gentil, généreux, plein d'humour. Ce n'est pas comme toi. Une femme ne peut être attirée que par ton nom et ta situation. Pas par toi. Elle aurait l'impression d'être mariée à une machine, à un automate.

Édouard recula.

— Ce n'est pas vrai. Vous ne devriez pas... Ce n'est pas vrai. Isobel...

— Oh, Isobel ! fit Louise en hochant la tête. Même elle, tu la faisais passer au second plan.

Édouard se tut. Il se sentit aussi vulnérable qu'un enfant. Louise avait toujours eu le chic pour atteindre parfaitement sa cible, le réduire à un état où douleur et colère se mêlaient au point de le laisser pantelant et sans voix. Louise se rendait compte qu'elle l'avait blessé. Elle arbora une expression triomphante de mépris. À lui de voir clair. Soudain Louise laissa échapper sa douleur.

— Il était ma dernière chance. Je ne suis plus jeune. Philippe était ma dernière chance, et tu as tout gâché, comme tu as gâché tout ce que tu as touché... Je te hais, Édouard, pour ce que tu viens de me faire. Je ne te pardonnerai jamais.

L'espace d'un instant, les yeux voilés de larmes, les joues empourprées, elle sembla avoir retrouvé sa jeunesse. Les souvenirs d'Édouard rejaillirent. Il la revit répandant dans sa chambre d'enfant son parfum de rose. Il entendait son rire cristallin. Il se passa la main devant les yeux, et la vision s'estompa.

— Votre unique chance a été de trouver mon père, dit-il d'un ton glacial. Et cette chance, vous l'avez gaspillée.

Il tourna les talons et sortit de sa chambre. Louise éclata de rire.

Il quitta la maison, traversa la terrasse et descendit sur la plage. Brusquement, surgissant de nulle part, Hélène vint vers lui. Elle était là, tout près. Il entendit sa voix, sentit sa douce caresse, le parfum de sa peau, de ses cheveux. Sans effort, sans lutte. Après la colère aveugle et la douleur qu'il avait ressenties une seconde plus tôt, elle était là, devant lui, effaçant les paroles de Louise. Il retrouva son calme, son assurance d'antan.

Il avait peur d'analyser ses sentiments, cette conviction. Le regard perdu sur la mer, il se dit : « Laissons faire le destin. »

Il n'espérait qu'à moitié voir durer ce calme, le sachant éphémère. Il avait l'impression d'avoir atteint le fond de l'abîme. Pourtant, au plus profond de son désespoir, un miracle s'était produit et l'avait littéralement métamorphosé. Christian en conclut d'un ton acerbe que c'étaient les effets d'une nuit d'ivresse. Ce n'était pas totalement faux, mais les événements précédents et la scène où Louise lui avait assené ses accusations haineuses l'avaient libéré.

— J'ai vu l'autre visage de l'amour, c'est peut-être cela, dit-il à Christian.

Christian, d'un air dédaigneux, lui fit remarquer que, malheureusement, c'était seulement cet aspect de l'amour qu'il discernait en général.

Ce changement d'attitude d'Édouard intriguait Christian. Au début, il s'en réjouit. Puis, après leur départ de Saint-Tropez et au fur et à mesure que les mois passaient, sa perplexité s'accrut. Christian adorait le changement. Un obstacle à peine franchi, un autre surgissait aussitôt.

Cet été-là, il vit Édouard à Paris et à Londres. Une fois même, ils se rencontrèrent à New York, où il constata le regain d'énergie et une détermination nouvelle. Son calme étrange l'étonna. Il fut content de voir Édouard heureux. Pourtant, rien n'avait changé, rien n'était résolu, et l'assurance apparente d'Édouard n'était, à son avis, pas fondée. Édouard faisait preuve d'une certaine complaisance et lorsque, en souriant, il prétendit le contraire, Christian révisa son jugement. Édouard, en fait, devenait fataliste.

— C'est le commencement de la fin. Édouard, il faut te secouer.

Christian émergeait d'une liaison tumultueuse. Édouard, parfaitement au courant, se montra patient et ne dit mot.

HÉLÈNE ET LEWIS

Los Angeles, 1964

— Ensuite, il m'a fait allonger. C'était dégoûtant. Des cafards couraient de tous les côtés au milieu des assiettes sales. Personne ne faisait la vaisselle. Il m'a donc fait allonger et il m'a mis la main sur la bouche pour m'empêcher de crier. C'est là que tout s'est passé, avec mon propre beau-père. Ma mère était dans la pièce à côté, mais je suppose qu'elle était sous l'effet de l'alcool. Je n'en sais rien. Je ne lui ai jamais demandé si elle avait entendu. J'avais trop peur. Je ne lui ai jamais rien dit. Je n'avais que douze ans. (Stephani Sandrelli respira longuement en observant Hélène, lissa les plis de sa jupe et posa les mains sur ses genoux comme une enfant bien élevée.) Je me suis enfuie de Chicago peu de temps après. J'en avais assez et je ne pouvais plus supporter cette atmosphère.

— Il me semble que vous m'aviez dit que c'est à Detroit que vous habitiez, Stephani ? lui fit gentiment remarquer Hélène d'un air sceptique.

— Non, d'abord à Detroit, ensuite Chicago. Nous avons déménagé plusieurs fois. Nous avons passé notre temps à ça. (Elle se leva.) Je vais peut-être aller voir s'ils sont prêts. Ce ne doit plus être très long maintenant. Vous attendez depuis des heures.

— Aucune importance, Stephani, quand ils seront prêts, ils...

— Mais non, cela m'est égal.

Stephani sortit avant qu'Hélène puisse la retenir. La porte en s'ouvrant et se refermant laissa pénétrer une bouffée d'air chaud. Tucson, Arizona. Dehors, il faisait 45° et la chaleur ne faisait qu'empirer. À l'intérieur, le bruit de l'air conditionné résonnait. Un autre état, un autre film, une autre présentation, un autre personnage. Changement de décor, changement de rôle. En un an, elle avait tourné à Los Angeles, New York, dans le Massachusetts et le Dakota. Là, c'était le désert de l'Arizona pour quatre semaines.

Aujourd'hui, elle devait mourir sous une nuée de balles, près d'une épave de voiture, aux côtés de son amant. Il était 3 heures de l'après-midi. À la suite d'ennuis techniques, elle attendait de mourir depuis 6 heures du matin, heure à laquelle elle était passée au maquillage. On tournait *Les Fugitifs*, avec pour metteur en scène Gregory Gertz, qu'on appelait le futur Thad Angelini, sur un scénario écrit par un ami de Lewis, mais remanié cinq fois. C'était néanmoins un bon scénario et un bon rôle, mais Greg Gertz ne ressemblait pas à Thad sur un point : la ponctualité. Ils avaient au moins deux jours de retard, ce qui impliquait une semaine de tournage.

Sur la coiffeuse, devant elle, était posée une photo de Cat envoyée par Madeleine et prise le jour de ses quatre ans dans le jardin de leur maison de Los Angeles. Elle était fièrement assise sur une nouvelle bicyclette qu'Hélène lui avait expédiée. Elle souriait. En regardant la photo, Hélène sentit des larmes affleurer. Cat avait l'air si fière, si heureuse... Pourtant, Hélène n'avait pu être auprès d'elle. Il lui était de plus en plus difficile de voyager en avion quelques heures pour rejoindre sa fille. Lorsqu'elle n'y parvenait pas, dans le tourbillon des découpages de scénario, des tournages, des campagnes publicitaires, un sentiment intense de culpabilité s'emparait d'elle. C'était le cas. La bicyclette avait fait plaisir à Cat, mais Hélène n'avait pas été là pour la lui offrir.

Une autre bouffée d'air chaud. La porte s'était de nouveau ouverte, laissant apparaître le visage de Stephani Sandrelli.

— Quinze minutes, pas plus. C'est ce que Jack m'a dit. J'ai demandé qu'on vous apporte une tasse de thé. Il faut que je parte. On a besoin de moi pour le montage.

— Stephani, je ne veux pas de thé, je...

La porte s'était déjà refermée. Hélène poussa un soupir d'exaspération. Elle se pencha à la fenêtre de la roulotte et vit Stephani se faufiler à travers les autres roulottes, au milieu des générateurs, du matériel et des câbles. Un groupe de figurants se retourna pour la regarder passer. L'un d'eux siffla. Stephani balançait ses hanches moulées dans une jupe étroite. Ses seins rebondissaient, mais elle ne se rendait pas compte de l'effet produit. Quand elle en prit conscience, elle leur lança un coup d'œil furieux par-dessus l'épaule et accéléra le pas comme si elle fuyait. Sa chevelure platine étincelante disparut.

Chicago ou Detroit ? Était-ce seulement vrai ?

Stephani avait un tout petit rôle dans le film. Elle ne disait que quatre répliques, mais apparaissait plusieurs fois parmi les figurants. Elle s'était rapprochée d'Hélène. Au début, Hélène fut agacée, puis amusée. Maintenant, Stephani l'intriguait et elle n'avait plus le cœur de s'en débarrasser. Durant le tournage en studio, elle avait essayé de se rendre utile, attendant impatiemment l'arrivée d'Hélène. Elle allait chercher une perruque, du maquillage, aidait l'habilleuse. Elle prenait les messages téléphoniques, passait les communications. « Ne vous inquiétez pas, ça me fait plaisir... », tel était son refrain.

Lorsqu'on n'avait pas besoin d'elle, elle se plaçait là où elle pouvait apercevoir Hélène pour le simple plaisir de la contempler, les yeux écarquillés, ne manquant rien du spectacle, tel un enfant qui découvre un cirque. Tout le monde se moquait d'elle. Stephani était la risée de tous. Dans sa naïveté, elle se montrait serviable, adorable, éprouvant pour Hélène une admiration sans bornes. Hélène en fut touchée. C'est ainsi qu'elle vint à lui parler. Peu à peu, Stephani la fascina. Quelques confidences balbutiées, une voix puérile qui contrastait avec son corps aux formes voluptueuses, sa timidité, la tête penchée qu'elle levait de temps à autre, ses grands yeux bleus extasiés devant la beauté d'Hélène qui se demandait si elle pourrait capter ses mimiques, sa façon toute particulière de s'exprimer.

Lors du tournage, Hélène se rendit compte que des affaires disparaissaient. Des choses sans importance, un morceau de savon déjà utilisé, un mouchoir. Un jour, c'étaient des bandeaux pour les cheveux dont elle se servait en se démaquillant, un autre jour, du rouge à lèvres. Au début, elle n'y prêta guère attention, n'associant même pas ces disparitions à la présence constante de Stephani, jusqu'au jour où cette dernière entra, les lèvres colorées différemment. Hélène reconnut aussitôt son rouge à lèvres.

— Oh, Stephani, mon rouge à lèvres !

Elle n'eut pas le temps de dire autre chose. Stephani la regarda avec fierté.

— C'est vrai. C'est moi qui ai tout pris. Je ne pouvais pas m'en empêcher. Ce n'est pas par méchanceté. Je voulais simplement être vous.

Hélène parut consternée.

— Stephani, lui dit-elle gentiment, cela n'a aucune importance, mais c'est stupide, vous comprenez. Pourquoi souhaiter être moi ? Pourquoi ne pas être vous-même ?

— Moi-même ? Qui aimerait être moi ? Je ne suis personne. Tout le monde se moque de moi. Vous êtes Hélène Harte...

Voilà comment tout avait commencé. Les conversations dans la roulotte, jour après jour, par une chaleur torride, les longues heures pénibles d'attente, le manque d'intérêt pour le tournage, la perte de temps... Avec Stephani, le temps passait plus vite. Elle avait toujours des histoires à raconter. Le beau-père, la mère, le petit ami, le photographe qui lui avait révélé sa beauté potentielle, les poses nues dont elle avait honte maintenant. Sa décision de partir pour Hollywood. La rencontre fatidique, lors d'une soirée, avec un agent publicitaire plus âgé.

« Un jour, il m'a emmenée à Cannes pour le festival du film. C'est l'année où vous avez gagné le prix. Je ne l'ai jamais oublié. Ce fut la meilleure année de ma vie. Il est mort. »

Hélène l'écoutait avec fascination. Au début, elle fut frappée par la logique implacable du processus, le déroulement inéluctable de récits similaires qu'offraient des millions de magazines. C'était, à quelques éléments près, l'histoire de Marilyn Monroe que, à son avis, Stephani avait prise pour modèle et qu'elle vénérait.

« J'ai vu tous ses films. À sa mort, j'ai pleuré tous les jours pendant une semaine. »

Quelle différence avec la réaction de Thad lorsqu'il avait appris la nouvelle !

« Elle serait morte, de toute façon. C'est une aubaine pour toi. Tu vas cesser d'être une vedette pour devenir une légende, avait-il dit en ricanant. Ils sont insatiables, vois-tu. Ils ont besoin de quelqu'un d'autre. »

Le chagrin de Stephani semblait sincère. Ce n'est que peu à peu qu'Hélène fut troublée par l'invraisemblance de certains détails qui ne coïncidaient pas toujours. Stephani s'était forgé un personnage. Peut-être n'avait-elle pas tout inventé, mais une grande partie provenait de son imagination. Elle n'en fit jamais la remarque directe à Stephani, ne voulant pas la blesser. Stephani était sincère et croyait en ses propres récits. Hélène comprit alors que c'était ce qui l'avait attirée en elle.

N'avait-elle pas agi de la même manière ? Hélène Harte et son ténébreux passé en Europe, vaguement ensorcelant. Cette Hélène Harte n'était-elle pas une invention au même titre que Stephani Sandrelli ?

Hélène, agacée, tenta de chasser de son esprit cette idée. Après tout, elle ne croyait pas un mot de toutes ces histoires inventées par des journalistes avides de potins. Elle connaissait son identité... Le doute se fit alors dans son esprit. Discernait-elle réellement le vrai du faux ?

Parfois, elle en avait la certitude absolue. Lorsqu'elle se trouvait chez elle à Los Angeles, auprès de Cassie, elle se sentait elle-même. Son premier geste, dès qu'elle avait reçu de l'argent pour son premier film, avait été de rendre à Cassie celui qu'elle lui avait prêté. Elles restèrent en contact, et lorsque Cassie lui écrivit que son salon de coiffure devenait une charge trop lourde pour elle et qu'elle avait l'intention de le vendre, Hélène lui avait demandé de venir travailler pour elle à Los Angeles. Jamais elle ne regretta cette décision. Elle avait une entière confiance en elle. Sans doute Cassie avait-elle remplacé sa mère. Elle se sentait totalement libre avec elle. Souvent, elles évoquaient le passé. Cassie lui lisait à haute voix les lettres qu'elle recevait d'amis d'Orangeburg. Hélène retrouvait son identité. Le

Sud, la roulotte, sa mère, le sentiment de pauvreté, tout lui revenait en mémoire avec une clarté étonnante.

Mais, à d'autres moments, son enfance lui semblait lointaine, perdue dans un recoin de son esprit.

Lewis ne connaissait pas les détails du passé qui liaient Cassie et Hélène. De son côté, Cassie ne savait pas la vérité sur sa relation avec Lewis. Il y avait encore quelques points sur lesquels Hélène n'avait fait de confidences à personne.

La vérité n'était pas simple. C'était une superposition de petites vérités entremêlées de mensonges qui parfois effrayaient Hélène, car, à l'image de Stephani, elle ne se rappelait plus exactement ce qu'elle avait raconté aux uns et aux autres.

Lorsqu'elle se trouvait en compagnie de Cassie, elle se disait souvent : « Je suis toujours Hélène Craig », et le long cheminement de la jeune fille d'antan à la femme qu'elle était devenue lui revenait en mémoire. À d'autres moments, le passé se disloquait. Elle ne faisait plus le lien entre le passé et le présent. Elle perdait toute notion d'identité. Elle était ce que le public avait fait d'elle : Hélène Harte, et ce personnage était une barrière qui la séparait des autres. Ils ne voyaient plus en elle la petite Hélène Craig qui était née là où il ne fallait pas. Ils ne voyaient que la femme célèbre, apparemment sûre d'elle, indépendante, née pour être star. Sa célébrité n'était pas seulement due à son talent, mais aussi à de minces détails. Son goût, par exemple, son élégance, une certaine retenue interprétée comme de la froideur, et également parce que, contrairement aux autres stars de Hollywood, on ne la voyait qu'en compagnie de son mari. Pas l'ombre d'un scandale. Pas le moindre ragot.

Il lui était devenu impossible d'aller quelque part sans être reconnue. Avant même d'être présentés, les gens avaient l'impression de la connaître. Leur jugement, favorable ou défavorable, était fondé sur ses films ou sur des articles parus dans les journaux. D'un côté, sa réputation, véritable muraille entre elle et le reste du monde, de l'autre, la véritable Hélène, prise au piège.

Elle essaya d'expliquer ses états d'âme à Thad.

— Et alors ? lui dit-il. Tu es célèbre. Que pouvait-il t'arriver de mieux, à ton avis ?

« Certainement pas ça », avait voulu lui répondre Hélène.

Mais elle avait honte de révéler sa naïveté. Il ne lui était jamais venu à l'idée que la célébrité entraînerait un manque de liberté.

On frappa à la porte de la roulotte. C'était le responsable du tournage. Tout était prêt. Hélène se regarda dans la glace. Qui était-elle ?

Pour l'instant elle était Maria, une petite villageoise rebelle, enlevée par son jeune amant, et dont la fuite allait tourner au tragique. Maria allait connaître une mort soudaine, inutile, au moment même où elle devenait adulte, à la suite d'une banale querelle d'amoureux qui se terminait mal.

Elle connaissait Maria. Hélène se mettait totalement dans la peau du personnage. Ses pensées, ses espoirs, le moindre de ses gestes lui étaient familiers. Elle entendait la voix de Maria et s'exprimait exactement comme elle. Elle savait comment Maria s'habillait, se coiffait, se comportait. Elle savait le geste qu'allait faire Maria avant de mourir. Oh oui ! elle la reconnaissait, la comprenait, même si elle-même restait une énigme.

Cette pensée l'apaisait. Elle retrouvait alors l'assurance, le calme qu'elle avait découverts à Rome, lors du tournage de *Jeu de nuit*. Elle se leva, alla ouvrir la porte et descendit les marches de la roulotte. Stephani s'était remise à son poste habituel, à l'écart. Quand Hélène passa devant elle, elle lui sourit en croisant deux doigts pour lui souhaiter bonne chance.

Hélène alla se mettre à l'ombre. Des gens se pressaient autour d'elle. On ajustait ses cheveux. On portait une dernière retouche à son maquillage. Celui qui était chargé des effets spéciaux lui réglait un harnachement sous sa robe. Il contenait de minuscules sacs en plastique contenant du sang artificiel et un mécanisme qui devait se déclencher à un moment précis.

Hélène remarquait à peine les gens qui s'affairaient autour d'elle. Elle était perdue dans cet espace éthéré qui la séparait de Maria, attendant que l'équipe de production la laisse seule pour qu'elle devienne Maria.

Enfin tout fut prêt. En avançant fébrilement vers ses marques, elle aperçut Stephani, marqua un temps d'arrêt, puis continua. Elle se dit : « Je sais pourquoi je l'aime et pourquoi j'ai pitié d'elle. C'est un miroir de moi-même. Une image déformée, peut-être, mais un reflet tout de même. C'est vrai. Ni elle ni moi ne savons qui nous sommes. Est-ce la raison pour laquelle nous souhaitons toutes deux jouer la comédie ? »

Elle s'était postée devant ses marques. Levant la tête, elle promena son regard autour d'elle. L'épave de voiture. L'autre acteur, portant deux fusils. Le désert qui s'étendait au loin. L'équipement. Les caméras. Les gens. Où était Maria ?

Elle porta la main à ses yeux. Il faisait une chaleur torride.

La voix de Gregory Gertz retentit.

— Tout va bien, Hélène ?

— Comment ? Oh oui ! très bien.

— Bon, on va faire une prise.

Son. Caméra. Feu. Elle devait prononcer simplement deux phrases et s'enfuir en courant. Ils avaient déjà répété la scène. Les fusils se levèrent.

Le déclic résonna. Le mécanisme se mit en marche. Du sang artificiel écarlate jaillit, et elle mourut en beauté.

— Magnifique ! s'écria Gertz quelques instants plus tard. (Il s'approcha d'elle, l'air perplexe, et la prit par le bras. Puis il se ravisa et s'éloigna.) Très bien. Laissons Hélène se remettre, et on recommence.

Elle mourut ainsi cinq fois. Mais ce fut Hélène et non Maria qui mourut. Maria était partie et ne revenait pas.

À la cinquième prise, Greg dit :

— Bon, c'est tout pour aujourd'hui. La lumière est mauvaise.

Il vint vers Hélène, toujours intrigué, lui passa un bras autour de la taille.

— Il fait une chaleur épouvantable. Ne vous inquiétez pas. On dîne ensemble ce soir ?

Il était près de 6 heures lorsqu'elle revint à la roulotte. À 6 heures et demie, son habilleuse s'en alla ainsi que toute l'équipe de tournage, après avoir tout préparé pour les prises du lendemain. Elle se retrouva seule.

Elle était épuisée, déprimée par sa mauvaise prestation, irritée par le fait qu'elle ne parvenait pas à se l'expliquer. Ce n'était pourtant pas la première fois qu'elle subissait un échec, qu'elle éprouvait un sentiment d'insatisfaction, mais elle n'avait jamais ressenti ce vide auparavant, cette sensation de se dédoubler pour assister à son propre échec.

Elle se démaquilla avec colère. En prenant du coton, elle s'aperçut brusquement que la photo de Cat avait disparu. Elle chercha partout sur la commode. Quelques heures auparavant, elle était là, puisqu'elle l'avait contemplée. Elle repoussa tous ses pots, ses flacons, se pencha pour voir si elle n'était pas tombée. Non, elle n'était nulle part. Se redressant, elle songea aussitôt à Stephani.

Stephani arriva cinq minutes plus tard. Elle resta prudemment sur le seuil. Hélène se retourna et lui lança un regard glacial.

— La photo de ma fille se trouvait sur la coiffeuse, Stephani. L'avez-vous vue ?

Stephani rougit légèrement malgré son épais maquillage. Les yeux baissés, hésitante, elle entra dans la roulotte et referma la porte derrière elle. Ouvrant son portefeuille, elle sortit la photo et la tendit à Hélène sans un mot.

— Pour l'amour de Dieu, Stephani ! s'écria Hélène, en colère, ça suffit maintenant. Un rouge à lèvres, passe encore. Mais pas une photo de Cat. C'est à moi. C'est personnel. Ne recommencez jamais une chose pareille.

Stephani leva lentement la tête d'un air timide.

— Je suis désolée. Je sais que je n'aurais pas dû. Mais elle est si belle. Je ne l'aurais pas gardée. Je voulais simplement la contempler.

— Stephani, vous est-il venu à l'idée que moi aussi j'avais envie de la regarder. Cat est ma fille et elle me manque. Beaucoup même. Et je tiens à ce que cette photo ne bouge pas d'ici pour la contempler quand bon me semble.

— Je ne le ferai plus.

Stephani passa la langue sur ses lèvres encore luisantes du rouge à lèvres d'Hélène. Hélène, exaspérée, enleva ses dernières traces de maquillage. Stephani, figée, observait Hélène dans le miroir. Au bout d'un moment, Hélène allait lui demander de s'en aller lorsque Stephani, de sa petite voix, lui dit :

— Que vous êtes belle comme ça, sans aucun maquillage. J'aimerais... Vous paraissez si distante, si élégante. J'aimerais vous ressembler. J'aimerais être jolie et riche.

Hélène, se regardant dans le miroir, ne trouva pas de réponse.

Stephani eut un petit rire étrange.

— De toute façon, ne vous inquiétez pas. Je ne vous dérangerai plus. Il ne me reste plus qu'une scène à tourner et je repartirai pour Los Angeles.

— Une scène ? Mais je pensais...

— Oui, moi aussi, fit Stephani en haussant les épaules. Ils ont coupé toutes les autres scènes. Greg Gertz ne m'aime pas, je suppose. Peu importe. J'ai du travail. J'ai parlé à mon agent. Il pense me trouver un rôle dans un film de vampires. Ils ont déjà commencé le tournage, et une figurante est tombée malade. Six répliques. C'est une scène avec Peter Cushing. Ça devrait marcher.

— Stephani ! s'écria Hélène, consternée.

— Je viendrai vous dire au revoir avant de partir. Je suis désolée pour la photo. Vraiment désolée.

Sur le seuil, elle se retourna, intriguée.

— C'est curieux, voyez-vous. Je n'y avais jamais songé, mais c'est tout de même étrange.

— Quoi, Stephani ?

— Vous avez toujours une photo de Cat sur votre coiffeuse, mais jamais de votre mari. Ni là ni nulle part.

— Stephani, ce n'est pas une galerie de portraits mais une simple loge, un lieu de travail. Pourquoi aurais-je une photo de Lewis ?

— Oh, je ne sais pas. Il est beau. Moi, j'en aurais mis une, mais nous sommes différentes, je suppose.

Elle lui fit un signe de la main et descendit les marches.

— Désirez-vous un filet de bœuf ? lui demanda Greg Gertz en souriant, la carte à la main.

— Oh, un filet, quelle bonne idée.

Il se tourna vers la serveuse pour passer la commande. Hélène s'appuya sur la banquette en Skaï. La vie de star ! Elle se rendait compte, d'après les lettres qu'elle recevait de ses admirateurs, de l'image qu'ils se faisaient d'elle. Une succession de bons restaurants, du champagne coulant à flots, des réceptions, des cavaliers aux petits soins et des robes somptueuses. Et cela aussi parfois : un village à huit kilomètres de Tucson, niché au milieu du désert. Des stations-service. Un groupe de maisons. Le chemin de fer et l'autoroute. Un village sorti de nulle part, simple lieu de passage, avec un grand motel.

C'était leur quartier général. Ils l'avaient loué pour la durée du tournage. C'était leur maison, leur club, leur restaurant. Pour une seule et unique raison : ils n'avaient pas le choix.

Elle laissa errer son regard. Les murs étaient recouverts d'un bizarre papier peint écossais. Une rangée de cerfs, d'andouillers. Du bois verni. Un bar. Des banquettes rouges. Elle se serait crue aux États-Unis. C'était seulement un peu plus petit, mais pas très différent de chez Howard Johnson où Billy l'avait invitée pour fêter ses quinze ans.

Elle se tourna vers la fenêtre. Un chambranle noir. Dans le lointain, invisible, le désert. Elle avait l'impression qu'Orangeburg était très proche et en connaissait la raison. Le moment était venu d'y retourner. Elle était presque prête. Il n'y avait plus qu'un pas... L'image de Billy, puis celle de Ned Calvert lui revinrent en mémoire. Elle savait ce qui avait provoqué ces souvenirs. Au restaurant, une musique de fond jouait un pot pourri, dont *Blue Moon*.

Greg Gertz lui avait parlé. Elle sursauta.

— Excusez-moi.

— Vous n'êtes pas avec moi, mais très loin. Comment va Cat ? (Après une seconde d'hésitation, il ajouta :) Et Lewis ?

— Cat va bien. Très bien. J'ai raté son anniversaire.

— Je le sais, répondit Greg Gertz en l'observant.

— Quant à Lewis, il va bien également. Il rédige un nouveau scénario. Je n'aime pas lui poser des questions, surtout quand il est en pleine période de création. Vous connaissez les scénaristes...

— Oui, nous les connaissons tous.

Greg Gertz lui sourit sans la quitter des yeux. Hélène se sentait mal à l'aise. Elle détestait qu'on l'interroge sur Lewis et aimait encore moins parler de lui. C'était le troisième scénario de Lewis. Le premier avait été déposé chez tous les producteurs et les metteurs en scène de la ville, et traînait parmi les dossiers de son agent. Sphère avait pris une option sur le deuxième pour finalement le refuser sans espoir de renouvellement ou de production. Quant au troisième, celui sur lequel travaillait Lewis, c'était une histoire d'amour intitulée *Instants d'éternité*. Lewis avait annoncé son intention de le produire lui-même.

Lewis n'avait aucun talent. Elle le savait, Lewis aussi, et elle soupçonnait Greg Gertz comme tout Los Angeles d'être au courant. Cette complicité tacite devant les faits pesait entre eux. Hélène détourna le regard.

Jamais elle n'en ferait l'aveu, ni aux amis de Lewis, ni à Thad qui la questionnait sans arrêt à ce sujet, ni à Greg Gertz. Elle refusait même d'admettre la vérité et tentait de toutes ses forces de la cacher à Lewis. Elle n'y parvenait pas toujours. Lewis lisait dans ses yeux à la fois le douloureux espoir que sa réussite fût proche et la crainte, également douloureuse, que ce ne fût pas le cas. Ses doutes peinaient Lewis. Ils le rendaient aussi horriblement furieux, surtout lorsqu'il avait bu ou pris ses nouvelles pilules. Elles le plongeaient dans une euphorie totale, lui assurant une parfaite confiance en lui, mais, lorsqu'elles ne faisaient plus d'effet, c'était le sombre désespoir. Lewis ne voulait pas s'arrêter d'en prendre. Comme il ne voulait pas non plus cesser de boire. Il prétendait en avoir besoin pour écrire. Ainsi les mots se déversaient à flots.

— Mêle-toi de tes affaires. Cesse de me rabaisser ! hurlait-il sans fin.

C'était un refrain quotidien. Non, elle ne souhaitait vraiment pas parler de Lewis.

Elle soupçonnait Greg Gertz de connaître la vérité. C'était un homme intelligent à l'intuition très développée, qui observait beaucoup mais parlait peu. Elle s'était prise d'amitié pour lui tout au long du tournage et avait confiance en lui, dans la mesure où elle pouvait avoir confiance en quelqu'un. Il était prudent, comme elle, et savait garder ses distances. Lui aussi était divorcé. Son divorce s'était particulièrement mal passé. Les trois enfants avaient été confiés à sa femme. Sur ce point, il n'avait jamais discuté. Hélène ne l'en appréciait que plus.

Il l'observait toujours d'un air perplexe, comme si un détail lui échappait. Hélène se rendait compte qu'il brûlait d'envie de lui demander ce qui s'était passé dans l'après-midi, mais elle savait aussi qu'il attendrait patiemment qu'elle le lui dise sans y être contrainte. Pourtant, tout en sachant qu'elle aurait préféré changer de sujet, il persista.

— Je ne savais pas que Lewis continuait à écrire. Je croyais qu'il avait décidé de produire un autre film. Il avait du talent. (Prenant conscience de son manque de tact, il ajouta :) Après tout, je ne sais pas. Va-t-il travailler de nouveau avec Thad ?

— Je ne le pense pas. Les temps ont changé, fit-elle d'un ton faussement gai. Lewis n'a pas produit les trois derniers films de Thad, vous le savez. Thad s'occupe de tout, maintenant. Il m'a dit qu'il voulait faire de la coproduction. Vu ses rapports avec Sphère, c'est plausible.

— Mais ils sont toujours amis, je suppose ?

La question était soudaine, mais, de toute évidence, il en connaissait la réponse. Hélène se sentit brusquement très lasse. À quoi bon mentir ?

— Non, répondit-elle en le regardant droit dans les yeux. Pas vraiment. Ils se voient à peine. Ils ne se sont pas fâchés mais simplement séparés. Il faut dire que Thad est un solitaire. Il ne s'attache à personne. Vous le connaissez.

— Je n'en suis pas si sûr. J'ai toujours cru qu'il était très proche de vous. Essayez-vous de me dire le contraire ?

Hélène plissa le front. À sa grande surprise, elle n'était pas certaine de la réponse.

— Je ne pense pas être proche de lui. Personne ne l'est. Nous avons beaucoup travaillé ensemble. Parfois, il m'invite chez lui, ce qui, je l'admets, n'est pas courant, puisqu'il ne veut jamais voir personne. Nous prenons le thé et nous bavardons une heure ou deux. Notre sujet favori est le travail. C'est tout. J'ai l'impression que je ne le connais pas plus que la première fois que j'ai travaillé avec lui. Il est si secret. Il a même un grain de folie.

Elle lui sourit, mais il ne se dérida pas. La serveuse leur apporta les filets de bœuf, les frites et la salade, ce qui était leur menu habituel depuis leur arrivée. Greg saisit son couteau et sa fourchette, puis les reposa.

— Vous n'avez donc pas l'impression que Thad vous étouffait ?

— Thad, m'étouffer ? Et pourquoi ?

— Je crois que vous le savez très bien. Vous avez terminé *Ellis* il y a un an. Depuis, vous avez tourné trois films. Un avec Peckinpah, un autre avec Huston et celui-ci avec moi. Depuis le début de votre carrière, vous ne vous êtes jamais séparée de lui aussi longtemps.

— C'est vrai, mais Thad a été occupé. Il a fait le montage et la post-production d'*Ellis*. Pendant ce temps on m'a proposé d'autres rôles qui m'ont plu.

Elle avait parlé trop vite. Greg, la sentant sur la défensive, sourit.

— *Ellis* sort quand ?

— Septembre ou octobre. À temps pour la course aux oscars. Thad veut donner une grande première. Il va organiser une réception. J'espère que vous viendrez.

— J'en serais ravi.

Elle ne parvenait pas à détourner son attention. Il coupa lentement sa viande.

— Et ensuite ?

— Comment, ensuite ?

— Nous finirons *Les Fugitifs* vers la mi-juillet. *Ellis* ne sortira pas avant l'automne. Qu'allez-vous faire entre-temps ?

— Je vais me reposer. Passer des vacances en famille, avec Cat et avec Lewis. C'est une promesse que je leur ai faite... et qui me tient à cœur depuis longtemps.

— Et après ? Quand l'interlude familial sera terminé ?

— Je suppose que je tournerai un autre film. Si on me propose un bon scénario. Un rôle qui me plaît...

— Je vois. (Il posa son couteau et sa fourchette.) Avec Thad ?

Elle ne répondit pas tout de suite.

— Non, pas avec Thad, fit-elle, les yeux baissés.

— Merci. Vous avez fini par me dire ce que je souhaitais entendre.

— Cognac ? Il est excellent. Goûtez. Je veux que vous me parliez.

Ils étaient assis sur un canapé dans la chambre de Greg Gertz située au bout du couloir, pas loin de la sienne. Greg Gertz lui mit de force un verre dans les mains, alluma une cigarette et s'assit en face d'elle.

Grand, élancé, pas précisément beau, les cheveux bruns, il portait un costume marron neutre.

— Je suis là pour parler, c'est ça ? dit-elle, un sourire aux lèvres.

— Oui.

— Et de quoi ?

— De vous.

— Je ne parle jamais de moi.

— Je le sais, je l'ai remarqué. C'est ce qui attire chez vous.

Hélène prit cette remarque pour un compliment. Un peu maladroit, il est vrai. Mais ce n'était pas méchant et elle sourit.

Greg Gertz se pencha vers elle.

— Auparavant, pour faciliter les choses, il y a un ou deux points que j'aimerais éclaircir. Cela vous concerne, et c'est en rapport avec cet après-midi.

— Cet après-midi. Écoutez, Greg, je...

— Non, c'est vous qui allez m'écouter. Je vous ai vue jouer pour la première fois à l'automne 1960. C'était à vos débuts. J'étais allé voir ma sœur à l'université de Los Angeles, et elle m'a emmené voir *Jeu de nuit* au cinéma du campus où on donnait quelques séances. Je n'avais aucune envie d'y aller. J'en avais par-dessus la tête des films. Je luttais depuis douze ans pour sortir de l'ombre, pour obtenir des scénarios corrects et un financement. J'étais contraint de faire un travail qui me répugnait, mais il fallait bien payer le loyer. Mon mariage battait de l'aile, et j'avais décidé de tout envoyer promener. J'en ris maintenant. Le futur Thad Angelini. Savez-vous que c'est ainsi que l'on me nomme ? J'ai trente-sept ans et Thad... vingt-neuf, probablement. Je n'en suis pas sûr. Tout ce que je sais, c'est que, lorsque Thad Angelini suivait encore les cours d'art cinématographique, moi, j'avais terminé depuis des années et je cherchais une ouverture. Toujours est-il qu'en 1960 j'en avais assez de Hollywood, assez des films, et on m'a traîné voir *Jeu de nuit*. Ce fut une révélation. Je suis sorti du cinéma comme ivre. « Voilà », me suis-je dit. C'était donc possible, et, quand on y parvient, c'est l'instant le plus merveilleux du monde. Mieux que toute pièce de théâtre. Mieux qu'une symphonie. Mieux qu'un tableau. Un grand film. L'impulsion m'est revenue. J'avais de nouveau envie de travailler et, là, j'ai eu quelques ouvertures. Grâce à deux personnes, et je ne l'ai jamais oublié. La première, c'était vous. La deuxième, Thad Angelini.

Il se tut quelques instants. Hélène posa son regard sur lui. Greg Gertz, dont le visage s'était animé un moment auparavant, avait retrouvé son calme. Il se pencha vers elle.

— Étiez-vous consciente de votre talent ?

— Oui, fit-elle en baissant les yeux.

— Cela aurait pu être le contraire, dit-il en haussant les épaules. J'ai éprouvé le désir de vous le demander. Que s'est-il passé par la suite ?

— Par la suite ? rien, s'empressa de répondre Hélène. Nous avons tourné *Été*, puis *Une vie seule* et *Short Cut*. Ils ont tous bien marché, surtout *Short Cut*. Nous avons eu la Palme d'Or, et Thad a trouvé le financement pour produire *Ellis*.

— Oui, bien sûr. Depuis *Short Cut*, Thad peut se débrouiller seul, mais vous ? Je vous ai vue dans tous ses films. Même les deux qu'il a faits à la suite. Comment s'appelaient-ils déjà ? Oui, *Quickstep* et *Extra Time*. Je vous ai vue dans le Peckinpah et aussi dans un passage de celui de Huston...

— Et alors ?

— Ne soyez pas sur la défensive, lui dit-il en souriant. Vous jouez à merveille dans tous ces films. Pensiez-vous que j'allais vous dire le contraire ? Non, vous étiez excellente. Peut-être en deçà de vos possibilités dans *Quickstep*. Il m'a semblé que c'était le moins bon de tous.

— Oui, c'est également mon avis.

Hélène détourna le regard. Ils avaient commencé le tournage de

Quickstep peu après leur séjour à Cannes en 1962. C'était l'époque où elle était habitée par la pensée d'Édouard sans qu'elle puisse le chasser de son esprit. C'était également l'époque où Lewis avait eu ses crises de jalousie et où... Mais non, elle ne voulait plus y penser.

Greg Gertz l'observait attentivement.

Elle se retourna vers lui, le menton incliné.

— Il y a un « mais ». Je l'entends. Dites-moi tout.

— Bon, mais je fais un marché avec vous. Je vous dit ce que j'ai vu, et vous me dites ce que vous avez ressenti. D'accord ?

Hélène acquiesça, et il se pencha de nouveau vers elle.

— Vous étiez bonne, mais prisonnière. Voilà ce qui m'a sauté aux yeux. Non seulement Thad fait la mise en scène et maintenant coproduit, mais en plus il écrit ses propres scénarios. C'est à la fois sa force et sa faiblesse. Tout est à lui. Il ne laisse pas de place à la création des autres. De toute évidence, vous représentez beaucoup à ses yeux. Il n'a jamais travaillé avec une autre actrice dans le rôle principal. C'est courant chez les Européens, mais pas chez les Américains. Il n'y a rien de mal mais, en un sens, cela vous limite. Thad écrit vos rôles, il a une image de vous, et, pour être franc, quand on étudie ses films de près, c'est toujours la même chose. Ce sont des variantes de la même ligne directrice. Thad a une technique très au point et si hardie que personne ne le remarque. Moi oui, fit-il en haussant les épaules.

« Un autre film. La même femme dont les motivations ne sont jamais clairement expliquées. Toujours un voile de mystère. Une ambiguïté permanente. Dangereuse peut-être, mais surtout obsédante. Et... Je crois que vous devinez ma pensée, non ?

— Passive ?

— Exactement, dit-il, marquant un temps d'hésitation. Au début, je ne m'en suis pas rendu compte. Mais, une fois que j'en ai pris conscience, je l'ai observé dans tous les films. Thad enveloppe tout cela très bien. L'éclairage, le montage, les dialogues. Il a un tel talent qu'on passe à côté du reste. Dans tous les rôles que vous avez joués, les femmes réagissent mais ne sont jamais à l'origine d'une action. Est-ce la même chose avec Lise dans *Ellis* ?

— Oui, mais c'est tellement difficile à expliquer. (Hélène se leva, fit quelques pas puis se retourna.) J'ai pensé que c'était ma faute. J'ai essayé de l'expliquer à Thad, mais il m'a dit que j'imaginais des difficultés qui n'existaient pas. « Voilà ce qui arrive, me disait-il. Une foule d'événements se produisent. » Il ne savait pas de quoi je parlais. Et il n'a pas tort, ses histoires fourmillent d'idées. (Elle se força à sourire.) Des intrigues amoureuses, des liaisons, des chagrins, des trahisons. Vous ne pouvez pas savoir tout ce qui arrive à Lise. Mais tout lui est imposé de l'extérieur. Elle change, bien sûr. On assiste à son évolution, comme dans tous les films de Thad. Mais rien n'est jamais de son fait. Elle se contente d'être merveilleusement féminine et de garder son mystère. Comme toutes les autres.

Il régna un court silence. Hélène sentait ses joues s'empourprer. Elle regrettait déjà ses paroles. C'était déloyal à l'égard de Thad. Elle retourna s'asseoir.

— Voyez-vous ? dit-elle en désignant le verre. C'est le cognac. Je suis désolée.

— Pourquoi vous excuser quand vous ne faites qu'exprimer votre pensée ? Cela vous arrive si rarement. (Il s'interrompit, le regard fixé sur elle avec de poursuivre.) Votre décision de couper les ponts et de tourner avec Peckinpah procédait-elle d'un choix délibéré ?

— Non, je n'en avais pas conscience. Maintenant, oui. Je suis satisfaite de mon travail dans *Ellis* et même fière. Mais je n'ai nulle envie de travailler de nouveau avec Thad... pas pour l'instant tout au moins. Je me demande même si j'ai envie de continuer. Parfois, j'éprouve une impression de vide, de fausseté. Je passe ma vie à être dans la peau de mes personnages au point que je n'ai plus le temps d'être moi-même.

— Ce n'est pas simplement une question de temps, répliqua-t-il d'un ton sérieux. Est-ce la raison de ce contretemps, cet après-midi ?

— Oui. Je sais que vous avez raison. Effectivement ce n'est pas une question de temps.

Les yeux baissés, elle contemplait ses mains. Une voix résonna très clairement dans son esprit. « Lorsque je suis avec toi, Édouard, inutile d'être quoi que ce soit. J'existe simplement. »

Elle se redressa, un sourire aux lèvres.

— De toute façon, c'est trop tard. Je crois que je vais aller me coucher. Demain, je me sentirai mieux. Je sais que j'ai tout raté aujourd'hui.

Elle se leva. Greg en fit de même. Il marqua un temps d'arrêt, puis se dirigea vers une commode à l'autre extrémité de la pièce, ouvrit un tiroir et en sortit une grosse enveloppe qu'il lui tendit.

— Qu'est-ce que c'est ?

— Un scénario. Le plus beau qu'on m'ait jamais offert. Je veux le produire et je pense pouvoir obtenir le financement. J'espère commencer au début de l'année prochaine. Et j'aimerais tourner avec vous. Si vous acceptez. Si vous avez vraiment envie de travailler, et je suis sûr que ce sera le cas, lisez-le et dites-moi ce que vous en pensez.

Il s'interrompit et leurs regards se croisèrent. Elle remarqua l'expression prudente de son visage. Se rendant sans doute compte qu'il se tenait trop près d'elle, il recula.

— C'est l'histoire d'un divorce. Il est possible que... Enfin, lisez-le et donnez-moi votre avis.

— Très bien. Je vous remercie, Greg.

C'était le moment de partir, pourtant elle hésitait. Il régnait une tension insolite entre eux qui s'était peu à peu développée, sans doute en raison de leur proximité.

Ils se regardèrent. Il lui sourit tristement, leva la main et lui effleura le visage.

— Ce ne serait pas une bonne idée, n'est-ce pas ?

— Non, probablement pas.

— Nous sommes tous deux trop malheureux, et ce n'est pas une bonne chose.

— Vous croyez ? Le suis-je vraiment ? fit-elle en posant sa main sur la sienne.

Il lui adressa un sourire et laissa tomber sa main.

— Oh oui ! vous le savez très bien. C'était ce qui n'allait pas cet après-midi.

Bien entendu, il avait raison.

— Cela se voit donc tant ? lui demanda Hélène avec amertume.

— Parfois, cela transparaît. Ce serait certainement plus facile pour vous si vous acceptiez cet état de fait. Ce fut mon cas. J'espère que cela vous aidera demain. Bonsoir, Hélène.

Une fois dans sa chambre, elle referma la porte et s'appuya contre le mur. Elle savait ce qu'elle avait désiré à cet instant précis et elle avait honte que Gregory Gertz s'en soit aperçu. Pas nécessairement faire l'amour, mais toucher, étreindre, se laisser cajoler, oui, elle avait désiré tout cela.

Il y avait si longtemps. Son corps, tout autant que son esprit, était en quête d'affection. Elle fit les cent pas dans sa chambre nerveusement. Dix-huit mois que Lewis ne l'avait pas touchée, ne lui avait pris la main, ni lui ni un autre, d'ailleurs. Lewis avait décidé d'une façon assez brutale de ne plus essuyer ses refus. Il faisait chambre à part, lui lançait parfois un regard fou de désir et de répulsion, comme si la désirer était un risque qu'il ne voulait plus courir. Plus de dix-huit mois. Mais non, deux ans.

Elle se ravisa. Non, elle devait faire erreur. Mais pourquoi se leurrer ? Deux ans, oui. Peu après leur départ de Cannes, en 1962, un fossé s'était creusé entre eux.

Cette prise de conscience l'effrayait un peu. Elle essayait de se persuader que cette horrible froideur n'était que temporaire, mais elle se culpabilisait devant cette brèche dans leurs rapports. Lewis lui avait dit tant de fois qu'elle en était responsable.

« Ce n'est pas moi que tu désires », lui avait-il dit bien des fois, et comme elle savait, au fond de son cœur, qu'il avait raison, elle ne lui avait jamais répondu.

Seule dans sa chambre, elle était consciente de ses désirs. Non, elle ne recherchait ni Lewis ni Gregory Gertz, dont elle appréciait, par ailleurs, la présence et la bonté. Elle se laissa envahir par le souvenir d'Édouard, ce qui ne lui apportait pas le bonheur, mais l'apaisement.

Son regard ardent se posa sur le téléphone. Lorsque la solitude et son mal de vivre lui pesaient, comme ce soir, elle avait coutume d'accomplir un certain rituel qui ne parvenait pas à résoudre son problème mais tout de même l'atténuait. Elle avait composé son numéro quelques jours auparavant sur ce même téléphone. Geste stupide.

Elle repoussa la tentation. « Non, pas ce soir », se dit-elle.

— Je m'en vais. On m'accompagne à l'aéroport.

Stephani, escaladant les marches de la roulotte, ouvrit la porte, laissant une bouffée d'air chaud s'engouffrer. Elle portait une minijupe étroite, des chaussures à talons aiguilles et une longue blouse. Elle ne semblait avoir ni bas, ni culotte, ni soutien-gorge. « Pourquoi essayait-elle d'être aguichante alors qu'elle partait ? » se demandait Hélène.

Elle jeta un regard résigné à Stephani. Cet au revoir tombait mal. Hélène allait recommencer la scène de la mort, et le souvenir de l'échec de la veille ne la quittait pas.

— Je voulais vous dire combien je vous suis reconnaissante. Vous avez été bonne envers moi, très bonne. Ce n'est pas comme les autres. Je ne l'oublierai jamais, fit Stephani d'un air timide. Je vous ai apporté un cadeau d'adieu.

Elle lui tendit fébrilement un petit sac recouvert de papier blanc. Hélène le prit et l'ouvrit. À l'intérieur se trouvait un petit coffret contenant un flacon de parfum *Joie*.

— Oh...

Hélène contempla le flacon quelques instants, puis se ressaisit et, ne voulant pas blesser Stephani, leva les yeux vers elle en souriant.

— Stephani, que c'est beau ! C'est très gentil de votre part. Je l'aime beaucoup. Il me rappelle ma mère. C'est le parfum qu'elle portait.

— Je l'ai acheté, un jour, dans un avion, fit Stephani d'une voix un peu rapide et familière.

« Dans un avion ou un homme te l'a offert ? » songea Hélène. Mais aussitôt elle s'en voulut d'avoir une pensée aussi peu charitable.

— Vous ne mettez jamais de parfum, j'ai remarqué, dit Stephani d'un ton presque accusateur.

Hélène se leva.

— Je le ferai maintenant. Merci, Stephani, lui dit-elle en lui tendant la main. Et bonne chance pour le film de vampire.

Stephani lui saisit la main et la pressa très fort, puis elle s'avança brusquement et posa un baiser collant sur la joue d'Hélène.

— Je me demande..., fit-elle en tenant toujours la main d'Hélène. Je voulais vous poser une question, mais je n'osais pas... (Elle leva vers Hélène ses yeux bleu porcelaine.) Accepteriez-vous de me laisser votre numéro de téléphone à Los Angeles ? Oh, je ne vais pas vous déranger ni le donner à qui que ce soit, mais j'aimerais seulement sentir que je peux vous appeler à votre retour. Nous pourrions rester en contact, bavarder...

Hélène fut prise de court. Stephani n'ignorait pas que le numéro de téléphone d'Hélène était sur la liste rouge et connu de rares personnes. L'espace d'un instant, elle songea à lui communiquer celui de son agent, mais non, ce n'était pas gentil.

— Très bien, je vais vous le donner.

Elle trouva un morceau de papier, griffonna le numéro et le lui tendit. Stephani l'observait. Elle prit le papier, le plia en quatre et le mit dans son portefeuille. Hélène, consternée, vit ses yeux porcelaine se remplir de larmes.

— Oh, merci, Hélène. Je ne vous oublierai jamais. Au revoir.

Stephani disparut dans les escaliers.

Hélène soupira. Elle essaya de se concentrer sur la scène qui allait suivre. Il lui fallait redevenir Maria.

Elle mourut une fois de plus en beauté. Le sang jaillit de partout. Ce fut un succès. Maria revint juste à temps. Ils ne firent qu'une prise. Greg Gertz s'approcha d'elle et lui pressa la main une seule fois.

— Vous voyez ? lui dit-il avant de s'éloigner.

Ils prenaient un verre dans le salon du Polo. Lewis récrivait pour la troisième fois *Instants d'éternité*, et rien n'allait. Son ami, un dialoguiste célèbre et de talent, lui donnait patiemment quelques conseils. Lewis lui expliqua la trame. Comme son ami ne semblait pas bien comprendre ce qu'il souhaitait exactement, il lui expliqua à nouveau. Cet ami semblait indifférent et nullement impressionné.

— Écoute, Lewis, lui dit-il après avoir terminé son deuxième Martini. Un homme célèbre a dit un jour qu'il y avait deux ressorts à l'intrigue : l'amour et l'argent.

Lewis guettait ses réactions. L'homme alluma une cigarette, souffla la fumée en décrivant deux cercles d'un air contemplatif, puis le regarda d'un air sceptique.

— Je ne me rappelle pas qui a prononcé cette vérité historique. Balzac ? Peut-être Graham Greene.

Il se tut quelques instants.

— Il n'y en a donc que deux ? C'est la règle absolue ?

— Voilà.

— Mon Dieu.

— Détends-toi, Lewis. Laisse-toi porter par la vague. La plupart des films décrivent une histoire d'amour dans un décor à sensation. Tu dois trouver un nouveau décor : une gare, le Vienne d'après-guerre, le Sud profond de la guerre de Sécession, qu'importe, pourvu que ce soit original. Ensuite tu choisis deux grandes vedettes qui t'assurent le succès, et voilà. Ne te torture pas, Lewis, crois-moi, ça ne paie pas. Toute ma créativité passe dans ma déclaration de revenus.

Lewis songea à ses conseils sur le chemin du retour. Il roulait à vive allure dans sa nouvelle Porsche rouge tout en écoutant Bob Dylan. L'amour et l'argent. Impossible que ce soit si simple. Son ami s'était certainement moqué de lui, ce qui l'agaçait.

Il n'aimait pas particulièrement la maison sur la colline où il vivait avec Hélène. Il ne rentrait jamais avec plaisir. Ingrid Nilsson, pour qui elle avait été construite et qui l'avait habitée avant eux, était une obsédée de la sécurité. Cet aspect avait attiré Lewis au début. Lorsqu'il acheta la maison, elle possédait plus de serrures qu'une chambre forte, et les jardins étaient entourés de hautes murailles surmontées de barbelés. Lewis y avait renforcé le dispositif de sécurité. Les grilles étaient actionnées par un système électronique et ne pouvaient s'ouvrir que de la maison, de sa voiture et de la voiture d'Hélène. La clôture était électrifiée et un œil et une oreille électroniques y avaient été placés de façon à réagir au moindre mouvement ou à la chaleur du corps. Ce système ne leur apportait que des désagréments, car il se déclenchait au passage d'un oiseau ou de petits animaux. En approchant de ces hautes grilles impénétrables, Lewis se demanda si, inconsciemment, son but n'était pas plus de garder Hélène prisonnière que de la préserver d'un danger extérieur.

Quelle idée stupide ! Il ralentit, et c'est alors qu'il remarqua un homme pour la première fois. Il se tenait à l'extérieur des grilles. Grand, les cheveux d'un blond roux, il portait un chapeau incliné vers l'arrière, un costume minable et des souliers éculés. Il tenait à la main une carte indiquant sans doute l'adresse des stars.

Lewis, emballant le moteur de sa Porsche, attendit que les grilles s'ouvrissent et lança, au passage, un regard glacial à cet homme. Un goulot de bouteille sortait de la poche de son pantalon. Sans doute un vagabond. Lewis démarra dans un nuage de poussière. Il s'arrêta pour s'assurer que les grilles se refermaient derrière lui, puis se dirigea vers la maison.

Son irritation ne faisait que croître, et il était ravi d'avoir trouvé un prétexte à sa mauvaise humeur.

— Il y a un type qui rôde près des grilles, dit-il à Cassie.

Cassie resta impassible mais courtoise. Elle n'aimait pas Lewis, et c'était réciproque. Tous deux faisaient leur possible pour masquer au mieux leurs sentiments.

— Grand ? Roux ? Un chapeau ?

— C'est ça.

— Oh, je l'ai vu plusieurs fois. Il n'est pas très dangereux, un crève-la-faim, c'est tout.

— S'il traîne encore dans les parages, Cassie, je vous prierai d'appeler la police. Il faut le forcer à partir. Après tout, c'est le rôle de la police. Vous êtes souvent seule dans cette maison avec Madeleine et Cat.

Il regretta ses paroles à peine les eut-il prononcées.

— Jenner est là la plupart du temps et M. Hicks est à la loge.

Jenner était le maître d'hôtel, Hicks, le chauffeur, et il était vrai que l'un ou l'autre se trouvait toujours là. Le seul à ne jamais être présent était Lewis. Cassie, tout naturellement, n'exprima pas sa pensée à haute voix, mais chacun avait compris tacitement l'allusion. Lewis s'éloigna.

— Hélène a-t-elle téléphoné ? lui dit-il après réflexion.

— Oui, monsieur. À 7 heures, comme toujours.

— Et Cat est couchée ?

Cassie jeta un coup d'œil à sa montre.

— Elle vient d'aller au lit, dit-elle d'un ton hésitant, mais elle ne doit pas dormir encore.

— Bon, il est un peu tard pour monter. Je n'ai nulle envie de l'énerver. Je la verrai demain matin. Oh, Cassie, inutile de me préparer à dîner, je sors.

Cassie acquiesça sans rien dire et s'éloigna.

Lewis traversa le vaste couloir et pénétra dans le salon. La chambre d'Hélène. La maison d'Hélène. Il l'avait achetée, mais c'est elle qui l'avait créée avec soin et application. Elle était belle, mais sa beauté l'agaçait.

Il arpenta la pièce, incapable de s'asseoir, incapable de prendre une décision. Il passa en revue les paravents, les vases chinois, cadeau de mariage tardif de ses parents qui, d'abord atterrés par son union, avaient, comme les autres, été séduits par Hélène. Il songea un instant avec amertume à la petite chambre rouge qu'ils occupaient à Londres, avec son feu de cheminée, ses meubles délabrés. Là, il avait connu le bonheur. Ce n'est que plus tard que leurs rapports s'étaient détériorés.

Il se versa un verre de whisky, ajouta un glaçon et contempla le jardin par la fenêtre. Il pourrait travailler, téléphoner à Hélène, sortir. Bon nombre d'amis seraient heureux de l'accueillir, bien qu'il ait remarqué que les invitations étaient moins nombreuses en l'absence d'Hélène. Il pouvait aussi faire une autre chose... Il chassa cette idée un instant, se servit deux autres whiskies. La tentation s'imposait avec plus de force. « Un coup d'œil, un simple coup d'œil. Je pénétrerai dans la pièce. Une seule fois », se disait Lewis. Il se versa encore à boire, puis, traversant la bibliothèque, se dirigea vers le bureau d'Hélène.

Cette pièce était différente des autres. Le mobilier en était simple et pratique. Un bureau, deux étagères, une rangée de dossiers. Lewis se pencha. Des gouttes de sueur perlaient sur son front.

Le bureau comportait huit tiroirs qu'il avait fouillés à plusieurs reprises. Ils contenaient des papiers, des carnets remplis de colonnes de chiffres qui semblaient se rapporter à des investissements, des photos, des factures domestiques, etc. Aucune preuve de ce qu'il cherchait.

Il jeta un coup d'œil au semainier verrouillé dont il possédait la clé dans son veston. Il lui avait été facile de se procurer le double.

Il chercha les clés dans sa poche. « Quelle femme est-elle pour garder des lettres d'amour dans un classeur ? » Car, à coup sûr, c'est là qu'elle les cachait. Il ne les avaient trouvées nulle part ailleurs. Et Dieu sait s'il avait cherché.

Il ne se rappelait pas exactement quand cette obsession lui était venue, mais, depuis, elle ne faisait que croître jour après jour. Il imaginait par qui elles avaient été écrites, ce qu'elles disaient. Lewis voulait à tout prix les trouver, même s'il devait en souffrir. Il souhaitait comprendre.

Il avala une gorgée de whisky, posa le verre sur le bureau et sortit les clés de sa poche, les mains tremblantes. Il n'était pas très fier de lui. Il ouvrit le tiroir du haut et parcourut tous les dossiers rapidement et méthodiquement, puis ouvrit le deuxième, le troisième... le dernier. Sans résultat.

Il lui fallut un certain temps pour tout vérifier. Lewis avait envie de pleurer. Il fouilla désespérément dans tous les tiroirs en vain. Aucune lettre d'amour. Aucune indication. Les dossiers ne contenaient que tous les détails de la vie professionnelle d'Hélène. Ses contrats, les lettres de ses deux agents, celui de la côte est et celui de la côte ouest. De la correspondance avec divers studios. Des polices d'assurance. Une note déclarant que son testament avait été déposé chez son notaire. Une copie de son testament.

Lewis fut surpris. Il ne savait pas qu'Hélène avait fait son testament. Il ressentait haine et dégoût. Peu à peu, il remit les dossiers dans les tiroirs sans même se donner la peine de les replacer comme ils étaient. Soudain, il prit conscience d'un fait : les dossiers, pour la plupart, contenaient la liste des investissements d'Hélène. Il n'y avait guère prêté attention jusque-là, mais il les passa en revue avec attention.

Il savait Hélène riche, mais à ce point ! Cela ne lui était jamais venu à l'idée. Il l'avait présentée à son agent de change en Amérique, à leur retour d'Angleterre. Lewis connaissait depuis son enfance James Gould, un ami de son père.

Il se rappelait combien il avait été ému par Hélène le jour où elle avait reçu trente mille dollars qui représentaient son premier cachet pour *Jeu de nuit*. Elle voulait absolument investir.

— Je veux ouvrir un portefeuille, Lewis. Tu sais, nous en avons parlé.

— Chérie, lui avait-il répondu, va plutôt t'acheter ce qui te fait plaisir. Nous verrons plus tard pour les investissements.

Mais non, elle s'était montrée inflexible, et Lewis n'avait pas eu le courage de lui avouer qu'à Wall Street ses trente mille dollars, ce n'était pas grand-chose. Il avait donc pris rendez-vous avec James Gould III et avait prévenu Hélène.

— Chérie, c'est un homme très occupé. Ne te formalise pas s'il ne te garde que dix minutes dans son bureau. D'accord ?

— D'accord, lui avait-elle répondu de son air mi-sérieux, mi-solennel.

Lewis l'avait attendue dans leur chambre d'hôtel. Elle n'était revenue que deux heures plus tard. James Gould l'avait gardée une heure et demie.

Lewis en avait éprouvé de la colère et de la jalousie, mais tout s'était estompé avec le temps. Peu à peu, il oublia James Gould. Il savait que Gould et d'autres lui donnaient les conseils qu'auparavant elle ne demandait qu'à lui. Au début, il lui en avait voulu, mais ses motifs d'insatisfaction étaient si nombreux maintenant qu'il ne prêtait plus attention au détail.

Il était ébahi par ce qu'il voyait. Ses conseillers lui avaient fait gagner une fortune colossale qu'il n'avait jamais soupçonnée. Transactions boursières, spéculations monétaires, bonnes prises de bénéfices. Un sentiment de rage, d'indignation mais aussi de trahison l'envahit.

Nulle preuve d'un amant, mais c'était similaire. Elle lui cachait toute une partie de sa vie.

Elle avait même acquis des biens dans le sud de la France, par l'intermédiaire de ce requin de Nerval dont ils avaient fait la connaissance à Cannes. Et là, elle informait Gould qu'elle voulait les vendre pour acheter des terres en Alabama.

Lewis replaça les dossiers dans le tiroir qu'il referma brutalement. Il verrouilla le semainier, remit la clé dans sa poche et avala une dernière gorgée de whisky. Il haïssait Hélène. Dire qu'à Londres il lui avait expliqué en riant les rudiments de l'investissement.

Et tout cela durait depuis des années sans qu'elle l'ait mentionné une seule fois. Si elle garde de tels secrets, se dit Lewis, en proie au désespoir, elle doit en avoir d'autres, mais où ?

Hélène. Hélène. Hélène. Le cœur battant à tout rompre, il laissa errer son regard partout dans la pièce, sur les étagères, sur les murs, à la recherche d'un indice, d'un détail qui lui ramènerait sa femme et l'aiderait à comprendre.

À cet instant précis, le téléphone sonna. Lewis sursauta. Que faire ? C'était la ligne privée d'Hélène. Il saisit brusquement l'appareil, s'attendant à entendre une voix d'homme, la voix de son amant, celle qui lui donnerait la clé de l'énigme.

— Sinclair Lewis, fit-il d'une voix haineuse.

Il régna un instant de silence. Lewis était tendu. Ce salaud va raccrocher, se dit-il... Une voix douce de femme, presque puérile, se fit entendre.

— Oh, monsieur Sinclair, je ne sais pas si vous vous rappelez de moi. Nous nous sommes rencontrés à Cannes. Je suis Stephani Sandrelli. Je viens de tourner avec votre femme et elle m'a demandé de vous appeler dès mon retour à Los Angeles. Elle a pensé que cela vous ferait plaisir de savoir comment elle va... et, pour être franche, fit-elle en riant, elle veut savoir si tout va bien pour vous et si elle ne vous manque pas trop.

Lewis parut sceptique. Cela ne ressemblait pas à Hélène. Ces paroles n'étaient pas très convaincantes.

— Excusez-moi, pouvez-vous me rappeler votre nom ?

— Stephani, Stephani Sandrelli.

Il se la rappela soudain. Une silhouette vêtue d'une robe blanche étincelante, traversant les jardins de l'hôtel du Cap, avec sa toison blond platine. Il marqua un très bref instant d'hésitation. *Deux ans déjà.* Sans l'ombre d'un effort, il prit un air naturel.

— J'aimerais que nous puissions nous rencontrer. Je suppose que vous n'êtes pas libre ce soir à dîner ?

— Oh, si.

C'est ainsi que tout commença.

Le tournage des *fugitifs* était terminé. Hélène s'envola pour New York où elle se rendit à l'hôtel Plaza.

Comme toujours on lui attribua une suite qui donnait sur Central Park. Il faisait froid à l'intérieur à cause de l'air conditionné alors que dehors la chaleur était étouffante. Les feuilles des arbres avaient pris une teinte vert pâle de fin d'été. Les calèches, promenant les touristes peinaient sous un soleil torride. Fin juillet. La chaleur humide de New York était comparable à celle de l'Alabama. Hélène s'appuya contre la fenêtre. Les sirènes retentissaient.

Elle était tellement habituée aux chambres d'hôtel qu'elle n'y prêtait plus attention. Il lui semblait parfois ne pas avoir de chez soi. Même la maison de Los Angeles avait, à ses yeux, un caractère provisoire. Une vie d'errance. Depuis cinq ans.

Elle examina sa chambre avec détachement. De lourds rideaux de brocart de soie à la passementerie élaborée. Des draps blancs frémissants. De l'électricité statique qui la faisait sauter chaque fois qu'elle touchait un objet métallique. Une série de tableaux sur les murs, accrochés à distances égales.

Elle défit ses valises et rangea ses vêtements avec soin. Une robe Valentino. Des chaussures Rossetti. Le tailleur Saint Laurent qu'elle porterait le lendemain matin pour son rendez-vous avec James Gould. « Vous avez vendu ma propriété à Grasse ? Bien, j'aimerais vous rencontrer pour que nous discutions de cette nouvelle proposition. » Gould n'avait pas apprécié. L'entrevue promettait d'être houleuse.

Elle se rappelait son premier rendez-vous avec Gould, à l'automne 1960. Ce souvenir la fit sourire.

Elle résidait à l'époque à l'hôtel Pierre avec Lewis. « C'est un homme très occupé. Ne te formalise pas s'il ne te garde que dix minutes dans son bureau », lui avait dit Lewis. Elle avait répondu par un sourire. Elle savait exactement ce qu'elle voulait. Depuis des mois, elle songeait à ce rendez-vous, l'avait organisé, répété, en avait même rédigé les grandes lignes. Il était d'une importance capitale car c'était le premier pas vers son retour en Alabama, vers Ned Calvert. Elle n'avait nullement l'intention de ne rester que dix minutes. Mais comment attirer l'attention d'un James Gould quand on n'a que trente mille dollars et qu'il vous reçoit simplement par faveur ?

La première fois qu'elle s'était trouvée face à lui dans cette pièce lambrissée, elle avait failli perdre son sang-froid. Grand, beau, l'air patricien, à peine la cinquantaine, il avait une arrogance naturelle qui lui rappelait celle de Lewis, bien que Gould fût plus impulsif et plus distant. Il lui rappelait également, dans une certaine mesure, M. Foxworth. La même froide courtoisie, le même mépris instinctif pour les femmes. Elle avait espéré trouver en lui un sens de l'humour. Nulle trace.

Après avoir demandé des nouvelles de Lewis par pure courtoisie, il abrégea les préliminaires. Il jeta un coup d'œil rapide aux dossiers posés devant lui, comme s'il regrettait déjà cette faveur accordée à un vieil ami de la famille.

— Voyons. Trente mille dollars. Vous cherchez quoi exactement ? Je suppose que vous songez à quelques actions. Nous ne possédons pas un capital suffisant pour faire des transactions d'envergure aussi vous conseillerais-je...

— Monsieur Gould.

Elle l'avait interrompu, ce qui était sans doute une erreur. Elle baissa un instant les yeux puis les leva vers lui. Comme elle n'avait rien à perdre, elle décida de jouer le tout pour tout. D'une voix étudiée, avec le même calme qu'elle arborait devant les caméras, elle prononça une phrase qu'elle avait longuement répétée.

— Je veux devenir riche et je veux que vous m'aidiez à l'être rapidement. C'est tout.

Il s'arrêta net de fouiller dans ses papiers et la fixa.

— J'aimerais, poursuivit-elle d'une voix glaciale et dans un anglais parfait, doubler mon capital et ainsi de suite. Ça, c'est le début.

— Madame, il s'agit de Wall Street, non de Las Vegas...

— Je le sais. Si je pensais avoir la moindre chance à Las Vegas, j'y serais déjà. Mais, à mon avis, les enjeux sont plus importants ici.

Après un long silence, Gould, de façon inattendue, esquissa un sourire. Il la regarda pour la première fois depuis qu'elle avait pénétré dans la pièce. Il saisit un morceau de papier sur lequel il avait inscrit quelques notes, le coupa soigneusement en deux et le jeta dans la corbeille à papier.

— Je vois, dit-il lentement. Nous devrions repartir de zéro.

Hélène se dit qu'au fond il avait le sens de l'humour et que son stratagème allait porter ses fruits. Elle avait eu raison. Leur amitié ainsi que leur alliance couronnée de succès prirent naissance lors de ce rendez-vous de dix minutes qui, en fait, dura une heure et demie.

— Vous comprenez bien ce que nous allons faire ? lui avait-il dit avant qu'elle ne parte. J'ai besoin d'en être certain. Plus les rendements sont importants, plus grands sont les risques. Si nous prenons cette ligne de conduite, nous pouvons obtenir des gains substantiels en réinvestissant. Mais cela tient du pari et cela peut s'apparenter à la roulette. Vous pouvez gagner beaucoup mais vous pouvez aussi tout perdre. Êtes-vous prête à en accepter les risques ?

— Oui.

— Qu'est-ce qui vous pousse à agir ainsi ? lui demanda-t-il en la dévisageant.

— Faut-il vraiment vous l'avouer ? répondit-elle en le fixant.

Il fut le premier à baisser les yeux.

— Non, fit-il, intrigué. Je suppose que c'est inutile.

Non seulement elle n'avait pas perdu, mais de plus, elle avait gagné. Son capital s'accrut rapidement et elle le réinvestissait au fur et à mesure. Un million. Deux millions. Quand elles acquient une somme suffisante, elle se demanda si la raison véritable était Ned Calvert. Voulait-elle vraiment avoir le nécessaire pour négocier avec lui ? Ou était-ce autre chose ?

Essayait-elle de se débarrasser du spectre de la pauvreté à tout jamais ? Était-ce pour l'éloigner définitivement de Cat et d'elle-même afin que sa fille ne connût pas les mêmes affres ?

Elle pendit la veste de son tailleur Saint-Laurent sur le cintre capitonné de soie, referma la porte du placard, refoulant les souvenirs qui avaient soudain resurgi : le soin pathétique que sa mère portait à ses robes, les ajustant, les décousant puis les recousant, les repassant soigneusement alors que ce n'étaient que les vieilles frusques de Mme Calvert.

Elle se retourna. Elle avait acquis une fortune incontestable et pourtant ne parvenait pas à se départir d'un sentiment de pauvreté qu'elle s'infligeait elle-même et dont elle prenait conscience avec une certaine amertume. Plus elle était riche, plus elle se sentait pauvre. Elle se revoyait dans cette petite chambre à Paris, fourrant à la hâte dans une valise de carton ses quelques affaires, puis dévalant les escaliers pour déambuler dans les rues jusqu'aux rives de la Seine. À l'époque où elle n'avait rien, elle avait l'impression que le monde lui appartenait.

« Ah, j'étais heureuse en ce temps-là », songea-t-elle.

Furieuse contre elle-même, elle s'éloigna.

Elle défit le reste de ses valises machinalement. Des bas de soie. Des dessous en soie et dentelle de Bruxelles. Elle plaça sur la table de chevet sa petite montre Cartier, un bijou exquis en émail cloisonné bleu avec un cadran en quartz rose, qui lui fit penser au vieux réveil posé sur la glacière dans la roulotte avec ses petites aiguilles rouges. Les minutes s'égrenaient. Le temps passait.

Dans la salle de bains, elle défit ses affaires de toilette et sa trousse de maquillage. Elle saisit le flacon de parfum que Stephani lui avait offert et, furieuse, le jeta sans l'ouvrir. Dentifrice. Shampoing. Une savonnette Guerlain. Une plaque mauve de pilules. Elle utilisait la même marque depuis des années. Elles avaient été prescrites, à l'origine, par le Dr Foxworth à l'époque où c'était une méthode nouvelle de contraception. Elle éprouva une haine soudaine et, impulsivement, ouvrit la boîte et tira les minuscules pilules blanches de leurs capsules en plastique. L'une après l'autre. Mardi, mercredi, jeudi... Il y en avait pour un mois.

Elle les jeta dans le lavabo et ouvrit le robinet. À quoi bon les garder ?

Elle retourna dans le salon et prit le scénario que Gregory Gertz lui avait donné dans l'Arizona. Elle l'avait déjà lu. Maintenant que le tournage des *Fugitifs* était terminé, elle lui avait promis de le relire. Il se trouvait à New York. Ils pourraient donc se voir rapidement le lendemain pour en discuter, après le rendez-vous de Gould. Ensuite, elle prendrait l'avion pour aller retrouver Cat.

Habituellement, cette pensée l'apaisait tout en la rendant d'une impatience fébrile. Mais là, ce n'était pas le cas. Elle ouvrit le scénario. Les mots, les phrases, rien n'avait de sens. Elle referma le scénario et posa son regard sur le cadran de sa montre Cartier. Bientôt 7 heures. C'était le moment où, chaque jour, elle téléphonait à Cat.

Elle saisit l'appareil, hésita puis, cédant à la tentation, demanda le réseau international.

Son cœur battait à tout rompre chaque fois qu'elle composait le numéro. Combien de fois l'avait-elle fait de ses chambres d'hôtel à travers l'Europe ou l'Amérique ? Quinze fois sans doute, ce qui était finalement peu en l'espace de cinq ans. Elle avait l'impression que c'étaient des centaines, des milliers de fois. La première fois, c'était à Londres, dans cette petite chambre rouge chez Anne Kneale où, assise près du feu de cheminée, elle attendait Lewis qui s'était rendu à une réception à Berkeley Square.

Elle avait les mains moites et tremblantes, la bouche sèche. Elle demanda à la standardiste de procéder comme elle le faisait d'habitude : laisser sonner trois fois avant de raccrocher. Hélène lui donna le numéro de Saint-Cloud. La standardiste acquiesça avec lassitude. Sans doute avait-elle l'habitude de répondre à de telles requêtes inutiles.

— Vous êtes en ligne...

— Attendez, fit Hélène. Laissez sonner, je vous prie ; je couperai moi-même.

La standardiste, fatiguée, soupira.

— Bien.

Hélène, figée, pressa l'appareil contre son oreille. Il ne devait pas être là. Personne ne répondrait. Ou peut-être Georges ou bien quelque autre serviteur... Quelle heure devait-il être à Paris ? Elle avait l'esprit trop confus pour calculer le décalage horaire. Plus. Moins. Le matin. L'après-midi. Cinq ans. Cinq heures.

Elle percevait la sonnerie à l'autre bout du monde.

Une. Deux. Trois. Cette fois, au lieu de raccrocher, elle resta l'oreille collée à l'appareil.

Édouard en personne répondit à la cinquième sonnerie.

— Oui ?

Ce fut comme une décharge électrique qui la pénétra jusqu'au cœur. Il régna un silence qui lui parut éternel. Un instant plus tard, une voix anxieuse lui murmura :

— Hélène ?

Elle raccrocha aussitôt.

Gould présidait la réunion, qui touchait à sa fin. Le bilan n'était pas satisfaisant. Il jeta un coup d'œil aux papiers qui se trouvaient devant lui, puis promena son regard sur les participants autour de la table. Il se trouvait à une extrémité. Quatre hommes et une femme qui allait commettre sa première erreur en quatre ans de transactions osées, intelligentes et couronnées de succès. Gould lui en avait déjà fait la remarque, et les autres à leur tour. Un avocat, deux agents de change, un administrateur de biens, tous hommes d'affaires avisés aux avis onéreux. Hélène Harte les avait écoutés et continuait à le faire mais avec indifférence.

Gould l'observa avec plus d'attention. L'avocat auquel il avait fait appel, et qui rencontrait Hélène Harte pour la première fois, répétait ses arguments, tel un instituteur apprenant l'alphabet à un petit enfant. Hélène le regardait poliment. Celui qui parlait ne savait pas encore que ce calme et cette courtoisie masquaient une détermination à toute épreuve. Gould, qui la connaissait, fronça les sourcils.

Elle portait à la main droite, et non à la gauche, une bague en diamants. C'était la célèbre bague que Lewis lui avait offerte peu après leur mariage et qui, quelques années auparavant, avait défrayé la chronique à Boston et à New York. L'avocat avait les yeux rivés sur cette bague. Tout en suggérant des placements dans l'industrie du coton et les fibres synthétiques, il évaluait le nombre de carats.

Apparemment, la proposition d'Hélène était simple. Elle revendait avec bénéfice certains biens, dont la propriété achetée dans le sud de la France en 1963, et se proposait de les réinvestir en terres. En soi, c'était acceptable. Gould lui avait lui-même proposé d'excellents investissements ces derniers mois, par exemple en Angleterre où les terrains se vendaient à bas prix et où une reprise rapide s'annonçait. À New York également où un quartier tout proche du West Side devait être reconstruit selon les derniers renseignements de la mairie. La technique consistait à acheter des parcelles de terrain séparées dans un tel site urbain, en utilisant des prête-noms, pour les revendre ensuite avec des bénéfices substantiels, une fois que la totalité du quartier vous appartenait. Cette suggestion avait été faite à Hélène quelques mois auparavant et venait d'être abordée une fois de plus. Hélène avait simplement acquiescé avant de reparler du problème de l'Alabama.

Utilisant le nom d'une compagnie appelée Hartland Developments, Inc., Hélène se proposait d'acheter trois cents hectares de champs de coton à la sortie d'une petite ville du nom d'Orangeburg qui appartenaient à un certain commandant Edward Calvert. Ce projet était complètement insensé.

Lorsque Gould s'était rendu compte qu'Hélène était parfaitement sérieuse, il avait mené une enquête rapide. Il en avait les résultats sur son bureau : désastreux.

Ces douze dernières années, Calvert avait fait de gros investissements en plantations et en outillage. La cueillette annuelle ne se faisait plus à la main, et bon nombre d'ouvriers avaient été renvoyés. Pour le financement, il avait eu recours à des prêts bancaires en donnant ses propriétés en garantie. Si les plantations avaient été mieux gérées et si le prix du coton avait été stable, Calvert aurait pu s'enrichir. Mais là, tout battait de l'aile.

Les deux banques qui avaient hypothéqué la maison et la propriété avaient tiré la sonnette d'alarme deux ans auparavant. Depuis 1962, Calvert était pris à la gorge. Les intérêts de ses emprunts croissaient chaque mois. La valeur de ses biens diminuait chaque année. En 1963, la récolte fut désastreuse de par le mauvais temps et la maladie qui affectèrent ses plantes. Au bord de la saisie, il cherchait à vendre des parcelles de terrain, tel un homme s'accrochant à une branche pour éviter de se noyer. Comme chacun autour de la table le souligna, il ne lui resterait plus que des terres en friche dans un domaine amoindri, et ses chances de s'en sortir étaient nulles. Calvert essayait de gagner du temps. Il voulait remporter une bataille qui, à coup sûr, le mènerait à perdre la guerre.

James Gould en avait des maux de tête. L'avocat parlait toujours. Gould se frotta les tempes sans résultat. Calvert allait droit à la faillite, et l'intention d'Hélène Harte d'acquérir ces terres était dénuée de bon sens. C'était un mauvais investissement. Le prix qu'elle voulait y mettre était ridicule. S'il s'était agi de quelqu'un d'autre, Gould aurait pensé qu'il perdait la raison. Sans doute un caprice absurde de femme. Gould venait de divorcer de sa deuxième femme et il n'était pas très bien disposé à l'égard de la gent féminine. Une seule chose l'intriguait. Hélène Harte ne faisait jamais de caprice. Intelligente, méthodique, elle prenait parfois des voies détournées pour atteindre son but. C'était donc d'autant plus incompréhensible.

Il allait interrompre l'avocat lorsque, à son grand soulagement, Hélène le devança. Tout en tournant sa bague en diamants, elle se pencha et prit la parole de sa voix douce, bizarrement saccadée et dotée d'un accent curieux. Il en émanait un certain magnétisme. En d'autres circonstances, Gould aurait aimé l'écouter.

— Que la chose soit bien claire. Je vous l'ai déjà dit, mais peut-être faut-il le répéter.

De sa voix calme, il coupa la parole à l'avocat rebelle qui leva les mains au ciel et se renversa sur sa chaise, l'air furieux.

— Je n'achèterai qu'à une condition. Nous paierons le prix demandé seulement si ma compagnie peut honorer les emprunts bancaires avec le reste de la propriété et la maison en garantie, comme avant.

L'avocat ricana.

— Les banques vont vous bénir. Quelle aubaine ! Cette garantie ne vaut rien. Pourquoi, à votre avis, le menacent-ils de saisie ? Ils savent qu'ils vont se brûler les doigts et, apparemment, ils s'y sont résignés. Ils sont même en train de monter une opération de renflouement pour tenter de sauver ce qu'ils peuvent.

— Excellent, dit Hélène, un sourire aux lèvres. La transaction ne devrait donc pas présenter de difficulté. Les banques accepteront facilement.

Gould eut une idée.

— Avant la fin de l'année, fit-il sans quitter Hélène des yeux, probablement dans moins de six mois, ce commandant Calvert ne pourra plus faire face à ses échéances. Que ferez-vous alors ?

— Une saisie.

— Il demandera un moratoire.

— Je refuserai.

— Je vois.

Le silence régna autour de la table. L'administrateur de biens soupira en levant les yeux au plafond. L'avocat toussota.

— Combien de temps lui donnez-vous ? demanda Gould en tapotant la table de son crayon.

Hélène fronça les sourcils. Elle s'était dit : « Qu'il en bave et que je sois le témoin de sa déchéance. » Elle avait pensé à une date précise, le 15 juillet. « Bon anniversaire, Ned. »

Mais il fallait attendre presque un an, et c'était insupportable. Elle voulait l'abattre plus rapidement. Elle se tourna vers Gould.

— Offrez-lui six mois. Jusqu'à la fin janvier. Faites-lui croire à la possibilité d'un délai mais sans garantie. Acceptera-t-il cette proposition ?

— Je crois qu'il accepterait n'importe quoi dans sa situation. Les hommes désespérés ne s'attachent pas aux détails, fit Gould sèchement.

Il commençait à comprendre.

— Ensuite ? lui demanda-t-il.

— Nous procéderons à la saisie à la fin de ces six mois. Ou à sa première défaillance. Je suppose qu'il n'a aucune autre source de financement ?

— Et pas le moindre espoir, dit l'avocat d'un ton agressif. Aucun être humain digne de ce nom ne pourrait le jeter à la porte. L'issue est fatale. Dans six mois, sept, huit tout au plus, vous serez en possession de tous ses biens. Une propriété en ruine. Une maison délabrée. Il vous sera impossible de garder le secret. À quoi bon tout cela ? Je ne vois pas l'intérêt.

Hélène avait une expression déterminée.

— Moi, si, fit-elle, d'une voix nette et concise.

Elle baissa légèrement la tête. Tout cela avait-il vraiment un sens ? Elle aurait dû éprouver un sentiment de triomphe. Au contraire, elle ne ressentait que tristesse et lassitude. Elle se leva, désirant mettre un terme le plus rapidement possible à cette réunion. Elle enfila ses gants tout en fixant Gould.

— L'acte de vente et les transferts d'emprunt prendront combien de temps ?

— Pas longtemps. Tout est prêt. Le travail préliminaire a été fait.

— Très bien, fit-elle, le regard vide. Concluez vite, j'aimerais signer le plus tôt possible. Merci à vous tous de m'avoir consacré tout ce temps.

Elle leur adressa cet extraordinaire sourire, capable de subjuguer toute une assistance. Ils échangèrent tous un regard et se levèrent. Hélène se dirigea vers la porte, suivie de Gould. Il l'accompagna jusqu'à l'ascenseur sans rien dire. Il appuya sur le bouton, mais, lorsqu'elle se tourna vers lui pour lui dire au revoir, il ne put garder le silence plus longtemps.

— Vous le connaissez, Hélène, n'est-ce pas ? dit-il d'une voix calme. Vous connaissez ce Calvert. Voilà la clé du problème.

Elle marqua un temps d'hésitation. Il vit dans son regard une lueur insolite qui l'effraya.

— Vous avez raison, bien sûr, je le connais.

— Mais Hélène, *pourquoi* ? Pourquoi agissez-vous ainsi ?

— Pourquoi ? fit-elle avec un sourire résigné. Parce qu'il est responsable de ce que je suis devenue. Voilà la raison. Gould, vous m'avez déjà posé cette question lors de notre premier rendez-vous. Vous rappelez-vous ce que je vous avais répondu ?

— Oui. Vous m'avez demandé s'il était vraiment utile que je le sache, et j'ai répondu que non.

— Je vous serais très reconnaissante de me faire la même réponse.

Elle se pencha vers lui et posa la main sur son bras. Gould avait envie de savoir, de protester, mais le contact de sa main et l'expression de son regard le firent capituler. Il haussa les épaules.

— Très bien.

— Merci.

Les portes de l'ascenseur s'ouvrirent, puis se refermèrent sur Hélène, souriante.

Gould retourna dans la salle de conférences, pensif. L'avocat, qui avait affaire à Hélène pour la première fois, ne cessait de vitupérer.

James Gould n'y prêta nulle attention. Par la fenêtre, il aperçut, garée de l'autre côté de la rue, une limousine noire. Il vit la silhouette d'Hélène traverser la rue et grimper dans la voiture. Il plissa le front d'un air sceptique.

Ce n'était pas la première fois qu'il voyait quelqu'un utiliser l'argent comme une arme. Le phénomène était intéressant. C'était légal et efficace. « L'arme du crime parfait », avait-il fait remarquer un jour. Aujourd'hui, il avait vu chez Hélène Harte une détermination étonnante qui l'avait choqué. Il avait lu dans son regard une haine indiscible.

L'avocat, emporté par son éloquence, ne mettait pas seulement en doute le jugement d'Hélène, mais sa raison.

— C'est insensé, parfaitement insensé, dit-il d'un ton sinistre.

Gould l'interrompit de façon brutale pour couper court à cette réunion.

— Hélène Harte est la femme la plus sensée que je connaisse. Je crois que cela suffit pour aujourd'hui, d'accord ?

Par la suite, il considéra ce jugement et le révisa légèrement.

La haine, tout comme l'amour, faisait-elle partie du domaine de la raison ? Lui-même était un homme sensé et froid, aux passions modérées, et il en venait à douter.

Ils s'étaient rendus à une réception à Malibu, un barbecue au champagne, donné sur la plage privée de Lloyd Baker, par son épouse qui était en passe, selon Lewis, de devenir l'ex-Mme Baker. Ils étaient restés plus longtemps que prévu et se trouvaient sur l'autoroute de Santa Monica. Lewis avait l'intention de raccompagner Stephani chez elle, dans son petit appartement. Il était 18 h 30, et l'autoroute était encombrée. Toute la circulation était bloquée. Lewis klaxonnait nerveusement.

— Bon sang, Stephani, je t'avais dit que c'était une idée stupide.

Stephani se mordit les lèvres fébrilement. Elle lui lança un regard timide.

— À quelle heure rentre Hélène, Lewis ?

— Je te l'ai dit. Aux alentours de 8 heures. Et il faut d'abord que je te raccompagne et que je prenne une douche. Mon Dieu ! Nous allons y passer la nuit.

Il klaxonna de nouveau.

— C'est ma faute, Lewis, fit-elle d'une petite voix. Je sais que tu ne voulais pas m'inviter. Je sais que tu ne souhaitais pas qu'on te voie en ma compagnie.

— Non, Stephani, ce n'est pas cela, tu le sais très bien, fit Lewis à la fois chagriné et culpabilisé, parce qu'il savait très bien qu'elle avait raison. Il faut que je pense à Hélène, c'est tout... Nous devrions... Enfin, je crois qu'un peu de discrétion ne serait pas inutile.

— Katie Baker ne dira rien. Je la connais depuis longtemps. On a partagé la même chambre autrefois. Avant sa rencontre avec Lloyd. Si je disais ce que je sais sur elle...

— Ce n'est pas la question, Stephani. Nous n'aurions pas dû y aller. Je ne sais vraiment pas pourquoi nous l'avons fait... Cette putain de circulation...

Lewis klaxonna encore. Le conducteur devant lui, dans une Cadillac mauve, sortit la main à la fenêtre, et Lewis lui répondit par un signe sans équivoque.

Lewis, agacé, martela son volant. Ils avancèrent d'une dizaine de mètres et s'arrêtèrent de nouveau. Ils étaient cernés de tous côtés.

— Eh bien, voilà. Nous en avons encore pour une heure.

— Lewis ? fit Stephani en lui lançant encore une fois un regard timide. Ne sois pas fâché contre moi. Je ne peux pas supporter de te voir en colère. Je suis vraiment désolée.

Lewis, touché, haussa les épaules.

— Embrasse-moi, Lewis, fit-elle d'une voix hésitante. Juste un petit baiser. Je t'en prie...

Elle se pencha vers lui avant qu'il ait pu dire quoi que ce soit et le fixa solennellement de ses grands yeux bleus, puis lentement pressa sa bouche contre la sienne et glissa sa langue entre ses dents. Lewis ne résista pas longtemps. Il gémit de plaisir.

Lorsqu'il se ressaisit, il s'aperçut que la Cadillac avait avancé de trois mètres. Il laissa sa Porsche s'en approcher. Stephani farfouillait sur le petit siège arrière.

— Où est ton veston, Lewis ?

— Mon veston ? Il est derrière. Pourquoi le veux-tu ? Il fait une chaleur à crever...

Stephani avait trouvé le veston qu'elle plaça, toute frétillante, dans le creux qui séparait les sièges.

— J'aime avoir chaud. J'aime renverser le siège et sentir le soleil. Cela me rend...

Elle lui lança cette fois un regard suggestif. Malgré la chaleur, la fumée des tuyaux d'échappement, les séquelles du champagne qui lui provoquaient des maux de tête, Lewis sentit son corps réagir. Il en oublia la Cadillac devant lui.

— Calme-toi, Lewis, tu es crispé. Laisse-toi aller, je vais te détendre. Tu vas te sentir bien.

Tout en parlant, elle glissa le veston sur les genoux de Lewis et, passant la main dessous, défit sa braguette.

— Grand Dieu, Stephani, nous sommes sur l'autoroute !

— Oui, et je vais t'emmener loin d'ici.

— Oh, mon Dieu !

Il sentait la main de Stephani écarter son slip. C'était chaud et humide. Lewis eut instantanément le sexe tendu. Stephani saisit aussitôt le gland enflammé et le caressa. Quelques instants plus tard, elle leva ses grands yeux vers lui.

— Lewis chéri, tu as un Kleenex ou autre chose ?

Lewis sortit de la poche de son pantalon un mouchoir parfaitement repassé. Stephani le prit en souriant et le glissa sous le veston. Lewis ferma les yeux.

Alternant des mouvements accélérés puis lents, Stephani lui pressa la verge sans relâche, le mettant au supplice. Lewis ouvrit les yeux et jeta un coup d'œil rapide à droite et à gauche. Les occupants des voitures ne semblaient pas leur prêter la moindre attention. Gémissant de plaisir, il se mordit les lèvres. Il allait jouir et tentait de refouler ses cris. Serrant de nouveau très fort, Stephani adopta une autre technique, lui massant le sexe à grands mouvements de poignet ou l'agaçant à petits coups sans merci. Il lui caressa les seins dressés sous son chemisier blanc.

Il ne put résister davantage. Au paroxysme du plaisir dû à sa retenue, il céda enfin à l'orgasme avec une volupté qui lui parut sans fin.

Stephani lui remonta sa fermeture Éclair et retira sa main qui serrait encore le mouchoir humide et froissé.

Lewis la regarda. Elle leva le mouchoir et le pressa contre ses lèvres en reniflant puis, un sourire aux lèvres, le glissa entre ses seins avant de se passer la langue sur les lèvres.

— Lewis, dit-elle de sa petite voix frêle et puérile, maintenant qu'Hélène est de retour, je sais que je ne te verrai plus. Inutile de m'expliquer. Je veux simplement que tu saches que je comprends. Quand je serai seule et que j'aurai le cafard, sais-tu ce que je ferai ? Je prendrai ce mouchoir et je penserai très fort à toi. Ensuite, tu sais ce que je ferai ?

Stephani se pencha et lui glissa quelques mots à l'oreille. Lewis se sentit de nouveau gagné par le désir. Au même moment, Stephani se redressa.

— Hé ! on avance.

La circulation commençait à se débloquer. La Cadillac devant eux prenait de la vitesse. Lewis appuya sur l'accélérateur.

Quand ils arrivèrent dans la rue où habitait Stephani, il gara sa voiture en zone interdite, deux roues sur le trottoir. Il faillit tomber dans sa hâte. Après avoir poussé Stephani hors de la voiture, il grimpa avec elle les escaliers. Dès que la porte se fut refermée, ils se précipitèrent sur le lit.

Ils y restèrent deux heures. Certes, ils avaient passé pas mal de temps dans cette chambre et dans ce lit la semaine qui venait de s'écouler, mais jamais Lewis n'y avait pris autant de plaisir. Une voix dans sa tête lui disait triomphalement : « Tu vois ? Tu vois ? Il n'y a rien de mal à cela. C'est la faute d'Hélène. »

Lewis aimait ce que cette voix lui disait. Il éprouvait un doux mélange de désir et de pitié à l'égard de Stephani. Après la réception chez les Baker, Lewis avait pris la décision de lui dire que tout était fini entre eux puisque Hélène était de retour. Qu'il ne pourrait plus la revoir.

Là, cette décision lui semblait à la fois cruelle et inutile. Stephani était très vulnérable. Il lui effleura la poitrine, la faisant gémir de plaisir. Avant même de savoir ce qui lui arrivait, Lewis se blottit le visage entre ses seins et s'écria :

— Stephani, nous devons continuer à nous voir. Je ne peux plus me passer de toi.

Stephani soupira. Elle lui prit le visage dans les mains et le força à la regarder.

— Lewis, lui dit-elle avec sérieux, je sais que tu l'aimes. Ne t'inquiète pas. Moi aussi, je l'aime. C'est sincère. Inutile de la blesser. Il ne faut pas qu'elle sache.

Elle fit alors un geste qui déconcerta Lewis : elle porta la main à son front et lissa ses mèches blondes.

— Je crois que je lui ressemble, dit-elle dans un murmure. Tu ne trouves pas ? Juste un peu ?

Lewis n'était pas du même avis, mais il se garda bien de lui en faire part. Il la quitta peu après. Il arriva chez lui avec deux heures de retard. Il était presque 10 heures. Hélène devait être rentrée depuis deux heures. Il était gêné d'avoir recours au mensonge. L'esprit vacillant, il vit les grilles s'ouvrir.

C'est là qu'il remarqua un mouvement imperceptible. Un visage se tourna vers lui, pâle et fixe, pétrifié par la lueur des phares, tel un animal paralysé par la lumière.

Lewis ressentit une colère soudaine. Il éprouva un sentiment de crainte, pas seulement de l'homme, mais aussi de lui-même, des mensonges qu'il allait devoir inventer, de tout. Il passa la première et accéléra comme s'il ne l'avait pas vu. Dès qu'il entra, il téléphona à la police de Beverly Hills. Hélène l'observait de l'autre côté de la pièce, silencieuse et peu accueillante.

La police arriva aussitôt sur les lieux, mais l'homme avait disparu.

— Ce sera une grande réception, maman ?

Cat était perchée sur une chaise à côté du bureau d'Hélène. C'était une journée magnifique, et le soleil baignait la pièce. Cat balançait les jambes. Elle avait envie d'aller dehors.

Hélène jeta un coup d'œil à la liste qu'elle avait préparée et qui comportait déjà cent cinquante noms. Elle adressa un sourire à Cat.

— Oui, ma chérie. Une grande réception avec un dîner et un bal. Nous allons ouvrir la salle de bal. Il y aura de la musique. Et, si tu es très sage, tu pourras veiller un peu avec Cassie et Madeleine et voir mes invités arriver.

— Chic alors !

Cat s'interrompit soudain et se figea.

— Lewis sera là ?

— Bien sûr. C'est lui qui invite également.

— Mais il n'a aucun rôle dans ce film, fit Cat, l'air sceptique.

— Pas exactement, Cat. Lewis n'a pas participé au tournage d'*Ellis*, mais cela ne fait aucune différence. C'est tout de même sa réception, sa maison, et...

Elle allait ajouter que c'était son mari, mais les mots ne sortaient pas. Cat avait les yeux fixés sur elle.

Au bout de quelques minutes, l'enfant lui fit une remarque curieuse.

— Lewis n'est pas souvent là. C'est pourquoi je me posais la question.

— Il est très occupé, tu sais. Lewis essaie d'écrire son roman et il a de nombreux rendez-vous. C'est tout.

Elle détourna le regard avec un sentiment de désarroi total. Cat appelait toujours Lewis par son prénom. Même enfant, elle ne lui avait jamais dit « papa ». Hélène aurait dû s'y habituer avec le temps. Quand avait-elle commencé ? Elle n'en savait trop rien. C'était le résultat implicite d'un malaise. Lewis n'avait jamais précisé son désir de se voir appeler « papa ». Hélène ne lui avait jamais avoué qu'en parlant de lui à Cat il lui était impossible de prononcer ce mot qui restait collé au fond de sa gorge. Par une sorte de pacte mutuel, ils n'en parlaient jamais, non plus que du fait qu'ils faisaient chambre à part ou qu'elle savait qu'il fouillait dans ses affaires.

Ils étaient pris au piège d'un carcan de froide politesse qui menaçait à chaque instant d'exploser pour laisser place à de rudes confrontations, surtout lorsque Lewis avait bu. Cependant, même ces dissensions lui paraissaient malhonnêtes. Lewis s'attaquait rarement au cœur du problème, à l'origine même de leur échec. Il avait essayé une fois, mais, de plus en plus, ses reproches portaient sur des points sans importance : l'heure du dîner, le choix de ses robes, un affront imaginaire, une remarque dénuée de sens, faite en passant.

Elle lança un regard triste à Cat. Un jour, lorsqu'elle serait plus grande, il faudrait bien lui avouer la vérité. Cat en viendrait à lui poser des questions sur le rôle de Lewis dans sa vie. Toutes ces difficultés étaient latentes. Hélène s'imaginait parfois construisant avec Lewis un barrage fragile alors que le niveau de l'eau s'élevait dangereusement.

Tous les efforts qu'elle déployait pour tenter de sauvegarder ce barrage restaient vains. Elle s'était pourtant promis que cette fois ce serait différent. Dans l'avion qui la ramenait de New York, mille pensées optimistes la bercèrent. Tous les trois, ils formeraient enfin une famille. Elle leur consacrerait tout son temps. Ils iraient en promenade ensemble, peut-être en vacances. Elle se retrouverait en tête à tête avec Lewis. Ils pourraient se parler et ainsi se rapprocher l'un de l'autre.

Mais ces belles résolutions teintées d'espoir s'évanouirent comme les précédentes. Les trois semaines qu'elle passa chez elle, elle ne vit pratiquement pas Lewis. Il s'enfermait dans son bureau pour s'installer devant sa machine à écrire ou quittait la maison pour une série de rendez-vous. Malgré tous ses efforts, elle ne parvenait pas à franchir les barrières de ressentiment et de colère que Lewis avait dressées entre eux. Ses tentatives de réconciliation semblaient accroître sa haine.

— Je t'en prie, Lewis, lui avait-elle dit au bout de deux semaines. Si nous partions quelques jours tous les trois ?

Lewis lui avait lancé un regard glacial.

— Je vois. Je suis censé tout plaquer, simplement parce que tu as quelques jours de liberté ? Ce que je fais n'a aucune importance, n'est-ce pas ? Eh bien, vois-tu, ce n'est sans doute pas essentiel pour toi, mais pour moi, si. Je suis bloqué par mon travail.

Hélène soupira. Cat l'observait attentivement en balançant ses jambes dans le vide. Elle sauta de sa chaise et passa ses petits bras autour du cou de sa mère.

— Tu as l'air fatiguée, maman. Hier, Cassie a dit que tu étais épuisée. Je ne veux pas que tu sois malade. Viens jouer avec moi dans la cour.

Après une seconde d'hésitation, elle embrassa sa mère avec tendresse. Hélène la prit dans ses bras. Le mouvement d'hésitation qu'elle avait eu ne lui avait pas échappé. Hélène en souffrait toujours, parfaitement consciente que Lewis en était la cause.

Cat était une enfant ouverte. Elle riait, pleurait, manifestait son affection avec la même spontanéité. Mais elle avait appris à se montrer prudente. Quand Lewis la voyait serrer sa mère dans ses bras, grimper sur ses genoux ou l'embrasser, il s'emportait.

« Tu gâtes trop cette enfant. Elle n'a plus l'âge de ces minauderies. Cat, descends de là, ta mère a autre chose à faire. »

Hélène exécrait son attitude. Cat n'avait que quatre ans. Elle serait marquée à jamais dans son affectivité si on lui apprenait à cacher ses sentiments. Le chagrin l'assaillit. Elle étreignit Cat, un peu trop fort sans doute, comme sa mère le faisait autrefois. Et Cat, à l'image d'Hélène lorsqu'elle était enfant, ressentit cette tension en elle et se dégagea.

— Viens, viens nager. Je veux te montrer. Maintenant je sais nager longtemps, très longtemps.

— Allons-y. Il fait un temps superbe.

Une fois dans l'eau, Cat respira longuement, pencha la tête en arrière, fixa son regard de l'autre côté de la piscine et s'élança en battant frénétiquement des pieds et des mains. De temps à autre, elle touchait le sol pour reprendre son élan. Hélène ne le lui fit pas remarquer.

— C'est très bien, ma chérie. Essaie encore.

Hélène se mit à l'ombre, près du bar, tandis que Cat traversait le bassin de long en large. Elle sentit soudain des larmes affleurer.

La piscine était entourée d'une terrasse de pierre et abritée par une haute haie d'ifs. Le bar avait la forme d'un petit temple ancien, et des statues, importées d'Italie, étaient disposées sur la pelouse au milieu des fleurs.

Une piscine hollywoodienne, ne ressemblant en rien à la petite crique boueuse entourée de peupliers. Pourtant, Hélène ne pouvait s'empêcher de penser à Billy. Ce souvenir et la présence de Cat lui faisaient toujours monter les larmes aux yeux. Elle passa un mouchoir sur son visage.

Cat n'avait rien remarqué. Fatiguée par ses efforts, elle sortit de la piscine et s'assit sur le bord en remuant les pieds dans l'eau. Elle secoua ses cheveux qui, étincelant au soleil, avaient l'éclat de diamants et se mit à chanter un air sans doute appris de Madeleine.

Sur le pont d'Avignon,
L'on y danse, l'on y danse,
Sur le pont d'Avignon,
L'on y danse tous en rond...

Elle avait un accent parfait et chantait juste en battant la mesure de sa petite main. Hélène avait les yeux fixés sur elle. Cat, au petit visage ovale, lui souriait. Mouillés, ses cheveux semblaient plus foncés. Hélène contemplait ses beaux yeux bleus et ses longs cils noirs. Elle n'avait jamais entendu Cat chanter en français.

Une certaine tension s'empara d'elle. Son esprit se liquéfia. Cat sentait que quelque chose n'allait pas.

— Tu n'aimes pas cet air, maman ? Je le chante mal ?

— Non, ma chérie, tu le chantes merveilleusement. Si tu me chantais une chanson américaine maintenant ?

— Je n'en connais pas beaucoup. Madeleine ne m'a appris que celle-là.

— Ça ne fait rien. Viens nager, Cat, s'empressa d'ajouter Hélène.

Elle plongea et fit plusieurs longueurs de bassin jusqu'à épuisement, comme du temps de Billy. Ses angoisses s'apaisèrent. Elles sortirent toutes deux de l'eau. Hélène enveloppa Cat dans une serviette et la serra très fort contre elle. Elle ne cessait de se répéter : « C'est l'enfant de Billy. C'est l'enfant de Billy. »

— Arrête, maman. Je ne peux plus respirer, s'écria Cat.

À leur retour, elles trouvèrent Lewis. Cat remarqua le visage soudain crispé de sa mère. Sans dire un mot, elle se faufila devant Lewis et entra en courant dans la maison. Lewis la regarda s'éloigner.

— Thad vient d'appeler, dit-il d'un ton glacial. Il veut que tu assistes à la projection d'*Ellis* mercredi après-midi. Il a terminé. Il dit qu'il faut prévoir trois heures.

— Oh, je vois, fit Hélène d'une voix hésitante. Je n'ai peut-être pas besoin d'y aller. Si tu as d'autres plans...

— Des plans ?

— Oui, si tu as prévu autre chose pour nous. Je suis rentrée depuis trois semaines, Lewis, et je ne t'ai pratiquement pas vu.

— Tu ne me verras pas mercredi non plus. Je suis pris toute la journée. Si tu as envie de passer l'après-midi avec Thad, ne te gêne pas.

Il s'éloigna.

Hélène, incapable de se retenir, courut vers lui.

— Lewis, où vas-tu ?

— Je sors. Tu ne vois pas ? dit-il froidement.

Lewis avait une nouvelle technique depuis le retour d'Hélène. Culpabilisé par son recours constant au mensonge, partagé entre son devoir de laisser tomber Stephani et la certitude d'en être incapable, il avait trouvé un remède qu'il gardait dans la boîte à gants de sa Porsche. C'était un flacon de petites capsules rouges, une nouvelle marque d'amphétamines. Au début, il n'en prenait qu'une ou deux. Puis davantage. Il avalait les premières de la journée lorsqu'il partait de chez lui pour se rendre chez Stephani et les dernières en sens inverse, le soir.

Contrairement à l'alcool qui le déprimait et le rendait tantôt nostalgique, tantôt agressif, l'effet des pilules était apaisant. Elles lui donnaient une extraordinaire confiance en lui et la sensation que tout allait pour le mieux.

Lorsqu'il se levait le matin, complètement abattu, les doutes resurgissaient. Il avait souvent envie d'aller retrouver Hélène dans sa chambre pour lui avouer la raison de sa conduite. Quelquefois, cela lui paraissait possible. Il avait envie de tout lui dire au sujet de Stephani, de lui expliquer qu'il avait besoin d'elle parce qu'il était malheureux dans son foyer. Si seulement Hélène lui apportait un peu de bonheur, il cesserait de voir Stephani.

Dans ces moments-là, il avalait un verre d'alcool pour se donner du courage. Mais soudain tout basculait. Il se félicitait de ne pas avoir cédé à la tentation. Les vieux sujets de discorde, les angoisses habituelles assaillaient de nouveau son esprit. Il dévalait les escaliers, et à peine apercevait-il Hélène qu'il adoptait sa nouvelle technique mise au point depuis le début de sa liaison avec Stephani. Il se montrait froid et distant, et prenait un plaisir pervers à blesser Hélène. Plus elle redoublait de gentillesse, plus il accentuait sa froideur. Devant le chagrin qu'il provoquait, une partie de lui se réjouissait, l'autre était consternée.

Avant que les remords ne l'assaillent, il fuyait dans sa Porsche et avalait ses petites pilules rouges. Dès que l'effet se faisait ressentir, il retrouvait le monde sécurisant des certitudes inébranlables qui durait le restant de la journée.

Le mercredi où Hélène avait rendez-vous avec Thad pour assister à la projection définitive d'*Ellis*, Lewis se leva très tôt. Après avoir pris sa douche et s'être habillé, il se prépara du café en grande quantité et alla s'enfermer dans son bureau. Il sortit le scénario d'*Instants d'éternité* qu'il remaniait pour la quatrième fois. C'était un fouillis indescriptible. Il y avait apporté tant de modifications qu'il ne savait plus où il en était. Il l'avait relu la veille et pourtant ne se rappelait rien. La scène entre le mari et l'amant. L'avait-il retenue ? Quelle était la meilleure version ? La première ? La deuxième ? Ou bien la troisième ?

Lewis feuilleta les pages hébété. Il se versa une tasse de café et résista à l'envie de prendre de l'alcool. « Pourquoi ne ressemblait-il pas à Thad ? » songeait-il avec désespoir. Thad qui ne connaissait ni doute, ni incertitude, ni arrière-pensée, et percevait tout avec une clarté étonnante sans jamais éprouver l'ombre d'un sentiment. Il ne vivait que pour son travail. Il n'éprouvait ni jalousie ni crainte. Lewis remarqua qu'il ne l'avait jamais vu en colère. Cette pensée le réconforta légèrement. Il avala une nouvelle gorgée de café. La bonne humeur lui revenait. Après tout, Thad, metteur en scène, avait peut-être du succès, mais en tant qu'homme, c'était un échec.

Deux semaines plus tôt, Lewis était allé rendre visite à Thad à l'insu d'Hélène. Le souvenir cuisant de cette rencontre était gravé dans sa mémoire. Il s'était humilié auprès de Thad, le priant de le reprendre pour une nouvelle production.

— Vois-tu, Thad, lui avait-il dit maladroitement, mes romans ne marchent pas aussi bien que prévu. Je ne veux pas capituler, non, mais je n'ai plus besoin de liberté totale. Je ne sais pas quels sont tes projets après

Ellis, mais notre équipe est soudée et nous avons toujours bien travaillé ensemble, aussi ai-je pensé...

Thad chantonnait, ruminant dans sa barbe.

— Non, Lewis, je ne te veux plus. Tu inhibes Hélène. Ça ne peut plus marcher.

— C'est Hélène qui t'a dit ça ? s'écria-t-il, stupéfait.

— Elle ne l'a pas exprimé, mais c'est ce qu'elle ressent. Tu l'étouffes, Lewis. Hélène a besoin d'être libre. Si tout cela dépendait de moi... mais ce n'est pas le cas. Je dois veiller sur elle.

Lewis avait éprouvé une haine soudaine à son égard. Et une haine encore plus vive à l'égard d'Hélène. Il se leva furieux, repoussa le scénario et se versa à boire. Hélène le bloquait, il en était sûr maintenant. Et Thad, qui était censé être son ami, la laissait faire.

Était-ce la vérité ? Thad avait peut-être menti. Lewis, immobile, sentait la chaleur de l'alcool envahir son corps. Il se pencha à la fenêtre. Dans le jardin, les oiseaux chantaient, le soleil brillait. Le voile se leva. Il aimait Hélène. Il avait confiance en elle. Sa vie tournait autour d'elle. L'espace d'un instant, il eut la même sensation qu'à Londres.

Sa décision était prise. Il allait lui parler. Et tout de suite. À peine eut-il franchi le seuil que ses doutes l'assaillirent de nouveau. Il entendit des pas dehors, puis la voix de Cat. Sans Cat, sans le souvenir constant du passé d'Hélène, tout aurait pu s'arranger. Il observa l'enfant qui traversait la pelouse en courant au milieu des arbres. Qui était son père ? Où l'avait-il conçue ? Comment ? Croyait-il vraiment aux explications évasives d'Hélène ? Là était le cœur du problème. S'il détenait cette vérité, tout le mystère serait éclairci. Il retourna à son bureau, saisit les feuilles de son scénario et les jeta par terre. Sortant dans le couloir en courant, il cria du haut des escaliers :

— Hélène, où es-tu ? Où es-tu ?

Il s'était entendu hurler. Les mots lui résonnaient à l'oreille. Ils vibraient dans sa tête, dans toute la maison. Un instant plus tard, il se demanda s'il avait réellement crié. Les cris lui avaient semblé stridents et à la fois silencieux. C'était le cri du cœur, le déchirement de l'esprit, auquel il ne pouvait y avoir de réponse.

Il sortit en claquant la porte, fit le tour de la maison et grimpa dans sa Porsche. Le moteur vrombit. Il alluma la radio et la mit à fond pour que les accompagnements à la batterie et le gémissement des guitares électriques couvrissent le silence et le vide. Il ouvrit fébrilement la boîte à gants et prit quelques comprimés dans le creux de sa main. Ils lui restèrent collés au fond de la gorge. Lewis les avala avec difficulté et appuya sur l'accélérateur.

Les grilles s'ouvrirent. La rue était déserte. À son grand soulagement, l'homme avait disparu. Lewis éprouvait quelques inquiétudes, se demandant s'il l'avait réellement vu ou si c'était le fruit de son imagination.

Il prit la direction de l'autoroute à vive allure. Il était de très bonne heure. Stephani ne l'attendait pas si tôt. Peu importe, sa présence apaisante lui était nécessaire.

Il gara la Porsche devant chez elle, claqua la porte et grimpa quatre à quatre les escaliers. Comme il avait maintenant une clé, il pénétra dans l'appartement et l'appela. Personne dans le salon. La chambre était vide. Pourtant, le lit était défait... Elle devait être là. Lewis allait devenir fou s'il ne la trouvait pas. Il jeta un coup d'œil à sa montre. 10 heures du matin. Elle ne pouvait pas être ailleurs. Il hurla son nom.

C'est alors que la porte de la salle de bains s'ouvrit, laissant apparaître Stephani qui s'avança lentement, le regard anxieux. Lewis la regarda, ébahi. Le silence lui parut interminable.

Stephani était habillée, maquillée. Elle portait une robe noire bien coupée, un peu ample, des bas clairs, des chaussures noires d'enfant à talons plats, avec une frange sur le devant. Elle avait un collier de perles, alors qu'elle n'en portait pas habituellement. Le maquillage était discret. Pas de faux cils. Pas de rouge à lèvres criard. Et ses cheveux ? Que leur avait-elle fait ? Lewis était stupéfait. Ce n'était plus une toison blond platiné mais une chevelure un peu plus foncée, tirée en arrière et attachée sur la nuque par un gros ruban noir comme celui d'Hélène.

Lewis en resta muet. Il n'en croyait pas ses yeux. Sans doute était-ce l'effet des amphétamines. Il avait dû forcer la dose.

Stephani, à la fois fière et confuse, ne le quittait pas des yeux. Ses mains tremblaient légèrement. Elle se mit brusquement à rire.

— Tu m'as surprise, Lewis. Je ne t'attendais pas. Je... Dis-moi, dis-moi, fit-elle d'une voix saccadée, que je lui ressemble. Dis-le-moi, Lewis.

— Oh, mon Dieu !

Il restait figé. C'était Hélène et ce n'était pas Hélène. Son esprit, tel un kaléidoscope, passait des fragments d'images, en avant, en arrière. Il se frotta les yeux. Elle était toujours là. Hélène et pas Hélène, sa femme et pas sa femme. Cette Hélène, cette épouse, avait des seins plus volumineux, des hanches plus arrondies. Quel drôle de regard, comme une invite à laquelle son corps semblait répondre. Il lisait le désir dans ses yeux. C'était bien lui qu'elle désirait, personne d'autre, aucune ombre du passé, mais lui, son mari. Il pouvait posséder cette femme, cette Hélène. Oui, il pouvait la posséder.

Il fit un pas vers elle, heureux de son silence. Sa voix n'était pas la même. Il valait mieux qu'elle se taise. Elle lui tendit les bras.

L'esprit en pleine confusion, il se dit : « Elle m'a entendu l'appeler et elle a répondu. Elle est là, devant moi. » Il tomba à genoux et enfouit son visage contre ses cuisses. Elle avait l'odeur de l'amour, du désir. La caressant sous sa robe, il remarqua qu'elle ne portait pas de dessous en dentelle. Dommage. Mais aucune importance, au fond, parce qu'elle était humide comme il l'aimait, et c'était si rare. Il leva les yeux et plongea son regard dans le sien, s'attendant à y lire le mensonge et la pitié. Mais il n'y avait ni mensonge ni pitié. Les yeux n'avaient plus la même couleur, la même forme, mais qu'importe ! la ressemblance lui suffisait, oui, elle lui suffisait...

— Hélène !... s'écria-t-il.

Elle émit une légère plainte.

Il la fit asseoir près de lui. Hélène lui tendait les bras, folle de désir. Le corps vibrant sous l'effleurement de ses caresses.

— Vite ! s'exclama Hélène d'une voix étrange et plaintive. Vite, oh, Lewis, vite !...

Le film se terminait sur un gros plan de son visage, puis la caméra reculait lentement pour ne laisser qu'une silhouette, la vague silhouette d'une jeune fille. C'était elle. Un mouvement de va-et-vient continuel superbe : d'autres intersections de rues, le réseau d'une grande ville vue d'avion, ses larges avenues étincelantes, ses tours, et lentement, très lentement, les contours de l'île sur laquelle était bâtie la ville. Une baie. Des bateaux. Une statue avec un bras levé. La caméra s'éloignait dans un mouvement plus rapide, et la ville, la baie, se rapetissaient. Dans le lointain, à peine visible, on distinguait un groupe d'îles. L'une d'elle s'appelait Ellis. La musique démarra, et le nom des acteurs apparut sur l'écran.

Hélène et Thad, assis côte à côte, se taisaient. Après un laps de temps qui leur parut interminable, l'écran s'obscurcit et la salle de projection s'alluma.

Thad se tourna vers Hélène, qui évita son regard. Le film était excellent, pourtant elle ressentait un certain malaise et se montrait réservée.

Thad s'agita légèrement sur son siège, croisant et décroisant ses jambes.

— Viens prendre une tasse de thé, lui dit-il au bout d'un moment.

— C'est ce que tu as fait de mieux jusqu'à présent. Moi aussi, d'ailleurs. J'étais certain que ce serait une réussite. Plus rien ne peut nous arrêter désormais.

Thad ne lui avait pas demandé son avis, et Hélène doutait qu'il lui demandât un jour. Son opinion ne l'intéressait nullement. Il était le seul arbitre. Il préparait le thé à l'autre extrémité du vaste studio, remplissant la bouilloire électrique, cherchant les tasses et les sachets de thé. Thad avait son rituel.

Hélène promena son regard dans la pièce qui se trouvait au premier étage de cette énorme bâtisse qu'habitait Thad depuis quatre ans. On aurait dit qu'il avait emménagé la veille. Pratiquement pas de meubles, pas de tapis, pas de rideaux aux baies vitrées qui donnaient sur le balcon. Des valises étaient entassées contre un mur, la plupart d'entre elles pas encore ouvertes. Dessus étaient posés de vieux magazines, des journaux jaunis, plusieurs scénarios, des livres et une pile d'assiettes sales en aluminium. À chacune de ses visites, Hélène remarquait que la pile avait grandi.

Sur le mur opposé se trouvait une longue étagère d'où pendaient des fils et des câbles. L'étagère ployait sous le poids d'un équipement hi-fi très sophistiqué et onéreux, des électrophones, des tuners, des haut-parleurs, tout un matériel rutilant. Thad prétendait écouter du Wagner sur sa stéréo. Il avait une véritable passion pour Wagner. Pourtant, il y avait bon nombre de disques hétéroclites. Hélène n'avait jamais vu Thad allumer la stéréo.

Derrière elle, il y avait une cheminée profonde où nul feu ne brûlait jamais. Devant étaient placés deux sièges bas couverts d'un tissu grisâtre. Hélène en choisit un, n'ayant pas d'alternative. C'était ça ou le sol. Croisant les mains sur ses genoux, elle attendit. Thad inspectait des cartons de lait. La bouilloire mit une éternité à chauffer.

Seuls deux postes de télévision attiraient l'attention dans cette pièce. Comme toujours, ils étaient tous deux allumés et branchés sur des chaînes différentes, mais le son était baissé. Hélène promenait son regard d'un écran à l'autre.

D'un côté, un jeu télévisé arrivait au point crucial. Une grosse bonne femme, vêtue comme une gamine, venait de gagner une Chevrolet. La voiture était présentée comme un cadeau, avec un gros nœud rouge, sur un podium qui tournait. Quand la gagnante l'aperçut, elle manifesta sa joie avec un enthousiasme délirant.

Le second poste était branché sur NBC, qui diffusait les nouvelles. Le président Johnson faisait un discours. A cause d'un mauvais réglage, il avait le teint orange. Quelques instants plus tard, Johnson disparut de l'écran pour laisser place à un reportage sur le Viêt-nam. Le feu des mitraillettes crépitait. De l'autre côté du Pacifique, un village orange brûlait.

Hélène regarda un moment la télévision, puis éteignit les deux postes sans rien dire avant de revenir s'asseoir.

Elle avait donné le meilleur d'elle-même dans *Ellis*. En assistant à la projection du film, elle avait passé tous les détails en revue avec une impartialité étonnante. Elle possédait parfaitement la technique, identifiait chaque prise et l'enchaînement des scènes. Elle savait exactement ce qui avait motivé le choix d'un geste. Il lui était si facile d'être Lise que tout cela lui semblait dérisoire. Lise n'était que fiction et n'avait de vie que sur l'écran. Elle y resterait à jamais, menant une vie totalement indépendante, ce qui effrayait Hélène. Assise dans la salle de projection, elle s'était dit brusquement : « Et ma vie à moi ? »

Elle n'avait qu'une vie et, contrairement à celle de Lise, elle n'était pas éternelle. Elle s'amenuisait au fur et à mesure que les secondes s'égrenaient.

Thad s'approcha d'elle pour lui servir le thé.

— Je suis désolé, lui dit-il gentiment, je n'ai pas de lait.

Il s'assit en face d'elle, sur l'autre siège, et lui sourit. Hélène leva les yeux vers lui. Elle ne l'avait pas vu, ne lui avait pas parlé depuis des mois. Elle était certaine que Thad remarquait le changement qui s'était opéré en elle. L'ambiguïté de ses sentiments devait se lire sur son visage mais Thad n'y fit aucune allusion, comme s'ils ne s'étaient quittés que quelques minutes auparavant.

Il lui posa simplement les questions rituelles qui l'amusaient, lui demandant des nouvelles de ce qu'il appelait son entourage, son agent de presse, son imprésario, ses trois comptables, ses deux secrétaires, ses quatre hommes de loi qui, selon lui, l'intimidaient, bien qu'il eût recours lui aussi à des avocats astucieux. Il s'enquit également de ses deux agents, principalement parce que leurs noms étaient une inépuisable source de plaisanteries : celui de la côte est s'appelait Homer et celui de la côte ouest Milton. « Homer et Milton, c'est merveilleusement poétique », ne cessait-il de dire.

Les réponses d'Hélène étaient plus ternes et moins vives que d'habitude, mais Thad ne parut pas le remarquer. Il lui posa des questions sur son masseur, sur Cassie, qui l'intriguait, et enfin, en dernier, sur Lewis. Comme à son habitude, il ne lui demanda pas la moindre nouvelle de Cat.

Les réponses ne semblaient pas l'intéresser. Pourtant, ses petits yeux clignaient derrière ses lunettes. Hélène, intriguée, l'observait avec ce détachement qu'elle avait récemment adopté. Derrière ces questions se cachait un mystère, elles n'étaient qu'un prélude, mais à quoi ? Peut-être Lewis en était-il la cause, car Thad eut un semblant de réaction lorsque, après une question routinière, elle lui avait répondu sur le même ton.

— Ah ! je suis content que Lewis aille bien. Il m'inquiète, vois-tu. Je lui ai demandé de revenir pour assurer la production de mon prochain film. T'en a-t-il parlé ?

— Non.

— Tant mieux. C'est son point sensible. Il a décidé de refuser, et

Dieu sait s'il est têtu, tu ne trouves pas ? En fait, je n'aurais pas dû le lui demander. Sphère ne veut pas de lui. Ce type, là, ce Scher, il en a assez de Lewis. Parce qu'il boit, je crois. Enfin, je suppose. Boit-il toujours ?

Hélène baissa les yeux.

— Pas beaucoup, répondit-elle d'une voix prudente.

C'était un mensonge, mais Thad ne le releva pas.

Il parla alors d'*Ellis*, de tout le travail accompli à la fin de la production, de la musique et du montage. Il lui dit quelques mots des réactions de Sphère, de la première qui devait avoir lieu en septembre, la date venant d'être fixée. Il aborda le problème de la sortie du film, de son lancement, soulignant la stratégie adoptée. Cette fois, il visait la célébrité, la première place au box-office, le record absolu d'entrées et tous les oscars.

Ce fut un flot de paroles mais, plus il se déversait, plus Hélène prenait ses distances. Elle avait peine à croire que Thad ait pu avoir une telle influence sur elle. Sur le plateau, elle avait une confiance absolue en lui, mais, en dehors, s'en moquait parfois, tout en éprouvant un certain respect à son égard.

Elle se demandait pourtant, avec le recul, s'il ne s'agissait pas plutôt d'un sentiment de dépendance. Toujours est-il qu'elle n'éprouvait plus rien de comparable. Certes, elle l'admirait tout autant, mais se rendait compte que son personnage lui déplaisait. Son opiniâtreté, son égocentrisme lui répugnaient.

« Thad ne me connaît pas. Il ne me comprend pas du tout. » Cette pensée s'imposa brusquement à elle. Peu lui importait de savoir qui elle était et ce qu'elle était. Elle n'était, à ses yeux, qu'un instrument, le véhicule de sa créativité.

— Thad, as-tu besoin de moi dans tes films ? Dis-moi la vérité.

Il parut surpris et irrité d'avoir été interrompu en pleine inspiration.

— Si j'ai besoin de toi ? Évidemment. C'est moi qui t'ai créée.

— Tu m'as créée ? fit-elle, incrédule.

Thad ricana.

— C'est incontestable. Je t'ai donné le visage, la voix qui conviennent. Tu es une bonne actrice, c'est vrai. En un sens, tu peux dire que, moi aussi, j'ai besoin de toi. Mais je n'ai jamais envisagé le problème sous cet angle.

— Tu travailles toujours avec moi, lui dit-elle, songeant à la réflexion de Gregory Gertz. Ne pourrais-tu pas essayer quelqu'un d'autre ?

— Non, pourquoi ? Quelle question stupide ! Je travaille avec toi et j'ai l'intention de continuer. Tu es...

Il s'interrompit et, ne trouvant pas le terme exact, lui adressa, en guise de réponse, un sourire malicieux qu'Hélène détestait.

— Que suis-je ?

— Tu es *à moi,* fit-il en soupirant, comme si c'était une évidence inutile à exprimer.

Hélène le regarda sans rien dire. L'expression de son regard la fit frissonner, mais ses appréhensions s'estompèrent aussitôt. Sans doute était-ce dû à la colère. Depuis des années, elle n'avait éprouvé de ressentiment aussi fort. Elle lança un regard glacial à Thad qui, à sa grande surprise, rougit. Elle ne l'avait vu rougir qu'en une seule occasion. Ils eurent la même pensée au même moment.

Il songeait à une pièce de la petite maison du Transtévère, cinq ans auparavant, où il avait manifesté son désir de la posséder. Pourtant, contrairement à l'attitude habituelle d'un homme, il n'avait pas essayé de la posséder physiquement, mais à travers l'image enlaidie et déformée d'un amour pathétique et insensé.

Ni l'un ni l'autre n'avait jamais fait la moindre allusion à cet épisode. C'était une sorte de tabou. Thad n'avait jamais tenté de recommencer. Hélène, malgré le sentiment de révolte qui l'avait submergée, avait eu pitié de lui et s'était comportée comme si rien ne s'était produit.

Le souvenir de cette scène leur revint en mémoire. Hélène perçut chez lui une attitude anormale. Il haletait. Visiblement, il avait envie de parler, mais les mots ne sortaient pas de ses lèvres. Elle eut le sentiment étrange que quelque chose d'horrible se préparait. Il ne s'agissait plus d'un film. Tout semblait se dérouler au ralenti. Elle avait déjà eu cette impression lors du tournage de l'accident de voiture. Le temps s'était arrêté. La collision s'était produite alors que la voiture roulait à cent vingt kilomètres à l'heure, et tout s'était passé comme dans un cauchemar. La lente, très lente prise de conscience des motivations de Thad, sa caméra en main, lui était apparue pendant le tournage.

Elle lui avait alors asséné un coup violent dans l'estomac. Il s'était arrêté net et avait eu exactement la même attitude que maintenant. Elle avait vu le sang refluer vers son visage. Il avait alors ôté ses lunettes et s'était frotté les yeux. Sans ses lunettes, il avait l'air vulnérable. On aurait dit une tortue sans sa carapace. Stupéfaite, elle avait vu deux larmes furtives couler le long de sa joue.

Là, il n'y avait nulle trace de larmes. Mais il avait ôté ses lunettes et se frottait les paupières d'un geste fébrile, comme s'il avait de la poussière dans les yeux. Pas une parole ne fut échangée. Thad remit ses lunettes et la regarda d'un air sceptique.

— Je suppose que je n'ai pas besoin de te faire un dessin, lui dit-il.

Hélène se leva. Comment supporter plus longtemps la présence de cet homme qui voulait la posséder ou peut-être croyait déjà l'avoir à lui ? Impossible de rester davantage en sa seule compagnie.

— Je dois partir, lui dit-elle en se dirigeant vers le balcon.

Elle contempla le panorama quelques instants. Cette maison, comme la sienne, était située sur les collines. Los Angeles s'étendait en contrebas. Il était 6 heures de l'après-midi, et dans la chaleur régnait une atmosphère électrique. Entre ville et ciel s'étirait une traînée de brouillard violine qui prenait par instants des reflets délicats de rose. Le ciel semblait avoir subi quelques contusions.

Thad s'approcha d'elle. Hélène se retourna. Il lui remit une grosse enveloppe de la taille d'un scénario. Hélène leva un regard désespéré vers Thad.

— Qu'est-ce que c'est ?

— C'est la raison pour laquelle je t'ai demandé de venir. Tu ne pensais tout de même pas que j'avais envie de parler de Lewis ou du film ? Tout cela fait partie du passé.

— Un nouveau scénario ?

— Je l'ai terminé la semaine dernière. C'est la deuxième partie d'*Ellis*. Il y en aura une troisième. J'espère arriver à faire une trilogie.

— Tu ne m'en avais jamais parlé, lui dit-elle, étonnée. Je croyais...

— Tu as cru qu'il n'y avait qu'une partie, comme tout le monde, dit-il, ayant repris ses esprits. J'étais le seul à savoir qu'il y aurait une suite. Je tenais simplement à ne pas le divulguer trop vite. Personne, en dehors de toi, n'est au courant. Pas même Sphère. Je l'enverrai à Scher la semaine prochaine. Mais je veux que tu sois la première à le lire. N'en parle à personne. Pas même à Lewis. Pas encore.

Hélène retenait son souffle. Elle calculait le temps impliqué. Deux autres films. Deux autres rôles. Ils ne seraient prêts à commencer qu'au début de l'année suivante. Un an. Deux ans. Trois peut-être, pour terminer la trilogie, ou même quatre. Quatre années comme celles qui venaient de s'écouler. Quatre années durant lesquelles, quoi qu'elle fît, elle serait enchaînée à Thad.

Thad remua légèrement et la fixa. Elle sut aussitôt pourquoi il lui avait organisé une projection d'*Ellis* et la raison exacte qui avait motivé sa venue.

— Tu as entendu parler du film de Gregory Gertz, n'est-ce pas ? fit-elle en le regardant droit dans les yeux. Tu as entendu dire qu'il se pourrait que je tienne le rôle principal ? Voilà pourquoi tu m'as demandé de venir et m'as confié ce scénario.

— C'est faux, répliqua Thad d'un air déterminé. Si tu as envie de travailler avec Gertz, ne te gêne pas. Si cela te plaît de tourner avec un imbécile pareil, vas-y. Il n'a aucun talent. Ce n'est pas un artiste. Il ne te comprend pas comme moi, mais quelle importance, après tout ? C'est la vie. De toute façon, tu dois tourner celui-ci avec moi. Il est programmé pour le printemps prochain. Le tournage est déjà prévu, comme le reste, d'ailleurs. Sphère nous donnera le feu vert. Il faut exploiter le succès de la première partie...

— Le printemps prochain, je vois.

Hélène s'éloigna. Elle descendit les premières marches de la terrasse qui donnaient sur le jardin. Elle arrivait et repartait toujours de ce côté-là. Jamais elle n'avait visité le reste de la maison. Au-dessous de l'immense pièce où ils se rencontraient habituellement, il devait y avoir au moins dix ou douze autres pièces. Elle remarqua les rideaux baissés.

Hélène s'arrêta au pied de l'escalier. Elle ne savait même pas si Thad utilisait toutes les pièces. Peut-être dormait-il dans l'une d'elles, peut-être pas. Y travaillait-il ? Étaient-elles vides ? Elle ne connaissait pas plus la maison que l'homme.

Elle hésita un instant. Thad l'empêchait-il délibérément de travailler avec quelqu'un d'autre ? Était-ce la raison pour laquelle il lui avait donné ce scénario ? C'était l'impression qu'elle avait eue un instant auparavant mais elle n'en était plus aussi sûre. Avec lui, tout était possible. Même si elle ne l'aimait pas, elle acceptait les diverses facettes de son personnage. Elle se retourna. Pourquoi lui n'acceptait-il pas les siennes ?

Au bas des escaliers, Thad s'arrêta, essoufflé. Il surprit son regard. Hélène se demanda s'il avait capté le fond de sa pensée.

— Tu peux visiter la maison, si cela te fait plaisir. J'aimerais bien, d'ailleurs. C'est là que j'écris tous mes scénarios, fit-il en désignant l'une des fenêtres nues.

— Pas maintenant, Thad. Il faut que j'aille chercher Cat. Je voudrais lui dire bonsoir avant qu'elle se couche.

Elle se précipita vers la voiture et y grimpa. Thad la suivit sans essayer de la retenir. Il s'était rendu compte qu'elle était troublée et que quelque chose n'allait pas. Une lueur d'inquiétude traversa son esprit. Hélène savait que c'était passager. Thad ne se laissait pas aller longtemps à ses états d'âme.

— Tu vas le lire ? Assez vite ? lui demanda-t-il au moment où elle démarrait.

— Quand j'aurai le temps, Thad, fit-elle en appuyant sur l'accélérateur.

Elle rentra chez elle à vive allure. Lewis n'était pas encore là. Dès qu'elle fut seule, elle téléphona à Gregory Gertz. Elle composa le numéro, les mains tremblantes, se demandant si elle ne ferait pas mieux d'attendre d'être plus calme. Impossible de remettre son appel à un autre jour. Elle s'était à moitié engagée vis-à-vis de Gertz qui lui avait offert un bon scénario et un excellent rôle, bien que totalement différent de ceux qu'elle avait joués jusqu'à présent. Elle avait envie de tourner avec lui pour se dégager de l'emprise de Thad.

Comment avait-il osé l'engager dans trois films sans jamais y avoir fait la moindre allusion... La colère, de nouveau, montait en elle.

Quand Gregory Gertz fut au bout de la ligne, il lui fut facile de dire :

— J'accepte le rôle. Oui, le printemps prochain... Si les termes du contrat sont convenables, bien entendu.

— Ils le seront, je vous le garantis, lui répondit-il, exultant de joie.

Après avoir reposé l'appareil, elle s'assit un instant, le regard perdu dans le vague. Elle songeait à l'avenir. Le début d'*Ellis*, le retour en Alabama, la confrontation prévue de longue date avec Ned Calvert, le film sous la direction de Gregory Gertz, et ensuite un autre film, puis encore un autre. Les rôles se succédaient, toute sa vie se déroulait. Elle avait tout et si peu. Et elle songea à Édouard.

Parfois, lorsqu'elle se laissait aller à penser à lui, elle avait la sensation qu'il était tout près et songeait à elle. Cette impression était si forte qu'elle défaillit presque de joie.

Mais ce n'était qu'une illusion qui ne fit qu'accentuer sa peine. Son regard se posa sur le téléphone. Elle n'avait pas composé son numéro depuis son départ de New York. Elle doutait même de l'avoir entendu prononcer son nom. Probablement était-ce une illusion de plus.

L'enveloppe que lui avait donnée Thad était posée devant elle sur la table. Elle l'ouvrit et en sortit le scénario.

Il était lourd et avait une couverture rouge épaisse. Elle parcourut quelques pages et fut attirée par une dédicace d'une écriture de pattes de mouche, sur la première page vierge.

Pour Hélène.

Au-dessous, il avait inscrit une date : 1959. Hélène pâlit. Cet été-là, cette année-là restaient associés à Édouard dans son esprit. Il lui fallut un certain temps pour prendre conscience que Thad, de toute évidence, y associait d'autres événements. C'était l'année de leur rencontre, à Paris, devant la Cinémathèque.

— Voilà, dit Stephani, assise sur le lit. Je me suis fait un rinçage. C'était facile. La couleur n'est pas très réussie, la décoloration n'est pas terminée. Quant au maquillage, je me suis entraînée. Je l'ai observée longtemps lors des tournages en extérieur. Pour les vêtements... (Elle esquissa un sourire rêveur.) Hélène ne s'habille que chez les grands couturiers, aussi ai-je fait de mon mieux. Il y a un magasin à cinq rues de

Wilshire, près de Sunset Boulevard, où ils vendent des copies et des modèles des grands couturiers et des vêtements déjà portés. Toutes les vedettes revendent leurs robes là-bas. Je connais celle qui tient la boutique. Je fouillais au milieu des vêtements lorsque soudain, j'ai aperçu cette robe et je me suis dit : Je suis sûre que c'est à elle, sûre que c'est à Hélène. (Elle s'interrompit et se tourna vers Lewis.) Tu es content, au moins ? Tu l'aimes ? Dis-le-moi, je t'en prie, Lewis.

— Évidemment.

Assis à l'extrémité du lit, il regardait la télévision ou plutôt changeait de chaîne sans arrêt. Cela l'aidait à ne pas entendre tous les détails donnés par Stephani. Elle s'évertuait à tout expliquer, ce qui gâchait une partie de son plaisir. Il appuya sur un autre bouton.

Ils avaient tous deux fumé de l'herbe. Stephani aimait en prendre un peu avant et quelquefois après. Comme Lewis. L'effet n'était pas toujours bénéfique lorsqu'elle se mélangeait aux petites capsules rouges, mais, aujourd'hui, tout allait bien. Il se sentait en paix avec lui-même et donnait libre cours à ses rêves. Stephani roulait un joint. Il se tourna vers elle et l'observa. De petites mains fragiles. Elle passa sa langue rose sur la bordure du papier.

— Hélène vend ses vieux vêtements ? Ça lui arrive souvent ? Peut-être qu'habituellement elle les donne à ses domestiques, non ? Oh, Lewis, tu te rends compte ? Ses robes, fit-elle en soupirant. Il n'y a qu'un problème. C'est qu'elles ne me vont pas. Elles sont bien trop étroites pour moi.

— Ah bon ! s'étonna Lewis qui ne l'écoutait absolument pas.

On passait un match de base-ball. Un vieux film en noir et blanc. Une interview. Des émeutes quelque part. Lassie...

Lewis poussa un soupir de soulagement. Lassie avait réussi à sauver un homme bloqué au fond d'une mine. Il adorait Lassie. De tout temps, il l'avait aimée. Chez lui, à Boston, chaque fois qu'on donnait un film de Lassie, ses parents éteignaient le poste. Lassie saisit le bras de l'homme et le tira sur quelques mètres. Puis elle s'arrêta et remua la queue en aboyant pour manifester sa joie. Devait-il dire il ou elle ? Lewis ne savait pas au juste. Il éclata de rire devant cette pensée saugrenue. Puis des publicités défilèrent sur l'écran. Une femme au visage pur brandissait un paquet de détergent. Lewis changea de chaîne.

Le savon. Les émeutes. L'interview. Le film. Soudain Lewis se figea. Il appuya de nouveau sur la télécommande pour revenir à celui qui était interviewé. Il fixa l'écran et augmenta le son. Stephani s'approcha langoureusement de lui. Elle était couchée sur le ventre, la tête appuyée sur ses mains. Elle aussi regardait l'écran.

— Hé, s'écria-t-elle au bout d'un moment, il est bel homme, tu ne trouves pas, Lewis ?

— Tais-toi, j'écoute.

Stephani se tut quelques minutes.

— J'adore son costume ! Il ressemble à ceux que tu portes, Lewis. Un peu plus sombre, peut-être. Tu devrais t'acheter le même. Je l'ai trouvé particulièrement chic.

— Tu vas la fermer, bon sang ! s'exclama-t-il.

Stephani, effrayée, se mordit les lèvres.

Lewis avait les yeux rivés sur l'écran. Il n'écoutait pas ce qui se disait. Ce n'étaient pas les questions financières abordées qui l'intéressaient. La stupéfaction, la confusion qui s'étaient emparées de lui quelques secondes auparavant s'étaient envolées. Sous le choc, il avait l'esprit aussi acéré qu'un rasoir.

L'interview touchait à sa fin. Les projecteurs furent de nouveau braqués sur l'interviewer. Lewis se leva et éteignit le poste. Stephani leva vers lui un regard apeuré.

— Tu le connais, Lewis ?

— Non, pas exactement.

— On aurait dit un Anglais.

— Il n'est pas anglais, mais français, dit Lewis en prenant son veston. Je rentre chez moi.

Stephani, atterrée, s'agenouilla sur le lit.

— Oh, Lewis, tu es furieux contre moi. Je t'en supplie, dis-moi quelque chose. Tu es livide, comme lorsque tu es en colère. Qu'est-ce que j'ai fait ?

Lewis se tourna vers elle. Des larmes coulaient le long de ses joues. Elle était à la fois femme et enfant. Il en fut ému.

— Ce n'est pas ta faute, lui dit-il gentiment. Tu n'y es pour rien, je te le promets.

Il se pencha et l'embrassa tendrement.

— Je reviendrai demain, d'accord ?

— D'accord, Lewis. Lewis, veux-tu que je...

Lewis lui sourit. Il lui mit doucement un doigt sur les lèvres.

— Fais-moi une surprise...

Il rentra chez lui à vive allure, avala une petite capsule rouge tout en sachant qu'il n'en avait pas besoin. Il était toujours en colère, mais se sentait puissant et libre. Personne aux grilles. Le ciel commençait à s'obscurcir lorsqu'il arriva devant la maison. Hélène lisait dans le salon. Elle l'accueillit avec quelques paroles aimables, mais ne fit aucune allusion à l'heure ni à son absence. Elle le regarda se verser à boire. Lewis savait pourquoi elle avait les yeux fixés sur lui : sa démarche trahissait son état d'ivresse.

Il souleva la lourde carafe et se versa une bonne dose de whisky. Il se tourna pour qu'elle puisse bien évaluer ce qu'il prenait. Après avoir bu une gorgée, il vint se mettre debout devant elle, ni trop loin ni trop près, et s'appuya sur la cheminée. Hélène reprit sa lecture.

Lewis était furieux et en même temps ravi qu'elle s'en rendît compte. Il contempla ses beaux cheveux blonds comme les blés, noués derrière avec un ruban de soie noire. Devait-il lui annoncer maintenant ce qu'il avait vu à la télévision ou bien attendre ? Une semaine. Un mois. Aussi longtemps qu'il le souhaiterait. Il opta pour cette solution. Après tout, combien de temps lui avait-il fallu pour découvrir la vérité ? Cinq ans ? Oui, il attendrait. Pourtant, il sentait la colère monter en lui. L'envie de provoquer une querelle le démangeait.

Hélène tourna une page, essayant de se concentrer sur les mots qui défilaient devant elle. Elle percevait très bien l'état dans lequel se trouvait Lewis. Sa colère jouait le rôle d'un troisième personnage. Elle avait fait son apparition dans la pièce en même temps que lui. Peut-être avait-elle été induite par la boisson, mais il ne semblait pas ivre. Était-ce à cause des capsules ? Son courroux pouvait avoir plusieurs origines : son rendez-vous avec Thad, la remarque fortuite d'un inconnu...

Ces dernières semaines, elle s'était accoutumée à le voir de mauvaise humeur et à céder à ses caprices. Elle avait recours à bien des subterfuges pour tenter de l'apaiser. Elle s'évertuait à ne jamais le contrarier, même lorsque ses propos manquaient de logique, savait garder le silence pour que Lewis puisse exprimer ses idées ou sa fureur quand bon lui semblait. Elle faisait vraiment des efforts désespérés pour tenter de lui plaire. Cat était mise au lit de bonne heure, car il s'emportait quand il la trouvait encore debout. Ses mets préférés lui étaient servis à l'heure qu'il souhaitait. Hélène s'arrangeait aussi pour ne porter que des vêtements sur lesquels il était susceptible de la complimenter, que des bijoux qu'il lui avait offerts dans le passé. Elle laissait ses cheveux dénoués pour lui plaire. Sans cesse, elle lui posait des questions sur son travail, ses expériences, s'inclinait devant ses opinions, ses jugements et cédait au moindre de ses caprices.

Penchée sur son livre, elle songeait au passé. Elle se comportait envers Lewis exactement comme elle l'avait fait à l'égard de Ned Calvert alors qu'elle n'était qu'une enfant. Elle avait vu d'autres femmes bien plus âgées qu'elle se comporter ainsi. N'avait-elle pas remarqué le sourire figé de certaines, leurs tentatives de faire peu de cas de la grossièreté de leur mari ? Des femmes de quarante ans et plus minaudaient, telles des jeunes filles timides, et déployaient leurs charmes. Hélène exécrait leurs manières obséquieuses. Elle éprouva une haine soudaine pour sa propre attitude. « C'est insupportable, humiliant », se dit-elle. Jamais plus elle ne se comporterait ainsi. Fermant son livre, elle leva les yeux vers Lewis.

Il brûlait du désir de se quereller. Le corps tendu, le visage crispé. Tous ces derniers mois, elle aurait fait n'importe quoi pour désamorcer sa colère. Mais la révolte avait pris naissance en elle.

À la seconde où elle en prit conscience, elle sut que ce sentiment avait toujours existé. Il s'était simplement transformé, au cours des années, en un ressentiment diffus et destructeur. Elle fixa Lewis en se disant : « Jamais plus. »

— Pourquoi ne m'as-tu jamais parlé de tes investissements ? fit brusquement Lewis de cette voix calme qui laissait présager le pire. (Ce n'était pas le cœur du problème, mais elle savait que c'était sa manière d'amorcer les débats.) Tu aurais peut-être pu aborder le problème avec moi une ou deux fois, ces quatre dernières années, puisque c'est moi qui t'ai présenté Gould et que tes placements ont merveilleusement fructifié.

— Tu as donc fouillé dans mon bureau et dans tous mes dossiers ?

Cette question le surprit. Il s'attendait à une réponse plus évasive.

— Oui, et alors ? C'est une manière d'avoir l'œil sur toi. J'aime savoir ce que tu fais et à quoi tu passes ton temps. Or tu ne me racontes rien.

Il parlait d'un ton calme, pas encore belliqueux. C'était réservé pour l'étape suivante.

Hélène lui lança un regard glacial.

— J'espère que tu t'es instruit.

— Tout à fait. (Il avala le restant de son whisky et posa le verre avec précaution sur la cheminée.) C'est très instructif. Tu aimes l'argent, n'est-ce pas ? J'aurais dû m'en rendre compte plus tôt. Après tout, c'est pour cela que tu m'as épousé.

L'attaque était nette. Ils se regardèrent longuement.

— Je ne t'ai pas épousé pour ton argent, Lewis, murmura Hélène. Enfin, pas exactement.

— Pas exactement ? fit-il, rouge de colère. (Le ton montait.) Alors que cherchais-tu au juste ? Mon nom ? Tu as peut-être pensé que cela pouvait t'aider dans ta carrière ? M'aurais-tu épousé si j'avais été pauvre ?

— Lewis, j'avais seize ans, répliqua Hélène en se levant brusquement. J'avais seize ans, j'étais enceinte, j'étais seule et j'avais peur. Tu ne peux pas comprendre ça, non ? Tu étais là, gentil, et je t'aimais beaucoup. Je ne sais pas pourquoi je t'ai épousé. À l'époque, cela me semblait normal. Je pensais à Cat, à son bonheur. Il s'est passé tant de choses l'année où je t'ai connu. Sans doute est-ce aussi l'une des raisons. Je n'avais pas l'esprit clair.

Je n'ai pas pris ma décision après mûre réflexion. Tu étais là. Cela allait de soi. C'était la meilleure solution...

— Tu m'as épousé à cause de Cat, fit-il, la bouche tordue de fureur. Tu m'as épousé parce que tu étais seule. Parce qu'un autre homme t'avait abandonnée après t'avoir fait un enfant. Et j'étais là. (Une expression de stupeur traversa son visage.) Comment ai-je pu être aussi aveugle ? Mais comment...

— M'a abandonnée ? Je n'ai jamais dit ça. J'ai simplement dit que j'étais seule.

— Ne mens pas, s'écria-t-il avec une fureur soudaine. Ne mens pas.

Il s'interrompit un instant, comme pour prendre son élan, avant de lui révéler tout ce qu'il avait sur le cœur. Encore des accusations. Mais lesquelles ? Il en avait proféré tellement.

Il n'y eut pas d'autres calomnies. Elle eut l'impression qu'il avait failli lui dire une méchanceté, mais s'était retenu. Il préféra s'en tenir aux questions habituelles.

— M'aimais-tu ? L'amour a-t-il fait partie de tes calculs ? Une seule fois ? Dis-moi.

Hélène détourna le regard un instant.

— Je pensais que l'amour viendrait avec le temps, murmura-t-elle.

— Oh, je vois, répondit-il d'un ton détaché. (Mais quelques secondes plus tard, il s'écria :) Putain ! Sale putain.

Puis il la gifla avec une telle violence qu'elle tomba à la renverse. Hélène, allongée par terre, haletante, s'efforçait de ne pas pleurer. Ce n'était pas la première fois que Lewis la battait mais jamais avec une telle brutalité. Dès qu'elle était entrée dans la pièce, elle s'était rendu compte qu'il avait envie de la battre, et le fait de ne pas avoir été capable de l'éviter, de savoir que physiquement il était le plus fort, l'humiliait et la submergeait de colère. Par-delà les années, la voix claire de sa mère lui parvint : « Il m'a frappée une fois, Hélène. Une seule fois. Ça m'a suffit. »

Elle se leva lentement. Lewis n'avait pas fait un geste, pas dit un mot. Elle attendit d'avoir totalement recouvré ses esprits.

— Si tu recommences une seule fois, je te quitte.

Lewis leva les yeux vers elle. Il se passa la main dans les cheveux, promena son regard dans la pièce et fouilla dans ses poches.

— Où ai-je mis les clés de ma voiture ? Ah, les voilà.

Il les prit sur la table, saisit son veston de toile qu'il avait jeté sur une chaise et le mit sur l'épaule.

— Entame un divorce. Je t'ai donné des raisons suffisantes.

Il avait parlé d'un ton normal, non dénué de plaisir. Lewis s'en alla.

Hélène entendit le moteur de la Porsche disparaître dans le lointain. Elle s'assit un long moment jusqu'à ce qu'elle fût saisie par le froid.

Elle ne versa pas une larme. À quoi bon ? Il était inutile de se demander à qui incombait la faute. À elle ? À Lewis ? Les torts étaient partagés, et chacun pouvait justifier sa conduite.

Voilà. Elle songea à leur couple, à ses efforts pour l'empêcher de battre de l'aile. En fait, n'avait-elle pas fabriqué une prison à la fois pour Lewis et pour elle-même ? En sortant de la pièce, Lewis avait eu l'expression de celui à qui l'on accorde la parole pour la première fois. Le mariage. Pour la première fois, elle y renonçait.

Une heure plus tard, elle se leva. Il était presque minuit et la maison était plongée dans le silence. Elle rangea un peu la pièce, ramassa le livre qui était tombé par terre, un coussin également, redressa une chaise, avec des gestes d'automate. Elle éteignit les lampes une à une.

À la dernière, le téléphone sonna. La sonnerie soudaine qui rompit le silence de la nuit la fit tressaillir. Elle regarda le téléphone, puis s'avança. Il sonna une fois, deux fois, trois fois, puis s'arrêta.

Le lendemain, lorsque Lewis rentra, car il rentrait toujours, il lui fit ses excuses. Il n'était pas aussi contrit que d'habitude, et Hélène n'était pas prête à lui pardonner aussi facilement. Elle songea avec amertume que tous deux s'étaient endurcis.

— Je ne regrette pas mes paroles, je regrette seulement de t'avoir battue.

La distinction avait de l'importance à ses yeux. Hélène ne releva pas.

— M'as-tu téléphoné hier soir, après ton départ ? lui demanda-t-elle.

— Oh, mon Dieu ! s'écria-t-il, s'effondrant brusquement, tel un enfant, et se cachant le visage dans les mains. C'est possible. Je ne sais pas. Je ne me rappelle pas.

HÉLÈNE

Los Angeles, 1964-1965

— Tout de suite, tout de suite.

Cat était au milieu de la salle de bal. Les joues empourprées, elle était surexcitée. Hélène la contemplait avec amour. Elle avait beaucoup grandi durant l'été et avait mûri. Les mains jointes, le visage levé, sa silhouette se dessinait dans un rai de lumière. Ses cheveux, plus longs et plus rebelles, étaient coiffés différemment. Lorsqu'elle manifestait sa joie comme aujourd'hui, son visage s'illuminait et son regard irradiait. Sous un certain angle, ses yeux prenaient une lueur mauve. Un je-ne-sais-quoi dans sa façon de se tenir, de croiser les mains, peut-être, ou dans son port de tête lui rappelait sa mère. Elle eut soudain l'impression très nette de voir sa mère, debout dans la roulotte, chantant sa chanson des lilas à un public composé d'une seule spectatrice.

Cassie avait également remarqué la ressemblance. Madeleine aussi observait Cat. L'enfant faisait de vagues pirouettes sous le regard affectueux de Cassie qui secouait la tête avec nostalgie.

— Pauvre Violette. Cat lui ressemble tellement par moments.

Cette remarque fit plaisir à Hélène qui se sentit le cœur plus léger. Elles organisaient un bal, et Cat avait raison d'être joyeuse. Pleine d'une énergie nouvelle, elle saisit sa liste. Cassie en fit de même, et toutes deux commencèrent les préparatifs.

C'était une salle bizarre, d'un autre temps. Ingrid Nilsson y avait donné des bals légendaires au cours desquels Valentino avait dansé le tango et Swanson la valse. Une salle de trente mètres de long, illuminée par des lustres de cristal, cadeau d'un prince hongrois qui avait eu une brève liaison avec Nilsson.

De hautes baies vitrées en ogive donnaient sur la terrasse. Tout au fond était dressée une estrade pour les musiciens. Un haut plafond filigrané. De grandes glaces en trumeau qui doublaient la perspective. Une pièce rehaussée de dorures et d'ivoires, à la fois délicates et saugrenues, qui avait l'aspect d'une pièce montée. Ils n'étaient jamais venus dans cette pièce depuis qu'ils habitaient la maison. Hélène éprouva une joie soudaine.

— Oh, Cassie, on devrait mettre de la verdure. Je suis sûre qu'il devait y en avoir. Un peu partout. Et autour de l'estrade. Oui, je crois qu'il faut des fleurs partout. Des fleurs au parfum subtil, des gardénias, des tubéreuses. Oui, et des fougères. Note tout cela, Cassie. On mettra des fougères... (Cassie lui sourit.) Des camélias. Ne les oublions pas. Violette les aimait tant. Mon Dieu, comme elle aurait été heureuse de voir tout cela !

Elle inscrivit le nom des fleurs sur son carnet, l'air soudain sceptique.

— Crois-tu que nous allons trouver des camélias et des gardénias à cette époque de l'année ?

— Bien sûr. À Hollywood, on trouve de tout.

Hélène l'étreignit.

— Oh, Cassie. Quelle merveilleuse réception nous allons donner. La plus belle de toutes, j'en suis certaine. Voyons. Les musiciens seront de ce côté. Le bar, là-bas. Si nous commandions du champagne rosé ? Cassie ? Madeleine ? Qu'en pensez-vous ?

Cassie s'en remit à Madeleine. C'était elle l'experte. Elle était française. Madeleine commençait à prendre plaisir à ces préparatifs. Elle riait et tapait dans ses mains.

— Excellente idée. Du champagne rosé et du naturel. Comme pour un mariage, fit-elle en promenant son regard dans la pièce.

— Pourquoi ne pas décorer les murs ? On pourrait mettre des guirlandes de fleurs qui ressembleraient à des colliers. On les accroche ici, près des miroirs et là, au-dessus des portes. Ce sera charmant. Il faudrait ajouter des roses blanches, peut-être. Une telle décoration m'avait frappée lorsque j'étais enfant. C'était lors d'un bal à... (Elle s'interrompit brusquement.) Près de là où j'habitais, s'empressa-t-elle d'ajouter en rougissant.

Hélène, trop occupée, n'avait rien remarqué.

— Oui, des guirlandes, poursuivit Hélène. Et là... dans le jardin d'hiver, que pourrions-nous mettre ? Ah, je sais. Quelque chose d'exotique. Des orchidées, peut-être, et des cattleyas. T'en souviens-tu, Cassie ? C'est ce qu'on nous a dit. Lorsque Nilsson a décidé de vivre dans sa retraite sans plus jamais donner de réceptions, sans plus jamais sortir, elle s'est prise de passion pour la culture des orchidées. Oh oui ! fit Hélène en frissonnant, nous devrions recréer son univers. Parce que c'est toujours sa maison... Enfin, je le ressens ainsi. Toi, non ? (Elle se tourna vers Cassie qui acquiesça en soupirant.) Quand j'étais enfant, j'allais voir ses films. Elle était si belle.

Hélène s'était tue. Elle songeait aussi aux films de Nilsson, qu'elle avait vus également un peu plus tard, et à ses propres films. Des images vivantes. Elle se secoua.

— Nous allons redonner vie à cette maison comme elle l'aurait souhaité. Nous le ferons pour elle et pour tous les autres fantômes...

— Je veux danser, maman, apprends-moi, s'il te plaît.

Hélène et Cassie se regardèrent. Madeleine sourit.

— Musique, dit-elle. Attends, ma chérie, il nous faut de la musique. Je vais aller chercher un disque.

Madeleine traversa en courant le jardin d'hiver et pénétra dans la pièce attenante sans refermer les portes. Doucement au début, puis beaucoup plus fort car elle avait augmenté le son, montèrent les premiers mouvements d'une valse. Une valse viennoise.

Cette musique, qui émanait de l'invisible, était fantomatique. Hélène s'approcha de Cat, la prit par la taille et serra sa petite main.

Cat leva vers elle un regard radieux mais indécis.

— Je serai le cavalier. C'est moi qui te dirige. Tu vas voir, c'est facile. Regarde mes pieds. Tu fais la même chose. Voilà, très bien, Cat, très bien, dit Hélène.

Cat s'embrouilla au début et, peu à peu, prit confiance. Elle virevolta au son de la musique, lentement d'abord puis beaucoup plus vite. Hélène sentit la raideur puis la souplesse de son corps. Elle regarda Cat d'un air amusé, et Cat leva vers elle des yeux rieurs. Elles valsèrent et valsèrent toutes deux au même rythme. Ce fut un instant de bonheur simple et parfait.

La musique s'estompa. « Toute ma vie, je me rappellerai cet instant, se dit Hélène. Une salle de bal vide. Oui, j'y songerai en me disant que, ce jour-là, Cat et moi nous avons dansé. »

Son bonheur se voila légèrement. Cat était si jeune. Sans doute oublierait-elle...

La musique s'arrêta. Hélène prit les mains de Cat dans les siennes et les pressa avec un amour et une passion inexplicables.

— Oh, Cat, n'oublie jamais, jamais, cet instant.

— C'est arrivé ce matin. J'en étais sûre. Je savais qu'Hélène ne m'oublierait pas.

Stephani tenait le petit carton d'invitation dans sa main tremblante. Elle effleurait de son doigt les lettres noires sur le papier blanc. Elle se tourna vers Lewis, les yeux brillants de joie.

— Oh, Lewis, je n'arrive pas à le croire. Je suis si heureuse.

Lewis n'osait pas la regarder. En vérité, l'invitation à la réception donnée pour la sortie d'*Ellis* arrivait bien tard. Toutes les autres avaient été envoyées au moins depuis une semaine. Fort heureusement, Stephani n'était pas au courant. Elle ne savait pas non plus que c'était lui qui avait tout manigancé. Sachant combien Stephani brûlait du désir d'y assister, il avait incidemment mentionné son nom à Hélène, le matin même. Hélène avait manifesté une peine sincère.

— Oh, Lewis, c'est affreux. J'ai complètement oublié. J'aurais dû y penser. Je ne l'ai plus revue depuis le tournage en extérieur. Pourtant, je le lui avais promis. Crois-tu qu'il soit trop tard ? Nous pourrions peut-être lui envoyer une invitation ?

— Pourquoi pas ? avait répliqué Lewis avec un haussement d'épaules. Cela m'étonnerait qu'elle vienne.

C'était la veille. Lewis se demandait si cette scène un peu particulière avait vraiment eu lieu. Confronté maintenant à l'évidence, il se posait également des questions sur la réalité des faits. Il avait poussé sa femme à inviter sa maîtresse à cette réception somptueuse, convoitée par le Tout-Hollywood.

Pourquoi diable avait-il agi ainsi ? Il avait en quelque sorte dupé Hélène mais aussi Stephani. Dans moins d'une semaine, il aurait à affronter toute une soirée avec sa femme et sa maîtresse sous le même toit. Il soupira. Cette perspective était-elle si terrifiante ? Tout au fond de son esprit, quelque chose lui disait que c'était exactement ce qu'il avait souhaité. Parfois, il avait envie, il brûlait même du désir, de les voir côte à côte, l'épouse et la figurante, Hélène et son double. Quelles en seraient les conséquences ? Il n'en avait aucune idée. C'était la conclusion logique de ces dernières semaines où, de plus en plus fréquemment, il ne trouvait jamais Hélène, la femme qu'il aimait, dans la maison qu'ils partageaient, mais là, dans cet appartement en ville, dans un lit au dosseret capitonné de velours cerise.

Stephani roula un joint de ses petits doigts fragiles, si fragiles. Il le prit et inhala longuement.

— Tu es inquiet, Lewis, dit-elle en lui passant les bras autour du cou et en l'attirant près d'elle sur le lit. Lewis se sentit léger, léger. L'herbe lui faisait parfois l'effet de le soulever dans les airs. Il avait l'impression d'être suspendu à un magnifique ballon, contemplant le monde en contrebas avec sérénité.

De cette hauteur, il lui semblait que Stephani renoncerait d'elle-même à la soirée. Ce serait une grave faute de goût. Mais non, c'était ridicule. Cette idée ne lui était, sans doute, jamais venue à l'esprit.

Stephani contemplait la vie avec une douce amoralité puérile. Elle lui rappelait parfois Thad par son effet apaisant. Plus de règles. Plus de codes. Adieu Boston. Là-haut, sur son ballon, Lewis riait. Stephani aimait Hélène, profondément même. Elle l'adulait presque. En dehors de l'indiscrétion commise à la soirée sur la plage, ils prenaient leurs précautions. Aucun commérage. Stephani, plus que Lewis, y tenait essentiellement.

— Il ne faut pas qu'elle sache. Ce sera notre secret. Je ne veux pas qu'on lui fasse du mal. Jamais, Lewis. Je sais que...

Elle le caressa tendrement. De petits gestes ralentis par l'effet de la marijuana. Elle lui effleura les cuisses, le ventre. Si lentement, si doucement. Lewis ferma les yeux.

Elle portait un jupon de soie rose pâle que Lewis avait offert à Hélène cinq ou peut-être cent ans auparavant, à Londres. Il était maintenant trop grand pour elle, car, à l'époque où Lewis l'avait acheté, Hélène était enceinte. Il l'avait trouvé plié au fond du débarras.

Lewis, l'esprit nostalgique, passa lentement ses lèvres sur sa poitrine. Il adorait ses seins bien blancs et provocants. Il sentait la douceur de ses mamelons qui durcissaient sous ses caresses. Sa langue happait ses bouts de sein. Il sentait le parfum de sa peau et gémissait de plaisir. Une délicate odeur de violette en émanait, lui rappelant sa jeunesse. Seules deux femmes, parmi toutes celles qu'il avait connues, disposaient de petits sacs de lavande dans leurs armoires, au milieu de leurs sous-vêtements de dentelle de soie satinée. Deux femmes seulement. Sa mère et Hélène. Il glissa la main entre ses cuisses humides d'une douceur enivrante. Il se sentait partir, partir. Il avait l'impression de les ouvrir comme les pétales d'une fleur.

Il avait envie de la pénétrer. Là, au tréfonds de son corps, l'obscurité était sécurisante. Il se mouvait dans cet espace intérieur, dans les galaxies de ses entrailles. L'odeur de lavande. Hélène chérie. Pulsions et rêves. Il s'endormit dans les bras d'Hélène. Ce fut d'abord un long sommeil serein. Un sommeil qui dura toute une vie ou peut-être une minute. Il s'éveilla en hurlant.

L'homme qu'il avait surpris devant les grilles hantait ses rêves. Il s'accrochait aux grilles et les secouait. Il criait d'une voix terrifiante : « Laissez-moi entrer, laissez-moi entrer... »

Lewis, tremblant et suant, s'agrippa à Stephani. Elle courut chercher de l'eau et lui aspergea le front, le fit mettre debout et l'aida à faire quelques pas dans la chambre. Puis elle le fit manger un peu. Lentement le cauchemar s'estompa.

— Tu as fait un mauvais trip, lui dit-elle d'un ton apaisant.

Quelques instants plus tard, quand Lewis eut recouvré ses esprits et qu'elle se fut assuré qu'il était totalement remis, ils regardèrent ensemble la télévision. Des heures de feuilletons à l'eau de rose que Stephani aimait et que Lewis trouvait reposants. Au milieu du film, Stephani soudain frappa dans ses mains. Elle leva vers lui de grands yeux hagards.

— Oh, Lewis. Que vais-je porter à cette soirée ?

Elle portait une longue robe blanche à traîne, ornée de perles et de paillettes. L'effet du rinçage passé, elle avait retrouvé sa couleur de cheveux naturelle, blond platiné. Lewis, à l'autre bout de la pièce, était ébloui. Il était à la fois soulagé et déçu. C'était Stephani Sandrelli et non Hélène.

Lorsqu'elle avait fait son apparition, il se trouvait de l'autre côté de la salle, deux coupes de champagne à la main. L'une de champagne rosé, l'autre de champagne naturel. La soirée s'annonçait bien. Homer, l'agent d'Hélène pour la côte est, et Milton, celui de la côte ouest, se tenaient à ses côtés et admiraient le spectacle.

— Ce n'est pas possible, Milton. Vous rendez-vous compte ?

— Non, vraiment, Homer. Nous sommes en 1964, d'accord ? Pas en 1954. Ou peut-être avons-nous traversé le temps ?

— Certaines choses sont immuables, éternelles. Même à Hollywood. *Spécialement* à Hollywood.

— Je me rappelle Marilyn dans une robe similaire, un peu plus étroite peut-être, fit Milton en secouant tristement la tête. Elle ne pouvait même pas aller aux toilettes. La robe était cousue sur elle. Frank disait...

— Oh, Marilyn était resplendissante, Milton, resplendissante !

— C'est vrai.

— Et très sympathique, sauf lorsqu'elle vous téléphonait à 3 heures du matin pour vous emmerder.

— 3 heures du matin ? Elle vous téléphonait à 3 heures du matin ? Elle ne l'a jamais fait avec moi.

Milton, l'air lugubre, le déplorait amèrement.

— Trois, quatre, cinq fois peut-être. Le temps n'avait aucune importance aux yeux de Marilyn, fit Homer en soupirant. Vous souvenez-vous de son sourire, Milton ? Elle nous faisait fondre, et nous étions prêts à tout lui pardonner. Son sourire était répertorié sur l'échelle de Richter. Comme celui d'Hélène.

À cet instant précis, Stephani aperçut Lewis. Elle aussi souriait. Les deux agents échangèrent un regard complice.

— Où le placeriez-vous, celui-ci ?

— Le placer ? Nulle part. Même pas au bas de l'échelle. Il ne me fait pas le moindre effet. Et vous ?

— On ne peut pas dire qu'il soit ensorceleur. Ce n'est vraiment pas le terme.

Ils se dirigèrent vers le bar. Lewis lança un regard sceptique vers Stephani. Deux mois auparavant, il l'aurait prise pour une vagabonde. Deux minutes plus tôt, il l'aurait trouvée belle. Là, il ne savait plus que penser, mais était certain d'une chose : il éprouvait de l'indifférence. Ce n'était pas le genre de femme qu'il aimerait avoir à ses côtés. Stephani avait été arrêtée au passage alors qu'elle s'apprêtait à venir vers Lewis. Saisissant l'occasion tout en se méprisant, Lewis s'intégra à un autre groupe. Il s'esquiva prudemment, puis, après s'être assuré qu'il n'était plus dans le champ de vision de Stephani, il se dirigea vers sa femme.

Hélène se tenait à l'entrée de la salle de bal. Il s'arrêta pour la contempler. Elle portait une robe de soie avec un dégradé de bleu, faite spécialement pour elle à Paris. La première fois que Lewis avait vu cette robe sortir avec précaution de son emballage, il ne l'avait pas aimée. Elle lui avait paru terne et peu féminine. Mais sur Hélène, c'était différent. Même lui, qui n'y connaissait pas grand-chose en haute couture et préférait les tissus souples, ne pouvait qu'admirer la perfection de sa coupe et de sa ligne, lui donnant une allure plus élancée. Les bras nus, le décolleté rond sur un corsage baleiné et cousu en forme d'aile ou de feuillage accentuaient la perfection de ses seins.

Elle était debout entre Thad et Gregory Gertz, mais Lewis ne les voyait pas. Il était aveuglé par le bleu de sa robe. Il en avait le vertige, comme si son esprit avait la légèreté d'un voile éthéré. Elle resterait gravée ainsi dans sa mémoire, de loin, vêtue de sa robe bleue, le visage légèrement de profil, la main délicatement levée.

Dans la salle de bal, la musique battait son plein. Lewis, se ressaisissant, replongea dans le brouhaha de la salle bondée.

Lewis remarqua le collier de saphirs entrelacés de diamants que portait Hélène. Il le lui avait offert pour leur premier anniversaire de mariage. Il l'avait acheté à la boutique de Chavigny de New York. C'était avant leur séjour à Cannes, avant qu'il ne prenne conscience des mensonges d'Hélène. Depuis, il n'avait plus mis les pieds chez Chavigny. Ni à New York, ni à Paris, ni nulle part ailleurs.

C'est lui pourtant qui lui avait fait ce présent, comme il avait offert à Stephani le collier de brillants qu'elle portait ce soir. Des diamants pour sa femme, du diamanté pour sa maîtresse. La relation le rendait furieux, tout comme les souvenirs. Il brûlait d'envie de faire une remarque à Hélène sur le choix de ce collier en une telle occasion, mais le moment n'était pas opportun.

Il s'échappa promptement, évitant les Lloyd Baker dont il ne pouvait plus se dépêtrer, et, passant à côté d'Hélène, se dirigea vers un groupe d'hommes. Ils étaient une dizaine qui, de toute évidence, ne partageaient pas l'opinion de Homer et de Milton. Tous courtisaient avec admiration Stephani Sandrelli qui se trouvait parmi eux.

La soirée fut réussie. Hélène promenait son regard sur l'assistance. Dans la pièce du fond où le dîner avait été servi sur de petites tables rondes ornées de fleurs et de rubans, les invités commençaient à se lever. Dans la salle de bal, derrière elle, les premiers couples se dirigeaient vers la piste de danse. Il y avait là les pontes de Hollywood, les plus puissants comme les plus célèbres. Elle veillait à ce que personne ne restât seul ou ignoré. Dans un coin, Joe Stein faisait la cour à une femme. Dans un autre, une publicitaire très connue était entourée de jeunes gens raffinés qui poussaient de petits cris émerveillés devant ses mots d'esprit. Homer déambulait, faisant les mêmes présentations.

Cassie, comme toujours peu démonstrative, avait souligné, avant l'arrivée des invités, que toutes les soirées, en général, étaient réussies.

— Il y a plein de bonnes choses à manger, à boire. Tout doit bien se dérouler. Inutile de s'énerver, avait-elle dit, sans doute parce qu'elle-même était fébrile.

Hélène n'avait pas relevé. Elle savait que c'était faux. Peut-être était-ce le cas à Orangeburg où les réceptions ne faisaient que rassembler quelques amis ou voisins. Et même, là-bas, ce ne devait pas être aussi simple. Orangeburg aussi avait ses divisions sociales, sa hiérarchie. Ici, à Hollywood, ces divisions étaient observées scrupuleusement. La réception était une réussite en raison de la liste brillante des invités, mais surtout à cause du succès d'*Ellis*. Tous les magazines, à l'exception remarquée de celui de Susan Jerome, tenaient des propos élogieux, qu'Hélène trouvait d'ailleurs exagérés, sur le film. *Ellis* était un triomphe. La réception également.

À ses côtés, Thad et Gregory Gertz conversaient. Gertz semblait mal à l'aise, contrairement à Thad qui débordait d'amabilité. Comme Thad savait qu'Hélène allait tourner avec Gertz au printemps, puisqu'elle le lui avait dit, et que Gertz sentait que Thad était au courant, cet excès d'amabilité avait l'effet contraire sur Gertz. À juste titre, sans doute. Thad était beaucoup plus à craindre lorsqu'il se montrait affable.

De temps à autre, elle faisait une remarque ou acquiesçait, mais en fait elle ne les écoutait pas. Elle avait observé Lewis au fond de la salle. Il s'apprêtait à venir la rejoindre, mais s'était arrêté à mi-chemin. Une étrange lueur brillait dans ses yeux. Se rendant compte qu'il avait trop bu, elle détourna aussitôt le regard. Hélène avait fait son possible pour inviter des gens qui auraient pu aider Lewis. Un producteur qui avait déjà manifesté son intérêt pour l'un de ses scénarios. Une actrice qui avait aimé le rôle principal dans *Instants d'éternité*. Un metteur en scène avec lequel Lewis s'était autrefois lié d'amitié. Jusque-là, Lewis ne leur avait pas accordé le moindre intérêt. S'il continuait à boire, il allait vraisemblablement provoquer un esclandre.

Elle était crispée, furieuse contre elle-même. Avec Lewis, ils avaient conclu un pacte tacite. Elle n'allait pas passer la soirée à se préoccuper de Lewis ou à essayer de le protéger contre lui-même. Elle jeta tout de même un regard anxieux. Lewis s'approcha de Stephani Sandrelli.

Il tapa grossièrement sur l'épaule de quelques jeunes gens qui l'entouraient, la prit par la main et la lui baisa d'une façon exagérément courtoise et ridicule. Stephani, gênée au début, prit le parti d'en rire. Hélène, rougissante, détourna le regard. Comment Lewis pouvait-il se montrer si dur ? Visiblement, il provoquait Stephani, et c'était cruel.

— *Longue Séparation*, disait Gregory Gertz à contrecœur. C'est le titre provisoire.

— *Longue Séparation. Longue Séparation*. Vous pouvez toujours envisager une suite, je suppose. Ils se remarient, ont des enfants.

— Je n'envisage pas de suite, répliqua sèchement Greg.

— Vous devriez, vous devriez, fit Thad rayonnant.

Ses yeux clignaient derrière ses lunettes, ce qui était un signe de colère évident.

— Moi, oui, voyez-vous, je vois très bien une suite à *Ellis*. J'espère qu'Hélène vous a mis au courant.

— Non, pas vraiment.

— L'année prochaine. Les films devraient être plus longs. Une heure vingt, une heure quarante, qu'est-ce que c'est ? On ne peut rien faire en si peu de temps. À peine une pièce pour enfants. Mon but est de tourner des films plus longs.

— Oui, j'ai remarqué que, dans *Ellis*...

— Donner une suite à un film est un bon moyen. Trois, quatre heures. Pour l'instant, les gens n'y sont pas très favorables, mais ce ne sera pas toujours le cas. Ils rechignent devant le nouveau, le révolutionnaire.

— Le nouveau ? fit Gregory Gertz, étonné. On ne peut pas dire que ce soit vraiment nouveau. Autant que je m'en souvienne, bon nombre de personnes ont déjà eu cette idée. Eric von Stroheim. Sa version originale de *Greed* durait dix heures. En fait, elle n'a jamais été produite. Hélène, fit-il en se tournant vers elle, voulez-vous danser ?

Il régna une certaine tension. Thad avait l'air d'une Cocotte-Minute sur le point d'exploser. Hélène n'eut pas le temps de faire le moindre geste ou de dire un seul mot. Avec une précision militaire, il fit volte-face et sortit.

Hélène était certaine qu'il allait quitter non seulement la pièce, mais la maison. Pour lui, la soirée était terminée. Il avait l'air ridicule, s'éloignant rapidement d'un pas furieux. Gregory Gertz s'esclaffa. Hélène posa sa main sur son bras.

— Allons danser. Voyez-vous, vous n'auriez pas dû agir ainsi. Ce n'est pas prudent.

— C'est le cadet de mes soucis, répondit Greg avec une effronterie qu'elle n'avait jamais remarquée chez lui. Pourquoi devrais-je m'en faire ? Il ne peut rien contre moi. Ni contre vous, j'espère.

Hélène fronça les sourcils. Maudits soient Thad, sa mégalomanie et son esprit possessif. Elle prit Gregory Gertz par le bras.

— Autrefois, peut-être, plus maintenant.

À 1 heure du matin, les invités étaient toujours là et ne manifestaient nullement l'intention de partir. Les danseurs évoluaient, les couples se formaient. Hélène se sentait de plus en plus loin d'eux.

— Merci, Hélène, lui dit Joe Stein en la raccompagnant poliment à sa place.

Il ne l'avait pas invitée pour le simple plaisir de danser avec elle, mais parce que cela faisait partie également des affaires. Depuis des années, il voulait qu'elle tourne pour sa société, depuis leur première rencontre en 1962 à Cannes. Maintenant, Stein avait atteint son but. Sa société allait produire et financer *Longue Séparation*. Il lança un coup d'œil vers sa femme Rebecca, en grande discussion avec Simon Scher. Il arbora un air légèrement conquérant, comme s'il portait les trophées de la victoire. Joe Stein avait arraché Hélène Harte à la société Sphère.

Simon Scher lui sourit poliment à son tour et reprit sa conversation avec Rebecca Stein. C'était un petit homme sympathique et courtois qui souriait à Hélène chaque fois qu'il la rencontrait, ce qui n'arrivait pas souvent. Un homme d'affaires, comme tous en vérité ici, hommes ou femmes. Ils étaient là pour mener une partie essentielle de leur travail, l'échange d'informations, les potins, savoir qui parlait à qui...

Hélène refusa la danse suivante et se glissa dans un coin de la salle. Là, dans un couloir qui menait au bar, elle était à l'abri des regards, cachée par un pilier et des palmiers. Elle resta là quelques instants, observant les danseurs. Joe Stein, ignorant parfaitement le rythme, traversait la salle dans un fox-trot endiablé avec sa femme. Stephani Sandrelli, dansant avec Randall Holt, celui qu'ils surnommaient Lloyd Baker. Le vrai Lloyd Baker, lui, changeait sans cesse de cavalière, sans jamais inviter son épouse. Lewis, le visage figé, les yeux étincelants, évoluait selon un rythme bostonien particulier en compagnie d'une jeune fille nommée Betsy qu'Hélène ne connaissait absolument pas. Elle savait simplement qu'elle était l'invitée d'un de ces messieurs, qu'elle venait de San Francisco et qu'elle avait l'air d'une esclave de sultan ou d'une Indienne. Pieds nus, les chevilles entourées de bracelets ornés de minuscules clochettes d'argent, elle était vêtue d'une sorte de long caftan brodé. Sa belle chevelure auburn parsemée de rubans et de plumes lui tombait sur les épaules. Hélène la regardait danser les mains en l'air au son de la musique. Des poignets aux coudes, ses bras étaient couverts de petits bracelets étincelants de turquoise et d'argent qui tintaient au gré de ses gestes.

Gregory dansait avec Rebecca Stein auprès de laquelle il semblait se montrer très assidu et très courtois. Hélène le voyait sous un jour nouveau, peut-être moins direct, moins franc qu'elle ne l'avait imaginé. Si elle n'avait pas accepté de tourner avec lui, Stein et sa société l'auraient-ils financé ? Vraisemblablement pas. Était-ce la raison pour laquelle Gertz espérait tant qu'elle tiendrait le rôle principal ? Non pas pour son talent, comme il le prétendait, mais parce que la rentabilité était assurée. Pourquoi s'étonner d'un tel procédé ? C'était courant dans ce milieu. Pourtant, il avait paru si honnête, si sincère...

Elle s'appuya contre le pilier. Il y avait peu de personnes dans l'assemblée pour lesquelles elle éprouvait de l'amitié et encore moins en qui elle avait confiance.

Quelqu'un la bouscula par-derrière. Milton, son agent de la côte ouest. Grand, bronzé, tiré à quatre épingles, il avait l'air traqué.

— J'essaie d'éviter Homer, lui dit-il. Il est complètement ivre.

Il chercha un maître d'hôtel des yeux, puis, se remettant peu à peu, lui prit les deux mains dans les siennes et les pressa avec fougue.

— C'est génial. Je n'ai pas eu l'occasion de vous le dire plus tôt. Ce n'est pas un terme que j'utilise couramment. Vous ne m'avez jamais entendu le prononcer. Maintenant, c'est celui qui convient. C'est du génie, Hélène. À la fin du film, je pleurais. De vraies larmes. Je pleurais. Élisabeth pleurait. Paul également, enfin, presque. Même ce bon à rien du *New York Times*. Il faut que nous ayons un entretien le plus tôt possible, Hélène. Aujourd'hui, le téléphone n'a pas cessé de sonner. Tout le monde vous veut. Vous n'auriez pas dû accepter la proposition de Gertz. Je vous ai avertie : ce n'est pas un rôle pour vous. Le personnage féminin est trop dur, c'est une chipie. Les gens ne vont pas l'aimer. Ils ne vous associent pas avec ce type de femme. Vous devriez tourner la deuxième partie d'*Ellis*. Ensuite... Le scénario m'est tombé sous la main et je l'ai lu aujourd'hui. C'est une copie qui a été piratée, fit-il en esquissant un sourire. Le sujet est brûlant. J'avais les doigts en feu rien qu'en le lisant. Bon, écoutez-moi. Demain, je veux que vous...

— Je vous téléphonerai demain, mais je ne changerai pas d'avis. J'ai promis de faire le film de Gertz, Milton, et...

— Promis ? Promis ? Qu'est-ce que ça veut dire ? Vous n'avez rien signé. Ce n'est pas écrit noir sur blanc. Alors, écoutez-moi, Hélène...

— Demain, Milton, lui dit Hélène en s'éclipsant.

Elle traversa le couloir, passa devant le bar, entra dans le jardin d'hiver et alla s'asseoir sur un fauteuil d'osier, à l'abri des palmiers et des cattleyas. Son regard se posa sur les orchidées. C'était une fleur qu'elle n'avait jamais appréciée à cause de ses couleurs fluorescentes, de ses pétales charnus, de son aspect prédateur.

Des bribes de conversation lui parvenaient depuis le bar.

— Bon, va te faire voir, moi, j'ai dit oui. Tu nous donnes la part du gâteau pour la distribution et...

— Écoute, Homer, maintenant tu arrêtes, d'accord ? L'unique problème, c'est qu'il faut les marier.

— Veux-tu savoir pourquoi, Milton ? Veux-tu vraiment savoir pourquoi ? Eh bien, parce que je suis sentimental. Voilà la raison.

— Toi, un sentimental ?

— C'est vrai. J'ai eu une mère épouvantable, une enfance malheureuse...

— Du calme. Je n'ai aucune envie que tu me racontes ton enfance ou que tu me parles de ta mère.

— Et pourquoi pas ?

— Parce qu'on connaît l'histoire par cœur, Homer.

— Il ne voulait donc pas signer. Rien à faire. Un million de dollars cash et un pourcentage en plus. Je lui ai dit...

— Jeudi, Lloyd ? Tu promets ? C'est impératif. On fait un bout d'essai vendredi, et tu as dit...

— D'accord, jeudi. Je leur parlerai vendredi matin.

— Lloyd, tu es un amour. Que veux-tu que je fasse pour toi, mon chou ?

— Et si tu mettais un diaphragme ?

— Oh, écoute, nous parlons d'art. A, R, T. Il m'a dit : Vous savez combien a rapporté *Short Cut* les six premières semaines ? Et je lui ai répondu : D'accord, *Short Cut* a rapporté gros, mais celui-ci remportera un succès encore plus grand, colossal même. Je...

— Mademoiselle Harte ?

Hélène leva les yeux. Le jardin d'hiver était faiblement éclairé, et son esprit était ailleurs. Elle ne reconnut pas tout de suite celui qui se tenait devant elle. C'était Simon Scher qui lui souriait poliment.

— Souhaitez-vous boire quelque chose ? Vous m'avez l'air épuisée. C'est une soirée particulièrement réussie.

— Non, merci.

— Vous permettez ?

Il s'assit auprès d'elle, lissa le pli de son pantalon entre son pouce et son index, et croisa les jambes. Hélène ne souhaitait pas sa présence. Elle éprouva le désir soudain et violent qu'il s'en aille.

— ... Et je tenais à vous féliciter.

Hélène se rendit compte qu'il avait dû la complimenter pour *Ellis*.

— C'est un film intéressant et une prestation remarquable. Oui, vraiment, fit-il en s'éclaircissant la gorge. J'ai le scénario de la suite. Une surprise. Je ne savais pas qu'il y en aurait une.

— Il y en aura deux. En principe, ce sera une trilogie.

— Oh ! s'écria-t-il, surpris.

Hélène lui lança un regard de défi. Au diable Thad et ses secrets stupides. Elle n'avait nullement l'intention de les garder plus longtemps.

— Oh, il est vrai que M. Angelini n'aime pas abattre ses cartes d'emblée. Le mystère l'attire. Une trilogie. Et, êtes-vous... Enfin, il doit y avoir un petit problème.

— Effectivement. Thad voudrait commencer le tournage au printemps, et je lui ai dit que cela m'était impossible. Je tourne un autre film.

— Je vois, fit-il, l'air sceptique. Vous allez peut-être repousser le tournage ? M. Angelini ne nous a absolument pas mis au courant.

— Vous feriez mieux de lui poser directement la question, répliqua Hélène d'un ton sec. (Elle regretta aussitôt sa brusquerie. Devant la courtoisie inébranlable de Scher, elle ajouta d'une voix plus aimable :) Voyez-vous, je ne savais pas moi-même ce que Thad projetait. Il m'a annoncé la nouvelle brutalement il y a quelques semaines. Et je n'ai pas encore pris de décision. Je ne sais même pas si j'ai envie de faire le film.

— Cela va de soi. Il n'y a aucun doute là-dessus. C'est un projet si ambitieux. Et magnifique, comme tout ce qu'il fait, d'ailleurs. À long terme également. (Il la regarda droit dans les yeux.) Il est regrettable que M. Angelini et votre époux ne s'entendent plus. J'ai toujours aimé travaillé avec Lewis. Il est tellement enthousiasme.

— Vous aimiez travailler avec lui ? lui demanda-t-elle lentement. Voulez-vous dire que vous aimeriez encore travailler avec lui ?

— Oh, certainement. Il est solide, minutieux. Il m'a toujours semblé qu'il... comment dire ? qu'il tempérait les excès de M. Angelini. Il se montrait étonnamment ferme à son égard. Au tout début de notre association...

Il s'éclaircit de nouveau la gorge.

Hélène se leva et se tourna vers Scher. Qui mentait ? Lui ou Thad ? Elle ne savait qui croire : ce petit homme poli et efficace qui n'avait rien à voir avec le monde du cinéma, mais un homme d'affaires de la société mère, chargé de s'assurer que cette fantaisie, parmi les produits plus conventionnels de la Partex, serait aussi profitable que les autres. Elle lui tendit la main.

— J'aimerais que vous le disiez à Lewis, lui dit-elle gentiment. Je suis sûre qu'il en serait ravi et produirait certainement un nouveau film. Cela lui manque, vous savez. (Elle lui prit la main.) Je dois retourner à mes invités. Veuillez m'excuser.

— Je vous en prie.

Scher repartit vers la salle de bal. Hélène resta quelques minutes de plus dans le jardin d'hiver, puis sortit.

La nuit était fraîche et le parc désert. On percevait le rythme d'un tango. Des ombres se profilaient derrière les fenêtres de la salle illuminée. Elle traversa les pelouses, se faufila parmi les arbres et là, sur un petit monticule, dans le silence, resta un long moment devant la piscine en contrebas.

Elle songea à Billy et au retour en Alabama qui, semaine après semaine, se rapprochait. Elle fit le bilan de sa vie, pensa à l'avenir et, comme ce n'était, à ses yeux, que le néant solitaire et glacial, elle rêva au passé, à Édouard.

Un long moment s'écoula. À contrecœur, elle retourna vers la maison. Elle fit le même chemin en sens inverse. Une légère brise s'était levée. Des nuages parcouraient le ciel. Arrivée dans l'allée, elle remarqua que la lune s'était dévoilée, éclairant les jardins d'une pâle lueur. Les nuages formaient des ombres, masquant puis découvrant la lune. Dans l'allée, elle se tourna vers les grilles et aperçut l'homme.

C'était la première fois qu'elle le voyait, et si Cassie ne lui avait pas affirmé qu'elle l'avait remarqué, elle aussi, elle aurait cru qu'il était le fruit de l'imagination de Lewis. Il était là, immobile, appuyé contre les grilles, les mains et le visage contre la palissade. Hélène n'était pas certaine qu'il l'ait aperçue.

Elle l'observa quelques minutes, séparée de lui seulement par une allée gravelée éclairée par la lune. Une femme en robe de bal et un homme rejeté de la société.

La lune disparut derrière un nuage. Quand elle réapparut, l'homme n'était plus là. Elle promena son regard le long de l'allée en direction des grilles. Curieusement, elle ne ressentait nulle peur, nulle menace.

Des éclats de rire et une musique encore plus bruyante. Elle leva la tête, pensive. Elle associait cet homme à quelqu'un, mais qui ? Elle se rendit compte très vite que c'était à elle-même. Comme elle, c'était un intrus. Comme elle, il n'appartenait pas à cet univers. Elle avait déjà éprouvé ce sentiment auparavant, mais jamais avec une telle force. Il lui laissait une impression de triste résignation. Elle retourna lentement vers la maison, puis elle hâta le pas. Quelque chose en elle se révoltait.

Elle ne retournerait pas à cette réception, vers ces gens. Non, elle monterait directement dans sa chambre et téléphonerait à Paris, à Saint-Cloud, plus exactement. Cette fois, elle ne raccrocherait ni au bout de trois fois, ni de trente, ni de trois cents. Elle attendrait d'avoir Édouard au bout du fil et elle lui parlerait.

— Oh, Lewis, que c'est beau ! Je m'en doutais, mais pas à ce point. C'est vraiment de la soie ?

Stephani se promena dans la chambre d'Hélène en touchant tout ce qui lui tombait sous la main. Les longues tentures couleur crème, le lambrequin du lit à colonnes.

— Oh, Lewis, c'est ancien ? Vraiment ancien ? Je veux dire... authentique ?

— Hepplewhite, fit Lewis en regardant vers la porte.

Il se sentait mal à l'aise. « Je t'en prie, laisse-moi simplement jeter un coup d'œil, avait supplié Stephani. J'ai toujours voulu voir sa maison, sa chambre. Je t'en prie, Lewis. Ça ne prendra pas plus d'une minute... »

Ils étaient là depuis cinq minutes déjà. Hélène était occupée en bas avec ses invités, mais qu'adviendrait-il si, pour une raison ou pour une autre, elle montait ? Il était inquiet malgré lui, ce qui l'agaçait. Et après tout, si elle arrivait, ils ne faisaient rien de mal.

Il avait monté une bouteille de whisky. Il sortit deux verres de sa poche. Avec un air de défi, il ôta le bouchon et leva la bouteille.

— Tu en veux ? C'est du scotch.

— Oh, Lewis, j'ai bu tellement de champagne, fit-elle en s'esclaffant. D'accord, juste une goutte, alors.

Lewis versa deux bonnes rasades. Il avala son whisky d'un trait et se sentit aussitôt mieux. Stephani continuait son inspection. Elle examinait les gravures du XVIIIe représentant des paysages. Elle se pencha et palpa l'un des tapis faits au point d'aiguille, véritable pièce de musée. Ensuite, elle se dirigea vers la coiffeuse où elle caressa des brosses en argent et en lapis-lazuli de chez Cartier avant de se regarder dans le miroir ancien. Elle se redressa et promena une dernière fois son regard dans la chambre : la cheminée, les deux chaises de chaque côté, le bouquet de roses blanches, la commode et son devant à courbes et contre-courbes en noyer, avec une délicate patine, l'un des rares Chippendale authentiques. Une lueur de déception se lut sur son visage.

— Ce n'est pas exactement... Enfin, je pensais... C'est assez sobre, non ? dit-elle à Lewis d'une voix hésitante.

— Elle n'aime pas les dosserets en velours cerise, si c'est ce que tu veux dire.

Stephani, les yeux pleins de reproche, devint écarlate. Lewis aussitôt éprouva du remords.

— Je voulais dire qu'elle n'aime pas les couleurs franches, dit-il avec plus de gentillesse. Elle préfère les teintes plus discrètes. C'est la même chose pour sa façon de s'habiller.

Le visage de Stephani s'illumina. Elle s'approcha de lui et prit un peu de scotch. Après avoir réfléchi quelques minutes, elle leva les yeux vers lui.

— Pourrais-je jeter un coup d'œil à ses robes, Lewis ? Je t'en prie. Très rapidement avant qu'on ne redescende ?

— Bon, d'accord. Pourquoi pas ? Elles sont là, fit Lewis en la prenant par le bras. Il se sentait de plus en plus hardi.

Il traversa la chambre et la conduisit vers une vaste penderie attenante munie de placards du sol au plafond. Lewis ouvrit toutes les portes. Certains étaient peu profonds, d'autres formaient de véritables petites pièces.

— Chemises de nuit, sous-vêtements, robes, tailleurs, jupes, chemisiers, tricots...

— Oh ! Lewis.

Stephani, médusée, le suivait, passant de temps en temps la main sur une parure avec vénération. Elle souleva un cache-corset en dentelle et le serra contre ses joues. Il était aussi fin et délicat que des fils d'araignée.

— Elle les fait fabriquer spécialement en France dans un couvent célèbre pour sa dentelle.

Stephani le reposa délicatement, puis continua son inspection, effleurant au passage les robes une à une. De la soie sauvage, du pur coton, du jersey de soie, du tweed fait main en Écosse.

— C'est magnifique, fit-elle en soupirant. Ça doit coûter une fortune.

Dans le placard suivant, des cachemires, parfaitement rangés, étaient disposés par couleur : gris, bleu pâle, bleu ardoise, bleu de Prusse, bleu marine, noir, rose soutenu et rose pâle.

— Regarde ici, dit Lewis en ouvrant une autre porte.

Là étaient suspendues les robes du soir. Du velours, de la soie moirée de Givenchy, du taffetas noir de Saint Laurent. Une robe Hartnell avec un corsage orné de petites perles cousues à la main. Des robes longues. Des robes courtes. Stephani les effleurait toutes, d'une main tremblante, impressionnée par la marque. Lewis eut l'impression qu'elle allait éclater en sanglots.

Il prenait plaisir à se montrer brutal, ignorant si c'était à l'égard de Stephani ou d'Hélène.

— Tu veux voir les fourrures ? Elles sont là.

Il ouvrit une autre porte plus massive qui menait dans la chambre froide maintenue en permanence à 8° avec une humidité contrôlée. Stephani poussa un cri d'étonnement.

— Oh, je ne savais pas qu'elle aimait les fourrures. Elle n'en porte jamais.

— Non, elle pense que c'est cruel. C'est moi qui les ai presque toutes achetées. Elle les porte parfois quand elle veut me faire plaisir, fit Lewis avec un haussement d'épaules.

Stephani se précipita pour les toucher. Un renard argenté, un vison Blackglama, un lynx, un long manteau de zibeline brun.

Stephani les caressa d'une main hésitante, puis, lançant un regard coupable vers Lewis, comme si elle était surprise en train de voler à l'étalage, retira le manteau de son cintre.

— Je t'en prie, Lewis, laisse-moi essayer un manteau de fourrure. Une seconde seulement. Je n'en ai jamais eu. Une seule fois, j'ai eu un manteau de lapin, mais cela ne compte pas, n'est-ce pas ? Je t'en prie, Lewis.

— Vas-y. Qu'importe, après tout, Hélène ne l'aime pas.

Ils sortirent de la chambre froide, et Lewis referma la porte.

— Mets-le et fais-moi le mannequin. Je vais chercher quelque chose à boire.

Il retourna dans la chambre d'Hélène, se versa une rasade de whisky et but d'un trait. Il laissa errer son regard dans la pièce. Cette chambre ne lui avait jamais plu, maintenant il l'exécrait. Elle lui rappelait celle de ses parents, évoquait des nuits d'humiliation. Avait-il jamais pris plaisir à faire l'amour à Hélène dans cette chambre ? Il ne savait pas au juste. Peut-être au début, lorsqu'ils venaient d'emménager. Le passé envahissait parfois son esprit comme une entité à part. Lewis se passa la main devant les yeux. La pièce se mouvait devant lui, avançant et reculant. Une idée lui vint à l'esprit.

Une étroite bibliothèque prenait un pan de mur. Il suffisait de la faire pivoter pour découvrir un coffre-fort. L'un des multiples coffres de la maison. C'est là qu'Hélène cachait ses bijoux. Il en connaissait la combinaison. Il y avait fouillé, tout comme dans son bureau et ses dossiers, parce qu'il s'était autrefois mis dans la tête, de façon insensée, qu'elle y gardait ses lettres d'amour.

Il l'ouvrit avec précaution, saisit les coffrets et les doux sacs en peau de chamois, et alla les poser sur le lit. Il les sortit un à un. Tout son passé resurgit, son mariage étincelant à l'image de ces bijoux, mais s'effilochant.

La bague de fiançailles en diamants. Une parure de perles achetée à Bond Street pour l'anniversaire d'Hélène. Des boucles d'oreilles en diamants pour le succès de leur deuxième film. Une ceinture victorienne en filigrane d'argent. Un collier nacré. Une chaîne en perles d'améthyste. Un sautoir, des bracelets de diamants. Hélène les portait rarement, et Lewis en éprouvait une certaine amertume et de l'incompréhension. Pourquoi ne les portait-elle jamais ? Était-ce parce qu'elle ne les aimait pas ou bien parce que c'était lui qui les lui avait offerts ?

Il avait presque envie de pleurer. Stephani revint timidement, drapée de l'étole de zibeline.

— Qu'en penses-tu ? Oh, Lewis, c'est si doux. Elle me va ?

— Très bien. Approche.

Elle s'avança lentement et s'arrêta à quelques centimètres de lui. Lewis remarqua son expression à la fois rêveuse et déterminée. Elle se passa la langue sur les lèvres. Chez elle, cela avait une signification bien précise.

— Je ne me conduis pas bien, je le sais, Lewis, mais ne sois pas fâché.

Elle ouvrit lentement son manteau de fourrure. Dessous, elle était nue. La blancheur de sa peau diaphane contrastait avec la teinte plus soutenue de la fourrure.

— Viens plus près et ne bouge plus.

Stephani, tremblante, fit un pas en avant, les seins raides et durs. D'un geste délibérément lent, Lewis prit un à un les bijoux éparpillés sur le lit.

— Ne bouge pas. Je veux que tu portes ces bijoux. Je veux que tu les portes tous.

Il parlait d'une voix légèrement rocailleuse. Ses mains tremblaient, non pas de désir, car il n'avait nullement envie de lui faire l'amour, mais parce qu'il éprouvait un sentiment de colère mêlée de peur. Il prit la ceinture d'argent et la lui passa autour de la taille. Elle tendit les mains. Il lui passa tous les bracelets autour des poignets et glissa toutes les bagues à ses doigts. Elle n'avait pas la finesse d'Hélène, et certaines bagues ne lui allaient pas. Lewis, exaspéré, les enfila sur de longs colliers qu'il lui attacha autour du cou. Il agrafa le ras de cou en diamants. Stephani ne disait rien. Il lui ôta les boucles d'oreilles qu'elle portait et les remplaça par deux autres en émeraude. Tiens, il ne les reconnaissait pas... Qui donc les lui avait offertes ? Il y avait d'autres bracelets. Il lui en mit deux autour des chevilles et fit pendre les autres à la ceinture et aux colliers.

— Mon Dieu, mon Dieu ! ne cessait de répéter Stephani.

— Attends, je n'ai pas fini.

Il restait une paire de boucles d'oreilles et deux barrettes assorties d'au moins quinze carats chacune, peut-être davantage. Ce n'était pas lui non plus qui les lui avait offertes. Elles étaient placées dans un coffret de chez Chavigny. « Putain, putain, sale putain ! » Il sentait la colère monter.

— Voilà le plus important. Tiens-toi tranquille.

Il s'agenouilla et pressa son visage sur les boucles épaisses du pubis entre ses cuisses blêmes. Elle les blondissait à l'eau oxygénée, ce qui ne plaisait pas à Lewis, mais là il n'y prêta guère attention. Lentement, il écarta les lèvres de son sexe et lui lécha le bouton tremblant du clitoris.

Stephani gémit de plaisir. Les plis luisants de sa chair avaient la teinte d'une rose ou d'une blessure, comparés à la pâleur de ses cuisses. Il saisit les deux boucles d'oreilles et, de ses mains tremblantes, les accrocha aux lèvres de son sexe. Il poussa un long soupir en contemplant son pubis constellé de diamants. On aurait dit des étoiles ou des yeux au-dessus d'une seconde bouche.

Cette idée l'excita. Il se sentit submergé de désir. Se penchant vers elle, il pressa ses lèvres contre les diamants et y passa lentement la langue. Leur contact glacial le fit tressaillir. Il donna des coups de langue plus vigoureux, et la chaleur, l'odeur de son sexe humide contrastant avec la froideur et la dureté des diamants lui enflammèrent l'esprit. Soudain Stephani poussa un cri.

— Mon Dieu, Lewis. Oh, mon Dieu !...

Elle se courba lentement, essayant de se dégager de son étreinte d'un mouvement brusque. Soudain, elle s'immobilisa, et Lewis recula. Les diamants dansaient devant ses yeux. Stephani frissonna.

— Lewis, peut-être devrions-nous... Ils me font mal, Lewis.

— Non, ils ne te font pas mal du tout. Tu les aimes. Tu aimes les diamants, les fourrures. Tu adores tout ce que je te fais. Ça t'excite. (Il se leva et la repoussa.) Allonge-toi.

Stephani, ébahie, se passa la langue sur les lèvres. Elle effleura les deux diamants du bout des doigts, puis glissa son ongle vernis dans les plis de sa chair. Après l'avoir retiré tout luisant, elle le pressa contre les lèvres de Lewis.

— J'ai envie de toi, lui dit-elle en souriant.

Elle s'éloigna lentement de lui et, sans le quitter des yeux, s'allongea sur le lit. Elle étendit délicatement le manteau de zibeline et, souriant toujours, écarta les cuisses. Lewis percevait la musique qui montait de la salle de bal. C'était un tango.

Debout au bord du lit, Lewis contemplait Stephani dont la blancheur de la peau ressortait au milieu des fourrures sombres. Les seins dressés, recouverts de bijoux, les mains posées sur les cuisses, elle offrait à Lewis un spectacle érotique en couleurs : noir comme la fourrure, blanc comme sa peau, rouge comme ses ongles, étincelant comme les deux diamants qu'elle portait au pubis, telles des étoiles jumelles.

— Dis-moi que tu es à moi. Dis-moi que tu m'appartiens. Je te possède. Tu t'es vendue à moi. Dis-moi la vérité pour une fois. Dis-moi...

Ces paroles s'étaient échappées malgré lui. Il les avait prononcées d'une voix qui n'était pas la sienne. Stephani se mordit les lèvres. À travers sa colère soudaine et sa douleur, il la sentait effrayée et excitée en même temps. Elle ne comprenait pas ce qui lui arrivait. Il n'avait même pas envie de la regarder. Ce n'était pas la chevelure qu'il aimait, le visage qu'il adorait, non rien de tout cela.

Il se dirigea d'un pas titubant vers le lit et s'affala sur elle, cherchant à glisser sa main entre leurs corps pour toucher les diamants, pour la caresser. Rien ne se produisit. Il ne la désirait même pas.

Au bout d'un moment, Stephani lui défit les boutons de son pantalon. Elle le cajola, le caressa, le serra puis relâcha son emprise. Lewis lui effleura les seins avant de les lécher, puis se mit à genoux pour contempler les diamants et sa pâle toison. La fente qui séparait les lèvres de son sexe ressemblait de plus en plus à un trou béant, à une horrible plaie rouge. Toujours rien. Lewis se mit à pleurer. Stephani lui passa les bras autour du cou et le berça tendrement.

— Je t'en prie, Lewis, ne pleure pas. Ça ne fait rien. Tu as beaucoup bu, Lewis, c'est tout. Et... peut-être es-tu mal à l'aise ici, parce que c'est là que tu fais l'amour avec Hélène, fit-elle d'une voix triste, en frissonnant. C'est vrai, moi non plus, je ne suis pas bien ce soir. C'est toujours mieux quand je me sens bien. Oh, Lewis, je t'en prie, ne pleure pas.

Lewis leva la tête. Les larmes avaient cessé aussi brusquement qu'elles étaient venues.

— Si c'est ce que tu crois, tu as tort. Je ne viens pratiquement jamais ici. C'est la première fois depuis deux ans. Peut-être davantage.

Stephani écarquilla les yeux. Elle se figea, cessant de le caresser.

— Tu veux dire que tu ne dors pas ici avec Hélène ? lui demanda-t-elle, intriguée.

— Bien sûr que non, je ne dors pas ici, je dors dans ma chambre.

— Mais toi et Hélène...

— Je te l'ai dit. C'est fini. Depuis deux ans, peut-être plus, je ne m'en souviens même pas.

Lewis, furieux, sauta du lit. Il enfila son pantalon, sa chemise et ajusta sa cravate. Stephani, figée, l'observait.

— Ce n'était pas bien... avec Hélène ? lui dit-elle d'une petite voix timide.

— Cela ne te regarde pas, mais puisque tu me le demandes, eh bien, non. Au début peut-être, mais plus maintenant. C'était un véritable supplice, si tu veux le savoir.

Il alla se verser un autre verre de whisky. Sa main tremblait.

— Pour l'amour de Dieu, Stephani, lève-toi. Enlève tout ça et habille-toi.

— Très bien, répondit-elle de sa petite voix puérile.

Elle se leva, ôta tous les bijoux, un à un, et les remit sur le lit. Elle enleva le manteau de zibeline et le posa à côté avec précaution. Elle disparut quelques instants dans la pièce attenante et réapparut, vêtue de sa robe à traîne. Elle s'approcha du miroir et se poudra le nez d'un air pensif. Elle essuya son rouge à lèvres et repassa un rouge écarlate, puis se coiffa avec la brosse en argent d'Hélène. Ensuite, elle revint vers Lewis qui s'était affalé sur une chaise, et resta plantée devant lui. Lewis remarqua une expression bizarre sur son visage. Sur toute autre que Stephani, il aurait cru déceler une lueur de mépris.

— Tu aurais dû me le dire, Lewis. Tu aurais dû. Si j'avais su... (Elle s'était exprimée de façon saccadée. Soudain, elle leva les yeux vers lui d'un air déterminé.) Tu ne te comportes pas bien envers elle, et ce doit être horrible pour elle. Je sais ce que c'est. Combien de fois l'ai-je ressenti ? La plupart du temps, les hommes ne s'en rendent pas compte. Sans doute parce qu'ils s'en moquent. Pauvre Hélène. Je l'ai toujours trouvée triste, surtout lorsqu'elle savait que tu ne la regardais pas. Je comprends pourquoi maintenant.

Lewis voulut se lever. Il s'appuya sur la chaise et se redressa en criant. Il s'entendait hurler, mais ce n'était qu'une voix intérieure.

— Que me racontes-tu ? Mais que diable me racontes-tu ?

Les mots résonnaient dans sa tête. Stephani ne lui répondit pas. À quoi bon ? Il connaissait la réponse. Elle était inscrite sur son visage. Elle l'avait désiré parce qu'elle pensait qu'il appartenait à Hélène. Maintenant qu'elle avait découvert la vérité, il ne l'intéressait plus. La pitié qu'il lisait sur son visage le mettait dans une rage telle qu'il avait envie de la frapper.

— Je rentre chez moi, lui dit-elle en tournant les talons.

Lewis la saisit par le bras.

— Je t'accompagne. Attends.

— Tu es ivre, Lewis. Tu serais incapable de conduire. De plus, je ne veux pas que tu me raccompagnes. Si tu insistes, je ne te reverrai plus jamais. D'ailleurs, je ne veux plus te revoir.

Lewis eut l'impression qu'une rafale de vent venait de s'engouffrer par la fenêtre. Il percevait des bruits de toutes parts. Tout l'assaillait comme dans un tourbillon. Il fit un pas en avant et tomba à la renverse.

Stephani le regarda, hésitante, puis sortit en refermant la porte derrière elle.

— Hélène, s'écria Lewis.

Il n'y eut pas de réponse. Il ferma les yeux et posa la tête sur ses bras. Il se recroquevilla dans la position fœtale et ne bougea plus.

Il était encore là, quelques minutes plus tard, lorsque Hélène entra dans la pièce. Elle avait croisé Stephani dans l'escalier, mais l'avait à peine remarquée. Elle ne songeait qu'à une chose : ne plus entendre tout ce bruit et saisir le téléphone. L'orchestre jouait une valse. Le nom d'Édouard dansait dans son esprit. La certitude d'entendre sa voix la faisait frémir. Elle s'avança vers le téléphone, obnubilée par la pensée d'Édouard.

Soudain, elle s'arrêta, remarquant d'abord le manteau plié en travers du lit, puis les oreillers et le couvre-lit fripé, ensuite les petits tas de bijoux. Lewis gémit doucement. Elle se tourna et l'aperçut. Il était inconscient.

Le lendemain après-midi, elle pénétra dans la chambre de Lewis. Il s'était traîné là au milieu de la nuit et avait dormi toute la matinée. La chambre était sens dessus dessous. Il y avait des valises en cuir partout. Lewis faisait ses bagages.

Hélène s'assit sur une petite chaise. Lewis continua à emballer ses affaires sans même la regarder.

— C'était Stephani Sandrelli ? finit-elle par dire d'une voix lasse.

Lewis s'arrêta un instant et la fixa.

— Oui, si cela t'intéresse, fit-il en jetant une chemise dans sa valise.

— Était-il indispensable que tu l'amènes dans ma chambre ? Que tu sortes mes vêtements ? Mes bijoux ?

Lewis la regardait d'un air livide mais déterminé.

— Effectivement, ce n'était pas utile, mais c'est fait. Et, pour l'amour de Dieu, ne me demande pas depuis combien de temps ça dure, etc. Épargne-moi au moins cette farce.

— Tu t'en vas, Lewis ?

— Oui, je pars pour t'éviter de le faire. Des séquelles de bonne éducation, vois-tu.

— Tu ne reviendras pas cette fois. Je ne veux plus vivre avec toi, Lewis.

Elle parlait d'une voix monocorde. Lewis ferma la valise d'un coup sec.

— Je pense que tu es censée parler de rupture. C'est la réplique habituelle, non ?

— Je ne sais pas, Lewis. C'est toi qui passes tes journées à écrire les dialogues.

Lewis se figea. La cruauté de sa réponse l'étonna. Cela ne ressemblait pas à Hélène. Il en fut à la fois choqué et blessé. Elle aussi réagit. Ses joues se colorèrent légèrement.

— Tu vois, ça empire entre nous. Toi et moi, nous devenons plus cruels, plus méchants.

Lewis hésita. Il boucla une à une les autres valises et alla les mettre dans le couloir. Il arpenta sa chambre et ferma soigneusement toutes les portes des penderies, tous les tiroirs. Hélène ne fit pas un geste. Elle semblait complètement abattue. Lewis se rendit dans la salle de bains et prit dans sa réserve quatre petites capsules rouges. Les yeux injectés de sang, il se lissa les cheveux en se regardant dans le miroir avec dégoût.

Il retourna dans la chambre, enfila son veston prince-de-galles gris pâle, fait sur mesure à Savile Row quelques années auparavant, à l'époque où il avait fait la connaissance d'Hélène à Londres.

Il s'efforça de songer au passé, certain que, si cette image de leur bonheur lui revenait à l'esprit, il ne prononcerait pas les paroles irrémédiables qui allaient suivre. Il patienta quelques minutes. Tout s'obscurcit en lui. Une partie de lui-même le poussait à parler, l'autre le retenait.

Il s'éclaircit la gorge et s'entendit dire, d'une voix parfaitement naturelle :

— J'ai vu le père de Cat à la télévision il y a quelques semaines. Je voulais simplement te le dire.

Elle leva les yeux. Le coup avait porté. Ses yeux s'écarquillèrent de surprise et de douleur.

— Tu l'as manqué ? Oui, apparemment. On l'interviewait pour le rachat ou la fusion d'une société, je ne me rappelle plus exactement...

— Le père de Cat est mort, fit-elle, le regard livide. Cesse ce petit jeu, Lewis, c'est cruel.

— Oh ! je sais, tu m'as déjà dit qu'il était mort, mais j'ai l'impression qu'il est bien vivant. Il y a eu cette interview, et un article aussi, pas plus tard que la semaine dernière dans le *Wall Street Journal.*

— Tu es complètement fou. Entre l'alcool et la drogue, tu ne manques pas d'imagination. Tu ne te rappelles même pas ce qui s'est passé la semaine dernière ou même la minute passée.

— Oh ! je me le rappelle très clairement. À cause du choc reçu. La ressemblance avec Cat est frappante. Les cheveux, les yeux, tout, en somme. C'est indéniable, et je suppose que j'ai été stupide de ne pas m'en rendre compte plus tôt. Pourtant j'avais vu des photos, mais elles étaient en noir et blanc pour la plupart. Et j'ai lu des articles, bien sûr. L'expansion infinie des sociétés de Chavigny ! On parle de lui pratiquement toutes les semaines. Quand je l'ai vu en couleur, que je l'ai entendu parler, là, j'en ai pris conscience. Il n'y a plus aucun doute.

Il s'interrompit, ayant l'impression qu'elle allait s'évanouir. Hélène était brusquement devenue blême.

— Lewis, va-t'en, je t'en prie, va-t'en, dit-elle, chancelante.

— Très bien, fit-il en se dirigeant vers la porte.

Sur le seuil, il s'arrêta. Une idée lui vint à l'esprit.

— Vois-tu, lui dit-il en se retournant, l'air hébété, si tu ne m'avais pas menti, si tu m'avais dit la vérité dès le début, les choses auraient été différentes. J'aurais sans doute tout accepté. Ce n'était pas chic de ta part. J'ai essayé d'imaginer, de comprendre la situation, de te comprendre. Voilà ce qui nous a conduits là où nous sommes. (Il marqua un temps d'hésitation.) Hélène, pourquoi ne m'as-tu pas dit la vérité ? Tu aurais pu, tu sais. Dès le début. Tu n'avais pas besoin de mentir.

— Je ne mentais pas. Comment aurais-je pu proférer de tels mensonges ? (Elle lui fit face brusquement. Le ton montait.) Tout cela est le fruit de ton imagination. Tu as tout inventé. Ton esprit te joue des tours, Lewis.

— Parfois, c'est vrai, lui dit-il, le regard fixé sur elle. Et le tien ? Je me le demande.

Le soir du départ de Lewis, Hélène se rendit dans la chambre de sa fille. Elle lut une histoire à Cat qui l'écouta attentivement, appuyée sur son oreiller. À la fin de l'histoire, elle raconta sa journée. Hélène se demanda si elle allait lui poser des questions sur Lewis, car les serviteurs, Cassie et Madeleine, l'avaient vu partir et il régnait une atmosphère de compassion et d'embarras. Mais Cat n'y fit aucune allusion. Lewis était si souvent absent. Hélène hésita, puis décida de lui annoncer la nouvelle progressivement et de répondre aux questions quand elles seraient posées. Cat avait passé si peu de temps en compagnie de Lewis qu'elle y attacherait probablement peu d'importance.

Elle observa le petit visage farouche de sa fille, ses cheveux rebelles. Malgré l'amour intense qu'elle lui portait, malgré leur complicité, Hélène se rendait bien compte que sa fille avait sa personnalité propre ; ce n'était plus un bébé, mais une petite fille indépendante, mystérieuse, avec son esprit, ses sentiments, ses souvenirs. Le cordon ombilical était coupé. Cat était assez grande pour garder ses secrets. Elle ne possédait plus la transparence absolue du très jeune enfant. Elle dissimulait ses peines. Hélène l'avait vue réagir maintes fois ainsi en présence de Lewis. Que cachait-elle d'autre ?

Cette distance, ce fossé, qui les séparait chagrinait Hélène. Elle étudia le visage, les cheveux, les yeux de Cat. C'était la raison pour laquelle elle était montée dans la chambre. Elle avait repoussé cet instant tout l'après-midi depuis le départ de Lewis. Avec une certaine appréhension, elle la dévisagea.

Les cheveux étaient très bruns, mais sa propre mère les avait de la même couleur. Billy ne les avait pas aussi foncés, mais ses frères et sœurs, qui tenaient de leur mère, les avaient sûrement aussi bruns que Cat. Édouard les avait raides, alors que ceux de Cat étaient légèrement bouclés. Le regard, la forme des sourcils, leur couleur noire, oui, parfois, à vrai dire, Cat avait une expression... Mais là, somnolente, l'air doux et rêveur, elle ne ressemblait absolument pas à Édouard.

— À quoi penses-tu ? lui demanda Cat en se penchant vers elle.

— À toi. À la ressemblance. À rien.

Cat, intriguée, fronça les sourcils.

— Je ressemble à moi, dit-elle un instant plus tard.

Hélène se sentit soulagée. Le cœur léger, elle l'embrassa tendrement en souriant.

— C'est vrai. Tu es toi, personne ne te ressemble, et je t'aime beaucoup. Maintenant, essaie de dormir.

Par la suite, les doutes revinrent, en force au début, puis s'estompèrent peu à peu. Hélène cherchait des ressemblances avec Billy et en trouvait. Le port de tête, le rire, un certain geste de la main. Ce que Lewis avait dit ne pouvait pas être vrai. Billy n'était pas réellement mort. Il continuait à vivre grâce à Cat.

Hélène passait maintenant le plus clair de son temps seule. Elle refusait les invitations et il lui arrivait de ne pas sortir de chez elle pendant des jours. Le soir, dans le silence de la nuit, elle songeait à son enfance. La roulotte, sa mère, Ned Calvert... Tout lui revenait en mémoire, ces années dans le Sud, ces étés là-bas.

Un sentiment de plus en plus intense s'empara d'elle. Non, ce n'était plus une revanche qu'elle souhaitait. C'était là un terme stupide, issu d'un mélodrame. Il s'agissait de réparer les torts faits à sa mère et à Billy.

La nuit, elle faisait des rêves d'une clarté étrange. Sa mère et Billy étaient si proches, si réels, que parfois, lorsqu'elle s'éveillait, elle percevait encore leurs voix et sentait leur présence dans la pièce. Elle désirait tellement les retenir qu'elle luttait pour ne pas s'éveiller, jusqu'au moment où elle devait se rendre à l'évidence : ils n'étaient plus là.

Thanksgiving arriva, Noël approchait, mais la fuite du temps ne signifiait rien à ses yeux. Le présent semblait moins réel que le passé.

Quant à l'avenir, ce n'était qu'une vague construction de l'esprit en filigrane. Elle était heureuse d'avoir accepté la proposition de Gregory Gertz. Il était important, à ses yeux, d'avoir une perspective bien définie. Autrement il lui aurait semblé que son retour dans le Sud, à Orangeburg, était l'ultime but de son existence.

Elle se refusait à penser à Édouard. Le soir où elle avait trouvé Lewis dans sa chambre, elle ne lui avait pas téléphoné comme elle se l'était promis. Maintenant elle savait qu'elle ne le ferait plus jamais. Les accusations de Lewis étaient un rempart définitif.

Hélène se sentait bien, mais ni Cassie ni Madeleine ne partageaient cette opinion. Elles lui trouvaient mauvaise mine. Hélène ne mangeait pas assez, elle maigrissait et était souvent fatiguée. « Était-ce dû au départ de Lewis ? » se demanda Madeleine, quand elle se retrouva seule avec Cassie.

— Si elle avait deux sous de bon sens, elle bénirait le ciel qu'il soit parti. Dommage qu'il ne l'ait pas fait plus tôt, dit Cassie. Mais je ne pense pas que ce soit la raison exacte. Elle a toujours été renfermée. Elle n'aime pas parler, et rien au monde ne la fera changer. Pourtant, quelque chose la tracasse.

Madeleine ne dit rien. Elle aimait Hélène et la plaignait. Et si l'état bizarre d'Hélène avait pour cause une explication évidente et merveilleusement romantique ? Cette pensée satisfaisait la nature sentimentale de Madeleine.

Un soir, assise dans le salon auprès de Cassie qui tricotait, elle décida soudain de tester indirectement son idée. Retenant son souffle, elle compta jusqu'à dix puis murmura :

— C'est peut-être une raison toute simple. Et si elle était amoureuse ?

Un long silence accueillit cette remarque. Les doigts de Cassie s'activèrent puis s'immobilisèrent. Elle leva les yeux vers Madeleine.

— De qui ? Les candidats ne me semblent pas nombreux.

Madeleine baissa la tête.

— Peut-être de quelqu'un qu'elle a aimé dans le passé. Quelqu'un qu'elle ne voit plus.

— Ridicule, fit Cassie, les lèvres pincées. Si elle était amoureuse, elle continuerait à le voir. Ne dites pas de bêtises.

Madeleine soupira. Cassie n'avait décidément aucune imagination.

— Ce n'est pas exclu. Si vous aimez vraiment quelqu'un, ce n'est pas parce que vous ne le voyez pas que vous l'oubliez. Sinon, ce n'est plus de l'amour.

— L'amour ? s'esclaffa Cassie. C'est une manie chez les Français. Les femmes y pensent trop. On est mieux sans. Qu'est-ce qu'on y gagne ? La vie est bouleversée. L'amour n'apporte que des désagréments et ne dure jamais.

— Je ne suis pas d'accord, fit Madeleine, outrée. Avez-vous déjà été amoureuse, Cassie ?

— Évidemment. Quand j'avais seize ou dix-sept ans, dit Cassie en reprenant son tricot. Et je m'en suis remise, comme je me suis remise de la varicelle et de la rougeole. J'ai été prise une fois et pas deux. (Elle arrêta brusquement son tricot et surprit le regard de Madeleine.) Je dois admettre qu'il était beau garçon, fit-elle en esquissant un sourire. Je me le rappelle. Il n'avait pas de très bonnes manières, mais il était gentil.

Elle reprit de nouveau son tricot.

Madeleine dut se contenter de cette réponse.

Noël passa. Lewis expédia une carte de San Francisco, mais n'écrivit ni ne téléphona. À la fin du mois de décembre, James Gould informa Hélène de New York que le commandant Calvert avait du retard dans ses paiements. Il avait finalement payé, après semonce, avec une semaine de retard.

— Je crois que le moment approche, dit-il d'un ton glacial. Êtes-vous prête ?

— Oui. James, dès que la saisie sera prononcée, je me chargerai de tout. Je tiens à le prévenir moi-même.

À l'autre bout de la ligne, Gould se tut.

— Ce n'est pas une procédure habituelle, vous le savez.

— Je passerai outre.

— Très bien, fit Gould en soupirant. Mais ne soyez pas surprise par la proximité de l'échéance. Je vous téléphonerai.

Hélène n'avait pas besoin de Gould pour savoir que l'estocade était proche. Son instinct le lui disait. Cinq années. « Sous peu, elle éprouverait un sentiment de triomphe », pensait-elle. La haine d'antan resurgirait à coup sûr. Elle se revoyait, assise dans le salon de Cassie, jetant tous les billets de un dollar et les regardant voltiger.

Gould téléphona à la fin du mois de janvier, le jour même où elle apprit qu'on venait de lui décerner un oscar pour *Ellis*.

— Calvert n'a pu faire face à ses échéances, lui dit-il. Il a jusqu'à midi. S'il ne s'en acquitte pas, ce qui sera probablement le cas, je mettrai la machine en route. Vous recevrez la demande de saisie demain. Nous avons quelques jours de délai, je vous ferai savoir exactement combien.

— Dès que je le recevrai, je m'envolerai pour l'Alabama.

— Vous le regretterez, dit-il timidement. Ce n'est pas une tâche très agréable. C'est la raison pour laquelle on fait appel à des professionnels.

— J'y tiens néanmoins.

Gould soupira. Il connaissait bien ce ton obstiné.

Le lendemain, en fin de journée, l'avis de saisie arriva de New York. Hélène, l'enveloppe à la main, s'attendait à voir le triomphe et la haine resurgir. Rien ne se produisit.

Tout se déroula comme prévu. L'avion était à l'heure. À l'aéroport de Montgomery l'attendait une Cadillac noire louée au nom de Mme Sinclair. La Cadillac, choisie expressément à cause de Ned Calvert, lui avait posé problème. Peu de femmes seules, vêtues d'un jean et un foulard sur la tête, louaient de telles voitures à l'aéroport de Montgomery. Elle suscita quelques regards curieux, comme elle s'y attendait. Les formalités durèrent peut-être plus qu'il n'était nécessaire. Elle modifia sa voix et son allure. Elle jouait le rôle qu'elle s'était assigné, et tout marcha parfaitement.

Elle prit la voiture environ dix minutes plus tard, certaine de n'avoir été reconnue par personne.

L'itinéraire jusqu'à Orangeburg avait également été soigneusement préparé. Elle longea d'abord les faubourgs de la ville, passa devant Howard Johnson où Billy l'avait invitée pour fêter ses quinze ans, contourna un lotissement apparemment récent où, d'après les informations de Cassie, Priscilla-Anne vivait seule avec ses trois enfants. Dale Garrett, après avoir trompé sa femme pendant des années, l'avait finalement laissée pour une nouvelle maîtresse.

Elle s'arrêta au bout de Bella Vista Drive. C'était là qu'habitait Priscilla-Anne. Une rangée de petites maisons de briques, toutes identiques, s'étendait à perte de vue. C'était le style de maison pour jeunes cadres. Chacune avait un garage et un abri, des volets d'un blanc éclatant. Certaines, voulant sans doute se distinguer, avaient ajouté une véranda à colonnes comme dans les plantations américaines. Les terrasses étaient hors de proportion et pas du tout dans le ton. C'était à la fois pompeux et ridicule.

Hélène remarqua les petits jardins en façade et les deux allées qui menaient au garage, songeant à l'ambition de Priscilla-Anne qui rêvait de sortir de son village pour venir vivre ici.

Faisant demi-tour, elle prit la direction d'Orangeburg. Une fois passé toutes les stations-service et les parcs de voitures d'occasion, elle aperçut d'immenses champs de part et d'autre de la route. Les maisons étaient de plus en plus rares, tout comme les voitures. L'air était agréable, pas encore chargé d'humidité en ce début d'année. Le ciel sans nuages avait une couleur diaphane. Hélène, ralentit à environ trois kilomètres d'Orangeburg. Avant d'aller rendre visite à Ned Calvert, elle avait décidé de se rendre au cimetière.

L'endroit était vaste, car on y enterrait les morts d'Orangeburg mais aussi ceux de Maybury et des villages environnants. Une enceinte le mettait à l'abri des regards, et quelques peupliers y donnaient de l'ombre. Elle gara la voiture. La chaleur du soleil lui effleura la peau. Le cimetière était vide.

Elle longea une allée cendrée bordée de croix et de pierres tombales ornées parfois d'un ange. Derrière elle, sur la route, le bus de Montgomery passa dans un tourbillon de poussière.

La tombe de sa mère était de marbre gris. Hélène l'avait fait faire quelques années auparavant, mais ne l'avait jamais vue. Elle portait une simple inscription : *Violette Jennifer Culverton. Née en Angleterre en 1919. Morte en Amérique en 1959.*

Quarante ans. Hélène l'examina d'un air sceptique. À l'époque où elle s'en était occupée, il lui avait semblé juste d'inscrire son nom de jeune fille plutôt que celui de son mari qu'elle avait si peu porté et délibérément rejeté. Maintenant, Hélène n'avait plus la même certitude. Sa mère, après tout, s'appelait Craig. Peut-être aurait-elle préféré ce nom ou, pourquoi pas ? son nom d'artiste : Fortescue. Elle s'agenouilla et effleura la tombe.

Il lui fallut plus longtemps pour atteindre la tombe de Billy située à l'autre extrémité du cimetière. Elle la trouva par hasard alors qu'elle était sur le point de capituler.

Juchée sur un monticule, sa tombe, couverte de lierre et de ronces, était à l'abandon. Elle se trouvait tout au fond du cimetière, marquée par une croix de bois dont les lettres, ternies par le soleil, étaient à peine visibles. Une tombe plus récente jouxtait la sienne. C'était celle de son père et, un peu plus loin, se trouvait celle d'un bébé que les Tanner avaient eu l'année de la mort de Billy. Le petit William, prénommé comme Billy, était mort à trois mois.

Entre les tombes était posé un récipient contenant un bouquet d'immortelles fanées par le soleil. Hélène s'immobilisa, l'air songeur, devant les trois tombes. Elle donna un coup de pied dans un massif de ronces, submergée d'une colère difficile à supporter car dénuée de sens. Était-ce une colère dirigée contre Ned Calvert ? Pas vraiment. Elle était d'une étendue plus vaste et moins spécifique, s'adressant à un Dieu auquel elle ne croyait pas, à la brièveté de la vie qui s'éteignait sans crier gare, au hasard d'un incident insignifiant.

L'espace d'un instant, la colère et le sentiment d'injustice furent si forts qu'elle en oublia le but de son retour à Orangeburg. Ce n'était plus qu'un point minuscule à l'horizon, un détail sans importance qui avait tourmenté sa vie, la détournant de la voie qui lui était tracée, et dominé ses pensées pendant cinq ans. Tout cela était futile. Elle n'était même plus certaine que sa mère et Billy l'auraient souhaité.

Elle resta un long moment le regard fixé sur la tombe de Billy, puis brusquement s'éloigna. Elle retourna à la voiture, trébuchant parfois à cause des aspérités du sol et des ornières.

Arrivée à Orangeburg, elle s'arrêta, se changea, se maquilla avec la dextérité d'une actrice et se recoiffa. Puis elle se rendit en ville dans sa Cadillac.

Elle passa devant la station-service et le nouveau motel, descendit la grand-rue, remarquant au passage l'ancien salon de coiffure de Cassie, le drugstore et l'épicerie de Merv Peters, la quincaillerie. Des hommes déambulaient le long des magasins et des femmes faisaient leurs courses. Elle longea également les entrepôts d'alcool à l'autre bout de la ville, l'église baptiste puis arriva devant l'intersection des routes.

L'univers d'autrefois... Il lui paraissait étroit et minable. Lorsqu'elle parvint à l'endroit où Billy s'était fait tuer, derrière le parc à roulottes, la haine resurgit. La haine envers Ned Calvert, envers tous les hommes qui l'accompagnaient dans la voiture ce jour-là, envers cette ville, tous leurs habitants et toutes leurs croyances. La haine envers le Sud, mais aussi la haine envers elle-même parce qu'elle avait appartenu à cet univers autrefois. Si elle n'agissait pas sur-le-champ, elle n'y échapperait plus.

Les grilles qui donnaient accès à la plantation étaient rouillées et tenaient à peine sur leurs gonds. La longue allée était sillonnée d'ornières. Les pelouses devant la maison n'étaient plus entretenues.

Elle gara la voiture devant la terrasse dont la peinture était écaillée. Des herbes folles pendaient aux gouttières. La demeure n'était pas aussi grande que dans son souvenir.

Un drapeau était hissé sur le toit. Hélène l'aperçut en sortant de la voiture. Le drapeau des Confédérés flottait encore. Ned Calvert gardait foi en ses ancêtres.

« Tout doit changer, Hélène, il le faut. Ce n'est pas normal. »

Elle entendait la voix de Billy comme s'il se tenait à ses côtés. Elle sentait intensément sa présence.

Elle s'avança vers la maison. Le reste n'était qu'une formalité.

Le maître d'hôtel et la plupart des serviteurs avaient été congédiés quelques années auparavant. Elle fut introduite dans le salon par une jeune Noire qu'elle ne reconnut pas et qui cria le nom « Sinclair » d'une voix chantante comme si le propriétaire de la maison était sourd. Elle sortit après avoir fermé la porte, laissant Hélène promener son regard dans la pièce.

Au début, il lui sembla que rien n'avait changé depuis l'époque où, timide et nerveuse, elle avait découvert la maison. Une rangée de fenêtres aux volets à moitié baissés. Du mobilier sculpté sombre et lourd. Des palmiers en pot. Des murs encombrés de photos. Un piano à queue orné également de photos dans des cadres d'argent. Des rais de lumière s'infiltraient par les fenêtres, révélant la poussière qui dansait au soleil. C'était à la fois similaire et différent. Il lui fallut un certain temps pour se rendre compte que c'était elle qui avait changé et non l'environnement. Cette pièce était affreuse.

Elle eut d'abord l'impression qu'elle était vide, ayant imaginé trouver Ned Calvert assis, comme toujours, sur son divan, un cigare aux lèvres, vêtu de son costume blanc, les yeux fixés sur elle.

Mais le divan était vide. Personne. Quand elle aperçut enfin un homme, portant un veston de tweed clair, debout devant la fenêtre, elle n'en crut pas ses yeux. Ce ne pouvait être Ned. Elle avait envie de hurler : « Vous n'êtes pas à votre place habituelle ! Vous n'êtes pas habillé comme à l'ordinaire. » Elle resta figée, le regard rivé sur lui, tandis que, se retournant lentement, il s'avançait vers elle, la main tendue.

— Madame Sinclair ?

Il s'arrêta net, hésitant, clignant des yeux comme s'il était myope. Puis, souriant, il fit un pas en avant.

— Quelle ponctualité ! Votre vol n'a pas été trop pénible ? Je crois que vous venez de New York ?

Il n'avait pas perdu son charme d'antan, sa voix traînante du Sud qu'elle trouvait alors si ensorcelante. Elle l'examina de près. Il avait peu changé. D'après les récits de Cassie, les commérages d'Orangeburg sur son déclin, elle avait imaginé le trouver plus décrépit. Ce n'était pas le cas. Il avait certes un peu épaissi, mais évoluait avec la grâce d'un athlète et d'un bon cavalier.

C'était encore la caricature d'un officier de l'armée, d'un parfait sudiste. Il avait gardé, comme dans son souvenir, des airs de ressemblance avec Clark Gable dans *Autant en emporte le vent*, mais possédait en plus le raffinement et l'assurance d'un homme conscient de sa beauté et de son charme.

Bronzé, les cheveux grisonnants mais toujours denses, la moustache arrogante, les lèvres rouges et charnues, comme elle se les rappelait. Hélène avait du mal à lever les yeux vers lui. Elle regarda la main qui lui était tendue, carrée, parfaitement soignée. Il s'était arrêté à un mètre d'elle, contemplant la toilette et les bijoux qu'elle portait. Quand son regard croisa le sien, il donna l'impression de chercher loin dans sa mémoire.

Hélène, qui s'attendait à cette réaction, lui sourit.

— Comment allez-vous ? dit-elle avec un accent anglais.

Il fit aussitôt le lien. Toutes les pièces du puzzle se mettaient en place. Ses joues s'empourprèrent. Son regard devint plus circonspect. Il laissa tomber sa main.

— Ned, je suis si heureuse. Vous vous souvenez de moi, n'est-ce pas ? Verriez-vous un inconvénient à ce que nous bavardions un instant ?

Il n'avait jamais été stupide et ne manquait certes pas de ruse. Elle ne l'avait pas oublié et en avait tenu compte dans son plan. Elle savait quelle serait sa réponse. Au début, exerçant tout son charme, il essaya de gagner du temps pour avoir l'esprit plus clair. Il remettait peu à peu toutes les pièces du puzzle en place : la petite fille qu'il avait connue, la vedette de cinéma, l'épouse d'un certain Lewis Sinclair, propriétaire de la compagnie qui avait acheté ses terres en reprenant ses emprunts à son compte.

— Hélène Harte, fit-il en secouant la tête et en prononçant son nom de sa voix traînante. C'est stupéfiant, ahurissant. J'ai entendu parler de vous, évidemment. Je n'ai jamais vu vos films. Il faut dire que, ces temps-ci, je ne vais pas beaucoup au cinéma. Mais j'ai vu des photos. Vous devez me prendre pour un imbécile, mais toutes ces années, j'ai bien pensé à vous. Je me demandais ce que vous étiez devenue... (Il s'aventura un peu plus loin.) Oui, je me demandais ce qu'était devenue cette jolie petite fille.

Ses mensonges étaient encore plus maladroits qu'avant.

Hélène sourit.

— Cela n'a aucune importance. Moi aussi, j'ai très souvent pensé à vous, Ned. Très souvent.

Il s'agita légèrement dans son fauteuil, prêt à l'attaque.

Hélène l'observait. La vérité était toute simple. Il l'avait oubliée, un point c'est tout. Dès l'instant où elle avait quitté Orangeburg, il n'avait plus eu la moindre pensée à son égard, en parfait égoïste qu'il était. Il avait sans doute poursuivi sa route, une femme en effaçant une autre.

Visiblement, ni Hélène Craig ni Hélène Harte ne l'intéressait, mais seulement la société Hartland Developments auprès de laquelle il était endetté. Le fait que cette compagnie soit dirigée par une femme qu'il avait séduite autrefois lui redonna peu à peu courage.

— L'affaire vous appartient ? dit-il en allumant son cigare après lui en avoir demandé l'autorisation. (Il inhala la fumée d'un air pensif.) En totalité ? C'est le comble. Pourquoi une femme aussi belle que vous se complique-t-elle l'existence avec ces transactions ?

— Oh, vous savez ce que c'est, fit-elle en accompagnant ses paroles d'un large geste. J'ai de nombreux conseillers.

— Oui, bien sûr. Mais il nous faut fêter cela. Depuis combien de temps ne nous sommes-nous pas vus ? Sept ans, non ?

— Cinq.

— Cinq ans. Incroyable. Vous étiez une enfant si adorable, et maintenant vous voici devenue une femme. Une très belle femme.

Il cligna des yeux fébrilement et se leva brusquement. De toute évidence, un verre d'alcool lui était nécessaire.

— Que désirez-vous, Hélène ?... Vous me permettez de vous appeler ainsi, n'est-ce pas ? Un peu de cognac ? Un cocktail, peut-être ? Je suppose que vous ne voulez pas, comme moi, un verre de bourbon ?

— Si, avec un peu de soda et des glaçons.

Il prépara les boissons avec cérémonie, sans doute pour se donner le temps de réfléchir, puis lui tendit le verre. Il se rassit, épousseta son veston et alluma un autre cigare en souriant.

— J'ai essayé d'arrêter de fumer. Mon médecin dit que c'est mauvais pour le cœur. J'étais sans cesse sur le qui-vive à cause de tous mes ennuis.

— Je suis désolée, fit-elle, puis, prenant sa voix la plus innocente, elle ajouta : Votre femme n'est pas là, Ned ?

Hélène savait très bien où se trouvait Mme Calvert. Cassie lui avait tout raconté dans ses lettres. Mme Calvert était retournée pour toujours à Philadelphie, neuf mois auparavant, et avait engagé une procédure de divorce. Elle était passée chez tous les fournisseurs d'Orangeburg et dans les deux banques qui avaient accordé un prêt pour la plantation, et leur avait annoncé qu'elle ne serait désormais plus responsable des dettes de son mari. Hélène ne s'attendait pas à ce qu'il lui fasse cet aveu. Elle ne fut donc pas surprise. Ce qu'elle n'avait pas prévu, c'était sa réaction. Il se renversa dans son fauteuil avec un large sourire. De toute évidence, il pensait qu'elle lui posait la question parce qu'il exerçait toujours du charme sur elle.

— Non, à vrai dire, elle n'est pas là. Mme Calvert se trouve à Philadelphie dans sa famille. Vous vous rappelez que cela lui arrivait fréquemment dans le temps, Hélène.

Il posa un regard langoureux sur elle. Cette réplique était censée lui rappeler leur liaison d'antan. Il l'observait avec attention.

— Je m'en souviens très bien, Ned.

Après un instant d'hésitation, il se versa une rasade de bourbon, comme pour se donner du courage. Tout en se montrant prudent, il sentait sa confiance grandir.

— Je ne pensais plus vous revoir, fit-il en soupirant. Quand vous êtes partie, j'avais perdu tout espoir. Ces sept dernières années ont été très dures pour moi, Hélène...

— Cinq.

— Cinq, oui, c'est ce que je voulais dire, rectifia-t-il à contrecœur. Cinq années durant lesquelles je me suis traité d'imbécile. Je pensais que vous m'aviez oublié, rayé de votre existence. Plus de Ned Calvert. Voilà ce que je me disais. Et vous voici. Assise en face de moi comme avant. Encore plus belle qu'avant. Dites-moi, Hélène, vous êtes mariée depuis longtemps ? Avez-vous des enfants ?

— Je me suis mariée en 1960. Ma fille aura cinq ans en mai. Mon mari et moi sommes séparés.

Il caressa aussitôt l'espoir de la reconquérir. En fait, c'était la raison pour laquelle Hélène lui avait fait cette confidence. Son regard se durcit légèrement, sa voix se fit lourde de regrets.

— Je suis vraiment désolé pour vous... Une femme aussi merveilleuse que vous. Vous méritez d'être heureuse. Autrefois, c'était mon souhait. Je ne devrais peut-être pas vous l'avouer maintenant, mais Dieu seul sait combien je vous ai aimée, Hélène. Oui, beaucoup aimée.

— Vraiment, Ned ?

— À quoi bon se leurrer ? Je ne suis plus si jeune. Les années comptent à mon âge. On ne peut plus mentir, quoi qu'il advienne. Je vous ai vue grandir. Je n'ai pas honte de mes sentiments. Je sais que, par certains côtés, ce n'était pas très moral, mais, voyez-vous, Hélène, un homme n'est pas toujours maître de lui. Il essaie... Dieu sait si j'ai tout fait, mais mon cœur n'écoutait pas. Je vous regardais, et il battait à tout rompre. Évidemment, je m'en suis rendu compte quand vous êtes partie. Je me suis dit : « Ned, tu as perdu la seule femme qui comptait à tes yeux. » Avec le recul, je souhaiterais que les événements aient pris une autre tournure. J'aurais souhaité... Oh, j'aurais souhaité tant de choses ! Mais c'était impossible. Je savais que je ne devais pas éprouver de tels sentiments, Hélène, aussi me suis-je plié à l'évidence, toute douloureuse qu'elle fût. Je me suis dit qu'il fallait vous laisser partir. Il devait en être ainsi. « Elle n'est pas pour toi, Ned, me disais-je. Elle est bien trop jolie et a toute la vie devant elle. » Pourtant... (Il hésita et leva les yeux vers elle.) Je ne devrais pas vous dire tout cela. Pas maintenant.

— Je suis heureuse que vous m'ayez fait ces confidences, Ned. Cela me facilite la tâche.

— Oui. Cependant..., fit-il en soupirant et en terminant d'un trait son whisky, vous n'êtes pas venue pour évoquer ces souvenirs mais pour parler affaires, je suppose. Inutile de me leurrer. Je sais très bien que vous n'êtes pas revenue pour le simple plaisir de me voir. Je ne suis plus rien pour vous maintenant. J'accepte la réalité. Racontez-moi comment vous êtes mêlée à cette affaire, Hélène. Ce n'est pas une coïncidence, n'est-ce pas ? Une femme aussi intelligente que vous a certainement un plan en tête.

Le cœur du problème. Il posait enfin la question qui lui brûlait les lèvres depuis le moment où il l'avait reconnue. Hélène hésita. « Pas encore », se dit-elle.

— Vous avez raison. Je suis restée en contact avec certaines personnes d'Orangeburg et j'ai entendu parler de vos difficultés financières. À l'époque, je cherchais à investir.

— Vous avez songé à m'aider ? (Il sursauta mais s'arrêta net en secouant tristement la tête.) Non, c'est impossible. Pourquoi le feriez-vous ? Peut-être éprouvez-vous encore quelque sentiment pour cette ville et peut-être même pour moi ? J'aimerais le croire. Mais je suppose que vos conseillers ne mélangent pas les sentiments et les affaires. Et vous êtes trop intelligente pour ne pas les écouter. Alors dites-moi, Hélène, comment se fait-il qu'après tant d'années vous reveniez aider ce pauvre vieux Ned Calvert ?

— Vous ai-je vraiment aidé, Ned ?

— Oh oui ! ma petite. Si vous m'avez aidé ? L'année dernière, vous m'avez sauvé ainsi que cette propriété. Vous ne vous en étiez pas rendu compte ? En acceptant d'endosser les emprunts que j'avais contractés, votre compagnie m'a sauvé. J'étais aux abois, Hélène. Je n'essaierai pas de vous mentir. Où que je me tourne, c'était la même chose. Même Mme Calvert, sans vouloir lui manquer de respect, n'a jamais rien compris au coton. Cette pensée m'attriste, Hélène, mais je dois avouer que mon épouse ne m'a pas apporté l'aide que j'escomptais. Et ces satanées banques ! Des gens que j'ai côtoyés toute ma vie, que j'ai aidés dans le passé, des gens qui me doivent beaucoup... Et que s'est-il passé quand j'ai été dans le besoin ? Ils m'ont tourné le dos. C'est dur. Je l'ai ressenti comme une véritable trahison. (Commençant à s'animer, il se pencha vers elle.) Ils ne voulaient pas m'écouter, ne voulaient pas comprendre. Il y a tant de possibilités dans cette région. Je peux tout reconstruire, j'en suis sûr. C'est seulement du temps qu'il me faut. Un an, peut-être un an et demi. Des moyens de financement un peu plus importants et une petite extension. Là, je m'en sortirai à coup sûr. (Il s'interrompit, son regard vif posé sur elle.) Vous m'avez déjà aidé, Hélène. Je ne l'oublierai jamais tant que je vivrai. Vous êtes venue à moi et, voyez-vous, j'ai de nouveau confiance en la nature humaine. Je reprends espoir. Après tout, si vous m'avez accordé votre aide une fois, vous pourriez peut-être me l'accorder encore ?

— Je vois, fit Hélène en baissant les yeux.

Elle saisit avec précaution son porte-documents et en sortit une grande enveloppe. Ned Calvert avait les yeux rivés sur elle. De grosses gouttes de sueur perlaient. Il prit un large mouchoir blanc et s'essuya le front.

— Laissez-moi vous ajouter un glaçon, fit-il en se levant précipitamment pour lui prendre son verre. (Il avait les mains qui tremblaient.) Voyez-vous, je ne veux pas vous brusquer, Hélène, dit-il en se dirigeant vers le bar, mais le fait que vous ayez pris la peine de venir jusqu'ici a tellement d'importance à mes yeux. Si vous m'en donnez le temps, je vais tout vous raconter. Nous pouvons faire le bilan, parcourir tous les comptes. La plupart des femmes n'ont guère le temps de s'occuper de ce genre de chose, mais, avec vous, c'est différent. Vous êtes intelligente. Si je pouvais simplement vous les montrer, je suis sûr que vous comprendriez... J'ai eu du retard dans les remboursements, je sais, mais ce n'était que temporaire, une question de moyens de financement. Vous connaissez le terme, n'est-ce pas ? Je n'avais pas de fonds de roulement, voilà le problème. Avec un petit emprunt, une reprise des affaires, je peux tout remettre sur pied. La récolte a été bonne cette année... Un peu de soda, c'est tout ? Vous ne voulez pas un petit remontant ?

— Non, merci. Je n'ai pas changé, dit-elle en mesurant ses paroles. Et je ne bois jamais quand je traite une affaire.

Il se crispa aussitôt, la bouteille de bourbon dans la main, puis se mit à rire pour se donner une contenance.

— Grand Dieu, quelle femme ! Une telle maîtrise... Oh, vous avez toujours su vous contrôler. Vous souvenez-vous comment je vous appelais, Hélène ? « Ma petite chérie », fit-il en secouant la tête. Si vous saviez ce que j'ai pensé à vous, au fond de mon cœur. Je vous considérais comme ma fille, cette jolie petite fille que je n'ai jamais eue.

C'était trop, il en était parfaitement conscient. La flatterie et la sentimentalité étaient forcées et elles ne coïncidaient absolument pas avec leurs souvenirs. Son visage s'empourpra.

— Oui, tout au fond de moi, répéta-t-il sur la défensive. Oh ! je sais que je ne me suis pas toujours conduit comme j'aurais dû. C'est une faute que j'ai sur la conscience depuis des années. Mais, au tréfonds de mon âme, j'étais sincère.

Il se tourna pour masquer son embarras et la transparence du mensonge.

Hélène attendit qu'il soit parfaitement calme pour lui dire, d'un ton détaché :

— C'est ce que vous ressentiez ? Je comprends. Mais quels sentiments éprouviez-vous à l'égard de ma mère ?

— Que voulez-vous dire ? répliqua-t-il, brusquement figé.

— Ma mère. Quels sentiments aviez-vous pour elle ?

— Je ne comprends pas très bien...

— Vous rappelez-vous les soixante dollars que je vous avais demandés un jour ? C'était pour ma mère. Elle attendait un enfant. Votre enfant. Et l'argent a servi à la faire avorter. Je l'ai appris par la suite. L'avortement s'est mal passé, et elle en est morte. Elle est morte en avortant de votre enfant, le saviez-vous ?

Il renversa du bourbon. Le visage livide, il reposa la bouteille et, lentement, se tourna vers elle, clignant des yeux comme s'il ne comprenait pas vraiment.

— Mon enfant ?

— Oui.

— Ce n'est pas possible.

— Elle est allée consulter quelqu'un à Montgomery. Les soixante dollars n'étaient pas suffisants, je suppose. J'aurais dû vous en demander davantage.

— Ce n'est pas vrai, dit-il, haussant soudain le ton. C'est un fieffé mensonge.

Il s'avança vers elle, les poings serrés. Hélène se tourna vers la fenêtre. Il lui était plus facile de conserver une voix calme et monocorde si elle ne le regardait pas.

— L'ironie de la vie, n'est-ce pas ? L'enfant que vous n'avez jamais eu. Ça aurait pu être un garçon, l'héritier de cette immense fortune. Seulement, votre femme vous aurait sans doute quitté, et vous n'auriez pas eu tout son argent à dépenser pendant des années...

— Cessez ce petit jeu ! s'écria-t-il, s'avançant vers elle, le visage rouge de colère. Il n'y a pas un mot de vrai là-dedans. Qui vous a raconté ces sornettes ?

— Ma mère.

— Elle devait avoir perdu toute sa raison. C'est insensé. Votre mère n'a jamais été très équilibrée. Mon Dieu, quand je pense à tout ce que j'ai fait pour elle ! Mme Calvert et moi... Je n'ai jamais touché votre mère. Hélène, vous la connaissiez. Vous savez très bien qu'elle n'avait pas vraiment les pieds sur terre. Ne me dites pas que vous l'avez crue. Ne me dites pas que toutes ces années... Mon Dieu, je...

— Je l'ai crue et je la crois encore.

— Écoutez-moi une fois pour toutes. C'est un mensonge. Elle a tout inventé de a à z.

Il s'immobilisa devant elle, la bouche déformée par la colère. Vacillant, il alla s'asseoir. Il desserra sa cravate d'une main et de l'autre fouilla au fond de ses poches d'où il sortit un petit flacon. Il prit une petite pilule blanche qu'il fit fondre sous sa langue. Ses lèvres étaient bleuâtres. Il se renversa sur son fauteuil.

— Mon cœur..., dit-il, reprenant quelques couleurs. C'est mon cœur.

Je vous l'ai dit, j'ai de l'angine de poitrine. Le moindre problème provoque une attaque. Le médecin m'a dit d'être prudent.

Hélène observait les efforts qu'il déployait pour recouvrer une respiration normale. Plus de colère, plus d'assurance. Il avait peur. Hélène, lucide, se demanda si c'était elle ou bien la mort qu'il redoutait. Peut-être les deux. Il fallait maintenant aller vite. Elle attendit la fin de son spasme et, lorsqu'il fut calmé, saisit l'enveloppe.

— Je suis venue pour vous remettre ceci. C'est une notification de saisie. Elle est entrée en vigueur depuis hier midi. Ce qui signifie...

— Je sais parfaitement ce que cela signifie, dit-il en haussant de nouveau le ton, et je la refuse. Vous pouvez l'emporter ou la déchirer. Faites-en ce que vous voudrez. Je vais immédiatement consulter mon avocat. Je ne suis pas encore battu. Vous ne croyez tout de même pas pouvoir m'écraser aussi facilement ?

— Inutile de consulter votre avocat, vous le savez très bien. Et que vous acceptiez ou non ne change rien.

— Je vais me battre contre vous, vous ne m'aurez pas comme ça.

— Trop tard. C'est fini.

Elle espérait éprouver un sentiment de triomphe. Rien.

— Vous avez bien préparé votre coup, n'est-ce pas ? fit-il, comprenant soudain sa démarche. C'est un complot. Pourquoi ? Vous voulez me le dire. Voulez-vous me dire comment une personne sensée peut délibérément agir ainsi ? Me détruire, anéantir tous mes biens, tout ce que j'ai passé une vie à construire ? Des années d'histoire. Des années de tradition. (Il s'interrompit pour reprendre le contrôle de lui-même.) Ne me dites pas que c'est à cause de votre mère, parce que je peux vous jurer, Hélène, sur la Bible, que si elle vous a raconté tout cela, ce ne sont que des mensonges. Écoutez-moi, je vous en supplie...

Hélène se leva. Il avait un ton à la fois rude et suppliant. Elle ne voulait plus l'écouter.

— Oui, j'ai tout prévu dans les moindres détails et, maintenant, c'est terminé. Inutile de continuer à mentir. Tout est fini.

Il sentit qu'il n'y avait plus rien à faire et changea de tactique.

— Vous commettez une erreur diabolique. Sans doute vos avocats ne vous ont-ils pas expliqué clairement la situation ? Peut-être n'avez-vous pas fait les comptes exacts ? D'accord, vous allez procéder à une saisie, mais une saisie de quoi ? De terres invendables. D'une maison dont personne ne voudra. Peut-être devriez-vous réfléchir davantage.

— Au sujet de l'argent ? Oh, j'y ai déjà pensé. Sur ce point, vous avez tort. Je peux vendre ces terres et pour un bon prix.

— Ah oui ? Vous pensez vraiment que je n'ai pas tout essayé ? Vous n'avez pas le plus infime espoir, aussi... (Il se pencha vers elle.) Pourquoi ne pas se montrer raisonnable ? Sur le plan strict des affaires. Si vous vouliez seulement m'écouter, Hélène...

— L'année prochaine, lui dit-elle en s'asseyant de nouveau. L'année prochaine, une usine va ouvrir ses portes de ce côté d'Orangeburg. Vous n'avez certainement pas dû en entendre parler, mais moi, oui. C'est une usine d'engrais chimiques, et le permis de construire vient d'être accordé. Elle emploiera environ deux cents personnes, peut-être plus, ce qui signifie qu'il faudra construire des maisons, et cette plantation est l'endroit idéal. Quand les sociétés d'exploitation locales, comme celle de Merv Peters, par exemple, l'apprendront, je trouverai aussitôt une société prête à me l'acheter à un bon prix. (Elle se renversa sur son fauteuil.) Voyez-vous, mes conseillers ont fait une enquête approfondie et discrète au niveau politique local. J'ai pu me rendre utile, d'ailleurs. Il y a un certain Dale Garrett, un des anciens adjoints du gouverneur Wallace. Vous le connaissez sûrement. Il s'est montré particulièrement coopérant. Il y a également...

Il avait écouté avec attention. Soudain, sans doute quand le nom de Dale Garrett fut mentionné, il perdit le contrôle de lui-même et rougit de colère.

— L'argent. Sale putain ! Tout ça pour de l'argent ! s'écria-t-il en donnant un coup de poing sur le bras du fauteuil. J'aurais dû m'en douter. Vous avez vu là l'occasion de faire fortune rapidement. Inutile de chercher une autre raison. Rien à voir avec votre idiote de mère. De l'argent...

— L'argent de la vente ne me reviendra pas, dit-elle d'une voix parfaitement calme qui ne fit qu'accroître sa fureur.

— Ah non ? Je le croirai quand je le verrai. Vous n'êtes pas du genre à jeter l'argent par les fenêtres. Il suffit de vous regarder. Vous en avez toujours voulu et vous ne vous arrêterez jamais. Oui, vous êtes sortie de l'ornière. Vous venez nous narguer avec votre fortune. J'imagine comment vous avez dû l'acquérir. Je vois très bien quel genre de femme vous êtes et ce que vous avez toujours été.

— La totalité sera versée à une œuvre de charité pour améliorer le sort des Noirs. Pour le développement des droits civiques. Vu l'histoire de cette plantation, il me semble que c'est particulièrement bien choisi. Le solde sera versé sous forme de legs...

— De legs ? Tout cela n'est que de l'épate venant de pauvres Blancs comme vous...

— Avec le solde, un élève de ce comté, qu'il soit blanc ou noir, se verra accorder une bourse pour poursuivre ses études. En mémoire de quelqu'un que j'ai beaucoup admiré. On lui donnera le nom de Bourse William Tanner. Je crois que cela aurait fait plaisir à Billy.

Voilà. Tout était dit. Ses mains tremblaient. Un silence absolu régna. L'espace d'un instant, tout se brouilla dans son esprit. Elle ne percevait que les rais de lumière et les grains de poussière qui dansaient devant ses yeux. Son œuvre accomplie, elle pouvait maintenant partir. Tout avait été parfaitement organisé, parfaitement exécuté. Elle n'avait nulle envie de savourer sa victoire, mais seulement de partir tant qu'elle avait la tête froide et n'éprouvait ni colère ni pitié, ce qui était pis encore. Elle saisit ses gants. À l'autre bout de la pièce, Ned Calvert se renversa sur son fauteuil d'un air goguenard.

— Une bourse William Tanner, bien, bien. (Il se leva et observa Hélène en souriant.) Ça sonne bien, ça sonne bien, fit-il en allant chercher la bouteille de whisky. Je vais boire en cet honneur.

Il se versa une bonne dose de whisky qu'il but d'un trait et retourna s'asseoir. Hélène sentait que la confiance lui revenait. Il retrouvait peu à peu son sang-froid. Elle se sentit légèrement mal à l'aise.

— Une bourse William Tanner, répéta-t-il en secouant la tête. En souvenir de quelqu'un que vous avez beaucoup admiré. Tout est parfaitement clair. Bien orchestré. Oui, vous l'avez beaucoup admiré. C'est un doux euphémisme, vous ne croyez pas ? Je dirais que vous êtes allée un peu plus loin. Billy Tanner n'était pas très futé, mais vous ne vous en êtes jamais aperçue. Pourtant, je vous avais prévenue...

— Je ne suis pas venue pour parler de Billy avec vous, mais pour vous donner quelques informations. Il n'y rien à discuter.

— Oh, attendez, mon petit. Je pense, au contraire, que nous avons bon nombre de choses à mettre au point. Je commence à y voir clair. Vous m'aviez un peu embrouillé en me parlant de votre mère, mais je comprends maintenant. Ce n'est pas pour votre mère que vous avez agi ainsi, mais pour Billy Tanner. Ce pauvre imbécile de Billy Tanner. Votre amour de jeunesse.

— Je m'en vais, fit Hélène, rouge de colère, en se levant.

— Non, attendez un instant, mon petit. Je veux que tout soit clair. Vous l'avez aimé, n'est-ce pas ? Oh oui ! vous deviez l'aimer pour aller avec lui jusqu'au ruisseau, vous déshabiller, vous allonger près de lui et l'exciter.

Hélène, qui était sur le point de partir, s'arrêta net. Elle se tourna lentement vers lui et le dévisagea. Il arborait un large sourire.

— Je vous observais, ma petite. J'ai tout vu. Vous ne le saviez pas. C'était émouvant en un sens. Vous étiez tous deux si jeunes, nus comme au jour de votre naissance, sous les peupliers. C'était beau. En vous regardant, je vous comparais à Adam et Ève au paradis.

— Vous êtes répugnant, voilà ce que vous êtes. Je ne vais pas vous écouter plus longtemps.

— Pourtant, vous devriez, ma petite.

Se penchant vers elle, il la fixa droit dans les yeux. Le sourire avait disparu. Une ferme détermination l'avait remplacé.

— Vous allez bien m'écouter. Je n'apprécie pas beaucoup le fait que vous veniez me reprocher de mentir, alors que vous-même ne proférez que des mensonges. Ne me racontez pas d'histoires au sujet de Billy Tanner. Ne me dites pas que vous étiez amis sans plus. Parce que je sais que ce n'est pas vrai. Vous envisagez de fonder cette bourse, mais ne vous leurrez pas. C'est un sentiment de culpabilité qui vous incite à le faire. Soyons clairs. Une femme aussi intelligente que vous doit s'en rendre compte. Après tout, Billy Tanner est mort à cause de vous.

Le silence se fit soudain dans la pièce. Hélène se dit qu'elle avait mal entendu, mal compris. Il avait retrouvé son large sourire et son assurance. Les cinq dernières années s'estompèrent d'un coup. Seuls le mépris, la répulsion qu'elle avait pour cet homme et pour tout ce qu'il représentait resurgirent brutalement. Elle décida de l'affronter et lui lança un regard glacial.

— Très bien. Vous voulez aborder le problème, eh bien, allons-y. Et ni l'un ni l'autre ne va mentir. Je sais pourquoi Billy est mort. Tout le monde est au courant à Orangeburg. Billy a été assassiné pour qu'il ne puisse témoigner au sujet de l'émeute. Son témoignage aurait entraîné l'arrestation d'un Blanc. Vous savez parfaitement que j'ai raison. Ici, ce genre d'événement est monnaie courante. Cela arrivait de mon temps et continue à se produire. Faut-il encore laisser faire ? Combien de personnes seront encore tuées à cause de gens comme vous ? Pour vous protéger, protéger vos intérêts, protéger tout ceci.

S'abandonnant à la colère, elle désigna les plantations de coton que l'on distinguait par la fenêtre. Elle essaya de reprendre son sang-froid.

— Je sais qui a tué Billy et pourquoi. C'était vous ou peut-être l'un de ceux qui vous accompagnaient dans la voiture ce jour-là. Peu importe celui qui a appuyé sur la détente, vous êtes tous responsables. Chacun d'entre vous.

— En effet, j'ai tué Tanner, dit-il d'un ton parfaitement calme, le sourire ayant disparu de ses lèvres. J'ai pris mon fusil et j'ai tiré. Mais non pas à cause des preuves qu'il pouvait apporter. Croyez-vous vraiment que je pouvais y attacher de l'importance ? Cela n'intéressait personne. Qui l'aurait écouté au tribunal ? N'importe quel Blanc d'Orangeburg serait venu témoigner à la barre que rien ne s'était passé comme Billy le décrivait. Oh non ! ma petite. C'est moi qui ai tué Tanner, c'est sûr. Mais je l'ai tué à cause de vous.

— Vous mentez, s'écria-t-elle d'une voix étouffée. Vous êtes atroce. Comment osez-vous mentir en pareilles circonstances ?

— Voyez-vous, ma petite, il y a du vrai dans ce que je dis et il y a du faux. Vous ne pourrez jamais établir la vérité, répondit-il en souriant de nouveau. L'ennui avec vous, c'est que vous voulez que tout soit simple, vrai ou faux, blanc ou noir. Mais la vie est différente. Songez un peu à tout cela, vous verrez que ce n'est pas faux. J'étais fou de vous, Hélène, et vous le savez. Cessez un instant de vouloir que tout soit tel que vous le souhaitez et regardez la vérité en face. Vous preniez plaisir à mes caresses. Vous aimiez m'exciter. Je ne vous en veux pas. Bon nombre de femmes aiment pousser un homme à bout pour le rendre vraiment jaloux au point de lui faire perdre la raison. Je vais tout vous avouer. Lorsque je vous ai vue, cachée derrière les arbres, vous donner à ce petit imbécile alors que vous vous refusiez à moi, quelque chose s'est produit en moi. Je n'ai pu supporter de voir une petite Blanche se donner à un négrophile comme ça. (Il l'observait tout en parlant. Devant la stupeur et les doutes qui se dessinaient sur le visage d'Hélène, il arbora un sourire satisfait.) Je dois vous dire que je suis resté un long moment. Jusqu'à ce que vous partiez. Mais suffisamment pour me rendre compte que tout ne se déroulait pas comme vous l'auriez souhaité. Billy-boy n'était pas à la hauteur. Vous avez pris conscience que Billy n'était pas celui que vous imaginiez. Je l'ai vu... aux portes du paradis, si je puis dire — je ne voudrais pas faire preuve d'indélicatesse avec une jeune femme comme vous —, ensuite il s'est mis à pleurer quand il s'est aperçu qu'il était incapable d'aller jusqu'au bout. Il a pleuré dans vos bras, comme un petit bébé. J'ai tout vu, ma petite. Ces souvenirs ne vous bouleversent pas, au moins ? Puis il s'est rhabillé, vous aussi. C'est là que je suis revenu ici chercher mon fusil.

Hélène était figée, glacée d'horreur. Il s'était interrompu. Cette voix affreusement suggestive s'était arrêtée. La pièce était plongée dans le silence. Elle eut l'impression de ne plus distinguer Ned Calvert. Hélène sentait la fraîcheur de l'eau sur sa peau, la douceur du soleil sur son corps, le sol sec et le poids du corps de Billy la prenant dans ses bras. Elle revit le voile d'anxiété dans son regard azuré et, loin au-dessus de sa tête, entre les peupliers, le bleu du ciel. L'instant privilégié.

« J'ai trop longtemps espéré ce moment », lui dit Billy.

Elle lui caressa les cheveux encore mouillés et hérissés.

« Ne pleure pas, Billy, je t'en prie. Cela ne change rien. La prochaine fois... »

Un oiseau s'agita dans les branches. Il n'y aurait pas de prochaine fois. Jamais.

Elle retint son souffle, fit un geste incohérent et porta les mains à ses oreilles, comme si elle refusait d'en entendre davantage. Mais le passé était là, et Ned Calvert avait raison. Elle avait menti, mais pas comme il le croyait.

— Je voulais que ce soit *différent*, fit-elle en se tournant vers lui, la voix tremblante d'émotion. (Elle avait retrouvé une petite voix aiguë d'enfant où se mêlaient simplicité et passion.) Vous ne pouvez guère comprendre. Tout cela est sans importance à vos yeux. Mais moi, je voulais une chose, une seule, et qu'elle soit simple et juste. Voilà pourquoi je suis allée à la rivière en compagnie de Billy, ce jour-là. Non pas parce que je l'aimais, je ne l'aimais pas et il le savait. Mais tout simplement parce qu'il avait de l'affection pour moi et moi pour lui. Je voulais lui offrir quelque chose de pur et de bon, qui ne fût pas empreint de haine et de mensonges comme tout ce qui est lié à cette ville. Quand il est mort, ce fut terrible pour moi. Je ne pouvais pas supporter que ce dernier souhait avant sa mort n'ait pu s'exaucer. (Elle s'interrompit pour essuyer quelques larmes.) Voilà ce qui m'a poussée à agir ainsi. Pour ma mère et pour Billy. Ils sont morts, et je n'ai rien d'autre à leur offrir. C'est exactement comme s'ils n'avaient jamais vécu. Tout le monde se moque de savoir pourquoi et comment ils sont morts. Rares sont ceux qui se souviendront d'eux. Morts. Effacés. Tout cela ne doit plus se reproduire. C'est trop affreux. C'est injuste et pourtant cela arrive tout le temps.

Elle se tut. Ned Calvert n'avait pas fait un geste. Elle avait oublié sa présence, son silence. L'expression de son visage avait changé. Plus de méchanceté, mais plutôt une compassion attristée.

— C'est donc à cela que vous songiez, ce jour-là ? Et ce que vous avez ressenti par la suite ? dit-il lentement en secouant la tête.

— Oui.

Elle eut brusquement honte de s'être laissée aller et marqua un temps d'hésitation. Elle n'aurait voulu pour rien au monde que Ned Calvert la découvre sous ce jour. Puis, en se tournant vers lui, elle s'aperçut qu'au fond peu lui importait ce qu'il pouvait penser. Elle lui avait avoué la vérité.

— Je sais que vous ne comprenez pas, fit-elle en soupirant. Vous vous en moquez. Maintenant, je peux partir.

— Je crois pouvoir comprendre, dit-il, apparemment surpris. Oui, je le crois. En partie, tout au moins.

Il se leva et se dirigea vers la fenêtre, le regard perdu dans le vague. Plissant le front, il leva la main et la laissa retomber.

— Ma maison. La maison de mon père.

Il se tourna lentement vers elle et, après un instant d'hésitation, lui dit d'une voix lasse :

— Je ne l'ai pas tué. Cela n'avait rien à voir avec vous. C'étaient des balivernes. Je vous ai vus ensemble, il est vrai. Puis je suis revenu ici. C'est tout. (Il passa devant elle presque sans la voir et alla se verser un peu de whisky.) Je n'étais pas au courant de ce qui était arrivé à votre mère. Ni de l'enfant, jusqu'à aujourd'hui. Violette ne disait jamais rien. Peut-être aurait-ce été différent autrement ? Je ne sais pas. Voyez-vous, je pensais ne pas pouvoir avoir d'enfant. (Hélène le regarda sans rien dire. Il avala une grande gorgée de whisky puis reposa le verre.) Rien n'aurait probablement changé si elle m'avait avoué la vérité. Sans doute n'aurais-je rien fait. Je n'étais pas assez courageux. J'avais peur de Mme Calvert, je suppose. C'est elle qui tenait les cordons de la bourse. Elle me surveillait de près, je n'avais pas vraiment le choix. Elle me tenait, moi aussi. C'est la raison pour laquelle... oui, j'ai abordé le problème avec vous une fois. Il me semble que je l'ai fait. Votre mère comprenait. Oui, Violette comprenait. Vous pensiez que je me vantais. C'est probable mais vrai. La vérité n'est jamais simple.

Il régna de nouveau le silence. Il parut soudain plus vieux, plus amer, plus las. Il semblait même avoir totalement oublié sa présence.

— Pourquoi me dites-vous tout cela, lui dit doucement Hélène.

— Pourquoi pas ? fit-il avec un sourire résigné. Une de vos paroles m'a atteint. Ou peut-être votre expression. Je ne sais pas. À qui d'autre pourrais-je le dire ? Je n'essaie pas de vous faire changer d'avis, si c'est ce que vous pensez. J'étais fou de vous autrefois, plus maintenant. Et, voyez-vous, bizarrement, j'éprouve une sorte de soulagement. Au diable les mensonges. Au diable même cette plantation. Jamais je n'aurais pensé prononcer de telles paroles, mais c'est ainsi que je le ressens. Vous avez un homme libre en face de vous, Hélène. Oui. Libre. (Il reprit son verre et le leva en portant un toast avec ironie.) C'est la première fois de ma vie que je me sens libre. À la liberté ! fit-il en souriant soudain. Partez maintenant, tant que vous êtes en position de force.

— Vous avez peut-être raison.

Elle lança un dernier coup d'œil vers l'enveloppe toujours posée sur la chaise, là où elle l'avait laissée, puis se dirigea vers la porte.

— J'ai gagné des médailles pendant la guerre. L'étoile d'argent. C'est curieux comme on peut être courageux en temps de guerre et lâche en temps de paix.

Il se parlait à lui-même, debout, le visage dans l'ombre et une partie du corps éclairée par un rai de lumière. Un bref instant, elle le revit tel qu'elle l'avait aperçu le jour où elle avait fait sa connaissance, à l'âge de cinq ans. Grand, vêtu d'un costume blanc, la main tendue vers elle.

— Au revoir, fit Hélène.

— Au revoir, Hélène Craig.

Il étouffa un petit rire. Quand elle sortit, il termina d'un trait son whisky.

Elle ne se rendit pas directement à l'aéroport. Elle s'arrêta sur la route d'Orangeburg, alla à pied jusqu'au parc à caravanes et y jeta un coup d'œil à travers les arbres. Elle resta un long moment, puis descendit à la rivière par la route que Billy lui avait montrée. La végétation était plus dense qu'alors. Les ronces déchirèrent ses bas et s'accrochèrent à ses vêtements. On y voyait à peine, mais elle aurait pu suivre le chemin les yeux fermés, comme elle l'avait si souvent fait dans ses rêves.

Son esprit en ébullition décortiquait le passé qui se déroulait en séries de photos ou s'arrêtait sur une seule image. Nulle n'était prise au hasard, toutes avaient un lien. Elle se revoyait avec Billy, puis avec Édouard dans la Loire. Le Dr Foxworth dans la salle de consultation de Harley Street, lui expliquant d'un ton agacé les problèmes de dates. Cat, qui ressemblait, trait pour trait, à Édouard, balançant les jambes dans la piscine hollywoodienne en chantant une chanson française. Lewis, debout dans sa chambre, perplexe puis soudain déterminé, lui demandant pourquoi elle avait menti.

Lorsqu'elle arriva près des peupliers, elle ôta ses chaussures et dévala la colline. Son regard se posa sur l'onde calme et sur une libellule qui tournoyait dans la douceur de l'air. Tout y était. Même l'une des dernières paroles de Billy qui lui revint en mémoire : « Pas de mensonges ».

Après un large virage, l'avion se prépara à atterrir à Los Angeles. Hélène regarda par le hublot. En contrebas, les lumières de la ville se dessinaient, mais elle ne distinguait que des voix et des images se formant et se reformant, se faisant et se défaisant, la géographie d'une ville, la géographie du passé.

Elle n'avait pas pris le temps de se changer pour revêtir une toilette plus anonyme, aussi fut-elle reconnue à la douane. Les gens aussitôt s'agglutinèrent autour d'elle en sortant stylos et bouts de papier. Elle distribua des autographes comme un automate, pressée d'en finir. Devant l'expression intriguée des gens, elle baissa les yeux et se rendit compte qu'elle avait signé *Hélène Craig*.

L'obscurité des collines contrastait avec les lumières étincelantes de l'autoroute. Elle s'arrêta devant les grilles de sa maison pour écouter les bruits de la nuit qui semblaient l'accueillir en s'infiltrant en elle.

Une légère brise d'une fraîcheur agréable soufflait des collines. Elle baissa la vitre pour la laisser caresser son visage, comme si l'air avait une réalité. Les branches d'un arbre retombaient sur les hautes murailles qui entouraient le jardin. Les buissons, près de la route, dessinaient des ombres, mais Hélène n'éprouvait aucune appréhension. Les grilles s'ouvrirent sur une allée plongée dans le silence. « Je rentre chez moi », se dit-elle avec un sentiment d'apaisement.

Il était tard. Tout le monde dormait dans la maison. Elle alluma toutes les pièces du bas, les unes après les autres. La lumière se répandit sur la terrasse et dans le jardin.

Sur son passage, elle effleurait chaque objet, comme si elle découvrait la maison pour la première fois. Chaque meuble, chaque objet reflétait la beauté, la perfection. Tout avait été choisi et arrangé avec goût. Les laques de Coromandel, les confortables divans recouverts de soie crème, les tapis avec un dégradé de guirlandes de fleurs, doux au regard, les chaises, les glaces en trumeau, les grands vases chinois remplis de bouquets de lys. Elle se rendait compte maintenant que tout cela avait été choisi et arrangé en fonction d'Édouard. Elle avait meublé cette pièce pour lui, pour un homme qui ne la verrait jamais, n'y viendrait jamais.

Elle s'assit sur une chaise et laissa errer son regard. Tout ce perfectionnisme n'était qu'un ersatz de bonheur. Le passé lui revint en mémoire. Les mensonges, chaque acte, chaque évasion, chaque contre-vérité. Une petite fille secrète, devenue une jeune femme tout aussi secrète, dupant les autres avec un tel art qu'elle en arrivait à se duper elle-même. Combien de personnes avait-elle blessées ainsi ? Édouard surtout. Mais aussi Lewis, Cat et elle-même. Billy et le monument de mensonges qu'elle avait érigé autour de sa mémoire. Il aurait certainement exécré cette attitude. Sa mère qui n'avait connu qu'illusions et leurres auxquels elle s'était accrochée durant toute son existence. Ces leurres semblaient dérisoires comparés aux siens. Comment avait-elle pu se leurrer sur l'identité du père de Cat ? Violette n'avait jamais menti avec autant d'obstination et de perversité.

Elle ferma les yeux, puis les rouvrit. La pièce, d'une paisible élégance, n'avait pas changé. Pourtant, elle était vide, dénuée de sens, telle une scène sans acteurs. Elle éprouvait une certaine distance vis-à-vis de tout cela, vis-à-vis de la femme qui en était la créatrice, un détachement bizarre, presque joyeux. Ironie de la vie : c'était Ned Calvert qui lui avait révélé cette identité perdue depuis longtemps.

Elle se leva et, laissant les lumières allumées, monta dans la chambre de Cat. À travers les volets baissés, la pleine lune dessinait des rais de lumière qui s'infiltraient et striaient le sol de bandes éclatantes.

Cat était profondément endormie, une petite main recroquevillée sur l'oreiller, la chevelure brune déployée, la respiration régulière. Hélène s'assit doucement au pied de son lit et contempla sa fille. Avec amour, elle suivit des yeux le contour de son visage qui était la réplique d'Édouard. Les traits n'avaient pas encore leur forme définitive, mais la ressemblance était frappante, même les yeux fermés. Cette similitude qu'elle s'était toujours refusée à reconnaître était maintenant une source de bonheur.

Il fallait l'avouer à Édouard. Il devait savoir. À cette pensée, elle sentit son cœur battre à tout rompre et en éprouva quelque appréhension qu'elle chassa aussitôt. Quelle que soit la réaction d'Édouard, ou son chagrin, il devait savoir la vérité.

Elle attendit d'être plus calme. Son regard se posa sur les étagères pleines de livres, les dessins accrochés au mur, la rangée de lapins blancs qui se profilaient dans la pénombre. Elle regarda de nouveau Cat, qui cligna légèrement des paupières. Hélène savait que cela signifiait qu'elle rêvait. Elle lui prit la main tendrement.

Soudain Cat s'éveilla.

— Tu es revenue, dit-elle en souriant.

Hélène se rapprocha d'elle, et Cat, s'enfonçant plus profondément sous les couvertures, se recroquevilla et se blottit contre sa mère.

— Je rêvais. C'était un beau rêve, mais je l'ai oublié, fit-elle en bâillant. Cela m'arrive parfois. Je rêve et puis je me réveille. Je suis heureuse que tu sois là.

— Veux-tu que je reste ? lui dit Hélène en se penchant vers elle.

— Hum, oui, répondit Cat en posant dans la sienne une petite main chaude. Raconte-moi une histoire.

— Très bien. Une histoire de quoi ?

— Parle-moi de toi. Quand tu étais petite...

Cat cligna de nouveau des yeux, puis les referma. Hélène soupira. Ces derniers temps, Cat lui faisait souvent cette requête, surtout depuis qu'elle avait pris conscience que sa mère aussi avait eu une enfance. C'est un sujet qu'Hélène avait toujours évité. Tout au plus avait-elle mentionné quelques événements sans importance. Plus maintenant.

— Très bien. Quand j'étais petite, je ne dormais pas dans une chambre aussi grande que celle-ci. Elle était minuscule et se trouvait dans une caravane. Tu sais, comme celles que tu as vues. Quelquefois, elles ont des lits superposés, mais celle-ci était comme une maison avec des lits. Deux lits. Un pour ma maman et un pour moi.

— Tu veux dire que c'est là que tu habitais ? Tout le temps ? fit Cat en ouvrant de grands yeux. Pas simplement pour les vacances ? Ce n'était pas du camping ?

— Non, nous habitions là en permanence. Ce n'était pas très grand. Deux petites pièces. Quelques marches donnaient dans la cour et il y avait une palissade blanche. À l'intérieur, tout était peint en jaune.

— Quelle chance ! J'aimerais vivre dans une caravane, dit Cat en se collant contre sa mère qui lui sourit.

— C'était une très vieille caravane, toute délabrée. Elle était située dans le Sud, dans un endroit appelé l'Alabama. L'été, il faisait très chaud, et dans la caravane il régnait une chaleur étouffante. Quand j'avais ton âge, ou peut-être un peu plus, le soir, de mon lit, je touchais les murs et ils étaient encore brûlants bien après que la nuit fut tombée.

— Tu n'avais pas l'air conditionné ? demanda Cat, surprise.

— Non.

— Est-ce que tu avais une piscine pour te baigner quand il faisait très chaud ?

— Non. Pas comme celle-ci. À vrai dire, nous n'en avions pas besoin. Lorsque j'avais envie d'aller me baigner, je descendais jusqu'à une petite crique et je nageais. J'avais un ami qui s'appelait Billy. C'est lui qui m'a appris à nager.

— Oh, raconte-moi tout. Parle-moi de Billy.

Hélène commença lentement puis de plus en plus vite. Au fur et à mesure, tout lui revenait dans les moindres détails, des incidents auxquels elle n'avait plus songé depuis des années. Ils étaient là, elle les touchait, les sentait. Chaque chaise était à sa place, la couleur des assiettes, des tasses, la voix de sa mère, Billy, les pieds nus, debout dans la cour, donnant un coup de pied dans un tas de poussière, lui souriant, la tête légèrement penchée, l'air plutôt intrigué, comme s'il se passait quelque chose en lui qu'il ne comprenait pas.

Elle lui parla longuement. Parfois, Cat lui posait des questions, mais, peu à peu, ses yeux se fermèrent, sa tête s'alourdit. Elle s'endormit d'un seul coup après avoir poussé un soupir comme font les enfants et les animaux. Hélène lui caressa les cheveux. Elle resta un long moment assise, éprouvant un profond soulagement mêlé d'un sentiment de satisfaction. Elle avait froid, mais n'y prêtait guère attention.

À 4 heures du matin, peut-être 5, la lumière qui s'infiltrait à travers les volets devint plus chatoyante. Les oiseaux se mirent à chanter. Avec une soudaineté terrifiante, un bruit fracassant se fit entendre. La maison et la pièce retombèrent dans le silence, puis une terrible clameur s'éleva.

Hélène tressaillit, le cœur battant. Elle avait l'impression que ce bruit si pénétrant était dans sa tête. Pleine d'appréhension et de confusion, il lui sembla que c'était elle qui avait déclenché l'alarme. Cette idée la glaça d'horreur, et elle bondit.

Cat, réveillée en sursaut, les yeux écarquillés, hurla de peur.

— Maman, qu'est-ce que c'est ? Qu'est-ce que c'est ?

Hélène lui prit la main.

— Ce n'est rien. C'est l'alarme. Quelqu'un a dû la déclencher, c'est tout.

— J'ai peur.

— Non, ma chérie. Rappelle-toi, ce n'est pas la première fois que cela se produit. C'est probablement un animal ou un oiseau. Attends...

Elle se dirigea vers la fenêtre et ouvrit les volets. Cat se blottit sous ses couvertures, le visage livide et effrayé. Hélène se boucha les oreilles et regarda dans le jardin.

Il n'était pas éclairé par la douce lueur de l'aube, mais par la froide et sinistre lumière, plus éclatante qu'à midi, des lampes halogènes qui illuminaient arbres et pelouses. Dans le jardin, pas le moindre mouvement perceptible. Nulle trace d'un intrus, innocent ou dangereux.

Hélène, submergée d'un horrible pressentiment, chercha du regard un indice. Elle scruta l'allée, du côté des grilles qui, de là, étaient imperceptibles. Soudain, les voix de Cassie et de Madeleine s'élevèrent.

— Maman, qu'est-ce que c'est ? Qu'est-ce que c'est ?

Hélène s'éloigna de la fenêtre.

— Je ne sais pas, répondit-elle en lui prenant la main. Je ne sais vraiment pas.

Au loin, sur les collines, les sirènes retentirent.

Quand elle entendit les sirènes, inconsciemment elle comprit. Elle sut la vérité immédiatement, confirmée par le commissaire qui lui téléphona un peu plus tard dans la matinée. Accompagnée de Cassie, protestant à ses côtés, elle se rendit à la morgue pour procéder à l'identification.

Une lumière blafarde. Un froid glacial. Un carrelage blanc. L'écoulement des vannes. Un mur où s'encastraient des tiroirs d'acier qui ressemblaient à des coffres-forts d'une taille plus grande.

Cassie jeta un coup d'œil et recula, saisissant le bras d'Hélène.

— Ne faites pas cela. C'est inutile. Qu'importe si c'est le même homme ? Lewis devrait s'occuper de cette affaire, pas vous. Vous devriez lui téléphoner...

— Moi aussi, j'ai aperçu cet homme. Je peux l'identifier.

— Mais pourquoi ? C'est un lieu sinistre.

— Je me sens poussée à le faire.

— Quel entêtement ! Vous ne changez pas. Bon, si vous tenez à y aller, je vous accompagne.

L'officier de police chargé de l'affaire attendait, un dossier à la main. Il donnait des signes d'impatience et ne semblait pas à son aise. Il ne prêtait guère attention à Cassie. En revanche, il avait les yeux rivés sur Hélène, se demandant s'il ne rêvait pas. À ses côtés se tenait un assistant vêtu d'une blouse blanche. Les deux hommes se regardèrent en voyant Cassie et Hélène avancer. L'officier de police ne tenait pas en place.

— On l'a trouvé mort dans sa cellule vers 9 heures. Étouffé par son vomi. Cela arrive souvent.

Comme si c'était son rôle, l'assistant s'avança. Le tiroir qui se trouvait devant eux glissa sans un bruit. Le corps était couvert d'une épaisse feuille de plastique. Une ficelle retenait une étiquette attachée au gros orteil comme à une valise.

— Les contusions sont dues à sa chute. Les murs qui entourent votre propriété font près de cinq mètres. Ce type devait être un peu fou. (L'officier de police s'approcha du drap.) Il était encore conscient quand on l'a amené ici. Il avait l'air doux comme un agneau. Les blessures sont superficielles malgré les apparences. Le chirurgien l'a examiné.

Il semblait ennuyé, comme si la mort de cet homme était une preuve de son manque d'efficacité. Après un instant d'hésitation, il souleva le drap.

— Mademoiselle Harte, madame, dit-il en se tournant aussi vers Cassie, reconnaissez-vous cet homme ? Est-ce le même ?

L'homme avait les yeux ouverts. Ils étaient d'un bleu diaphane et avaient une expression de vague étonnement, comme si la mort l'avait surpris. Grand, une lourde ossature, des cheveux cendrés, une fine moustache rousse. Elle hésita.

Cassie s'avança, l'examina, puis recula.

— Oui, c'est lui. Je l'ai vu de près. Je le reconnais.

— Mademoiselle Harte ?

Hélène avait les yeux fixés sur lui. Le torse nu, des poils roux. Une seule main visible, trop large comparée à la minceur de son poignet. Les doigts calleux. Elle se rappela le soir de la réception où, se promenant dans l'allée, elle avait eu le regard attiré vers les grilles. Elle avait ressenti alors un étrange sentiment de parenté. Hélène effleura le bras de cet homme, puis recula.

— Je ne suis pas sûre. Il faisait nuit quand je l'ai vu. Je ne peux le reconnaître avec certitude.

De nouveau, l'officier de police et son assistant échangèrent un regard. Le tiroir fut refermé. L'officier inscrivit une note sur son calepin.

— Madame, êtes-vous certaine que c'est lui ?

— Certaine, fit Cassie d'un air lugubre en s'éloignant aussitôt.

— C'est probablement lui, répliqua l'officier en haussant les épaules. Ce devait être le genre de type à faire une fixation et à ne plus en décrocher. Je suis désolé, mademoiselle Harte. Il ne vous dérangera plus. C'est toujours ça.

Il s'en alla, n'osant pas, vu les circonstances, demander un autographe à Hélène Harte au moment où ils sortaient de la morgue. Il se rendit compte soudain qu'elle ne le suivait pas. Il s'arrêta. Hélène avait les yeux fixés sur les numéros des cases.

— Savez-vous son nom ? lui demanda-t-elle brusquement de sa voix calme.

L'officier sursauta. Hésitant, il jeta un coup d'œil à son calepin. Hélène, figée, ne tourna pas la tête. Le temps qu'il mit à chercher lui parut interminable. Un froid glacial régnait dans la salle. Elle connaissait la réponse.

— Il avait un permis de conduire sur lui. Pas d'autres papiers d'identité. D'après le permis, c'est un certain Craig. Gary Craig. Le permis a été délivré dans le Sud.

Il parcourait ses notes d'un geste fébrile, comme si le silence et la quiétude d'Hélène le déroutaient.

— En Louisiane, fit-elle.

— Oui, en Louisiane.

Il trouva l'inscription sur son carnet et leva les yeux vers Hélène d'un air intrigué. Derrière lui, l'autre femme avait réagi. Elle avait réprimé un cri de stupéfaction et s'était retournée vers eux. Hélène Harte n'avait pas bronché, mais l'autre femme était devenue livide. Elle avançait, les bras tendus, telle une tigresse prête à défendre son petit.

— Hélène, ma chérie, remets-toi.

— Tout va bien, Cassie, ne t'inquiète pas.

— Que se passe-t-il ? demanda l'officier en les dévisageant l'une après l'autre. Ce nom vous dit quelque chose ? Vous le connaissiez ? Y a-t-il un indice qui pourrait m'éclairer ?

Hélène, de son regard gris-bleu, le fixa. L'autre femme semblait vouloir l'empêcher de parler, mais Hélène n'y prêtait guère attention. Elle lui avoua la vérité d'une voix parfaitement calme. L'officier, ébahi, se disait qu'il avait mal compris, mal entendu, qu'il devenait fou.

— Je ne l'ai jamais connu. C'était mon père.

Il régna un profond silence. La femme, qui se tenait à ses côtés, gémit doucement, comme si elle regrettait cette confession. L'assistant s'éclaircit la voix et s'éloigna. L'officier, qui s'était ressaisi, songea aussitôt aux retombées. « La presse. Nom de Dieu !

— C'est exactement le libellé que je veux. Non, ne changez rien. N'y ajoutez rien. Je me refuserai à faire tout autre commentaire.

La voix d'Hélène était empreinte de fermeté, mais aussi d'une certaine lassitude. Elle était en ligne avec son agent de presse, Bernie Alberg, qui ne prenait pas la nouvelle à la légère. Hélène s'était montrée précise et laconique. Elle tenait à la main un petit bout de papier sur lequel elle avait inscrit la déclaration qu'elle venait de lui dicter. Cassie, qu'elle avait priée de rester auprès d'elle pendant la conversation téléphonique, paraissait sceptique. La déclaration était sans équivoque, et Cassie ne trouvait pas cette démarche très prudente. Quant à Bernie Alberg, il pensait que c'était catastrophique. Cassie l'entendait rouspéter au téléphone. En temps normal, c'était un homme excité, mais là, il était au bord d'une crise d'apoplexie.

Hélène gardait l'appareil légèrement éloigné de son oreille, regardant Cassie avec un sourire résigné. Cassie faisait la grimace. Elle connaissait bien Hélène. Sa volonté était inébranlable. Inutile de la faire changer d'avis. Bernie le savait aussi. Ce n'était pas un imbécile. Mais il avait tout de même quelque espoir. À travers ses cris, quelques paroles devenaient compréhensibles.

— C'est un véritable désastre. Votre oscar est en jeu. Le jury va bientôt voter. Il ne faut pas que la presse s'en empare avant. Inutile de faire une déclaration maintenant. Écoutez-moi un instant. Qui est au courant ? Deux types ? Ce n'est pas un problème. Donnez-moi le nom de l'officier de police, voulez-vous ? Je vais m'en occuper sur-le-champ. Bon, ça coûtera ce que ça coûtera. Il se peut qu'il y ait des rumeurs. Nous les démentirons. Les rumeurs s'éteignent d'elles-mêmes. Pas les déclarations. Je viens vous voir. Oui, immédiatement.

— Non, Bernie, l'interrompit Hélène. Nous n'allons pas discuter. Il n'y a rien à dire. Ce sont les faits. Vous faites cette déclaration.

Des vociférations jaillirent à l'autre bout de la ligne.

— Bernie. Soit vous la faites, soit je choisis un autre agent de presse. C'est clair ?

Le silence se fit. Il y eut une autre tentative, cette fois d'une voix apaisée, mais Cassie ne comprit pas.

— Merci, Bernie, dit Hélène avant de raccrocher.

Elle se dirigea vers la fenêtre et laissa errer son regard dans le jardin. Le soleil faisait ressortir l'or pâle de sa chevelure et les traits réguliers de son visage ovale. Cassie était émerveillée par son calme. Parfois, elle se demandait à quel prix elle était parvenue à une telle maîtrise et ce qui pourrait l'ébranler.

— Il a accepté ?

— Naturellement, dit Hélène sans même se retourner.

Cassie prit ce ton bourru qui lui était si familier lorsqu'elle voulait cacher ses sentiments.

— Vous êtes certaine de faire ce qui convient ?

— Oh oui !

— Tout de même..., fit Cassie d'un ton hésitant.

Elle était fière du succès d'Hélène et gardait dans un album tous les articles qui paraissaient sur elle. Dans ses interviews, Hélène ne faisait jamais la moindre allusion à son passé, et les journalistes, devant ce mur du silence, sans doute encouragés par Bernie Alberg, avaient brodé et inventé tout un passé qui n'avait aucun rapport avec la réalité.

— Les gens ne vous voient pas telle que vous êtes, un point c'est tout. Vrai ou faux, peu importe, c'est ce qu'ils pensent. Ils ont construit une image dans leur esprit, et Gary Craig est une tache dans cette histoire, mon petit. Un père comme lui. Un clochard. Un ivrogne. Peut-être...

— C'était mon père, Cassie.

— Mais c'est quand même une tache. Et on ne peut pas dire qu'il ait été un père pour vous. Vous ne l'avez jamais connu. Qu'a-t-il fait pour vous ? S'est-il occupé une seule fois de sa fille ? Quelle idée de venir traîner autour des grilles ? Il devait être fou...

— Peut-être me cherchait-il ?

— Pendant vingt ans, il ne s'est pas fatigué à chercher. Et, si c'était le cas, pourquoi ne s'est-il pas présenté directement comme l'aurait fait tout homme normal ? Il attendait surtout le moment opportun. Il a dû commencer par Orangeburg, remonter à vous par mon intermédiaire, j'en suis sûre. Sans doute allait-il vous tirer quelques dollars ou, pire, vous faire chanter. Qui sait ? Il aurait pu être dangereux.

— Je ne pense pas. Je crois qu'il voulait simplement regarder. C'était un alcoolique, un malade. Peut-être ne savait-il même pas pourquoi il agissait ainsi.

— Enfin, il est mort. Il n'a jamais rien fait pour vous, alors pourquoi aller clamer au monde qu'un tel homme était votre père ?

— Oh, Cassie, tout simplement parce que c'est la vérité.

— Et alors ? Arrangez-la. Pourquoi pas ? Qui ne le fait pas à l'heure actuelle ?

— Non, je suis lasse des mensonges, dit Hélène en lui souriant affectueusement. J'en ai assez de ne pas être moi-même.

Cassie percevait sa sincérité sur son visage, à sa voix. Elle se radoucit et secoua la tête.

— Évidemment, si vous le prenez comme ça. Je voulais simplement vous épargner une épreuve, c'est tout.

— La vérité ne devrait jamais blesser.

— Ne devrait pas, peut-être, fit Cassie, mais j'ai vu des vérités provoquer bien des drames, alors qu'un petit mensonge aurait tout arrangé. Bon, inutile de discuter. Vous allez vous rendre à ses obsèques ?

Elle connaissait la réponse. Hélène acquiesça.

— Alors, vous n'irez pas seule, fit Cassie, se redressant. Il faut bien que je vous accompagne, non ?

— J'aimerais beaucoup, Cassie.

— Eh bien, j'y serai.

Elles échangèrent un sourire. Après une seconde d'hésitation, Cassie, pensive, se dirigea vers la porte. Arrivée sur le seuil, elle se retourna.

— Je mettrai ma plus belle robe noire, dit-elle d'un air décidé. Violette aurait été contente. Elle m'a aidée à la choisir, il y a bien longtemps, et a raccourci l'ourlet. Oui, je vais mettre cette robe. Elle convient parfaitement.

Elle referma la porte, le visage un peu plus joyeux. Hélène sourit, puis, l'air pensif, regarda par la fenêtre. Cat jouait dans le jardin avec une série de poupées qui, exceptionnellement, avaient sa faveur. Elles formaient un groupe attablé devant de minuscules tasses à thé en porcelaine. Un goûter d'anniversaire, peut-être. Dans quelques mois, Cat fêterait le sien.

Cat, était très absorbée par sa tâche. Madeleine la prenait en photo. Elle aussi semblait prendre un soin particulier à ne pas rater ses photos. Ni l'une ni l'autre ne leva la tête.

Quelques instants plus tard, Hélène, se détournant de la fenêtre, posa son regard sur le téléphone. Après les obsèques, se dit-elle, sans le prendre.

L'enterrement de Gary Craig eut lieu quatre jours plus tard à Forest Lawn. La cérémonie fut brève. Cassie et Hélène, vêtues de noir, suivaient seules le cortège funèbre. Il faisait un temps superbe, le ciel était d'un bleu éclatant. Cassie se sentit soulagée en sortant du cimetière. Gary Craig avait été porté en terre, et finalement Hélène avait eu raison d'insister pour rendre un dernier hommage à son père. Il avait eu des obsèques décentes, c'était important. Grâce à Dieu, rien ne s'était propagé. Ni rumeurs ni enquête. Il était donc inutile de faire une déclaration. Peut-être Bernie avait-il demandé l'aide de la police pour que l'affaire ne s'ébruite pas, malgré les instructions d'Hélène. C'était possible, mais, vrai ou faux, la presse ne s'en était pas emparée. Cassie ne voulait pas perdre son temps avec ces mufles, ces vautours de journalistes.

Elles retournèrent, côte à côte, vers la longue limousine noire où Hicks, le chauffeur, les attendait. Cassie contempla les arbres et les pelouses. Cet endroit, serein et propret, lui plaisait. Hélène, les yeux baissés, ne disait mot. Cassie songeait, de façon peu charitable, que, si la vie de Gary Craig avait été un échec, sa mort, au moins, était une réussite. Elles ne prêtèrent pas attention à l'homme qui se trouvait devant la limousine jusqu'au moment où elles furent à sa hauteur. Là, il s'avança vers elles.

— Mademoiselle Harte ?

Hélène leva la tête et fut aussitôt prise en photo. À cet instant précis, Cassie se rendit compte qu'il avait un appareil. Hélène s'immobilisa et lui lança un regard glacial. Hicks maintenait la portière de la voiture ouverte. Hélène s'y engouffra aussitôt.

Hicks et Cassie échangèrent un regard. Hicks, un homme un peu rustre d'environ un mètre quatre-vingts, travaillait pour Hélène depuis trois ans et lui était totalement dévoué. Il se pencha vers elle.

— Voulez-vous que je lui prenne son appareil, mademoiselle Harte ?

Le photographe reculait déjà.

— Je ne suis qu'un fan, s'écria-t-il fébrilement. Je voulais simplement une photo.

— Vous êtes parfaitement indécent, s'écria Cassie.

Hicks s'avança vers lui, mais Hélène l'arrêta net.

— Laissez tomber, ce n'est pas important.

« Non, ce n'était plus important », se dit Hélène un peu plus tard dans la journée. Après le dîner, elle était montée dans la chambre de Cat, qui dormait. Que cet homme soit un fan ou un photographe lui importait peu. Plus jamais elle ne mentirait ou ne prétendrait être ce qu'elle n'était pas. Gary Craig était son père. Elle n'avait fait que son devoir. Ce qui restait à faire avait beaucoup plus d'importance et était bien plus dur à réaliser.

Elle s'assit à son bureau, le regard tourné vers le téléphone. Malgré son désir ardent d'entendre la voix d'Édouard, elle décida de ne pas l'appeler. Peut-être ne serait-il pas là. Peut-être refuserait-il de lui parler ou de la revoir. Avait-il réellement prononcé son nom, le soir où elle l'avait appelé du Plaza ? Avait-elle réellement entendu la sonnerie de son téléphone trois fois, le soir où Lewis l'avait frappée, le soir où elle avait pris conscience de l'échec de son mariage ? Elle en doutait. N'était-ce pas le fruit de son imagination ?

Non, elle préférait écrire. Elle sortit son papier à lettres, saisit son stylo. Par où commencer ? Ce n'était qu'une lettre à un étranger, après tout. Un homme qui, en cinq ans, alors qu'il avait dû entendre parler d'elle, n'avait jamais essayé de la revoir. Hélène faillit renoncer. Une image surgit dans son esprit, celle d'Édouard de Chavigny dont la photo paraissait souvent dans les journaux. Froid, suffisant, il accordait de brèves interviews laconiques et, de toute évidence, ne supportait pas de gaieté de cœur les imbéciles. Il serait certainement furieux de recevoir, au bout de cinq ans, une lettre de son ex-maîtresse l'informant qu'il était le père de son enfant. S'il répondait, ce serait sans doute par l'intermédiaire d'avocats l'avisant qu'une telle requête l'exposait à des poursuites judiciaires.

Pourtant, celui qu'elle avait connu était différent. Les deux images, publique et privée, se superposaient dans son esprit. Peu à peu, l'image publique, celle des journaux, s'estompa. Elle ne songea plus à sa réputation mais à l'homme qu'elle avait aimé. Comme elle avait eu entière confiance en lui, la lettre fut facile à écrire.

Elle écrivit pendant une heure et expédia sa lettre elle-même le lendemain. En revenant chez elle, vers midi, elle se sentit différente. Il lui fallut un certain temps avant de se rendre compte de la nature de ce changement. C'était le bonheur. Elle ne l'avait pas connu depuis si longtemps qu'elle avait oublié qu'il pût exister.

HÉLÈNE ET ÉDOUARD

Los Angeles et Paris, 1965

Le premier avertissement s'était produit à la fin du mois de février, mais Hélène ne le perçut pas comme tel. Elle l'interpréta comme une grossièreté incompréhensible. Elle reçut, un jour, un coup de téléphone de la femme d'un directeur de studio. Mary Lee était la caricature parfaite de l'esprit de caste qui régnait dans cet univers. Toute son énergie était vouée à une cause : la promotion de son mari et, par voie de conséquence, d'elle-même. Une alpiniste mondaine qui, à peine une montagne franchie, s'attaquait à une autre. Mary Lee était toujours bronzée, toujours mince, toujours courtoise. Elle rendait sa voix de crécelle parfaitement harmonieuse. Depuis un an, elle harcelait Hélène et avait redoublé d'efforts quand Hélène avait remporté le prix de la meilleure actrice. Hélène, lasse de cette insistance, avait finalement accepté une invitation à l'une de ses réceptions. Or, à la fin du mois de février, Mary Lee lui téléphona pour l'annuler.

— Hélène ? Ici Mary Lee. Je suis si ennuyée que j'ose à peine vous appeler. Oui, notre petit dîner de la semaine prochaine... Oh, c'est terrible, Hélène, tout était organisé, mais il me faut le repousser. Joe Stein devait venir ainsi que Rebecca Stein. Ils sont adorables... mais, voyez-vous, je ne veux pas prendre de risque. Jack a contracté cet affreux virus. Non, ce n'est pas exactement la grippe, mais il a de la fièvre et la gorge en feu au point qu'il peut à peine parler. Les médecins ont été formels. Ils ont préconisé un repos absolu. Ils disent qu'il ne doit strictement rien faire pendant au moins une semaine. Pas de travail et encore moins de dîners. Vous rendez-vous compte ? Je vous préviens à la dernière minute, et j'en suis navrée, mais...

Hélène lui répondit qu'elle comprenait parfaitement et espérait que Jack se remettrait bien vite, puis elle raccrocha, soulagée car elle n'avait aucune envie d'y aller.

Depuis son retour d'Alabama, elle s'était efforcée de reprendre une vie mondaine en présidant des œuvres de charité, en se rendant à des dîners, des réceptions, tout cela pour ne pas penser au fait qu'elle avait écrit à Édouard trois semaines auparavant et n'avait toujours pas reçu de réponse.

Elle oublia l'annulation, mais, deux jours plus tard, alors qu'elle déjeunait en compagnie de Gregory Gertz pour discuter de *Longue Séparation*, elle aperçut le mari de Mary Lee à l'autre extrémité de la salle, apparemment en parfaite santé. Ce fait l'intrigua. Quelle ne fut pas sa surprise lorsque, quelques jours plus tard, elle apprit par Rebecca Stein que le dîner chez Mary Lee avait bel et bien eu lieu.

— Nous avons su que vous aviez eu un empêchement de dernière minute, Hélène, lui dit Rebecca. Quel dommage ! J'étais si heureuse à l'idée de vous revoir.

Hélène, perplexe, ne dit rien, mais n'en pensa pas moins. Heureusement, ses nombreuses occupations lui firent vite oublier toutes les Mary Lee. Ses agents la submergeaient de scénarios, de projets, bien qu'aucun ne lui plût vraiment. Elle avait des rendez-vous fréquents avec Gregory Gertz et la vedette montante, Randall Holt, qui devait jouer le rôle du mari dans *Longue Séparation*. Il lui fallait assister à des réunions pour le scénario, faire des essayages, des tests de maquillage, évoluer dans le tourbillon des dîners, des réceptions, des réunions de comité. Quant à Bernie Alberg, pavoisant devant le prix remporté par Hélène et le succès phénoménal d'*Ellis*, il ne lui laissait pas une minute de répit, ajoutant une interview ou un passage à la télévision chaque fois qu'il restait un blanc sur son agenda.

Hélène se sentait loin de cet univers et n'y prenait aucun plaisir. Elle aurait préféré connaître la quiétude de la fin de l'année précédente et passer plus de temps avec Cat. Mais cet excès d'occupations lui avait servi dans le passé et lui servait encore. Il était facile d'inventer mille explications au silence d'Édouard et d'y croire si elle n'avait pas le temps de s'y appesantir, si elle passait d'une activité à l'autre, si elle se réfugiait derrière son masque d'actrice et sa célébrité. Le rôle d'Hélène Harte était une protection, un bouclier entre elle et les autres, mais aussi entre elle et son anxiété grandissante. Lorsqu'elle se retrouvait seule et s'accordait le temps de réfléchir, la réalité s'imposait froidement à elle : « Il n'avait pas écrit et n'allait pas répondre. »

Résignée, elle laissa le jovial Bernie Alberg ajouter à son programme déjà chargé une séance de photos à *Vogue*, un documentaire sur son travail avec Angelini à la BBC, une couverture du magazine *Time*. Même *Time* ne fit pas la moindre allusion à son père, ce qui comblait Bernie de joie. Cette histoire était enterrée, à coup sûr.

Hélène lut l'article de *Time* sur son travail d'artiste. Elle était pressentie pour l'oscar. La photo de couverture portait en gros titre : HÉLÈNE HARTE, SYMBOLE DU RÊVE AMÉRICAIN. Ce cliché l'insupportait. Depuis *Ellis*, il apparaissait sans cesse pour la qualifier. Lise peut-être, et encore, mais elle ? En regardant sa photo, elle eut l'impression de contempler une étrangère.

L'article de *Time* parut la première semaine de mars, avant la remise des oscars. Vers la fin de la semaine, elle reçut un deuxième avertissement et, là encore, ne le perçut pas comme tel. Un autre coup de téléphone, cette fois de l'épouse d'un directeur de journal influent, qui faisait autorité dans la haute société de Los Angeles. Quelques semaines auparavant, elle avait persuadé Hélène de présider sa prestigieuse œuvre de charité. Contrairement à Mary Lee, elle alla droit au but.

— Ma chère, dit-elle d'un ton grave, je vais vous demander de ne pas assister à la réunion de mon comité. De l'avis général, c'est plus sage, n'est-ce pas ? (Hélène fut déconcertée.) Voyez-vous, ma chère, poursuivit-elle sèchement, nous essayons de nous procurer des fonds pour les malades et les personnes âgées. Aussi... si vous pouviez demander à votre secrétaire de nous adresser une brève missive, expliquant que, vu votre programme très chargé, vous ne pouvez pas consacrer autant de temps que vous le souhaiteriez...

— Pourquoi le ferais-je ? Ce n'est pas le cas.

— C'est possible, ma chère. Vous nous avez accordé beaucoup de temps, et nous vous en sommes très reconnaissantes, mais je crois que ce serait préférable. Si vous pouviez me la faire parvenir demain, avant notre prochaine réunion...

Elle raccrocha avant qu'Hélène eût pu répondre. Furieuse, Hélène écrivit un mot glacial disant qu'elle démissionnait du comité sur les instances de la présidente. Elle reçut un accusé de réception d'une ligne.

Le troisième avertissement arriva plus tard, le même jour. Cette fois, c'était clair. Gregory Gertz lui téléphona dans la soirée. Il semblait bizarre et sur ses gardes. Il l'informa, sans préambule, que des difficultés techniques dans la production le contraignaient à repousser le tournage de *Longue Séparation*. Ce n'était donc plus le 2 avril, comme prévu, mais peut-être deux ou trois semaines plus tard. La société Artists International en informerait Milton le lendemain à la première heure. Il espérait que ce contretemps ne perturbait pas trop ses projets.

— Greg, je ne comprends pas. Hier vous m'avez dit...

— Hélène, je suis désolée, je suis pressé. Un avion m'attend. J'essaierai de vous téléphoner demain.

C'est là qu'Hélène comprit qu'il se passait quelque chose de bizarre qu'on lui cachait. Pas seulement à cause des ajournements, c'était assez courant, même à une date si proche du tournage, mais à cause du comportement de Gregory Gertz. Ce ton de voix, mélange de peur refoulée et de désir dissimulé, lui était familier.

Tout cela semblait très sérieux. Le lendemain matin, à 8 heures, Bernie Alberg l'appela.

— J'arrive, lui dit-il.

C'est là qu'elle sut.

Il posa la dernière édition du journal sur la table devant elle. Elle venait de sortir des presses et était encore toute collante. Sa jovialité habituelle avait disparu. Il faisait grise mine et avait l'air épuisé, comme s'il venait de passer une nuit blanche. Il avait perdu toute gaieté, tout entrain et était complètement abattu.

— Mon Dieu, Hélène, je suis affreusement désolé. Ces salauds. Ils ont bien calculé leur coup. Je n'ai rien subodoré. Ils devaient préparer ça depuis des semaines. Qui a bien pu les renseigner ? Peut-être les flics ? Ou ce type à la morgue ? Impossible de monter une telle cabale en un jour. Maintenant, je me rends compte que des gens étaient au courant, des rumeurs circulaient. Et je m'en veux. Si je m'en veux ? J'ai envie de me flinguer, oui. Dire que j'ai toujours cru que rien ne m'échappait. Hélène, je sais qu'il n'est que 8 heures et demie, mais pourriez-vous me donner un scotch ?

Il se servit, les mains tremblantes. Hélène s'assit et regarda les photos une par une avant de lire l'article : quatre pages avec une suite prévue pour le numéro suivant.

En première page il y avait une photo de sa maison prise d'avion avec pour légende : *Une fortune : la demeure de deux millions de dollars d'Hélène Harte à Beverley Hills. Soirées orgiaques. Autrefois, la résidence de la légendaire Ingrid Nilsson.*

À côté, se trouvait la photo d'une pièce immonde, sans doute dans un hôtel borgne, avec Gary Craig jeune et l'inscription : *La misère : voici la chambre où la vedette a condamné son père à mourir.*

Sur la page suivante était apposée la photo d'une affreuse ferme de pauvre Blanc. Devant une épave de voiture, des poulets picoraient dans la poussière. Un homme de haute stature, nu jusqu'à la taille, une canette de bière à la main, fixait l'appareil. Près de lui, le visage strié de boue, se tenait un petit enfant blond. Hélène n'avait jamais vu cette photo qui, sans doute, avait été prise en Louisiane. L'homme devait être Gary Craig et l'enfant elle-même, d'après la légende : *Hélène Harte, le cauchemar derrière le visage du rêve américain.*

La pauvreté était-elle le symbole du cauchemar américain et la richesse celui du rêve américain ? Elle regarda le titre d'un air distant et tourna la page. Il s'y trouvait une autre photo d'elle à une réception. Elle se rappelait quand elle avait été prise. Au milieu d'une bousculade, le photographe avait souri et leur avait demandé en plaisantant à tous les trois de se rapprocher, elle, Lloyd Baker et Thad. Lloyd Baker lui avait passé le bras autour de la taille, et Hélène lui avait souri. Au-dessus était inscrit en gros caractères : LE TRIO D'AMOUR DES SUPERSTARS QUE LA VEDETTE NOUS CACHAIT. Plus bas, une petite photo montrait Lloyd Baker et Katie Baker avec, en légende : *Le nid d'amour de Lloyd Baker : sa femme fait des révélations.*

Atterrée, elle garda le silence un long moment. Bernie Alberg, dérouté par son calme, montrait quelques signes d'énervement. Il se leva et s'approcha d'elle.

— Hélène, ils ne vont pas s'arrêter là. Le *National Enquirer* a déjà pris l'affaire en main. Ils m'ont appelé chez moi hier soir. À midi, tous les kiosques à journaux en seront remplis. L'histoire va se répandre comme une traînée de poudre et pas seulement ici, mais partout. En Europe notamment, vous connaissez la réputation de certains journaux. Ils sont pires que les nôtres. Ils risquent de monter une coalition à l'échelle mondiale. Vous voyez bien qu'ils prévoient même une suite pour la semaine prochaine. Bon, il nous faut réagir et vite. Je veux que vous téléphoniez à vos avocats sur-le-champ. Vous allez leur parler, et moi aussi. Je veux qu'ils mettent le paquet et qu'ils fassent payer le maximum aux auteurs de ce torchon. Nous allons les poursuivre en justice et leur arracher les yeux. Mais il faut agir avec célérité. C'est impératif. On ne peut les laisser influencer le jury pour la remise des oscars. Nous devons... Hélène ?

Il s'arrêta et posa sur elle un regard attentif. Sa vivacité d'esprit et son caractère vindicatif s'estompèrent de nouveau.

— Pour l'amour du ciel, Hélène, vous n'allez pas faire la déclaration prévue. C'est impossible. Dites-moi que non.

Hélène restait impassible, un peu pâle peut-être, mais, par ailleurs, absolument pas perturbée. Elle avait les yeux fixés sur le journal. « Sans doute est-elle sous le choc », se dit Bernie.

— Écoutez-moi, dit-il d'un ton plus doux. N'agissons pas précipitamment, d'accord ? Je vais vous chercher à boire. Vous avez besoin d'un verre de cognac.

— Non, merci, c'est inutile, dit-elle en se tournant vers lui. Bernie, vous savez très bien que tout n'est pas faux.

— Tout ! Tout ! s'écria-t-il, ayant visiblement du mal à garder son sang-froid. Hélène, une infime partie est exacte, le reste n'est qu'un tissu de mensonges. Voilà. Un tissu de mensonges.

— Pas vraiment. Je ne pense pas que la photo soit truquée. J'ai effectivement vécu en Louisiane dans mon enfance. Et l'endroit où j'ai habité n'était guère mieux. Je suppose que c'est de cela qu'ils vont parler la semaine prochaine. Un parc à caravanes en Alabama. Il existe toujours. Ils peuvent aussi prendre des photos. Des gens se souviennent sans doute encore de moi. Ils peuvent les interviewer.

— Un parc à caravanes ? Doux Jésus !

— Eh oui ! Tout le reste n'est que mensonges. Ma mère a quitté mon père quand j'avais deux ans. J'ai vécu aupres d'elle jusqu'à sa mort. Je n'ai jamais revu mon père et ne savais même pas qu'il était encore en vie, jusqu'à cet acccident, jusqu'à ce que j'aille identifier le corps.

Il régna un lourd silence. Bernie se servit un autre verre, simplement pour se délier l'esprit car il ne savait plus où il en était.

— Bon, d'accord, fit-il en plissant le front. Nous allons faire une déclaration, en l'amplifiant. Il nous faudrait peut-être en rajouter un peu, dire par exemple que vous avez fait des recherches, il y a quelques années. C'était un excentrique. Vous lui aviez pardonné et auriez voulu l'aider, mais il vous a été impossible de retrouver sa trace. Tout cela pourrait marcher. Est-ce qu'il battait votre mère ? Voilà ce qu'il faut exploiter. Nous allons jouer sur la corde sensible.

— Ce n'est pas du tout ce que nous avons laissé entendre auparavant, Bernie.

— C'est moi qui ai parlé. Les journalistes ont brodé, mais vous, vous n'avez jamais fait la moindre déclaration.

— Je n'ai pas nié. J'aurais pu le faire, dit-elle en se levant. Bernie, ils ne vont pas marcher et, personnellement, je ne le souhaite pas. Je ne veux plus raconter de mensonges. Faites la déclaration prévue et attendons.

— Mais c'est une manière de cautionner ces racontars et tout le reste. Vous l'avez abandonné, vous n'avez pas donné un sou à votre pauvre père mourant. Ce type est mort devant votre porte, Hélène. Personne ne va croire que vous ne le connaissiez pas. Quant à vos prétendus amants, mon Dieu ! Pas le moindre scandale en cinq ans, et maintenant voilà ce qui nous tombe dessus. Comment se justifier ?

Hélène se tourna vers lui. Malgré son anxiété, Bernie fut impressionné.

— Tout cela est si méprisable que ça ne mérite pas la moindre justification. Et je n'ai nullement l'intention de le faire.

— Hélène, écoutez-moi, pour l'amour de Dieu. Ça ne va pas marcher. Pensez aux oscars.

— Non, Bernie.

Hélène lui décocha un regard fulgurant. Ce qu'il avait pris pour un état de choc était en fait de la colère.

— Non, poursuivit-elle. Ceux qui croiront ces balivernes, qui y prêteront le moindre crédit, ne m'intéressent pas. Je crois que tout est dit.

Bernie hésita.

— Voyez-vous, Hélène, je ne crois pas que nous soyons au bout de nos peines. Ce genre d'affaire, une fois lancée, vous poursuit toute une vie.

Il avait évidemment raison. Après un jour d'accalmie, ce fut une avalanche. Les invitations furent annulées, parfois sans excuse ni prétexte. Plus d'appels téléphoniques. Les photographes campaient devant l'entrée de sa maison et la suivaient partout. Les auteurs importuns qui l'avaient suppliée de lire leur scénario lui demandaient maintenant de le leur renvoyer. Les producteurs sans renom, tout comme les metteurs en scène en vogue qui pensaient se lancer grâce à Hélène Harte et la harcelaient depuis des années, la transperçaient du regard lorsque le hasard voulait qu'ils se trouvent assis à côté d'elle dans un restaurant. Les séances de photos pour des magazines étaient repoussées indéfiniment. Quant aux lettres...

Hélène éprouvait un tel dégoût pour ces gens qui osaient se comporter de la sorte qu'elle parvenait à oublier leur mesquinerie, mais, avec les lettres, c'était impossible. Elle en avait certes reçu de semblables dans le passé. Quel acteur ou actrice de Hollywood n'en avait pas reçu ? Mais ces lettres dépassaient tout ce qu'on pouvait imaginer, et le pire, c'était leur nombre impressionnant. Au début, elle n'en recevait qu'une dizaine par jour. Quand Hélène et sa secrétaire surent à quoi s'en tenir, elles les brûlèrent au fur et à mesure sans les lire. Mais il n'était pas facile de faire le tri, certains les présentant de telle façon qu'il était difficile de les distinguer du courrier ordinaire ou d'une lettre d'admirateur jusqu'à ce qu'elles fussent ouvertes et lues en partie. Dans une enveloppe impeccable, elles étaient soigneusement rédigées et parfois tapées à la machine.

La suite parut, comme promis, dans le même journal. Tout y était : le parc à caravanes, sa mère, surnommée la « putain » du village, Hélène, qui suivait ses traces dès l'âge de quinze ans. Il y avait ceux qui se rappelaient qu'elle était le sujet de conversation dans les vestiaires de l'école, Priscilla-Anne, trop heureuse de raconter son histoire. Et puis une version horriblement tronquée de sa relation avec Billy et Ned Calvert. Mais lui, de toute évidence, avait gardé le silence.

Le *National Enquirer* fit également paraître des articles. Des magazines en France, en Italie, en Angleterre s'emparèrent de l'affaire. Les conséquences furent immédiates. Hélène fut submergée de lettres d'insultes.

Certaines lettres contenaient des photos d'elle déchirées, griffonnées d'insanités ou barbouillées de dessins obscènes, des photos pornographiques sur lesquelles sa propre photo avait été surimprimée. Des lettres de toutes sortes, écrites par des illettrés, sur du papier quadrillé, ou bien d'une écriture soignée et à la syntaxe parfaite. Des lettres qui décrivaient les actes auxquels elle s'était prêtée avec leurs auteurs anonymes qui exprimaient sans doute leurs fantasmes. Des lettres qui l'accusaient d'avoir volé des maris, des amants, qui lui disaient qu'elle serait moins nocive une fois morte. Certains prétendaient vouloir la tuer, elle ou des membres de sa famille, utilisaient une phraséologie biblique pour la traiter de Jézabel ou de prostituée de Babylone. Des hommes allaient jusqu'à croire qu'elle leur adressait des messages dans un code secret lubrique.

Hélène recevait également des présents. Un paquet, soigneusement présenté, de matières fécales, un petit coffret contenant des poils de pubis et, un jour, un petit paquet adressé à Cat qu'on parvint à lui ôter juste à temps et qui contenait vingt contraceptifs utilisés, enveloppés dans du papier cadeau.

Ce fut la seule fois où Hélène s'effondra en pleurant. Il lui était difficile de croire qu'une telle haine pût exister en ce bas monde.

— Écoutez-moi, lui dit Bernie quand il apprit tout cela. Vous croyez qu'ils vous haïssent, mais c'est faux. Ce sont des imbéciles qui n'éprouvent aucun respect pour eux-mêmes. Ils prennent plaisir à encenser des idoles, puis à leur cracher dessus. Vous devriez aller vous reposer quelque temps. Emmenez Cat avec vous, quittez la ville et oubliez toute cette histoire.

— Fuir ? fit Hélène en secouant la tête. Oh non ! Bernie.

— Ça risque de s'envenimer, lui dit-il gentiment. Peu à peu, cette affaire tombera dans l'oubli, et ils trouveront une autre victime. Tout finira par s'arranger, mais, en attendant, le pire n'est peut-être pas arrivé.

Une fois de plus, il avait raison. À la fin du mois de mars, alors que Cassie faisait des courses dans un supermarché, une femme la saisit par le bras, hurlant qu'elle travaillait pour une putain. Elle lui tira les cheveux et essaya de lui arracher les yeux. Quelques jours plus tard, Cat, invitée à un goûter d'anniversaire, revint en pleurant. Les enfants avaient entendu les conversations de leurs parents et avaient tous refusé de jouer avec elle.

Quand ces faits se produisaient, Hélène, dans sa fureur, avait envie de quitter Hollywood pour toujours. Peu lui importait d'être la cible des calomnies, mais pas sa famille, pas Cassie, pas Cat.

La semaine suivante, la première semaine d'avril, se produisit sa plus grande humiliation en public, à la cérémonie de la remise des oscars. Bernie Alberg l'avait priée de ne pas y assister. Elle savait qu'elle ne remporterait pas l'oscar, bien qu'elle eût été pressentie. Bernie lui avait dit qu'en de telles circonstances il valait mieux ne pas se faire voir.

Hélène refusa avec obstination. Elle avait affirmé qu'elle y assisterait, et c'est ce qu'elle fit, s'armant de courage pour ne pas prêter attention à ceux qui la battaient froid comme à ceux qui l'évitaient par mesure de précaution. *Ellis* reçut huit oscars dont le prix du meilleur film, celui de la meilleure mise en scène. Hélène, comme l'avait prévu Bernie, n'obtint aucune récompense.

Thad se montra compatissant, mais Hélène le soupçonnait de ne pas être mécontent.

— Tu l'obtiendras pour *Ellis II*, lui dit-il d'un ton confiant. Sois patiente et ne t'inquiète pas.

— Je ne m'inquiète pas, Thad.

C'était vrai. Elle était la première étonnée de ses propres réactions. Thad sourit. Il ne la croyait pas, bien entendu.

À travers toutes ces épreuves, certaines personnes lui restèrent tout de même fidèles et d'une loyauté sans faille, notamment ceux qui travaillaient avec elle. Homer et Milton, par exemple. Bernie Alberg et sa femme se dépensèrent sans compter pour l'aider. Hélène reçut de nombreuses lettres de soutien de scénaristes, de metteurs en scène, d'acteurs et de producteurs avec lesquels elle avait travaillé dans le passé. Simon Scher lui écrivit. Rebecca Stein non seulement lui écrivit, mais vint également la voir. James Gould lui expédia une caisse de champagne pour qu'elle célèbre, disait-il, « l'anéantissement de tous ces menteurs et de tous ces colporteurs de ragots ». Stephani Sandrelli lui envoya un grand bouquet de roses blanches avec un petit mot : *Je suppose qu'une lettre de moi ne vous fera pas tellement plaisir, mais je tenais à vous dire que j'ai toujours la même affection pour vous et je sais que ce ne sont là que des mensonges.* Hélène fut émue. C'est également avec une profonde émotion qu'elle reçut un coup de téléphone de Lewis qui l'appelait de San Francisco. Il avait catégoriquement refusé de faire tout commentaire et il était parfaitement sobre quand il l'appela.

— Je suis vraiment désolé de ce qui t'arrive, lui dit-il d'un ton guindé. Tu ne vas sans doute pas me croire, mais je suis sincère. Si je peux t'aider, si tu le souhaites, je veux bien revenir le temps que tout rentre dans l'ordre.

— Lewis, je te remercie, lui dit-elle gentiment. Mais je ne veux pas. Ce n'est pas la peine que tu sois, toi aussi, impliqué dans cette histoire. Je crois qu'à long terme c'est mieux pour toi. Il faut que je m'en sorte seule.

Ils se turent tous deux un instant, puis Lewis lui dit avec bienveillance :

— Je m'attendais à ta réponse. Tu as probablement raison. Je veux simplement que tu saches que, si tu as besoin de moi, je suis là.

Sans raison aucune, elle se sentit soulagée. Les missives haineuses atteignirent leur paroxysme à la mi-avril, puis les journaux à sensation trouvèrent une nouvelle victime en la personne d'un acteur de cinéma qui s'adonnait à la drogue.

— Ma chérie, vous gagnez, ça y est, lui dit Cassie. Il ne faut pas se laisser abattre maintenant. Le pire est passé, je le sens.

Hélène ne dit rien. Le pire n'était pas encore arrivé. La lettre qu'elle avait envoyée à Saint-Cloud était partie depuis deux mois, et il n'y avait toujours pas de réponse.

Au début du mois de mai, Madeleine insista pour prendre Hélène et Cat en photo. Chaque année, pour l'anniversaire de l'enfant, elle tenait à le faire. C'était un véritable rituel. Madeleine lui en remit une. Hélène fut choquée devant cette photo. Avait-elle changé à ce point ? Elle paraissait lasse et tellement plus mûre. Hélène en fit la remarque à Madeleine qui en fut offensée et s'emporta.

— Vous avez tort, lui dit-elle d'un ton ferme, vraiment tort. Vous êtes très belle sur ma photo. Vous n'avez plus l'air d'une jeune fille, mais d'une femme.

Une femme et non plus une jeune fille. Hélène se regarda dans la glace, le soir, et comprit ce que Madeleine avait voulu dire. C'est à cet instant précis qu'elle se rendit à l'évidence : Édouard ne lui répondrait pas.

Le lendemain, pour la première fois depuis le début de ces histoires, pas une seule lettre haineuse n'arriva au courrier. Hélène reprit courage. Elle avait fait face, n'avait ni capitulé ni fui. Sans doute était-ce ce qui lui donnait la force d'accepter le silence d'Édouard.

Ce n'est pas vraiment de l'optimisme qu'elle ressentit, mais une certaine détermination et la volonté de reprendre son travail.

Longue Séparation avait été repoussé trois fois. La nouvelle date prévue tombait le 19 mai, deux jours après l'anniversaire de Cat. Le 18 mai, Gregory Gertz lui rendit visite. Dès qu'elle l'aperçut, Hélène vit que quelque chose n'allait pas.

C'était le milieu de l'après-midi. Il s'assit en face d'elle et alluma une cigarette nerveusement.

— Autant aller droit au but. A.I. refuse de continuer à nous financer.

— En ont-ils le droit ? fit Hélène en le fixant.

— Ils peuvent faire ce qu'ils veulent quand bon leur chante, dit Gertz en soupirant. Vous le savez aussi bien que moi. Tant que le tournage n'a pas commencé et même après. Il n'est pas un contrat au monde que leurs avocats ne puissent dénoncer s'ils l'ont décidé. Ils perdent un peu d'argent, mais cela n'a guère d'importance à leurs yeux. Là, ils vont perdre un million de dollars, pas beaucoup plus. J'ai été un imbécile. J'aurais dû les contraindre à tout verser dès le début, comme Angelini. Une fois qu'ils sont vraiment impliqués, ils ne peuvent plus reculer.

Il n'osait pas la regarder en face.

— Pourquoi agissent-ils ainsi ? Vous feriez mieux de me le dire. C'est à cause de moi ?

Gertz baissa les yeux et haussa les épaules.

— Oui. Stein ne vous veut pas dans le rôle de l'épouse. Il insiste pour que je procède à une nouvelle distribution, fit-il en levant les yeux vers elle. Hélène, je lui ai dit que c'était inacceptable. J'ai dit qu'il n'en était pas question, mais je ne pouvais pas laisser tomber sa proposition. Hélène, je ne veux pas que vous pensiez que... (Il hésita et ralluma une cigarette après avoir éteint la précédente.) Mais voilà, en dehors des problèmes de contrat, il y a un élément personnel qui entre en ligne de compte. C'est moi qui ai insisté pour que vous acceptiez ce rôle. Je tenais vraiment à ce que ce soit vous qui l'interprétiez. Je ne l'ai pas oublié. (Il s'interrompit une fois de plus, baissa la tête, triturant ses mains, apparemment incapable de tenir en place, puis osa un regard vers Hélène.) Bien des événements se sont produits depuis. Le scénario a subi de nombreux remaniements. Je ne dis pas qu'il serait impossible de refaire la distribution. Je suppose que vous pourriez me dire qu'il y a d'autres actrices à qui ce rôle conviendrait mieux. Nous avons toujours été conscients que vous acceptiez à contrecœur... Avez-vous également songé que, après votre séparation d'avec Lewis et toutes ces histoires dans la presse... enfin... ce n'est peut-être pas le rôle idéal pour vous ? Et puis le personnage n'est pas sympathique. C'est une femme implacable. Une divorcée...

Il n'osait plus la regarder, essayant de fixer ses yeux sur un tableau accroché au mur. Hélène se pencha.

— Greg, dit-elle d'un ton calme, qui avez-vous approché ces jours-ci ? Qui avez-vous sondé ? Fonda ? Remick ? Quelqu'un d'autre ?

Les yeux toujours baissés, il le lui dit. Hélène soupira.

— Et que suis-je censée faire ?

— Stein a pensé que vous pourriez renoncer au contrat.

— Je vois.

— Ne prenez pas cet air, Hélène ! dit-il en se levant. J'ai simplement dit que je vous ferais la commission, c'est tout. Je lui ai dit que peut-être il n'avait pas tort. Vous-même avez certainement eu parfois envie d'arrêter les frais, mais vous pensiez sans doute qu'il était trop tard pour faire marche arrière... J'ai accepté de vous poser la question, un point c'est tout. (Il se mit à arpenter la pièce.) Essayez de me comprendre un instant. Mettez-vous à ma place. Je travaille sur ce projet depuis un an ou plus. J'ai vraiment besoin de ce film. Si *Les Fugitifs* marchent cet été et si celui-ci est un succès, c'est moi qui dirigerai le tournage pour une fois. Je pourrai enfin réaliser ce que j'ai toujours souhaité. De plus, j'ai des responsabilités envers les scénaristes, envers tous ceux qui m'ont aidé. Personnellement, j'aimerais que vous jouiez le rôle de l'épouse, mais si cela implique qu'il faille tout recommencer de zéro, retrouver une source de financement, il est évident que je suis contraint de peser le pour et le contre. Je ne sais pas s'il serait facile de tout recommencer, je ne sais pas comment réagiront les gens quand ils apprendront que je vous veux dans le rôle de l'épouse. Ils pourraient avoir la même réaction que Stein, et que ferons-nous alors ? Je dois...

— J'ai compris, Greg, dit Hélène en se levant. Vous pouvez tourner votre film. Je vais demander à Milton de contacter dès aujourd'hui la société A.I. pour me libérer du contrat. Je pense que tout sera réglé très rapidement. Je suis sûre que vous avez hâte de commencer le tournage. Je ne veux en aucun cas que vous ayez l'impression que je vous gêne.

Le visage de Gertz passait par toutes les couleurs. Il se retourna vers elle.

— Mon Dieu, Hélène, je ne sais que dire. J'imagine dans quel état vous êtes. Si vous voulez du temps pour réfléchir... Je ne suis pas venu pour vous influencer, je veux que vous le sachiez. Ce n'est pas une décision facile.

— Oh, vous vous trompez. C'est extrêmement facile. Je ne travaille jamais avec ceux pour lesquels je n'ai aucune estime.

Il régna un silence glacial. Gertz rougit.

— Vous avez travaillé avec moi dans *Les Fugitifs*.

— Oui, j'avais de l'estime pour vous à l'époque. Vous m'avez beaucoup aidée.

— Et vous n'en avez plus ?

— Pas vraiment. Vous tergiversez, vous essayez de gagner du temps. Je suis sûre que vous en êtes conscient, dit-elle d'un ton cinglant. Greg, vous feriez mieux de partir.

Le silence se fit plus long cette fois. Elle le sentait en proie à une lutte intérieure.

— Bon, soit. Vous n'avez pas tort. Mais on doit se plier aux règles ici, comme partout ailleurs. Si vous tenez à travailler, à avancer, des compromis sont nécessaires.

— Ah, parce que c'est un compromis ? s'écria Hélène en le regardant droit dans les yeux. Je dirais plutôt que c'est de la traîtrise, un coup de poignard dans le dos. Ces temps-ci, j'en ai reçu pas mal. Un de plus, même venant de vous, ne change pas grand-chose.

Il se dirigea vers la porte, et Hélène lui tourna le dos avec lassitude. Par la fenêtre, elle contempla le jardin et le ciel d'un bleu intense. Dans le lointain, au-dessus de la ville, un avion virait, se préparant à atterrir.

Sur le seuil, Gregory Gertz se retourna.

— Il y a une question que vous ne m'avez pas posée.

— Laquelle ?

— Vous ne m'avez pas demandé ce qui poussait la société A.I. ou Joe Stein à agir ainsi.

— Je crois que c'est évident. À quoi bon poser la question ?

— À votre place, je le ferais. Ce n'est pas à moi qu'il faut le demander parce que je suis incapable de vous donner la réponse, mais plutôt à Joe Stein ou, mieux, à Thad.

— Thad ? s'écria-t-elle, ébahie. Qu'a-t-il à voir là-dedans ?

— Demandez-lui, c'est tout.

Elle lui téléphona aussitôt après le départ de Greg Gertz. Il ne sembla pas surpris.

— Je crois que nous devrions avoir une petite conversation, lui dit-il quand il sut le but de son appel. Je pensais t'appeler de toute façon. J'ai beaucoup à faire aujourd'hui. Il y a des tas de choses en train.

— Thad, es-tu au courant des raisons de cette cabale ?

— C'est possible. Viens chez moi prendre le thé demain après-midi, nous en discuterons, fit-il d'une voix joviale.

10 heures du soir. Ils avaient fini de dîner depuis une heure et les deux sénateurs, l'un républicain, l'autre démocrate, se détendaient. Cette demeure de Georgetown, réservée pour de telles occasions, appartenait à la Partex. Drew Johnson croisa le regard d'Édouard, à l'autre extrémité de la pièce. Édouard jeta un coup d'œil à sa montre. Derrière lui, Simon Scher se leva doucement et se dirigea vers la porte.

— Je vais vérifier dans la voiture. Je pense que c'est là que je l'ai laissé.

La porte se referma doucement derrière lui. Aucun des sénateurs ne sembla remarquer son départ. Drew, pour faire diversion, leur servit un verre de Chivas.

Les deux sénateurs étaient des personnages influents. Ils s'étaient montrés utiles dans certains comités sénatoriaux et, dans le cas du démocrate, à la Maison-Blanche même. Maintenant que la fusion des sociétés, si controversée, avait eu lieu, et de surcroît selon les souhaits de Drew Johnson et d'Édouard, maintenant que la Partex était à deux doigts de devenir la compagnie de pétrole la plus importante des États-Unis, Drew remerciait ceux qui l'avaient aidé avec gaieté et enthousiasme. Drew n'oubliait jamais ses amis, pas plus que ses ennemis.

Les sénateurs, qui avaient déjà reçu des actions substantielles dans une filière de la Partex dont les liens avec la société mère étaient impossibles à déceler, avaient accepté d'être honorés de façon plus simple. Un succulent dîner, des vins fins excellents. Du Chivas. Des cigares cubains achetés au marché noir.

« Ce sont les cigares personnels de Castro, mes amis, fit remarquer Drew avec un large sourire. Chaque fois que j'en allume un, c'est un plaisir incommensurable. »

Il allait falloir bientôt leur offrir ce que Drew appelait d'un air complice le « divertissement ».

Édouard, qui avait trouvé le repas somptueux et les sénateurs pénibles et qui n'aimait pas, contrairement à Drew, ce genre de festivités, les quittait toujours à ce moment-là. Il ne participait jamais à ces petites sauteries, mais toutefois les encourageait, ce qui lui laissait toujours une trace d'amertume.

Ce n'était pas simplement la nature du « divertissement ». C'était de la corruption déguisée, et la nécessité d'y avoir recours le remplissait de remords. Plus jeune, il aurait certainement affirmé que la fin justifiait les moyens, sans dépasser les limites, évidemment. Mais où se situait la ligne de démarcation ? Édouard avait l'impression de l'avoir franchie ces derniers mois. Cette fusion, qui avait mis un temps infini à se réaliser, lui avait sapé son énergie, mais aussi sa capacité de jugement. Il s'assit sans dire un mot, reconnaissant à contrecœur qu'il avait enfreint, pour parvenir à cet accord, tous les critères moraux dont il se targuait. C'était lui l'unique responsable.

Le démocrate, l'un des hommes clés du président Johnson au Sénat, commençait à s'exciter. Pendant tout le dîner, il avait évoqué la guerre.

— Le napalm, disait-il. Faites-le goûter au Viêt-cong, et ce sera terminé en six mois. Lyndon sait ce qu'il fait.

Le républicain, les lèvres serrées, paraissait consterné. Il se lança dans une longue diatribe d'une voix pédante et pincée qu'une grosse quantité d'alcool n'avait pu modifier.

— L'histoire montre que c'est un argument fallacieux, fit-il en regardant Édouard. Si vous prenez l'exemple des Français en Indochine, il est facile de comprendre que les tactiques conventionnelles appliquées contre des guérilleros hautement organisés et hautement motivés, oui, n'ayons pas peur des mots, ils sont hautement motivés...

— C'est un discours défaitiste, l'interrompit le démocrate, agacé. Je n'aime pas entendre de tels propos. Nous avons des gosses qui se battent là-bas, des gosses de l'âge de mon fils et même plus jeunes, qui meurent pour leur pays.

— Mon fils a l'âge de s'engager. Ce n'est donc pas la peine de me rappeler ce détail, fit le républicain en avalant une grande gorgée de whisky. Stratégiquement parlant, la décision de lâcher des bombes est une escalade inutile. L'implication des États-Unis devrait rester marginale. À Saigon...

— À Saigon, ils ne pissaient pas dans un pot sans qu'on leur dise où viser. À Saigon, ils n'avaient même pas un pot pour pisser, si...

— Allons, allons...

Le démocrate supportait moins bien l'alcool que le républicain. Le ton de sa voix était brusquement monté de façon alarmante, il était rouge de fureur.

Drew intervint aussitôt.

Édouard, le visage crispé de colère rentrée, se leva.

— Mes amis, nous allons changer de sujet. Mes invités ne sont pas là pour parler de choses sinistres. Ça suffit. Ne montez plus sur vos grands chevaux. Un autre cigare ?

Le démocrate haussa les épaules et eut un sourire décontenancé. Il prit un cigare.

La porte s'ouvrit et Simon Scher passa la tête. Il fit signe à Édouard.

— Drew, messieurs les Sénateurs, si vous voulez bien m'excuser.

Édouard s'avançait déjà vers la porte.

Les trois hommes se levèrent. Drew l'embrassa. Les deux sénateurs lui serrèrent la main sans grand enthousiasme. Ce fut un moment embarrassant où leur aversion mutuelle ressortit de façon flagrante.

Heureusement, une diversion se produisit. On entendit dehors les crissements de pneus d'une voiture qui s'arrêtait. Des portes claquèrent. Des voix féminines et des éclats de rire retentirent. Le « divertissement » prévu arrivait. Les deux sénateurs échangèrent un regard rapide. Drew eut un sourire forcé. Simon Scher et Édouard s'esquivèrent discrètement.

Ils sortirent de la maison et se retrouvèrent sur le trottoir. Les filles de plaisir les croisèrent. Trois silhouettes élancées, une traînée de parfum dans la nuit, des rires et de longs regards du haut des marches. La porte se referma derrière elles.

Simon Scher se serait laissé tenter. Il se retourna en soupirant, puis s'avança vers la Lincoln qui les attendait.

Édouard, lui, qui n'éprouvait aucune tentation, ressentait tout de même une pointe de regret, une certaine nostalgie, une envie de se trouver en compagnie d'une femme, de toucher sa peau, de lui caresser les cheveux. Il aurait tant voulu parler d'autre chose que des manipulations du pouvoir et de l'argent. Il n'avait pas serré une femme dans ses bras depuis si longtemps.

Il resta un long moment à contempler les marches vides, les volets clos. Puis, avec un geste d'impatience, il grimpa lui aussi au fond de la Lincoln de la Partex. Ils allèrent directement à l'aéroport. Depuis la fin du mois de janvier, il avait parcouru le Moyen-Orient, le Canada et le Japon. Les négociations pour la fusion des compagnies avaient pris plus de temps que prévu. Il était resté absent de chez lui trop longtemps.

— Pardon ?

Ils longeaient les rives du Potomac. La surface du fleuve brillait au clair de lune. Édouard, le visage tourné vers la fenêtre, venait de se rendre compte que Simon Scher lui avait posé une question.

— Je disais que vous n'aviez certainement pas eu le temps de jeter un coup d'œil au dossier Sphère, et, ces derniers mois, bon nombre d'événements se sont produits.

— Non, effectivement, je n'en ai guère eu le temps, fit Édouard d'un air ennuyé. J'avoue que je n'y ai plus pensé. J'ai vu le résultat des oscars, c'est tout. Que se passe-t-il ?

— Comme je vous l'ai dit, bon nombre d'événements se sont produits, et plutôt étonnants. Je ne suis pas certain de savoir exactement ce qui se passe. Nous avons eu bien des problèmes avec Angelini.

— Ah, pourquoi ?

— Comme vous le savez, il est question de tourner *Ellis II*.

— Et *Ellis III*, d'après ce que vous m'aviez dit.

— La trilogie, oui. C'est Hélène Harte qui m'a renseigné, pas Angelini. Quand il a su que j'étais au courant, il est entré dans une colère noire. C'est là que les problèmes ont commencé et, depuis, ils n'ont fait que croître.

— Je croyais que nous nous étions mis d'accord pour les deux premiers séparément ? Il n'y a même pas de scénario pour le troisième.

— Oui, il avait aussi été décidé que le tournage d'*Ellis II* commencerait à la fin de l'année, parce que Hélène Harte n'était libre qu'à partir d'avril, date prévue par Angelini pour le début du tournage. Il me semblait que c'était correct. Certains aspects d'*Ellis II* nous ennuyaient.

— Vous souhaitiez un remaniement du budget, il me semble ?

— Exact, fit Simon Scher en soupirant. Ce fut très long à cause d'Angelini qui voulait gagner du temps. Et encore, c'est un doux euphémisme, il nous a réellement mis des bâtons dans les roues. Il voulait qu'on lui laisse carte blanche. À mon avis, il désirait attendre la remise des oscars pour être en position de force. Il demandait dix millions de dollars. On est arrivé à un arrangement de six millions sept, et je trouve que c'est sous-évalué. On n'a pas tenu compte du taux d'intérêt croissant, ce qui nous mènerait facilement à sept millions. Il y a également le problème des frais de postproduction. Angelini se fixe un programme extrêmement serré : quatre-vingt-cinq jours de tournage, six mois en tout et pour tout.

— Il a toujours respecté les dates fixées.

— C'est la première fois qu'il s'attaque à un programme d'une telle envergure. Il a fallu presque une année entière pour la postproduction d'*Ellis*. Angelini a couvé son film comme une poule son œuf. *Ellis II* est plus long et à une plus grande échelle. Je ne crois pas qu'on s'en tiendra au budget prévu ni aux dates de fin de tournage. C'est dans une boule de cristal qu'il a dû faire ses prévisions. Les tendances napoléoniennes d'Angelini s'affirment de plus en plus. Ces huit oscars lui sont montés à la tête et...

— J'ai l'impression que vous n'aimez pas beaucoup cet homme, Simon.

— Vous savez très bien que je ne peux pas le sentir, et ce n'est pas nouveau. Mais il faut reconnaître qu'il a du talent et que les recettes d'*Ellis* sont phénoménales pour un film aussi sérieux. Lorsqu'il vient prendre le thé dans mon bureau de son air jovial, j'ai envie de lui remplir sa tasse de strychnine, mais cela n'a rien à voir avec notre problème... Non, il y a quelque chose que je n'arrive pas à définir, mais je subodore des ennuis.

— Lesquels ?

— À la fin du mois de janvier, tout était fin prêt. Le budget, le programme de tournage, la date : le 1er juillet. On avait tout prévu à une exception près, et c'est là qu'Angelini a commencé à faire marche arrière.

— Quelle était l'exception ?

— La participation d'Hélène Harte.

Le silence régna quelques minutes. Scher n'avait pas élucidé les raisons exactes qui avaient incité Édouard à racheter Sphère, mais il avait eu la délicatesse de ne jamais poser de questions. Sa longue intimité avec Édouard avait aiguisé ses instincts. Hélène Harte en était la clé, ce qui rendait la suite extrêmement difficile.

— La participation d'Hélène Harte est vitale, dit Édouard d'un ton glacial. Sans elle, on ne peut envisager une suite. Avant de partir, j'ai cru comprendre que c'était primordial.

— Angelini insiste pour qu'elle ait ce rôle. Il est inébranlable sur ce point.

— Et vous pensez qu'il a tort ?

— On ne sait pas vraiment parce que, chaque fois que nous avons essayé de parler du contrat d'Hélène, il nous a repoussés. Comme vous le savez, dit Scher en mesurant ses paroles, ils sont très proches dans le travail. Angelini protège ses intérêts. Il m'a plus ou moins fait comprendre que, si je prenais l'affaire en main et m'occupais des termes du contrat, tout pourrait basculer. La distribution, à ses yeux, est essentielle. En temps normal, je n'aurais pas tenu compte de lui, mais, ces derniers mois, il y a eu tellement d'événements imprévus.

Ses sous-entendus, à peine perceptibles, surprirent Édouard, qui se retourna et lui demanda sèchement :

— Que s'est-il passé ?

— Hélène Harte a rompu son mariage. C'est la première cause du retard.

— Je l'ai appris, dit Édouard en détournant le regard. J'ai lu quelques articles au sujet de sa séparation.

— Cette année, bon nombre de problèmes ont surgi.

— J'ai remarqué qu'elle n'a pas gagné d'oscar.

— Non, répondit Scher, embarrassé. (Hésitant, il lui tendit une enveloppe.) J'ai pensé que vous ne deviez pas être au courant, aussi vous ai-je gardé quelques échantillons. Il y en a d'autres. Ceux-là ne sont pas les pires, malheureusement.

Édouard ouvrit l'enveloppe. Il alluma la lampe derrière lui et sortit le journal. Il regarda la première page et la remit aussitôt dans l'enveloppe.

— Je mets mon point d'honneur à ne jamais lire ces torchons.

— Je le sais. En temps normal, moi non plus, dit-il avec un léger ton de reproche. Je crois que vous devriez tout de même y jeter un coup d'œil dans l'avion. Ensuite, vous saurez pourquoi j'ai compris les arguments d'Angelini. Ce n'est guère le moment opportun de faire pression sur Hélène Harte pour le contrat ni pour rien, d'ailleurs.

— Je vois.

— Je croyais qu'il agissait pour son bien.

— Et ce n'est plus le cas ? fit Édouard sans le quitter des yeux.

— Exactement.

Ils arrivaient à l'aéroport.

Scher s'éclaircit la voix.

— Je crois qu'il a essayé de gagner du temps pour d'autres raisons. Rien à voir avec Hélène Harte. C'est plutôt le contraire.

— Venez-en au fait.

— Très bien. Je pense qu'il a saboté délibérément le film qu'elle allait tourner au printemps. Et je crois également, mais je peux me tromper, qu'il va traiter avec A.I. et Joe Stein.

— Vous voulez dire qu'il va rompre le contrat avec Sphère ?

— Parfaitement. Et il emmène Hélène Harte avec lui, évidemment.

— Comment savez-vous tout cela ?

Scher sourit poliment.

— Je n'ai jamais eu les mêmes opinions que le mari, mais je me suis lié d'amitié avec Rebecca Stein. Nous avons beaucoup de points communs. Elle déteste Angelini et elle a toujours apprécié Hélène Harte. De surcroît, elle a horreur de voir les gens manipulés.

— Et c'est ce qui se produit ?

— J'en ai bien peur, dit Scher en soupirant.

La voiture s'arrêta. Les deux hommes s'étaient tus. Édouard laissa errer son regard vers la piste éclairée où l'attendait son avion. Un bref instant, les années se télescopèrent. Il se revit avec Christian, à l'aéroport de Plymouth, s'envolant pour Rome. Il croyait alors qu'il était arrivé au bout de ses peines. Il revit la bibliothèque du prince Raphaël et les bronzes de Bellini. Il se remémora son entrevue avec ce petit bonhomme adipeux de Thad Angelini lui expliquant son film, parlant avec une parfaite assurance de la femme qu'Édouard aimait et prétendant qu'il était le seul à la comprendre, le seul à avoir du pouvoir sur elle.

Un combat s'était engagé à l'époque et se perpétuait depuis cinq ans, même si Angelini n'en avait pas conscience. Angelini était son rival. Il l'avait pressenti alors. Maintenant, c'était une certitude. Ni Lewis Sinclair ni aucun autre homme avec lequel Hélène aurait pu avoir une liaison n'était dangereux. Son seul rival était bien Angelini.

Il l'avait détesté depuis leur première rencontre. Là, debout sur la piste d'envol, il ne l'en haïssait que plus.

Simon Scher lui toucha le bras.

— Édouard, lui dit-il comme pour s'excuser, vous feriez mieux de me dire ce que vous attendez de moi exactement.

Édouard regarda sa montre. Il était presque minuit. Le 17 mai. C'était l'anniversaire de Cat. Il hésita.

— Je dois être à Paris demain. J'aurais dû y être aujourd'hui. Avez-vous un moyen d'empêcher Angelini de prendre une décision définitive avant vingt-quatre heures ?

Simon Scher esquissa son sourire le plus courtois.

— Nous connaissons ses tendances napoléoniennes, sa mégalomanie...

Il ne continua pas sa phrase, sachant qu'Édouard allait comprendre, ce en quoi il avait raison.

— Appelez-le demain matin à la première heure. Dites-lui qu'en raison des bénéfices obtenus en Europe par *Ellis* nous révisons le budget pour la suite. Il sera évidemment en hausse. Dites-lui que nous envisageons de lui accorder les dix millions qu'il souhaite. Pouvez-vous savoir combien lui offre Stein ?

— Probablement.

— Bon, essayez, et multipliez par deux ou trois. Faites ce que vous voulez, pourvu qu'il ne fasse rien pendant vingt-quatre heures. Oh ! Simon, téléphonez-moi dès que je serai arrivé à Paris. D'ici là, j'aurai eu le temps de lire tout cela. En début d'après-midi, heure de Paris.

Il arriva sous un ciel ensoleillé. Les rues et les boulevards de Paris regorgeaient de gens qui célébraient le printemps. Les terrasses des cafés étaient bondées. La Seine étincelait. L'air fleurait bon le tilleul.

Édouard fut au siège de la société Chavigny un peu avant 2 heures et commanda un café.

Marie-Aude, sa secrétaire de direction, toujours imperturbable malgré les responsabilités conjuguées dues à ses occupations familiales et professionnelles, lui apporta le café d'un air sévère. Elle avait tendance, lorsqu'elle l'osait, à se montrer autoritaire et à materner parfois Édouard pour qui elle travaillait depuis huit ans. Elle ne se laissait pas faire.

— Quel jour sommes-nous ? lui demanda-t-elle avec fermeté.

Édouard leva vers elle un regard exaspéré. Il lui faisait totalement confiance, l'appréciait beaucoup, elle et sa famille, mais il avait horreur d'être materné, et leurs prises de bec occasionnelles l'agaçaient.

— Le 8 mai.

— Oh ! vous n'avez pas oublié. Je l'avais cru. Je pensais que vous aviez perdu la notion du temps. Hier après-midi, vous étiez à Washington, D.C., hier matin à Seattle, la veille à Tokyo...

— Je sais tout cela. Aujourd'hui, je suis ici.

— Pourtant, vous ne le devriez pas. Vous devriez être au lit, complètement perturbé par les fuseaux horaires.

— Absolument pas. Cela ne m'arrive jamais. Je ne me suis jamais senti aussi bien. Pourrais-je avoir un peu plus de café ?

Sa secrétaire le servit. Elle le posa sur le bureau et se croisa les bras, l'air perplexe.

— Je n'ai pas mis de rendez-vous cet après-midi, intentionnellement.

— Parfait. Et vous pouvez annuler tous les rendez-vous de la soirée également.

Elle sourit, une lueur de triomphe dans les yeux. Pour une fois, il allait se montrer raisonnable. Il resterait une heure ou deux pour faire les vérifications de routine avant d'aller à Saint-Cloud se reposer. Enfin cet homme impossible se conduirait comme un être normal, avec ses faiblesses.

— Parce que, poursuivit Édouard, remarquant sa mine réjouie, j'ai beaucoup à faire ici. Je ne partirai pas avant 8 heures. Et peut-être plus tard. Ah !...

Dans l'autre bureau, la sonnerie du téléphone retentit.

— C'est sans doute M. Scher. Passez-le-moi, je vous prie.

Sa secrétaire soupira. Elle sortit, lui passa la communication, puis, sur une autre ligne, téléphona à sa mère, sur qui elle pouvait compter à tout instant, pour lui demander de faire les courses, de préparer le dîner et de mettre les enfants au lit.

— Maman, j'ai un petit problème... Oui, j'en ai peur. Ce n'est pas sûr. Au moins jusqu'à 8 heures.

— 9 heures. Soyons réalistes, répondit-elle en soupirant. Il est donc revenu ?

En fin d'après-midi, Édouard quitta son bureau, se fit conduire aux ateliers Chavigny et directement dans les chambres fortes. Les cadeaux à l'intention de Catharine furent disposés comme chaque année sur une table pour lui permettre de choisir. Cette année, pour la première fois, il avait du retard. Sans doute était-ce la raison pour laquelle ce rituel annuel lui semblait plus dénué de sens que d'habitude. Il manifestait une certaine impatience, avait hâte de retourner à son bureau pour se retrouver confronté à la lutte perpétuelle.

C'était son cinquième anniversaire. Il choisit le présent rapidement et avec moins de détermination que de coutume. Un collier de perles de cinq rangs, un par année, qui fut placé dans le coffre-fort avec les autres. Moins de dix minutes s'étaient écoulées.

Il fut tenté de faire un détour par Saint-Cloud ou d'envoyer un coursier lui chercher la petite enveloppe qui l'attendait certainement et que Georges devait garder précieusement. C'était la missive annuelle de Madeleine. La photo annuelle. Il éprouvait le désir de les découvrir, de les tenir dans ses mains. Mais le besoin était moins fort que d'habitude. Il s'était créé un autre lien, plus fort que celui qu'elles lui procuraient. Il le percevait instinctivement. Une crise était imminente. Pour le meilleur et pour le pire. Il retourna à son bureau et n'envoya aucun coursier.

À 8 heures, ayant pitié de Marie-Aude, il la laissa partir. À 9 heures, il était toujours à son bureau, comme à 10, puis 11. La dernière heure, entre 11 heures et minuit, s'écoula lentement. Édouard, impatient d'avoir Scher au bout du fil, commençait à s'irriter. Il songea à tous les articles qu'il avait lus quelque part au-dessus de l'Atlantique.

Il était écœuré, bien qu'il fût habitué aux techniques utilisées par les journaux de ce genre. L'entrecroisement de la vérité et des mensonges. La culpabilité par association. L'utilisation des propos insidieux. Tout cela avait été pratiqué contre lui également dans le passé. Mais jamais il n'avait subi une campagne aussi vile, aussi interminable que celle-ci, et le fait qu'Hélène en soit la victime sans qu'il n'ait rien su, rien fait, le faisait enrager.

Il ne comprenait pas non plus les manœuvres de ces derniers mois, tout comme Scher. Il passait en revue tout ce qu'il lui avait raconté la veille et ne comprenait rien. Le fait qu'Hélène ait refusé de s'engager pour la suite d'*Ellis* le remplissait d'espoir, mais cet espoir s'évanouissait aussitôt. Vu les circonstances, ce refus pouvait avoir diverses explications. Angelini avait-il réellement saboté le film qu'Hélène devait tourner avec A.I. ? Si c'était le cas, pourquoi ? Cela n'avait aucun rapport avec les projets d'*Ellis II*. Hélène aurait simplement terminé son film et ensuite accepté de travailler avec Angelini.

Il se passa la main devant les yeux d'un geste las. Il se sentait épuisé et n'arrivait plus à travailler avec autant d'efficacité qu'avant. La fatigue, conjuguée au pressentiment d'une crise imminente, sapait son optimisme. Il alla se servir un verre d'armagnac et une autre tasse de café. La crise, si toutefois elle se produisait, concernait Hélène, pas lui. Assis à son bureau, il songea à l'avenir. Depuis combien de temps n'y avait-il pas pensé ? Il fit le bilan du passé. Quand reconnaîtrait-il son erreur ? Dans six mois ? Un an ? Il sentait que le moment était proche. Quand le téléphone sonna, il se rendit à l'évidence : « Angelini a gagné. »

— Tout a bien marché, lui dit Scher, épuisé. Je l'ai persuadé de repousser sa décision de vingt-quatre heures, mais il m'a fallu monter jusqu'à douze millions. Il joue sur un rapport de forces avec Stein. Il voit Hélène Harte demain après-midi et affirme qu'il obtiendra un engagement ferme de sa part. Ensuite, il reviendra me voir pour que l'on discute plus longuement.

— Plus longuement ? Vous voulez dire qu'il pense qu'on peut dépasser douze millions ? Il est fou.

— Édouard, j'ai toujours pensé que c'était un aliéné mental. Mais, dans ce cas, c'est simplement du marchandage. Il se doute que nous ne nous arrêterons pas à ce chiffre, et, en fait, cela n'a aucune importance à ses yeux. Ce n'est qu'une base de négociations avec Stein.

— Stein n'ira pas si loin.

— Ce n'est pas sûr.

— Si Hélène refuse, le projet ne l'intéressera pas.

— C'est vrai, mais Angelini est formel. Il prétend être certain qu'elle acceptera. Je sais ce que vous allez dire. C'est déjà fait. J'ai rendez-vous avec l'autre metteur en scène, Gregory Gertz. Peut-être pourra-t-il me donner une information utile, encore que j'en doute. De toute façon, nous ne pouvons pas faire grand-chose. Une fois qu'Hélène Harte aura signé pour *Ellis II*, Angelini aura les cartes en main. Il pourra choisir : Stein ou nous. Et j'ai bien peur qu'elle ne soit d'accord. Angelini a une grande influence sur elle. Avec son dilemme actuel, la chance de travailler avec quelqu'un qu'elle connaît si bien... ajoutée au fait qu'elle tiendra un rôle sympathique dans un film assuré du succès... Je vais voir si je peux en tirer quelque chose. Toujours est-il que la possibilité de perdre Angelini et Hélène Harte existe.

Édouard ne répondit pas tout de suite.

— Simon, fit-il au bout d'un moment, vous m'avez l'air fatigué. Moi aussi, d'ailleurs. Allez dormir, nous reparlerons de tout cela demain matin.

Édouard partit aussitôt pour Saint-Cloud, où il arriva vers 1 heure du matin. Tout son optimisme s'était estompé. Les propos de Scher étaient sensés. Elle allait accepter de tourner ce film, puis un autre. Un an, deux, peut-être trois. Il ne pouvait plus caresser aucun espoir. Depuis cinq ans, il avait foi dans l'illusoire. *Ces fragments que je garde tout au fond de mon cœur malgré moi.* Ce vers revint à l'esprit. Il entendait la voix de Hugo Glendinning. En classe, lorsqu'il avait entendu ce poème pour la première fois, il ne l'avait pas compris. Maintenant, il en percevait le sens.

Dans son bureau, comme à l'accoutumée en cette période de l'année, il trouva les premières roses. Un feu de bois de pommier dont la senteur lui rappelait son enfance dans la Loire, le flacon d'armagnac, la chaise près du feu. Dans la chambre attenante, les lampes allumées, les draps rabattus, le lit préparé. Dans le cabinet de toilette, ses vêtements du lendemain étaient déjà sortis. Tout était parfait, comme toujours. Il promena son regard autour de la pièce, ressentant un profond dégoût pour cet ordre, ce néant.

Georges vaquait à ses occupations avec sa discrétion habituelle. Après les questions rituelles suivies des réponses rituelles, après avoir placé un verre et une bouteille d'armagnac à côté d'Édouard et s'être assuré que son fauteuil se trouvait bien à l'angle de la cheminée, il marqua un temps d'hésitation. Édouard souhaitait qu'il s'en aille, mais n'avait pas le cœur de le lui dire. Georges lui tendit un petit plateau d'argent sur lequel se trouvaient non pas une, mais deux lettres. Édouard leva les yeux vers Georges, impassible.

— La première est arrivée au début du mois de février, Monsieur le Baron. J'ai remarqué qu'elle portait le cachet habituel, aussi l'ai-je mise à part. Ce fut un dilemme. Il y est inscrit « Personnel » et il m'a semblé préférable de ne pas la remettre à votre secrétaire. Vu vos nombreux voyages, je n'ai pas osé la faire suivre. L'autre est arrivée à la date prévue, comme vous m'en aviez prévenu, et le problème ne s'est pas posé. Je ne savais vraiment pas quoi faire. J'espère avoir bien agi.

Le visage de Georges était moins impénétrable et laissait transparaître de l'anxiété qui se reflétait également dans sa voix. Édouard éprouva de la sympathie et même de l'affection pour lui. Devoir avouer ses doutes quant à l'attitude à adopter ne lui était pas facile. Il exécrait les erreurs et n'était plus tout jeune.

— Vous avez agi exactement comme il convenait de le faire, Georges. Je vous remercie.

Le soulagement se lut aussitôt sur son visage. Georges posa délicatement le plateau sur la table et se retira.

Édouard se pencha sur les deux enveloppes. Il s'obligea à ouvrir d'abord celle de Madeleine. Elle contenait deux photos, cette fois : l'une de Cat, offrant le thé à un groupe de poupées au regard solennel. L'autre de Cat et Hélène, dans un jardin. Cette violation de leurs conventions lui fit perdre le contrôle de lui-même. Il laissa tomber les photos, repoussa la lettre de Madeleine sans la lire et saisit l'autre enveloppe. Il ne reconnaissait pas l'écriture, mais avait du mal à l'ouvrir tant ses mains s'étaient mises soudain à trembler.

Il y en avait plusieurs pages. Il regarda l'adresse en haut de la feuille, et les mots brusquement se voilèrent. Lâchant presque les feuillets à cause de son agitation soudaine, il passa directement à la dernière page pour voir la signature, le seul mot qu'il attendît depuis si longtemps.

Ses mains retrouvèrent leur calme. Il retourna à la première page. *Cher Édouard.* S'approchant de la lumière, il se pencha et se mit à lire la lettre qu'Hélène lui avait adressée trois mois auparavant.

La cité des anges. La citadelle des rêves.

Ils se tenaient tous deux dehors sur le balcon du studio de Thad, contemplant la ville de Los Angeles qui s'étendait devant eux.

Thad soupira.

— Rentrons. Je suis heureux que tu sois venue. Je vais préparer du thé.

Hélène le suivit dans la pièce. Elle était exactement comme avant, Thad n'y avait rien changé. Hélène s'assit sur l'un des sièges grisâtres sans dossier et aperçut les deux postes de télévision. Sur l'un des postes passait un film en noir et blanc, et, malgré l'image qui sautait sans arrêt, elle reconnut *Le Troisième Homme*. Dans un parc d'attractions du Vienne d'après-guerre, Joseph Cotten et Orson Welles étaient emportés dans les airs sur la grande roue. Elle détourna le regard. Sur l'autre écran, un moine bouddhiste, assis en tailleur, sa robe jaune safran bien repliée, s'aspergeait d'essence. Quand les flammes s'élevèrent en corolle autour de son corps, il ne fit pas un geste.

Hélène alla éteindre les deux postes. À côté, par terre, se trouvait une pile de journaux et de magazines. Sans se pencher, elle vit sa photo et les grands titres habituels. Sans faire le moindre commentaire, elle se rassit au moment où Thad revenait avec le thé.

— Oh ! s'écria-t-il, apparemment mécontent, tu les as éteints. On donnait *Le Troisième Homme*. Mon film préféré. Enfin... l'un de mes préférés.

Il lui tendit la tasse de thé avec un doux sourire qui révélait des dents jaunes.

— Tu te rappelles la fin ?

— Oui.

— Une longue prise de vues. La caméra ne bouge pas. C'est une séquence incroyable, dit Thad en s'installant en face d'elle. On ne voit que l'allée qui mène au cimetière. Ils viennent d'enterrer Harry Lime. Des arbres dépouillés. Des tilleuls, je crois. Joseph Cotten est simplement là, il attend, et Alida Valli s'avance vers lui le long de l'allée, droit vers la caméra. Tu crois qu'elle va s'arrêter en arrivant à sa hauteur, mais elle poursuit son chemin. Nulle parole n'est prononcée. On perçoit seulement un bruit de cithare. Incroyable. Je l'ai chronométrée une fois. Évidemment, il l'aime.

— Je me rappelle très bien, Thad, je te l'ai déjà dit. Je ne suis pas venue pour regarder un film, mais pour parler.

Elle s'interrompit.

Après avoir jeté un regard d'envie à la télévision, il aperçut la pile de journaux sur le sol et sourit.

— Et j'aurais préféré que tu ne laisses pas tous ces torchons en évidence. Était-ce vraiment nécessaire ? Ces derniers mois, j'en ai vu suffisamment.

— Oh, Hélène, je suis désolé ! Je n'aurais jamais pensé...

Il se leva aussitôt, saisit la pile de journaux et alla les déposer à l'autre extrémité de la pièce sur des caisses d'emballage, puis il revint.

— Dis-moi, il y a du vrai là-dedans ?

— Une partie. C'était mon père. Thad...

— Et tu as vraiment grandi dans cette roulotte ?

— Oui. Écoute.

— Et ce commandant Calvert, celui qui vient de mourir, il a été ton premier amant ? Tu as été enceinte et tu t'es fait avorter ? Et...

— Thad, pour l'amour de Dieu, ça suffit ! s'écria Hélène, furieuse, en se levant.

Ned Calvert était décédé deux jours après que la presse avait publié cette affaire. Au volant de sa voiture, sur la route d'Orangeburg, à l'endroit précis où il venait la chercher à la sortie de l'école. Un infarctus. Hélène ferma les yeux. Savait-il que ses jours étaient comptés ? Cette histoire avait-elle contribué à accélérer le processus ? Elle se tourna vers Thad et l'observa attentivement. Elle-même venait d'apprendre sa mort par une lettre d'Orangeburg adressée à Cassie.

— Comment as-tu appris sa mort, Thad ?

— J'ai vu un entrefilet ce matin quelque part. Oh, un tout petit ! Il se trouve que je l'ai remarqué.

— Rien ne t'échappe. Je ne savais pas que tu lisais ce genre de littérature.

— Je lis tout ce qui te concerne, dit-il avec un petit sourire. Tout cela me touche, naturellement.

— Évidemment, fit-elle en retournant s'asseoir. Tout cela t'a tellement touché que, durant ces événements, je n'ai pas eu une seule fois de tes nouvelles. Même pas un coup de téléphone. Cependant... je ne suis pas venue pour parler de cela, mais pour aborder le problème de *Longue Séparation*. Tu sais quelque chose...

— Je sais tout.

— Très bien. Tu peux donc me dire ce que tu sais.

— D'accord, dit-il avec une soumission surprenante. En fait, il n'y a pas grand-chose à dire. Tu as probablement deviné. Ou Gertz a dû te le dire. Stein n'appréciait pas toute cette publicité autour de toi et pensait que te faire jouer le rôle de l'épouse en ce moment n'était pas particulièrement recommandé. C'est un rôle trop ingrat, trop antipathique. Stein pense qu'il faut redorer ton image de marque, et en cela, je trouve qu'il a raison. Le film de Gertz n'aurait fait qu'envenimer les choses. Aussi s'est-il appuyé sur Gertz. Et c'est un peu comme s'il avait pris appui sur un château de sable. Et Gertz s'est écroulé. Voilà.

— Je comprends, dit Hélène d'un ton glacial. Ton amitié avec Joe Stein est bien soudaine. Comment cela se fait-il ?

— C'est là le point crucial, répliqua Thad en souriant. Je quitte Sphère pour travailler avec Stein, à qui je compte confier les deux autres *Ellis*.

— Quoi ?

— Je passe dans le camp de Stein. C'est simple. J'en ai assez de Sphère. J'ai fait la fortune de cette société, et ils chicanent pour des vétilles. Ils n'acceptent pas mon budget pour *Ellis II* ; ils prétendaient le réduire à six millions sept cent mille dollars, ce qui est un budget de misère. Je n'aime pas ce Scher et ne lui fais aucune confiance. Avec son air aimable, il pense qu'il peut me donner des ordres. Et je ne l'admets pas, un point c'est tout. J'ai eu besoin de Sphère, et ce n'est plus le cas. Stein essaie de nous avoir depuis des années.

— Tu as bien dit « nous », Thad ?

— Oui, il s'agit de nous. Bien sûr. Je ne peux pas tourner *Ellis* sans toi, non ?

— J'aurais cru le contraire.

— Sans toi, c'est impossible. De toute façon, ce n'est pas le problème. Le fait est qu'à la minute où Sphère a su que j'envisageais de travailler pour Stein ils ont fait drôlement marche arrière. Et comment ! fit-il en se frottant la barbe d'un air radieux. Sais-tu combien de fois cet imbécile de Scher m'a appelé hier ? Douze fois. Il me harcèle au point d'avoir accepté de monter jusqu'à douze millions de dollars. En vingt-quatre heures.

— Douze millions de dollars ? Si je comprends bien, tu comptes rester avec Sphère ?

Thad s'esclaffa.

— Non, mais ils ne le savent pas encore. Stein monte les prix dans le même temps. Il en est à treize millions et demi et, là, je crois que ça suffit. J'opte donc pour Stein.

— Je vois, fit Hélène en baissant les yeux.

Elle commençait à entrevoir la vérité et même à la percevoir avec une certaine clarté.

— Et Stein veut une autre actrice dans le rôle de Lise, je suppose ?

Elle savait que ses paroles allaient provoquer une réaction chez lui et ne se trompait pas.

— Quelqu'un d'autre ? fit-il en clignant des yeux. Ne sois pas stupide. C'est toi qu'il veut.

— Je croyais qu'il y avait un problème avec mon image de marque ?

— Pour *Longue Séparation*, oui, mais pas pour *Ellis*. C'est totalement différent. Lise est un personnage sympathique, et les gens t'identifient à elle. Quand le film sortira, toutes ces sornettes parues dans les journaux seront oubliées. Et ils te retrouveront comme avant. Tous tes problèmes seront envolés, dit-il avec un large sourire. *Ellis* peut faire cela pour toi. Moi aussi. Moi et personne d'autre.

Hélène posa sa tasse de thé par terre.

— C'est très gentil de ta part, Thad, dit-elle en mesurant ses paroles. Je devrais éprouver de la reconnaissance envers toi, mais, vois-tu, le problème est que je me moque éperdument de mon image de marque. Peu m'importe ce que les gens racontent ou pensent.

— C'est faux. Tu dois t'en préoccuper, l'interrompit Thad. Ce sont eux qui ont fait ce que tu es devenue. Tu as besoin d'eux.

— Non. Et je n'ai nullement l'intention de les laisser me forger une identité et me dicter mes actes. Ni eux ni toi, Thad. Tout cela est bien fini.

Elle se tut. Il régna un instant de silence. Thad l'observait avec attention. Elle voulait poser encore une question bien qu'elle en connût la réponse.

— Quand as-tu l'intention de commencer le tournage d'*Ellis II* ? C'est toujours juillet ?

Il parut soulagé.

— Nous pourrions attendre jusque-là, c'est certain, mais, en fait, nous sommes prêts. Nous pouvons boucler les formalités très vite. Maintenant que tu ne tournes plus avec Gertz, tu es libre. Je pense qu'on pourrait voir les premiers plans vers la mi-juin... s'il n'y a aucune anicroche, bien sûr.

— J'en vois une, fit Hélène en se levant. Je ne tournerai pas.

— Quoi ?

— Tu as tout organisé, dit-elle en lui lançant un regard glacial. Avec Joe Stein. Tu as dit que tu passerais dans son camp et travaillerais avec Artists International à deux conditions...

— La première. Davantage d'argent. C'est tout. C'était simplement une question d'avoir le budget nécessaire pour faire le film.

— Deux conditions. Davantage d'argent et que je ne tourne pas *Longue Séparation* avec Gertz. C'était ça, non, Thad ?

— Non. Je n'ai rien à voir dans cette histoire. Tu es folle. C'était une question d'opportunité, d'image de marque, je te l'ai déjà dit.

— Oui, tu me l'as dit, et je ne t'ai pas cru. Je te connais trop, Thad. Je sais très bien comment tu manœuvres. Mais je n'arrive vraiment pas à comprendre pourquoi tu ne voulais pas que je fasse ce film.

— Je tenais à ce que tu tournes *Ellis II*. Je l'ai écrit pour toi, fit-il d'un ton boudeur.

Il ne tenait pas en place.

— Thad, où est le problème ? Quand tu m'as remis le scénario, ma décision de tourner avec Gertz était pratiquement prise.

— Tu avais déjà fait un film avec lui. Tu n'avais pas besoin d'en faire un autre. Et puis... je n'aime pas Gertz. Je le méprise. J'ai fait de toi une vedette, et maintenant il veut exploiter mon œuvre. Il te volait.

— Je ne te laisserai pas faire ça, Thad. Je ne te laisserai pas diriger ma vie.

Furieuse, Hélène détourna le regard et se dirigea vers la terrasse. Thad se précipita vers elle.

— Que fais-tu ?

— Je m'en vais, Thad.

— Non, attends.

Il s'approcha d'elle et lui effleura le bras. Hélène, ne supportant pas le contact de sa main, eut un mouvement de recul. Thad aussitôt ôta sa main.

— Ne t'en va pas. Reste un instant. Je veux te montrer quelque chose. Je t'en prie, Hélène. Je vais tout te dire. Je te le jure.

Hélène hésita. Surprise, elle le vit traverser la pièce et ouvrir une porte à l'autre extrémité qui donnait sur un palier et des escaliers qui menaient au sous-sol.

— Je t'en prie, viens. Ce ne sera pas long.

— Thad, je devrais déjà être rentrée. J'ai promis à Cat de ne pas être longue.

— Cinq minutes. Pas plus.

Il sortit sur le palier. Hélène, après un instant d'hésitation, le suivit à contrecœur. Elle se rendit compte, avec une certaine appréhension, qu'elle avait inventé l'excuse de Cat qui, en fait, était sortie tout l'après-midi avec Cassie.

Elle s'arrêta en haut des escaliers. Thad, presque arrivé en bas, leva les yeux vers elle.

— Je t'en prie, je veux que tu comprennes, je tiens à t'expliquer.

Hélène descendit la première marche. Thad esquissa un sourire. Malgré son embarras, Hélène promenait son regard avec curiosité.

Il n'y avait presque rien à voir. Pas de tapis sur les marches. La rampe, tout comme les murs, était peinte en blanc. Au pied des escaliers, il y avait un long couloir, deux portes et une fenêtre à chaque extrémité qui donnait de la lumière. Les fenêtres avaient des volets blancs complètement baissés. Le couloir sentait le désinfectant et l'humidité.

— C'est par là.

Thad se dirigea à tâtons jusqu'à la troisième porte. Il s'arrêta et attendit Hélène. Lissant le revers de son costume noir, il leva les yeux vers elle, la tête un peu penchée, un étrange sourire aux lèvres.

— C'est ma chambre. J'y travaille. Je crois qu'elle va te plaire. Elle devrait te plaire.

Il tourna la clé dans la serrure et ouvrit la porte avec panache. Puis il fit un pas en arrière pour laisser passer Hélène. Elle s'avança, troublée, et s'arrêta. Thad eut un petit rire nerveux.

La pièce, pas très grande, avait l'aspect d'une cellule. Il n'y avait qu'une fenêtre. Des stores blancs y étaient cloués et scellés avec des bandes de papier. Un petit lit à une place, correctement fait. Un bureau sans aucun dossier et une chaise. Rien d'autre en dehors de photos qui étaient absolument partout.

Elles couvraient tous les murs. Certaines avaient été découpées dans des journaux, d'autres étaient des photos de films qu'elle avait tournés avec Thad. Des photos d'elle par milliers. Des petites, des grandes, en couleur, en noir et blanc. Sur toutes, elle était seule. Les personnes qui l'accompagnaient avaient été intentionnellement supprimées. C'était un kaléidoscope dément de photos assemblées avec soin et juxtaposées avec précision. Au centre, sur le sol, presque sous ses pieds, était collée une affiche de *Short Cut*, la représentant en jeune fille, vêtue d'une robe blanche. Comme elle était un peu poussiéreuse, Thad se pencha pour la nettoyer. Puis il se redressa, souriant et fier.

— Je viens de commencer la pièce d'à côté. Je fais d'abord le plafond, ensuite les murs et le sol.

— Thad, *pourquoi* ?

Hélène, incrédule, le regardait, hébétée. Thad soupira.

— Ça ne te plaît pas ? Je pensais que tu aimerais.

— Thad, ce n'est pas que...

Hélène en avait le cœur serré tant elle avait pitié de lui. Toute colère s'était évanouie. Elle chercha à lui dire quelque parole aimable sans le blesser, mais rien ne lui venait à l'esprit.

— Tu te rends compte maintenant, murmura Thad, que je ne pouvais te laisser tourner avec Gertz. Ce n'était pas normal. Il ne fallait pas que tu travailles avec lui, mais avec moi. Alors, oui, c'est vrai, je suis allé trouver Joe Stein et je lui ai proposé de traiter avec lui. Il a accepté immédiatement. J'en étais certain. Les metteurs en scène comme Gertz ne sont rien. Hollywood regorge de gens comme lui. Un vague talent. De l'énergie. Une certaine intelligence. Mais ce n'est pas un artiste, Hélène. Il ne me ressemble pas.

Il se tut un instant, le souffle rapide, le regard concupiscent.

— J'ai pensé que tu comprendrais en voyant la dédicace sur le scénario que je t'ai remis. J'ai écrit la date et tout le reste. C'est le jour où je t'ai rencontrée.

— Je sais, Thad, mais...

— Je n'ai pas compris alors. Après avoir lu le scénario et parcouru la dédicace, tu ne pouvais pas refuser. Cela n'avait aucun sens. Tu m'as blessé. C'était comme... comme si tu ne m'aimais pas.

— Thad, écoute. Nous sommes amis et nous avons travaillé ensemble, mais...

— Nous ne sommes pas des amis. Tu ne dois pas dire ça. Tu sais très bien que c'est faux. (Il s'avança légèrement de façon à bloquer la porte.) Je ne veux pas utiliser le terme *amour*. C'est un mot dénué de sens. Les gens parlent d'amour et, en réalité, c'est du sexe. Moi, ce n'est pas ce qui m'intéresse. Je n'ai nulle envie de t'embrasser, de te toucher... Parfois, la nuit, j'effleure tes photos. C'est différent. J'aimerais te filmer, vois-tu, si nous étions seuls. (Il fut parcouru de frissons et se détourna d'elle.) J'aimerais te filmer maintenant. Je souhaiterais... Hélène, je vais chercher ma caméra, attends, je t'en prie, laisse-moi...

— Thad, non.

Il se figea, se retourna, et, la tête penchée, leva les yeux vers elle.

— Dis-moi que tu comprends. Je le sais, je l'ai toujours su. Mais j'aimerais te l'entendre dire. Une seule fois.

— Dire quoi, Thad ?

— Que nous sommes liés l'un à l'autre. Je l'ai su dès notre première rencontre. Nous sommes unis. Nous l'avons toujours été et le serons à jamais. Même après notre mort. Bien longtemps après notre mort, les spectateurs regarderont les films que nous avons faits ensemble et ils *sauront*. C'est comme si nous étions mariés et même au-delà. T'en rends-tu compte ?

Ils échangèrent un long regard sans rien dire. Hélène commençait à avoir peur et espérait que Thad ne le remarquerait pas. Comme Thad gardait le silence sans faire le moindre geste, elle respira profondément pour essayer de se ressaisir.

— Thad, ce n'est pas vrai, lui dit-elle gentiment. Je sais que tu es sincère, mais il faut que tu comprennes. Je ne partage pas tes sentiments et n'ai jamais pris conscience des tiens. Je respecte ton travail, mais je ne t'aime pas, Thad. Je ne me sens nullement liée à toi. Et... tu n'aurais jamais dû agir comme tu l'as fait, quelle qu'en fût la raison. L'amour ne donne pas tous les droits et certainement pas celui de manipuler les autres.

Il la regarda sans répondre. Dans la pièce faiblement éclairée, le regard masqué par les lunettes, il ne trahissait aucune émotion. Une ou deux fois, il acquiesça, puis se dirigea vers le tiroir de son bureau d'où il sortit une paire de ciseaux avant de le refermer, puis les brandit en l'air en les actionnant.

— Est-ce que tu aimes mon costume ? lui demanda-t-il.

Hélène, essayant de ne pas regarder les ciseaux, avait la gorge nouée.

— Il ressemble à ceux que tu portes habituellement, Thad, lui dit-elle doucement.

— Oui, j'ai copié le modèle. C'est une bonne idée, n'est-ce pas ? fit-il en s'avançant vers elle. Ne bouge pas.

Hélène avait eu un mouvement de recul. Elle se trouvait coincée entre le mur et la fenêtre derrière elle, et le lit à sa droite. Thad lui bloquait le passage vers la porte. Thad n'allait pas tarder, songeait-elle, à cesser soudain de sourire et à poser ces ciseaux. Ils quitteraient alors cette horrible pièce d'aliéné et tout rentrerait dans l'ordre.

Thad se trouvait juste devant elle. Il leva les ciseaux et lui effleura les joues de la lame. Hélène s'efforçait de garder son sang-froid.

— Thad, pose ces ciseaux, lui dit-elle doucement.

— Une seconde. Ne bouge pas.

Il leva sa main libre et, avec une délicatesse étonnante, frôla le contour de son visage. Sa main tremblait légèrement. Il remonta jusqu'à ses cheveux, qu'il ne caressa qu'une fois.

— Tu as peur, lui dit-il. Ne t'inquiète pas. Tu es belle. Tu es la plus belle femme que j'aie jamais vue. Ces yeux, ces cheveux merveilleux...

Les ciseaux étaient pointés juste à hauteur de ses yeux. Thad avait une expression figée. Hélène, frissonnant de peur, avait envie de hurler. Elle ferma les yeux et détourna le regard. Elle sentit le froid métal contre sa gorge, les mains de Thad se resserrer autour de son cou et entendit le déclic d'un coup de ciseaux.

Elle ouvrit les yeux. Thad tenait dans sa main une longue mèche de cheveux qu'il contemplait. Il l'enroula autour de son doigt en soupirant, puis leva les yeux vers elle avec un sourire affable, comme si rien ne s'était passé.

— Je vais garder cette mèche. Je te remercie.

Il repartit vers son bureau et mit les ciseaux et la mèche dans le tiroir.

— Je suis désolé de t'avoir fait peur. J'avais simplement envie d'avoir ce souvenir de toi. Je comprends très bien ce que tu m'as dit. Cela n'a aucune importance. Tu n'es pas prête. Tu n'as pas encore pris conscience que nous appartenions l'un à l'autre. Un jour tu comprendras. (Il se mit à marmonner dans sa barbe.) J'ai un peu de travail maintenant. Si tu veux toujours partir...

Hélène ne se le fit pas dire deux fois. Elle se dirigea vers la porte. Thad avait ouvert un autre tiroir et fouillait dans ses paperasses. Il était redevenu parfaitement normal. Au moment où elle allait sortir, il la regarda.

— Tu ne veux toujours pas tourner *Ellis* ? Tu n'as pas changé d'avis ?

— M'as-tu amenée ici dans cette intention ?

— J'ai pensé que peut-être tu comprendrais.

— Non, Thad.

Elle s'attendait à de nouvelles suppliques. Rien.

— Bon, très bien, fit-il, indifférent. Tu es en colère contre moi. Ce n'est pas le moment, mais ça passera. Tout passe.

— Thad, je ne vais pas changer d'avis et maintenant moins que jamais.

— Tu crois ? fit-il en souriant. Dieu crée les films. Ses voies sont impénétrables, tout comme les miennes. Une danse merveilleuse dans un dédale de petits pas. On ne peut prédire l'avenir, pas plus que la fin de mes films. Comment peux-tu affirmer que tu ne changeras pas d'avis dans un an... deux ans... dix ans ?

— Thad, lui dit Hélène, les yeux fixés sur lui, tu ne crois pas en Dieu, et je ne pense pas que tu attendras dix ans pour tourner *Ellis* avec moi.

— Oh, tout est possible. Je suis très patient, tu sais. Effectivement, peut-être pas dix ans. Nous verrons, dit-il en regardant sa montre. Je ne pense pas travailler. Je vais regarder la fin du *Troisième Homme*. Je t'accompagne.

Dès l'instant où ils se retrouvèrent dans le studio, Thad s'installa sur l'un des sièges grisâtres après avoir allumé la télévision. Hélène se dirigea vers la terrasse. Thad ne leva même pas la tête.

La séquence qu'il avait décrite quelques instants plus tôt commençait. Hélène se demandait si cela faisait partie de sa manœuvre, parfaitement mise au point. Thad était capable de tout. Pensait-il réellement ce qu'il avait dit ? Sur le moment, elle n'en avait pas douté une seconde, mais là, sa certitude était ébranlée. N'était-ce pas un de ses nombreux stratagèmes visant à la persuader de travailler avec lui ?

Elle se tourna vers l'écran. Alida Valli entamait la scène finale où elle s'éloignait pour disparaître à jamais de l'écran et de la vie d'un homme. Hélène ressentit alors une extraordinaire joie de vivre. Impossible de passer une seconde de plus dans cette maison. Impossible de supporter davantage la présence de Thad.

— Au revoir, lui dit-elle.

Thad fit un vague signe de la main sans même se retourner.

Hélène sortit sur le balcon, respira l'air frais. En contrebas s'étendaient la vallée et la ville. « Je suis libre, eut-elle envie de crier. Je ne suis plus contrainte de rester ici, de tourner, de rentrer chez moi pour retrouver un homme que je n'aurais jamais dû épouser. Je peux aller n'importe où, faire ce qui me plaît. » Pour la première fois en cinq ans, l'avenir s'offrait à elle librement. Elle remonta les escaliers à la hâte après s'être retournée une seule fois. Alida Valli empruntait le chemin du cimetière. Joseph Cotten attendait en vain, et Thad chronométrait la scène.

Elle allait disparaître à jamais de l'écran et de la vie d'un homme. Elle s'arrêta près d'une voiture garée au bout de la longue allée sinueuse. C'était une Bentley Continental Mulliner noire avec un intérieur en cuir beige, modèle rare et unique à Hollywood. Comme tout ce qu'elle possédait, elle l'avait choisie en souvenir d'Édouard. Pas seulement parce que la voiture était une pure merveille ou pour le plaisir de la conduire, mais parce qu'elle avait l'impression de sentir Édouard tout proche.

Elle grimpa dans la voiture, furieuse de ne pouvoir chasser cette pensée de son esprit, et appuya sur l'accélérateur. Une fois sur la route étroite qui serpentait à travers les collines dans le canyon, elle s'arrêta. Une Ford était garée sur le bas-côté de la route. Devant se trouvait un petit homme à l'aspect minable et au regard fureteur. Celui qui l'avait prise en photo à Forest Lawn et l'avait suivie avec ténacité ces derniers mois. Entendant le déclic de son appareil, elle tira violemment sur le frein à main et sortit de la voiture. Le petit homme repartait déjà en direction de la Ford. Hélène s'avança vers lui, le forçant à s'arrêter. Elle le dépassait d'une tête. Il cligna des yeux nerveusement. Hélène tendit la main.

— Donnez-moi cet appareil-photo.

Il recula et se trouva coincé contre l'arrière de la Ford.

— N'avancez pas. Je ne voulais rien de mal. C'est mon travail. Je...

— Je vous ai demandé de me donner cet appareil.

Il le serra contre lui.

— Écoutez, dit-il d'un ton plaintif, je vous en prie, ne faites pas ça. Ne me causez pas d'ennuis. Il n'y a pas de loi contre...

Hélène lui arracha l'appareil par surprise et recula. Elle se tenait au bord de la route, près d'un abîme d'une centaine de mètres sur sa gauche. Le petit homme s'approcha d'elle, hésitant, et s'immobilisa. Hélène ouvrit l'appareil et sortit le film qu'elle exposa à la lumière avant de le jeter dans le précipice. Puis elle lui tendit l'appareil et, sans un mot, tourna les talons et remonta dans sa Bentley. Le petit homme, suant et tremblant, les yeux écarquillés, ne fit pas un geste.

Elle rentra chez elle à vive allure sur la route en corniche. À cinq cents mètres de chez elle, elle freina. Les pneus crissèrent, et la voiture s'arrêta.

Elle resta un instant, essoufflée, sur cette route étroite et déserte, sous un ciel d'un bleu irréel. Elle posa son regard sur la bague de fiançailles qu'elle portait encore, le fameux diamant. Elle l'ôta ainsi que son alliance et, après avoir contemplé ces bijoux étincelants qui scintillaient entre ses doigts, prit son élan et les jeta de toutes ses forces. Elle en perçut l'éclat tandis qu'ils tournoyaient dans l'air, puis ils disparurent dans les broussailles.

Sans jeter le moindre regard en arrière, elle démarra de nouveau et poursuivit sa route plus calmement.

Elle trouva la maison plongée dans le silence. Elle entra précipitamment en appelant Cat, mais se rappela qu'il n'y avait ni Cat ni Cassie, qui ne devaient rentrer que plus tard. Elle s'arrêta au milieu de l'entrée, ressentant brusquement, après toutes ces péripéties, une profonde solitude.

Elle lutta, comme lorsqu'elle était enfant, souhaitant de toute son âme la combattre.

Quand elle se fut ressaisie, elle traversa le couloir jusqu'à la porte du salon. Le bruit de ses talons résonnait sur le vieux sol carrelé. Elle tourna la poignée et poussa la porte en songeant qu'elle et Cat allaient bientôt quitter cette maison pour aller vivre ailleurs. Trop de fantômes la peuplaient, pas seulement celui d'Ingrid Nilsson, mais le sien également.

Dans le salon, juste en face d'elle, un homme était assis dans un fauteuil. Il avait dû entendre ses pas, parce qu'il semblait sur le qui-vive. Il était penché en avant, les mains agrippées aux bras du fauteuil, le visage tourné vers la porte. Édouard se leva en silence.

Ils restèrent tous deux figés, les yeux dans les yeux. Le choc était si intense qu'Hélène était paralysée, muette. Les yeux écarquillés, elle percevait les clameurs qui surgissaient du silence et comme un regain soudain d'énergie. Édouard esquissa un geste de la main mais la laissa retomber.

Un homme brun, de haute taille, dans un costume sombre. Sa main tremblait. Avec une clarté hallucinatoire, elle voyait se dessiner dans le lointain mais avec une grande précision un être qu'elle avait toujours connu, un être que pourtant elle ne connaissait pas. Elle examina les traits de son visage, comme si c'était un inconnu. Les cheveux, le nez, les joues, la courbe des lèvres.

Mots et phrases se bousculaient dans son esprit et surgissaient, laissant un vide. La pièce s'estompa puis revint en gros plan. Brusquement, un sentiment de bonheur absolu, plus fort que les mots, l'envahit. Ses pensées se précisaient. La pièce aussi. Elle eut l'impression qu'il comblait l'espace qui les séparait, l'atteignant lui aussi comme un courant d'une force impérieuse. Sa joie insensée était d'une puissance si extraordinaire qu'un sourire radieux se dessina sur ses lèvres. Il semblait, lui aussi, passer par les mêmes affres. Au même instant, son regard s'illumina, et il lui sourit à son tour.

Il fit un pas vers elle, puis s'arrêta, le visage figé une fois de plus. Elle retrouvait tout ce qu'elle avait aimé chez lui : sa franchise, ses réticences, le désir de masquer sa profonde émotion sous un air apparemment détendu.

Les traits de son visage étaient tendus, mais il s'exprimait d'une voix parfaitement calme.

— J'ai toujours cru que tu m'écrirais un jour, que je prendrais le téléphone pour entendre ta voix ou qu'en pénétrant dans une pièce je te trouverais là, m'attendant. Je me dis cela chaque jour depuis cinq ans.

— Mais je t'ai écrit, Édouard, j'ai écrit, dit-elle en faisant un pas vers lui.

— Je sais. Dès que j'ai reçu ta lettre, j'ai accouru. Il est impossible que tu en aies douté une seconde... Dis-moi que tu savais cela, dis-le-moi...

— Oh, je le sais. Je l'ai toujours su, dit-elle en levant les yeux vers lui, mais sans le voir tant elle était aveuglée de bonheur. Je savais, mais j'ai pensé...

— Les pensées... Je connais, dit-il avec une pointe d'humour qui contrastait avec l'expression de son regard. Les pensées ne comptent pas. Elles n'ont aucune importance. Crois-tu que tu pourrais venir plus près ?

Hélène s'approcha.

— Encore plus près ?

Elle fit un pas. Ils restèrent tout près l'un de l'autre sans se quitter des yeux. Le temps s'arrêta. L'univers se figea. Il passa ses bras autour de son cou et la serra de toute son âme contre son cœur qui battait à tout rompre.

— Sais-tu que je t'ai cherchée ? Le sais-tu ? lui dit Édouard, plus tard, bien plus tard.

Au cours du long voyage en avion depuis Paris, il avait pensé à tout ce qu'il allait lui dire et dans quel ordre, mais là, impossible de se rappeler quoi que ce soit. C'était la confusion totale dans son esprit fébrile. Les idées fusaient avec une rapidité endiablée. Un flot de paroles se déversait. Il la désorientait sans doute, mais qu'importe. Il lui parlait de la semaine, de l'année précédente, mêlant tout et perdant la notion du temps. Bien sûr, il lui avait avoué la vérité pour Madeleine et Anne Kneale, mais pas encore sur les photos de Cat ou les présents qu'il avait gardés pour le jour où Hélène et sa fille reviendraient. Combien de fois était-il retourné devant la petite église de Saint-Julien-le-Pauvre ? Combien de fois, à Saint-Tropez, sur la plage, le regard perdu vers la mer, il avait failli perdre tout espoir, puis l'avait senti renaître en lui. Au début, ils s'étaient assis l'un à côté de l'autre. Puis Édouard s'était mis à arpenter la pièce de long en large, déversant un flot de paroles confuses et passionnées. Mais, comme il lui était impossible, intolérable, de ne pas être tout contre elle, il se rassit et lui prit les mains dans les siennes.

Hélène le regardait, les yeux étincelants de bonheur. Elle avait aussi essayé de lui parler, de lui expliquer, mais n'arrivait pas non plus à mettre de l'ordre dans ses idées. Ils s'interrompaient, reprenaient le fil de leur discours, s'arrêtaient de nouveau tout en riant. Hélène se boucha les oreilles.

— Oh, Édouard, tu vas trop vite. Tout se brouille dans mon esprit. Le temps m'a paru long, et pourtant j'ai l'impression de ne jamais t'avoir quitté. C'est comme si tu avais toujours été là.

— En un sens, c'est vrai.

— Il me semble que notre séjour dans la Loire date d'hier, dit-elle en lui prenant la main. Je me revois quittant furtivement la maison. C'était horrible. J'avais envie de m'arrêter, de t'écrire un mot. Je voulais t'expliquer, mais j'avais trop peur.

— Ma chérie. Je regrette tout cela. Même si Cat n'avait pas été ma fille, à ton avis, quelle aurait été ma réaction ?

— Je ne sais pas, fit-elle en secouant la tête. Édouard, je ne sais pas. Je croyais que tu cesserais de m'aimer.

— Que jamais cette idée ne traverse ton esprit, lui dit-il en l'attirant contre lui. C'était et c'est impossible. Tu ne savais donc pas que je t'ai cherchée ?

Hélène le regarda, les yeux écarquillés.

— Tu m'as cherchée ? Après mon départ de la Loire ? Mais...

Lui prenant ses deux mains, Édouard lui expliqua comment son enquête l'avait mené jusqu'à Rome et lui parla même de son entretien avec Thad.

Elle l'écouta sans rien dire, le visage de plus en plus crispé. Soudain, elle bondit, les joues embrasées.

— Je *hais* Thad, s'écria-t-elle avec une brusque colère. Je le déteste. C'est le mal personnifié. Il ne me l'a jamais dit. Il essaie de manipuler les gens, de façonner leur vie à sa manière comme dans un scénario.

Elle s'interrompit et leva les yeux vers Édouard, le visage plus détendu puis elle vint se rasseoir auprès de lui et lui prit la main.

— Thad est fou, dit-elle simplement. Tout ce qu'il t'a dit est faux. Vois-tu, il a raison dans les détails de la vie mais, pour l'essentiel, il ne comprend rien. Je m'en suis rendu compte à la fin. Ça se voit dans son travail, dans ses films.

— Avait-il tort à ton sujet ? lui demanda calmement Édouard.

— Complètement. Je te le promets... Te rappelles-tu le premier soir où tu m'as amenée à Saint-Cloud ?

— Je crois que oui, fit-il en souriant.

— J'étais sincère. Je t'avais dit que je serais restée avec toi si tu me l'avais demandé lors de notre première rencontre, t'en souviens-tu ?

— Très bien.

— Je n'ai jamais eu d'autre pensée, dit-elle en se penchant vers lui. Si tu m'avais trouvée à Rome et demandé de revenir, si, au cours de ces cinq années, tu m'avais posé la question, j'aurais accouru. Je n'aurais pas pu te refuser si j'avais su que c'était là ton souhait. Édouard, j'ai essayé de ne pas t'aimer, j'ai essayé de toutes mes forces. J'étais mariée à Lewis et j'avais l'impression de me conduire en traîtresse et de mal agir en pensant à toi, fit-elle en secouant la tête. Je me fixais des buts stupides. Aujourd'hui, je ne penserai pas à Édouard, me disais-je. Et le lendemain...

— Y parvenais-tu ? lui demanda-t-il d'une voix douce.

— Non. J'aurais pourtant voulu parce que Lewis en était conscient, et cela le rendait malheureux. Mais, en vérité, malgré tous mes efforts pour te chasser de mon esprit, tel un exorcisme, c'était peine perdue. Au fond de moi, je n'y tenais pas réellement. Il me semblait que, si j'arrivais à tuer cet amour, c'est une partie de moi-même que j'aurais tuée. (Elle s'interrompit et, poussant un petit cri, étreignit sa main avec passion.) Oh, Édouard, pourquoi n'es-tu pas venu plus tôt ? Pourquoi ne m'as-tu pas écrit, téléphoné ?

— C'est ce que j'aurais souhaité le plus au monde. Hélène, je te le promets, mais je pensais... qu'il ne le fallait pas. Parfois, j'avais la certitude que tu ne pouvais pas oublier. Et il me semblait que, si je te laissais libre, si tu parvenais à accomplir tout ce que tu t'étais fixé, un jour, tu choisirais librement de revenir vers moi ou de m'écrire. Alors j'allais bien.

— Et sinon ?

— Oh, je préfère oublier. Tout me portait à croire que je me berçais d'illusions trompeuses. Tu étais mariée. Tu aurais pu être heureuse. C'est ce que m'a affirmé une personne qui vous avait rencontrés tous les deux. Je ne comprenais pas ton attitude à l'égard de Cat. La seule explication qui me venait à l'esprit était que tu ne voulais plus de moi, que notre liaison n'avait été qu'une aventure, un épisode vite oublié. Ce n'était pas toi mais quelqu'un d'autre. Et chaque fois que j'essayais de me convaincre, avec des milliers d'arguments à l'appui, tous très sensés et rationnels, je m'arrêtais. Impossible, je savais que je n'avais pas pu me tromper.

Hélène, qui avait décelé une peine intense dans son regard, avait baissé les yeux. Il lui releva la tête.

— Tu m'as téléphoné, n'est-ce pas ? murmura-t-il. Je savais que c'était toi. Trois coups, puis le silence. Une seule fois, tu n'as pas raccroché. M'as-tu entendu prononcer ton nom ?

— Oui.

— Sais-tu que, moi aussi, je t'ai téléphoné ?

— Oh, Édouard. J'en étais sûre et je me suis persuadée que j'avais tort.

— À Paris, t'est-il arrivé de retourner là où nous nous sommes rencontrés pour la première fois ?

— Oui, je te sentais si proche.

— Moi aussi, j'ai senti ta présence. Plusieurs fois.

Leurs regards se croisèrent. Édouard lui caressa le visage avec tendresse. Hélène lui prit brusquement la main et la pressa contre ses lèvres.

— Que de temps perdu. Cinq années. Édouard, j'étais une enfant. Encore plus jeune que tu ne croyais. Il y avait un tel fossé d'expérience entre nous. Le plus important, ce n'est pas l'âge, c'est l'expérience. Songe à tout ce que tu avais connu, à tout ce que tu représentais. Moi, je ne savais même pas qui j'étais. Je n'avais pas le courage d'être moi-même. Je racontais des mensonges. Je t'ai menti. Je souffre quand je songe à tous ces mensonges.

— Ma chérie, je comprends tes raisons.

— Non. Écoute, Édouard. Je suis différente maintenant. Ce changement transparaît sur mon visage. Regarde, j'ai des rides. Ici, là.

L'air sérieux, elle s'effleurait le visage à la recherche de quelques rides. Édouard, qui se rappelait ces instants de sincérité graves et passionnés qu'il avait tant aimés, se pencha et embrassa délicatement ses rides.

— J'en suis fière, Édouard, je suis vraiment heureuse de les découvrir. Parce que, maintenant, je sais que je ne suis plus une enfant. Je suis plus proche de toi. Je me sens plus proche.

Édouard lui prit les mains dans les siennes.

— Dans deux jours, le *France* quitte New York. J'ai réservé des places pour toi, Cat, Madeleine, Cassie et moi, si tu acceptes.

— Édouard...

— Elles sont prises depuis que j'ai reçu ta lettre ou plutôt dès que l'agence maritime a ouvert, le lendemain, lui dit-il en souriant. Si tu ne veux pas retourner en France, nous irons où tu voudras. Peu m'importe où. Mais je ne veux plus vivre sans toi. Je ne peux plus. Et... tu ne peux rester mariée à Lewis.

— Je ne l'ai jamais été. C'était impossible. Édouard... fit-elle en détournant le visage.

— Ne discute pas. Il te faut choisir, Hélène... (Il s'interrompit, perdant légèrement son sang-froid.) Nous n'avons qu'une vie et nous avons perdu cinq ans.

— Mon choix est déjà fait, répondit-elle, la tête penchée, si doucement qu'Édouard n'entendit pas. Mais elle leva la tête, et il lut la détermination dans son regard.

— Oui ?

— Oui. Je t'aime, Édouard. Oh, je t'aime tant !

Elle lui passa les bras autour du cou avec cette spontanéité qu'il avait toujours aimée chez elle. Il l'embrassa tendrement.

Ce n'est que plus tard, alors que mille idées se bousculaient dans son esprit, qu'elle décida de lui faire un aveu peu agréable. Elle se leva, ouvrit un tiroir et sortit un paquet de coupures de journaux.

— J'avais oublié. Tu étais en voyage et tu n'as probablement pas dû voir tout cela. Oh, Édouard, je veux que tu saches que je t'ai écrit avant le début de cette affaire. Je ne peux te laisser prendre une décision avant que tu aies lu ces articles.

— Donne-les-moi.

Il se leva et tendit la main. Hélène lui remit les journaux. Édouard ne les regarda même pas.

— Je les ai déjà lus, ou du moins certains. Je sais exactement à quoi m'en tenir, je sais quand tu as écrit et quand tout a commencé. Hélène, c'est fini, tout ça.

Il jeta les journaux dans la cheminée, craqua une allumette, puis se redressa et lui sourit.

— J'ai l'habitude des scandales, et il ne fait aucun doute que nous allons en provoquer un en partant pour New York.

— Édouard...

— Oublie tout. Ce n'est pas important. Viens.

Elle s'était avancée vers lui. Il fouilla dans sa poche et en ressortit un petit objet.

— Tu as oublié ça en partant.

Il ouvrit la main. C'était la bague en diamants qu'il lui avait offerte bien des années auparavant.

Hélène resta muette de stupeur. Des larmes lui montèrent aux yeux.

— Mets-la.

Sans l'ombre d'une hésitation, elle saisit la bague et la glissa à son doigt.

Édouard lui prit la main. Ils échangèrent un long regard.

— Je savais, lui dit-elle une fois de plus.

— *Nous* savions, corrigea-t-il.

Hélène leva la main et admira les diamants étincelant à la lumière. Elle allait dire quelque chose, puis s'arrêta. Les mots étaient inutiles. Plus d'états d'âme mais des certitudes. Édouard l'attira vers lui.

Un peu plus tard dans la journée, Édouard fit la connaissance de sa fille. Cette enfant qu'il n'avait vue qu'en photo, dont le délicat visage était son portrait. Elle entra dans le salon précipitamment, toute à sa joie devant la perspective de l'expédition de l'après-midi.

Elle s'arrêta net lorsqu'elle aperçut l'étranger. Édouard se leva très poliment. Les présentations furent faites. Cat lui serra la main, puis alla s'asseoir sans dire un mot. L'espace d'un instant, elle garda le silence, balançant ses jambes, jetant parfois un regard intrigué vers sa mère, puis vers l'inconnu.

Édouard songea à Grégoire. Il sentait le regard évaluateur de Cat, ce qui créait en lui une certaine tension qui ne transparaissait pas. Seule Hélène la percevait. Il conversa avec Cat d'un air sérieux, comme s'il s'adressait à une adulte. Il avait agi ainsi avec Grégoire. Elle lui répondit de façon hésitante au début, puis avec un peu plus de spontanéité et enfin, avec la brusquerie des enfants, décida de l'adopter.

— Avez-vous vu le jardin ? Aimeriez-vous y faire un tour ? Je vais vous le montrer. Et puis je vous montrerai ma chambre. J'ai un livre français. C'est Madeleine qui me l'a offert.

— Je serais ravi.

Édouard se leva. Hélène les accompagna. Ils firent une promenade épuisante dans le jardin, puis suivirent Cat dans sa chambre. Édouard s'assit sur le bord de son petit lit. Cat lui montra son livre français et tous ses livres anglais. Hélène, un peu en retrait, les observait en silence. Deux têtes brunes penchées sur un même ouvrage.

— Je connais quelques mots de français, fit Cat en le regardant. Madeleine m'en a appris. Je sais même prononcer le *r* à la française. Vous connaissez Madeleine ?

— Oui, je la connais depuis longtemps. Je l'ai connue quand elle était petite. Je connaissais aussi sa famille.

Ce détail sembla plaire à Cat qui lui sourit, définitivement conquise.

— Vivez-vous toujours en France lorsque vous ne voyagez pas ?

— J'ai une maison à côté de Paris, une à la campagne, là où habitait Madeleine, et une autre au bord de la mer... Si tu veux, tu pourrais venir les visiter.

— Vraiment ? (Deux petites taches roses se dessinèrent sur ses joues.) Avec maman ?

— Évidemment. Et avec Cassie et Madeleine si cela te fait plaisir.

Les rares fois où Cat avait rejoint Hélène lors de tournages ou était partie en vacances avec Lewis et Hélène, elle avait pris un plaisir extraordinaire à voyager en avion.

— On prendrait l'avion ? lui demanda-t-elle, ébahie.

— Oui. Ou alors nous pourrions prendre le bateau, un grand bateau où tu aurais une cabine pour toi toute seule.

Édouard, qui voulait rendre sa proposition alléchante, était à court d'inspiration.

— Il y a des petites fenêtres rondes qu'on appelle des hublots.

— Et des couchettes, s'empressa d'ajouter Cat dont les joues étaient embrasées. Des lits superposés comme dans les caravanes ? Oh oui !

— Eh bien, c'est décidé. Nous nous envolerons pour New York dans mon avion personnel et, là, nous prendrons un bateau.

— Quand ? Quand ? Demain ?

— Après-demain.

Remarquant l'impatience dans le regard de sa fille, il sourit en pensant qu'elle tenait de lui. Pas une seule fois elle ne mentionna Lewis Sinclair, et l'éventualité de le voir se joindre à eux ne lui vint jamais à l'esprit, ce qui ne fit qu'accroître son optimisme. Quand Cat alla se coucher, Hélène versa quelques larmes. Édouard lui prit tendrement la main.

— Tout va bien se passer, lui dit-il. Nous avancerons doucement, à petits pas. N'avons-nous pas la vie devant nous ?

Édouard revint le lendemain matin et fut présenté à Cassie qui visiblement était déjà au courant, peut-être par Hélène, peut-être par Madeleine. Édouard avait l'impression que, tout en l'observant, elle remettait en place quelques pièces manquantes du puzzle. Étonné par son regard évaluateur, il essaya de lui donner quelques détails sur le *France*.

— Là où va Hélène, j'y vais aussi. Là où elle reste, je reste, s'écria-t-elle en le toisant comme par défi. Si vous la voulez, il faut me prendre aussi.

Édouard se déclara enchanté. Il attendait avec impatience la confrontation entre Georges et cette femme au franc-parler. Cassie, impressionnée, tomba sous le charme, mais ne voulait pas le laisser paraître. « C'est comme avant », se disait-elle.

— Et inutile d'insister, je n'apprendrai jamais le français, lui dit-elle en le transperçant du regard. Je n'arrive pas à tordre ma langue dans tous les sens, et ce n'est pas à mon âge que je vais commencer. Et puis vous ne nous laissez pas vraiment le temps de faire nos valises correctement.

Elle sortit, les bras chargés. Édouard, peu accoutumé à assister à un vrai déménagement fait par des femmes, se mit à l'écart, stupéfait. Il lut des histoires à Cat, qui lui montra ses dessins et peintures. Dans l'après-midi, malgré ses protestations véhémentes, elle fut emmenée par Madeleine. Édouard passa alors deux heures idylliques en compagnie d'Hélène qui, tout en manifestant les symptômes d'une femme amoureuse, essayait en même temps d'organiser son départ dans une frénésie totale. Tout cela amusait Édouard. Il s'installa dans un fauteuil, au milieu des valises et des caisses, s'émerveillant chaque fois qu'elle rougissait, souriant lorsqu'elle ne parvenait pas à choisir une robe et qu'elle soupirait, comme si toute décision était au-delà de ses forces.

— Ma chérie, lui dit-il avec tendresse, prends-les toutes ou bien laisse-les, et je t'en offrirai d'autres. Quelle importance !

Leurs regards se croisèrent. Ils se trouvaient dans la chambre d'Hélène et tous deux en avaient conscience.

— Pas ici. Pas maintenant, dit Édouard à contrecœur, en lui effleurant les cheveux de ses lèvres.

Quelques instants plus tard, la tension disparut. Il prit plaisir à être entouré de toutes ces femmes affairées au milieu de dentelles, de jupons, de gants et de chapeaux. Le sérieux et la frivolité se mêlaient de façon tout à fait charmante.

Pour Hélène, c'était l'extase et la terreur. Tout arrivait trop vite et pas assez vite. D'une part, elle éprouvait l'envie bizarre de ne plus rien faire : le simple fait de regarder Édouard, d'entendre sa voix, de lui prendre la main la comblait. Depuis combien de temps n'avait-elle pas subi ce ravage des sens et connu cet état irréel de béatitude. Incapable de se maîtriser, elle était encline à y donner libre cours. Quand elle se rendit compte qu'Édouard, apparemment rationnel et équilibré, traversait les mêmes épreuves, et qu'elle avait le pouvoir de déclencher une réaction immédiate d'un mot ou d'un regard, elle eut envie de se prêter au jeu. Un désir soudain naquit en elle. Sa promptitude à répondre à son appel, l'effet sécurisant qu'il lui apportait l'incitaient à le provoquer. Au diable les valises ! Elle avait plutôt envie d'être tendre.

D'autre part, à travers le voile merveilleux des sens et de l'esprit, elle savait que des impératifs moins séduisants l'attendaient. Elle ne pouvait pas partir sans prévenir personne. Et là, Édouard ne pouvait être d'aucune aide, bien qu'il pensât le contraire. Il était dans un tel état d'exaltation et d'impatience qu'il avait du mal à croire à l'existence d'un Lewis Sinclair. Quant aux agents de presse, aux avocats, aux secrétaires, aux comptables, ils avaient disparu de la surface de la terre, emportant avec eux, remarqua-t-il avec délices, Thaddeus Angelini.

Hélène, luttant contre sa délicieuse béatitude, fut inflexible sur ce point.

— Informe-les donc, lui dit Édouard, accompagnant ses paroles d'un large geste de la main. Peut-être devrais-je te laisser ? ajouta-t-il en plissant le front.

Cette éventualité l'assombrit. Tout comme Hélène.

— Non, s'empressa-t-elle de dire. Reste. Je vais faire vite, très vite.

Elle donna ainsi une série de coups de téléphone de son bureau. Édouard, assis sagement en face d'elle, rangea une pile de papiers et de coupures de journaux, renversa le tout, recommença. Il fut surpris par cette multitude de dossiers et de registres, témoins de la vie professionnelle d'Hélène. Il l'entendait expliquer en un minimum de mots et avec un maximum de calme les raisons de son départ. La lumière donnait à sa chevelure un éclat merveilleux. Hélène tournait fébrilement le fil du téléphone.

La conversation avec Thad Angelini fut particulièrement brève. Il sembla montrer peu d'intérêt aux projets d'Hélène. Édouard en fut surpris, mais n'éprouvait nulle envie d'approfondir le problème. Le coup de téléphone à Lewis fut plus long simplement parce qu'il avait du mal à l'entendre. Elle dut répéter les phrases les plus simples. Quand enfin elle reposa l'appareil, Édouard discerna une lueur de tristesse.

— Il a dû avaler quelques pilules ou je ne sais quoi. Il n'écoutait pas vraiment ce que je lui disais, fit-elle avec un geste d'impuissance.

Édouard se ressaisit aussitôt. Au même instant, toute la jalousie qu'il avait éprouvée à l'égard de cet homme s'estompa. Lewis Sinclair avait aimé Hélène après tout. Un court instant, Édouard se sentit des points communs avec lui.

Il eut honte de son bonheur insouciant et se dit qu'une certaine prudence n'était pas superflue. Le passé ne pouvait s'effacer purement et simplement. Un couple était en jeu, avec ses secrets, ses problèmes, sa loyauté entre partenaires. Il en était exclu et devait l'accepter.

Ils quittèrent Los Angeles le soir même dans l'avion privé d'Édouard pour être prêts à embarquer de New York le lendemain. En plein vol, Édouard prit conscience d'un oubli effroyable.

Il n'avait toujours pas avoué à Hélène son implication dans les sociétés Partex et Sphère. Dans la confusion, le bonheur de se retrouver, le flot d'explications, ce point crucial avait été omis.

Hélène était assise en face de lui. Cat, au comble de sa joie, regardait par le hublot, ravie de se trouver dans un avion qui n'avait pas d'autre passager. Hélène lui montrait quelques points de repère encore visibles. L'avion prenait de l'altitude. Quand ils entrèrent dans la zone de brouillard, Cat poussa des cris de joie.

Édouard hésita. Spontanément, il eut envie de révéler la vérité à Hélène dès qu'ils furent seuls. Puis tout ce qu'elle lui avait dit au sujet de Thad Angelini lui revint en mémoire et notamment sa façon de manipuler les gens, ce qui avait profondément déplu à Hélène. Ces pensées le faisaient frémir de peur.

S'il le lui disait maintenant, elle penserait peut-être qu'il lui avait délibérément caché la vérité jusqu'à leur départ. Elle risquait de le prendre mal. Dans une certaine mesure, Angelini tout comme Hélène lui devaient leur succès. Sphère leur avait offert des possibilités qu'ils auraient sans doute mis des années à acquérir sur le marché de Hollywood ou qu'ils n'auraient tout simplement jamais trouvées ailleurs. Malgré son désir de quitter Los Angeles, Hélène était fière de son travail, fière de ce qu'elle avait accompli. Comment réagirait-elle en découvrant la vérité ? Quelle allait être son attitude à l'égard d'Édouard ?

Il avait agi par amour, mais Angelini pouvait prétendre la même chose. Édouard dévisagea Hélène, se pencha vers Cat et détourna le regard.

Il ne voulait pas la tromper, mais la pensée de lui cacher un élément d'une telle importance lui répugnait. Seulement, comment lui dire maintenant ?

L'avion se redressa et prit sa vitesse de croisière. Édouard se tourna de nouveau vers Hélène, notant la courbe de ses joues, l'éclat de ses yeux, la beauté de son visage. Sa décision était prise.

Il enverrait un télex à Simon Scher du bateau pour lui donner l'ordre d'annuler toutes les opérations de Sphère et de tout liquider sans que son nom paraisse jamais, comme précédemment. Hélène ne saurait jamais, ni maintenant ni plus tard, son lien avec la société, et le rôle qu'il avait joué dans sa vie serait relégué dans le passé.

Hélène, qui observait Cat, leva les yeux vers lui avec un sourire radieux.

Édouard lui sourit aussi, avec un sentiment de soulagement. Ce n'était pas si terrible après tout et, de surcroît, n'était-ce pas l'unique secret qu'il garderait ?

Cat eut un lit superposé et un hublot. Les cabines de Cassie et de Madeleine, qui jouxtaient celle de Cat, étaient plus spacieuses. Cat était ravie. Avant même le départ elle avait exploré tout le bateau, avec la piscine, la salle de cinéma, la bibliothèque et la salle de bal. Elle s'était aventurée dans les différents restaurants et avait examiné les canots de sauvetage.

Elle se tenait entre Édouard et Hélène quand le navire quitta le port. Se penchant au-dessus de la balustrade, elle agita le bras en signe d'adieu à tous ceux qui n'avaient pas la chance de partir. Cat compta les remorqueurs, contempla la statue de la Liberté et les contours d'Ellis Island que lui désigna Hélène.

— Merci, dit Cat à Édouard. Oh, merci ! C'est tellement mieux que l'avion. (Se rendant compte de son manque de tact, elle ajouta :) Même de votre avion. Pourtant, c'était aussi merveilleux.

Elle ne trouva qu'un seul défaut. En montant sur le pont supérieur où Édouard et Hélène avaient deux cabines luxueuses contiguës, Cat se tourna vers Hélène d'un air consterné. La sienne était vaste, remplie de fleurs, très belle... mais elle n'avait qu'un lit.

— Oh, maman, quel dommage ! Tu n'as pas de lit superposé. Et vous, Édouard ?

Édouard lui sourit et échangea avec Hélène un regard complice.

— Eh bien, non. Moi aussi, j'ai un lit. Tu peux venir y faire des galipettes si tu veux. Il est très confortable.

Cat baissa les yeux. Son visage s'empourpra.

— Je parie que maman aurait préféré un lit superposé, dit-elle, prête au suprême sacrifice. J'échangerai mon lit avec elle si elle préfère.

Édouard toussota. Hélène se pencha vers sa fille, la rassurant aussitôt.

— Ma chérie, c'est très gentil de ta part, mais cette cabine me convient parfaitement.

— Bon, fit-elle nonchalamment, alors je vais aller jouer au palet sur le pont. Madeleine m'a dit qu'elle allait m'apprendre. Je suis sûre de la battre et Cassie aussi.

Elle s'esquiva rapidement, craignant que sa mère ne changeât d'avis.

— Maman n'a pas de lit superposé, dit-elle à Cassie et à Madeleine lorsqu'elles se mirent à jouer au palet. Édouard non plus. J'ai proposé à maman de lui donner le mien, mais elle n'a pas voulu.

Bizarre. Cassie, elle aussi, se mit à tousser et devint écarlate, comme si elle allait pouffer de rire. Seule Madeleine ne releva pas.

— Attention, ma petite. Concentre-toi maintenant. Ce jeu n'est pas facile. Il faut que tu saches y jouer avant notre arrivée en France, et nous n'avons que cinq jours.

— Édouard a peut-être envie de jouer ?

— C'est possible, mais laisse-les un peu tranquilles. Ils doivent être occupés.

Cat poussa un soupir résigné. Qu'importe, il y avait tant d'autres choses à faire, tant de lieux à explorer. « Les adultes sont vraiment stupides de ne pas profiter de toutes les distractions qu'offre ce navire », songea-t-elle.

Le premier soir en mer, bien après le dîner, Édouard et Hélène allèrent se promener sur le pont. Ils étaient seuls. Le navire était illuminé. Dans les salons, les passagers bavardaient, jouaient au bridge devant un verre d'alcool. D'autres dansaient au son d'une musique qui couvrait à peine le bruit des énormes moteurs.

Il faisait froid sur le pont. La masse sombre de l'Atlantique s'étendait paisiblement sans l'ombre d'une vague, excepté celles qui se formaient dans le sillage du bateau. Hélène frissonna, et Édouard l'attira contre lui. Ils restèrent l'un contre l'autre, heureux, sans dire un mot.

— Nous sommes entre deux continents, lui dit Hélène au bout d'un moment.

Édouard lui pressa la main. « Et entre deux vies », se dit-il, sachant que c'était ce qu'elle avait voulu dire. Il se tourna vers elle. Son profil diaphane se détachait dans l'obscurité, le vent soulevait sa chevelure blonde.

— Est-ce que tout ce que je te demande de quitter ne va pas te manquer ?

— Non. J'ai tout abandonné depuis longtemps, bien avant que tu ne me demandes de te suivre... Tout et tout le monde. Rien ne me manquera. J'ai l'impression de rentrer chez moi. Tous ceux auxquels je tiens m'accompagnent sur ce bateau. Plus rien ne compte. J'ai accompli ma tâche et je suis heureuse de tout laisser derrière moi.

Ils restèrent un long moment, blottis l'un contre l'autre. Sans échanger une seule parole, en parfaite harmonie, ils retournèrent lentement vers leurs cabines.

Ils entrèrent dans celle d'Hélène sans allumer la lumière. Édouard referma la porte et s'avança vers Hélène, qui lui tendit les bras. Le manteau jeté sur ses épaules tomba par terre. La vue de ses bras nus éblouit Édouard. Tous deux attendaient cet instant avec appréhension. Pourtant, Hélène se sentait enfin en paix avec elle-même. Les cinq années passées s'envolèrent à la seconde où elle effleura son corps.

Ils restèrent longtemps l'un contre l'autre. Hélène avait l'impression de flotter au-dessus de l'eau, au-dessus du brouhaha des moteurs, dans un océan paisible de bonheur serein. Ils conversèrent, firent l'amour, se caressèrent, bavardèrent et firent l'amour de nouveau.

Ils ne quittèrent pratiquement pas leur cabine. Les cinq jours de traversée furent cinq jours de rêve, balayant cinq années.

— Je ne t'ai jamais quitté, lui dit-elle un soir.

— Tu ne pouvais m'abandonner. Je ne t'aurais pas laissée, lui répondit-il.

Le cinquième jour, ils arrivèrent en France.

Christian les attendait sur le quai.

— Vous ne le savez sans doute pas, mais j'ai joué un rôle important dans cette pièce. J'ai l'intention de vous le rappeler souvent. Maintenant, dépêchons-nous, la voiture nous attend pour nous conduire directement chez moi. Le champagne est au frais. Oh, mais c'est notre petite Cat !

Il se tourna vers l'enfant qui écarquilla les yeux devant son vieux panama, son nœud papillon lie-de-vin tout flasque et son pantalon élimé en flanelle blanche.

Christian serra la main de Cat.

Il les guida vers la douane. Dehors, une Rolls-Royce noire les attendait.

En parfaite harmonie, Hélène et Édouard se retournèrent ensemble pour jeter un dernier regard au bateau, aux passagers qui faisaient encore la queue sur le pont. Il paraissait minuscule vu d'en bas. Après avoir échangé un regard radieux, ils suivirent Christian.

À bord, du pont supérieur, un homme les observait avec un intérêt particulier. De là, il avait une perspective totale. Il les vit passer la douane : Édouard, la vedette de cinéma, l'enfant, deux autres femmes, accompagnés d'un autre homme avec un drôle de chapeau. Philippe de Belfort était appuyé sur le bastingage, le visage impassible. Il les vit sortir du hangar et se séparer pour monter dans deux voitures différentes, tandis qu'une troisième s'avançait pour les bagages. Édouard de Chavigny n'avait pas changé. Toujours les voyages, toujours le panache.

Il avait pensé qu'Édouard aurait remarqué son nom sur la liste des passagers et aurait cherché à le voir pour lui demander la raison de son retour en France. Belfort en ressentit une certaine amertume. Une confrontation ne lui aurait pas déplu, mais sans doute Édouard n'avait-il pas prêté attention aux noms des passagers, ou même à ceux qui étaient assis à quelques tables de lui dans la salle à manger de première classe. Il semblait bien trop occupé.

Il vit la procession de voitures disparaître au loin et s'approcha de la passerelle. Il était agréable de revenir en France après une aussi longue absence. L'affaire avait dû se tasser avec le temps, et certains seraient heureux de le revoir. Une certaine prudence, cependant, se révélait nécessaire.

Les formalités de douane et d'immigration furent rapides. La Mercedes qu'il avait louée l'attendait. Il attendit patiemment qu'on charge les valises et donna ses instructions au chauffeur. Il lissa les plis de son pardessus en vigogne, remarquant l'intérieur de la Mercedes d'un air satisfait.

Ces dernières années, ses affaires avaient connu un essor spectaculaire.

Ils passèrent une semaine à Saint-Cloud, plusieurs semaines au bord de la mer en Normandie et le reste de l'été dans le château de la Loire. Édouard s'envolait parfois pour Paris, bien à contrecœur, et revenait le plus vite possible, impatient de retrouver Hélène. Dans la Loire, il apprit à

Cat à monter à cheval. En compagnie de l'enfant et d'Hélène, ils parcoururent les mêmes sentiers qu'autrefois avec Grégoire. Les mois s'écoulèrent. Christian vint passer quelques jours, tout comme Anne Kneale. Ce fut une période de grand bonheur.

Journaux et magazines, évidemment, spéculaient sur la durée de leur liaison. Ailleurs, la vie continuait pour d'autres. Lewis Sinclair vendit l'ancienne maison d'Ingrid Nilsson à une vedette du rock et alla s'installer à San Francisco, entre Haight Street et Ashbury, avec Betsy dont il avait fait la connaissance à la réception célébrant le succès d'*Ellis* et qui avait vite remplacé Stephani Sandrelli.

Des émeutes éclatèrent cet été-là dans le district de Watts, à Los Angeles. Thad Angelini en suivit le déroulement à la télévision, son baissé, comme toujours partagé entre un jeu télévisé, un feuilleton à l'eau de rose ou un vieux film diffusés sur plusieurs postes.

Il tournait un film pour Artist International et Joe Stein. Il n'en était qu'au début. Jamais il ne fit allusion à la suite d'*Ellis*.

Dans le petit village d'Orangeburg, Alabama, la maison des Calvert fut démolie, et l'entreprise de construction de Merv Peters procéda au déblaiement du terrain, faisant à jamais disparaître toute trace de la plantation.

Dans Bella Vista Drive, une mère de famille obèse qui avait repris son nom de jeune fille, Priscilla-Anne Peters, avait décidé de revenir à Orangeburg dès que son père aurait terminé le lotissement. Elle passait ses après-midi à chercher dans les magazines des idées pour la décoration de sa future maison, devant un verre de vodka, tandis que ses enfants braillaient dans la cour. Il lui arrivait de tomber sur des articles parlant d'Hélène qui, d'après les chroniques mondaines, semblait avoir bien surmonté les fâcheux événements. Ses lectures sur la vie de son amie d'enfance la rendaient toujours d'une humeur exécrable. « La vie, songeait-elle avec amertume, est bien injuste. » À son âge, être toujours confinée dans un trou...

Mais tous ces événements se passaient très loin. Si quelques échos leur parvenaient, Hélène et Édouard avaient l'impression qu'il s'agissait d'un autre univers. Souvent, lorsque, à la fenêtre du château, Hélène laissait errer son regard sur un décor d'un autre siècle, il lui semblait ne jamais en être partie, comme si une étrangère avait vécu ces cinq dernières années. À d'autres moments, elle prenait conscience de la réalité. Sa chambre, le mobilier choisi par Adeline de Chavigny, son portrait encore accroché au-dessus de la cheminée, tout lui murmurait qu'elle n'était plus une intruse. Ces lieux l'avaient adoptée. Elle avait maintenant acquis le droit d'y demeurer.

Après les vendanges et le traditionnel dîner annuel qui s'ensuivit, ils retournèrent passer l'automne à Paris. En décembre, ils revinrent dans la Loire célébrer les quarante ans d'Édouard. Ils dînèrent en tête à tête et sortirent une bouteille de bordeaux que Xavier de Chavigny avait spécialement fait venir pour la naissance d'Édouard en 1925. Un vin d'avant-guerre. Édouard regarda Hélène en souriant. Il se rappelait tous ces étés depuis son enfance et tous ceux qui suivirent. Quand il songeait à l'avenir, il n'entrevoyait rien de précis, seulement Hélène et lui, comme maintenant, percevant les cris des enfants qu'ils auraient, jouant dans le jardin.

Après le dîner, ils enfilèrent un manteau, une écharpe et des bottes, et traversèrent le parc en direction des prairies.

La nuit était fraîche. Un mince croissant de lune apparaissait dans la clarté du ciel. Ils passèrent dans l'allée des marronniers et s'arrêtèrent dans un champ qui débouchait sur la Loire. Le fleuve était large à cet endroit et les rivages boisés. La surface calme de l'onde frémissait à peine dans la grisaille d'argent de quelques clapotis.

Ils restèrent un long moment, le visage perdu dans le lointain. C'est à cet endroit précis que, dans sa jeunesse, Édouard avait rêvé d'amener Célestine. À seize ans, lorsqu'il envisageait un impossible avenir, c'est là qu'il se voyait avec la femme qu'il aimait.

Il y avait souvent emmené Isobel. Des années auparavant, il était également venu en compagnie d'Hélène lorsqu'il avait fait sa connaissance et lui avait appris à monter à cheval. Que de fois y était-il revenu seul, durant toutes ces années où ils furent séparés. Il avait passé de longues heures à cet endroit précis, l'esprit habité par la pensée d'Hélène. La nuit était sereine. La brise soulevait les branches dénudées des marronniers par intermittence. La lune dessinait une bande de lumière à la surface de l'eau. Il songeait au passé. Une image surgit alors brusquement comme toujours. L'espace d'un instant, le fleuve s'estompa pour laisser place à un mur écroulé. Il vit un square éclairé, perçut le silence effrayant, insupportable qui suivit l'explosion, et la poussière recouvrant les débris.

Image fugace. Hélène leva les yeux vers lui. Édouard se rapprocha d'elle. « L'image s'impose pour la dernière fois », se dit-il, ressentant aussitôt un énorme soulagement mêlé d'espoir. Essayant de façonner une conviction farouche qui se dessinait vaguement dans son esprit, il se dit que, cette fois, le destin ne lui jouerait plus de tours. Finis les revers, la douleur, l'obscurité. Fini le néant.

Main dans la main, ils reprirent la direction de la maison. À mi-chemin, riant à cause du froid, ivres de bonheur, ils se mirent à courir.

Au moment où ils entrèrent dans la maison, un carillon égrena les douze coups de minuit.

ÉDOUARD ET HÉLÈNE

1967-1975

— Il faut faire place nette, dit Christian, une expression de désespoir dans le regard. J'ai déjà fait table rase du passé. Ma décision est sans appel. Mais, quand je réfléchis, ce n'est pas si simple. Édouard, qu'en penses-tu ? Si je noyais mon chagrin dans une bonne bouteille de vin ? Crois-tu que ça m'aiderait ? Je me sens sombrer.

— Un peu de vin et tu te sentiras mieux. Tu ne dois pas t'attendre à ce que ce soit facile.

— Je vais faire un tour dans la cave. Il se peut qu'on trouve un peu de xérès dans la cuisine, mais j'en doute. Ici il n'y a rien. Ma mère ne touchait jamais à l'alcool. Mon père, si, bien sûr. Deux gins au vermouth avant le déjeuner. Un whisky à l'eau avant le dîner et un autre après. Ça ne variait jamais. N'est-ce pas extraordinaire ? C'est un détail auquel je n'avais plus pensé depuis une éternité. Il est mort il y a dix ans. Pourquoi un gin au vermouth ? Je me le demande. Il était dans l'armée de terre, pas dans la marine. C'est bizarre.

— Dans l'armée ? fit Édouard, le regard morne.

— Le gin est une boisson de marin. Quand le soleil se couche sur la vergue, et sans doute sur l'Empire, les officiers de la marine britannique vont prendre un verre, et pour une raison qui m'échappe, il se trouve que c'est du gin. Mais mon père ne mettait jamais les pieds sur un navire lorsqu'il pouvait l'éviter. C'était un officier de cavalerie et il datait le déclin de ce pays de l'introduction des tanks. Je regrette de ne pas lui avoir posé la question, fit Christian, esquissant un vague sourire. Tant pis, je vais aller faire une razzia dans la cave avant de sombrer définitivement. Attends-moi, je ne serai pas long.

Il ouvrit la porte du salon et sortit dans le couloir. Édouard entendit le bruit de ses pas sur les vieux carrelages se perdre du côté de la cuisine. Il promena son regard dans la pièce. Un silence étrange régnait. Il eut l'impression qu'un événement allait se produire.

Le manoir de Quaires, la maison d'enfance de Christian, entre le Berkshire et l'Oxfordshire, donnait sur les collines du Berkshire. Ces dernières années, Édouard n'y était venu que pour apporter une aide morale à son ami Christian lorsqu'il venait rendre visite à sa mère, et cela très rarement. Mais vingt ans auparavant, lorsqu'ils étaient étudiants à Oxford, cette maison avait été comme un second foyer pour lui. Il y passait l'hiver. Pourtant, lorsqu'il songeait à cette demeure, il l'associait toujours à l'été.

Avec le prisme du passé, certains événements sont effacés, d'autres valorisés. Dans son esprit, Édouard revoyait cette maison et son jardin dans les premières floraisons de mai et juin, baignés de la lumière chatoyante des fins d'après-midi, lorsque le soir approche très lentement, ses progrès se mesurant aux ombres qui se profilent sur les pelouses.

C'était le mois de juin, en fin de matinée. Le soleil, qui commençait à darder ses rayons sur la façade sud de la maison, pénétrait par les fenêtres à guillotine. Rien n'avait changé en vingt ans. La maison était pratiquement la même. Ce n'était pas surprenant. Depuis deux cents ans, personne n'y avait apporté la moindre modification.

C'était une maison typiquement anglaise, tout comme sa chambre, en rien comparable à une résidence française, qui faisait fi de la mode. Des rideaux de Perse pâles et délavés, ornés de fleurs, pendaient aux fenêtres et un tissu indien couvrait divans et fauteuils. Les meubles, de valeur, pour la plupart, donnaient l'impression de ne jamais avoir bougé et de ne pouvoir être placés ailleurs. Il se dégageait une odeur de cire et de musc que sa mère préparait chaque année et qui était posé dans un pot Worcester sur la table Pembroke qui se trouvait à côté de lui. Édouard effleura les pétales séchés de ses doigts, et la senteur du passé, de l'été précédent, des étés de son adolescence resurgit.

Aux murs étaient accrochés des tableaux de tout genre, ce qui rendait Christian furieux. De merveilleux portraits de famille du XVIIIe siècle, dont Christian ne pouvait nier la beauté, côtoyaient des aquarelles de style victorien, des images ternies de lacs suisses, des paysages indiens exécutés à la main, pour la plupart, par des tantes et cousins décédés depuis longtemps. Édouard aimait cette juxtaposition, tout comme il aimait cette pièce et cette maison.

Dans la cheminée, comme toujours en été, le panier à linge était rempli de pommes de pin ramassées dans le jardin. À côté, près de la chaise où la mère de Christian avait coutume de s'asseoir, se trouvaient le tapis strictement réservé aux petits dogues qui s'étaient succédé, la boîte à ouvrage contenant laines et soies pour ses travaux d'aiguille, une table où s'entassaient des numéros de la revue *The Field*, des journaux de la Société royale d'horticulture et, tout en haut, les derniers livres qui lui avaient été expédiés par la Bibliothèque de Londres. Ses lunettes à monture d'écaille étaient encore posées sur les livres.

Elle était morte trois semaines plus tôt dans la quiétude qui avait caractérisé sa vie.

Édouard saisit un livre au sommet de la pile. C'était le récit des expéditions d'Ernest Wilson à la recherche de plantes en Chine. Un petit bout de papier s'échappa du livre. C'était une note, ou plutôt une réflexion, écrite par la mère de Christian. *Les delphiniums doivent sortir côté sud. L'engrais les a fait artificiellement pousser, ils sont beaucoup trop gros. Des roses du Turkestan, disposées autour des ifs, qui ressemblent à des arlequins.*

Quand avait-elle rédigé cette note ? Édouard mit délicatement le feuillet de côté pour qu'il ne se perde pas. Il s'approcha des fenêtres, l'air pensif, et contempla le célèbre jardin. Il revoyait la mère de Christian, se penchant pour respirer le parfum d'une rose, se baissant pour arracher une mauvaise herbe qui avait eu l'outrecuidance de pousser là, s'arrêtant pour admirer sa célèbre bordure herbacée, puis sortant un petit calepin pour y inscrire une réflexion.

« Vous n'allez pas changer l'agencement de ces plantes ? » lui avait-il dit, un jour, alors qu'elle s'adonnait au jardinage.

Édouard avait alors vingt ans et la mère de Christian quarante-cinq, peut-être cinquante. Il l'avait toujours crainte.

« Elles sont parfaites », avait-il ajouté.

La mère de Christian avait souri, et ses yeux bleus, vifs comme ceux de Christian, l'avaient transpercé. Elle avait le visage abrité par un vieux chapeau de paille qu'elle portait toujours lorsqu'elle jardinait en été.

« Édouard, lui avait-elle dit, les jardins ne sont jamais parfaits. C'est la raison pour laquelle je les aime. »

Édouard laissait errer son regard sur la pelouse jusqu'en haut du mur de brique qui entourait cette partie du jardin. Les roses en espaliers, garnis de treillages conçus avec soin pour donner une apparence d'abondance naturelle, étaient en fleur. Aimée Vibert, Madame Isaac Pereire, Céleste, au doux feuillage gris. Zépherine, Drouhin, Lady Hillington, Gloire de Dijon, un peu flétrie, avec ses belles fleurs couleur chamois qui embaumaient. Édouard entendait la mère de Christian énoncer leur appellation.

Il ouvrit la fenêtre et sortit sur la terrasse. Il avait plu, et le soleil maintenant aspirait l'humidité de l'herbe. Il en émanait un parfum très fort, un parfum d'été.

Édouard revit soudain les pelouses foulées. Des jeunes gens en costume de flanelle blanc. Un jeu de croquet auquel Christian excellait de façon diabolique. Un groupe de jeunes femmes au loin. Le passé resurgissait avec une netteté étonnante. Le bruit de la balle contre le maillet. Des rires lointains. Il détourna un bref instant le regard, tout disparut.

La maison replongea dans le silence. Le jardin de même. Il retourna au salon au moment même où Christian réapparut.

— Eh bien, nous y voilà.

Christian rabattit son panama sur les yeux et s'adossa contre le banc sur lequel il était assis. Ils étaient tous deux sur la terrasse, à moitié à l'ombre, à moitié au soleil. La bouteille de Montrachet était presque vide. Christian l'avait immergée dans un arrosoir où il avait mis tous les glaçons qu'il avait trouvés dans le vieux réfrigérateur.

Il alluma une de ses cigarettes russes, l'air étonnamment bouleversé. Ses mains tremblaient.

— C'est le passé, s'écria-t-il avec une brusque véhémence. C'est stupide de ma part, mais je ne m'attendais pas à ce qu'il resurgisse ainsi. Je croyais être détaché de ces lieux, de ces souvenirs. Je ne pensais plus pouvoir être affecté à ce point. Tout ce temps était oublié... Eh bien, non.

— Le passé ne s'efface jamais totalement, lui dit Édouard avec douceur. Il est toujours là, à l'état latent. Tu ne devrais pas le combattre, Christian, mais l'accepter de gaieté de cœur. Nous *sommes* notre passé, après tout. Nos actes, nos peines et nos joies nous ont façonnés.

— Toi, tu peux parler, fit Christian en versant le reste de la bouteille dans leurs verres. Tu as toujours su transiger avec le passé. Tu as toujours été meilleur que moi dans ce domaine. Le passé t'a toujours servi à façonner l'avenir. Même lorsque nous étions à Oxford. Tu voulais poursuivre l'œuvre de ton père, la perpétuer. J'étais terriblement impressionné. Je savais que tu y parviendrais, et je ne me suis pas trompé. Tu as agi de même avec Hélène. Tu avais la ferme intention de faire ta vie avec elle, ce qui se réalise maintenant, fit-il en soupirant.

« Je suis ravi de ton bonheur. Tu es heureux. Hélène est heureuse, et cela me rend heureux. En un sens, c'est rassurant. Cela redonne foi dans le pouvoir de la volonté. Voilà, tu es l'artisan de ton destin. Oh, dit-il en avalant une grande gorgée de vin, je ne crois pas que je me sente mieux pour autant. C'est même le contraire.

— Je ne suis pas de ton avis. Parfois, il me semble que le processus de cause à effet est évident. J'ai l'impression que le type de vie que nous menons est le fruit de notre choix. C'est parce que j'ai agi de telle façon et Hélène d'une autre que nous nous sommes retrouvés. Mais je n'en suis pas toujours aussi sûr. Le hasard a son rôle à jouer. Si mon père n'était pas mort si tôt, si Jean-Paul avait vécu, si Hélène n'avait pas croisé mon chemin ce jour-là... Tu comprends ?

— Oh, mon Dieu ! Le déterminisme des Français a déteint sur toi, s'exclama Christian en haussant les épaules. Moi, je ne crois pas à tout cela. J'opte pour l'optimisme des Anglais. Ce ne sont pas les étoiles qui sont responsables de nos failles, mais nous-mêmes.

— Très bien.

Les propos exagérés et affectés de Christian n'étaient qu'une manière de cacher son émotion. Édouard n'était pas dupe.

— Mais dans ce cas, je ne vois pas pourquoi tu te culpabilises. Tu as toujours su exactement ce que tu voulais. Et tu y es parvenu. Tu souhaitais ouvrir ta galerie, tu désirais lancer de nouveaux peintres, tu voulais...

— Je voulais rompre avec mon passé, fit Christian, accompagnant ses paroles d'un large geste qui englobait la maison, le jardin et tout le paysage. Voilà la différence entre nous. Tu n'as jamais renié ton passé alors que, moi, je brûlais d'impatience de le faire disparaître pour toujours. Christian Glendinning, l'autodidacte. Au diable l'Angleterre, du moins celle-ci. J'ai essayé de toutes mes forces, Édouard. Mes lectures, la façon de me vêtir, mes actes, tout à l'emporte-pièce. Je votais pour le mauvais parti quand il m'arrivait de me rendre aux urnes. Et, bien entendu, mes amours ne sont pas orthodoxes. Sais-tu qu'un jour j'ai annoncé à ma mère que j'étais homosexuel ? J'ai réellement prononcé le mot. Je n'étais pas bien dans ma peau et las du fait que personne ne me prête la moindre attention, bien qu'ils sachent parfaitement à quoi s'en tenir. Et puis, un jour, je lui ai dit. Nous étions assis là, dit-il en désignant le salon. Ma mère cousait au petit point. Je lui ai dit : « Vous savez tout, n'est-ce pas, maman ? Je suis homosexuel. Un pédé. Une tante. J'en suis. » Sais-tu ce qu'elle m'a répondu ?

— Non.

— Elle a levé les yeux de son ouvrage, m'a regardé par-dessus ses lunettes et m'a dit : « Christian, si cela te rend heureux, tant mieux. Mais il est préférable de n'en rien dire à ton père. Certainement pas avant le dîner. » Je n'en croyais pas mes oreilles. Ensuite, elle m'a demandé ce que je penserais de planter des hortensias sur la bordure nord. (Édouard réprima un sourire.) J'étais si furieux que je suis sorti. C'était insupportable. Je voulais que tout le monde s'aperçoive que j'étais différent. Que je n'appartenais pas à leur univers, tout comme Hugo. Mais c'est un fait qu'ils ne voulaient à aucun prix accepter. Que leur importait ce que j'étais, ils s'accommodaient de tout. C'est typiquement anglais. Ils s'accommodent et s'adaptent. C'est une manière très efficace de désarmer l'adversaire. Voilà la raison pour laquelle nous n'avons jamais eu de révolution et n'en aurons jamais. Si Robespierre et Danton avaient été anglais, sais-tu ce qu'ils seraient devenus ? Je vais te le dire. Des juges de paix. Ils auraient obtenu un siège à la Chambre des lords. Ils auraient fait de la figuration, comme moi. Sais-tu que je siège à des commissions ? N'est-ce pas épouvantable ?

— Il est des sorts plus désastreux, lui dit Édouard gentiment.

Christian lui lança un regard acerbe.

— C'est possible. Je ne l'aurais pas dit à vingt ans. Toujours est-il que ce sont eux qui avaient raison et moi tort. Je viens d'en prendre conscience. En fait, je n'ai jamais pu échapper à mon passé. Pourtant, je l'ai cru. Mais il m'attendait dans l'ombre, me guettant pour réclamer son dû.

— En as-tu vraiment l'impression ?

Christian haussa les épaules puis répondit plus posément.

— Oui. Regarde cette propriété. Quatre cents hectares de terre, une métairie, près de cinq hectares de jardins. Cette maison, d'une beauté indéniable, où des générations d'inoffensifs Glendinning, profondément conservateurs, ont vécu depuis Dieu sait combien d'années. Mon père l'a achetée à un cousin en 1919. C'était un désordre indescriptible. Il n'y avait aucun jardin. C'est ma mère qui les a créés. Je suis né ici. Tout comme mes sœurs. Et maintenant tout cela m'appartient. Aucune de mes sœurs ne la réclame, car elles ont chacune une vaste demeure. Que vais-je en faire ?

— Tu pourrais y habiter lorsque tu viens dans ce pays.

— Y habiter ? Édouard, ne sois pas ridicule. Il doit y avoir une quinzaine de chambres. Ce n'est pas une maison pour un célibataire. Et je dois dire que j'aime la vie que je mène. Un agréable studio à Londres, un légèrement plus grand à Paris et un plus petit à New York. Regarde-moi tout ça, fit-il en désignant la maison. Ces tableaux, ces meubles... À quoi bon ? Je n'ai pas d'héritier. Mon Dieu, cette pensée me rend malade !

— Si vous n'en voulez pas, ni toi ni tes sœurs, je suppose que vous allez songer à la vendre ?

— Il y a un ennui, dit Christian en allumant une autre cigarette. Je m'étais décidé. Mes sœurs pouvaient prendre ce qu'elles désiraient, et le reste serait vendu chez Sotheby's et Christie's. Ensuite, je vendrais la maison. Tout me semblait simple. Jusqu'à aujourd'hui.

— Et maintenant ?

— Maintenant, je me sens attaché à tout cela, fit Christian en détournant le regard. Je m'imaginais l'acheteur, un homme d'affaires terrifiant de la Cité — excuse-moi, Édouard — qui venait de faire un coup en Bourse extraordinaire. Il transformerait les jardins en pelouses pour faciliter l'entretien, construirait une horrible piscine d'un bleu vif à la place de la roseraie. Sa femme. Mon Dieu, je l'imagine ! Elle remplirait la cuisine d'éléments rutilants pour ne jamais y mettre les pieds. Puis elle ferait appel à une Ghislaine Belmont-Laon pour lui donner l'aspect d'une maison de campagne anglaise. (Il regarda Édouard d'un air attristé.) Ils vont tout effacer, tout ce que je souhaitais voir disparaître à jamais. Et maintenant, voilà que je m'aperçois que j'y suis terriblement attaché. Sais-tu ce que j'ai trouvé dans la cave ? Les vins de mon père. Ils sont toujours là. Je viens de les voir en descendant. Ils n'ont pas bougé depuis sa mort. Son registre des vins est là également. Méticuleusement rempli. Dates. Commentaires. Quantités. C'était un excellent œnologue, ce qui est plutôt bizarre car il était typiquement anglais et, qui plus est, puritain en ce qui concerne la nourriture. Son repas favori était un pâté de poisson accompagné de haricots et une tarte à la mélasse en guise de pudding. Il aimait beaucoup les reines-claudes et insistait toujours pour aller lui-même les cueillir. Oh, Édouard, excuse-moi.

Ses yeux étaient voilés de larmes. Il se leva, en colère contre lui-même, et détourna le regard. Édouard allait s'approcher de lui, mais Christian l'arrêta d'un geste.

— Ne t'inquiète pas. Tout ira bien dans une minute.

Il se tourna et fixa son regard sur une haie d'arbustes.

Au bout d'un moment, Édouard se leva également.

— Je vais préparer un peu de café. Veux-tu de l'alcool ? Il y a un flacon d'armagnac dans ma voiture.

— Je crois que c'est une bonne idée.

Édouard sortit sans rien dire. Christian ne se retourna même pas. Il alla chercher l'armagnac dans la voiture, traversa le long couloir dallé jusqu'à la vieille cuisine et prépara le café.

Calés au milieu de boîtes de café et de thé Earl Grey, Lapsang et Ceylan se trouvaient des paquets de café en grains avec une inscription portant la date. Sur la table de la cuisine était posée une liste des commissions : une côtelette de mouton, un paquet de flocons d'avoine, un quart de beurre et du fromage. La liste type d'une veuve. Édouard se sentit ému. La mère de Christian vivait seule depuis dix ans. Il songea avec remords que lui et Christian étaient trop rarement venus la voir. Même là, il avait du mal à imaginer ce qu'avait dû être sa vie dans cette maison, n'ayant à l'esprit que la demeure, peuplée d'invités, qu'il avait connue vingt ans auparavant. Il la voyait vendue aux enchères, transformée, et, comme Christian, ne supportait pas l'idée de voir une propriété si chérie, si préservée, changer de fond en comble. L'espace d'un instant, il lui sembla entendre la voix de Philippe de Belfort : « Les imaginez-vous, Édouard, après votre mort, se parant de vos dépouilles ? »

Il porta le café et l'armagnac au jardin. Christian était assis, fumant une cigarette ; il avait retrouvé son calme.

Édouard lui servit un verre d'armagnac et du café avant de s'asseoir à ses côtés, un peu embarrassé.

— Tu es certain, dit-il au bout d'un moment, que tu ne veux pas vivre ici, ni toi ni aucune de tes sœurs ?

— Non, je te l'ai dit. Nous nous sommes réunis après les obsèques. On va vendre tout sans exception. Enfin, presque. Pas de sentiment.

— Accepterais-tu que je l'achète ?

— Quoi ? s'exclama Christian, éberlué.

— Accepterais-tu que je l'achète ?

Il régna un court silence. Christian rougit.

— Pour l'amour de Dieu, Édouard, l'amitié n'est pas une raison pour aller si loin. Je n'avais nullement l'intention...

— Je le sais très bien. Ce n'est pas par amitié que je te le demande. Enfin, pas exactement.

— Alors pourquoi ?

Édouard baissa les yeux, et Christian, le regardant d'un air méfiant, vit qu'il avait du mal à rester calme. Son bonheur irradiait.

— Hélène et moi... Je dois te dire que toutes les formalités ont été accomplies, et son divorce sera bientôt prononcé. Aussi allons-nous pouvoir nous marier et...

— Oh, mon Dieu, mon Dieu ! s'écria Christian. Quand ? Mais quand ? Édouard, tu n'as jamais dit un mot.

— La semaine prochaine.

— La semaine prochaine ? La semaine prochaine. Je n'arrive pas à le croire. C'est merveilleux. C'est absolument extraordinaire.

Christian bondit vers Édouard et l'étreignit avec un tel enthousiasme qu'il faillit renverser la table.

— Où ? Comment ? Je suis témoin, j'espère, sinon je ne t'adresse plus la parole. J'adore les mariages. Vas-tu le célébrer en grande pompe ou furtivement dans l'une de ces délicieuses intimités, dans un coin perdu...

— Christian, fit Édouard, tentant vainement d'arrêter ce flot de sentimentalité, mais ne pouvant s'empêcher de sourire, je te parle d'affaires. Ma proposition est sérieuse.

— Parler d'argent un jour comme aujourd'hui ? Tu es fou. Inhumain. Tu es...

— Si tu souhaites réellement vendre cette maison, je serais très heureux de te l'acheter. C'est tout.

Christian s'arrêta de frétiller et s'assit, le visage fixé sur Édouard.

— Mais pourquoi ? finit-il par dire. Je ne comprends pas. Y a-t-il un lien entre ces deux extraordinaires révélations ?

— Oui. Je souhaite faire un cadeau de mariage à Hélène et j'ai pensé, si l'idée te séduisait, ajouta-t-il en souriant, que je pourrais lui offrir une maison anglaise avec un jardin anglais.

— Lorsqu'elle était enfant...

Ils retournaient à Londres. Édouard regarda dans le rétroviseur, donna un coup d'accélérateur et doubla trois voitures et un tracteur. Christian ferma les yeux.

— Quand elle était enfant... Vois-tu, c'est une confidence que je ne ferai à personne, mais je sais qu'Hélène t'en a un peu parlé... Elle vivait dans une roulotte dans l'Alabama. Tu te souviens ?

— Très bien. Elle m'en a fait un jour la description.

— Elle habitait avec sa mère qui évoquait souvent la maison en Angleterre où elle avait grandi. Tu te rappelles cette maison dans le Devon ?

— Qui pourrait l'oublier ?

— Sa mère lui parlait aussi du jardin. Surtout du jardin. Elle en parlait avec tant d'amour qu'Hélène ne l'a jamais oublié. C'était pour elle l'image d'un lieu paisible, d'une beauté parfaite. Quand Hélène était petite, sa mère la laissait souvent seule, quelquefois assez longtemps, et sais-tu ce qu'elle faisait en l'attendant ? Elle faisait un jardin. Un jardin anglais. Elle rassemblait des galets, des fleurs sauvages et des herbes folles, amassait de la terre et les plantait. Ainsi, à son retour, sa mère trouvait un petit jardin. Seulement, la chaleur était étouffante, le sol aride, et souvent sa mère était en retard. Lorsqu'elle rentrait, les fleurs étaient fanées et il ne restait plus rien. Elle m'a raconté cette histoire un jour. Elle m'a manqué.

« Lorsque, enfin, elle s'est rendue chez sa tante en Angleterre et a vu cette horrible maison, ce fut un choc pour elle. Elle venait de perdre sa mère, sa seule amie. Même maintenant, elle a du mal à en parler. C'est là qu'elle s'est rendu compte pour la première fois que sa mère était bizarre. Elle avait pris déjà conscience qu'elle essayait de se leurrer, de refuser de voir la vérité en face, mais je crois qu'Hélène a toujours cru en ce jardin anglais d'une perfection absolue. Et puis elle a vu qu'il n'existait pas. Une illusion de plus. Mais, cette fois, c'était elle-même qui était responsable. Elle avait hérité de sa mère cette faculté de voiler la réalité.

— Mon Dieu que c'est triste ! Je ne le savais pas, fit Christian en soupirant. Si nous n'héritions que les qualités...

Édouard jeta de nouveau un regard dans le rétroviseur et, ayant la voie libre devant comme derrière, accéléra.

— Voilà. J'ai donc cherché ce qui aurait une signification toute particulière à ses yeux. Et, ce matin, l'idée m'est venue. C'est la maison la plus typiquement anglaise que je connaisse. Et les jardins sont d'une perfection digne de la sobre élégance des Anglais. Et je te promets, ajouta-t-il en souriant, que nous ne construirons pas une piscine à la place de la roseraie.

Nous y voilà, dit Christian avec un regard malicieux. Je te fais confiance pour ne pas faire appel à Ghislaine. Je n'aimerais pas que ce scorpion pique son aiguillon ici.

— Tu peux me faire confiance. Ghislaine ne s'est occupée que de mes ateliers, jamais de mes maisons privées, et encore... il y a de cela bien longtemps.

— Qu'est-elle devenue ? Elle a fini par épouser ce Nerval, non ?

— Exact. Après son divorce d'avec Jean-Jacques qui a provoqué un scandale, elle a épousé Nerval. Mais je ne l'ai pas vue depuis des années. Je crois qu'elle a eu quelques problèmes avec le fisc à cause d'une société véreuse dans les îles Cayman. Toujours est-il qu'ils ont quitté la France. J'ai entendu dire qu'ils s'étaient attaqués à ce qu'il reste de Marbella avec succès, paraît-il.

— Marbella. Très bien.

— Hélène a rencontré deux ou trois fois Nerval. Elle est passée par lui pour acheter et vendre une maison. Je crois qu'il l'a étonnée. Il est la caricature de l'escroc et ne s'en cache en rien. Un scélérat qui vous berne avec le sourire. Absolument sans aucun scrupule.

— Oh, que je suis content ! dit Christian en souriant. Le scorpion a reçu exactement ce qu'il méritait.

— En fait, d'après ce qu'on raconte, ils sont très heureux. Ils sont parfaitement assortis. Ne mentionne jamais son nom devant ma mère. Ghislaine est sa bête noire depuis ce fameux séjour à Saint-Tropez, tu te rappelles ? Elle considère Ghislaine comme son ennemie. Et moi sans doute aussi.

Son timbre de voix était devenu plus personnel. Christian le regarda d'un air intrigué.

— Tu ne vas pas me dire pourquoi, je suppose ?

— Cela ne présente vraiment pas d'intérêt. C'est une longue histoire très compliquée. J'ai agi pour ce que je croyais être le bien de ma mère, et elle ne l'a jamais oublié ni pardonné, fit-il en haussant les épaules. Elle a beaucoup changé, vois-tu. Tu la reconnaîtrais à peine. Elle s'habille même différemment. Elle est devenue très pieuse.

— Pieuse, Louise ? J'ai du mal à le croire.

— C'est pourtant la vérité, dit Édouard en souriant. La maison regorge de prêtres. Chaque fois que je lui rends visite, j'entends le bruissement des soutanes. (Il s'interrompit, puis, songeant à la mère de

Christian et à Louise qui, bien qu'exaspérante, devait avoir ses moments de solitude, ajouta :) Tu devrais aller la voir à ton prochain voyage à Paris, Christian. Tu comprendras alors.

— Je ne pense pas qu'elle serait follement joyeuse de m'accueillir. Louise n'a jamais pu me sentir.

Christian alluma une cigarette et, se renversant sur son siège, laissa Édouard conduire tranquillement. Il regarda par la fenêtre. Ils avaient couvert la distance rapidement et approchaient déjà des faubourgs de Londres. Comme la circulation devenait plus dense, Édouard dut ralentir, laissant à Christian tout loisir de contempler le paysage. Les champs laissaient place à des routes, à des rangées de maisons jumelées de faux style Tudor et à des pubs peu engageants. Tout au loin, sur la droite, la terre avait été creusée sur de larges sections. D'énormes pelleteuses avançaient lentement en creusant le sol. L'autoroute Londres-Oxford était en construction. Une fois celle-ci terminée, le trajet interminable, le long d'une route de campagne tortueuse, du temps où il était étudiant, ne prendrait plus qu'une heure ou même quarante minutes avec Édouard au volant. Il se rappelait ses randonnées dans une vieille Morris Minor, sa toute première voiture. Londres-Magdalen College en moins de deux heures ! À l'époque, c'était un exploit.

— Dieu que tout change ! s'exclama Christian, se tournant vers Édouard. Nous avons passé tous deux la quarantaine. Je pensais que ce devait être épouvantable et, maintenant que c'est mon tour, je ne trouve pas cela du tout désagréable. Les perspectives se modifient. Les gens vont et viennent. Ils entrent dans ta vie et en sortent. On glane quelques informations, comme le mariage de Ghislaine avec Nerval et leur fuite à Marbella. Certains réussissent là où d'autres échouent. Quelques-uns changent de façon inattendue et d'autres restent exactement les mêmes. Le phénomène est intéressant. C'est comme un merveilleux roman. Je me demande ce que nous serons dans vingt ans, quand nous atteindrons la soixantaine.

— Nous serons toujours amis, lui dit Édouard en souriant.

— Certes. C'est un des aspects les plus agréables. En y réfléchissant, j'imagine très bien l'avenir. Distinction et puissance nous caractériseront. Tu feras partie de milliers de comités, joueras au père de famille. Cat sera probablement mariée, et, d'ici là, tu seras grand-père. Quant à moi, je serai l'enfant terrible vieillissant. Les gens se moqueront de moi et me trouveront vieux jeu. Puis, lorsque j'aurai soixante-dix ans, ils me redécouvriront et m'érigeront un monument national. Le Cecil Beaton du monde de la peinture. Mais voilà, il faut tenir jusqu'à soixante-dix ans. Après, rien de vraiment mauvais ne peut se produire. Tu deviens philosophe, et chacun s'émerveille devant ta grande classe. Ensuite, tu vends tes Mémoires aux hebdomadaires, comme tous nos amis qui publient leur journal intime et leurs lettres, et nous lançons une véritable industrie comme le groupe Bloomsbury. L'impatience me ronge. C'est alors que le passé enfin apporte ses fruits, fit-il en lançant un regard de défi à Édouard. J'espère que tu notes tout. Autrement, les thésards et les chercheurs vont être drôlement déçus. Un journal, des lettres, des calepins où tout est consigné...

— Non, absolument pas. J'exècre tout cela, tu le sais. Je ne garde même pas de photos.

Remarquant une ouverture au milieu du flot de voitures, Édouard accéléra.

— Ah non ? répliqua Christian d'un ton sceptique. Pourtant, lorsque nous étions à la recherche d'Hélène, il me semble que tu avais une photo, celle que t'avait apportée le palefrenier. Comment expliques-tu cela ?

— Je ne sais pas vraiment. Je préfère ne pas garder tout ce qui me rappelle le passé. Les souvenirs me suffisent. Il me semble que les lettres, les photos sont un prisme déformant.

— Et pas la mémoire ?

— Peut-être.

— Après tout, chacun a une vision différente du passé. Ce n'est pas une image fixe. Même nos propres perceptions changent.

— Tu veux dire que le passé n'est pas statique ?

— Bien sûr que non. Mon passé resurgit sans cesse et se manifeste de façon tout à fait surprenante.

— Sans doute parce que tu as un passé extrêmement louche.

— Oh, je sais, dit-il d'un air satisfait. Et toi aussi, je te ferai remarquer.

— Tout cela est bien fini.

— Impossible à dire. Tu ne peux même pas te fier au présent. Quand tu crois ta vie merveilleusement calme et paisible, quelque chose se trame en dehors de ton champ de vision. Au coin de la rue, dans un autre pays. Tu connais le bonheur parfait, et pendant ce temps...

— J'en suis conscient. J'ai appris cette leçon le soir où j'ai fêté mes seize ans, répliqua Édouard d'un ton sec. (Mais, regrettant aussitôt sa pointe d'agressivité, car il prenait plaisir à ces dialogues avec Christian, il lui adressa un sourire.) Tu sais qu'Hélène est à Londres avec Cat ? Nous passons la nuit à Eaton Square. Pourquoi ne viens-tu pas dîner ?

— Excellente idée.

— Si tu veux, nous pourrions aller consulter mon notaire dès demain matin. Ensuite, nous procéderons à toutes les formalités pour la vente de la maison, à moins que tu ne préfères réfléchir.

— Absolument pas. De plus, je serais ravi de connaître tes hommes de loi. Smith-Kemp, non ? Mon père avait affaire à eux. Ont-ils toujours ces admirables bureaux de l'époque de Dickens ?

— Oh oui !

— Et t'offrent-ils toujours un verre de cognac à la fin de l'entretien ?

— Invariablement.

— Extraordinaire. J'aurais plaisir à t'accompagner. C'est réconfortant de penser que certaines choses restent immuables.

— Et pas un mot à Hélène pour la maison ? Tu me le promets ? Je veux lui faire la surprise.

— Édouard, tu ne me connais pas encore ? répliqua Christian, offensé. Tu sais bien que j'adore les secrets. Je serai muet comme une tombe.

— Ne promets pas l'impossible. Si tu pouvais simplement t'abstenir de faire tes petites allusions habituelles...

— Mes allusions ? Mes allusions ? C'est une injustice, Édouard.

— Vraiment ? fit Édouard en accélérant.

Un secret. Une surprise. Hélène adorait les surprises et elle aimait offrir des cadeaux, surtout à Édouard. Ce cadeau de mariage, qui était encore un secret et serait une surprise, la comblait de joie. Elle avait l'impression de voler, tant elle se sentait légère, bien qu'elle eût marché longtemps. Elle avait parcouru Bond Street, où elle avait fait ses courses, Oxford Street, la petite rue étroite et tortueuse de Marylebone Lane avant de revenir dans High Street, parallèle à Harley Street où le docteur Foxworth avait encore son cabinet de consultation. Elle longea l'église où Robert Browning avait épousé Élisabeth Barrett, et se dirigea vers St. John's Wood où Anne Kneale avait maintenant son atelier de peinture, de l'autre côté de Regent's Park.

Elle aurait pu prendre un taxi, mais ne supportait pas aujourd'hui d'être enfermée dans une voiture. Elle avait envie de marcher, de se laisser porter par le bonheur. Dans à peine un peu plus d'une semaine, elle épouserait Édouard. Elle accéléra le pas en pénétrant dans le parc, prête à danser plutôt qu'à marcher. Deux années passées à consulter des avocats, deux années qui avaient paru interminables, non pas parce que Lewis s'opposait au divorce, mais parce que, ces temps-ci, il ne répondait jamais aux lettres, et il fallait des semaines entières pour lui arracher une signature.

Elle fit un détour par le lac, où glissaient quelques canots, et le kiosque à musique. Contrairement à Édouard, il lui était arrivé de désespérer. Quelle tristesse d'avoir recours à une administration officielle insensible pour dissoudre un mariage et tout un passé, même lorsque les deux parties ne demandent qu'à traiter à l'amiable et que tous les arrangements sont possibles. Hélène ne demandait rien à Lewis. Tout était clair. Des signatures, des documents, des lettres échangées entre avocats. Elle avait exécré cette période.

Hélène éprouvait une pointe de culpabilité à l'égard de Lewis. N'avait-elle pas sa part de responsabilité dans son déclin qui s'était accéléré de façon vertigineuse depuis son départ d'Amérique ?

Elle s'arrêta près du lac et songea aux lettres que lui avait adressées Lewis. Des pages et des pages d'une confusion totale où il semblait avoir perdu la notion du temps et des événements. Elle lui avait téléphoné plusieurs fois la première année où elle était en France, mais toute conversation devenait impossible. Elle percevait l'effet des amphétamines dans sa voix, ses explosions de joie frénétique où il semblait avoir une confiance totale en lui, puis la lente recherche d'une réalité qui lui échappait de façon douloureuse, le désorientant complètement.

Cette dernière année, elle n'était pratiquement pas arrivée à entrer en contact avec lui, et il ne répondait à aucune de ses lettres. Chaque fois qu'elle lui téléphonait, Betsy ou une autre, car ça valsait en permanence, lui répondait. Parfois, elles inventaient des excuses. « Désolée, Lewis dort. Il n'est pas souvent là. » Parfois aussi, elles ne prenaient même pas la peine de chercher un prétexte. Elles éclataient de rire en répondant : « Lewis ? Qui est-ce ? »

Hélène en éprouvait de l'inquiétude. Une fois, de désespoir, elle écrivit à Thad, lui demandant d'aller voir Lewis et de s'assurer que tout allait bien. Une autre fois, elle écrivit même à sa mère. Thad ne répondit pas. Quant à Emily Sinclair, elle lui adressa un petit mot glacial : la famille de Lewis était parfaitement au courant de la situation, écrivait-elle, et suggérait qu'Hélène se préoccupait un peu tard de lui. Hélène n'avait pas répondu. Elle en parla à Édouard, qui se montra assez ferme.

— Ma chérie, Lewis est un adulte, pas un enfant. Regarde, il a répondu à la dernière lettre de mes avocats et a signé les papiers. Hélène, ce n'est pas le moment de t'inquiéter de Lewis.

Il avait montré à Hélène la signature, faite de son écriture familière avec son stylo Mont Blanc. Cette signature qu'il avait griffonnée au bas du certificat de mariage en pattes de mouche. Cette écriture était à l'image de l'homme. Pleine de paradoxes. Deux simples mots trahissaient son panache et son refoulement. Elle songea aux lettres qu'il lui avait envoyées de Paris, où il lui déclarait son amour avec un optimisme puéril. Quelle tristesse ! Elle avait aimé Lewis, certes pas de façon orthodoxe, mais il ne s'en était jamais rendu compte. C'était un amour plutôt maternel et Lewis ne pouvait l'accepter.

Son regard se perdait sur le lac. Plusieurs couples accompagnés d'enfants canotaient sous un ciel ensoleillé. Autour d'elle, sur les pelouses qui entouraient le kiosque à musique, des gens, allongés sur des chaises longues, lisaient, dormaient ou offraient simplement leur visage au soleil. Édouard avait raison, mais ce n'était pas facile.

Elle se détourna du lac et du kiosque, et prit la direction nord. Aussitôt, elle se sentit ragaillardie. Sa gaieté resurgit. Elle ne pouvait décidément pas être malheureuse un jour comme celui-ci. Impossible.

Ils devaient se marier dans un petit village de la Loire à dix kilomètres du château. Un mariage civil, bien sûr. En tant que divorcée, elle n'avait pas le choix. Un mariage paisible. Tous deux le souhaitaient. Sans bruit. Sans publicité. Entourés simplement de quelques amis. Christian serait des leurs, évidemment. Édouard comptait le lui dire aujourd'hui. Ainsi qu'Anne Kneale, Madeleine, qui allait bientôt se marier elle aussi, Cassie, qui avait un nouvel ensemble dont elle n'était pas peu fière, et Cat qui ne comprenait pas grand-chose à toutes les complications qu'engendrait un mariage. Cat qui semblait avoir totalement oublié Lewis. Cat qui, à sept ans, adorait Édouard et considérait ce mariage comme la chose la plus merveilleuse, la plus excitante, mais aussi comme un événement inévitable.

Hélène, souriante, accéléra le pas. Elle se dirigea vers les rues jonchées de feuilles et les eaux stagnantes de St. John's Wood, longea les vastes demeures plutôt communes d'Avenue Road qui lui rappelaient toujours Hollywood et s'engagea dans un dédale de rues étroites et de jardins couverts de feuilles. Les lilas étaient en fleur. D'énormes massifs de fleurs blanches de vanilliers surplombaient les trottoirs. Elle s'arrêta pour en respirer le parfum.

Elle adorait Londres, maintenant. Tout comme Paris et le village dans la Loire, associant ces lieux à Édouard et à leur amour réciproque. Ils venaient souvent à Londres, et, lorsqu'elle se promenait comme aujourd'hui, mille souvenirs venaient assaillir son esprit. Ils étaient passés par ici en voiture ; là, ils avaient découvert un petit restaurant. Ici encore, ils avaient été invités à une réception et là, à une heure tardive où les rues étaient désertes, ils s'étaient promenés, main dans la main, sans but précis, se laissant guider par leurs pas. Partout. À Paris, où elle contemplait l'île de la Cité de l'autre côté de la Seine. Dans la Loire, au marché du coin où ils se rendaient souvent, car tous deux se plaisaient à observer les marchands des quatre-saisons. Ici, sur les collines de Primrose, où ils étaient venus un soir et s'étaient arrêtés au sommet pour contempler la ville. Et même dans des endroits bondés comme Piccadilly Circus, Bayswater Road, un coin particulier de Knightsbridge, tout lui rappelait Édouard. Ces lieux n'appartenaient qu'à eux, et le fait que d'autres couples, d'autres amoureux, avant et après eux, puissent également éprouver les mêmes sensations ne faisait que renforcer l'intensité de ses sentiments.

Elle s'arrêta un instant devant les lilas. Leur amour lui parut si puissant, si vaste, qu'il réduisait la ville au silence. L'instant d'après, il lui paraissait infime mais vital, comme faisant partie d'une longue chaîne. Des amoureux et une ville. Elle poursuivit sa route, submergée d'un sentiment profond de plénitude et de bonheur. Édouard et elle faisaient partie du passé de Londres, de l'esprit même de cette cité.

L'atelier d'Anne Kneale se trouvait maintenant au fond d'un jardin, dans une maison à pignons, peinte en blanc, où, disait-on, Édouard VII se divertissait en compagnie de Lily Langtry. L'intérieur aux mille recoins ressemblait à son vieil atelier de Chelsea qu'elle avait abandonné lorsque les flots de la mode menaçaient de l'engloutir.

— Mon épicier vend maintenant des vêtements, avait-elle dit d'un ton bourru, dans ce qu'il appelle une boutique. Dans King's Road, il est impossible d'acheter un chou-fleur. On ne trouve plus une seule épicerie. Me voilà contrainte de partir.

Elle avait donc déménagé et emmené avec elle toute l'atmosphère qui y régnait. Dans le salon de sa nouvelle maison, il y avait encore quelques tapis fanés, deux gros fauteuils en velours rouge, une rangée de galets et un vase rempli de plumes d'oiseau sur la cheminée. Son atelier était dans le même désordre que le précédent.

Hélène éprouvait une certaine appréhension aujourd'hui, car Anne avait fait le portrait de Cat. C'était son cadeau de mariage. La surprise ! Elle allait le découvrir. Quand elle entra, la séance était terminée, et Anne avait l'air satisfaite. Elle était très agitée, ce qui était, comme chez Cassie, bon signe. Cat était assise sur le bord de la table et mangeait une orange, apparemment indifférente aux saletés qu'elle faisait. Le jus coulait le long de son bras bronzé. Elle le lécha avant de donner un baiser tout collant à Hélène.

— J'ai l'impression de peindre une anguille, s'écria Anne d'un ton grincheux. Je lui ai fait du chantage. Je l'ai menacée. Rien à faire. Elle ne peut rester en place plus de cinq secondes. Jamais plus, sous aucun prétexte, je n'accepterai de peindre un enfant de cet âge.

Cat prit un air rebelle. Anne réprima un sourire en la voyant.

— Vous pouvez tout de même le voir, dit-elle à Hélène.

Elle fit faire à Hélène le tour du chevalet, se croisa les bras et contempla son œuvre d'un air sceptique. Hélène ne se laissa duper ni par le ton ni par les expressions d'insatisfaction. Elle admira le tableau sans rien dire.

Cat était représentée exactement comme elle l'était maintenant, assise au bout de la table, prête à bouger comme toujours. Derrière elle, par la longue fenêtre de l'atelier, se dessinait en filigrane le jardin en friche d'Anne. Le jardin était à l'image de Cat : riche de possibilités, généreux, sauvage et aussi très beau. Ainsi était campée sa fille, encore enfant mais pourvue d'une grâce naturelle, d'une nature vive, toujours près d'éclater de rire. Cette expression qui la caractérisait lui renvoyait en même temps et de façon étrange celle d'un adulte.

Elle contempla le tableau un long moment, profondément émue, puis, se tournant vers Anne, l'étreignit avec chaleur.

— Oh, Anne, il est merveilleux ! Vous m'avez fait découvrir ma fille et la femme qu'elle va devenir.

Anne esquissa un sourire. Elle jeta un coup d'œil du côté de Cat qui, s'étant éloignée à l'autre extrémité de l'atelier, ne pouvait entendre.

— C'est ce que j'espère. J'ai pensé..., fit-elle d'un ton hésitant en baissant la voix. Je lui ai montré son portrait, Hélène. Elle a immédiatement remarqué la ressemblance avec Édouard. C'est la première chose qu'elle m'ait dite. Vous devriez lui avouer la vérité, Hélène, dit-elle en lui pressant le bras. Je sais que vous attendiez tous deux le moment opportun. Je crois qu'il est arrivé.

Elles restèrent prendre le thé avec Anne. Il fut servi dans les tasses anciennes de porcelaine bleue de Spode qu'Hélène connaissait. Puis, en fin d'après midi, elle prirent un taxi, ouvrirent toutes les vitres et s'installèrent confortablement, car la route était longue jusqu'à Eaton Square.

— Édouard va-t-il revenir avec Christian ? lui demanda Cat.

— Je crois. Le retour dans sa vieille maison n'a pas dû être très agréable. Il est sûrement très triste et il faut le réconforter.

— Je vais lui montrer les tours de cartes que Cassie vient de m'apprendre.

Cat était assise sur le strapontin, comme à son habitude, et se balançait au gré du roulis de la voiture. Elle avait allongé ses longues jambes minces. Ses cheveux étaient ébouriffés. Son visage, habituellement si animé, avait une expression rêveuse.

Hélène, assise en face d'elle, la regardait en songeant aux paroles d'Anne. Cat avait sept ans. Ils ne pouvaient plus retarder l'instant de la révélation. Elle se demandait comment aborder le problème, cherchant, comme dans le passé, à formuler ses phrases dans un langage simple et compréhensible pour une enfant, de façon à ne laisser aucun doute et aucune inquiétude. Mais Hélène était elle-même si anxieuse qu'elle ne trouva pas les mots qu'il fallait et garda le silence.

Elles traversèrent Hyde Park. Cat, la tête appuyée contre la vitre, regardait défiler les passants, les chiens, les enfants qui jouaient. Elle désigna les bateaux qui glissaient sur le Serpentine. Lorsqu'elles arrivèrent près des grilles du parc, côté sud, Cat se tourna vers Hélène.

— Je suis allée jouer chez Lucy Cavendish l'autre jour.

— Oui, ma chérie.

— Lucy m'a dit que son père n'est pas son père. C'est son... beau-père. Son vrai père avait épousé sa mère, mais maintenant il n'est plus marié avec elle parce qu'elle est mariée à un autre.

— Ah oui ? répliqua Hélène avec prudence et le cœur battant.

— Lucy dit que c'est très agréable d'avoir deux papas. (Elle s'interrompit. Le taxi était au milieu de Exhibition Road.) Lewis n'était pas mon père, n'est-ce pas, maman ? Enfin, je veux dire mon vrai père.

C'était la première fois en un an qu'elle prononçait le nom de Lewis. Elle avait les yeux fixés sur Hélène.

— Non, Cat, mais Lewis était plus qu'un beau-père, en un sens. Quand il était mon mari, mais maintenant il ne l'est plus.

— Oh, je sais, dit brusquement Cat, tu vas épouser Édouard. Ce qui est beaucoup mieux. J'aimais bien Lewis, oui, de temps en temps. Mais il n'était pas souvent là. Je ne me souviens pas très bien de lui. Je me rappelle la maison, ma chambre avec les lapins sur les stores, le jardin.

Cat se tut un instant. Le taxi arrivait à Chelsea et tournait en direction d'Eaton Square. Hélène chercha son porte-monnaie dans son sac, l'esprit en ébullition.

— Je ressemble à Édouard. Rien qu'à Édouard. Je m'en suis rendu compte en voyant le portrait d'Anne. Je ne l'avais jamais remarqué auparavant.

Hélène se pencha vers elle.

— Bien sûr que tu lui ressembles, Cat. C'est ton papa.

Il régna un court silence. Le taxi s'arrêta devant leur maison. Cat ouvrit la portière, sauta de la voiture, puis tint poliment la portière ouverte à Hélène. Dès que le taxi s'éloigna et qu'elles se retrouvèrent seules sur le trottoir, Cat bondit de joie.

— Édouard est mon vrai père ? C'est vrai ? C'est vrai ?

— Mais oui, ma chérie. Nous aurions vécu avec Édouard bien avant, depuis le jour de ta naissance, si...

Les détails n'intéressaient pas Cat. Elle frappa dans ses mains.

— Je le savais, je le savais. Oh, je suis si heureuse !... Est-ce que Cassie est au courant ? Et Madeleine ?

— Oui, ma chérie.

— Et Christian ?

— Oui.

— Que je suis bête ! Lucy Cavendish me l'avait dit, mais je n'en étais pas certaine. Je m'embrouillais un peu.

— C'est clair, maintenant ?

— Bien sûr, fit-elle d'un ton hautain. C'est évident. Dommage que nous n'ayons pas toujours vécu avec lui. Mais j'étais petite, et il y a si longtemps... Nous vivrons toujours avec lui désormais, maman, fit-elle en penchant la tête.

— Bien sûr, ma chérie, toujours.

— Oh, je suis si heureuse ! fit Cat en sautant de nouveau de joie. Je lui en parlerai ce soir, dit-elle d'un ton décidé, puis elle entra en courant dans la maison.

— Et tu sors ta carte qui est...

Cat tenait le jeu dans ses petites mains sveltes. Christian, affalé dans un fauteuil, ses longues jambes croisées, les mains derrière la tête, l'observait attentivement.

— Le roi de carreau ! Le voilà ! fit Cat, sortant sa carte avec une certaine habileté.

Christian prit l'air stupéfait.

— Étonnant. Tout à fait étonnant. Cat, comment as-tu fait ? C'est de la magie ou simplement un truc ?

— De la magie, répondit Cat sans l'ombre d'une hésitation.

Christian secoua la tête et avala une gorgée de whisky.

— Si je ne l'avais pas vu de mes propres yeux, je ne l'aurais pas cru. Tu me le referas un autre jour ? Tu es vraiment une magicienne ou une sorcière. Que sais-tu faire d'autre ? Prédire l'avenir ?

Cat jeta un coup d'œil vers Cassie, qui, debout près de la porte, les bras croisés, l'air austère, se préparait à l'envoyer au lit.

— Pas encore, répondit-elle en se dirigeant à contrecœur vers la porte. Mais je vais apprendre. Madeleine prétend qu'elle sait, et Cassie lit l'avenir dans le marc de café au fond d'une tasse. C'est sa grand-mère qui le lui a appris. Tu regardes les formes et...

— Cassie, vous avez des dons insoupçonnés, lui dit Christian en souriant. Je vous connaissais plusieurs talents, mais pas celui d'une sibylle.

Cat lançait des regards suppliants vers Édouard et Hélène qui assistaient à la scène à l'autre bout de la pièce. Hélène inclina légèrement la tête. Le visage de Cat s'illumina aussitôt. Cassie regarda Hélène et Christian d'un air mécontent.

— Je sais prédire l'avenir, dit-elle sèchement, mais je vois très bien également quand on veut gagner du temps. Il est 7 heures et à ce rythme, je connais quelqu'un qui ne va pas aller au lit avant 9 heures. Et je vois...

— Non, tu ne vois rien, Cassie, dit Cat d'une voix douce. Je viens et, ce soir, je serai plus rapide que d'habitude.

Elle dit bonsoir à tout le monde. Christian, qui la trouvait très drôle, se leva et lui fit le baisemain en claquant des talons et en lui donnant une tape sur les fesses. Hélène la serra dans ses bras et, au moment où Édouard se penchait pour l'embrasser, elle lui dit :

— Édouard va peut-être monter te dire bonsoir, Cat. Mais seulement si tu te dépêches et si tu ne restes pas longtemps dans ton bain.

Édouard acquiesça en souriant, et Cat déguerpit aussitôt. Hélène alla s'asseoir auprès de Christian.

— Dites-moi, Christian. Était-ce très pénible ? Étiez-vous heureux qu'Édouard vous accompagne ?

— Terriblement heureux. Pour toutes sortes de raisons.

Édouard lui lança un regard d'avertissement et Christian, qui se plaisait à le taquiner, fit un récit prudent et anodin de leur journée. Édouard les observait sans vraiment les écouter. Il s'avança vers les baies vitrées et le balcon qui donnaient sur les jardins de la place. Puis il alla remplir de nouveau leurs verres et, à un signe d'Hélène, monta embrasser Cat.

Il monta les escaliers lentement. Aujourd'hui, sans doute à cause de sa conversation avec Christian et la visite dans la maison de ses parents, le passé lui semblait très proche. Lorsque, quelques instants auparavant, Cat avait sorti le roi de carreau, il avait cru voir Pauline Simonescu et entendre sa voix. « D'abord les cartes, monsieur le baron. Puis à vous de jouer. »

1967. Édouard n'avait plus revu Pauline Simonescu depuis 1959, époque où, peu avant sa rencontre avec Hélène, il avait décidé de ne plus s'y rendre. Elle avait, disait-on, quitté Paris, et tous ignoraient si elle était encore en vie. Édouard n'avait pratiquement jamais pensé à elle au cours des années qui venaient de s'écouler, mais ce soir, en voyant Cat sortir spécialement cette carte, le passé avait resurgi avec clarté. Il avait même eu l'impression de sentir sa main, celle qui portait la bague en rubis, et la force étrange qui en émanait.

Il s'arrêta sur le premier palier. C'est là que logeait sa mère durant la guerre. Après avoir procédé à de nombreux travaux, Hélène et lui y avaient installé leurs appartements. Il songea aux diverses occasions où il avait grimpé les escaliers quatre à quatre, pour retrouver la chaleur sécurisante de sa chambre. Là, sur une carte, il marquait l'évolution de la guerre à l'encre bleue et l'évolution de son amour pour Célestine en lettres codées rouges. Il revit Célestine avec sa chevelure auburn relevée sur la tête, sa robe d'intérieur légèrement entrouverte. Il la revit telle qu'elle était vers la fin, un an avant de mourir, calée sur son lit entre deux coussins dans une clinique de St. John's Wood où les honoraires avaient été discrètement acquittés par Smith-Kemp qui s'étaient toujours montrés d'une efficacité discrète.

« J'aimerais du champagne », lui avait-elle dit une fois.

C'est presque la seule chose qu'elle ait dite en sortant de son semicoma.

Il s'arrêta sur le deuxième palier. Il se réjouissait d'avoir toujours renouvelé le bail de cette maison où il venait si souvent avec Hélène. Il aimait sentir le passé si proche. S'appuyant sur la rampe, il songea aux bals où il dansait avec Isobel, évoluant lentement sur la piste au son d'un disque rayé joué sur un vieux phonographe. Ce soir, la maison était plongée dans le silence. Il s'attendait presque à entendre la musique de ce phonographe au milieu de la liesse des temps de guerre. Mais il n'y avait que le silence. Au moment où il allait entrer dans la chambre qu'occupait Cat maintenant, il perçut très distinctement la voix et le rire de Jean-Paul, et sentit le poids de son bras sur ses épaules. « Quel rythme d'enfer elles nous font mener, ces femmes, hein, petit frère ? »

Il éprouva de vifs regrets et une nostalgie intense. Toute la profonde affection qu'il avait pour son frère et le désespoir inconsolable qu'il avait ressenti à sa mort refirent surface. Il se rappela Jean-Paul, non pas tel qu'il était vers la fin de sa vie, mais le frère des années de guerre où Édouard lui pardonnait tout.

Avec un haussement d'épaules, il entra dans la chambre de Cat. Elle était assise dans son lit, un livre posé sur ses genoux, mais ne semblait pas lire.

Ils échangèrent un sourire. Tout le passé s'estompa dans la quiétude de cette chambre. Celle de Cat désormais et non plus la sienne. Ce passé n'était pas une réalité pour Cat. Comme tous les enfants, elle ne vivait que l'instant présent.

Il se promena sans rien dire dans la chambre, regardant ses livres, ses dessins, ses peintures dont elle était si fière. Jetant un coup d'œil à la fenêtre, il se rappela que c'était de là qu'il avait aperçu, de l'autre côté de la place, un grand trou béant à l'emplacement d'une maison bombardée. Un tir direct. Il n'en restait évidemment aucune trace, et Édouard se demandait même de quel pâté de maisons il s'agissait.

Cat était impatiente. Avec un sourire en guise d'excuse, il se tourna vers elle et s'assit sur son lit. Il lui prit sa petite main dans la sienne.

— Aujourd'hui, je ne fais que songer au passé. Excusez-moi, Cat. Je le sens très proche, sans doute parce que cette chambre était autrefois la mienne.

— Je sais. Pendant la guerre, tu habitais ici. (Elle hésita. Deux petites taches roses colorèrent ses joues.) Connaissais-tu maman à l'époque ?

— Mon Dieu, non. J'étais jeune, je devais avoir quinze ou seize ans, fit Édouard en lui pressant doucement la main. Ce n'est que plus tard que je l'ai rencontrée. Bien après la guerre.

— As-tu fait sa connaissance à Londres ?

— Non, à Paris.

Édouard hésita. Comme Hélène, il se demandait comment aborder le problème avec Cat. Que savait-elle au juste et que pouvait-elle comprendre ? Il décida de ne pas s'arrêter là.

— Je l'ai rencontrée à Paris. Elle était devant l'église Saint-Julien-le-Pauvre. Il y a un petit parc, qui est une sorte de square, tout près de là. Je t'y ai amenée un jour, mais tu ne te rappelles probablement pas.

— Si, fit Cat en plissant le front. L'as-tu trouvée belle ?

— Très belle, dit Édouard en souriant tendrement. Je suis tombé amoureux aussitôt. Comme ça. Le coup de foudre, comme disent les Français.

Cat s'esclaffa.

— C'est vrai. Cela peut arriver. Auparavant, je n'y croyais pas. Un jour, je m'en souviens, mon père m'en avait parlé. C'est ce qu'il avait ressenti en faisant la connaissance de ma mère, Louise, il y a bien longtemps, au début de la Première Guerre mondiale, pas la Deuxième. Il l'avait vue danser... et il était tombé amoureux. D'un seul coup.

— Mais tu ne l'as pas épousée alors. Et maintenant tu vas le faire.

Une certaine anxiété se lut soudain sur le visage de Cat qui, visiblement, avait quelque chose en tête. Elle semblait éprouver de la joie, mais aussi quelque appréhension.

— Non. Je le souhaitais, mais bon nombre d'événements se sont produits. C'est très compliqué. Un jour, je t'expliquerai, dit-il sous le regard intense de Cat. La seule chose importante que tu ne dois jamais oublier, c'est que, ta mère et moi, nous nous sommes toujours aimés. Peut-être avons-nous pris la vie dans le mauvais sens, cela arrive parfois aux adultes pour maintes raisons. Mais, maintenant, tous les problèmes sont réglés. Voilà pourquoi nous brûlons du désir de nous marier. Toi aussi tu en es heureuse, n'est-ce pas, Cat ?

— Oh oui ! répondit Cat, le regard radieux. Terriblement. Cassie a un nouveau chapeau avec une plume. Et j'ai une nouvelle robe... Je ne peux pas te parler de la robe parce que c'est une surprise, mais elle est bleue. Comme des bleuets. J'aime le bleu. C'est ma couleur préférée, et cette robe est très jolie... Je sais maintenant que tu es mon vrai papa. Je pensais bien que tu l'étais, mais je n'en étais pas sûre, aussi aujourd'hui ai-je demandé à maman et elle me l'a dit.

Il la sentait agitée et heureuse. Ses petits doigts pressèrent les siens puis se détendirent. Édouard sentit un immense flot d'amour envahir son cœur. Il était très ému. Des larmes lui voilèrent les yeux. Il détourna aussitôt le regard de peur qu'elle n'interprétât mal son émotion, puis la regarda à nouveau.

— Bien sûr, ma chérie, mon enfant, mon seul enfant, s'écria-t-il en essayant de maîtriser sa voix. Et nous nous ressemblons un peu, tu ne trouves pas ?

— Oh oui, je l'ai vu... (Cat s'interrompit brusquement de façon mystérieuse.) Je l'ai remarqué. Maintenant, il me faut faire un choix. J'y ai beaucoup pensé. Comment dois-je t'appeler, Édouard ? Père ? Papa ? Dis-moi, lui demanda-t-elle d'un ton sérieux.

— Les deux conviennent. Tu peux choisir de m'appeler une fois père, une fois papa. Père quand je suis sévère et papa quand tu me trouves gentil, et...

— Tu n'es jamais sévère ! s'écria Cat en riant.

— Ah, peut-être parce que tu n'es jamais vraiment vilaine. Attends. Je peux être très sévère et même terrifiant. Regarde.

Édouard fit une grimace en prenant un air glacial et intimidant.

Cat, nullement impressionnée, éclata de rire en serrant la main d'Édouard.

— Je t'aime beaucoup, dit-elle simplement.

— J'ai beaucoup de chance, fit Édouard d'un ton solennel. Je t'aime, moi aussi. Je t'aime depuis le jour où tu es née.

— C'est vrai ?

— Oh oui ! Un jour quelqu'un m'a dit, fit Édouard en détournant le regard, qu'il valait mieux être aimé plutôt qu'adoré. Qu'en penses-tu ?

Cat fronça les sourcils et considéra le problème avec gravité.

— Les deux sont bien, répondit-elle après réflexion.

— Tant mieux parce que je t'aime et je t'adore. Et je suis aussi très fier de toi, dit-il en se penchant pour l'embrasser.

Cat mit ses bras autour de son cou et lui plaqua un gros baiser sur le nez.

— Maintenant il faut dormir. Tu ne lis pas. C'est promis ?

— Promis.

Elle s'enfonça sous les couvertures, se tourna sur le côté, posa la main sous sa joue et ferma les yeux. Édouard éteignit la petite lampe de chevet et se dirigea doucement vers la porte. Sur le seuil, il se retourna pour la regarder. Elle cligna des yeux, puis les ferma en poussant un léger soupir. Sa respiration devint régulière. Lorsque Édouard, un bonheur intense au fond du cœur, vit qu'avec la facilité d'un enfant elle était presque endormie, il sortit sur la pointe des pieds, laissant la porte entrouverte comme elle le souhaitait.

Au moment où il entra dans le salon, il entendit Hélène en grande conversation avec Christian.

— Et qu'allez-vous faire maintenant ? Il ne doit pas être facile d'envisager une vente ?

— Mon Dieu, je ne sais pas, répondit Christian en toute loyauté. Il se présentera bien une solution.

Ils s'interrompirent en voyant Édouard.

Hélène comprit aussitôt à l'expression d'Édouard que Cat lui avait parlé. Elle se leva et s'approcha de lui. Édouard lui passa les bras autour du cou et se blottit contre elle un bref instant. C'était un geste simple. Christian, qui les observait de l'autre bout de la pièce, se dit que le bonheur était contagieux. Il transfigurait Édouard tout comme Hélène, et il en ressentait lui-même les effets.

Christian se réjouit lorsqu'il apprit ce qui s'était passé.

— Très bien, fit-il avec une nonchalance affectée qui masquait une grande émotion. Magnifique. Je me sens l'âme d'un oncle et j'en suis ravi. Au fait, nous n'avons pas encore dîné, et Hélène a prétendu qu'il y avait du saumon, mets dont je raffole, et des fraises, ce qui ne fait qu'aiguiser ma gourmandise. Autour d'une table, nous pourrons bavarder en toute quiétude. Il me semble que, pour toutes sortes de raisons, nous vivons une journée mémorable.

Édouard lui fit un petit signe d'avertissement auquel Christian répondit en levant son verre avec un regard malicieux.

— Si nous portions un toast, comme à Oxford, tu te souviens ? Champagne et course de bateaux. Et ce spectacle extraordinaire de l'aube se levant sur les pelouses de Christ Church après le bal de commémoration ?

Il se mit debout, leva son verre un peu plus haut en l'agitant de façon dangereuse.

— Édouard, Hélène, à votre bonheur !

Le mariage fut célébré le 23 juin. Ce jour-là, un vendredi, Lewis Sinclair était assis seul dans la chambre mansardée qu'il partageait avec Betsy au dernier étage d'une maison toute en hauteur, à l'intersection de Haight et d'Ashbury. De l'extérieur, elle ressemblait à une maison de San Francisco, un peu prétentieuse avec pignons, lucarnes et un revêtement élaboré de planches. À l'intérieur, en revanche, Lewis lui trouvait un air indien, bien qu'il ne se soit jamais rendu dans ce pays, ou peut-être turc ou de nulle part. Cette chambre se situait en dehors de l'espace, en dehors du temps.

Lewis était allongé sur un vieux tapis par terre, avec une pile de coussins brodés aux couleurs éclatantes de plumes de paon et décorés de fragments de verre brillants. La chambre était calme. Par la lucarne, on pouvait voir le ciel et les bruits étaient étouffés par les tapis et les tentures murales. Au-dessus de la porte, Betsy avait peint les mots PAIX ET AMOUR en grosses lettres orange. Lewis avait les yeux fixés sur ces mots. Il avait l'impression d'entendre des voix entre le plancher et les tapis, celles de Betsy, de Kay, du chaman.

Parfois, également, il lui semblait percevoir celle d'Hélène, mais c'était une illusion, il en était conscient. Hélène ne se trouvait pas dans la pièce du bas, elle faisait partie du passé. Il fronça les sourcils, et la voix d'Hélène se perdit dans le lointain. En baissant les yeux, il remarqua un calendrier contre ses genoux.

Depuis combien de temps n'avait-il pas jeté un coup d'œil à un tel objet ? C'était bien aujourd'hui qu'Hélène épousait Édouard de Chavigny, mais il n'en était pas certain. Dernièrement, il avait une notion du temps tout à fait personnelle et peu orthodoxe. Cela remontait à l'époque où il vivait avec Hélène. Là, il ne se rappelait plus exactement ce qu'il avait fait ou dit. Était-ce le fruit de son imagination ? Le temps avait sa vie propre et emportait Lewis, telle une plume au gré du vent. Parfois, il le précipitait en avant, parfois le ramenait à vive allure. Quelquefois, deux, trois, quatre événements, apparemment sans lien, se produisaient simultanément, et les barrières du temps sautaient.

Il avait les yeux rivés sur le calendrier. De toute évidence, les dates existaient. Elles avaient une réalité certaine. Était-ce aujourd'hui, la semaine suivante qu'Hélène se mariait, ou bien son mariage avait-il été célébré un an auparavant ?

Lewis avait l'œil fixé sur ces petits dessins numérotés qui lui rappelaient ces horribles problèmes de mathématiques qu'on lui imposait à l'école. Durant les vacances, son père le faisait travailler au prix d'efforts méritoires. « Lewis, concentre-toi. Supposons que cinq hommes mettent trois heures à labourer un champ d'un hectare et demi. Cela signifie que, si sept hommes labourent le même champ... »

Il ferma les yeux et laissa tomber le calendrier. Aujourd'hui, la semaine dernière, l'année prochaine, quelle importance !

Lorsqu'il fermait les yeux, il lui arrivait de se sentir léger, léger, comme s'il flottait. C'est la sensation qu'il avait en ce moment, comme si son corps se soulevait et se mouvait avec grâce au-dessus des tapis et des coussins, des petits vases d'encens, des lampes Tiffany, se cognant de temps à autre au plafond, tel un bouchon porté par une vague.

Il aurait souhaité que Betsy puisse l'accompagner dans ce voyage. Il considéra l'éventualité d'aller la chercher, mais le trajet jusqu'à la porte était si long, et, de plus, Betsy ne serait pas seule. Elle ne l'était jamais. Il y avait bien trop de monde dans cette maison, au point que Lewis ne savait plus s'ils étaient vraiment réels. Sa mère était-elle là, par exemple ? Peut-être. Parce qu'un jour, alors qu'il flottait dans cette même pièce, il avait senti non pas les bâtons d'encens, mais un parfum de lavande. Et Stephani ? Peut-être se trouvait-elle là, elle aussi, parce qu'il avait vu la fourrure sur sa peau blanche et les diamants scintiller, telles des étoiles, entre ses cuisses. Non, ce n'était pas Stephani, mais Hélène. Quand elle venait, Stephani portait une robe à traîne avec des paillettes qui ressemblaient à des écailles irisées, ce qui lui donnait une allure de sirène.

Betsy avait joui. Il en était certain. Il se heurta au plafond et songea à elle, à son corps mince et fragile, à ses poignets dont il faisait le tour avec deux doigts. Betsy le couvrait de sa longue chevelure auburn, enroulait ses jambes autour de sa taille et, au moment de jouir, laissait ses petites mains descendre le long de son corps. Il percevait ce bruit qui lui rappelait celui des gouttes de pluie tombant sur les feuilles, le cliquetis de ses bracelets qui résonnait à ses oreilles comme un son lointain de cloches.

Maintenant, hier, l'année dernière ? Quand avait-il entendu ces cloches pour la dernière fois ? Une fois de plus, il ne savait pas. Il ouvrit, puis referma les yeux. Le plafond semblait plus feutré, ce qui le détendit. Il rêvait. Dans son rêve, Thad, vêtu de son costume noir, vint lui rendre visite, assis jambes croisées dans la position du Bouddha, comme à son habitude.

Dans ce rêve, Thad posait des questions à Lewis. Tant de questions stupides. Au sujet du passé, sans se rendre compte qu'il était loin, si loin. Il s'enquérait de Sphère, de Partex Pétrochimie, d'un certain Drew Johnson et d'un Simon Scher. Il voulait surtout savoir qui prenait les décisions dans la société Sphère, qui était le maître.

— Je n'ai rencontré Scher qu'une fois, et cette affaire ne m'intéressait pas du tout, ne cessait-il de répéter. Mais toi, Lewis, tu connaissais bien Scher. Tu as rencontré Johnson à Paris. Tu l'as raccompagné jusqu'à son avion et tu es parfaitement au courant de l'affaire. T'en souviens-tu, Lewis ? C'est toi qui me l'as racontée.

Dans son rêve, Lewis avait les yeux fixés sur Thad. Ces noms lui étaient familiers. Peut-être les avait-il lus dans un roman ou vus dans un film ? Il ne répondit pas à Thad parce qu'il savait que ce n'était qu'un rêve. Alors, à quoi bon ? Thad ne semblait pas s'en rendre compte. Il se leva et secoua Lewis en le pinçant au bras.

— Lewis, est-ce que tu m'écoutes ? J'ai rencontré une fille. Peu importe qui c'est. Elle était la secrétaire de Simon Scher et maintenant travaille à la Fox. Elle m'a dit des choses intéressantes, Lewis. Vraiment intéressantes. Toutes les décisions concernant le budget lorsque nous tournions des films avec eux, nous pensions que c'était Scher qui tirait les ficelles, non ? Eh bien, ce n'était pas le cas. Elle m'a dit qu'il ne faisait jamais un pas sans en avoir référé à ...

Dans le rêve, Thad ne poursuivait pas ses révélations. Il ôtait ses lunettes, soufflait dessus et les essuyait du revers de sa manche.

— Thad, lui disait Lewis, elle nous aurait présentés à Fellini. C'est elle qui nous l'a dit.

Thad posa son regard sur lui, les lèvres serrées.

— Est-ce que tu m'entends, Lewis ? Comprends-tu une seule de mes paroles ?

Lewis éclata de rire. Thad qui, habituellement, savait tout avec certitude ne se rendait même pas compte que ce n'était qu'un rêve et que rien n'était réel. Étrange ! Impossible de s'arrêter de rire. Ce n'était certes pas à cause de Thad, mais plutôt à cause des pilules que Betsy lui avait données. C'était le nouveau marchand de sucre d'orge qui les avait apportées. Ces pilules provoquaient des spasmes dans l'estomac. La douleur fulgurante ressemblait à celle que l'on ressent lorsque, au cours d'un match de football, on se fait une déchirure musculaire. Ensuite, elles déclenchaient des éclats de rire.

Dans le rêve, Thad, furieux de cette réaction joviale, se leva.

— Mon Dieu, Lewis, tu es dégoûtant ! Tu pues et tu fais pitié. Pas étonnant qu'Hélène se soit sauvée.

Il se mit à genoux et s'approcha de Lewis.

— Elle ne t'a jamais désiré. Moi non plus, je ne voulais pas de toi. Mais tu avais de l'argent, c'est tout, Lewis. En as-tu conscience ?

Les rires cessèrent. Lewis se mit à pleurer. Thad sembla s'en réjouir. Peu de temps après, il s'en alla.

Lewis ouvrit les yeux. Les mots *paix et amour* dansaient devant son regard, changeant de forme et de couleur. Parfois Lewis flottait, les larmes aux yeux, parfois il poursuivait Thad, qui s'arrêtait pour l'attendre. Puis ils descendaient la rue ensemble, bras dessus, bras dessous, et Lewis retrouvait son ami, certain de s'être trompé à son sujet.

— Allons voir *Le Septième Sceau*, Lewis. C'est un grand film. Je l'ai vu trente-cinq fois.

Lewis se redressa. Il se sentit soudain très nerveux. Ses mains tremblaient. Il fallait qu'il sache la vérité au sujet de Thad. Était-ce réellement un rêve ? Il devait savoir quel jour on était, c'était important.

Il se mit debout avec difficulté et essaya de mettre un pied devant l'autre. Il traversa la pièce, sortit de la chambre et descendit les escaliers. La porte de la pièce du bas était difficile à ouvrir. Quand enfin elle céda, l'intensité de la musique l'atteignit de plein fouet au point de le faire chanceler.

Le rythme de la batterie, la plainte d'une guitare basse. Il promena son regard dans la pièce, s'attendant à voir Hélène parce qu'il avait entendu sa voix très distinctement d'en bas. Mais Hélène n'était pas là. Il n'y avait que Betsy, Kay et le chaman. Le chaman, au crâne rasé et luisant, mesurait un mètre quatre-vingt-dix. Il dansait.

— Thad, dit Lewis d'une voix claire qui ne laissait aucun malentendu possible. Thad. Il était bien là, il y a quelques minutes ? Je lui ai parlé, n'est-ce pas ?

— C'est Lewis. Il peut venir jusqu'ici.

Kay, assise par terre, le regardait. Betsy, à ses côtés, se leva et s'approcha de lui. La chevelure flottante. Des feuilles couleur d'érable à l'automne.

— Lewis ? Tu vas bien ? Il y a trois semaines de cela, Lewis, je te l'ai déjà dit. Tu ne te souviens pas ? Trois semaines. Peut-être quatre. Il n'est pas resté longtemps.

Le chaman s'arrêta de danser en souriant.

— Angeliiiini, Angeliiiini !... s'écria-t-il avant de s'élancer avec grâce sur la piste en virevoltant et en chantant son nom comme une invocation.

Lewis observait le chaman qui dansait en se déhanchant, les bras levés au-dessus de la tête décrivant des cercles dans l'air.

Betsy tira Lewis par le bras pour essayer de le faire asseoir.

— Je n'ai pas envie de m'asseoir, lui dit Lewis en s'asseyant, je veux voir le ballet.

— Le ballet. Doux Jésus !...

Kay se leva et se mit devant Lewis pour lui cacher la vue, puis elle s'assit en rapprochant son visage de celui de Lewis. Elle était trop près. Lewis cligna des yeux. Elle avait de petits yeux haineux. Il sentait cette haine aussi forte qu'une odeur de transpiration, ce qui l'effraya. Pourquoi Kay avait-elle cette attitude ? Il ne comprenait pas que Betsy acceptât qu'elle vive ici. Pourquoi ne la chassait-elle pas ?

— J'ai quelque chose pour toi, Lewis, quelque chose de très spécial. Je le garde depuis longtemps.

Elle portait des jeans. Comme toujours. Des jeans d'homme avec une chemise d'homme et une coupe de cheveux à la garçonne. Elle mit la main dans sa poche et en sortit un bout de papier plié. À l'intérieur se trouvait une petite boule blanche. Lewis la regarda.

— Kay, ne lui donne pas ça, non, pas maintenant ! s'écria Betsy en se précipitant.

Kay lui passa un bras autour de la taille.

— Pourquoi ? Il va aimer. Il en veut, n'est-ce pas, Lewis ? Tu aimes les belles choses, je le sais. Les belles voitures, les belles maisons, les beaux vêtements et les belles filles. Tu prends simplement ça et tu vas voir comme la vie est belle. De belles couleurs. De belles formes. Des sons merveilleux. Tu veux jouer avec le soleil et la lune, Lewis ? Tu les auras, là, dans le creux de ta main. Oh, Lewis, tu verras la lune si proche de toi que tu n'en croiras pas tes yeux.

— Kay.

— Bon, d'accord, Betsy.

Elle se pencha et embrassa Betsy sur les lèvres. Lewis les regardait. Il éprouvait une sensation confuse, sans doute de la colère, mais elle était si profondément ancrée au fond de son être. Kay se tourna vers lui.

— Allons, Lewis, dit-elle d'une voix susurrante. Ouvre grand. C'est bien, mon petit. Maintenant, avale, Lewis. Voilà. Ça descend le long de ce petit chemin rouge...

Lewis avala le cachet et Kay éclata de rire.

Elle retourna s'allonger sur les coussins, et Betsy la rejoignit. Elles fumaient toutes deux tandis que le chaman dansait au son de la musique. Lewis observait les muscles du chaman onduler sur son dos nu. Il regardait Kay qui caressait les cheveux de Betsy. Lewis ferma les yeux.

Tout était obscur. Le temps se mit à danser. Le cheval de bois qu'il avait eu dans son enfance, avec une épaisse crinière et des taches blanches et noires sur les flancs, se balançait. Il percevait les applaudissements de la foule au match Harvard-Yale qui retentissaient, tel un bourdonnement de millions de mouches ou le bruit de la mer dans un coquillage. Il y avait son père, et les grilles de la maison de Beacon Hill lui étaient fermées. Il les secoua doucement, et le bruit de crécelle se mêla à celui des bracelets de Betsy. Il y avait sa mère, fleurant la lavande, qui se penchait pour l'embrasser et lui souhaiter bonne nuit. Et puis il y avait Hélène qui le prenait dans ses bras alors que, derrière elle, il distinguait un tableau de bord dont les chiffres tournaient, lentement au début, puis de plus en plus vite, si vite que Lewis ouvrit les yeux.

Ce qu'il vit alors était si beau qu'il faillit pleurer de joie. Des couleurs si exaltantes qu'il les sentait presque. Des formes si fluides et si harmonieuses qu'il les entendait. De la musique dont il pouvait goûter le bleu avec sa langue. Un univers de lumières. Une chambre au paradis.

Il leva la main et la porta lentement à son front. Il détailla les doigts, la paume, les articulations et le poignet. À travers la texture de la peau, il distinguait les minuscules veines capillaires, le sang qui circulait dans les artères et les doux battements sécurisants de son cœur. Percevant la structure du système tissulaire, il voyait et comprenait le beau mécanisme des muscles et des nerfs. Il pencha la tête pour regarder de plus près et vit Dieu.

Si proche. Au tréfonds de son corps. Ni lointain ni immatériel, mais là, à l'intérieur du tissu, des muscles, des os. Dieu dans chaque particule, dans chaque gène. Dieu, là, à la pliure de son doigt. Lewis leva les yeux et, dans l'éclat éblouissant de la pièce, les étoiles se mirent à bouger, les planètes à danser.

Lewis entendait tomber le sel de ses larmes. Il voyait ses paroles sortir de ses lèvres pour se transformer en spirales tournoyant lentement dans la pièce, des volutes de mots aussi légères que des papillons. Elles ricochaient dans le blanc, le rouge, le bleu et le vert. Au contact de la noire chevelure de Kay et de ses yeux clos en croissant de lune, elles fleurissaient. Elles effleuraient la blancheur du cou de Betsy et la longue courbure de son dos dénudé. Ombres et vallées. L'air mauve de la couleur d'un feu de bois. Et le chaman qui, dans une cadence magique, labourait le corps de Betsy. Ivoire et ébène. Un homme et une femme : Dieu à chaque saccade lumineuse. Lewis admirait ce spectacle d'un cœur apaisé. Il n'avait jamais rien vu de plus beau.

— Hélène.

Il caressa le mot et le sentit bourdonner.

— Hélène, Hélène, Hélène.

Dans le kaléidoscope multicolore, Kay se déploya.

— Betsy, il te regarde, dit-elle. Lewis te regarde baiser.

Les mots jaillirent comme un long sifflement pervers de serpent. Toute la quiétude et toutes les couleurs de la pièce se fragmentèrent en prenant des formes hideuses. Lewis vit l'univers se bomber, puis éclater en un million de morceaux. L'air grisaillait de ses débris.

— Vous ne comprenez pas, vous ne voyez pas ce que je contemple, s'écria-t-il en se levant.

Nul ne lui répondit. Nul ne sembla prêter attention à lui, bien qu'il ait eu l'impression de hurler. Ses mots allèrent se fracasser bruyamment dans les gravats.

Il lui fallait bouger. Il se leva comme dans un rêve et se fraya un passage jusqu'à la porte. Les quatre marches devinrent quarante. Son rêve le conduisit vers les escaliers, la porte de sa chambre mansardée, qu'il referma à clé pour ne pas laisser entrer les débris qui martelaient la porte.

Enfin seul dans la quiétude de sa chambre. Dieu pouvait de nouveau pénétrer son corps. Quand il sentait le souffle et le pouls de Dieu, il s'apaisait, et l'obscurité se transformait en une lumière radieuse. Il s'approcha de la fenêtre et contempla les étoiles à portée de sa main, la lune qu'il pouvait cueillir aussi facilement qu'une orange. Il songea à voler.

Il savait qu'il pouvait voler. Il avait déjà déployé ses ailes, quelque part, au centre du cyclone, là où l'air tournoie doucement. Où et quand ? Il était important de le savoir. Il grimpa sur le rebord de la fenêtre, et la mémoire lui revint comme une vision.

En haut des escaliers, contemplant la salle de bal, voilà où tout avait pris naissance. Dehors, Berkeley Square était couvert de neige, et les arbres scintillaient de givre d'argent. Mais, à l'intérieur, une douce chaleur régnait dans la maison embaumée. Il voyait les couples virevolter, les robes tournoyer... Dans la fraîcheur de la nuit, dominant les rues de San Francisco, un son faible d'abord puis de plus en plus intense se fit entendre. Musique. Douce musique des étoiles et des planètes dans le tourbillon d'une valse. C'était l'instant idéal, l'amour parfait. Il entendit la voix d'une femme l'appeler, tel un chant stellaire. Sa mère. Sa femme. Diaphane comme un clair de lune, obscure comme la nuit, des yeux comme des diamants, elle le hélait.

« J'arrive, s'écria Lewis. »

Il resta un instant en équilibre. Les débris martelaient la porte.

Lorsqu'il s'élança dans le néant, l'air chantait.

Après leur mariage, Édouard et Hélène partirent trois semaines à Istanbul où ils séjournèrent au *Yali*, autrefois la résidence d'été d'un aristocrate roumain, que Xavier de Chavigny avait achetée dans les années vingt. Elle était située sur la côte est de la Turquie et surplombait les eaux du Bosphore.

La maison, inchangée depuis le début du siècle et rarement visitée, baignait dans une paisible fraîcheur. De leur grand lit à baldaquin aux colonnes de bronze, Édouard et Hélène apercevaient l'eau qui venait mourir à quelques mètres de leurs hautes baies vitrées. L'extérieur des fenêtres était orné d'une grille en fer forgé travaillé, et le soleil dessinait sur le plancher des ombres en filigrane. De la dentelle ottomane, un tapis monochrome.

La lumière dansait sur l'eau. Tous deux étaient fascinés par le mouvement incessant et le reflet de l'onde. Ils n'éprouvaient pas le désir de quitter cette chambre ni de se séparer. Ils y prenaient le petit déjeuner, du café fort, du pain et de la confiture de rose. Ils observaient les bateaux qui reliaient les deux rives entre les zones occidentale et orientale. De l'autre côté du détroit, étincelant dans une débauche de lumières, ils distinguaient Istanbul, avec les dômes et les minarets de ses palais et de ses mosquées. Il leur arrivait de dîner dans leur chambre, conversant tendrement en observant le croissant de lune tracer des formes bizarres à la surface de l'eau.

Leur deuxième enfant fut conçu dans cette chambre aux ombres argentées où les paroles cédèrent aux caresses, aussi harmonieuses que le mouvement de l'onde.

C'était l'aube d'une vie nouvelle. Enfermés, à l'abri de tous, ils avaient la sensation absolue de sa conception. Édouard se redressa légèrement pour la contempler. Hélène, se mouvant dans les profondeurs de son regard, leva ses bras couverts de bracelets d'argent et les lui passa autour de son cou. La chaleur de sa peau, sa moiteur la ravissaient.

Une lumière d'une blancheur éclatante illuminait son esprit. Elle vivait hors du temps. Hélène pressa ses lèvres contre ses cheveux. Elle prononça son nom et bien d'autres choses encore dans un désir soudain fébrile, comme si les mots pouvaient suspendre cet instant et le fixer dans l'éternité. Puis elle se tut. Les mots ne suffisaient pas.

Édouard lui prit la main et la serra contre ses lèvres. Il l'étreignait tout contre lui, sans rien dire, écoutant le clapotis de l'eau.

Le lendemain, ils s'envolèrent dans l'avion privé d'Édouard. Hélène percevait chez Édouard une vive émotion qu'il avait du mal à cacher. Son attitude l'intriguait. Quelle ne fut pas sa surprise lorsqu'en regardant le plan de vol elle s'aperçut qu'ils ne se rendaient pas à Paris, mais à Heathrow.

— Allons-nous à Londres, Édouard ? Je croyais...

— Pas vraiment Londres. Un peu de patience.

Hélène ne put en savoir davantage.

À Heathrow, la Rolls-Royce noire les attendait. Ils s'installèrent à l'arrière. Édouard refusait de lui donner des explications.

Hélène fut un peu déçue, mais n'en laissa rien paraître. Elle avait hâte de retrouver Cat, Cassie et Madeleine, d'accompagner Édouard dans son bureau pour lui montrer le portrait de Cat qu'elle avait réservé pour leur retour. « Tant pis, encore un peu de patience », se dit-elle. Elle jeta un coup d'œil à Édouard, imperturbable. En regardant les panneaux à la sortie de Londres, elle s'aperçut qu'ils roulaient en direction d'Oxford. La joie cachée d'Édouard était communicative. Elle oublia Paris. Sa perplexité ne faisait que grandir.

Ils quittèrent la route principale pour emprunter une route secondaire et grimpèrent le long d'un petit chemin tortueux. L'après-midi était déjà avancé. Collines et vallées s'ouvraient devant eux. Hélène poussa un cri involontaire de plaisir.

— Oh, Édouard, que c'est beau ! Où m'emmènes-tu ?

— Attends, lui dit Édouard, d'un calme exaspérant.

Cinq minutes plus tard, ils arrivèrent devant un petit pavillon et deux hautes portes de fer soutenues par des piliers de pierre. Ils suivirent une longue allée sinueuse bordée de grands hêtres et de champs de chaque côté. Après un beau virage, le manoir de Quaires et ses jardins apparurent. Une maison de brique toute en longueur, avec des fenêtres à guillotine et un toit pointu. Hélène, promenant son regard de la maison aux jardins, absolument ébahie, manifesta son ravissement. Comme si ses exclamations étaient une requête, le chauffeur s'arrêta, et Édouard aida Hélène à descendre. Il mit un doigt sur ses lèvres et, lui prenant la main, la guida le long d'une allée graveleuse qui menait aux jardins.

Les jardins étaient déserts. Nul son, en dehors du chant des oiseaux, ne venait troubler leur quiétude. Ils passèrent sous une voûte d'ifs taillés, prirent un chemin qui longeait un petit belvédère octogonal, un pavillon, et menait à un rondel central fleurant la rose et le lilas blanc royal dans la fraîcheur de l'air. Là, ils s'arrêtèrent et se retournèrent vers la maison. L'instant de la révélation était arrivé.

— Pour toi, lui dit Édouard tendrement, et aussi pour ta mère, que je n'ai jamais connue. Et pour la mère de Christian, qui t'aurait aimée et qui aurait été heureuse de savoir... que quelqu'un prendrait soin de tout ceci. Pour Cat et nos futurs enfants... nombreux, je l'espère.

Il s'interrompit devant l'expression de son regard et la prit dans ses bras pour l'apaiser.

Hélène lui pressa la main et ferma les yeux, laissant le passé resurgir. L'enfant d'Alabama et la femme d'ici. « Édouard donne un sens à ma vie », se disait-elle confusément. Elle voulut lui dire tout ce qui assaillait son esprit, mais, en levant les yeux vers lui, elle s'aperçut qu'il comprenait.

Il prit son visage dans ses mains et la regarda droit dans les yeux.

— T'aimer et vivre avec toi donne un sens à chaque seconde de ma vie, lui dit-il. Ce sera toujours ainsi. Hélène, entrons dans la maison.

Ils traversèrent lentement les pelouses et, au moment précis où Hélène allait lui dire qu'elle aurait souhaité que Cat fût là, une porte s'ouvrit brusquement, et Cat, incapable de se retenir plus longtemps, se précipita vers eux ainsi que Cassie, Madeleine et Christian surgissant de leur cachette. Les pelouses, désertes un instant plus tôt, s'animèrent soudain.

— Du champagne, du champagne, s'écria Christian.

Cat tirait Édouard par la main.

— Il y a une surprise pour toi, il y a une surprise pour toi aussi. Papa, viens vite, vite !

Elle poussa Édouard vers le salon où, suspendu avec art par Christian, le portrait d'Anne Kneale attendait son verdict.

Édouard le contempla un long moment, serrant Cat et Hélène contre lui. Cat scrutait son visage anxieusement, attendant fébrilement ses réactions. De la surprise, du plaisir, de la fierté, puis une douceur empreinte de tristesse.

Hélène, qui l'observait également, comprit aussitôt. Mais Cat était trop jeune. Elle tira Édouard par la manche.

— Tu l'aimes, papa ?

— Oh oui ! beaucoup. Je suis tellement heureux.

— On ne le dirait pas, papa, tu as l'air triste.

Édouard se pencha et la prit dans ses bras.

— C'est parce que je suis plus vieux que toi, Cat. Le bonheur s'accompagne toujours d'une certaine tristesse. Tu comprendras plus tard.

Il hésita puis se tourna vers Hélène.

— Le temps passe trop vite, Cat, c'est tout, s'empressa d'ajouter Hélène.

Cat promenait son regard de l'un à l'autre. Édouard l'embrassa. Quand elle se fut vraiment assurée qu'il aimait le tableau, elle se dégagea de son étreinte avec son impatience habituelle. « Les adultes, songeait-elle, compliquent tout. » Elle était sur le point de partir lorsqu'un je-ne-sais-quoi dans le calme de la pièce, un regard échangé entre son père et sa mère, la fit réfléchir. Il y avait là un mystère. Un mystère d'adulte. L'espace d'une seconde, elle le perçut tout contre elle, comme un frisson, comme la caresse d'une ombre sur sa peau après le dard du soleil. Elle sautillait d'un pied sur l'autre sans les quitter des yeux.

— C'est comme à la fin d'une belle journée quand on n'a pas envie que ça finisse et qu'on ne veut pas aller au lit ? demanda-t-elle.

C'est un peu ça, lui répondit Édouard en souriant.

Le visage de Cat s'illumina.

— Ah ! ça me rassure. Quand je suis dans cet état, j'ai un peu peur, mais je sais que c'est stupide parce que, le lendemain, c'est tout aussi bien.

Elle leur sourit gaiement, dans l'espoir de les rassurer, et ne fut satisfaite que lorsqu'elle les vit sourire. Elle sortit en courant dans le jardin où Christian lui permit de l'aider à ouvrir le champagne. Il lui versa une coupe de façon très solennelle. C'était la première fois qu'elle y goûtait. Par la suite, Cat se rappela toujours cette scène avec précision. Elle se disait que, sans doute sous l'effet de la surprise ou du champagne, elle se sentait adulte, tout en sachant que ce n'était pas vraiment le cas. C'était dû à la manière dont ses parents s'étaient regardés dans cette atmosphère paisible.

— Pourquoi les adultes sont-ils tristes alors qu'ils ont tout pour être heureux, Christian, lui demanda-t-elle quand ils se trouvèrent seuls dans le jardin à la nuit tombante.

Christian, qui avait l'esprit de repartie, trouva une réponse. Il fronça légèrement les sourcils, le visage tourné vers les rosiers grimpants. Cat ne devait pas savoir qu'il ne pouvait les regarder sans penser à sa mère.

— Parce qu'ils savent que les meilleures choses, même les plus merveilleuses, ne durent jamais, murmura-t-il. C'est tout, mon petit chat.

— Pourquoi pas ? Pourquoi ne durent-elles pas ? répliqua Cat avec véhémence.

— Nous vieillissons, Cat, et les gens meurent. Voilà pourquoi, dit-il en s'éloignant avec une soudaineté étrange.

Cat, habituée aux sautes d'humeur de Christian, le regarda partir. Les jambes repliées, elle contempla le jardin en silence.

Qu'avait-il voulu dire ? Elle essaya de songer à la mort, mais c'était de la fiction, non une réalité à ses yeux.

« La mort. La mort », dit-elle à haute voix.

Un hibou passa au-dessus de sa tête. Sans faire un geste, elle regarda l'oiseau voler au ras des pelouses avec un lent battement d'ailes. Sous les haies en bordure, dans la broussaille, un petit animal couinait. Le hibou poursuivit son chemin dans les champs, puis disparut. Cat, respirant doucement, observait la lune diaphane à travers les branches qui la révélaient ou la cachaient, au gré de la brise. Cat prenait plaisir à rester ainsi muette, tapie dans le silence, comme si elle était invisible. Elle retenait cette sensation pour ne pas la laisser s'échapper.

Brusquement sa mère l'appela de la maison. Elle se rendit compte qu'elle frissonnait. Elle se précipita dans la chaleur et la lumière, se jetant dans les bras de sa mère, de son père, de Christian, de tout le monde, avec une ferveur d'une soudaineté étrange et incompréhensible. Elle fut autorisée à dîner avec eux, seulement pour ce soir-là. L'événement était si important, si extraordinaire, si excitant, qu'elle oublia les paroles de Christian et ce qu'elle avait éprouvé un instant plus tôt dans le jardin.

Mais tout rejaillit lorsqu'elle alla se coucher et qu'elle se retrouva seule, allongée dans cette chambre paisible et peu familière. Elle entendait les voix en bas. Un hibou ululait. Cat eut le pressentiment d'une découverte fantastique qui attisait son désir, mais aussi l'effrayait. Elle tenta de démêler l'écheveau de ces pensées. Mais elle était fatiguée, et la pensée ne voulait pas se dénouer. Elle s'endormit.

Elle l'assaillit de nouveau, une semaine plus tard, lorsqu'ils revinrent à Paris. Elle se trouvait avec Édouard et Hélène dans leur chambre quand Hélène ouvrit la lettre.

Elle vit sa mère pâlir et presque suffoquer. Édouard se précipita vers elle et lui prit la lettre des mains. Quelque chose était arrivé, mais quoi ? Ce ne fut que bien plus tard qu'Édouard monta dans sa chambre pour lui expliquer avec douceur et tendresse qu'un accident était survenu et que Lewis Sinclair était mort.

Elle pleura sous le choc, surtout de peur. Édouard la prit dans ses bras et lui parla jusqu'à ce qu'elle s'apaise et que cessent ses larmes. Cat s'agrippait à lui. Elle ne savait pas pourquoi elle avait pleuré et, bien plus tard, lorsque Édouard la laissa, elle éprouva une pointe de culpabilité.

Elle songea à Lewis, essaya de se le rappeler mais les souvenirs étaient vagues et imprécis. « Pourquoi n'ai-je conservé de lui qu'une image aussi confuse ? » se demanda-t-elle.

Elle ne put s'empêcher de verser à nouveau un flot impétueux de larmes amères. Pourtant, au fond de son cœur, elle savait que ce n'était pas vraiment à cause de Lewis qu'elle pleurait. Un peu, oui, parce que c'était horrible de penser qu'il n'était plus vivant, mais à cause de son père et de sa mère, de ce regard qu'ils avaient échangé. Et aussi à cause de Christian et d'elle-même, assise dans le jardin, seule, regardant passer un hibou.

— C'est ma faute, dit Hélène à Édouard, ce soir-là, avec une soudaine amertume.

Elle saisit la lettre d'Emily Sinclair et la reposa. Ses joues s'empourprèrent, puis reprirent leur couleur normale. Elle se leva, en proie à une brusque agitation.

— Édouard, je suis responsable de cela. C'est moi qui l'ai poussé à m'épouser. Je l'ai rendu malheureux. Je savais que j'agissais mal, mais rien ne m'a arrêtée.

— Ce n'est pas vrai, lui dit Édouard en la prenant dans ses bras. Rien n'est simple, Hélène, rien.

Hélène leva les yeux vers lui, puis détourna le visage.

« Rien », répéta Édouard avec colère et une conviction passionnée. Des centaines de facteurs, des milliers d'incidents contribuent à un tel événement. Le hasard joue un rôle. On n'impose jamais sa façon de penser. Te culpabiliser ne sert à rien, dit-il avec une expression de soudaine dureté. C'est même égoïste. J'en parle en connaissance de cause, car je suis passé par là, moi aussi.

Hélène se figea.

Édouard se rendit compte que certaines de ses paroles l'avaient atteinte.

— Tu me crois ? lui dit-il avec plus de douceur.

— Oui.

Il n'ajouta rien, mais laissa Hélène pleurer. Son chagrin était différent de celui de Cat. Cat était une enfant. Son chagrin serait éphémère, alors que pour Hélène la plaie serait plus longue à cicatriser. Il se montra patient, la réconfortant lorsque le besoin s'en faisait sentir, l'écoutant lorsqu'elle avait envie de parler, et gardant le silence lorsqu'elle le souhaitait. Il était ému de voir qu'un être qui avait toujours été prêt à donner croyait qu'il avait été destructeur au point d'en assumer toutes les responsabilités sans jamais émettre le moindre reproche à l'égard de Lewis.

Il espérait qu'avec le prisme du temps son point de vue se modifierait.

Il avait pitié de Lewis Sinclair. Mais ce n'était pas à lui de faire remarquer à Hélène que Lewis avait toujours été suicidaire. Il fallait qu'elle s'en rende compte toute seule.

Un mois après leur retour d'Istanbul, sa grossesse fut confirmée. Devant son regard radieux quand elle lui annonça la nouvelle, il fut rassuré. Hélène surmonterait cette épreuve comme elle l'avait fait dans le passé, à sa façon, à son rythme. Il l'observait attentivement. Ses silences devenaient moins fréquents, ses moments de joie perçaient.

— On ne peut pas pleurer un être toute une vie, fit remarquer Louise, un jour qu'ils lui rendaient visite.

Elle pressa sa main contre son cœur en soupirant. Bien entendu, elle ne faisait pas allusion à Hélène dont les malheurs ne transperçaient pas la carapace de son égoïsme. C'est d'elle-même qu'elle parlait, ramenant simplement la conversation à son sujet favori.

Édouard, qui ne pouvait l'entendre prononcer ces paroles sans penser à la rapidité avec laquelle elle s'était consolée de la mort de son mari, détourna la tête, agacé. Hélène croisa son regard.

— Je sais, dit-elle doucement.

Il y eut un instant de complicité tacite entre eux que Louise perçut, ce qui la rendit furieuse. Elle effleura le bas de sa robe bleu lavande et changea de sujet. Édouard éprouva le besoin de partir sur-le-champ. Il étouffait dans l'atmosphère paisible de fausse religiosité qui régnait désormais chez sa mère. Louise gardait toujours les stores à moitié baissés. Dans une semi-obscurité, elle tâtait la croix qu'elle avait pris l'habitude de porter autour du cou. Depuis deux ou trois ans, elle ne portait plus les ensembles dernier cri dont elle se vantait auparavant, mais des robes amples qui lui rappelaient sa jeunesse. Seule différence, les couleurs sobres de demi-deuil, gorge-de-pigeon, bleu passé ou noir.

Elle ne s'occupait maintenant que d'œuvres de charité : ses compagnons habituels étaient soit des prêtres, soit des veuves irréprochables qui parlaient uniquement de leurs bonnes œuvres. Lors d'une de ses brèves visites coutumières, Édouard était tombé inopinément au milieu d'une de ces réunions. Louise écoutait les récits évoquant les petits orphelins africains voués à la famine. Son regard trahissait une rage et une méchanceté évidentes. Elle avait opté pour ce nouveau rôle, s'apercevant qu'elle avait, hélas, passé l'âge de séduire.

Son hypocrisie et son agitation permanente agaçaient de plus en plus Édouard. À peine arrivé, il n'avait qu'une envie : repartir. Louise, s'en rendant parfaitement compte, prenait un air méprisant, risquant parfois, seulement en présence d'Hélène, quelques reproches directs.

— Tout cela sonne faux, dit-il, furieux, après leur départ. Ma mère ne s'est jamais attendrie que sur elle-même.

— C'est sa façon à elle de s'attendrir, dit Hélène. (Elle s'arrêta brusquement sur le trottoir, puis se tourna vers lui.) Ce qu'elle a dit est vrai, ajouta-t-elle de manière impulsive. Vrai ou faux, je suis heureuse, Édouard. Je ne peux m'en empêcher. Regarde, touche.

Elle lui prit la main et la mit sur son ventre. Tout autour d'eux, des gens circulaient, les voitures descendaient le faubourg Saint-Honoré en vrombissant, mais Édouard ne les voyait pas. Il sentait son enfant bouger pour la première fois. Un petit mouvement lent, hésitant, inégal.

Hélène plissa le front, puis éclata de rire. Édouard la prit dans ses bras et, oublieux du monde qui les entourait, l'embrassa.

— C'est un garçon, s'écria joyeusement Hélène. Édouard, je sais que c'est un garçon. J'en suis certaine.

Elle avait raison. Ce fut un garçon. Il naquit en avril 1968 et fut prénommé Julien. L'année de sa naissance fut une année mémorable, marquée par de violents attentats et assassinats, par des invasions, des émeutes qui, à Paris, divisèrent des familles et des générations, et causèrent à Louise de Chavigny non seulement une souffrance spirituelle, mais bon nombre de contretemps.

Un après-midi, elle accepta de venir prendre le thé à Saint-Cloud pour voir Julien que, à la grande surprise d'Édouard, elle adorait.

— En Amérique peut-être, dit-elle à Hélène. Ce pays a toujours connu la violence ; mais ici, à Paris. Des rues barrées, des gens hurlant des slogans, des manifestations, des barricades...

Elle frissonna, comme si les manifestants s'étaient installés devant sa maison.

— Je ne comprends vraiment pas pourquoi ils manifestent. C'est l'œuvre d'agitateurs étrangers. À mon avis, ils devraient tous être expulsés.

Édouard remarqua son excellente humeur qui contrastait avec son ton geignard habituel. Il supposa que les événements du mois précédent avaient donné un peu de piquant à ce qu'elle nommait sa « sinistre » existence. Sa gaieté se reflétait dans sa voix, mais aussi dans sa façon de s'habiller. Pour la première fois en trois ans, elle avait délaissé ses robes sombres peu flatteuses et s'était vêtue de soie rose et d'un collier de perles. Plus de croix. Elle avait changé de coiffure et portait même un maquillage discret. Elle avait une allure plus jeune et exerçait encore un certain attrait. Consciente de l'effet qu'elle produisait et stimulée par son indignation, elle débordait d'entrain.

Édouard l'écoutait à peine. Les opinions politiques de Louise ne l'intéressaient guère. Il regardait avec affection Cat, appuyée contre le fauteuil de sa mère, et Julien dans les bras d'Hélène. Parfois, il se penchait pour agiter son hochet d'argent.

Julien avait les yeux d'un bleu plus clair que ceux d'Édouard ou de Cat. Il avait des cheveux roux tout bouclés, un visage d'ange et un caractère de démon. Cassie l'appelait tendrement le petit tyran. Même Georges fondait lorsqu'il regardait ce petit visage curieusement volontaire.

— Quel amour ! Il est si mignon, dit Louise en se penchant sur son petit-fils.

Elle en avait terminé avec les émeutes. Julien la fixait de ses grands yeux bleus. Louise l'observa attentivement, puis se tourna vers Édouard. Elle lui fit son plus doux sourire maternel. Édouard aussitôt se crispa.

— Tu as évidemment vu la ressemblance, fit Louise, les yeux rivés sur Édouard. Je l'ai remarquée au premier coup d'œil.

— Il nous ressemble à tous les deux, répliqua Édouard en haussant les épaules.

Le sourire de Louise s'épanouit.

— Édouard, c'est absurde. Les hommes sont aveugles. C'est pourtant évident. C'est Jean-Paul tout craché.

Quand et comment Hélène commença à s'immiscer dans les activités professionnelles d'Édouard, ni l'un ni l'autre ne put le dire. Le processus fut lent et imperceptible au début.

Il s'est imposé à moi, dit plus tard Édouard avec un sourire.

Dès le début, Hélène s'était intéressée au travail d'Édouard, qui perçut d'emblée qu'Hélène avait le sens des affaires, ce qui était très rare chez une femme. Avant et après leur mariage, elle continua à faire fructifier son portefeuille personnel confié toujours à James Gould à New York et également à des agents de change de Paris et de Londres. Elle ne voulait pas ennuyer Édouard avec le détail de ces investissements, mais il leur arrivait d'en discuter. Édouard fut impressionné par sa perspicacité, puis n'y pensa plus. Hélène remarqua son étonnement, mais ne dit rien. L'attitude chevaleresque d'Édouard envers les femmes était conditionnée par sa génération et son éducation. Au fond de lui, Édouard croyait en des valeurs simples : le mariage, la famille. S'il avait dû définir son rôle au sein de cette union, il aurait choisi celui de protecteur, assurant le gagne-pain de sa maisonnée, bien que sa réticence naturelle l'eût incité à ne rien définir du tout.

Clara Delluc, avec laquelle Hélène se lia peu à peu d'amitié à Paris, lui dit un jour en souriant :

— Édouard est plein de paradoxes. Il admire l'indépendance chez l'homme comme chez la femme. Quand j'ai commencé à construire ma carrière, Édouard m'a aidée plus que quiconque.

Elle hésita avant de poursuivre. Hélène lui sourit.

— Mais ?

Clara éclata de rire.

— Mais il semble toujours penser que ce n'est pas naturel. Il n'arrive pas à croire qu'une femme puisse être vraiment heureuse sans mari et sans enfant. Il dirait d'ailleurs la même chose des hommes. (Clara s'interrompit. Elle ne s'était pas mariée et n'avait pas d'enfant.) Et qui sait ? dit-elle avec un sourire rusé. Il n'a peut-être pas tort. Peut-être les femmes ont-elles besoin des deux. Mais cela, je ne l'avouerai jamais à Édouard.

Peu après la naissance de Julien, Édouard commença à donner plus de détails à Hélène sur ses affaires. Malgré les nombreuses et complexes ramifications de la compagnie, l'organisation centrale était relativement simple. Elle restait une société privée. Édouard possédait quatre-vingt-dix pour cent des actions donnant le droit de vote et sa mère dix. Le portefeuille de Louise, légué par Xavier et qui reviendrait à Édouard après sa mort, lui donnait un siège au conseil d'administration. En trente ans, elle n'avait assisté à aucun.

Édouard expliqua à Hélène avec précaution, comme s'il s'attendait à un refus de sa part, que cette répartition des actions nécessitait une révision. Il souhaitait en transférer quinze pour cent à Hélène et désirait qu'elle participe au conseil d'administration de la compagnie.

Hélène comprenait la raison de son acte. À la naissance de leur fils, il lui avait fallu modifier son testament. Édouard, prudent et méthodique dans ce domaine, voulait s'assurer, au cas où il lui arriverait malheur, qu'Hélène, qui avait la charge des intérêts de Cat et de Julien jusqu'à leur majorité, était au courant de la marche des affaires de la compagnie.

Elle accepta de gaieté de cœur et assista au premier conseil d'administration de Chavigny au printemps 1969. Elle était la seule femme.

Les autres membres du conseil, tous plus âgés qu'elle, étaient à l'image de ce qu'elle pensait. Capables, astucieux et déférents à son égard. Ils l'accueillirent courtoisement avant de l'ignorer totalement. De temps à autre, lorsque l'un d'eux craignait que la discussion ne devienne trop technique pour elle, il arrêtait aimablement la conversation pour résumer en mots d'une seule syllabe à *madame la Baronne* ce qu'elle était censée ne pas comprendre.

Hélène accepta cette aimable condescendance sans rien dire. Lors des quatre ou cinq premiers conseils auxquels elle assista, elle ne fit pratiquement aucun commentaire. Elle attendait son heure, observant les hommes assis autour de la table, écoutant leurs arguments et leurs contre-arguments, et jugeant ceux sur qui elle pourrait compter et les autres. Elle les jaugeait, notant au passage les diverses alliances et rivalités. Son silence relatif se révéla efficace. Après les deux ou trois premiers conseils, ils oublièrent sa présence, et leur attitude fut des plus révélatrices.

Édouard ne la sous-estimait pas. Hélène remarquait parfois une lueur d'amusement dans son regard lorsqu'un de ses confrères se donnait du mal pour lui expliquer patiemment des termes techniques qu'Hélène connaissait parfaitement. Mais il ne dit jamais rien, ni pendant les réunions ni après lorsqu'ils se retrouvaient seuls. Il attendait, Hélène en était consciente, et semblait prendre plaisir à cette attente.

Son implication dans les affaires d'Édouard data de cette époque. Hélène savait qu'Édouard ne la brusquerait pas. Si elle avait souhaité assister passivement aux réunions, il aurait sans doute été déçu mais aurait accepté son choix. Pour sa part, Hélène marqua son entrée dans le monde des affaires en 1969, lorsqu'elle discuta ouvertement avec Édouard des autres membres du conseil et des questions à l'ordre du jour.

— Dois-je faire la liste des points de divergence ? lui demanda-t-elle avec le sourire, au cours du dîner, le soir même.

— Avec plaisir.

Hélène passa en revue tous les points de discorde avec adresse et précision. Quand elle eut fini, Édouard arbora un large sourire.

— Tu penses donc que tous les arguments pesés et hautement réfléchis, avancés par Temple contre une plus grande expansion du secteur hôtelier, sont partiaux ?

— J'en suis certaine.

Édouard remarqua avec amusement que son attitude faussement détachée s'estompait. Elle s'exprimait avec plus d'ardeur, son visage s'embrasait.

— J'en suis sûre. Temple ne supporte pas Bloch. Pour l'instant, ils sont aussi influents l'un que l'autre, mais, si les projets de Bloch dans le secteur hôtelier étaient mis à exécution, cela détournerait les fonds que Temple veut affecter au complexe immobilier de Sardaigne. Bloch en tirerait plus d'influence et de pouvoir, et Temple n'en a aucune envie. De surcroît, j'ai trouvé ses arguments fallacieux. Le secteur hôtelier est virtuellement inchangé depuis trois ans, et tu as consolidé tes actions. Il semble qu'une expansion serait opportune.

— Je vois.

C'était exactement ce qu'il pensait. Il regarda Hélène d'un air pensif.

— C'est intéressant, dit-il après réflexion. Je savais que tu les observais. Tu as l'impression que c'est un jeu.

— En un certain sens, oui. D'un côté, il y a les arguments qu'ils mettent en avant, mais on ne peut pas les juger seulement sur des bases commerciales. Il faut connaître les hommes qui les proposent et leurs relations mutuelles, parce qu'elles affectent leurs décisions. C'est leur imbrication qui m'intéresse.

— Et qu'as-tu remarqué sur un plan plus général, puisque je vois que tu les observais attentivement sans en avoir l'air.

— Sur un plan général ? Je dois dire que j'ai été impressionnée. Ce sont des gens capables qui donnent leur avis pratiquement sur tout, à une seule exception.

— Laquelle ?

— Le secteur de la joaillerie. Certains sont opposés à la collection Wyspianski, non ? Je l'ai senti. Mais ils craignent tous de t'affronter sur ce plan-là, aussi attendent-ils un moment plus propice. Ce sont tous des hommes, Édouard. Et je crois que c'est là que réside le problème essentiel. Ils ne portent pas le même intérêt que toi au travail de Florian. Je crois même qu'ils ne le comprennent pas. Et le secteur de la joaillerie est le seul dont les produits s'adressent essentiellement à des femmes. Ces deux faits sont liés, à mon avis. Ils sont dans leur élément quand ils parlent de l'hôtellerie, du vin, de l'immobilier, mais, quand on aborde le sujet des bijoux, ils trahissent un certain agacement.

— Ont-ils tort ?

— Tu le sais bien. Florian est un artiste. Son travail est le plus beau du monde. Il est unique et fait partie d'une longue tradition au sein de la compagnie. Chavigny s'identifie à cette tradition et tu ne peux séparer les deux. Tout le prestige associé au nom découle de cette activité centrale. On ne peut classer l'œuvre de Florian purement et simplement en termes de profits et pertes. S'ils arrivaient à leurs fins et si le secteur de la joaillerie était liquidé, ce que souhaitent certains, à mon avis, Chavigny deviendrait l'une des nombreuses multinationales anonymes. Ils devraient au moins comprendre cela.

Édouard fronça les sourcils. Il songea aux arguments émis par Philippe de Belfort. Il enrageait de voir qu'ils avaient fait leur chemin et que, bien qu'il eût quitté la compagnie, son influence demeurait, tel un legs spirituel. Édouard avait parfois l'impression que son influence s'était accrue cette dernière année. Bien des fois au cours des mois précédents, il avait reconnu l'empreinte de Belfort et cela le troublait. La position d'Hélène, cependant, le confortait.

— Rien d'autre ? lui demanda-t-il avec un sourire forcé.

— Une seule chose qui te concerne.

— Oh, je vois. J'aurais dû me douter que je n'étais pas à l'abri. Dis-moi.

— Tu devrais déléguer tes pouvoirs davantage. Je comprends que tu ne le fasses pas. D'abord, à cause de ton surcroît de travail et surtout parce que, parmi ceux qu'il m'a été donné de rencontrer, je ne vois pas de candidat. Mais il te faut quelqu'un, Édouard. Quelqu'un en qui tu aies toute confiance, qui te serve de couverture, mais qui ait l'œil sur tout.

— Tu crois ça ? fit Édouard en levant promptement la tête.

Hélène hésita.

— Oui, répondit-elle à contrecœur. Tout homme dans ta situation doit considérer le problème, et toi peut-être plus que quiconque.

— Et pourquoi donc ? répliqua Édouard sans la quitter des yeux.

Oh, Édouard, fit-elle en soupirant, parce que tu suscites des jalousies, voilà pourquoi.

Édouard détourna le regard. Il sembla surpris, comme si cette idée, si évidente aux yeux d'Hélène, ne lui était jamais venue à l'esprit. Cela le contrariait.

Peu après, ils se levèrent de table, et la conversation prit une tournure plus personnelle. Ils n'abordèrent plus ce sujet pendant des semaines. Hélène continuait à assister aux conseils d'administration et, peu à peu, émit des opinions de façon claire et incisive, ce qui choqua profondément les membres présents. Quand Édouard ramenait des dossiers chez lui, il en discutait maintenant avec Hélène. Ils les examinaient ensemble. Hélène commençait à comprendre la structure de la société Chavigny et ses nombreuses ramifications. Elle fit la connaissance des chefs de personnel. Curieusement, son influence devint de plus en plus évidente et ceux-là mêmes qui l'avaient traitée avec condescendance se mirent à rechercher ses conseils. Avec habileté et délicatesse, ils tentaient de la mettre dans leur camp. Au début, parce qu'ils pensaient qu'Édouard l'écoutait, puis, peu à peu, parce qu'ils se rendirent compte que, si elle exerçait un certain pouvoir, c'était dû à la rationalité de ses points de vue.

— Vous pensez comme un homme, madame, lui dit amicalement Bloch lors d'une soirée qu'il avait organisée pour elle et Édouard.

À ses yeux, c'était un compliment. Hélène ne répondit pas.

La suggestion faite à Édouard sur la nécessité de déléguer ses pouvoirs ne devait pas l'avoir séduit, car il n'y fit plus allusion. En cela, elle se trompait.

Au début de l'année 1970, Hélène interrompit sa lecture du *Financial Times* qu'elle parcourait chaque matin au petit déjeuner et le tendit à Édouard.

À ses côtés se trouvait Cat, dans son uniforme de l'école religieuse ; de mauvaise humeur, elle avalait à toute vitesse son chocolat, car elle était en retard comme toujours. Julien, assis dans une chaise haute qu'il détestait, essayait de manger seul un œuf mollet. Hélène raffolait de ces petits déjeuners en famille. Elle s'occupait de Julien puis se tournait vers Cat pour la persuader de finir de manger et, ce qui était plus difficile, de se coiffer avant de partir pour l'école.

Le spectacle d'Hélène, les cheveux défaits, en déshabillé d'un bleu de la couleur de ses yeux, ravissait Édouard qui n'avait nulle envie de se presser. Lorsque Cat les embrassa avant de partir en courant pour l'école et que la nouvelle gouvernante anglaise vint chercher Julien pour l'emmener dans sa chambre, Édouard se demanda si, pour une fois, il n'allait pas retarder son arrivée au bureau d'une heure.

Il se leva sans regarder l'article que lui avait indiqué Hélène et laissa tomber le journal. Il fit le tour de la table et s'approcha d'Hélène, lui caressant le cou et passant la main dans ses cheveux. Hélène se pencha en arrière et leva les yeux vers lui. Il lut dans son regard apaisant la réponse qu'il attendait et l'embrassa sur les lèvres. Il glissa la main le long de ses seins, sous son déshabillé. Hélène soupira. Elle se leva et se blottit contre lui.

— Tu vas être en retard.

— Je sais, mais peu importe.

Elle était sur le point de protester, sans grande conviction, toutefois. Édouard, sentant la chaleur de son corps et sa soudaine lassitude, l'empêcha de parler.

Il eut une heure et demie de retard mais, avant qu'il ne parte, Hélène, avec le sourire, prit le *Financial Times* sur la table du salon et le lui mit dans les mains.

— Tu devrais lire cet article, dit-elle d'un air faussement sévère. Je ne te laisserai pas partir avant. Tu voulais miser autrefois sur le groupe Rolfson Hotels, n'est-ce pas ? C'est toi qui me l'as dit. Eh bien, je crois que le moment est propice pour faire une offre.

— Quelle femme, dit-il en maugréant. C'est donc à cela que tu pensais en...

Hélène l'embrassa, les yeux rieurs.

— Non, pas tout à l'heure, mais maintenant, si. Et, toi aussi, tu devrais y songer.

Ils firent une offre au cours de l'été 1970, et l'affaire fut conclue. Elle eut deux répercussions directes. Édouard, assujetti aux négociations durant des semaines, finit par admettre qu'Hélène avait raison en lui suggérant de déléguer ses fonctions. Dès qu'il en prit réellement conscience, il téléphona au seul homme qui, à ses yeux, possédait toutes les qualités requises, Simon Scher.

Il lui fit une proposition claire et nette, sans préambule. Depuis le

Texas, de l'autre côté de l'Atlantique, il percevait le sourire radieux et la joie de Scher.

— Bien, Édouard. Le transfert a été long. Je suppose qu'il faudra persuader Drew de me laisser partir. On se lasse du bœuf grillé. Quand souhaitez-vous me voir ?

Édouard sourit également. Il savait parfaitement que les négociations ne seraient pas simples. Drew Johnson pourrait très bien opposer son veto.

— Demain, dit-il avec prudence.

Il y eut un bref silence et Scher éclata de rire.

— Je n'en crois pas mes oreilles. Ce doit être le mariage qui vous a rendu patient.

Scher revint à la société Chavigny à la fin de 1970, le mois où Édouard et Hélène célébrèrent la naissance de leur troisième enfant, un autre garçon qu'ils prénommèrent Alexandre.

— On devrait peut-être lui donner Lad Rolfson comme deuxième ou troisième prénom, tu ne trouves pas ? fit Édouard en berçant le bébé dans ses bras et en lui lançant un regard solennel. Tu es venu au monde à cause du *Financial Times*. Ah ! ah ! qu'en penses-tu ?

Alexandre gazouilla complaisamment, et tous deux éclatèrent de rire.

Il y eut une troisième répercussion, de moindre importance et qui passa inaperçue au milieu de la liesse générale qui suivit la réussite des enchères, l'arrivée de Simon Scher et la naissance de leur deuxième fils. Il fut intrigué quelques heures, puis oublia le fait. Un télégramme lui fut en effet remis le jour du rachat du groupe Rolfson Hotels.

Félicitations tardives, disait-il. Il avait été expédié du Portugal et n'était pas signé.

Au printemps de l'année suivante, peu après l'anniversaire de Cat qui fêtait ses onze ans, Thaddeus Angelini refit brusquement son apparition dans leur vie. Ni lettre ni coup de téléphone, mais une simple invitation envoyée non par Thad, mais par le service des relations publiques de la compagnie qui organisait la première de son nouveau film, une épopée sur la guerre de Sécession américaine qui avait pour titre *Gettysburg*.

En découvrant le bristol, Hélène crut d'abord qu'ils étaient conviés à la première par une œuvre de charité à laquelle ils avaient participé dans le passé. Mais, après réflexion, elle se demanda si l'invitation n'avait pas plutôt été faite sur une suggestion de Thad.

Elle jeta un coup d'œil à la date. 19 mai, deux jours après l'anniversaire de Cat et six années jour pour jour depuis sa dernière entrevue avec

Thad. Il lui semblait que beaucoup plus de temps s'était écoulé, les années passées à Hollywood lui paraissaient si lointaines. Mais non. Elle fit le calcul et s'aperçut que c'était bien cela. Six ans depuis le jour où il lui avait fait découvrir sa chambre et sa collection malsaine de photos. C'était Thad, elle en était certaine. Spontanément, elle eut envie de la refuser, puis changea d'avis.

Surtout par curiosité. En six ans, Thad n'avait jamais essayé d'entrer en contact avec elle. Même à la mort de Lewis, elle n'eut pas le moindre coup de téléphone ou la moindre lettre. Hélène entendait parler de lui dans les journaux, mais c'était rare. Il avait fait une série de films, d'abord pour Joe Stein, produits par Artists International, puis pour d'autres compagnies cinématographiques. Deux d'entre eux avaient connu un modeste succès, et aucun n'avait fait son entrée au box-office. Dans ses interviews, Thad rendait responsable les systèmes de production. Avec Sphère, il était parfaitement libre, mais là, prétendait-il, il s'opposait du début à la fin à des béotiens.

Sa réputation de metteur en scène était sur le déclin. Hélène en était consciente. On l'avait récemment comparé, de façon fort peu élogieuse, à d'autres metteurs en scène, dont Gregory Gertz, et à la génération montante. Les deux films qu'elle avait vus n'avaient fait que confirmer les réactions des critiques. Elle n'en avait aimé aucun et avait été surprise de constater que Thad, dont le travail était toujours précis et minutieux, donnait des signes de laxisme.

Les jeunes critiques cinématographiques européens, remarqua-t-elle avec amusement, prétendaient que le déclin de Thad datait de la fin de son association avec Hélène, et un critique particulièrement incisif avait proclamé qu'en perdant Hélène Angelini avait perdu sa muse. Elle ne prit pas la chose au sérieux, mais elle remarqua, lors d'interviews, que Thad était furieux lorsqu'on lui posait la question.

En vérité, elle se rendit à l'évidence en regardant le carton d'invitation : elle avait presque oublié Thad. Sa famille et son travail au sein de la société Chavigny l'occupaient tant que le souvenir de Thad s'était complètement estompé. Tout comme Hollywood, elle avait relégué cette époque dans le passé.

En plus de la curiosité, elle ressentait une certaine loyauté latente envers Thad. Elle lisait sans plaisir les critiques qui l'avaient adulé autrefois et l'écrasaient maintenant sans vergogne. *Gettysburg*, avait-elle remarqué avec plaisir, semblait avoir remporté un succès éclatant en Amérique, retournant la situation en faveur de Thad. Il battait tous les records au box-office et avait reçu les louanges de Susan Jerome. Décidément, Hélène se devait d'aller au moins à la première.

Lorsqu'elle en parla à Édouard, il accepta, bien qu'à contrecœur.

Hélène crut que c'était en raison de l'aversion qu'Édouard éprouvait à l'égard de Thad, mais ce n'était pas vraiment cela.

Quand elle lui montra le carton, Édouard y jeta un coup d'œil puis le reposa négligemment.

— Très bien, tu as probablement raison. Nous irons.

Hélène crut déceler une pointe de mauvaise humeur, mais elle n'en était pas la cause. En fait, Édouard était furieux contre lui-même. Simon Scher travaillait avec lui depuis plus de six mois. Édouard avait pensé que son arrivée serait le moment propice, si toutefois il en existait un, pour révéler la vérité à Hélène sur son implication dans la Partex et Sphère. Il avait pris la décision de tout lui dire, ayant même préparé toutes les phrases dans son esprit. Mais, chaque fois, il repoussait l'instant de la révélation.

Il lui avait avoué, ce qui était pire, une partie de la vérité, en mentionnant que Simon Scher avait travaillé dans le passé pour ses sociétés. Il était même allé jusqu'à lui dire que lui et sa mère avaient des actions dans la compagnie Partex Pétrochimie. Là, brusquement, il n'avait pu continuer. La première fois qu'il avait tenté d'aborder le sujet, Hélène s'occupait d'Alexandre. Elle avait levé un regard confiant vers lui, ravie d'apprendre la nomination de Scher.

— Je ne savais pas que tu le connaissais. Es-tu certain que c'est l'homme qui convient ? Oh, Édouard, je suis si heureuse !

Édouard était stupéfait. Il avait espéré qu'Hélène lui poserait des questions, parce qu'il savait qu'il lui était possible de lui mentir par omission ou en restant évasif, mais qu'il ne pourrait jamais proférer directement des mensonges. Si seulement elle l'avait questionné. « Édouard, tu ne savais donc pas qu'il travaillait pour Sphère ? » Alors, il lui aurait tout avoué. Mais elle ne lui posa pas la moindre question. Cette confiance totale était en fait une barrière. Avoir gardé le silence au début n'était pas inconcevable, mais pendant six ans ! Quelle serait la réaction d'Hélène quand elle saurait ?

Édouard craignait que cela ne compromette toutes les joies qu'ils venaient de partager et surtout sa confiance en lui. Malgré tous ses efforts, il ne parvenait pas à franchir le pas décisif. Après l'entrevue d'Hélène avec Simon Scher à Paris, qui ne déclencha aucune question, Édouard se sentit totalement piégé. Scher lui conseillait d'oublier l'affaire.

— Édouard, lui dit-il, c'est de l'histoire ancienne.

Mais Édouard ne parvenait pas à s'y résoudre. Ce mensonge le diminuait à ses propres yeux et il redoutait qu'il ne le diminue aux yeux d'Hélène.

La duperie et le sentiment de culpabilité qui en découlait ne lui étaient pas familiers, ce qui ne faisait qu'accentuer son irritabilité. Il était toujours à cran lorsque Hélène et Simon Scher se rencontraient. Chaque fois qu'un article paraissait sur la Partex ou que ses investissements et ceux de Louise dans la compagnie revenaient sur le tapis, comme ce fut le cas à maintes reprises devant Hélène, il avait peur que Louise n'ait envie de discuter de son portefeuille d'actions pour lequel, depuis quelques années, elle avait une certaine inquiétude.

La société Partex était également un sujet de préoccupation avec la politique d'expansion agressive que menait Drew Johnson. Ces doutes, qui avaient pris naissance à la dernière fusion de Partex, n'avaient fait que s'accroître, surtout depuis le retour de Simon Scher à Paris. La présence de Scher et l'influence d'Édouard avaient freiné l'impétuosité de Drew Johnson dans le passé. Moins de six mois après le retour de Scher, les freins avaient lâché. Johnson se lança dans un programme qui nécessitait un emprunt très lourd, ce qui inquiéta sérieusement Édouard et Simon Scher dès qu'ils en prirent connaissance.

Peu avant la première de *Gettysburg*, Drew Johnson déclara qu'il souhaitait renforcer sa position en rachetant des actions de la Partex. Édouard fut soulagé. En d'autres temps, il aurait hésité, mais là, il accepta d'emblée de vendre des titres à Johnson qui ne cachait pas sa joie.

— Croyez-vous pouvoir persuader votre mère de transférer ses titres ? lui demanda Drew.

Ce fut pratiquement sa seule question.

Édouard, en proie à des sentiments mitigés de dégoût, de regret, mais aussi d'apaisement, mit ainsi fin à ce qu'il considérait autrefois comme une association.

La vente de ses propres actions se fit rapidement. Édouard s'attendait à des difficultés pour persuader Louise et décida d'aller la voir avant la première de *Gettysburg*, le 19 mai dans l'après-midi.

Il se rendit chez sa mère, muni des derniers bilans attestant des emprunts, prêt à subir ses questions interminables.

À sa grande surprise, Louise ne discuta sur aucun point. Elle sembla même satisfaite de la suggestion.

— Je t'ai déjà dit, Édouard, fit-elle, le sourire aux lèvres, que j'avais l'intention depuis quelque temps de liquider mes titres.

— Je le sais, maman, lui répondit-il avec gentillesse. Mais cette vente n'est pas une mince affaire. Il s'agit de sommes considérables.

— Ah oui ? fit-elle en minaudant. Quelle merveille !

Édouard plissa le front. Sa mère, ce jour-là, semblait particulièrement joyeuse, détendue et heureuse. Pour une fois, elle ne s'était pas plainte de sa santé. Néanmoins, son attitude intriguait Édouard. Louise avait maintenant soixante-seize ans, mais c'était un secret bien gardé. L'année qui venait de s'écouler, elle avait eu un comportement imprévisible. Tantôt, comme aujourd'hui, elle semblait complètement rétablie et débordait de gaieté et de vivacité. Tantôt, sans aucune raison apparente, elle se replongeait dans l'obscurité, revêtait ses robes grises, baissait les stores et retrouvait la compagnie des prêtres. Son caractère était de plus en plus inconstant, et elle devenait susceptible sur les moindres détails. Elle n'aimait plus qu'Édouard lui rende visite, comme cela lui arrivait parfois, sans l'avoir prévenue ou après un simple coup de téléphone au moment où il quittait son bureau.

— Cela me perturbe, Édouard, lui disait-elle. J'aime organiser mes journées. Je ne suis plus toute jeune et je n'apprécie pas les visites impromptues. C'est un manque d'égards.

Le rendez-vous avait donc été soigneusement prévu trois jours auparavant. Et maintenant, assis en face d'elle, Édouard se demandait si Louise se rendait compte de l'importance des enjeux. Peut-être vieillisait-elle ? Il décida d'en référer discrètement à ses médecins. De temps à autre, sans remarquer son sourire étrange, il tentait de lui expliquer que, si elle vendait ses actions, ce ne serait pas de centaines de milliers de dollars qu'ils parleraient, mais de millions de dollars.

Louise le coupa net.

— Je comprends, Édouard, dit-elle, irritée. Tu me l'as déjà expliqué. Inutile de recommencer.

— J'essaie simplement de clarifier la situation, maman, ce n'est pas une banale liquidation de titres. Je peux m'occuper de tout sans problème.

— Agis à ta guise.

— Ensuite, il vous faudra songer à un réinvestissement, et j'ai pensé...

Louise se leva. Elle jeta un coup d'œil à sa montre toujours ornée d'un bracelet en velours noir.

— Édouard, si j'ai besoin de ton avis, je te le demanderai. Pour l'instant, fit-elle, une fois de plus avec un large sourire, j'ai quelques idées sur la question. N'oublie pas que c'est mon argent.

Édouard se leva également. Il se faisait tard. Il devait retourner se changer à Saint-Cloud pour la première. Cependant, l'attitude de Louise l'intriguait.

Il était sur le point de partir sans lui poser d'autres questions lorsqu'une arrière-pensée lui traversa l'esprit. Louise n'était plus toute jeune. Certes, elle était agaçante, mais Édouard avait des responsabilités envers elle.

— Et si vous me parliez de cette idée, maman ? fit-il en se retournant. Peut-être pourrais-je vous aider...

Louise ne lui laissa pas le temps de terminer sa phrase.

— Je vais investir dans l'immobilier, Édouard. J'ai toujours aimé cela. C'est un sujet que je comprends. Il s'agit de maisons, pas de bouts de papier. Je vais acheter des biens et je n'ai nullement besoin de tes conseils. Édouard, je suis sûre que ce sera un soulagement pour toi. Après tout, tu as suffisamment de préoccupations avec ta famille.

— Des biens immobiliers ? Où donc, maman ? lui demanda Édouard d'un ton las.

— Au Portugal, répondit Louise avec un sourire.

Édouard perdit patience.

— Comme vous voudrez, répliqua-t-il d'un ton glacial avant de refermer la porte derrière lui.

Gettysburg commençait sur un champ de bataille. Thad avait toujours su rendre la mort. La scène était de toute beauté. Un long travelling sur un champ recouvert d'une fine brume matinale. Lentement, la caméra se rapprochait, révélant le carnage. Ce n'étaient pas des tertres ou des touffes d'herbe que l'on croyait voir de loin, mais des cadavres. La bataille était terminée depuis longtemps. Dans le champ, rien ne bougeait.

Des hommes, les bras arrachés, le dos voûté, les jambes écartées, sur deux, trois, quatre rangées dans une parodie d'accolade. On aurait dit un tableau de Delacroix, merveilleusement composé, peut-être trop bien, d'ailleurs. Hélène détourna le regard.

Elle regrettait d'être venue et aurait souhaité pouvoir quitter la salle. Édouard, à ses côtés, le visage tourné vers l'écran, avait une expression glaciale. Depuis son entrevue avec Louise, il n'avait pas décoléré. Pour envenimer les choses, en rentrant chez lui, il avait trouvé Cat et Julien se chamaillant avec véhémence, malgré les tentatives d'apaisement d'Hélène.

C'était la première fois qu'Édouard les voyait se disputer. Hélène avait remarqué ces derniers mois que leur désaccord ne faisait que s'intensifier, et elle en éprouvait de la tristesse et de la confusion. Jusque-là, elle avait essayé de le cacher à Édouard, pensant que ce n'était qu'une mauvaise passe. Cat et Julien étaient à un âge difficile, et la jalousie était inévitable. Mais leurs dissensions duraient, et là, comme toujours à la suite d'un incident mineur, une violente querelle les avait séparés.

Cat préparait un dessin depuis plusieurs jours. Elle aimait dessiner et peindre, et prenait grand soin de son travail. Là, elle venait de terminer un dessin du jardin de Quaires. Alors que Cat était à l'école, Julien avait faussé compagnie à sa gouvernante et s'était glissé dans la chambre de Cat. Lorsqu'elle revint, elle trouva le dessin complètement gribouillé de crayon rouge. Quand Hélène perçut des hurlements et des pleurs, elle se précipita avec Cassie dans la chambre d'enfant. Le mal était fait. Julien était pourpre de rage. Cat tremblait. Le dessin, déchiré en morceaux, était par terre, et Julien portait une grosse marque rouge sur le bras là où Cat l'avait frappé.

— Il l'a fait exprès. Oui, exprès, je le sais, hurlait Cat au milieu de sanglots. Je le lui ai montré hier. Il savait que j'y tenais.

— Dessin idiot, s'écria Julien en donnant un coup de pied dans les morceaux de papier.

Cat bondit sur lui pour le frapper de nouveau, mais Hélène eut le temps de l'arrêter. Dans la chambre d'à côté, Alexandre, confiné dans son berceau, se joignit au concert en poussant des cris plaintifs.

— Cat, calme-toi, veux-tu ! Julien n'a que trois ans. D'accord, il l'a fait exprès...

— Voilà, tu prends son parti comme toujours, toujours, toujours.

Cat, les yeux voilés de larmes, était en pleine crise. Julien, immobile, tenait bon. Hélène se tourna vers lui. Il la toisait d'un air calme et pondéré qu'Hélène trouvait déconcertant pour un enfant de cet âge. Son visage arborait une expression de défi, comme s'il attendait l'occasion de mesurer sa volonté à la sienne. Cette pensée traversa l'esprit d'Hélène qui la repoussa aussitôt au moment où Édouard, pâle de rage, entra dans la chambre.

— Que se passe-t-il exactement ?

Le silence se fit brusquement. Puis tout le monde se mit à parler en même temps, Cat et Julien plus fort que les autres.

— Il m'a abîmé mon dessin exprès.

— Cat m'a donné une gifle et elle m'a frappé sur le bras.

L'expression glaciale d'Édouard les réduisit au silence.

— Julien, je te défends d'aller dans la chambre de Cat et de toucher à ses affaires. Sinon, tu seras puni. Tu comprends ? Quant à toi, Cat, ne tape pas sur ton frère. Il faut apprendre à te contrôler. Comment oses-tu frapper un enfant de trois ans ?

Cat, les lèvres tremblantes, était sur le point d'éclater en sanglots. Elle leva les yeux vers Édouard, regarda son dessin, puis de nouveau Édouard avant d'exploser.

— Je ne lui ai pas fait mal. J'ai perdu mon sang-froid, d'accord, mais j'ai passé toute la semaine sur ce dessin.

— Monte dans ta chambre.

Cat s'arrêta net, tremblante d'émotion, puis, sans un mot, sortit en courant.

Julien assista, impassible, à la scène. Édouard se tourna alors vers lui.

— Quant à toi, va demander pardon à ta sœur, et gare à toi si tu recommences.

Julien leva vers son père ses yeux bleus et lui fit un sourire angélique.

— Bien, papa, murmura-t-il.

Édouard l'observa un instant, puis tourna brusquement les talons.

Dans la salle, Hélène jeta un coup d'œil à Édouard. Il avait l'air toujours fâché. Pensait-il encore à la scène comme elle, ou s'était-il querellé avec Louise ? Malgré ses efforts pour se concentrer sur l'écran, elle n'y parvenait pas. Elle ne cessait de penser à Cat, découvrant soudain un lien entre toute une série d'incidents mineurs auxquels elle n'avait pas prêté attention sur le moment. Pas seulement de simples chamailleries entre frère et sœur, mais à d'autres occasions, dans le passé, où Cat avait paru malheureuse, secrète et renfermée. Bien sûr, Hélène avait trouvé bon nombre d'explications : l'âge de Cat qui approchait de la puberté, l'accoutumance à un nouveau bébé, l'école, que Cat avait d'abord prétendu adorer et que, maintenant, elle détestait cordialement. « Nous ne sommes plus aussi proches qu'avant. Cat ne vient plus se confier à moi », songeait Hélène avec nostalgie. Mais n'était-ce pas inévitable ? Cat grandissait. Pourtant, cette conviction rendait Hélène malheureuse, et elle se culpabilisait.

Oh, pourquoi donc étaient-ils venus ? Elle avait envie de parler à Édouard qui, dans la voiture, n'avait pratiquement pas dit un mot. Son regard se posa une fois de plus tristement sur l'écran. Elle avait raté la moitié du film et ne savait pas exactement de quoi il s'agissait. Les acteurs se trouvaient dans le Sud. Il y avait une jeune fille et un homme beaucoup plus âgé, un commandant de l'armée des confédérés...

Elle se crispa aussitôt et prêta une attention plus soutenue, puis, avec un sentiment accru de honte et de colère, comprit les motivations de Thad.

Le film durait deux heures. Quand les lumières s'allumèrent, Édouard, sinistre, prit Hélène par le bras fermement, mais d'une voix douce lui dit :

— Nous n'allons pas rester à la réception. Viens. Nous partons.

— Non, dit Hélène en se levant. Je reste. Je veux parler à Thad, savoir pourquoi il a fait cela.

— Tu risques d'être bouleversée, Hélène. Il vaut mieux partir.

— Non.

— Alors laisse-moi lui parler.

— Non, Édouard, c'est à moi de le faire.

Elle le vit hésiter. Il capitula à regret. Ils se rendirent à la réception, et, durant quarante-cinq minutes, Thad essaya de l'éviter. Hélène l'observait froidement de l'autre côté de la salle, entouré de toutes parts de journalistes. Elle sentait l'agitation dans la salle, cette étrange atmosphère qu'elle avait connue à Hollywood et qui prédisait un succès ici, tout comme il l'avait été en Amérique. Elle attendit l'instant propice. Puis, voyant Édouard occupé un instant, elle traversa la salle et s'approcha de Thad.

Il n'avait pas changé. Nulle trace de plaisir, de surprise ou d'embarras. Il se comportait comme il l'avait toujours fait, comme si ces six dernières années n'avaient pas existé. Ses petits yeux sombres brillèrent derrière ses lunettes teintées. Il transpirait légèrement, mais une chaleur étouffante régnait dans la pièce.

Les autres s'écartèrent. Thad lui fit un petit signe de la tête et sourit.

— Hélène.

— Pourquoi as-tu agi ainsi, Thad ?

— Que veux-tu dire ? fit-il en clignant des yeux.

— Je croyais que c'était un film sur la guerre de Sécession ?

— Ça l'est, non ?

— C'est aussi l'histoire de ma vie. Du moins en partie. Tu as changé l'époque et les noms, c'est tout. Je suppose que je devrais t'en être reconnaissante.

— C'est une histoire originale, fit Thad sautillant d'un pied sur l'autre. Je le sais, c'est moi qui l'ai écrite.

— C'est impardonnable et minable.

Thad soupira.

— Il eût été préférable que tu tiennes le rôle principal, je l'avoue. Cette fille joue bien, mais elle n'a rien d'extraordinaire. Le film est tout de même bon. C'est ce que j'ai fait de mieux depuis *Ellis*.

Hélène l'observait. Il avait l'air totalement indifférent. Toujours cette assurance. Pas l'ombre d'un doute.

— La petite fille, Thad, dit-elle d'un ton glacial, pourquoi l'as-tuée à la fin ?

— Que veux-tu dire ? répondit Thad en inclinant la tête, ses petits yeux de hibou fixés sur elle.

— Tu sais très bien ce que je veux dire. Tu t'es inspiré de ma vie pour ton personnage, et ce personnage a une fille. À la fin du film, sa fille est tuée. Tu te le rappelles, je suppose ?

— Ah, ça ? répliqua-t-il en haussant les épaules. Je ne sais pas pourquoi. C'est venu spontanément.

— C'est pour me faire du mal.

— Cela te fait du mal ? lui demanda-t-il, portant un intérêt soudain à ses paroles ?

— Oui, et tout le film, d'ailleurs.

— Je n'ai jamais pensé que tu aurais cette réaction, ça, jamais, fit-il en secouant la tête.

Il parut réellement surpris et même contrit.

— Je suis désolé, Hélène. Tu devrais savoir que je n'avais nullement l'intention de te blesser. Dans quel but ? Je souhaite tourner encore avec toi. C'est vrai. je veux que tu reviennes.

Il jeta un coup d'œil rapide dans la salle, puis se mit à parler plus rapidement.

— Je vais écrire un nouveau scénario. Quand il sera terminé, j'aimerais que tu le lises. Voilà pourquoi je tenais à ce que tu sois là ce soir. Pour te le dire. Je ne voulais pas simplement te l'envoyer. Ce sera un bon scénario. Nous pourrions commencer le tournage dans six semaines. C'est une histoire d'amour. Elle se passe à Paris, à Londres et...

— Je ne travaillerai jamais plus avec toi. Si jamais tu m'envoies un scénario, je le déchirerai en morceaux... Paris et Londres ?

— Oui, dit-il fébrilement. Je n'ai pas besoin de toi pendant les six semaines. Je pourrais grouper tes scènes et réduire ton temps de tournage à un mois. Tu pourrais te libérer un mois, non ? Je suis sûr que tu as envie de travailler de nouveau avec moi. Cette vie-là doit te peser, dit-il en désignant toute la salle. Sais-tu ce que tu fais ? Tu gaspilles ta vie. Tu...

Il ne termina pas sa phrase, car Édouard les avait rejoints. Malgré son indignation et sa colère, elle sentit une très forte tension entre les deux hommes. Ils se toisèrent du regard. Thad se balança légèrement sur ses talons, un sourire aux lèvres.

— Avez-vous aimé le film ? demanda-t-il en masquant mal un ton de défi.

Édouard le fixa droit dans les yeux, tout en donnant l'impression de considérer la question avec sérieux.

— Non, fit-il calmement. Il est plutôt médiocre.

Thad ne s'attendait sans doute pas à une réponse aussi brutale, et les insultes proférées avec une courtoisie glaciale ne lui étaient pas familières. Il eut un sourire figé qui disparut aussitôt.

— Hélène, nous partons ?

Édouard la prit par le bras, et ils s'éloignèrent. Édouard s'arrêta délibérément pour saluer des amis ou des connaissances. Ni l'un ni l'autre ne se retourna. Thad les regarda partir sans broncher.

Dès qu'ils furent rentrés, Hélène lui dit :

— L'as-tu trouvé vraiment médiocre, Édouard ?

Édouard ne répondit pas immédiatement. Il se trouvait près de la fenêtre, contemplant les jardins et la ville qui s'étendait à l'horizon. Maintenant que la colère qu'il avait éprouvée pendant le film s'était apaisée, il se sentait las à cause de sa duperie au sujet de Sphère. « Le mensonge permanent est épuisant », songea-t-il, décidant fermement de lui avouer la vérité le soir même. Il fallait tout de même patienter le temps qu'elle se calme.

Il se retourna vers Hélène.

— Non, dit-il d'une voix douce. Il comporte les défauts habituels de ses œuvres, et il m'est difficile d'en parler objectivement. Cependant, c'est un bon film. On ne peut pas dire qu'il soit médiocre.

— Tu me fais réellement plaisir. Thad méritait cette réponse. Mais je suis vraiment contente que tu ne l'aies pas trouvé médiocre.

— Ma chérie, pourquoi ?

— Parce que c'est un bon film. On ne peut pas dire le contraire. Thad est artiste dans l'âme, je l'ai toujours su. Et c'est parce qu'il est artiste qu'il manipule les gens aussi bien. La vie des gens ne l'intéresse pas. Il voit simplement ce qu'il peut en tirer pour ses films. Le bonheur, la souffrance, l'amour, la haine, c'est la même chose pour lui. Il les observe, remarque leurs petites manies et ensuite les utilise. Il agit avec les autres comme avec moi. Il ne s'investit jamais et n'éprouve aucune compassion. Oh ! fit-elle en soupirant, je suis sûre que, si tu le lui faisais remarquer, il ne comprendrait pas et se demanderait de quoi tu parles. Si par hasard il te répondait, ce qui est fort improbable, il te dirait que c'est le lot des artistes. Ils doivent être parfaitement indifférents et parfaitement amoraux.

Édouard la regarda sans rien dire. Le front légèrement plissé, elle s'exprimait d'une voix très douce, sans la moindre émotion, comme s'il lui était nécessaire de définir clairement sa pensée. Elle se tourna vers lui et, soudain fébrile, lui parla avec plus de véhémence.

— J'ai essayé un jour de le lui dire. Je voulais lui expliquer qu'il y avait, à mes yeux, des choses plus importantes que le travail. Le simple fait de vivre. Des petits gestes quotidiens, comme être avec toi aujourd'hui ou avec Cat. La vie de tous les jours, en somme. Mais il ne comprenait pas. Ces choses-là, pour lui, ne durent pas et n'ont donc aucune valeur. Ce sont de simples incidents qu'il peut éventuellement utiliser ou couper dans ses films. Eux, en revanche, sont faits pour durer. Oui, éternellement. Bien après sa mort ou la mienne... C'est ce qu'il m'a dit un jour.

— Hélène ! l'interrompit Édouard, ému par cet accent soudain de désespoir.

— Il m'a arraché une partie de ma vie, poursuivit Hélène en le regardant. Une partie que j'exécrais, dont j'avais honte et, en un sens, dont j'étais fière. Il y avait en moi une totale confusion, un manque de clarté évident. Il a pris tout cela, l'a façonné et y a donné un sens. Cette matière a donné lieu à des films. Cette confusion s'est transformée en art. Sur le moment, c'était important pour moi.

— Et maintenant ?

— Je n'y attache plus aucune importance. N'est-ce pas étrange ? Soudain, tout cela me semble dérisoire. Parce que maintenant je comprends qu'il a tout déformé. C'était à la fois plus et moins. Tu comprends ?

— Oui.

Édouard la prit dans ses bras et la serra contre son cœur. Ils gardèrent le silence quelques instants. Après la tension des événements de la journée, Édouard se sentit plus calme et détendu. Enfin. Le moment de la révélation était propice. Il allait lui parler lorsque, brusquement, avec une agitation soudaine, Hélène se dégagea de son étreinte.

— J'aurais préféré qu'il ne fasse pas mourir la petite fille. Pourquoi donc a-t-il fallu qu'il ajoute cette scène ? Ses films sont d'une étrangeté inquiétante. Ils trahissent une prescience. Ce n'est pas la première fois. Je m'en rends compte maintenant. Mon mariage avec Lewis, tous les événements malheureux de ma vie, il y a tout dans ses films. Regarde *Extra Time* ou *Short Cut*. Ce sont de véritables prédictions. Tout était écrit avant qu'ils ne se produisent. C'est comme s'il percevait au-delà...

— Ma chérie, ne sois pas stupide. C'est de la pure fiction qui sort de son esprit. Cela n'a aucun sens.

— Oh, Édouard, j'ai si peur pour Cat ! Cette querelle aujourd'hui. Ce n'est pas tout. Mille détails se sont greffés. Je voulais t'en parler.

Édouard s'assit et l'attira contre lui.

— Allons, dis-moi, murmura-t-il.

Hélène ne lui épargna aucun détail. Édouard l'écouta gentiment. Ils échangèrent leurs points de vue avec tendresse, mais Édouard, avec une pointe d'amertume, se dit qu'une fois de plus il avait repoussé l'aveu qui lui tenait à cœur.

Impossible de détourner la conversation. Les préoccupations d'Hélène étaient prioritaires. Pourtant, il s'en voulait. L'occasion s'était présentée. Il l'avait laissée passer.

À l'école religieuse, il y avait une élève que Cat avait toujours détestée en particulier. Elle s'appelait Marie-Thérèse et était arrivée à l'école après Cat et peu avant la naissance de son jeune frère Alexandre, en 1970. Cat avait alors dix ans.

C'était une école sélecte qui ne recrutait que des élèves issues de vieilles familles françaises conservatrices. Le critère d'admission était purement social, mais il y avait quelques exceptions. Certaines élèves avaient été prises pour leurs brillants résultats. D'autres étaient les filles d'hommes d'affaires nouveaux riches qui avaient suffisamment d'influence pour obtenir l'admission de leurs enfants. Une ou deux élèves par an étaient acceptées par charité, parce que leur mère était veuve, et une bourse leur était accordée. Mais Marie-Thérèse n'entrait dans aucune de ces catégories, et sa présence à l'école était un mystère. Ses parents étaient pieux et relativement aisés, mais leur fortune était loin de répondre aux critères exigés par l'école. Ils n'avaient ni relations ni influence. D'après la rumeur, son père avait une affaire de pneus de voiture, ce qui était un sujet de plaisanterie parmi les amies de Cat, toutes très snobs. Selon elles, la mère de Marie-Thérèse avait obtenu son admission grâce à ses connaissances au sein de l'Église.

Marie-Thérèse était blonde. Elle portait les tresses réglementaires. Bien développée pour son âge, elle avait une certaine tendance à l'embonpoint. Elle fut la première dans la classe de Cat à avoir un peu de poitrine, et cela, ajouté à une douceur d'expression, lui valut une certaine considération. Les élèves les plus snobs la méprisèrent d'emblée et ne cédèrent pas devant ses minauderies pour gagner leur amitié.

Devant cette attitude, Cat avait eu, au début, pitié d'elle et avait même essayé de s'en faire une amie. Ce fut une erreur. Cat se rendait bien compte qu'elle éprouvait, en fait, une aversion instinctive envers Marie-Thérèse.

Il lui fallut plusieurs semaines avant de prendre conscience que Marie-Thérèse n'éprouvait, elle non plus, aucune attirance pour elle et que les efforts de Cat pour être polie n'avaient fait qu'intensifier sa haine. Peut-être, de par sa susceptibilité, détestait-elle les airs protecteurs de Cat ou tout simplement son intelligence. Quelle que soit la raison, sa haine était flagrante. Devant ses refus perpétuels, Cat capitula et se résigna à adopter une attitude hostile. Au moins était-elle sincère. C'était la première fois que Cat se trouvait confrontée à un tel problème. Au fur et à mesure que le temps passait, Cat se dit que Marie-Thérèse était la cause de tous ses soucis. « J'étais heureuse jusqu'à son arrivée », songeait-elle parfois. C'était le point de départ de tous ses ennuis. Avant l'arrivée de Marie-Thérèse, la vie à l'école était un plaisir. Cat apprenait vite ses leçons. Elle avait beaucoup d'amies. Malgré sa tendance à l'impudence, comme enfoncer sa jupe dans sa culotte quand elle faisait des glissades dans la cour de récréation, les religieuses étaient toujours prêtes à lui pardonner. Elles la réprimandaient, certes, mais, dans l'ensemble, appréciaient sa nature franche, sa bonne volonté et son honnêteté évidente.

L'arrivée de Marie-Thérèse avait provoqué un changement radical. Elle avait découvert très vite le caractère soupe au lait de Cat et les moyens de l'attiser. Il était si facile de provoquer la colère de l'arrogante Catharine de Chavigny, si collet monté. Elle racontait des cancans aux amies de Catharine, lui cachait ses livres de classe, versait de l'encre sur ses dessins, se moquait de sa silhouette élancée et mince qui la faisait ressembler à un garçon. Elle lançait des pierres aux pigeons dans la cour de l'école, et même lorsqu'elle les manquait, ce qui était courant, Cat se précipitait sur elle avec colère et lui donnait une gifle. Lorsqu'on cherchait la coupable, c'était toujours Cat qui était punie, et elle était assez stupide pour garder le silence et ne jamais accuser Marie-Thérèse.

Elle mena ainsi sa campagne avec habileté pendant un an et remarqua avec une joie mêlée de dédain que les religieuses se montraient nettement moins indulgentes à l'égard de Cat. Une fois même, ses parents furent convoqués par la mère supérieure, et Marie-Thérèse trembla. Mais la vérité ne fut pas révélée. Les odieux parents de Cat, pompeusement arrivés à l'école dans une horrible Rolls-Royce, furent informés que la grande indiscipline de Cat posait un sérieux problème. Quand cette nouvelle parvint à Marie-Thérèse, elle fut de bonne humeur le restant de la semaine.

Cat était ébahie de la tournure que prenait sa vie. Ce n'était pas le seul événement qui la rendait malheureuse et inquiète. Cette année ne lui avait procuré que des désagréments. Chez elle, un autre bébé s'était ajouté à Julien. Sa chère Madeleine l'avait quittée pour se marier et avoir des enfants et, bien qu'elle vînt souvent voir Cat, elle lui manquait beaucoup. Elle en voulait à Julien, et ce ressentiment la mettait au supplice tant elle se culpabilisait. Ce n'était qu'un bébé et c'était son frère. Elle devait donc l'aimer. En fait, elle l'aimait, tout comme Alexandre, mais il lui arrivait de penser que l'époque où ils n'étaient pas nés était bien plus agréable. Il n'y avait pas alors trois enfants en quête d'affection.

Ce n'était pas très gentil, elle en était consciente. Durant quelque temps, elle devint passionnément pieuse, passant des heures à genoux à supplier Dieu avec une ferveur intense de faire d'elle une fille et une sœur meilleure. Mais devant l'inefficacité de ses prières, Cat n'y eut plus recours. Elle considéra même la piété avec un certain mépris. Elle se rendait à contrecœur aux offices religieux et dédaignait les prières quotidiennes et la pratique permanente de la religion à l'école. Brusquement, elle refusa de se confesser, ce qui déclencha une tempête.

Son corps changeait également. Elle allait avoir douze ans et ressentait un profond bouleversement dans sa vie. Le monde s'écroulait autour d'elle, plus rien n'était stable. Dans l'intimité de sa chambre, elle se déshabillait parfois et se regardait dans la glace. Elle découvrait des poils naissants entre ses cuisses et sous ses bras, ses seins commençaient à se former. Tantôt, elle exécrait de toute son âme le sentiment de devenir une femme. Elle s'écrasait la poitrine pour se persuader qu'elle n'en avait pas, se disant qu'elle n'avait jamais voulu être une fille et qu'elle aurait préféré être un garçon. Tantôt, elle contemplait sa silhouette, impatiente de la voir se transformer, rêvant de seins plus provocants et de poils au pubis. Quand elle eut ses règles, elle éprouva à la fois de la joie et du désespoir, se sentant libérée et piégée en même temps. Peu après, dans un rejet soudain de son sexe et dans l'incapacité de rester enfant ou de devenir femme, elle se coupa les cheveux.

À l'école, elle avait toujours porté des tresses. Un soir, alors qu'elle était seule dans sa chambre, elle saisit les grands ciseaux de couturière de Cassie et se coupa les cheveux. D'un seul coup. Juste au-dessous de l'oreille. Les deux tresses, tels deux animaux occis, gisaient dans la paume de sa main. Elle descendit le lendemain au petit déjeuner. Une scène terrible éclata.

Elle s'attendait à une violente réaction de sa mère qui se préoccupait toujours de sa mise. Mais ce ne fut pas le cas. Son père, en revanche, fut cinglant.

— Ce sont mes cheveux, et j'ai le droit de les couper, s'exclama Cat, relevant le menton avec un air de défi.

Elle était d'autant plus impertinente que la réaction de son père l'avait choquée. Mais elle était au bord des larmes.

— Tu es horrible, fit-il d'un ton glacial de colère rentrée, avant de quitter la pièce.

Cat fut offensée. Ce fut le plus atroce moment de sa vie. Elle aurait souhaité mourir et pria la terre de l'engloutir. Elle remonta dans sa chambre en courant et se regarda dans la glace. Son père avait raison. C'était vraiment horrible et, pire, grotesque. Des larmes amères coulèrent le long de ses joues. Au fond de son cœur, elle sentait confusément qu'elle avait accompli un acte irrémédiable. Édouard aimait les belles choses. Il lui avait appris à s'y intéresser. Dans des domaines variés, comme un bijou ou un bon vin, une porcelaine de Limoges du XVIIIe siècle peinte à la main, ou la couleur d'une fleur sauvage sur une haie. Il insistait sur la beauté, la perfection, que ce soit un objet de valeur ou une chose toute simple. Pour les êtres, il avait la même attitude. Cat l'avait observé. Il exécrait la laideur, non point celle de l'apparence, bien qu'elle n'exerçât aucun attrait pour lui, mais la laideur de la nature, du caractère, de la conduite ou des manières. L'hypocrisie, la fausseté, la méchanceté, l'obséquiosité, le snobisme et l'injustice. Il avait une aversion pour toutes ces choses. Cat aussi.

Allongée sur son lit, en larmes, elle avait l'impression d'avoir détruit son image aux yeux de son père. Il ne devait plus voir en elle que la jalousie, le ressentiment, la mesquinerie. Ce n'était pas simplement le fait qu'elle se soit coupé les cheveux qu'il réprouvait, mais tous ces défauts qui surgissaient.

Il avait raison. Cat se sentait méprisable, répugnante. Elle exécrait son mauvais caractère, son orgueil, son arrogance. Elle se détestait pour son manque de respect envers son père qu'elle aimait tant. Elle se méprisait, et, de toute évidence, son père devait aussi la mépriser.

— Édouard, tu dois essayer de comprendre. C'est une période difficile pour Cat. Je me rappelle cette étape intermédiaire où l'on n'est plus une enfant et pas tout à fait une femme. Et elle a deux frères maintenant, ce qui ne facilite pas les choses.

Dans la soirée, Cat, qui était descendue furtivement avec l'intention d'aller au salon faire ses excuses à Édouard qui sortait de son bureau, resta pétrifiée devant la porte. Impossible d'entrer. Impossible également de repartir. Elle tendit l'oreille, peu fière d'elle.

— Et pourquoi serait-ce plus dur ? s'exclama Édouard avec agacement.

— Je ne sais pas ce qu'elle perçoit exactement. Toute cette rancœur envers Julien. Ce n'est pas simplement ton fils, Édouard, c'est également ton héritier. Elle le sent, même si elle n'en est pas consciente. Peut-être a-t-elle l'impression que tu as toujours désiré un garçon ?

— J'ai toujours voulu un garçon, c'est vrai, mais cela n'affecte en rien mes sentiments à son égard.

— Peut-être pas pour toi, mais il est possible que ce soit différent pour Cat. Pourquoi, à ton avis, s'est-elle coupé les cheveux ? Parce qu'elle a peur de ressembler à une femme et aussi parce que, inconsciemment, elle pense que nous l'aimerions et l'estimerions davantage si elle était un garçon.

Ils se turent. Édouard lança à Hélène un regard consterné qui trahissait sa soudaine prise de conscience, puis du regret et de la tristesse. Mais Cat ne vit rien de cela. Elle entendit seulement ses paroles.

— Pas « nous ». Tu veux dire que c'est ce que je ressens, dit-il doucement.

Cat s'éclipsa tristement.

Édouard poursuivit sa conversation avec Hélène, se reprochant son attitude, puis monta dans la chambre de Cat pour essayer de lui parler. Cat avait envie de se jeter dans ses bras. La gorge nouée, elle étouffait d'amour et de douleur. Mais un je-ne-sais-quoi l'empêchait de se laisser aller. Les joues empourprées de sentiments refoulés, elle lui fit des réponses brèves et fières, et, lorsqu'il essaya de lui passer tendrement un bras autour du cou, elle le repoussa. Lorsqu'il finit par partir, triste et désorienté, elle s'assit sur son lit, une haine envers elle-même encore plus intense. « Si seulement j'étais un garçon. Si seulement j'étais un garçon, un fils. » Ces mots résonnaient dans sa tête. Impossible de les chasser. Parfois, elle entendait une petite voix qui lui criait, quelque part dans son esprit : « Il t'aime, tu sais bien qu'il t'aime. » Mais elle ne voulait pas l'écouter. Cette voix lui mentait. Oui, son père l'aimait, mais pas comme Julien et Alexandre. Pas autant.

Après cet incident, la situation empira. Elle se sentait de plus en plus laide, disgracieuse et stupide. Elle ne faisait que renverser des objets, n'arrivait plus à prononcer une phrase sans s'arrêter au milieu pour se dire qu'elle ne disait que des inepties. Elle se renfermait, passant des heures seule dans sa chambre à lire des romans où les hommes se consumaient d'amour pour des femmes d'une beauté et d'une intelligence époustouflantes. Elle aurait aimé ressembler à ces héroïnes. Une ou deux fois, à des réceptions données par des camarades de classe, elle essaya d'imiter leurs attitudes et de les mettre en pratique sur les frères de ses amies. Avec un sentiment de triomphe précaire, elle s'aperçut que c'était un succès.

Elle recommença de façon flagrante, l'été 1972, durant les vacances passées dans la Loire en famille. Édouard la surprit embrassant le fils de l'un des métayers dans le vignoble. Le baiser en soi avait été une déception pour Cat qui n'aimait pas particulièrement ce garçon. Édouard entra dans une colère noire.

— Et si je voulais l'embrasser ? Lui aussi en avait envie !

— Je n'en doute pas. Il a seize ans. Je... Cat, son père travaille pour moi. Ça aurait pu aller plus loin. Et puis tu es trop jeune.

— Ce n'est pas ce qu'il pensait.

— Monte dans ta chambre.

Ils quittèrent la Loire peu de temps après et se rendirent au manoir de Quaires, en Angleterre, passer le reste des vacances d'été. Cat savait qu'elle était surveillée de près. Elle éprouvait un sentiment de colère et de rébellion. Lorsqu'elle retourna à l'école à l'automne, les événements se gâtèrent.

Marie-Thérèse avait trouvé un nouveau moyen de la torturer. Sa mère, malgré sa piété avouée, lisait avec avidité les magazines féminins et surtout les rubriques mondaines. Les conversations surprises chez elle lui fournissaient une riche matière à exploiter. Dès la première pique, elle se rendit compte que ses sarcasmes atteignaient leur but.

— Ton père est un sale juif, lui dit-elle un jour dans la cour de récréation.

Cat qui, ce matin-là, était en pleine crise de rejet des parents fut piquée au vif. La rébellion se transforma brusquement en un sentiment de loyauté envers eux.

— Mon père a un quart de sang juif et, toi, tu es méprisable aux quatre quarts, s'écria-t-elle, furieuse, en détournant la tête.

Mais Marie-Thérèse avait eu le temps de la voir rougir et avait remarqué la lueur de désespoir dans son regard. Elle décida de frapper encore plus fort.

— Ton père avait plein de maîtresses. Il en a probablement encore, lui dit-elle le lendemain.

C'était un peu osé. Nulle élève n'était censée aborder un sujet aussi impur. Cela lui valut une gifle cuisante.

Marie-Thérèse attendait l'instant propice pour prononcer des paroles terribles que sa mère avait murmurées d'une voix tremblante. Marie-Thérèse garda le secret pendant des semaines, des mois. Puis un jour d'hiver, au mois de février, où Cat l'avait remise à sa place de façon cinglante, elle décida de passer à l'attaque. Cat se trouvait dans la cour de récréation, entourée de camarades très collet monté. Elle s'approcha du groupe.

— Je sais quelque chose sur toi, Catharine de Chavigny. Tu te crois belle. Tu te crois intelligente. Je parie que tes amies ne savent pas ce que je sais.

— Eh bien, dis-le-nous et nous verrons, lui lança Cat, en haussant les épaules.

Son arrogance, sa désinvolture étaient insupportables. Les joues embrasées, balbutiant de haine refoulée, Marie-Thérèse prononça l'irréparable.

— Tu es une bâtarde.

Catharine blêmit. Marie-Thérèse éprouva un sentiment de triomphe total.

— C'est vrai, c'est vrai. Ma mère l'a lu dans les journaux. Tu avais sept ans quand ton père a épousé ta mère. Elle avait épousé quelqu'un d'autre. Elle faisait d'horribles films où elle enlevait tous ses vêtements. Elle est immorale, c'est ma mère qui me l'a dit. Il se pourrait même que tu ne sois pas Catharine de Chavigny, mais Catharine Je-ne-sais-qui.

— C'est un sale mensonge.

Cat, assise sur le rebord du mur, bondit, les poings en avant. Marie-Thérèse, bien qu'égratignée, ne capitula pas.

— Ta mère est divorcée.

— Et alors, petite bourgeoise ?

— Ta mère est divorcée, ton père est un play-boy et toi, tu n'es qu'une bâtarde, Catharine de Chavigny.

Cat se précipita sur elle et la fit tomber par terre. Elles roulèrent sur le sol en hurlant et en se martelant de coups de poing et se heurtèrent soudain à la longue robe noire d'une religieuse. L'incident se termina rapidement.

Les deux jeunes filles se retrouvèrent devant la mère supérieure,

Marie-Thérèse, la tête baissée, Catharine, le regard rivé au mur d'un air provocateur.

— Catharine, j'aimerais une explication.

Catharine, les yeux toujours fixés sur le mur, ne répondit pas.

— Marie-Thérèse, peut-être pourriez-vous m'en donner une ?

Marie-Thérèse ne se le fit pas répéter. Elle avait tant de choses à dire, toutes évidemment à sa décharge. La mère supérieure l'écouta jusqu'au bout, puis, seule avec Cat, essaya une dernière fois de lui faire dire sa version des faits. Devant le refus obstiné de Cat, la mère supérieure, poussant un long soupir, lui dit calmement que cet acte d'insubordination ne lui laissait pas le choix. Elle n'était pas nécessairement prête à accepter le récit de Marie-Thérèse, mais, lorsqu'elle demandait à Cat une explication pour une affaire aussi grave que celle-ci, elle exigeait l'obéissance et donc une réponse.

Elle n'en reçut aucune. Édouard et Hélène n'y parvinrent pas non plus. Le même jour, après un conseil de discipline houleux, Cat fut renvoyée.

Un tuteur vint à domicile lui donner des cours le restant de l'année, puis, avec douceur et précaution, Édouard et Hélène lui expliquèrent qu'ils avaient décidé de l'envoyer en pension en Angleterre dès le mois de septembre. Ils passeraient la fin de l'été au manoir de Quaires.

Cat ne fit aucun commentaire. Elle ne pouvait pas regarder son père en face, tant sa peine, son indignation et son amour étaient grands. Elle faillit alors leur dire la vérité. Elle en mourait d'envie, mais savait qu'ils seraient aussi bouleversés qu'elle lorsque Marie-Thérèse lui avait fait cette révélation. Aussi garda-t-elle le silence.

— Tu comprends, Cat ? lui dit Hélène avec douceur. Nous avons pensé qu'il valait mieux que tu repartes de zéro ailleurs.

Cat se rendait compte des efforts de sa mère, mais son chagrin n'en était que plus intense.

— Nous irons passer l'été à Quaires, fit Édouard. Ce sera un été merveilleux. Tu oublieras tous ces fâcheux incidents qui feront bientôt partie du passé.

« Ce ne sera jamais du passé », songeait Cat, mais elle ne dit rien.

— Je comprends, répondit-elle avec obstination.

C'est ce qu'elle croyait. Un été à Quaires et ensuite l'exil. Ils quittèrent l'Angleterre vers la mi-juillet.

Le terrain de croquet était baigné de lumière, en ce matin d'été idéal. Il était presque 11 heures. Christian, debout au milieu de la pelouse, dans un costume de toile blanc froissé, balançait son maillet d'un air méditatif en examinant la position des boules. Hélène, à qui il avait appris à jouer, l'observait attentivement. Elle venait de réussir un coup brillant. Assis sur la terrasse, derrière eux, un journal posé à ses côtés, Édouard les regardait paisiblement.

Christian plissa le front. Il ne manquait pas de galanterie, mais pas jusqu'à laisser Hélène gagner. Il lui adressa un aimable sourire et ajusta son tir. Le maillet frappa la boule d'un coup sec. Christian s'avança pour constater les dégâts. Il s'accroupit et laissa Hélène s'approcher.

— Je crois que c'est terminé pour vous, lui dit-il avec un sourire narquois. Il me semble que j'ai gagné.

— Zut ! s'exclama Hélène. Bon, je m'avoue vaincue. Vous êtes un démon à ce jeu, Christian. Je ne vais jamais arriver à vous battre.

Christian lui passa un bras autour du cou en riant. Ils traversèrent la pelouse pour aller rejoindre Édouard.

— Chérie, tu n'avais pas l'ombre d'une chance. Il avait l'intention de t'exterminer, et j'en connais la raison. C'est l'heure du début du match à Lords. Il veut l'écouter. Avoue-le, Christian.

— Je l'avoue, dit Christian en se laissant tomber dans un fauteuil.

— Vous pouvez le regarder à la télévision, si vous préférez, Christian, fit Hélène.

— Le regarder ? le regarder ? Certainement pas. Quelle infamie ! C'est bien trop moderne et contraire à l'usage anglais. Non, je vais rester ici, si vous le permettez, et écouter le match à la radio tout l'après-midi. Si Édouard avait un peu de bon sens, il m'imiterait. Aller à Londres par une journée comme celle-ci est une hérésie.

Édouard se tourna vers Hélène en souriant.

— En fait, il veut dire qu'il va écouter le match une demi-heure avant de s'endormir dans son fauteuil, dit-il en se levant. Je n'ai nullement envie d'aller à Londres, mais ce ne sera pas long. (Il jeta un coup d'œil à sa montre.) Une heure tout au plus avec Smith-Kemp, ensuite je compte passer à Eaton Square prendre quelques revues de jardinage. S'il n'y a pas beaucoup de circulation, je devrais être de retour vers 3 heures. D'ici là, l'Australie aura eu le temps de battre l'Angleterre, j'imagine.

Christian ramassa un coussin et le lui lança. Édouard l'attrapa au vol.

— C'est absurde. Je prévois une résistance héroïque, fit Christian en bâillant. Présente mes respects à Charles Smith-Kemp et dis-lui de ne pas oublier le traditionnel verre de cognac. C'est un véritable personnage d'Agatha Christie. Le lui as-tu déjà fait remarquer ? La caricature parfaite de l'avocat de la famille qui pourrait vraisemblablement être celui qui a commis la mauvaise action dans la bibliothèque de feu le colonel.

— Tais-toi, répondit Édouard en souriant. Charles a une nouvelle passion. Il est tombé amoureux du monde moderne et de la haute technologie. Il n'est plus au même endroit. Verre et acier. Plantes vertes. Caoutchouc et le nec plus ultra dans ce qu'il appelle encore des machines à écrire. Je suis censé aller visiter ses nouvelles installations.

— Oh, mon Dieu ! Rien n'est donc sacré ? fit Christian en ouvrant un œil. Que sont devenus ses anciens bureaux ?

— Tout a été démoli. Une compagnie d'assurances va construire une tour sur cet emplacement. Je suis désolé, Christian. Cela ne m'a pas fait plaisir non plus.

— Au moins, ici, rien ne change, dit-il d'un air maussade, puis, leur adressant un petit adieu de la main, il ajouta : À tout à l'heure.

Il alla chercher le transistor, l'une de ses rares concessions à la modernité. Hélène et Édouard retrouvèrent avec plaisir la fraîcheur de l'intérieur tandis que les commentaires du match de cricket se perdaient dans la nature.

Édouard lui passa un bras autour de la taille, et Hélène posa la tête sur son épaule.

— Crois-tu que tout ira bien, Édouard ?

— Oui, je te le promets. S'il le faut, nous procéderons à une saisie, mais je ne pense pas qu'il faille aller jusque-là. Ne t'inquiète pas, ma chérie. Je ne me fais aucun souci, Smith-Kemp non plus. Il dit que c'est un dossier facile. Le film ne sera jamais produit. Dis-moi, que vas-tu faire ? Si tu venais avec moi pour te changer les idées ? lui demanda-t-il en l'embrassant.

— Oh, Édouard, j'aimerais bien, mais il est préférable que je reste. J'ai promis à Florian d'examiner les nouveaux modèles et le devis provisoire.

Édouard sourit.

— Tu travailles trop.

C'était leur plaisanterie habituelle. Hélène lui donna une petite tape affectueuse qui se transforma très vite en une étreinte.

— Et les enfants ? demanda Édouard.

— Ils sont très occupés. Julien et Alexandre organisent dans leur cabane un pique-nique auquel je suis conviée. Cat, elle, va sans doute faire du cheval. Si je finis de bonne heure, je la rejoindrai.

— Ne la laisse pas approcher Khan. Je sais qu'elle a envie de le monter, mais il est dangereux.

— Ne t'inquiète pas. Cat est raisonnable dans ce domaine. Tu devrais partir, tu vas être en retard.

— Bon sang ! Dire qu'il me faut travailler par un temps pareil. Maudit soit Angelini. Nous avons bien fait de venir passer l'été ici, tu ne trouves pas ?

— Tu as raison. Je savais que tout s'arrangerait. Ces lieux ont quelque chose de magique. Ils sont apaisants et apportent une certaine sérénité, même à Cat. Elle est beaucoup mieux. Je crois qu'elle commence à accepter l'idée de cette nouvelle école. Cette semaine, elle est redevenue elle-même. Tu n'as pas eu cette impression ?

— Oui, j'en suis certain. C'était une phase. (Il jeta un coup d'œil à sa montre.) Mon Dieu, tu as raison, je dois partir. N'oublie pas le vin de Christian, il aime le Montrachet. Oh, si tu arrivais à faire comprendre à Cassie qu'il ne faut pas qu'elle me repasse mes chemises. Georges pense que ce domaine lui est réservé. Il m'en a fait part ce matin.

— Ils aiment se chamailler. Je dirais même qu'ils y prennent plaisir, fit Hélène en souriant.

Ils sortirent de la maison et empruntèrent l'allée graveleuse. Édouard ouvrit la porte de l'Aston Martin noire.

— Je le sais. Ce n'est pas comme nous.

— Tu as raison.

Ils échangèrent un regard de tendresse. Hélène lui prit la main.

— Je t'aime, murmura Édouard.

Il lui embrassa la paume de la main et la lui referma, comme s'il voulait qu'elle garde l'empreinte de ses lèvres.

Il grimpa dans la voiture. Le moteur rugit. Il lui fit un signe de la main. Hélène vit la voiture disparaître dans le virage au bout de l'allée.

Elle offrit son visage au soleil, ivre de bonheur, et respira longuement la douceur de l'air. Dans les arbres qui bordaient l'allée étaient nichés de gros ramiers. Elle écouta un long moment leur doux roucoulement, puis alla se réfugier dans la fraîcheur de la maison ombragée.

Cat dévala l'escalier dès qu'elle entendit Hélène rentrer. Elle était en tenue d'équitation, avec un chemisier blanc à col ouvert, sa bombe à la main.

— N'est-ce pas une journée magnifique ? dit-elle à Hélène en l'embrassant avec empressement. J'ai envie d'aller monter maintenant avant la grosse chaleur. Tu m'en donnes la permission, maman ?

— Je ne peux t'accompagner tout de suite, Cat.

— Cela ne fait rien. Je ne vais pas très loin. Ce soir, nous pourrions aller tous ensemble avec papa faire une promenade. Je serai de retour pour le déjeuner. Il y a de bonnes chances pour que je sois affamée. Je t'en prie, maman.

— Bon, très bien, mais ne t'éloigne pas, fit Hélène en souriant. Oh ! ne t'approche pas de Khan. Ton père l'a bien spécifié.

— Non, non. Je vais monter Hermione. La pauvre a besoin d'exercice. Elle grossit. Je ne l'ai pas sortie depuis plusieurs jours. Où ai-je laissé ma cravache ?

— Là où tu la laisses d'habitude. Par terre. Cassie l'a rangée avec les manteaux et les bottes, je crois.

— D'accord.

Cat se retourna en souriant. Elle inclina la tête avec un mouvement d'impatience qui lui était familier. Hélène, impressionnée par la beauté de sa fille, admirait sa mince silhouette élancée, son visage doré par le soleil et ses cheveux qui recommençaient à boucler et à onduler, après sa coupe intempestive.

Cat sortit en courant de la maison dans la direction des écuries, sous les yeux d'Hélène débordant d'un amour empreint soudain d'une douloureuse intensité.

Hélène alla chercher du vin pour Christian qui s'était endormi, puis se rendit dans son bureau. La maison était plongée dans le silence.

La pièce donnait à l'ouest. Au loin, Hélène apercevait Julien et Alexandre traversant la pelouse en courant, suivis de Cassie et de leur gouvernante. Ils semblaient s'être lourdement chargés pour le pique-nique. Des paniers, des couvertures, des coussins et une batte de cricket. En souriant, elle étala sur son bureau les modèles de la nouvelle collection Wyspianski ainsi que les devis commerciaux.

Elle travailla avec plaisir pendant presque une heure. Vers midi, le téléphone sonna.

Elle décrocha elle-même, pensant que c'était Édouard qui l'appelait de Londres. Mais ce n'était pas lui. La ligne grésillait. Il y eut une pause. Puis, sans préambule ni explication, Thad se mit à parler. Il appelait de l'aéroport de Heathrow.

La surprise d'Hélène fut telle qu'elle ne répondit pas. Elle n'arrivait même pas à comprendre ce qu'il disait.

— Bon, j'arrive. Une voiture m'attend. Je serai là-bas dans moins de une heure. Ton mari est-il là ?

— Non, Thad. Comment as-tu eu mon numéro ?

— Quelqu'un a dû me le donner, je suppose. Et l'adresse aussi. Écoute, il faut que je te parle.

— Thad, si tu veux me parler, adresse-toi à mon avocat.

— Impossible. J'ai horreur des avocats. Ils foutent tout en l'air. Il faut que je te voie. Pas simplement pour ça. Il y a autre chose. C'est important.

— Thad, attends une minute.

— Tu peux toujours me claquer la porte au nez, dit-il en ricanant.

Hélène perçut ce rire rauque qui lui était familier, puis la tonalité. Il avait raccroché. Ennuyée, elle reposa l'appareil et ouvrit le tiroir de son bureau. Le scénario que Thad venait de lui adresser s'y trouvait. Une copie. Charles Smith-Kemp était en possession de l'original. Paris et

Londres. Une histoire d'amour, inspirée, une fois de plus, de certains épisodes de sa vie. Cette fois, elle était bien décidée à empêcher la sortie du film. Elle referma le tiroir et reprit son travail.

Autrefois, l'intervention de Thad l'aurait affectée au point de nuire à sa concentration. Plus maintenant. Édouard lui avait donné la responsabilité de sa collection et du développement de tout le secteur de la joaillerie de Chavigny. C'était l'essentiel à ses yeux. Elle ne laisserait pas Thad jouer les importuns. Elle se pencha sur son travail et, au bout d'une quinzaine de minutes, faillit l'oublier complètement.

Elle perçut au loin, de l'autre côté de la maison, le bruit de sabots. Cat partait en promenade. Elle leva les yeux en souriant, puis se pencha à nouveau sur les modèles de Wyspianski.

Quand prit-elle la décision ? Cat ne le savait pas exactement. Était-ce avant de quitter la maison ? En entrant dans les écuries ? Devant la douce Hermione trop facile à monter ? Ou bien lorsque, s'approchant du box de Khan, elle avait prudemment approché la main, le sachant imprévisible ? Khan l'avait alors doucement poussée des naseaux en hennissant. Haut de seize paumes, c'était le plus bel étalon qu'elle ait jamais vu, le seul qu'il lui soit formellement interdit de monter.

Tout se fit naturellement. Elle se retrouva dans la cour, puis dans l'écurie, où elle prit la selle. Il se laissa harnacher docilement, puis sortir du box. Cat l'observait d'un air méfiant. Il était trop tard pour changer d'avis. Mais la journée était si belle, il était si magnifique, et elle était bonne cavalière. Elle imaginait déjà la scène à venir dans la soirée.

« Au fait, papa, j'ai monté Khan. »

Édouard serait certainement furieux, mais aussi impressionné. La tentation était trop grande. Impossible de résister. Elle se mit en selle. Khan ne donna aucun signe de nervosité. Cat, totalement en confiance, l'éperonna pour l'inciter à avancer. Khan, doux comme un agneau, traversa la cour, longea l'allée derrière la maison, puis le chemin, et s'engagea sur l'allée cavalière qui s'étendait sur des kilomètres.

Personne en vue. Le ciel était uniformément bleu. Le soleil lui effleurait les bras de ses rayons. Khan répondait au moindre contact. Radieuse, elle se mit au trot et, comme toujours lorsqu'elle était à cheval, toutes ses angoisses disparurent. Tout devenait dérisoire, même les propos tenus par Marie-Thérèse. Les semaines qu'elle venait de passer dans cet endroit idyllique les avaient relégués très loin. Marie-Thérèse était une minable dont elle se moquait à présent. Qu'importe ce qu'elle avait dit ? Cat ne la reverrait pas.

Un lac s'étendait devant elle, se confondant avec le ciel. Cat caressa l'encolure puissante de Khan en fredonnant doucement le poème qui lui avait valu son nom.

À Xanadu, Kubilai Khân
Fit ériger un palais majestueux
À l'endroit où l'Alphe, la rivière sacrée, s'achemine
Par des cavernes dont la mesure est inconnue à l'homme
Vers une mer sans soleil.

Les paroles lui étaient douces à l'oreille. Khan aussi semblait les apprécier. Les oreilles dressées, il passa avec grâce du trot au petit galop. C'était si exaltant que Cat avait envie de crier sa joie. Elle se penchait, puis se redressait au rythme du cheval qui allongea sa foulée.

Si seulement son père pouvait la voir. Cette pensée fugace lui traversa l'esprit. Pour la première fois depuis qu'elle était en selle, elle éprouva une crainte soudaine. Khan s'était mis au galop et accentuait son allure. Jamais elle n'était allée aussi vite. Elle lui lâcha la bride, puis, lorsqu'elle trouva la vitesse épuisante, essaya de retenir les rênes. Le contraire se produisit. Plus elle tirait sur les brides, plus il galopait vite. Une peur grandissante s'empara d'elle, ainsi qu'un sentiment intense de solitude. Le cheval sentit sa peur. Les chevaux sont très sensibles.

Elle le vit rouler les yeux, baisser les oreilles. Elle frissonna, puis se ressaisit. Peu à peu, il allongea la foulée. La maison se trouvait à plus de quatre kilomètres.

— Étonnant ! s'écria Charles Smith-Kemp avec enthousiasme.

— Oui, ce que peuvent faire ces nouvelles machines à écrire est vraiment étonnant.

Il se pencha sur le bureau de sa secrétaire et jeta un coup d'œil au résultat, un peu comme un devin consultant les entrailles d'un oiseau. Il se redressa, et la jeune femme lui fit un large sourire.

— Du café, monsieur Smith-Kemp ?

— Dans vingt minutes, Camille, répondit-il, puis, se tournant vers Édouard, il ajouta : À moins que vous ne préfériez un verre de cognac ?

— Ni l'un ni l'autre, merci. J'ai hâte de rentrer.

Édouard réprima un sourire. De toute évidence, les verres de cognac avaient disparu en même temps que les vieux bureaux lambrissés et les fauteuils en cuir usés qui créaient une atmosphère de club de gentlemen. « Peut-être le café est-il plus en rapport avec le verre, le caoutchouc, le chrome rutilant et les cloisons de séparation », se dit Édouard.

Il suivit Smith-Kemp dans son bureau privé d'où l'on avait une excellente vue sur les déprédations de la Cité commises par une nouvelle génération d'architectes. Il s'assit dans un fauteuil peu confortable d'un côté du bureau. Smith-Kemp s'installa de l'autre côté. Il avait également un nouveau fauteuil de cuir noir à armature pivotante. Smith-Kemp semblait apprécier cette nouveauté, car il tourna plusieurs fois, tel un enfant ravi de son dernier jouet, avant de se plonger dans le dossier. Smith-Kemp avait fait ses études à Winchester et en avait gardé l'arrogance, typique de cette école, qu'il prenait soin de dissimuler sous une allure nonchalante. Il avait toujours l'air endormi. Il prit appui sur le bureau comme pour éviter de somnoler. Toutefois, dès qu'il prenait la parole, ses propos étaient toujours incisifs et tranchants. Ce matin-là, il s'autorisa un petit sourire.

— Nous avons gagné sur le fond, fit-il sans préambule. J'ai reçu la lettre de la société de production d'Angelini. Elle m'a été remise de la main à la main ce matin par l'intermédiaire de leurs avocats, ajouta-t-il en désignant l'enveloppe à en-tête posée sur son bureau. Ce n'est vraiment pas une compagnie impressionnante.

Il tendit la lettre à Édouard, qui la parcourut rapidement.

— Ils vont reculer, dit Édouard. J'ai déjà lu des lettres semblables.

— Sans aucun doute, répondit Smith-Kemp, étouffant un semblant de bâillement. Il a eu du mal à trouver un soutien financier, du moins je le suppose. Il a frappé à toutes les portes à Londres, ce qu'il n'aurait pas fait s'il était parvenu à ses fins aux États-Unis. Cette société de production ne s'est pas encore engagée, et ce n'est pas maintenant qu'elle va le faire. J'étais sûr qu'ils feraient marche arrière au premier soupçon de litige. Il ne nous reste plus qu'à faire retirer toutes les copies du scénario, ce qui devrait se faire très rapidement. Cela constitue un acte de diffamation patent. Légalement, il n'y a aucun doute, je puis vous l'affirmer. Cet homme a vraiment un aplomb extraordinaire. Non seulement il est l'auteur de ce scénario, mais en plus il a la prétention de persuader Hélène de jouer le rôle principal. Il doit être fou.

— Je ne peux pas dire qu'il soit équilibré.

— Allez donc rassurer Hélène. Ce film ne sera pas tourné.

— Vous êtes certain qu'il n'y a aucun créneau possible ?

— Un créneau ? Mon cher Édouard, certainement pas.

— C'est bon à savoir, fit Édouard en jetant un coup d'œil à sa montre. Vous m'avez dit qu'il y avait un ou deux points...

— Ce n'est pas bien important, Édouard. Quelques signatures simplement.

Smith-Kemp se remit à parler, mais Édouard ne l'écoutait qu'à moitié. Son esprit était ailleurs, loin dans le passé. Il se rappelait les vieux bureaux lambrissés où, des années auparavant, il avait tenté d'expliquer au père de

Charles Smith-Kemp ce qu'il souhaitait que l'on fît en faveur de Mme Célestine Blanchon au sujet de sa maison à Maida Vale.

Sous une apparence nonchalante, tout rougissant, il avait balbutié quelques instructions, voulant ressembler à Jean-Paul. Henry Smith-Kemp, probablement prévenu par Jean-Paul, lui avait donné toutes les assurances.

— Seriez-vous assez aimable pour vérifier l'orthographe du nom, je vous prie ? lui avait-il dit. Blanchon. Célestine. Charmant, charmant... D'ici trois ou quatre semaines, le problème sera réglé. Pouvez-vous rappeler à Jean-Paul que j'aurai besoin de sa signature ?

Édouard ferma les yeux. Le bourdonnement incessant de la circulation lui parvenait. L'espace d'un instant, il sentit le passé tout proche, presque à portée de main.

Il ouvrit de nouveau les yeux. Charles Smith-Kemp avait posé quelques documents sur son bureau à son intention. Édouard les parcourut rapidement, sortit son stylo en platine et signa. Un coup d'œil à sa montre : midi et demi.

— Vous m'avez parlé d'un dossier concernant mon frère ?

— Ah oui ! Oui, c'est vrai.

Édouard remarqua avec étonnement que Smith-Kemp était plutôt embarrassé. Perdant sa nonchalance, il ouvrit une armoire derrière lui et en sortit une boîte noire ancienne en métal qu'il plaça devant lui sur le bureau. Sur le coffret était gravée de façon parfaite l'inscription : BARON DE CHAVIGNY.

— Nous l'avons découvert au cours du déménagement, lui dit Charles Smith-Kemp en soupirant. De tels incidents me font penser qu'il y a des années que nous aurions dû déménager. Nos vieux bureaux devenaient impraticables et nous manquions de place. C'était la confusion totale. Nous comptions entièrement sur les anciens employés, mais, lorsqu'ils ont pris leur retraite, bon nombre de dossiers ont été déplacés et même perdus. Ce document aurait dû vous être remis à la mort de votre frère avec tous les autres papiers. C'est une fâcheuse omission de notre part. Je vous prie de m'en excuser, Édouard.

Édouard observa la boîte. Elle avait un aspect peu engageant.

— Est-ce important ?

— Je ne l'ai évidemment pas ouverte, s'écria Smith-Kemp, offensé par cette suggestion. Regardez ce qui est marqué au dos.

Il retourna la boîte. Sur une plaque de cuivre était inscrit : PRIVÉ ET CONFIDENTIEL.

— Dieu seul sait depuis combien de temps je n'ai pas vu ce genre de boîte. Je croyais que cela ne se faisait plus.

— Elles ont plusieurs usages, je suppose, fit Smith-Kemp en la regardant avec déplaisir. Nous n'en utilisons plus de semblables. Très vite, j'ai l'intention de tout mémoriser sur ordinateur. Nous n'aurons alors plus besoin de dossiers. Des microfilms, Édouard. Des bandes magnétiques. De l'efficacité et une discrétion parfaite. L'autre jour, je me suis penché sur le problème. Il existe des systèmes de codage très ingénieux. La mise de fonds au départ est assez importante et...

— Avez-vous la clé ? l'interrompit Édouard qui n'avait nulle envie de subir un discours sur les progrès de la technologie.

Smith-Kemp parut légèrement froissé.

— Oh oui ! Tout a été correctement répertorié. Une fois la boîte découverte, nous n'avons eu aucune difficulté à trouver la clé. (Il la tendit à Édouard, qui se leva.) Sans doute n'est-ce pas très important. Ne vous inquiétez pas. Autrement, je me serais rendu compte de sa disparition depuis longtemps. Souhaitez-vous l'emporter ? dit Smith-Kemp avec dédain.

— Pourquoi pas ? Puisque je suis ici, autant la prendre.

Smith-Kemp l'accompagna jusqu'à l'ascenseur. Dehors, Édouard parcourut à pied les quelques centaines de mètres qui le séparaient de sa voiture en balançant la boîte par sa poignée de métal. Le soleil était radieux, et il était d'excellente humeur. Bury Court, St. Mary Axe, Houndsditch. Le nom des rues sonnait agréablement à son oreille.

Un coup d'œil à sa montre. Avait-il le temps de retourner à Eaton Square chercher les revues de jardinage qu'on pouvait facilement lui expédier ? Il décida de s'y rendre. C'était presque sur son chemin.

La traversée de Londres, encombré de voitures, fut très pénible. Tout était bouché. À deux ou trois reprises, il regarda la boîte posée sur le siège d'à côté, regrettant cette découverte. Il eût mieux valu qu'on ne la trouvât pas. Elle lui rappelait Jean-Paul et l'Algérie.

Il mit une cassette. Des pièces pour piano de Beethoven et les Bagatelles. Cette musique, tant de fois jouées à une époque où il était moins heureux, l'apaisa comme toujours. Il ne pensa plus à la boîte, se laissant porter par les notes qui se détachaient et l'aisance du passage d'un rythme à un autre.

Parvenu à l'extrémité du Mall, il s'engagea dans Constitution Hill, avec Green Park à sa droite, lorsqu'il l'aperçut. Aucune voiture ne le suivait. Il freina, dérapant légèrement avant de s'arrêter. Une mince silhouette sombre de l'autre côté de la rue, une femme qui allait pénétrer dans le parc.

Pauline Simonescu. Il en était pratiquement certain. Elle était petite, vieille, vêtue de noir, un port de tête arrogant, une allure bien à elle. Il bondit de la voiture, traversa la rue en courant, se faufilant au milieu de la circulation. C'était impossible. Et pourtant... Ayant quitté Paris, elle pouvait très bien se trouver là. Il n'avait aucune raison de penser qu'elle était morte.

Il courut vers l'entrée du parc, la cherchant ardemment du regard. Il aurait voulu lui raconter sa vie, lui dire que ses prédictions s'étaient réalisées. Il voulait la voir, s'assurer qu'elle était bien vivante, qu'elle allait bien.

Il s'arrêta devant l'entrée du parc. Un chemin bifurquait peu après. Personne en vue.

Il courut jusqu'au croisement, jeta un coup d'œil à droite, à gauche. De là, il avait une vaste perspective. Nulle silhouette de vieille dame.

Il resta un instant plongé dans la perplexité, ne comprenant pas comment il avait pu la perdre de vue. Déçu, il haussa les épaules et fit demi-tour.

À la sortie du parc, il s'arrêta de nouveau et se retourna une dernière fois. Le soleil irradiait. Les feuilles des arbres se mouvaient dans un doux murmure. La circulation sembla soudain se calmer, et l'air, alourdi par les gaz d'échappement, se tut.

Il retourna à Eaton Square récupérer les revues de jardinage. Puis, au moment de partir, revint vers le bureau où il avait posé négligemment la boîte et chercha la clé dans sa poche.

Il referma la porte spontanément, retourna au bureau, souleva la boîte et l'ouvrit. À l'intérieur se trouvait une épaisse enveloppe qui semblait contenir un dossier. Elle était attachée avec une ficelle et scellée à la cire rouge. Sur l'enveloppe était écrit à l'encre foncée, légèrement effacée : MME VIOLETTE CRAIG, EX-FORTESCUE.

Sous le dossier, il y avait une photo, unique objet que contenait la boîte. Un portrait d'artiste. Celui d'une jeune femme qu'il avait oubliée depuis longtemps, depuis plus de trente ans. Le visage d'une victime, née pour souffrir. Elle portait un élégant petit chapeau et souriait.

— Il est impossible de cacher quoi que ce soit. Tôt ou tard, on finit par tout savoir.

Thad semblait apprécier cette vérité. Il s'appuya contre les rideaux en chintz fleuri en souriant, le regard posé sur Hélène.

— Il ne t'a rien dit, n'est-ce pas ? demanda-t-il doucement. Il ne t'a parlé ni de Partex, ni de Sphère, ni des fonds qui ont financé nos films, ni de Simon Scher. De rien. J'en étais sûr.

Hélène eut un instant d'hésitation. Elle était tentée de mentir, de lui dire qu'elle était au courant depuis des années. Mais elle ne s'en sentait pas le courage, et Thad s'apercevrait immédiatement qu'elle ne disait pas la vérité. Elle détourna le regard.

— Non. Édouard ne m'a rien dit.

Thad se tut sans la quitter des yeux, certain que les pensées d'Hélène à l'égard d'Édouard étaient bien plus pernicieuses que ses propres paroles.

Hélène avait remarqué son air satisfait et triomphant. Elle se sentait comme aspirée, à travers l'espace qui les séparait, dans un tourbillon qui l'amenait vers un lieu que Thad maîtrisait totalement. Il lui fallait une force surhumaine pour résister à cette attraction, et les révélations de Thad, qui l'avaient profondément choquée, l'avaient anéantie. Durant toutes ces années, Édouard n'avait rien dit. Son silence était inexplicable. Lui avoir caché un secret si essentiel ! Ne lui faisait-il pas confiance ? Comment avait-il pu lui mentir ?

Elle avait eu une confiance absolue en lui, la certitude qu'aucune fourberie n'était possible entre eux. Aussi cette révélation était-elle une profonde blessure s'accompagnant d'un sentiment de peur intense. L'esprit en ébullition, cherchant mille explications pour tenter de comprendre, elle était en proie au soupçon. S'il l'avait trompée à ce sujet, il avait également pu lui mentir dans d'autres domaines.

Essayant de chasser toutes ces pensées et se méprisant même d'y donner libre cours, elle se tourna lentement vers Thad. Après tout, elle n'avait aucune raison de le croire.

— Comment t'en es-tu rendu compte ? demanda-t-elle d'un ton glacial.

— C'était facile, fit-il avec un sourire suffisant. Il y a très longtemps que je sais. J'avais fait la connaissance de la secrétaire de Simon Scher. Il l'avait renvoyée, aussi n'était-elle pas bien disposée à son égard. Elle m'a tout raconté. Mais c'était une sotte, un peu névrosée. Je n'étais pas sûr de ce qu'elle avançait. J'ai posé des questions à Lewis, mais il ne semblait pas au courant. C'était à peu près un mois avant sa mort. C'était vraiment pathétique. Il ne savait même pas quel jour de la semaine on était.

Il n'y avait pas la moindre ombre de regret ou de pitié dans sa voix. Il parlait de Lewis comme d'un étranger.

— Je ne m'en suis plus préoccupé, car j'étais très pris. Puis je t'ai rencontrée à Paris, après *Gettysburg*, tu te rappelles ? J'ai bien observé ton mari. Il donnait l'impression de te posséder. Cela ne m'a pas plu. Je n'ai pas apprécié son opinion sur mon film. C'était faux. J'ai donc décidé de découvrir la vérité. Je savais qu'il était inutile de s'adresser à Scher. De toute façon, il était déjà reparti pour Paris. J'ai préféré voir directement le grand chef. Un certain Johnson. Il m'a tout dit.

— Tu as vu Drew Johnson ?

— Évidemment, dit-il en s'esclaffant, ce n'était pas très difficile. Je suis célèbre. Ton mari venait de se retirer de la Partex et Johnson avait racheté ses actions, mais il a pris le bouillon. La Partex avait de gros problèmes à cette époque. Maintenant, la situation s'est redressée. Toujours est-il qu'il a répondu à mes questions. Johnson ne connaissait pas ses motivations. Moi, si.

Hélène se tourna du côté de la fenêtre. Deux ans. Tout cela s'était produit depuis plus de deux ans. Pourquoi Thad avait-il attendu tout ce temps pour lui faire cette révélation ? Elle en connaissait la réponse qui se trouvait dans un classeur bleu au fond du tiroir de son bureau.

Elle éprouva un sentiment d'apaisement. Par la fenêtre, de l'autre côté de la pelouse, elle voyait Julien et Alexandre grimper par une échelle de corde jusqu'à la petite cabane qu'ils s'étaient construite dans l'arbre. Cassie leur passait les divers éléments de la dînette. Hélène effleura sa bague en diamants. Elle songea à tous les présents d'Édouard. Son plus beau cadeau, c'était son amour pour elle. Hélène savait pourquoi il lui avait caché la vérité et elle n'en ressentit que plus de tendresse.

Thad l'interrompit dans ses pensées et prit un air songeur.

— Il a agi ainsi pour me mettre des bâtons dans les roues. Il me hait. C'était aussi une façon indirecte de détruire Lewis en lui donnant une corde pour se pendre. Mais ce n'est pas là la vraie raison. La vraie raison, c'est moi.

— C'est une bien étrange façon de te mettre des bâtons dans les roues, fit-elle en se tournant vers lui. Ce financement t'a permis de réaliser tes meilleurs films.

— Je n'ai pas encore donné le meilleur de moi-même, dit Thad, contrarié. Il voulait me posséder, c'est tout. M'acheter. Me faire croire que j'étais libre, alors qu'il tirait les ficelles, qu'il me manipulait. C'était un rapport de forces. J'avais la vision, le génie, lui l'argent. Il jouait avec moi. Il m'a laissé faire la première partie d'*Ellis* et, quand il a vu son succès foudroyant, il a annulé la deuxième partie et s'est retiré.

Le ton avait monté. Il se leva, soudain en proie à une vive agitation, sautillant d'un pied sur l'autre.

— J'exècre les films que nous tournons actuellement. Je ne peux même pas les regarder. Il a tout gâché.

— Thad, rien de tout cela n'est vrai, lança Hélène d'un ton sec. Si tu t'en souviens, tu as transféré *Ellis II* à Artists International, où tu l'as confié à Joe Stein. Pour obtenir un financement plus important.

— Il t'a enlevée, fit Thad qui, le visage crispé, n'avait apparemment pas prêté attention à ses paroles et s'exprimait d'une façon plus saccadée. Il est revenu et t'a enlevée. C'était un acte délibéré pour m'empêcher de terminer ma trilogie. Il voulait détruire mon œuvre, sachant que j'avais besoin de toi. Alors, il t'a achetée. Il t'a ramenée en France et t'a étouffée avec sa fortune, ses maisons, des enfants. Je vois très bien le fond de sa pensée. Il s'est dit qu'ainsi tu ne pourrais plus te libérer.

— Thad, je te prie de te taire ! s'écria Hélène, furieuse. Tu es un monstre d'égoïsme. Je ne te laisserai pas continuer à proférer de telles insanités. Je ne veux plus te voir ici. Va-t'en.

— Nous n'avons pas abordé le problème du scénario, et il le faut. Maintenant que tu es au courant, que tu vois plus clair en lui, que tu te rends compte de ses mensonges et de la façon dont il t'a manipulée, comme moi, d'ailleurs, tu auras une optique différente.

Il était dans un état d'excitation intense. Ses petites mains roses décrivaient des cercles dans l'air. En parlant, il envoyait des postillons qui allaient se loger dans sa barbe. Il les essuyait négligemment, clignant des yeux derrière ses lunettes sans cesser de la dévisager.

— Je ne peux pas attendre plus longtemps. Tu vieillis. Bientôt, tu auras trente ans, dit-il en faisant un pas en avant. Si nous faisions ce film cette année, nous pourrions envisager *Ellis* pour l'année prochaine. Il faudra prendre certaines précautions pour le cadrage, mais je suis certain de réussir. (Il scruta le visage d'Hélène de son regard de myope.) Il y a bien quelques rides, mais on ne les verra pas, Hélène. Ne t'inquiète pas. Pour la troisième partie, Lise a mûri, donc cela ne posera aucun problème. Ensuite... Cinq ans, nous disposons de cinq ans, peut-être un peu plus. Avec une bonne lumière, un bon maquillage, un peu de chirurgie esthétique, oh ! pas beaucoup, peut-être pourra-t-on tourner encore dix ans, jusqu'à ce que tu aies quarante ans. Songes-y, Hélène.

Il régna un profond silence. Elle observa Thad, sublimement inconscient de sa conduite insensée. D'un geste décisif, elle ouvrit le tiroir et en sortit le scénario.

— Thad, va-t'en avec ton scénario, fit-elle en le lui fourrant dans les mains. Je ne tournerai ni ce film, ni *Ellis*, ni aucun film. Je ne travaillerai jamais plus avec toi.

Thad ne répondit pas tout de suite. Il posa son regard sur le scénario, puis la fixa.

— C'est pour toi que je l'ai écrit.

— Tu n'aurais rien dû écrire. Tu n'en avais pas le droit.

— C'est pour toi que je l'ai écrit, c'est à toi que je l'ai envoyé. Et tu ne m'as même pas répondu. Tu t'es simplement rendue chez ton avocat. Ou plutôt, il est allé le consulter, dit-il d'une voix légèrement tremblante. Vas-tu me poursuivre en justice ou laisser tomber ?

— Certainement pas laisser tomber. C'est toi qui vas cesser de raconter ma vie dans tes scénarios. Tu l'as fait une fois. Ça suffit. Si tu as cru me faire changer d'avis en déballant toutes ces histoires sur Édouard et la Société Sphère, tu t'es trompé. Cela n'a guère d'importance à mes yeux. Maintenant, je te prie de sortir.

Thad ne broncha pas. Il resta figé, les jambes légèrement écartées, le souffle rapide. Un flot de sang affleura le long de son cou, de son visage.

— J'ai besoin de toi, répéta-t-il avec obstination. J'ai besoin de toi pour travailler. Tu ne penses pas ce que tu m'as dit. C'est impossible. Il faut que tu reviennes. J'ai pratiquement terminé toutes les pièces, tu comprends ? Je crois que le moment est venu de m'arrêter. Je n'aurai plus besoin des photos. Enfin, peut-être.

— Thad, tu n'as besoin ni des photos ni de moi.

— C'est faux.

— Non. Tu as besoin de l'idée que tu te fais de moi. Ça a toujours été le cas, lui dit-elle d'une voix plus douce. Tu as agi de la même façon avec Lewis. Maintenant, je m'en rends compte.

Elle se dirigea vers la porte et l'ouvrit. Sur le moment, Thad ne fit pas un geste, puis lentement il s'approcha d'elle. La comparaison avec Lewis l'avait visiblement agacé. Malgré son visage impassible, Hélène savait qu'il était furieux. Il se planta en face d'elle.

— Tu as changé, lui dit-il.

À ses yeux, c'était une accusation, comme si elle avait commis une faute impardonnable.

— Tu as changé... ou plutôt, il t'a changée, fit-il, accompagnant ses paroles d'un geste étrange. Autrefois, j'ai fait de toi quelqu'un. J'ai fait de toi une femme, celle dont rêvent tous les hommes. C'était mon œuvre, pas la tienne. Tu n'étais rien lorsque je t'ai rencontrée. Une adolescente comme des milliers d'autres. Photogénique, un point c'est tout. Je t'ai donné une allure. Une voix. Une identité. Je t'ai même donné Lewis. Et tu as tout rejeté. Pour ça. (Il désigna toute la pièce avant de poser à nouveau son regard sur elle, une pointe de supplique dans la voix.) Comment as-tu pu en arriver là ? Comment as-tu pu être si stupide ? Que veux-tu faire de tout cela ?

— Thad, c'est ma maison.

— L'une de tes maisons. Combien t'en faut-il ? C'est indécent, tout ça.

— Thad, j'aime ma maison. J'aime mon mari. J'aime mes enfants. Je suis *heureuse*. Est-ce si difficile à comprendre ?

— Oui, dit Thad qui avait retrouvé son esprit combatif. Parce que cela est éphémère. Le mariage ne dure pas. Ce que l'on nomme amour est fugace. Tu ne peux pas compter là-dessus. Ton mari, est-ce qu'il t'aime ?

— Thad, arrête.

— Est-ce qu'il t'aime ou bien est-ce qu'il te ment, exactement comme Lewis ? Lewis ne cessait de clamer qu'il t'aimait, ce qui ne l'a pas empêché de baiser la moitié de Hollywood ni de te frapper. Ah ! ah ! Où se trouve ton mari en ce moment ?

— À Londres. Mêle-toi de tes affaires.

— Ah bon ? Où, à Londres ? Avec qui ? demanda-t-il en la fixant. Tu crois savoir, mais tu peux te tromper. Combien de temps t'a-t-il menti au sujet de Sphère ? Combien d'années ? Que te cache-t-il d'autre, Hélène ? Il pourrait être en compagnie d'une femme maintenant, et tu n'en saurais rien. Il a eu un tas de liaisons autrefois, je l'ai lu dans les journaux. Et il n'a pas dû s'arrêter. Comme tous les hommes. On se lasse de faire l'amour à la même femme. Tous le disent. Lewis prétendait que tu baisais mal. Je ne l'ai pas cru, bien entendu. C'est lui qui avait des problèmes. Toujours est-il qu'il ne cessait de le répéter.

Avec l'énergie du désespoir, il donnait libre cours à sa méchanceté et à sa colère. Au début, le doute s'était insinué en elle. Elle s'en était voulu et même méprisée d'avoir de tels soupçons. Mais il était allé trop loin, et sa hargne était trop visible. Thad n'était plus crédible et suscitait la pitié. Ses doutes s'estompèrent.

Toutefois, ce fut une erreur de lui témoigner de la sympathie, car il saisit aussitôt l'occasion. Hélène resta sur son quant-à-soi.

— Tu ne comprends rien à l'amour ni à la confiance. Ce défaut transparaît dans tes films. Je ne compte pas me disputer et je préfère ne pas garder cette image de toi.

— Tu es ennuyeuse, dit Thad en la fixant. (Puis il ajouta en se caressant la barbe d'un air songeur :) Comment ne m'en suis-je pas rendu compte plus tôt ? Sais-tu ce que tu es devenue ? Une femme banale, comme les autres. Mariée, mère de famille. Rien, quoi. C'est lui le responsable, et tu l'as laissé faire. De toute façon, je n'ai plus aucune envie de travailler avec toi. Maintenant que je te regarde, j'en suis convaincu. (Il lui redonna le scénario.) Si vraiment tu le refuses, jette-le.

— Le jeter ?

— Pourquoi pas ? Je n'en ai pas besoin.

Un sourire satisfait se dessina sur ses lèvres. Il ne la croyait toujours pas. Hélène, sans desserrer les dents, saisit le scénario et le jeta dans la corbeille sous le regard impassible de Thad. Il eut une réaction involontaire, peut-être de désapprobation, peut-être de supplique, mais il laissa retomber sa main en guise d'impuissance.

Hélène crut qu'il allait pleurer. Il ôta ses lunettes, se frotta les yeux avant de les remettre et se dirigea vers la porte. Il sortit ensuite calmement, comme si rien ne s'était passé. Hélène le suivit, consciente d'avoir été une fois de plus manipulée par Thad dont la spécialité était de culpabiliser les autres.

Sur les marches, il se tourna vers elle et, à sa grande surprise, lui prit la tête dans ses petites mains dodues et la secoua tout en jetant un regard vers la Mercedes conduite par un chauffeur. Le moteur vrombit.

— Tant pis, je trouverai bien quelqu'un d'autre, avec un talent spécial, comme toi autrefois, fit-il avec un large sourire, découvrant ses dents jaunies de rapace. En arrivant, j'ai aperçu ta fille. Enfin, je suppose que c'est elle. Brune, un chemisier blanc. Elle montait un grand cheval noir.

— Oui, ce devait être Cat, répondit Hélène qui ne l'écoutait qu'à moitié.

Elle avait hâte qu'il s'en aille. Julien et Cassie l'appelaient du jardin.

— Elle a un visage étonnant, ta fille, fit-il en s'esclaffant. Elle devrait faire du cinéma. (Il remarqua son air embarrassé.) Ce n'était qu'une plaisanterie, Hélène, une simple plaisanterie.

Il grimpa dans la voiture sans rien ajouter. Quand la voiture disparut, Hélène poussa un soupir de soulagement. Elle souhaitait ne plus le revoir et ne jamais le présenter à Cat.

Hélène rentra dans la maison, attendant avec impatience le retour d'Édouard. Elle lui parlerait aussitôt de la visite de Thad et de ses révélations au sujet de la Société Sphère.

Pourquoi Édouard ne lui avait-il rien dit ? se demanda-t-elle, intriguée. Avait-il craint sa réaction ? Sans doute. N'avait-elle pas elle-même été prise au piège d'un subterfuge ? Elle avait hâte qu'Édouard revienne. Il la rassurerait et elle lui dirait combien elle l'aimait.

« C'est pour moi qu'il a agi ainsi », songea-t-elle en sortant sur la terrasse à l'autre extrémité de la maison. Durant toutes ces années, il avait gardé le silence. Elle ressentit un amour intense et en même temps un besoin de lui. Elle promena son regard dans le jardin, du côté de la haie d'ifs. Au loin se dessinaient les silhouettes de Julien et d'Alexandre. Christian s'agitait dans son fauteuil installé sur la terrasse. Le commentateur passait en revue tous les détails du match de cricket de la matinée. L'Angleterre avait été éliminée par l'Australie, comme Édouard l'avait prédit, mais tout de même plus tôt que prévu.

Un cheval noir. Les propos de Thad, auxquels elle avait prêté peu d'attention, lui revinrent en mémoire. Malgré son bonheur, une image la glaça d'horreur. Un cheval noir. Il n'y en avait qu'un à l'écurie, et ce n'était pas celui que Cat avait prétendu monter.

L'espace d'un instant, Hélène resta figée, persuadée que Thad avait dû commettre une erreur. Puis, avec un cri étouffé de frayeur, elle traversa la pelouse en courant et emprunta l'allée qui menait aux écuries.

Les chevaux hennirent à son approche. Elle parcourut frénétiquement tous les boxes. Hermione était là. Aucun cheval ne manquait, excepté Khan.

Il avait jeté au feu tous les papiers. Il avait soigneusement et méthodiquement brûlé le dossier, l'enveloppe, la photographie, l'un après l'autre, dans la cheminée de son bureau d'Eaton Square.

Les lettres échangées entre Jean-Paul et le commandant de Gary Craig. La note insouciante adressée à Henry Smith-Kemp : *Il me dit que Craig est d'accord pour cinq mille dollars. Cela me semble correct et parfait pour tout le monde. Je vous prie de procéder à toutes les formalités nécessaires au nom de votre étude. Craig ne doit sans doute pas avoir de compte en banque, aussi faudra-t-il le payer en liquide. Je compte sur vous pour insister auprès de Mlle Fortescue en lui faisant comprendre que je n'agis que par amitié. Il ne doit y avoir aucune reconnaissance de paternité écrite. Pour ma part, je n'ai aucun doute là-dessus, mais, grâce à Dieu, légalement on ne peut rien contre moi, à condition que toute l'affaire soit menée avec votre habituelle discrétion.*

Il avait trouvé les reçus des frais d'hôpital et de l'accouchement, l'unique lettre écrite par Violette de l'hôpital et adressée à Henry Smith-Kemp : *Veuillez informer M. Jean-Paul de Chavigny que sa fille est très mignonne et en bonne santé. J'aimerais qu'il sache que je l'ai prénommée Hélène. J'ai tenu à ce qu'elle ait un prénom français. Qu'il ne s'inquiète pas, je n'essaierai plus jamais d'entrer en contact avec lui et ne ferai plus appel à sa générosité déjà très grande.*

Une lettre très digne. Elle avait tenu sa promesse. Il y avait deux autres éléments dans le dossier : la facture d'un fleuriste de Mayfair pour des fleurs adressées à Mme Craig, lors de son départ pour l'Amérique, et une note brève de Jean-Paul rédigée à la hâte à Paris. Le dossier sur Mme Craig pouvait être refermé. Il remerciait M. Smith-Kemp pour son efficacité et sa discrétion dans une affaire aussi délicate.

Une seule allumette placée au bon endroit, et les papiers s'enflammèrent un à un. L'argent, parfait moyen pour effacer toute culpabilité, pour éviter toute responsabilité. En regardant les papiers brûler, Édouard eut honte pour Jean-Paul, mais ne porta pas de jugement réprobateur. Comment était-ce possible ? À la même époque, le complaisant M. Smith-Kemp n'avait-il pas remis de l'argent au nom d'Édouard, alors qu'auparavant il ne voulait offrir que son amour ?

Une fois le dernier papier consumé, Édouard, à genoux devant la cheminée, se leva et s'approcha de la fenêtre. En contrebas se trouvait le balcon où, enfant, il avait rêvé de viser un ennemi imaginaire. De l'autre côté de la rue s'étendaient les jardins municipaux où autrefois était posté le guetteur des raids aériens. Maintenant, des enfants s'amusaient sur les pelouses en cette journée ensoleillée, surveillés par leurs gouvernantes qui conversaient, assises sur un banc. Pas de trou béant dans les bâtiments opposés. Nulle trace du passé. Simplement la paix, la prospérité et l'approche de l'été dans une grande ville.

La tourmente ne faisait rage qu'en lui-même. L'espace d'un instant, il eut l'impression que deux images se superposaient. La place baignée de soleil était lumineuse et sombre à la fois. Il percevait le bourdonnement des moteurs d'avion qui se mêlait à celui de la circulation. La paix... et pourtant il voyait les bombes tomber du ciel, avec des reflets d'argent à la lueur des torches. Quelle lenteur hallucinante pour s'écraser au hasard ! La destruction dirigée de loin. Un bon moment s'écoulait avant leur explosion. Ensuite, c'était le silence. Long et lent. Un silence de toute une vie.

La fille de son frère. Il songea à Hélène, à ses enfants. Son esprit fonctionnait avec une clarté redoutable et une précision implacable sous l'effet du choc. Une série d'images. Une séquence d'informations. Un détail puis un autre. Une chose était parfaitement claire. Il fallait détruire la preuve. Garder le silence. « Hélène ne doit jamais apprendre la vérité. Nos enfants non plus », songea-t-il.

Une petite boîte était posée sur la table d'à côté. Il la saisit négligemment, puis la reposa. « Ils ne sauront jamais, et moi je n'oublierai jamais », ne cessait-il de se répéter. Il se retourna et pénétra dans un univers désormais différent.

Au volant de son Aston Martin, il luttait contre la voix de sa conscience lorsque la douleur l'atteignit avec la force d'un coup de poing. Elle lui brisa le cœur, lui poignarda l'esprit. La perspective d'un avenir tourmenté par un silence nécessaire. Ses mains tenaient le volant. Le moteur tournait normalement. Dans un univers assombri, le soleil brillait encore.

Il se rendit compte qu'il s'était arrêté à un croisement. Devant lui passa une jeune femme accompagnée d'un enfant dans une poussette à rayures bleues et blanches. L'enfant était vêtu de jaune, la maman de vert. L'enfant avait le doigt tendu, la jeune femme semblait pressée. Il distinguait très clairement ces inconnus.

« Nous ne pouvons plus avoir d'enfants », songeait-il. La douleur était si intense devant cette évidence qu'il eut l'impression de hurler. Sa plainte avait certainement été entendue par cette femme et cet enfant. Il s'attendait à les voir lever la tête et le regarder d'un air étonné.

Mais ils traversèrent sans un regard, eux dans leur univers, lui dans le sien. C'est là sans doute qu'il prit sa décision. Lorsqu'ils furent parvenus sur le trottoir d'en face, il embraya, changea de vitesse et appuya sur l'accélérateur. Direction ouest. Hors de la ville.

Entre Londres à l'est et Oxford à l'ouest s'étendait une autoroute peu fréquentée à cette heure-là. À une quinzaine de kilomètres d'Oxford, il accéléra. La musique et la vitesse. Il alluma la radio. Beethoven. Les Bagatelles, opus 33, enregistrées par Schnabel en novembre 1938. Des relents de passé flottaient au milieu des notes. La gaieté et la désolation. La force et la détermination. *Andante grazioso ; quasi allegretto ; scherzo.* Il accéléra encore. 3 heures. Il avait hâte d'arriver... enfin chez lui.

Il distingua clairement l'espace, une seconde ou deux avant de l'atteindre, à la fin d'une courbe parfaite. Un espace lumineux, d'une beauté radieuse, surgi de la musique et qui s'offrait à lui. Dès qu'il le vit, il le reconnut, passagèrement surpris d'apercevoir si tard ce lieu pourtant familier qui attendait son heure pour quémander son dû. Quelle lumière ! Quel silence fascinant au cœur de la musique ! Ce n'était pas une sortie mais une traversée. Il effleura délicatement le volant.

Il n'éprouvait aucune crainte. L'entrée se trouvait devant lui. Il l'avait vue dans ses rêves à plusieurs reprises. Cette intimité le sécurisait. La paix n'était qu'à un battement de cœur. La seule entrave : cette douleur. Plus fulgurante cependant que celle que lui causaient les perspectives d'avenir pour Hélène et pour lui.

Allegretto. La musique dérapa, et le monde se renversa. Après la collision, ce fut le noir. Le silence. Il avait du sang plein les yeux et crut un instant avoir perdu la vue. Puis il comprit qu'il n'était pas aveugle. Il lui suffit simplement de tourner la tête vers ces lieux illuminés qui accouraient vers lui à tire-d'aile. Un dernier souffle. Puis ce fut facile, si facile.

Il était 4 heures. Hélène et Cat se trouvaient devant les écuries lorsqu'elles entendirent la voiture dans l'allée.

Cat tenait encore les brides de son cheval dont les flancs et le garrot étaient brillants de sueur. Cat tremblait. Elle aussi entendit le bruit de la voiture et lança un regard suppliant vers sa mère.

— C'est sans doute papa. Ne lui dis pas tout de suite. Je t'en prie. Laisse-moi d'abord m'occuper de Khan. Je vais le brosser avant de rentrer à la maison. Ensuite, je lui dirai la vérité. Je veux qu'il comprenne. Je voulais lui prouver que j'étais capable de monter Khan. J'y suis arrivée, maman !

— Très bien, répondit Hélène sans commentaire avant de s'éloigner.

Cat n'avait aucune idée de l'anxiété et maintenant du soulagement qu'elle ressentait. C'était si intense qu'elle n'avait pu émettre la moindre réprimande, de peur de dévoiler son angoisse. Laissant Cat, elle se dirigea vers la maison, d'abord lentement puis en courant. Le soleil lui faisait mal aux yeux. Elle se protégea de la lumière d'une main, cherchant ardemment du regard la voiture d'Édouard. Parvenue au coin de l'allée graveleuse qui menait à la maison, elle eut un choc. Ce n'était pas une voiture noire mais une blanche, et deux officiers de police en uniforme, un homme et une femme, en descendirent.

Ils la prièrent d'entrer dans la maison, mais Hélène refusa. Ils finirent par lui avouer la vérité dans le jardin, dans cet espace clos et intime, entouré d'ifs, où ils venaient tous deux converser le soir.

L'esprit préoccupé par Cat, elle n'avait eu aucun pressentiment. Elle entendait vaguement cet homme et cette femme en uniforme évoquant, d'un ton grave, des courbes, la vitesse, l'heure, l'ambulance, l'hôpital. Elle avait du mal à comprendre ce qu'ils disaient.

— Mais il n'est pas mort ? leur demanda-t-elle, angoissée. C'est impossible. Est-il blessé ? Gravement ? Il faut me le dire. Je dois aller le voir.

L'homme et la femme échangèrent un regard. Ils essayèrent vainement de la faire asseoir, puis lui expliquèrent tous les détails de l'accident. C'est la femme qui parlait. Au bout d'un moment, elle vit qu'Hélène avait compris.

— Tout s'est passé très vite, dit-elle d'une voix hésitante.

— La mort a été instantanée, ajouta l'officier de police.

Hélène les regarda sans les voir.

— Y a-t-il une autre manière de mourir ? demanda-t-elle.

Plus tard, ils l'emmenèrent dans un lieu d'une froideur étrange. Un hôpital plongé dans le silence, dans la banlieue d'Oxford. C'est là qu'Édouard avait été transporté, bien qu'il fût trop tard. Ils l'accompagnèrent jusqu'à la salle où se trouvait Édouard. Sur le seuil, elle se tourna vers eux, le regard brillant de colère, le visage livide.

— Je veux être seule avec lui.

Ils se regardèrent, puis, devant l'expression d'Hélène, se retirèrent.

Une fois seule avec lui et la porte refermée, Hélène prit la main d'Édouard. Elle était froide. Elle rapprocha sa tête de la sienne. Elle le sentait brisé, sans vie. Hélène pressa ses lèvres contre ses cheveux sans rien dire, cherchant l'impossible de toutes ses forces, le suppliant de l'écouter, de lui parler. Pas beaucoup. Un mot ou deux. Simplement son nom. « Mon Dieu, faites qu'il m'entende, qu'il sache ! » Ces paroles résonnaient dans son esprit avec une force immense qui rompait le silence. La main d'Édouard gisait dans la sienne sans répondre à la pression de ses doigts. Quelqu'un lui avait fermé les yeux. Pas elle. Elle en eut le cœur brisé.

Son corps avait été placé sur un lit. Elle s'assit, puis s'allongea auprès de lui, posant son visage contre sa poitrine, écoutant les battements de son cœur comme elle l'avait fait tant de fois. Quelques instants plus tard, elle se mit à lui parler, à évoquer des événements du passé, des choses qu'il lui avait dites, qu'il avait faites, lui confiant l'importance qu'elle y attachait. Elle lui raconta à voix basse ce qui était arrivé, la façon dont on lui avait appris la nouvelle, ce qu'elle avait ressenti. Les mots parfois restaient bloqués au fond de sa gorge. Elle recommençait. Soudain, une idée effroyable s'imposa à elle. Ils allaient l'emmener. Elle ne le reverrait plus.

Elle eut alors mille petits gestes désespérés, le touchant, lui caressant les cheveux. Puis elle se figea et resta auprès de lui simplement, dans le silence. Au bout d'un moment, elle se leva, s'éloigna, revint vers lui. Se penchant, elle l'embrassa pour la dernière fois. Le moment était mal choisi pour l'embrasser sur les lèvres, aussi lui fit-elle un baiser sur la joue, puis sur ses yeux clos, avant de quitter la salle. On la ramena au manoir de Quaires. Avec une infinie douceur, elle annonça la nouvelle à Julien, Alexandre et Cat. Christian, totalement bouleversé, lui proposa de l'aider dans cette tâche difficile. Mais Hélène, d'un calme étonnant, refusa gentiment.

— Non, Christian, c'est à moi de le faire.

Elle ne se départit jamais de son calme et eut l'impression de se mouvoir lentement comme dans un rêve lorsqu'elle prit les enfants à part, que Cassie se jeta dans ses bras en pleurant et que Christian s'effondra.

Même la nuit quand elle restait éveillée. Rien ne semblait pouvoir l'atteindre. Elle n'arrivait pas à pleurer. Elle ne broncha pas lorsque Christian ramena les affaires d'Édouard de l'hôpital. Une montre. Un stylo en platine. Un portefeuille. Trois choses uniquement. Le portefeuille contenait un peu d'argent (Édouard en avait rarement beaucoup sur lui) et son permis de conduire. Aucune photo. Aucun indice pouvant faire figure de message après sa mort. Elle les posa sur la table devant elle et les effleura. « C'est maintenant que je vais pleurer. Enfin. » Mais rien ne vint.

Ce calme était un bouclier qui la protégeait. Elle le conserva à l'arrivée de Louise, de Simon Scher, profondément affecté. Pas la moindre émotion ne tranparaissait malgré les gros titres des journaux, le récit de la vie d'Édouard dans des articles à sensation. Elle conserva son calme effrayant durant l'enquête, en dépit des lettres qui lui parvenaient du monde entier et auxquelles elle répondit avec soin et promptitude, y consacrant ses après-midi. Elle organisa les obsèques, qui devaient avoir lieu dans la Loire, et procéda aux rencontres interminables avec les notaires sans se départir de sa sérénité.

Tout lui paraissait réel et irréel. Sa maîtrise lui donnait un recul qui lui faisait contempler les gens et les événements de façon imperturbable. Elle coupait court à leurs condoléances, même les plus sincères. Derrière ce bouclier, son esprit, son corps étaient en proie aux affres du chagrin, mais elle voulait garder sa douleur pour elle seule et pour Édouard, trop fière pour la partager.

Le corps fut transporté dans la Loire dans l'avion privé d'Édouard. Hélène l'accompagna seule. Il demeura, la veille des obsèques, dans la chapelle du château près du mémorial érigé à la mémoire du père d'Édouard, où reposaient déjà Jean-Paul, Isobel et Grégoire. Hélène le veilla durant des heures, les mains jointes, jusqu'à la tombée du jour. Lorsqu'elle rentra, Christian, qui était resté auprès d'elle, lui remit un petit paquet en lui souhaitant bonne nuit.

— C'est la cassette de Beethoven, lui dit-il doucement. Celle qu'Édouard avait dans sa voiture et qu'il devait sans doute écouter dans les derniers instants. J'ai pensé que vous aimeriez la conserver.

— La cassette de Beethoven ?

— À la mort de ma mère, j'ai fouillé toute la maison pour trouver un objet. Je ne savais pas quoi exactement. Une lettre. Un message. Il n'y avait rien, bien sûr. Peut-être avez-vous éprouvé le même sentiment ? J'ai cru que cela vous ferait plaisir.

Hélène, livide, posa son regard sur la petite cassette.

— Cette cassette ? Vous voulez dire qu'elle était dans la voiture d'Édouard ?

— Non, Hélène, murmura Christian avec douceur. C'est le même enregistrement, pas la même cassette. Celle qui était dans la voiture est inutilisable.

— Ah oui ! Merci, Christian.

Elle monta dans sa chambre l'écouter. Combien de fois l'avait-elle entendue en compagnie d'Édouard dans la voiture. Soudain, dès les premières notes, les défenses qu'elle s'était forgées s'écroulèrent. *Andante grazioso ; quasi allegretto.* Des larmes jaillirent.

Le lendemain, elle réussit à recouvrer le calme nécessaire. Elle le revêtit au même titre que ses vêtements de deuil. Ce fut une protection tout au long de l'office, des obsèques qui eurent lieu au cimetière des

Chavigny, tout près de la chapelle. Le monument funéraire était situé sur les hauteurs, dominant les vignobles et les prairies en contrebas avec leurs marronniers, délimitées par une sombre rangée de hauts cyprès plantés du temps de l'arrière-grand-père d'Édouard.

Pas la moindre ride dans les champs. À travers le ciel diaphane, le soleil perçait à peine les pâles nuages. De la fraîcheur de l'air émanaient des senteurs automnales, bien que ce fût l'été et que les raisins ne fussent pas encore ramassés. Au loin, les feuilles des marronniers avaient commencé à tourner au jaune, et l'air avait une odeur de pluie et de fumée de bois.

Hélène écoutait les paroles qu'elle s'attendait depuis longtemps à entendre prononcer, regardait les visages qu'elle s'attendait depuis longtemps à voir. Cette foule vêtue de noir : le meilleur ami d'Édouard, d'un côté, son associé le plus proche, de l'autre. Julien, Alexandre et Cat restaient impassibles. Alexandre était trop jeune pour comprendre. Julien arborait une expression de défi terrifiante. Cat avait le visage crispé, déformé par la douleur.

Derrière eux, d'autres se profilaient. Louise, en grand deuil, le visage voilé. Plusieurs membres de la famille Cavendish, venus d'Angleterre. Alphonse de Varenges, qui lui avait autrefois témoigné beaucoup de gentillesse en évoquant sa passion pour la pêche à la truite, se tenait raide, en vieux soldat qu'il était. À ses côtés, Jacqueline, son épouse, grimaçait sans doute à cause des larmes refoulées qu'elle ne voulait pas verser en public. Jean-Jacques Belmont-Laon, la tête inclinée, en compagnie de sa nouvelle femme. Drew Johnson, arrivé directement du Texas. Clara Delluc, les yeux rougis et gonflés de larmes. Cassie, Madeleine avec son mari et ses deux enfants. Georges, presque au dernier rang, la tête baissée, soudain vieilli. Florian Wyspianski, levant son visage d'ours vers le ciel, l'air hébété. Des représentants de la compagnie Chavigny : M. Bloch et son rival Temple. Des visages du passé récent et d'autres d'un passé lointain : William, le frère d'Isobel, qu'Hélène ne connaissait pas. Un groupe d'amis qui avaient fait leurs études à Magdalen avec Édouard. Des délégués du gouvernement, des hommes politiques, des confrères d'autres compagnies et des agents de change de la Bourse de Paris. Des amis de Londres, de Paris, de New York. Elle les voyait sans les voir, les entendait sans les entendre, percevait les paroles du prêtre à travers un voile.

Vers la fin de la cérémonie, il se mit à pleuvoir, une pluie fine d'abord puis drue. Une ou deux personnes semblèrent consternées. Louise gémit. Quelqu'un tendit à Hélène une petite truelle ridicule contenant une poignée de terre. La terre friable et fertile de la Loire. Hélène la prit et se pencha. Des gouttes de pluie tombèrent sur sa tête, sur le cercueil d'Édouard, sur la plaque d'argent où était gravé son nom. Elle versa la terre dans sa main pour en sentir le poids et la fraîcheur avant de l'éparpiller, sans trembler, pour l'amour d'Édouard.

La cérémonie était terminée. Les gens peu à peu s'en allaient. Hélène sentait leur embarras. « La mort rend les êtres gauches », songeait-elle. Christian la prit par le bras. Lui et Simon restèrent à ses côtés.

Elle s'arrêta une fois et se retourna. Avec un effort conscient arraché au plus profond de son corps et de son esprit, elle offrit tout son amour à Édouard, comme elle l'avait fait bien des fois dans le passé, en d'autres occasions, par-delà la distance. Les fines colonnes de cyprès se courbèrent sous le vent, puis se redressèrent. Un nuage voila le soleil avant de disparaître. Le ciel s'éclaira soudain d'un éclat annonciateur de pluie. Hélène s'éloigna.

Toujours ce calme protecteur, le temps de serrer des mains, d'accepter les condoléances brèves, tandis que ceux qui ne revenaient pas avec elle formaient des groupes qui se faisaient, puis se refaisaient avant de quitter le cimetière.

Le dernier à présenter ses condoléances était grand, trapu, le teint pâle, des yeux aux paupières lourdes. Il était vêtu d'un costume sombre de circonstance. Debout, sans chapeau, totalement indifférent à la pluie, il s'était tenu à l'écart au cimetière. Ensuite, il s'était entretenu avec Louise qui, en larmes, était rentrée précipitamment à cause du temps.

L'homme s'avança et inclina la tête, de façon très formelle, en lui baisant la main.

Elle ne le reconnut pas, le remarquant à peine derrière son masque d'impassibilité.

— Mes sincères condoléances, madame, lui dit-il en se relevant. J'ai travaillé autrefois avec feu votre mari. Il y a bien des années.

Devant le regard vide d'Hélène, il inclina la tête.

— Philippe de Belfort, madame, fit-il avant de s'éloigner respectueusement.

Hélène le regarda partir, le long de l'allée étroite, en direction d'une Mercedes noire qui l'attendait.

À une distance correcte, quand il se sentit à l'abri des regards après un coup d'œil lancé par-dessus son épaule, il ouvrit son parapluie après l'avoir secoué à plusieurs reprises, et parcourut rapidement la distance qui le séparait de la voiture dans laquelle il grimpa, sans même jeter un regard en arrière.

Par la suite, Hélène eut l'impression de survivre plus que de vivre. Jamais son calme imperturbable ne la quitta. Elle fonctionnait avec un détachement dont elle ne se départait que lorsqu'elle rentrait chez elle ou dans la solitude.

Le temps s'écoulait avec lenteur. Hier, aujourd'hui, demain. L'automne, l'hiver, le printemps. Elle observait les changements de saisons, pleine de ressentiment devant leur caractère ponctuel et sans surprise. Un matin, à l'aube, alors qu'ils passaient la Noël au manoir de Quaires, elle alla faire une longue promenade hors du domaine, le long de l'allée cavalière qui menait aux Downs. Il avait neigé durant la nuit, et elle était la première à fouler ce sol vierge de toute trace humaine. Son pas craquait dans la neige fraîche. Il faisait un froid intense. Au sommet de la colline, elle se retourna pour admirer le paysage à peine reconnaissable sous ce manteau blanc. Les arbres des bois étaient dépouillés et ressortaient dans un ciel d'une pâleur monotone, lourd de la menace d'une tempête proche. Hélène se remémora le matin où, dans la fraîcheur de sa petite chambre à Londres, le regard posé sur la rue enneigée, elle avait senti son enfant bouger dans son ventre pour la première fois.

Elle prit tristement le chemin du retour avec le sentiment, qui ne la quittait plus depuis des mois, que quelque chose en elle s'était brisé, détruit et que plus rien ne saurait l'émouvoir. Elle s'arrêtait par instants, puis reprenait sa marche. Enfin, elle parvint au chemin qui traversait les jardins. Dans l'allée d'ifs, elle s'arrêta de nouveau pour laisser son esprit revenir des années en arrière : Édouard, Lewis, Billy. Trois morts, trois accidents tragiques. Elle brisa un petit glaçon sur la haie, ôta son gant. Dans la paume de sa main, il avait l'éclat du diamant qu'elle portait au doigt. La chaleur de sa peau le fit fondre. Elle poursuivit sa route, retournant vers la maison et les autres souvenirs qui l'attendaient.

D'autres s'accommodaient. Oui, c'était bien le terme. Elle sentait leurs regards évaluateurs, lui donnant la réplique, attendant l'instant favorable pour arborer de nouveau l'attitude qu'ils avaient avant le tragique événement. La vie continuait, les gens oubliaient. Hélène n'en éprouvait aucun ressentiment, essayant de se conduire exactement comme avant. Elle semblait y parvenir, du moins de l'avis de ceux qui ne la connaissaient pas bien. Mais Hélène n'avait plus l'impression de vivre réellement.

Elle observait évidemment ses enfants qui essayaient de s'adapter à la situation. Julien, le plus robuste, se remit le plus rapidement. Avec Alexandre, c'était difficile à dire, car il était trop jeune. Au début, il ne cessait de réclamer son père, exigeant de savoir où il se trouvait. Mais au fur et à mesure que les mois passaient, ses questions devinrent moins fréquentes. Un soir de printemps, à Paris, lorsque Hélène vint lui dire bonsoir, il lui dit :

— Papa ne reviendra pas, n'est-ce pas ?

— Non, Alexandre.

Il leva vers elle un petit regard anxieux.

— J'aimerais bien le voir, ajouta-t-il d'un ton désenchanté mais fataliste avant de s'endormir.

Hélène l'embrassa. Elle aimait tendrement Alexandre d'un amour déchirant et protecteur. Elle l'aimait pour sa douceur, sa lenteur. Il avait marché, parlé tardivement et ressemblait tant à Édouard. En se levant, elle ne put s'empêcher de songer : « C'est notre dernier enfant. » Des larmes lui voilèrent les yeux. Elle n'aurait plus d'enfant.

Le chagrin de Cat se manifesta plus violemment que celui de ses frères cadets. Elle était atteinte au plus profond d'elle-même. Ce chagrin immense qu'elles partageaient les rapprocha une fois de plus. Mais Cat, elle aussi, avait sa vie. Elle insista pour aller en pension en Angleterre parce que son père en avait pris la décision. Elle s'y plut et se fit d'autres amis. Hélène craignait de lui faire supporter le fardeau d'une peine qui ne pouvait s'effacer, aussi s'efforça-t-elle sciemment d'aider Cat à oublier le passé et à chasser ses souvenirs en se tournant vers l'avenir.

Et la vie continuait. L'aspect dérisoire de son travail sans Édouard lui répugnait et lui faisait parfois perdre patience. La première année qui suivit la mort d'Édouard, elle continua à superviser la nouvelle collection Wyspianski, à assister aux conseils d'administration de la société. Elle occupait maintenant la place d'Édouard, à l'extrémité de la table.

Autrefois, ces réunions l'amusaient tout en l'absorbant. Maintenant, elle portait un regard détaché, empreint de lassitude. La politique, les manœuvres, tout cela semblait dénué de sens. Même les décisions adoptées paraissaient insignifiantes. Quelle était la différence dans le choix de telle ou telle optique ?

À l'automne 1974, elle cessa d'assister aux réunions. Lorsque Simon Scher la consultait pour des décisions importantes, impossibles à prendre sans son autorisation, elle l'écoutait d'un air indifférent, sans faire l'effort de comprendre ses propos. Généralement, elle lui demandait la tendance qui avait le soutien de la majorité, puis signait.

Même lorsqu'il lui dit que, pour un certain nombre de raisons, toutes irréfutables, il semblait préférable de repousser la présentation de la collection Wyspianski à une date ultérieure, elle acquiesça sous le regard surpris de Scher.

— Vous pouvez annuler cette décision, Hélène, lui dit-il gentiment. Je ne m'attendais pas à ce que vous acceptiez, surtout ce point.

Sentant une pointe de reproche, elle lui lança un regard furieux.

— Hélène, poursuivit-il, en dehors de vos actions personnelles, vous avez également la charge de celles de vos enfants. Légalement, jusqu'à leur majorité, la compagnie est entre vos mains, comme elle l'était dans celles d'Édouard. Je ne peux que débattre avec le conseil. Vous, vous détenez le pouvoir.

— Ce n'est qu'un ajournement.

— Pour l'instant, oui.

— Alors, je donne mon accord. C'est tout.

— Ne viendrez-vous pas à la prochaine réunion, Hélène ?

— Je n'en ai pas très envie.

Il lui fit ses adieux sans autre commentaire. Trois jours plus tard, Wyspianski vint la voir pour lui demander d'intercéder en sa faveur. Il fut stupéfait de son refus. Elle eut l'impression qu'il allait laisser exploser sa colère, mais il n'en fit rien. Une lueur de tristesse se dessina sur son visage, puis il secoua la tête.

— Édouard croyait en mon travail. Il s'est battu pour le faire accepter et il s'est battu pour moi. J'ai toujours pensé que vous... (Il s'interrompit devant l'expression d'Hélène et lui présenta ses excuses.) Je suis désolé, dit-il sèchement, je comprends. Je vous prie de bien vouloir m'excuser de vous avoir dérangée.

Ce ne furent pas les seuls reproches qu'elle reçut. Un jour où Hélène avait accepté, sans y porter le moindre intérêt, une proposition de Cassie au sujet de la maison, cette dernière était entrée dans une colère noire.

— Quand allez-vous vous secouer ? On dirait une somnambule. Croyez-vous qu'il aurait aimé vous voir dans cet état ? Eh bien, moi, je peux vous dire que non.

Hélène fut piquée au vif. Une fois seule, elle se mit à pleurer, versant des larmes de désespoir et d'amertume. Mais, le jour suivant, elle retrouva son calme habituel et, craignant une nouvelle attaque, évita Cassie.

Toutefois, l'attaque la plus féroce vint de Cat, lorsque à son retour en France pour les vacances, elle découvrit que la collection Wyspianski avait été repoussée. Elle alla prendre le thé avec Florian dans son atelier, comme cela lui arrivait parfois, et en revint folle de colère. Elle entra en trombe dans la chambre de sa mère.

— Florian m'a dit que la collection a été une fois de plus repoussée. Il est certain qu'elle ne sera jamais présentée. Il ne me l'a pas dit, mais je sais très bien ce qu'il pense. Maman, que se passe-t-il ? Comment oses-tu laisser faire des choses pareilles ?

— C'est la décision du conseil. Il leur a semblé plus sage...

— On se moque de leur avis. Si papa était encore en vie, cela ne se produirait pas. Jamais il n'aurait accepté. Lui, il aimait le travail de Florian. Je pensais que toi aussi tu l'appréciais. Et tu restes là à ne rien faire. C'est affreux et c'est lâche... Maman, je t'en supplie, ne fais pas ça.

— Cat, tu ne comprends pas.

— Si, je comprends, s'écria Cat, le regard brillant de colère et de frustration. Je ne comprends que trop bien. Papa est mort, et tu as capitulé.

Elle sortit de la chambre en claquant la porte. Hélène resta seule et pensive. Le lendemain, elle envoya chercher Simon Scher et Christian.

Assis en face d'elle dans le salon de Saint-Cloud, se trouvait Simon Scher. Christian, à sa droite, écoutait attentivement en fumant des cigarettes russes noires.

— Il existe un certain nombre de facteurs. D'abord, bon nombre de personnes au sein de la compagnie briguent le pouvoir, notamment Temple et Bloch, mais ils ne sont pas les seuls. Ce n'est pas une surprise, et, du vivant d'Édouard, c'était exactement la même chose. Temple et Bloch sont d'excellents éléments dont la compagnie a besoin. Il suffit de temps à autre de les remettre à leur place. Une fois qu'ils auront compris, ils ne présenteront aucun danger. (Scher s'interrompit et observa Hélène avec attention.) Il y a cependant un autre problème, bien plus grave celui-là. Votre belle-mère vous a-t-elle parlé de ses titres ?

— Louise ? Non.

— Elle possède dix pour cent des actions Chavigny. Ce qui lui permet d'avoir un siège au conseil.

— Je suppose qu'elle n'y vient jamais, l'interrompit Christian.

— Non, fit Scher avec un sourire forcé. Pour l'instant, ce n'est pas notre sujet. Elle veut transférer ses actions et son siège à quelqu'un d'autre. Un de ses amis qui, apparemment, a fait fortune en spéculant dans l'immobilier en Espagne et au Portugal. Il s'appelle Philippe de Belfort, ajouta-t-il en lançant un regard vers Hélène. Il semble que votre belle-mère ait énormément investi dans des affaires au Portugal avec des profits substantiels. Cet homme a des accointances avec un certain Nerval. Gustav Nerval.

— Je n'arrive pas à le croire, s'exclama Christian. Le mari du scorpion.

— Nerval ? s'écria Hélène en fronçant les sourcils. Mais il me semble qu'il a été lié à un scandale. C'est un requin. Il l'a toujours été. Ce n'est pas une compagnie honorable.

— C'est le moins qu'on puisse dire, fit Scher sèchement. Toujours est-il que, pour l'instant, le bilan est positif.

— Mais Louise ne peut pas..., fit Hélène en se levant. Légalement, c'est impossible. Elle n'a pas le droit de céder des actions à cet homme ni à quiconque. Elles font partie de l'héritage. Maintenant qu'Édouard est mort, ces titres passent directement aux enfants.

— Oh, elle ne l'ignore pas, j'en suis certain. C'est une simple démarche. Son but est de placer Belfort au conseil Chavigny, et elle est décidée à y parvenir. C'est le premier pas. D'autres suivront. Elle a donné quelques réceptions en l'honneur de Temple et de Bloch. Je suis sûr que vous ne le saviez pas. Tout cela dans l'unique optique de leur présenter Belfort.

— Encore ? Mais qui est cet homme ?

Scher nota le ton impérieux d'Hélène avec plaisir. Il lui raconta l'affaire avec précision. Une fois son récit terminé, il se renversa dans son fauteuil d'un air satisfait.

— C'était l'époque de la première offre d'Édouard pour le groupe Rolfson Hotels. Je me trouvais en Amérique, mais, à Paris comme à Londres, nul ne l'ignorait. J'ai parcouru tous les dossiers. Édouard étant minutieux, ils sont parfaitement documentés. Belfort est parti en Amérique du Sud quelques années et il en est revenu il y a environ dix ans. Depuis, il a fait quelques séjours en Espagne et au Portugal. Je suppose qu'il a dû être en contact avec Louise, mais à l'insu d'Édouard, c'est certain.

— Belfort ! La compagnie Cassius. Je m'en souviens maintenant ! s'écria Christian soudain en verve. Mais oui, Édouard disait toujours...

— Il était aux obsèques, l'interrompit Hélène. Vous ne vous rappelez pas ? Il pleuvait, et Belfort a été le dernier à me présenter ses condoléances.

— Il est de retour en France de façon plus ou moins permanente et passe son temps à solliciter des gens au sein de la compagnie, qui ne savent pas trop de quel côté se tourner. Il y a toujours un noyau opposé à la collection Wyspianski, et, comme par hasard, il en est responsable. Il l'était d'ailleurs du temps où il travaillait pour la compagnie. C'est un homme intelligent qui peut se montrer persuasif. Bien sûr... il serait possible de lui barrer la route en le mettant dans une situation inconfortable. Vraiment très inconfortable. J'ai trouvé bon nombre de renseignements dans les dossiers d'Édouard qui pourraient intéresser le fisc. Évidemment, si Hélène voulait jouer cartes sur table en présentant les faits au conseil, ce Belfort ne mettrait pas les pieds chez nous... Si nous acceptions de revenir sur notre décision de repousser la collection Wyspianski et fixions une nouvelle date... Si nous avions une position ferme sur ce point et sur bien d'autres...

Il parlait d'une voix traînante, la tête baissée, le regard fixé sur ses mains et soudain leva les yeux vers Hélène en lui souriant poliment. Avec un regain d'énergie qu'elle ne s'attendait pas à ressentir, Hélène reconnut ce sourire et ce qu'il signifiait.

— Une confrontation ! s'exclama Christian, se levant d'un bond. Une confrontation ! Voilà ce que j'aime. C'est ce qui plaisait à Édouard aussi. Si cet homme a là moindre relation avec le scorpion ou avec Louise, il va avoir une peur bleue. Il nous faut passer à l'attaque. Hélène, il le faut.

Il s'interrompit. Hélène n'écoutait pas. Son visage s'était soudain animé.

— J'ai perdu du temps, dit-elle lentement. Je m'en rends compte. Je me suis conduite d'une façon qui aurait déplu à Édouard, ajouta-t-elle en se levant. Simon, Christian, je vous prie de m'excuser.

Christian vit son expression changer. Les lèvres serrées, un port de tête particulier, une certaine détermination dans le regard. Il crut voir Édouard, comme si elle était une Chavigny de naissance et non par alliance.

— Simon, quand a lieu la prochaine réunion du conseil ? fit-elle en se tournant vers lui.

— Pas avant trois semaines, mais il vous est possible de l'avancer.

— Combien de temps faut-il pour se débarrasser de Belfort ?

— Si vous voulez le recevoir, lui faire part de certaines choses, lui dire très clairement qu'il ne réussira pas à bien se placer, sans attendre la réunion, pas longtemps.

— Une semaine ?

— C'est plus que suffisant. Cet homme a l'instinct de conservation très développé.

— Fixez-lui rendez-vous dans une semaine. Le conseil aura lieu dans dix jours, et je veux un projet pour la présentation de la collection Wyspianski.

— Magnifique ! Magnifique ! s'exclama Christian. J'ai hâte de voir la suite. Hélène, quand vous et Simon l'aurez vu, je prendrai le premier avion de Londres pour dîner avec vous. Je tiens à connaître l'affaire dans les moindres détails.

De toute évidence, Christian avait une prédilection pour le mélodrame. Il envisageait sans doute une confrontation houleuse et passionnée, auquel cas il serait déçu. Hélène s'en rendit compte dès sa première entrevue avec Belfort.

La rencontre eut lieu dans le bureau d'Édouard qui n'avait pas changé depuis sa mort. Belfort entra de sa démarche délibérément lourde, sans pouvoir s'empêcher de promener son regard dans la pièce. Les bronzes, le bureau noir, les Jackson Pollock. Puis il prit une chaise qu'il installa à l'extrémité du bureau, en face d'Hélène et de Simon, assis légèrement sur le côté.

Il les observait de ses yeux aux paupières lourdes. Scher prit la parole, suivi d'Hélène. Son visage ne trahit jamais la moindre émotion. Il paraissait surtout s'ennuyer.

Quand ils eurent tous deux terminé, il esquissa un pâle sourire en tapotant le bureau de ses grosses mains soignées.

— Très bien, je retournerai au Portugal et en Espagne. Là-bas, je crois que vous n'avez aucun droit de vous ingérer dans mes affaires. Et tout cela se trouvait dans les dossiers ? Voyez-vous, Édouard a raté sa vocation. Il aurait dû être dans la police.

La réaction de colère d'Hélène le réjouit. Son visage adipeux sembla s'animer. Ses yeux clignèrent à plusieurs reprises, mais ce fut éphémère. Il retrouva son calme et haussa les épaules.

— Je ne suis pas trop déçu. Louise était certaine de ma réussite, mais il faut dire qu'elle est stupide. À une époque, je l'ai trouvée pas mal. Je pensais surtout combler un vide. Mais je n'y vois vraiment plus d'intérêt. C'était bien plus amusant d'opérer en étant sur la touche, de faire un petit tour en France de temps à autre pour conseiller Louise du vivant d'Édouard. De surcroît, Nerval et moi avons des affaires prospères. Un retour ici me priverait de mes moyens.

Hélène se pencha vers lui.

— Avant que vous ne repartiez, j'aimerais savoir une chose. Pourquoi cette opposition systématique à la collection Wyspianski ? Vous n'êtes pas stupide. Vous ne me ferez pas croire que vous niez sa valeur.

Belfort esquissa un sourire et l'observa avec un certain intérêt.

— Pourquoi ? Je suis sûr que vous connaissez la réponse. Parce que Édouard y attachait de l'importance, tout simplement.

— Mais c'est du beau travail. Les collections ont de la valeur et, d'un simple point de vue commercial, elles ont remporté un grand succès dès le début. Essayez-vous de me faire comprendre que votre aversion à l'égard d'Édouard était telle que vous étiez incapable de prendre une décision objective ?

— L'objectivité existe-t-elle ? fit Belfort en se levant. Avez-vous l'impression d'en faire preuve en ce moment ? Tout comme M. Scher ?

— Dans mon cas, parfaitement, s'exclama Scher. Je ne vous connais pas. Ce que je sais, en revanche, ce sont vos antécédents et cela me suffit pour vous assurer qu'il n'y a pas de place pour vous dans cette compagnie.

Belfort prit un air hautain. Il garda le silence quelques instants, puis se tourna vers Hélène avant de promener son regard dans la pièce avec une expression proche du regret.

— J'ai toujours dit que l'affaire périclitérait à la mort d'Édouard. Je le lui avais même avoué. Vous en a-t-il fait part ?

— Il n'a jamais mentionné votre nom, fit-elle sèchement. Et si ce sont là vos prédictions, vous vous êtes trompé.

— Je me le demande, répliqua lentement Belfort, un sourire figé aux lèvres. Non pas que je doute de votre énergie actuelle, madame, j'espère que vous comprenez. J'ai entendu dire que vous étiez une femme capable. Non, non, mais à long terme ? Combien d'enfants avez-vous ? Trois ? Une fille et deux garçons, je crois. C'est très difficile. L'un d'eux peut tenir de son père, bien sûr, mais probablement pas les deux. Louise m'a dit que l'aîné — Julien, si je ne me trompe — ressemble beaucoup à son fils Jean-Paul, et Jean-Paul, d'après ce qu'on m'a dit, aurait liquidé cette affaire en trois ans sans l'intervention d'Édouard. Aussi ai-je certains doutes quant à l'avenir. L'une des faiblesses d'une entreprise privée est que, s'il y a peu d'enfants et aucun capable d'en assumer la charge, ou s'il y en a trop et qu'ils se déchirent mutuellement...

— Ce n'est pas votre problème. Vous n'êtes pas là pour spéculer sur l'avenir de cette société. Vous feriez mieux de vous occuper de vos affaires, fit Simon Scher de façon concise et sèche, tout en se levant.

Hélène n'avait rien dit, ce qui ne passa pas inaperçu aux yeux de Belfort. Sans la quitter des yeux, il se leva, toujours avec le sourire. Il prit son temps en contemplant chaque objet dans le bureau, chaque tableau. Puis, au moment de sortir, il se retourna vers Hélène.

— Voyez-vous, c'est tout de même étrange. Je détestais votre mari comme vous l'avez souligné. Mais « détester » n'est pas le mot qui convient. Je l'exécrais. Quelle arrogance ! Malgré sa vie brillante, ce n'était pas un homme de son temps. Il ne s'intégrait pas au monde moderne. Chose curieuse, maintenant qu'il est mort, il me manque en un certain sens. Il laisse une fissure dans ma vie, ce qu'il aurait sans doute aimé savoir. Qui aurait pu prévoir cette réaction ?

Une lueur de scepticisme dans le regard, il sortit d'un pas mesuré. Hélène le regarda partir, l'air songeur. Il lui avait d'emblée fait penser à quelqu'un, mais impossible de se rappeler à qui. À la suite de ses remarques insidieuses, l'idée lui vint. Physiquement, ils n'avaient rien de comparable, c'est ce qui l'avait sans doute troublée. Mais cette haine, cet antagonisme qu'elle avait décelés chez lui avant même qu'il ne les exprime lui avaient ouvert les yeux. Il lui rappelait Thad.

Elle en parla, le soir, à Christian qui, après une explosion de joie devant ce qu'il considérait comme une victoire claire et nette, l'écouta avec attention.

— En un sens, ils avaient tous deux besoin de lui, voyez-vous. Il leur fallait cette rivalité, peut-être même cette haine, je ne sais pas. Certains se nourrissent de haine comme d'autres d'amour.

— Vous voulez dire que cette lutte était vitale ? lui demanda Christian d'un air pensif. Oui, je comprends. Les hommes du style d'Édouard attirent la haine, bien qu'il n'ait jamais pu comprendre cette réaction. Mais l'amour aussi.

Hélène perçut une note de regret dans sa voix. Il n'y avait plus la moindre affectation. Elle se pencha et posa sa main sur la sienne.

— Oh, Christian, je le sais !

— Je l'aimais beaucoup, lui dit-il spontanément. Il pouvait se montrer arrogant, obstiné, impossible, parfois. Il me faisait rire, réfléchir. C'est aussi l'homme le meilleur que j'aie rencontré de ma vie. Oh, Hélène, je suis désolé !

— Ne le soyez pas, lui dit-elle simplement.

Il détourna le regard. Au bout d'un moment, elle lui servit un verre de cognac, puis, les coudes sur la table, se prit la tête dans les mains.

— Parlez-moi de lui, Christian. Comment était-il quand vous l'avez connu ?

— N'allez-vous pas en souffrir ?

— Non. Pas maintenant. Je vous le demande.

— Je comprends. Au début, on ne veut plus entendre parler de rien, et puis... Je vais vous raconter comment je l'ai connu. J'avais entendu parler de lui par Hugo. J'ai fait sa connaissance à Londres, à Eaton Square, plus précisément, un mois avant notre départ pour Oxford. Hugo m'avait dit...

Il poursuivit son récit avec sa verve habituelle accompagnée de grands gestes.

Hélène l'écoutait. Elle imaginait la rue, la maison et l'ami de Christian qui avait dix-huit ans. Au fur et à mesure qu'il parlait, elle sentit avec soulagement son calme imperturbable, qui avait déjà commencé à s'estomper, disparaître définitivement.

Les bougies sur la table se consumèrent. Christian évoquait son Édouard à lui, son Édouard à elle.

Ce soir-là, lorsqu'elle se coucha, elle tendit la main pour effleurer la place vide dans son lit et la laissa là. Elle ferma les yeux, sachant que, cette nuit, elle allait trouver le sommeil. Maintenant que son impassibilité et son inertie s'étaient envolées, elle sentait Édouard très proche.

« J'emmènerai les enfants passer l'été au manoir de Quaires », songea-t-elle.

Cet été-là, Hélène fit expédier de Paris une petite caisse en Angleterre. Un soir, agenouillée par terre dans le salon du manoir, Cat l'ouvrit.

C'était un coffre ancien en cuir avec le haut en forme de dôme qui, avec le temps, avait pris une patine vert-de-gris. Il portait l'emblème des Chavigny et les initiales de Cat. Elle l'ouvrit, les mains tremblantes, ignorant ce qu'il contenait, mais en pressentant l'importance. Elle savait que ce coffre avait un rapport avec son père, dont elle venait de célébrer le deuxième anniversaire de sa mort. À l'intérieur se trouvaient deux casiers, deux compartiments qui s'enlevaient, et, dans les casiers, une série de petits coffrets raffinés en cuir. Des coffrets à bijoux. Elle se redressa, éprouvant une certaine appréhension à les ouvrir.

La pièce était plongée dans le silence. En cette fin d'après-midi, la lumière oubliait ses tons de poussière d'or pour revêtir le bleu du crépuscule. Des ombres se profilaient sur la pelouse. Hélène vint s'agenouiller près d'elle.

— Cat, je tenais à te les donner. Je voulais que tu saches, lui dit-elle avec douceur. Avant, c'était trop tôt, mais il m'a semblé que le moment était venu... (Elle hésita, effleurant les coffrets.) Durant les années que nous avons passées en Amérique, à chacun de tes anniversaires, Édouard avait une pensée pour toi. Il choisissait un cadeau qu'il mettait dans un coffre à Paris. Pour plus tard. Il attendait notre retour. Il y en a un qui a marqué ta naissance. Celui-ci. Et, ensuite, un pour chaque anniversaire. Ils sont tous datés. Tu verras.

— Chaque année, avant même qu'il ne me connaisse ? s'écria Cat, éberluée.

— Oui, et après notre retour, il a continué. Jusqu'à sa mort. Oh, Cat, je tenais à ce que tu les voies ! Il t'aimait tant. Ouvre-les, ma chérie. Ouvre-les, je t'en prie.

Cat les ouvrit avec un soin infini. *Pour Catharine, avec tout mon amour, 1960.* Un collier de perles roses et de diamants taillés en briolette d'un raffinement extrême, telle une couronne de fleurs, qu'elle reconnut aussitôt comme étant l'œuvre de Wyspianski. *Pour Catharine, avec tout mon amour, 1961.* Un diadème d'onyx noir orné de perles de chez Cartier. *1962* : un collier chinois de corail ciselé en minuscules fleurs qui formaient de petits bouquets d'onyx et de diamants. Année après année. Coffret après coffret. Un collier à cinq rangs de perles parfaitement semblables pour son cinquième anniversaire. Deux bracelets assortis, si merveilleusement montés qu'ils donnaient l'impression d'avoir été taillés dans des saphirs. Lapis et or. Toutes sortes de pierres, sauf des émeraudes. *1973*, l'année de sa mort, un cabochon en rubis qui lui allait parfaitement.

Cat était stupéfaite. Des larmes voilèrent ses yeux. Une diadème ? En porterait-elle jamais ? Elle était profondément émue à la pensée que son père ait fait ces choix si conscients et si pensés. Elle saisit le diadème et le pressa contre son visage. Oui, si elle devait en porter un, un jour, ce serait celui-là.

Elle l'examina et en effleura les contours du doigt. Le visage soudain déterminé et impétueux, elle le reposa et se leva.

— Je veux te montrer quelque chose, maman. Attends-moi.

Elle sortit en courant et, quelques minutes plus tard, revint, un dossier sous le bras. Elle s'agenouilla auprès d'Hélène et, les mains tremblantes, l'ouvrit avec précaution. C'était un carton à dessin contenant des esquisses de bijoux. Des pages et des pages, chacune datée et signée. Du travail méticuleux, comme toujours.

— J'y travaille depuis un an. Chaque fois que je viens à Paris, je les montre à Florian, et il me conseille. Il me dit ce qui est techniquement possible et ce qui ne l'est pas. Celui-ci, vois-tu. Il m'a fallu y apporter des modifications. Il était impossible à réaliser tel que je l'avais conçu. Et celui-là. Oh, je l'adore ! Je crois que c'est un des meilleurs. Maman, je sais qu'ils ne sont pas encore très bons, mais j'arriverai à les améliorer en travaillant.

Elle leva un regard anxieux vers sa mère qui prit le carton à dessin et s'y pencha. Elle ne s'était absolument pas doutée de cet intérêt de Cat pour la joaillerie. Les dessins étaient excellents et imaginatifs. Elle tourna les pages lentement, examinant chaque esquisse avec attention ainsi que les notes techniques que Cat avait inscrites dans la marge.

— Cat, ils sont absolument magnifiques. Quel raffinement !

— Je ne voulais pas te les montrer avant d'en être satisfaite, et il me fallait en avoir un certain nombre. (Cat désigna avec émotion les petits coffrets, puis ses dessins.) Je voulais que tu saches. Je voulais que papa sache que je poursuivrai sa tâche. La joaillerie. La société. Rien ne s'arrêtera. Oh, je sais que j'ai beaucoup à apprendre, mais j'apprendrai si tu acceptes de m'aider... Je suis consciente de tout ce que tu as fait. Florian dit que tu as sauvé la collection, sauvé la compagnie. Quant à Christian, il prétend que nous irons de succès en succès. Et je tenais à ce que tu te rendes compte que tout n'est pas fini. (Elle s'interrompit, son visage empourpré, soudain figé.) Je comprends le problème de Julien et d'Alexandre. Je sais que Julien a la préséance sur moi, et je l'accepte. Mais sois sûre que, quoi qu'ils fassent, je serai là. Pour perpétuer la mémoire de papa.

Elle se tut et baissa la tête. Hélène, émue par l'ardeur de son impétuosité, la regarda avec tendresse. En fait, Cat n'acceptait pas aussi facilement qu'elle le prétendait cet état de fait, mais là, elle était d'une parfaite sincérité. Hélène prit la main de Cat qui la pressa très fort avant de lever vers elle un regard anxieux.

— Crois-tu que j'en sois capable ? Oh, maman ! Parfois j'en ai la certitude, parfois le doute m'étreint. Il m'arrive de penser que je ne suis pas à la hauteur et que mon imagination me joue des tours.

Hélène hésita, puis lui passa un bras autour des épaules. Sa fille vibrait d'émotion et de tension.

— Oh, Cat, lorsque j'avais ton âge, sais-tu ce que je croyais ?

— Dis-moi.

— Que tout était possible. Tout, tu m'entends. J'étais certaine qu'avec de la volonté et une ferme détermination rien ne vous résistait.

Cat perçut une note de regret, un voile de tristesse dans sa voix. Elle se dégagea aussitôt de l'étreinte de sa mère.

— Tu le pensais à l'époque ? N'avais-tu pas raison ? Je suis certaine que tu ne t'étais pas trompée. C'est exactement ce que je ressens.

— J'avais peut-être raison, fit Hélène en détournant le regard. Je crois que la volonté et la détermination peuvent mener très loin. Mais il y aura toujours une part d'imprévu qu'on ne pourra maîtriser.

Ses paroles n'eurent pas d'écho. Elle songeait à Édouard que nulle volonté au monde ne ferait revenir. Mais Cat, avec la certitude que lui conféraient ses quinze ans, ne suivait sans doute pas le fil de sa pensée ou peut-être, tout simplement, avait-elle cessé d'écouter.

Elle se redressa, deux petites taches pourpres sur les joues, avec une expression qui lui rappelait Édouard.

— Je ne crois pas aux limites et n'y croirai jamais. Comme papa. J'atteindrai mon but, maman. J'en fais le serment.

Elle leva la main et la posa un instant sur le couvercle du coffre. Hélène, sentant la nécessité de lui laisser ses convictions et de ne pas troubler la solennité de l'instant, l'observa sans dire un mot.

Cat resta ainsi dans la même position, agenouillée, la main tendue avec une raideur étrange, le visage tourné vers la fenêtre et les jardins. Soudain, comme sortie de sa rêverie, elle se redressa.

— Quel silence, ce soir !

Elle se tourna vers Hélène qui se leva également. Cat lui passa les bras autour du cou et l'étreignit avec fougue.

— J'ai envie d'aller me promener seule, un moment. J'ai besoin de réfléchir. Tu permets ?

— Bien entendu. Vas-y. Je t'appellerai dès que le dîner sera prêt.

Devant la baie vitrée, Cat se retourna, l'air pensif.

— Quand tu avais mon âge... C'est curieux, il ne m'est jamais venu à l'idée qu'un jour tu as eu mon âge.

Elle hésita et, devant le sourire encourageant d'Hélène, se précipita dans le jardin.

Dès que Cat fut sortie, Hélène s'assit dans la fraîcheur de la pièce. Divers bruits lui parvenaient : Cassie qui fredonnait, tout en préparant le dîner au milieu des bruits de casseroles ; des petits pas rapides du baron de Chavigny, sept ans, et de son petit frère de quatre ans, qui couraient se mettre au lit ; dehors, le roucoulement des ramiers et le gazouillis des oiseaux. Une soirée paisible.

Les paroles de Cat et l'intensité de sa conviction l'avaient touchée. Elles avaient fait resurgir le passé. Elle songea à Édouard, tel que Christian l'avait dépeint, en révolte contre le monde entier, si besoin était, pour l'honneur de feu son père. Elle songea à son enfance, assise sur les marches de la roulotte, le regard levé vers le ciel nocturne pour contempler les étoiles du sud, persuadée que tout, vraiment tout, était possible.

« Il est essentiel d'avoir cette certitude », se dit-elle avec une soudaine chaleur. Si on n'avait pas cette conviction à quinze ans, à quel âge l'aurait-on ?

Toutefois, elle éprouvait quelque appréhension à l'égard de Cat. Avec le temps et l'expérience, cette vivacité d'esprit ne se ternirait-elle pas ? Elle se leva. La prise de conscience de la fuite du temps et de la tristesse qui l'accompagnait lui fit mal. Édouard lui manquait viscéralement. Elle avait mal. Comme toujours, dans ces cas-là, elle attendit, sans faire le moindre mouvement, que les spasmes s'atténuent. Puis elle arpenta la pièce de long en large. Sur les murs étaient accrochés un portrait de Cat, enfant, et un d'elle-même à l'époque où elle était à peine un peu plus âgée que Cat maintenant. Les deux portraits étaient l'œuvre d'Anne Kneale. Elle contempla le sien un instant, ayant peine à se reconnaître.

Le fauteuil d'Édouard. La table où il lui arrivait de rédiger ses lettres. Les bandes et les disques d'Édouard. Les livres d'Édouard.

Elle caressait au passage chaque objet, le fauteuil, la surface de la table, le dos élimé des livres dont certains dataient de son enfance. Elle les avait ramenés d'Eaton Square quand la maison fut vendue. Elle les effleurait sans même regarder le titre, puis en prit un au hasard. Comme à son habitude, elle s'attendait à le voir s'ouvrir à une page déterminée qu'il aurait marquée.

C'était une collection de poèmes. L'ouvrage s'ouvrit aussitôt à une page signalée par un feuillet plié en quatre. Hélène le prit et lissa le papier. C'était l'écriture d'Édouard, mais sans doute lorsqu'il était jeune. Un poème avait été soigneusement recopié. John Donne : *L'Anniversaire*. Au-dessous était inscrite une date : *22 août 1941*. Elle ne connaissait pas le poème et lut avec attention vers après vers. Les mots peu familiers résonnaient à son oreille avec la voix d'Édouard. Elle en percevait la musique dont le message de certitude, de promesse, traversait les siècles avec clarté.

Il ne connaît ni demain ni hier. Elle referma le livre et serra le feuillet dans sa main. Pourquoi Édouard l'avait-il recopié ? Elle ne le saurait jamais, mais une chose était certaine : c'est à elle qu'il était destiné.

Son chagrin s'atténua, le cœur aussi paisible que si Édouard se trouvait là, à ses côtés. Elle éprouva le sentiment puissant et cependant confus que seul était essentiel l'amour qui l'animait et que rien, même la mort d'Édouard, n'avait terni ni altéré. Pour lui comme pour elle, elle alla mettre un disque de Beethoven. La musique ébranla la quiétude de l'air du soir. Par la fenêtre, elle observa le jardin et Cat, tout au loin. La musique se mêlait aux ombres et au parfum de l'herbe humide. Cat se figea, au milieu de la pelouse. Son ombre pâle se détachait dans les obscures haies d'ifs derrière elle. Elle se redressa, attentive à la mélodie. Hélène eut l'impression qu'elle souriait. Lentement, Cat leva les bras et se mit à danser.

Elle tournait, virevoltait avec grâce dans le gris-mauve de l'air du soir, savourant la fraîcheur de l'herbe sous ses pieds, admirant les motifs que dessinait la lumière sur sa peau. Sa mère l'avait observée, et Cat avait eu l'impression qu'elle avait souri. Mais là, elle avait laissé la fenêtre ouverte, et Cat, à l'abri des regards, était seule dans le jardin, seule dans la sérénité du soir, seule avec la musique.

Elle cessa de danser et s'immobilisa avant de lever les yeux vers le ciel encore vierge d'étoiles où la lune diaphane aux contours estompés diffusait une pâle lueur voilée.

Un hibou ulula dans le lointain. Un long cri modulé. Cat ne fit pas le moindre mouvement, se rappelant une nuit semblable à celle-ci. Les yeux plissés en direction des bois, elle l'aperçut soudain : une forme blanche. Un battement d'ailes rythmé. Elle traversa la pelouse sans bruit au ras du sol, puis sillonna les champs qui s'étendaient au-delà, avant de disparaître.

Elle attendit dans l'espoir de la voir revenir, mais en vain. Les couleurs de l'air se ternirent, la musique prit un accent plaintif puis impérieux de nouveau. Le froid la gagnait, mais elle n'avait guère envie de rentrer. Elle se sentait redevable envers le jardin, la lune, le hibou pour la force qu'ils lui insufflaient. Elle éprouvait une vigueur nouvelle comparable à celle qu'elle avait ressentie deux années auparavant, lorsque ses craintes s'étaient évanouies en se rendant compte qu'elle était capable de monter Khan. À cause des circonstances, des accents soutenus puis mélodiques de la musique, du calme de la nuit, elle prenait conscience d'une énergie nouvelle.

Elle garda ce sentiment secret, le nourrissant. Elle prononça à voix basse le nom de son père, une, deux, trois fois, comme un sortilège, car c'était bien un soir magique où tout était possible.

L'espace d'un instant, elle eut l'impression très nette de sa présence, comme s'il lui effleurait la main, et, à sa grande surprise, elle sentit des larmes couler le long de ses joues. Pourtant, elle n'éprouvait aucune tristesse.

La musique était empreinte de gaieté. Cat ôta ses chaussures et foula l'herbe de ses pieds nus, puis, levant les bras au ciel, se remit à danser, à tourner, à virevolter. Elle dansait pour son père, pour sa mère, pour la fraîcheur du soir, pour la beauté de la musique, pour elle-même. Et tout ce temps, une voix au fond de son être murmurait : « J'accomplirai ma tâche, j'accomplirai ma tâche. »

« Nul n'a éprouvé avec autant de certitude ce sentiment si impétueux qui m'habite », se disait-elle. Elle se sentait légère, apaisée. Le jardin se préparait à la quiétude de la nuit. Le ciel était radieux. De la maison, sa mère l'appelait.

Elle mit fin à sa danse. Parcourue d'un léger frisson de joie ou de crainte devant l'aube d'une nouvelle vie, elle quitta le jardin en courant et rentra dans la maison.

Notes de l'auteur

La Palme d'Or du festival de Cannes en 1962 est revenue au film brésilien *O Pagador de Promesas.*

En 1965, le prix du jury pour le meilleur film a été remporté par *The Sound of music.* Le prix d'interprétation féminine a été décerné à Julie Christie pour *Darling* et celui de la mise en scène à Robert Wise pour *The Sound of music.*

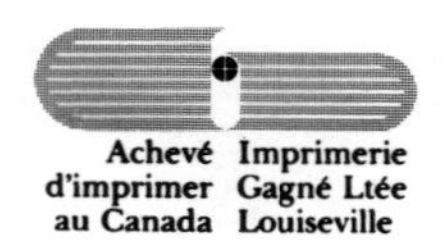

Dépôt légal : mai 1988
N° d'édition : 31099 – N° d'impression : 9295

Dans la collection
"BEST-SELLERS"

Judith Michaël

PRÊTE-MOI TA VIE
L'AMOUR ENTRE LES LIGNES

★

Madge Swindells

TANT D'ÉTÉS PERDUS
ÉCOUTE
CE QUE DIT LE VENT
COMME DES OMBRES
SUR LA NEIGE

★

Rosie Thomas

AMY,
POUR LES AMIS

Après avoir enseigné la littérature anglaise à Cambridge, Sally Beauman a entamé une carrière de journaliste en écrivant pour le magazine **New York.** Elle a fait partie de l'équipe de **Vogue** puis de **Harper's Bazaar** avant de collaborer aux éditions **Queen.** Elle a reçu le prix annuel de la plus jeune journaliste. Plus récemment, elle a collaboré au **Telegraph Sunday** et au **Sunday Times.** Sally Beauman vit à Londres avec sa famille.

Couverture : photo Jean-Pierre Ronzel.